海外漢文古醫籍精選叢書·第三輯

2011—2020年國家古籍整理出版規劃項目
2018年度國家古籍整理出版專項經費資助項目
中國中醫科學院「十三五」第一批重點領域科研項目
——我國與「一帶一路」九國醫藥交流史研究（ZZ10-011-1）

蕭永芝◎主編

古方通覽

〔日〕佐藤正昭　纂次

16

北京科学技术出版社

圖書在版編目（CIP）數據

古方通覽/蕭永芝主編．—北京：北京科學技術出版社，2019.1
（海外漢文古醫籍精選叢書．第三輯）
ISBN 978－7－5304－9999－3

Ⅰ．①古…　Ⅱ．①蕭…　Ⅲ．①方書—彙編—日本　Ⅳ．①R289.2

中國版本圖書館CIP數據核字（2018）第284159號

海外漢文古醫籍精選叢書・第三輯・古方通覽

主　　編：蕭永芝
策劃編輯：李兆弟　侍　偉
責任編輯：吕　艷　周　珊
責任印製：李　茗
出 版 人：曾慶宇
出版發行：北京科學技術出版社
社　　址：北京西直門南大街16號
郵政編碼：100035
電話傳真：0086-10-66135495（總編室）
0086-10-66113227（發行部）　0086-10-66161952（發行部傳真）
電子信箱：bjkj@bjkjpress.com
網　　址：www.bkydw.cn
經　　銷：新華書店
印　　刷：北京虎彩文化傳播有限公司
開　　本：787mm×1092mm　1/16
字　　數：270千字
印　　張：22.5
版　　次：2019年1月第1版
印　　次：2019年1月第1次印刷
ISBN 978－7－5304－9999－3/R・2556

定　　價：**680.00元**

海外漢文古醫籍精選叢書·第三輯

古方通覽

〔日〕佐藤正昭　纂次

内容提要

《古方通覽》是專門研究張仲景醫方的日本著作。作者佐藤正昭重新編次《傷寒論》《金匱要略》中的全部醫方，并將所有醫方按方名的讀音順序分爲三十四部，以方統證。每首醫方在主治證下標注所出張仲景原書篇目，并詳考此書與宋本《傷寒論》《金匱玉函經》《金匱要略》幾種版本間的文字异同，校正訛誤，附以己見，内容完備，方便檢閲，是研究仲景醫書的佳作之一。

一　作者與成書

《古方通覽》在正文首葉書名下題署「佐藤正昭纂次/……木田高門校」；又書首淺井正封序亦云「《古方通覽》者，余友弟海西郡佐藤春杏所纂也」。從以上信息判斷，《古方通覽》作者爲佐藤正昭。佐藤正昭，生卒年及簡歷不詳，號春杏，爲尾張國海西郡（今屬日本愛知縣）醫家。尾張國，又稱尾州，是日本古代令制國之一，其制下有葉栗、中島、海東及海西四郡。

《古方通覽》卷首淺井正封序落款時間爲「已未三月」，而淺井正封生存於一七七〇—一八二九年，其間的已未年即日本寬政十一年（一七九九），因知《古方通覽》當成書於一七九九年。小曾户洋

在《日本漢方典籍辭典》中提出此書刊於淺井正封撰序的同年。❶

根據淺井正封序中所言，佐藤正昭認爲「東洞翁《類聚方》取捨由己而多所省略，不足以覽古方之全本；融氏《古方區別》亦鹵莽多謬」，故纂輯《古方通覽》一書，盡收《傷寒論》《金匱要略》大小之方，詳考《金匱玉函經》、宋版《傷寒論》的文字异同，參附己見，以校正訛文，「比之於彼《類聚》《區別》之作，則頗完備焉」。吉益東洞《類聚方》刊於寶曆十二年（一七六二），該書選録《傷寒論》《金匱要略》中二百餘首醫方，按部編次撰述；《古方區別》爲本融宗貞（亦作本田宗貞）所撰，刊於明和九年（一七七二），亦爲專論仲景醫方的著作。

二 主要内容

《古方通覽》一卷，將張仲景《傷寒論》《金匱要略》中記載的三百二十四首醫方，按照方名首字的日語假名順序重新編次，分爲以（五方）、波（十七方）、仁（一方）、保（五方）、邊（一方）、土（一方）、知（八方）、利（二方）、遠（一方）、和（十方）、加（十八方）、與（二方）、太（二十八方）、禮（七方）、曾（二方）、津（三方）、良（一方）、宇（六方）、久（十方）、也（一方）、末（十方）、計（二十七方）、不（十三方）、古（七方）、江（三方）、天（四方）、佐（十一方）、幾（十二方）、美（一方）、之（二十七方）、比（十二方）、毛（二方）、世（十四方）、有方無名者（五十三方），共計三十四部，其中有方名者二百七十一方，無方名者五

---

❶ 〔日〕小曾户洋著，郭秀梅譯．日本漢方典籍辭典[M]．北京：學苑出版社，二〇〇八：四八．

十三方。

每首醫方先列方名，然後依次載述組成、劑量、用法，再列出該方在《傷寒論》《金匱要略》中出現的所有主治證條文，每一條文標注所出篇目，悉數遵從張仲景原文，參附撰者對原文訛誤的考校。

三　特色與價值

張仲景《傷寒雜病論》（含《傷寒論》《金匱要略》）在後世流傳過程中，版本演變複雜，不斷經歷整理和刊行，衍生出衆多傳本和著作。自傳入日本後，《傷寒雜病論》對日本的傳統醫學産生了極大的影響。經筆者粗略統計，日本現存研究《傷寒論》《金匱要略》的著作超過六百種❶，佐藤正昭《古方通覽》即是其中之一。此書將張仲景的條文重新編次，參照多種後世版本，考訂文字差异，并增補缺漏，校正訛誤，形成了自己的獨特之處。淺井正封在序中總結了本書的特色，言：「《傷寒》《金匱》，方劑大小，無不盡收；《玉函》、宋板，文字异同，無不詳考。列方率循原書次序，每條必揭所出篇目」。

第一，遵循張仲景原書醫方出現的次序，并按音類方，便於檢閱。全書將《傷寒雜病論》（包括附方）中的所有醫方，按照方名首字的日語讀音，分爲三十三部，加上有方無名者，共計三十四部。例如，在此書以部中，有茵陳蒿湯、茵陳五苓散、一物瓜蒂湯、已椒藶黄丸、千金葦莖湯五方。這種分部方式，在學術研究和臨床應用時不僅便於檢閱，還有助於探尋方藥的加減運用規律。例如，計部第一

❶ 蕭永芝，張麗君，李君，等．日韓古醫籍的收藏現狀及其發掘利用的意義［J］．中華醫史雜志，二〇一一，四一（二）：七四．

方爲桂枝湯，其後有桂枝加桂湯、桂枝加芍藥湯、桂枝加大黄湯、桂枝去芍藥湯、桂枝加葛根湯、桂枝加附子湯、桂枝加厚朴杏子湯等以桂枝湯加減而成的方劑，對於研究和追尋《傷寒雜病論》中桂枝湯的加減運用規律不無裨益。

第二，以方列證，標注篇目。在每首醫方下，列述該方在《傷寒雜病論》中的所有證治條文，每一條主治證均標注所出篇目。例如，大承氣湯方，共有三十九條證治條文，依次有：太陽中篇一條、陽明篇十六條、腹滿寒疝宿食篇四條、少陰篇三條、痓濕暍篇一條、可下病篇八條、嘔吐噦下利篇四條、婦人産後篇二條。桂枝湯方二十八條：太陽上篇九條、太陽中篇九條、太陽下篇一條、陽明篇二條、太陰篇一條、可發汗篇一條、厥陰篇一條、嘔吐噦下利篇一條、霍亂篇一條、婦人妊娠篇一條、婦人産後篇一條。小柴胡湯二十四條，含：太陽中篇十條、太陽下篇三條、婦人雜病篇一條、陽明篇三條、少陽篇一條、厥陰篇一條、嘔吐噦下利篇一條、陰陽易篇一條、黄疸篇一條、婦人産後篇二條。大承氣湯、桂枝湯、小柴胡湯是所列證治條文最多的三首醫方，分别爲三十九條、二十八條、二十四條，從中可以看出大承氣湯是《傷寒雜病論》應用最多的醫方，其次爲桂枝湯、小柴胡湯，其餘主治證較多的有四逆湯、調胃承氣湯、小承氣湯、五苓散、小青龍湯、麻黄湯、梔子豉湯等。這種以方統證的方法，對於研究張仲景方的主治與運用規律，可以起到提綱挈領的作用。

第三，參考《傷寒雜病論》的多種後世版本，詳考文字，比對异同，補輯缺文，校正訛誤。《古方通覽》最顯著的特徵是對《傷寒雜病論》文字的考校。書中有大量小字注文，佐藤正昭以某一版本的《傷寒論》和《金匱要略》爲藍本重新編次條文。同時，參考《金匱玉函經》、宋本《傷寒論》和别本《金匱要略》以及其他各種版本，對重新編次後的條文進行了詳細的校注。

全書主要以「宋板」「玉函」「金匱」爲參考對象，在小字注文中，「宋板」單獨出現一百六十一處，「玉函」一百一十七處，「金匱」二十五處左右，「玉函」「宋板」同時出現（如「玉函、宋板共作」「玉函、宋板」）計二十六處。此外，多次出現諸如「一本作」「一作」「又作」「一本」「一方」「一云」「一法用」等。

中醫文獻學家馬繼興在《經典醫籍版本考》一書中説：「十一世紀中期，北宋政府設立校定（正）醫書局，由醫官林億等人將張仲景《傷寒雜病論》的三種古傳本，分别整理成（宋本）《傷寒論》十卷、《金匱玉函經》八卷和《金匱要略方論》三卷。前二者均以傷寒病爲主，内容基本相同，而編次有异，是同體异名的著作，後者包括傷寒以外的臨床各科證治。」❶

佐藤正昭將各種版本的文字進行對比，校對异文，補充缺文，糾正訛誤。例如，《古方通覽》太部中的當歸四逆湯方，細辛用量是二兩，佐藤氏小字注文「《宋板》作三兩，《玉函》作一兩」；禮部苓桂术甘湯，「茯苓……分温三服，小便即利」，小字注文云「據《玉函》補『小便即利』四字」；太部大烏頭煎方主治證，「腹痛脉弦……其脉沉弦」，小字注「弦或作緊」。諸如此類，全書數百條小字注文，參考不同的版本，對張仲景著作原文中的文字异同進行了較爲全面的考校，具有較高的參考價值。

❶ 馬繼興．經典醫籍版本考[M]．北京：中醫古籍出版社，一九八七：六四．

四　版本情況

《古方通覽》序刊於日本寬政十一年（一七九九）。據日本《國書總目録》記載，此書的寬政十一年（一七九九）序刊本收藏於日本九州大學圖書館、京都大學圖書館、京都大學圖書館富士川文庫、早稻田大學圖書館、市立刈谷圖書館、乾乾齋文庫、無窮會神習文庫。❶

《中國中醫古籍總目》中收録有《古方通覽》的三個版本，即：日本嘉永三年（一八五〇）松敬堂刻本，現藏於中國中醫科學院圖書館、解放軍醫學圖書館；清光緒十一年乙酉（一八八五）上海福瀛書局刻本浙湖許恒堂藏版，藏於中國中醫科學院圖書館、甘肅省圖書館、上海中醫藥大學圖書館、鎮江市圖書館、湖南中醫藥大學圖書館；清代鈔本，現藏於中國中醫科學院圖書館。❷

本次影印采用的底本，爲日本早稻田大學圖書館所藏寬政十一年（一七九九）序刊本。此本藏书号为「ヤ09 00322」，不分卷一册，和裝，四眼裝幀。封皮題書名「古方通覽」。無扉葉。卷首有寬政十一年己未（一七九九）淺井正封序。正文首葉書名下題署「尾州海西郡佐藤正昭纂次/尾州海東郡木田高門校」。全書烏絲欄，四周單邊，無界格欄綫。正文每半葉八行，行十七字。版心白口，上單魚尾，書口上部鎸「古方通覽」書名，下口刻葉次。書籍各葉天頭處有部分蟲蛀殘損。

---

❶（日）國書研究室．國書總目録：第三卷［M］．東京：岩波書店，一九七七：五五〇．

❷ 薛清録．中國中醫古籍總目［M］．上海：上海辭書出版社，二〇〇七：五四．

總之，《古方通覽》將《傷寒論》和《金匱要略》的條文重新分部編次，以音序方，按方聚證，目的是爲了方便日本讀者快速檢閱運用，對研究傷寒雜病方的主治和運用規律亦有較大的幫助。另一方面，作者選擇《傷寒論》和《金匱要略》的較好版本精校詳考，補缺正誤，對於考據研究張仲景的原文亦具有較高的價值。總體而言，《古方通覽》在《傷寒論》《金匱要略》的文獻研究和臨床治療研究方面，尚有許多值得深入發掘的空間。

何慧玲　蕭永芝

古方通覽
322

以 一ヲ 波 三ヲ 仁 十ヲ 保 十一ウ

邊 十二ウ 土 十四ウ 知 十四ウ 利 十六ウ

遠 十九ヲ 和 十九ウ 加 二十四ヲ 與 三十二ウ

太 三十三ウ 禮 三十四ヲ 曾 三十七ウ 津 三十八ウ

良 六十ヲ 宇 六十一ウ 久 六十三ウ 也 六十八ヲ

末 六十八ウ 計 七十四ウ 不 九十四ヲ 古 九十九ウ

江 百五ヲ 天 百八ウ 佐 百十一ヲ 幾 百十七ヲ

美 百二十二ヲ 之 百二十二ヲ 比 百三十九ヲ 毛 百四十六ヲ

世 百四十七ヲ 有方無名者 百五十三ヲ

古方通覧者余友弟海西郡佐藤
春杏所纂也春杏常謂東洞翁類
聚方取捨由己而多所省畧不足以覧
古方之全本融氏古方區別亦鹵莽多
謬取以有此撰也余閲之傷寒金匱方
劑大小多不盡收玉函宋板文字異同

無不詳考列方率循原書次序每條必揭所出篇目比之於彼類聚區別之作則頗完備爲今年一書生使書肆刻諸梓遂附一言於卷首以紀春杏之功云乙未三月上澣淺井正封序

古方通覽

尾州　海西郡　佐藤正昭纂次
　　　海東郡　木田高門　校

以

茵陳蒿湯

茵陳六兩　梔子十四枚　大黃二兩

右三味以水一斗二升（拠宋板補二升二字）先煮茵陳減六升內二味煮取三升去滓分溫（宋板無溫字）三服小便當利尿如皂角（宋板角作莢）汁狀色正

赤一宿腹減黃從小便去也

陽明病發熱汗出者（拠宋板補者字）此爲熱越不能發黃也但頭汗出身無汗劑頸而還小便不利渴引水漿者此爲瘀熱在裏身必發黃茵陳蒿湯主之（陽明篇）○傷寒七八日身黃如橘子色小便不利腹微滿者茵陳蒿湯主之（同上）

○穀疸之爲病寒熱不食食卽頭眩心胸不安久久發黃爲穀疸茵陳蒿湯主之（黃疸篇）

茵陳五苓散　茵陳蒿末十分　五苓散五分

右二物和先食飲方寸七日三服

黃疸病茵陳五苓散主之一本云茵陳湯及五苓散並主之〇黃疸蒿

一物瓜蒂湯　瓜蒂二十箇

右剉以水一升煮取五合去滓頓服

大陽中暍身熱疼重而脈微弱此以夏月傷冷水水行皮中所致也一物瓜蒂湯主之痓濕

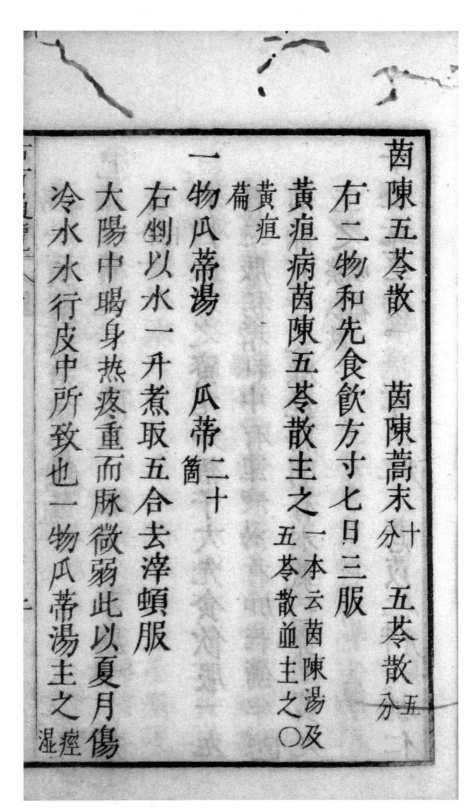

瞯篇〇瓜蒂湯治諸黄黄疸篇

巴椒藶黄丸　防巳　椒目　葶藶熬　大黄略各一兩

右四味末之蜜丸如梧子大先食飲服一丸日三服稍增口中有津液渴者加芒硝半兩

腹滿口舌乾燥此腸閒有水氣巳椒藶黄丸主之痰飲欬嗽篇

千金葦莖湯　葦莖二升　薏苡仁半升　桃仁

五十枚　瓜瓣半升

右四味以水一斗先煮葦莖得五升去滓內

諸藥煮取二升服一升再服當吐如膿

治欬有微熱煩滿胸中甲錯是爲肺癰肺痿肺癰

欬嗽上氣

萹附方　波

半夏散及湯　半夏　桂枝　甘草各等分炙

巳上玉函宋板共巳上巳上作右三味各別擣篩巳合治之

白飲和服方寸七日三服若不能散服者以水一升煎七沸內散一兩方寸七更煎三沸下火令小冷少少嚥之半夏有毒不當散服拠宋板補半夏有毒不當散服八字

小陰病咽中痛半夏散及湯主之少陰篇

半夏麻黃丸

半夏　麻黃等分

右二味末之煉蜜和丸小豆大飲服三丸日三服

心下悸者半夏麻黃丸主之驚悸吐衄下血胷滿瘀血篇

半夏厚朴湯　半夏一升　厚朴三兩　茯苓二兩

生姜五兩　乾蘇葉二兩

右五味以水七升煮取四升分温四服日三服夜一服

婦人咽中如有炙臠半夏厚朴湯主之千金作胷滿心下堅咽中帖帖如有炙肉吐之不出呑之不下○婦人雜病篇

半夏乾姜散　半夏　乾姜等分

右二味杵爲散方寸匕漿水一升半煎取七合頓服之

乾嘔吐逆涎沫半夏乾姜散主之嘔吐噦下利篇

半夏瀉心湯

半夏半升　黄芩　乾姜　人參　甘草各三兩　黄連一兩　大棗十二枚〇玉函作十六枚

右七味以水一斗煮取六升去滓再煮取三升溫服一升日三服

傷寒五六日嘔而發熱者柴胡湯證具而以他藥下之柴胡證仍在者復與柴胡湯此雖已下之不爲逆必蒸蒸而振却發熱汗出而解若心下滿而鞕痛者此爲結胸也大陷胸湯主之但滿而不痛者此爲痞柴胡不中與之宜半夏瀉心湯（太陽下篇）○嘔而腸鳴心下痞者半夏瀉心湯主之（嘔吐噦下利篇）

白頭翁湯

白頭翁　黃連　黃栢　秦皮

各三兩

右四味以水七升煮取二升去滓溫服一升不愈更服一升

熱利下重（金匱下重作重下）者白頭翁湯主之（厥陰篇并嘔吐噦下利篇）○下利欲飲水者以有熱故也白頭翁湯主之（厥陰篇）

白頭翁加甘草阿膠湯　白頭翁　甘草　阿膠各二兩　秦皮　黃連　蘗皮各三兩

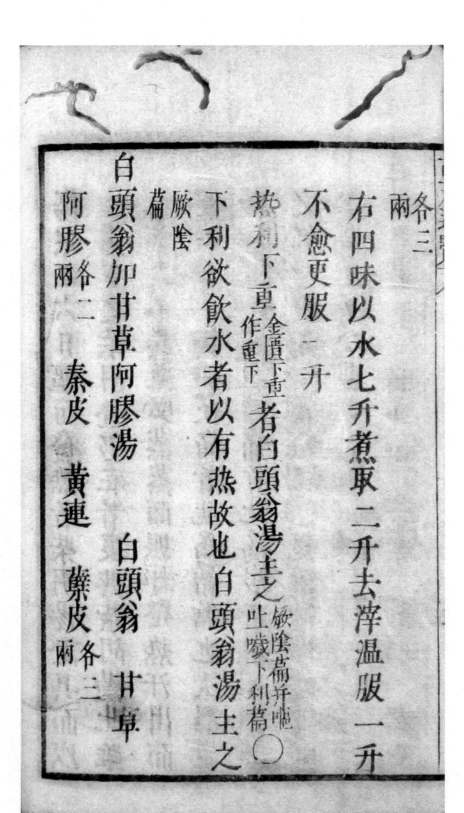

右六味以水七升煮取二升半内膠令消盡分温三服

産後下利虚極白頭翁加甘草阿膠湯主之

婦人産後篇

崔氏八味丸

乾地黄八兩〇乾字下一有熟字　桂枝　附子各一兩炮　山茱萸　薯蕷各四兩　澤瀉　茯苓　牡丹皮各三兩

右八味末之煉蜜和丸梧子大酒下十五丸

日再服

治脚氣上入小腹不仁（中風歷節篇附方）○虛勞腰痛小腹拘急小便不利者八味腎氣丸主之（血痺虛勞篇）○夫短氣有微飲當從小便去之苓桂朮甘湯主之腎氣丸亦主之（痰飲咳嗽篇）○男子消渴小便反多以飲一斗小便一斗腎氣丸主之（消渴小便利淋篇）○問曰婦人病飲食如故煩熱不得臥而反倚息者何也師曰此名轉

胞不得溺也以胞系了戾故致此病但利小便則愈宜腎氣丸主之婦人雜病篇

防已茯苓湯 防已三兩 黃耆三兩 桂枝三兩 茯苓六兩 甘草二兩

右五味以水六升煮取二升分溫三服

皮水為病四肢腫水氣在皮膚中四肢聶聶動者防已茯苓湯主之水氣篇

防已地黃湯 防已一錢 桂枝三錢 防風三錢

甘草二錢

右四味以酒一盃浸之一宿絞取汁生地黄二斤㕮咀蒸之如斗米飯久以銅器盛其汁更絞地黄汁和分再服

治病如狂狀妄行獨語不休無寒熱其脉浮中風歷節痛

防巳黄蓍湯

防巳一兩　黄蓍一兩一分　甘草半兩炒　白术七錢半

右剉麻豆大每抄五錢七生姜四片大棗一枚水盞半煎八分去滓溫服良久再服喘者加麻黄半兩胃中不和者加芍藥三分氣上衝者加桂枝三分下有陳寒者加細辛三分服後當如蟲行皮中從腰下如水後坐被上又以一被繞腰以下溫令微汗差

風湿水氣篇作風水脉浮身重汗出悪風者防已黄耆湯主之痓湿暍篇並水氣篇○治風水脉浮爲在表

其人或頭汗出表無他病病者但下重從腰以上爲和腰以下當腫及陰難以屈伸水氣篇附方

麥門冬湯

麥門冬七升 半夏一升 人參三兩 ○玉函作二兩 甘草二兩炙 粳米三合 大棗十二枚

右六味以水一斗二升煮取六升溫服一升日三夜一服

大大或作火逆上氣咽喉不利止逆下氣者麥門冬湯

主之（肺痿肺癰咳嗽上氣篇）○病後勞復發熱者麥門冬湯主之（玉函陰陽易篇）

礬石湯　礬石（二兩）

右一味以漿水一斗五升煎三五沸浸脚良

治脚氣冲心（中風歷節篇）

柏葉湯　柏葉　乾姜（各三兩）　艾（三把）

右三味以水五升取馬通汁一升合煮取一升分溫再服

吐血不止者栢葉湯主之驚悸吐衄下血胷滿瘀血篇

排膿散　枳實十六枚　芍藥六分　桔梗二分

右三味杵爲散取雞子黃一枚以藥散與雞黃相等揉和令相得飲和服之日一服瘡癰腸癰浸淫瘡篇

排膿湯　甘草二兩　桔梗三兩　生姜一兩　大棗十枚

右四味以水三升煮取一升溫服五合日再

服瘡癰腸癰浸淫篇

礬石丸　礬石燒三分　杏仁一分

右二味末之煉蜜和丸棗核大內藏中劇者再內之

婦人經水閉不利藏堅癖不止中有乾血下白物礬石丸主之婦人雜病篇

仁

人參湯即理中丸也　人參　甘草炙　白朮

乾姜各三兩

右四味擣篩爲末蜜和丸如雞黃大朱板雞黃大作雞子黃許大以沸湯數合和一丸研碎溫服之日三服夜二服腹中未熱益至三四丸然不及湯湯法以四物依兩數切用水八升煮取三升去滓溫服一升日三服加減法若臍上築者腎氣動也去朮加桂四兩吐多者去朮加生姜三兩下多者還用朮悸者加茯苓二兩

渴欲得水者加朮足前成四兩半腹中痛者加人參足前成四兩半寒者加乾姜足前成四兩半腹滿者去朮加附子一枚服湯後如食頃飲熱粥一升許微自溫勿發揭衣被

霍亂頭痛發熱身疼痛熱多欲飲水者五苓散主之寒多不用水者理中丸主之霍乱篇○

傷寒服湯藥下利不止心下痞鞕服瀉心湯已復以他藥下之利不止醫以理中與之利

益甚理中者理中焦此利在下焦赤石脂禹餘粮湯主之復利不止者當利其小便太陽下篇

○大病差後喜唾久不了了者胷上宋板胷上作胃上有寒當以丸藥溫之宜理中丸陰陽易篇

○胷痺心中痞留氣結在胷胷滿脇下逆搶心枳實薤白桂枝湯主之人參湯亦主之胷痺心痛短氣篇

保

牡蠣湯外臺秘要方　牡蠣四兩熬　麻黄四兩　甘草二兩　蜀漆三兩

右四味以水八升先煮蜀漆麻黄去上沫得六升內諸藥煮取二升溫服一升若吐則勿更服

治牡瘧瘧病篇附方

牡蠣沢瀉散　牡蠣熬　沢瀉　括蔞根　蜀漆　葶藶子熬　商陸根熬　海藻各等分

右七味異擣下篩爲散更入臼中治之白飲
和服方寸匕日三服小便利止後服拠宋板補小便
利止後服六字
大病差後從腰巳下有水氣者牡蠣沢瀉散
主之陰陽易篇
蒲灰散　蒲灰七分　滑石三分
右二味杵爲散飲服方寸匕日三服
小便不利蒲灰散主之滑石白魚散茯苓戎

鹽湯並主之消渴小便利淋篇○厥而皮水者蒲灰散主之水氣篇

奔豚湯 甘艸 芎藭 當歸各二兩 半夏四兩 黃芩二兩 生葛五兩 芍藥二兩 生姜四兩 甘李根白皮一升

右九味以水二斗煮取五升温服一升日三夜一服

奔豚氣上衝胸腹痛往來寒熱奔豚湯主之

奔豚蒿

邊

鱉甲煎丸

鱉甲十二分炙　烏扇三分燒　黃芩三分　柴胡六分　鼠婦三分熬　乾姜三分　大黄三分　芍藥五分　桂枝三分　葶藶一分熬　石韋三分　厚朴三分　牡丹五分　瞿麥二分　紫葳三分　半夏一分　人參一分　䗪蟲五分熬　阿膠三分炙　蜂窠四分炙　赤消十二分　蜣螂六分熬　桃仁

二分
右二十三味爲末取鍛竈下灰一斗清酒一斛五斗浸灰候酒盡一半着鱉甲於中煮令泛爛如膠漆絞取汁內諸藥煎爲丸如梧子大空心服七丸日三服千金方用鱉甲十二片又有海藻三分大戟一分䗪蟲五分無鼠婦赤消二味以鱉甲煎和諸藥爲丸

病瘧以月一日發當以十五日愈設不差當月盡解如其不差當云何師曰此結爲癥瘕

名曰瘧母急治之宜鱉甲煎丸瘧病篇

土

土瓜根散　土瓜根　芍藥　桂枝　䗪蟲各三兩右四味杵爲散酒服方寸匕日三服

帯下經水不利少腹滿痛經一月再見者土瓜根散主之○陰癩腫亦主之婦人雜病篇

知

竹葉石膏湯　竹葉二把　石膏一斤　半夏半升

人參三兩朱本作二兩　甘草二兩炙　粳米半升　麥門冬一升

右七味以水一斗煮取六升去滓內粳米煮米熟湯成去米溫服一升日三服

傷寒解後虛羸少氣氣逆欲吐者朱本無者字竹葉石膏湯主之陰陽易帯

竹葉湯

竹葉一把　葛根三兩　防風　桔梗　桂枝　人參　甘草各一兩　附子一枚炮　大

棗十五枚　生姜五兩
右十味以水一斗煮取三升半分溫三服溫
覆使汗出頸項强用大附子一枚破之如豆
大煎藥揚去沫嘔者加半夏半升洗
産後中風發熱面正赤喘而頭痛竹葉湯主
之婦人産後篇
竹皮大丸　生竹茹二分　石膏二分　桂枝一分
甘草七分　白薇一分

右五味末之棗肉和丸彈子大以飲服一丸日三夜二服有熱者倍白薇煩喘者加柏實一分婦人乳中虛煩亂嘔逆安中益氣竹皮大丸主之婦人産後蓐

猪苓湯　猪苓　茯苓　阿膠　滑石　沢瀉各一兩

右五味以水四升先煮四味取二升去滓内下朱板無下字阿膠烊消温服七合日三服

陽明病脉浮而緊咽燥口苦腹滿而喘發熱汗出不惡寒反惡熱身重若發汗則燥心憒憒反讝語若加燒鍼必怵惕煩躁不得眠若下之則胃中空虛客氣動膈心中懊憹舌上胎者梔子豉湯主之若渴欲飲水口乾舌燥者白虎加人參湯主之若脉浮發熱渴欲飲水小便不利者猪苓湯主之陽明篇○陽明病汗出多而渴者不可與猪苓湯以汗多胃中

燥猪苓湯復利其小便故也同上○脉浮發熱
渴欲飲水小便不利者猪苓湯主之消渴小便利淋
篇○夫諸病在藏欲攻之當隨其所得而攻
之如渴者與猪苓湯餘皆倣此藏府經絡先後病篇○
少陰病下利六七日欬而嘔渴心煩不得眠
者猪苓湯主之少陰篇

猪苓散

猪苓　茯苓　白朮各等分

右三味杵爲散飲服方寸匕日三服

嘔吐而病在膈上後思水者解急與之思水者猪苓散主之嘔吐噦下利篇○百合狐惑陰陽毒病篇雄黄熏方後曰脈經云病人或從呼吸上蝕其咽或從下焦蝕其肛陰蝕上爲惑蝕下爲狐狐惑病者猪苓散主之

猪膏髮煎　猪膏半斤　乱髮如雞子大三枚

右二味和膏中煎之髮消藥成分再服病從小便出

諸黄猪膏髮煎主之黄疸篇○胃氣下泄陰吹而正喧此穀氣之實也猪膏髮煎導之婦人雜病篇

猪膚湯　猪膚一斤

右一味以水一斗煮取五升去滓加白蜜一升白粉五合熬香和令拠宋板補令字相得溫分六服

少陰病下利咽痛胷滿心煩者宋板無者字猪膚

湯主之少陰篇

蜘蛛散　蜘蛛十四枚熬焦　桂枝半兩

右二味爲散取八分一匕飲和服日再服蜜

丸亦可

陰狐疝氣者偏有小大時時上下蜘蛛散主

之趺蹶手指臂腫轉筋陰狐疝蚘蟲篇

利

理中湯方見人參湯下

六物黄芩湯　黄芩　人參　乾姜各三兩
桂枝一兩　大棗十二枚　半夏半升
右六味以水七升煮取三升温分三服
外臺黄芩湯治乾嘔下利嘔吐噦下利篇附方

遠

雄黄熏方雄黄下一有散字無熏字　雄黄半兩
右一味為末筒瓦二枚合之燒向肛熏之
蝕於肛者雄黄熏之脉經云病人或從呼吸上蝕其咽或從下焦蝕

其肛陰蝕上爲惑蝕下爲狐狐惑病者猪苓散主之○百合狐惑陰陽毒篇

和

黄耆建中湯 於小建中湯內加黄耆一兩半餘依小建中湯之法○氣短胸滿者加生姜腹滿者去棗加茯苓一兩半及療肺虛損不足補氣加半夏三兩

虛勞裏急諸不足黄耆建中湯主之 血痺虛勞篇

黄耆桂枝五物湯

黄耆三兩 芍藥三兩 桂枝三兩 生姜六兩 大棗十一枚 一方有人參

右五味以水六升煮取二升溫服七合日三

服

問曰血痺病從何得之師曰夫尊榮人骨弱弱或作肉肌膚盛重困困或作因疲勞汗出臥不時動搖加被微風遂得之但以脉自微濇在寸口關上上小關一有微尺中三字小緊宜鍼引陽氣令脉和緊去則愈血痺陰陽俱微寸口關上微尺中小緊外證身體不仁如風痺狀黃耆桂枝五物湯主之血痺虛勞篇

黃耆芍藥桂枝苦酒湯

黃耆五兩　芍藥三兩

桂枝三兩

右三味以苦酒一升水七升相和煮取三升温服一升當心煩服至六七日乃解若心煩不止者以苦酒阻故也一方用美酒醯代苦酒

問曰黄汗之爲病身體腫重一作發熱汗出而渴狀如風水汗沾衣色正黄如蘗汁脉自沉何從得之師曰以汗出入水中浴水從汗孔入得之宜蓍芍桂酒湯主之水氣篇

黃連湯　黃連三兩〇玉函作二兩　甘草三兩炙〇玉函作一兩　乾姜三兩〇玉函作一兩　桂枝三兩〇玉函作二兩　人參二兩　半夏半升　大棗十二枚

右七味以水一斗煮取六升去滓溫服一升日三服宋板無服字下同　夜二服

傷寒胸中有熱胃中有邪氣腹中痛欲嘔吐者黃連湯主之太陽下篇

黃連阿膠湯　黃連四兩　黃芩一兩〇宋板作二兩

芍藥二兩　雞子黃二枚　阿膠三兩

右五味以水五宋板作六五升先煮三物取二升去滓內膠烊盡小冷內雞子黃攪令相得溫服七合日三服

少陰病得之二三日以上心中煩不得臥黃連阿膠湯主之少陰篇

黃芩湯　黃芩三兩〇玉函作二兩　甘草二兩炙　芍藥二兩　大棗十二枚

右四味以水一斗煮取三升去滓溫服一升日再夜一服若嘔者加半夏半升生姜三兩宋板無若嘔以下十二字

太陽與少陽合病自下利者與黄芩湯若嘔者黄芩加半夏生姜湯主之太陽下篇○傷寒脈遲六七日而反與黄芩湯徹其熱脈遲爲寒今與黄芩湯復除其熱腹中應冷當不能食今反能食此名除中必死厥陰篇

黃芩加半夏生姜湯

芍藥二兩　甘草二兩炙　黃芩三兩

大棗十二枚○金匱作二十枚　半夏半升

生姜一兩半

右六味以水一斗煮取三升去滓温服一升日再夜一服

太陽與少陽合病自下利者與黃芩湯若嘔者黃芩加半夏生姜湯主之　太陽下篇○乾嘔而

利者用黄芩加半夏生姜湯嘔吐噦下利篇

黄土湯　甘草　乾地黄　白朮　附子炮

阿膠　黄芩各三兩　竈中黄土半斤

右七味以水八升煮取三升分温二服

下血先便後血此遠血也黄土湯主之亦主吐血衄血〇驚悸吐衄下血胸滿瘀血篇

王不留行散　王不留行十分八月八日採　蒴藋細葉十分七月七日採　桑東南根白皮十分三月三日採

甘草十分　川椒三分　黃芩二分　乾姜二分　芎
藭二分　厚朴二分
右九味桑根皮以上三味燒灰存性勿令灰
過各別杵篩合治之爲散服方寸匕小瘡即
粉之大瘡但服之產後亦可服如風寒桑東
根勿取之前三物皆陰乾百日
病金瘡王不留行散主之瘡瘻腸瘻浸淫瘡
黃連粉方未見

浸淫瘡黃連粉主之瘡癰腸癰浸淫篇

加

葛根湯

葛根四兩 麻黃三兩 桂枝二兩 生姜三兩 甘草二兩炙 芍藥二兩○金匱作三兩 大棗十二枚

右七味㕮咀以水一斗金匱作七升先煮麻黃葛根減二升去白據宋板補白字玉函白作上沫內諸藥煮取三玉函三作升去滓溫服一升覆取微似汗不須啜粥餘如桂枝法將息及禁忌諸湯皆倣此據宋板補

諸湯皆倣此五字

太陽病項背强几几無汗悪風葛根湯主之太陽中篇◯太陽與陽明合病者必自下利葛根湯主之同上◯太陽病無汗而小便反少氣上衝胸口噤不得語欲作剛痓葛根湯主之痓湿暍篇

葛根加半夏湯 葛根四兩 麻黄三兩 甘草二兩炙 芍藥二兩 桂枝二兩 生姜三兩◯朱板作二兩

半夏半斤○玉函作半升　大棗十二枚

右八味以水一斗先煮葛根麻黄減二升去白玉函白作上沫內諸藥煮取三升去滓溫服一升覆取微似汗

太陽與陽明合病不下利但嘔者葛根加半夏湯主之大陽中篇

葛根黃連黃芩湯

葛根半斤　甘草二兩炙

黃芩二兩○玉函来板共作三兩　黃連三兩

右四味以水八升先煮葛根減二升內諸藥煮取二升去滓分溫再服

太陽病桂枝證醫反下之利遂不止脉促者表未解也喘而汗出者葛根黃連黃芩湯主之太陽中篇

甘草湯　　甘草二兩

右一味以水三升煮取一升半去滓溫服七合日二服

少陰病二三日咽痛者可與甘草湯不差者宋板無者字與桔梗湯少陰篇

千金甘草湯　甘草二兩

右一味以水三升煮減半分溫三服肺痿肺癰咳嗽上氣篇附方

甘草附子湯

甘草二兩炙〇玉函作三兩

附子二枚炮

白朮二兩〇玉函作三兩

桂枝四兩

右四味以水六升煮取三升去滓溫服一升日三服初服得微汗則解能食汗出（宋板出作止）復煩者將（拖宋板補將字）服五合恐一升多者宜服六七合為妙（妙一作佳）

風濕相搏骨節煩疼掣痛不得屈伸近之則痛劇汗出短氣小便不利惡風不欲去衣或身微腫者甘草附子湯主之（太陽下篇並痓濕暍篇）

甘草粉蜜湯　甘草（二兩）　粉（一兩）　蜜（四兩）

右三味以水三升先煮甘草取二升去滓内粉蜜攪令和煎加薄粥温服一升差即止

蚘蟲之爲病令人吐涎沫心痛發作有時毒藥不止甘草粉蜜湯主之蚘厥手指臂腫轉筋陰狐疝蚘蟲蔕

甘草乾姜湯

甘草四兩炙〇玉函作二兩　乾姜二兩炮

右㕮咀朱叔㕮咀作二味以水三升煮取一升五合去滓分温再服

傷寒脉浮自汗出小便數心煩微惡寒脚攣急反與桂枝湯宋板無湯字欲攻其表此誤也得之便厥咽中乾煩燥宋板燥作躁吐逆者作甘草乾姜湯與之以復其陽若厥愈足溫者更作芍藥甘草湯與之其脚即伸若胃氣不和讝語者少與調胃承氣湯若重發汗復加燒鍼者四逆湯主之太陽上篇◯問曰證象陽旦按法治之而增劇厥逆咽中乾兩脛拘急而讝語

師曰言夜半手足當温兩脚當伸後如師言何以知此答曰寸口脉浮而大浮則宋板無則字爲風大則宋板無則字爲虛風則生微熱虛則兩脛攣病證宋板證作形證象桂枝因加附子參其間增桂令汗出附子温経亡陽故也厥逆咽中乾煩燥宋板燥作躁陽明內結譫語煩亂更飲甘草乾姜湯夜半陽氣還兩足當熱脛尚微拘急重與芍藥甘草湯爾乃脛伸以承氣湯微

濇則止其讝語故知病可愈同上○肺痿吐涎沫而不咳者其人不渴必遺尿小便數所以然者以上虛不能制下故也此爲肺中冷必眩多涎唾甘草乾姜湯以溫之若服湯已渴者屬消渴肺痿肺癰欬嗽上氣篇

甘草瀉心湯　甘草四兩炙　黃芩三兩　乾姜三兩　半夏半升　大棗十二枚　黃連一兩　金匱有人參

右六味以水一斗煮取六升去滓再煎取三

升溫服一升日三服林億云按上生姜瀉心湯法本云理中人參黃芩湯今詳瀉心以療痞痞氣因發陰而生是半夏生姜甘草瀉心三方皆本於理中也其方必各有人參今甘草瀉心中無者脫落之也又按千金并外臺秘要治傷寒䘌食用此方皆有人參知脫落無疑

傷寒中風醫反下之其人下利日數十行穀不化腹中雷鳴心下痞鞕而滿乾嘔心煩不得安醫見心下痞謂病不盡復下之其痞益甚此非結熱但以胃中虛客氣上逆故使鞕

也甘草瀉心湯主之（太陽下篇）◯狐惑之爲病狀如傷寒默默欲眠目不得閉臥起不安蝕於喉爲惑蝕於陰爲狐不欲飲食惡聞食臭其面目乍赤乍黑乍白蝕於上部則聲喝（一作嗄）甘草瀉心湯主之（百合狐惑陰陽毒篇）

甘遂半夏湯

甘遂（大者三枚） 半夏（十二枚以水一升煮取半升去滓） 芍藥（五枚） 甘草（如指大一枚炙一本無）

右四味以水二升煮取半升去滓以蜜半升

和藥汁煎取八合頓服之

病者脉伏其人欲（一本作不欲）自利利反快雖利心下續堅滿此爲留飲欲去故也甘遂半夏湯主之（痰飲欬嗽篇）

甘草小麥大棗湯　甘草（三兩）　小麥（一升）　大棗（十枚）

右三味以水六升煮取三升溫分三服亦補脾氣

婦人藏躁喜悲傷欲哭象如神靈所作數欠伸甘麥大棗湯主之（婦人雜病篇）

乾姜附子湯　乾姜（一兩）　附子（一枚）

右二味以水三升煮取一升去滓頓服之（執玉函補之字）

下之後復發汗晝日煩躁不得眠夜而安靜不嘔不渴無表證脉沉微身無大熱者乾姜附子湯主之（太陽中篇）

乾姜人參半夏丸　乾姜　人參各一兩　半夏二兩

右三味末之以生姜汁糊爲丸如梧子大飲服十丸日三服

妊娠嘔吐不止乾姜人參半夏丸主之婦人妊娠篇

訶梨勒散　訶梨勒十枚煨

右一味爲散粥飲和頓服

氣利訶梨勒散主之嘔吐噦下利篇

乾姜黃連黃芩人參湯　乾姜　黃芩　黃連　人參各三兩

右四味以水六升煮取二升去滓分溫再服

傷寒本自寒下醫復吐下之寒格更逆吐下若食入口即吐乾姜黃連黃芩人參湯主之厥陰篇

甘草麻黃湯　甘草二兩　麻黃四兩

右二味以水五升先煎麻黃去上沫內甘草

煑取三升溫服一升重覆令汗出不汗再服愼風寒

裏水越脾加朮湯主之甘草麻黃湯亦主之水氣篇

下瘀血湯　大黃二兩　桃仁二十枚　蟅蟲二十枚熬

右三味末之煉蜜和爲四丸以酒一升煎一丸取八合頓服之新血下如豚肝

師曰產婦腹痛法當以枳實芍藥散假令不愈者此爲腹中有乾血着臍下宜下瘀血湯主之亦主經水不利婦人產後篇

長服訶梨勒丸　訶梨勒煨　陳皮　厚朴各三兩

右三味末之煉蜜丸如梧子大酒飲服二十丸加至三十丸雜療篇

與

薏苡附子散 薏苡仁十五兩 大附子十枚炮

右二味杵爲散服方寸匕日三服

胸痺緩急者薏苡附子散主之 胷痺心痛短氣篇

薏苡附子敗醬散 薏苡仁十分 附子二分

敗醬五分

右三味杵爲末取方寸匕以水二升煎減半

頓服小便當下

腸癰之爲病其身甲錯腹皮急按之濡如腫

狀腹無積聚身無熱脉數此爲腹內有癰膿
薏苡附子敗醬散主之瘡癰腸癰浸淫瘡

太

大青龍湯　麻黃六兩　桂枝二兩　甘草二兩炙
杏仁四十個　生姜三兩　大棗十二枚〇宋板作十枚
石膏如雞子大
右七味以水九升先煮麻黃減二升去上沫
內諸藥煮取三升去滓溫服一升取微似汗

玉函

取微似汗作覆令汗出汗出多者溫粉撲之一服汗者停後服若復服擬玉函宋板補若復服三字汗多亡陽遂一作逆虛惡風煩躁不得眠也太陽中風脉浮緊發熱惡寒身疼痛不汗出而煩躁玉函煩躁下有頭痛二字者小青龍湯主之若脉微弱汗出惡風者不可服之服之則厥逆筋惕肉瞤此爲逆也太陽中篇○傷寒脉浮緩身不疼但重乍有輕時無少陰證者大青龍湯發之同上○病溢飲

者當發其汗大青龍湯主之小青龍湯亦主之痰飲欬嗽篇

大柴胡湯　柴胡半斤　黃芩三兩　芍藥三兩　半夏半升　生姜五兩〇玉函作三兩　枳實四枚炙　大棗十二枚

右七味以水一斗二升煮取六升去滓再煎溫服一升日三服一方用大黃二兩若不加大黃恐不爲大柴胡湯也宋板無也字

太陽病過經十餘日反二三下之後四五日柴胡證仍在者先與小柴胡湯嘔不止心下急鬱鬱微煩者爲未解也與大柴胡湯下之則愈太陽中篇○傷寒十餘日熱結在裏復往來寒熱者與大柴胡湯但結胸無大熱者此爲水結在胸脇也但頭微汗出者大陷胸湯主之太陽下篇○傷寒發熱汗出不解心中痞鞕嘔吐而下利者大柴胡湯主之同上○按之心下

滿痛者此爲實也當下之大柴胡湯主之腹滿寒疝宿食篇◯陽明病發熱汗多者急下之宜大柴胡湯一法用小承气湯◯可下病篇◯傷寒後脉沉沉者內實也下解之宋板下解之作下之解宜大柴胡湯同上

大承氣湯　大黃四兩　厚朴半斤炙　枳實五枚炙　芒硝三合

布四味以水一斗先煮二物玉函物作味取五升去滓內大黃更拠宋板補更字煮取二升去滓內芒

硝更上微火一兩沸分溫再服得下餘勿服
傷寒不大便六七日頭痛有熱者與承氣湯
其小便清（一作青）者知不在裏仍在表也當須
発汗若頭痛者必衂宜桂枝湯（太陽中篇）○陽明
病脉遅雖汗出不悪寒者其身必重短氣腹
滿而喘有潮熱者此外欲解可攻裏也手足
濈然而（宋板無而字）汗出者此大便已鞕也大承
氣湯主之若汗多微発熱悪寒者外未解也

一法與桂枝湯其熱不潮未可與承氣湯若腹大滿不通者可與小承氣湯微和胃氣勿令至攷宋板補至字大泄下陽明蕎○陽明病潮熱大便微鞕者可與大承氣湯不鞕者不可攷宋板補可字與之若不大便六七日恐有燥屎欲知之法少與小承氣湯湯入腹中轉失氣者此有燥屎也攷宋板補也字乃可攻之若不轉失氣者此但初頭鞕後必溏不可攻之攻之必脹滿不能食也欲

飲水者與水則噦其後發熱者必大便復鞕而少也以小承氣湯和之不轉失氣者慎不可攻也同上○傷寒若吐若下後不解不大便五六日上至十餘日日晡所發潮熱不惡寒獨語如見鬼狀若劇者發則不識人循衣摸牀惕而不安一云順衣妄撮怵惕不安微喘直視脉弦者生濇者死微者但發熱讝語者大承氣湯主之若一服利則拠宋板補則字止後服同上○陽明病

讝語有潮熱反不能食者胃中必有燥屎五
六枚也若能食者但鞕爾宜大承氣湯下之
同上○汗一作卧出讝語者以有燥屎在胃中此
爲風也須下之宋板之作者過經乃可下之下之
若早語言必亂以表虛裏實故也下之則愈
宜大承氣湯同上○二陽併病太陽證罷但發
潮熱手足漐漐汗出大便難而讝語者下之
則愈宜大承氣湯同上○陽明病下之心中懊

憹而煩胃中有燥屎者可攻腹微滿初頭鞕
後必溏不可攻之若有燥屎者宜大承氣湯
同上○病人煩熱汗出則解又如瘧狀日晡所
発熱者屬陽明也脉實者宜下之脉浮虛者
宜発汗下之與大承氣湯発汗宜桂枝湯同上
○大下後六七日不大便煩不解腹滿痛者
此有燥屎也所以然者本有宿食故也宜大
承氣湯同上○病人小便不利大便乍難乍易

時有微熱喘冒（冒一作息）不能臥者有燥屎也宜
大承氣湯（同上）○得病二三日脉弱無太陽柴
胡證煩燥（宋板燥作躁）心下鞕至四五日雖能食
以小承氣湯少少與微和之令小安至六日
與承氣湯一升若不大便六七日小便少者
雖不能食（宋板能作受一云不大便）○食但初頭鞕後必溏
未定成鞕攻之必溏須小便利屎定鞕乃可
攻之宜大承氣湯（同上）○傷寒六七日目中不

了了睛不和無表裏證大便難身微熱者此爲實也急下之宜大承氣湯同上○陽明病拠朱板補病字發熱汗多者急下之宜大承氣湯同上○發汗不解腹滿痛者急下之宜大承氣湯同上○腹滿不減減不足言當須拠金匱補須字下之宜大承氣湯陽明篇并腹滿寒疝宿食篇○脉滑而數者有宿食也當下之宜大承氣湯陽明篇○少陰病得之二三日口燥咽乾者急下之宜大承

氣湯少陰篇○少陰病自利清水色純青心下
必痛口乾燥者急下之宜大承氣湯一法用大柴胡
湯○同上○少陰病六七日腹脹不大便者急下
之宜大承氣湯同上○痓玉函痓字上有剛字為病胸滿
口噤臥不着席脚攣急必齘齒可與大承氣
湯痓濕暍篇○問曰人病有宿食何以別之師曰
寸口脉浮而大按之反澁尺中亦微而澁故
知有宿食當下之宜大承氣湯可下病篇并腹滿寒疝宿食篇

附方○下利不飲食者以有宿食故也當下之宜大承氣湯（同上）○脉數而滑者實也此有宿食下之愈宜大承氣湯（腹滿寒疝宿食篇）○下利三部脉皆平按之心下堅者急下之宜大承氣湯（可下病篇并嘔吐噦下利篇）○下利脉遲而滑者内（金匱無内字）實也利未欲止當（金匱當作急）下之宜大承氣湯（同上）○下利脉反滑者當有所去下之乃愈宜大承氣湯（同上）○下利已差後（金匱無後字）至

其年月日時（拠金匱補時字）復発者以病不盡故也
當下之宜大承氣湯（同上）○病解能食七八日
更発熱者此爲胃實大承氣湯主之（婦人産後篇）
○産後七八日無太陽證少腹堅痛此悪露
不盡不大便煩躁發熱切脉微實再倍發熱
日晡時煩躁者不食食則讝語至夜即愈宜
大承氣湯主之熱在裏結在膀胱也（同上）○病
腹中滿痛者此爲實也當下之宜大承氣湯

可下病篇〇脉雙弦而遲者必心下鞕脉大而緊者陽中有陰也可以下之宜大承氣湯宋板無以字

同上

大陷胸湯　大黃六兩　芒硝一升　甘遂一錢

右三味以水六升先煮大黃取二升去滓内芒硝煮一兩沸内甘遂末温服一升得快利止後服

太陽病脉浮而動數浮則為風數則為熱動則為痛數則為虛頭痛発熱微盗汗出而反悪寒者表未解也醫反下之動數変遲膈内拒痛一云頭痛即眩胃中空虛客氣動膈短氣躁煩心中懊憹陽氣内陷心下因鞕則為結胸大陷胸湯主之若不結胸但頭汗出餘處無汗劑頸而還小便不利身必発黄也宋板無也字○太陽下篇○傷寒六七日結胸熱實脉沉而緊玉函沉而緊作浮緊心下痛按之

石鞕（玉函鞕作堅）者大陷胷湯主之（同上）○傷寒十餘日熱結在裏復往來寒熱者與大柴胡湯但結胷無大熱者此爲水結在胷脅也但頭微汗出者大陷胷湯主之（同上）○大陽病重発汗而復下之不大便五六日舌上燥而渴日晡所小有潮熱（一云日晡所発心胷大煩）從心下至少腹鞕滿而痛不可近者大陷胷湯主之（同上）○傷寒五六日嘔而発熱者柴胡湯證具而以他藥下之

柴胡證仍在者復與柴胡湯此雖已下之不爲逆必蒸蒸而振却発熱汗出而解若心下滿而鞕痛者此爲結胷也大陷胷湯主之但滿而不痛者此爲痞柴胡不中與之宜半夏瀉心湯同上

大陷胷丸

大黄半斤　葶藶子半升熬　芒硝半升　杏仁半升熬黒

右四味擣篩二味內杏仁芒硝合研如脂和

散取如彈丸一枚別擣甘遂末一錢匕白蜜二合水二升煮取一升温頓服之一宿乃下如不下更服取下爲效禁如藥法

病発於陽而反下之熱入因作結胷病発於陰而反下之（一作汗出）因作痞也所以成結胷者以下之太早故也○結胷者項亦強如柔痓狀下之則和宜大陷胷丸（太陽下篇）

大半夏湯　半夏（二升）　人参（三兩）　白蜜（一升）

右三味以水一斗二升和蜜揚之二百四十遍煮取二升半溫服一升餘分再服

胃反嘔吐者大半夏湯主之（千金云治胃反不受食食入卽吐○外臺云治嘔心下痞鞕者○嘔吐噦下利篇）

大建中湯

蜀椒（二合）　乾姜（四兩）　人參（二兩）

右三味以水四升煮取二升去滓內膠飴一升微火煎取一升半分溫再服如一炊頃可飲粥二升後更服當一日食糜溫覆之

心胸中大寒痛嘔不能飲食腹中寒上衝皮起出見有頭足上下痛而不可觸近大建中湯主之腹滿寒疝宿食篇

大猪膽汁方　大猪膽一枚

瀉汁和醋少許宋板醋少許作少許法醋以灌穀道中如一食頃當大便出宿食惡物甚效拠宋板補宿食惡物甚效六字

陽明病自汗出若發汗小便自利者此爲津

液內竭雖鞕不可攻之當須自欲大便宜蜜煎導而通之若土瓜根及與（宋板無與字）大猪膽汁皆可爲導（陽明篇）

大黃黃連瀉心湯 大黃二兩 黃連一兩

右二味㕮咀（㕮咀二字玉函補）以麻沸湯二升漬之須臾絞去滓分溫再服（林億云大黃黃連瀉心湯諸本皆二味又後附子瀉心湯用大黃黃連黃芩附子恐是前方中亦有黃芩後但加附子也故後云附子瀉心湯本云加附子也）

心下痞按之濡其脉關上浮者大黃黃連瀉心湯主之太陽下篇○傷寒大下後復發汗心下痞惡寒者表未解也不可攻痞當先解表表解乃可攻痞解表宜桂枝湯攻痞宜大黃黃連瀉心湯同上

大黃附子湯

大黃三兩　附子三枚炮　細辛二兩

右三味以水五升煮取二升分溫三服若強

人煮取二升半分温三服服後如人行四五里進一服

脇下偏痛發熱其脉緊弦此寒也以温藥下之宜大黄附子湯腹滿寒疝宿食篇

大烏頭煎方

烏頭大者五枚熬不㕮咀

右以水三升煮取一升去滓内蜜二升煎令水氣盡取二升强人服七合弱人服五合不差明日更服不可日再服

腹痛脉弦而緊弦則衛氣不行卽惡寒緊則不欲食邪正相搏卽爲寒疝遶臍痛若発則自（自或作白）汗出手足厥冷其脉沈弦（弦或作緊）者大烏頭煎主之（腹滿寒疝宿食篇）

大黄甘遂湯　大黄四兩　甘遂二兩　阿膠二兩

右三味以水三升煮取一升頓服之其血當下

婦人少腹滿如敦狀小便微難而不渴生後

者此爲水與血俱結在血室也大黃甘遂湯主之婦人雜病篇

大黃消石湯 大黃四兩 黃蘗四兩 消石四兩 梔子十五枚○朱板作滑石

右四味以水六升煮取二升去滓內消石更煮取一升頓服

黃疸腹滿小便不利而赤自汗出此爲表和裏實當下之宜大黃消石湯黃疸篇

大黃牡丹湯　大黃四兩　牡丹一兩　桃仁五十枚　瓜子半升　芒消三合

右五味以水六升煮取一升去滓內芒消再煎沸頓服之有膿當下如無膿當下血

腸癰者少腹腫痞按之即痛如淋小便自調時時發熱自汗出復惡寒其脉遲緊者膿未成可下之當有血脉洪數者膿已成不可下也大黃牡丹湯主之　瘡癰腸癰浸淫萹

大黄甘草湯　大黄四兩　甘草一兩

右二味以水三升煮取一升分温再服

食巳即吐者大黄甘草湯主之○外臺方又治吐水○嘔吐噦下利萹

大黄䗪蟲丸　大黄十分蒸　黄芩二兩　甘草三兩　桃仁一升　杏仁一升　芍藥四兩　乾地黄十兩　乾漆一兩　䖟蟲一升　水蛭百枚　蠐螬一升　䗪蟲半升

右十二味末之煉蜜和爲丸小豆大酒飲服五丸日三服

五勞虛極羸瘦腹滿不能飲食食傷憂傷飲傷房室傷飢傷勞傷經絡榮衛氣傷內有乾血肌膚甲錯兩目黯黑緩中補虛大黃䗪蟲丸主之（血痺虛勞篇）

肘後獺肝散

獺肝一具

炙乾末之水服方寸匕日三服

肘後獺肝散治冷勞又主鬼疰一門相染血痺

虛勞篇

附方

沢漆湯 半夏半升 紫参五兩一作紫菀 沢漆三斤 以東流水五斗煮取一斗五升 生姜五兩 白前五兩 甘草 黄芩 人参 桂枝各三兩

右九味㕮咀內沢漆汁中煮取五升温服五合至夜盡

欬而脉浮者厚朴麻黄湯主之脉沉者沢漆

湯主之肺痿肺癰欬嗽上氣篇

沢泻湯　沢泻五兩　白朮二兩

右二味以水二升煮取一升分温再服

心下有支飲其人若冒眩者澤瀉湯主之痰飲欬嗽篇

桃核承氣湯　桃仁五十箇　桂枝二兩　大黄四兩　芒硝二兩　甘草二兩炙

右五味以水七升煮玉函煮上有先字煮下有四味二字取二

升半去滓內芒硝更上火微沸下火先食溫服五合日三服當微利

大陽病不解熱結膀胱其人如狂血自下下者愈其外不解者尚未可攻當先解外外解已但少腹急結者乃可攻之宜桃核承氣湯

太陽中篇

桃花湯　赤石脂一斤　乾姜一兩　粳米一升

右三味以水七升煮米令熟去滓溫服七合

內赤石脂末方寸匕日三服若一服愈餘勿服

少陰病下利便膿血者桃花湯主之少陰篇◯少陰病二三日至四五日腹滿小便不利下利不止便膿血者桃花湯主之同上◯下利便膿血者桃花湯主之嘔吐噦下利篇

當歸生姜羊肉湯

當歸三兩　生姜五兩　羊肉一斤

右三味以水八升煮取三升溫服七合日三服若寒多者加生姜成一斤痛多而嘔者加橘皮二兩白术一兩加生姜者亦加水五升煮取三升二合服之

寒疝腹中痛及脇痛裏急者當歸生姜羊肉湯主之腹滿寒疝宿食篇○產後腹中㽲痛當歸生姜羊肉湯主之并治腹中寒疝虛勞不足婦人產後篇

當歸芍藥散　當歸三兩　芍藥一斤　茯苓四兩
白朮四兩　沢瀉半斤　芎藭半斤一作三兩
右六味杵爲散取方寸七酒和日三服
婦人懷姙腹中疠痛當歸芍藥散主之婦人姙娠篇○婦人腹中諸疾痛當歸芍藥散主之婦人雜病篇

當歸四逆湯　當歸　桂枝　芍藥各三兩　通草
細辛二兩○宋板作三兩玉函作一兩　甘草二兩炙

二兩大棗二十五箇一法二十枚

右七味㕮咀據玉函補㕮咀二字以水八升煮取三升

去滓溫服一升日三服

手足厥寒脉細欲絶者當歸四逆湯主之厥陰

篇○下利脉大者虛也以其强下之故也設

脉浮革因爾腸鳴者屬當歸四逆湯主之不可

下病篇

當歸四逆加吳茱萸生姜湯　當歸三兩　芎

藥三兩甘草二兩炙通草二兩〇玉函作三兩•桂枝三兩細辛三兩生姜半斤大棗二十五枚吳茱萸二升〇玉函作二兩

右九味㕮咀拠玉函補㕮咀二字以水六玉函六作四升清酒六玉函六作四升和煮取五玉函五作三升去滓溫分五服

手足厥寒脉細欲絶者當歸四逆湯主之若其人内有久寒者宜當歸四逆加吳茱萸生

姜湯主之宋板無主之二字○厥陰篇

當歸散　當歸　黃芩　芍藥　芎藭各一斤

白朮半斤

右五味杵爲散酒飲服方寸匕日再服

婦人姙娠宜常服當歸散主之婦人姙娠病篇○姙

娠常服卽易產胎無苦疾產後百病悉主之

同上

當歸貝母苦參丸　當歸　貝母　苦參各四

兩

右三味末之煉蜜丸如小豆大飲服三丸加至十丸男子加滑石半兩

妊娠小便難飲食如故歸母苦參丸主之婦人

妊娠蔄

千金內補當歸建中湯　當歸四兩　桂枝三兩

芍藥六兩　生姜三兩　甘草二兩　大棗十二枚

右六味以水一斗煮取三升分溫三服一日

令盡若大虛加飴糖六兩湯成內之於火上
煖令飴消若去血過多崩傷內衄不止加地
黃六兩阿膠二兩合八味湯成內阿膠若無
當歸以芎藭代之若無生姜以乾姜代之
治婦人產後虛羸不足腹中刺痛不止吸吸
少氣或苦少腹中急摩痛引腰背不能食飲
產後一月日得服四五劑爲善令人强壯宜人婦
附方
產後篇

礼

苓桂朮甘湯　茯苓四兩　桂枝三兩　白朮二兩○玉函作三兩　甘草二兩炙

右四昧以水六升煮取三升去滓分温三服

小便卽利拠玉函補小便卽利四字

傷寒若吐若下後心下逆滿氣上衝胸起則頭眩脉沉緊發汗則動經身爲振振搖者茯苓桂枝白朮甘草湯主之太陽中篇○心下有痰飲

胷脇支滿目眩苓桂术甘湯主之痰飲欬嗽篇○夫短氣有微飲當從小便去之苓桂术甘湯主之腎氣丸亦主之同上

苓姜术甘湯

甘草　白术各二兩　乾姜

茯苓各四兩

右四味以水五升煮取三升分溫三服腰中即溫

腎着之病其人身體重腰中冷如坐水中形

如水狀反不渴小便自利飲食如故病屬下焦身勞汗出衣表一作裏冷濕久久得之腰以下冷痛腰重如帶五千錢甘姜苓术湯主之

五藏風寒積聚篇

苓桂五味甘草湯

茯苓四兩 桂枝四兩 甘草三兩 五味子半升

右四味以水八升煑取三升去滓分三温服

欬逆倚息不得臥小青龍湯主之青龍湯下

已多唾口燥寸脉沉尺脉微手足厥逆氣從小腹上衝胸咽手足痺其面翕熱如醉狀因復下流陰股小便難時復冒者與茯苓桂枝五味甘草湯治其氣衝痰飲欬嗽喘

苓甘五味姜辛湯　茯苓四兩　甘草　乾姜　細辛各三兩　五味子半升

右五味以水八升煮取三升去滓溫服半升日三

衝氣卽低而反更欬胸滿者用桂苓五味甘草湯去桂加乾姜細辛以治其欬滿（痰飲咳嗽篇）

苓甘姜味辛夏湯

茯苓（四兩）　甘草　細辛　乾姜（各二兩）　五味　半夏（各半升）

右六味以水八升煮取三升去滓溫服半升日三

欬滿卽止而更復渴衝氣復発者以細辛乾姜爲熱藥也服之當遂渴而渴反止者爲支

飲也支飲者法當冒冒者必嘔嘔者復內半
夏以去其水痰飲欬嗽喘
苓甘姜味辛夏仁湯　茯苓四兩　甘草三兩
五味半升　乾姜三兩　細辛三兩　半夏半升　杏
仁半升
右七味以水一斗煮取三升去滓溫服半升
日三
水去嘔止其人形腫者加杏仁主之其證應

内麻黄以其人遂痹故不内之若逆而内之者必厥所以然者以其人血虚麻黄発其陽故也痰飲欬嗽篇

苓甘姜味辛夏仁黄湯

茯苓四兩　甘草三兩　五味子半升　乾姜三兩　半夏半升　細辛三兩　杏仁半升　大黄三兩

右八味以水一斗煮取三升去滓温服半升日三

若面熱如醉此爲胃熱上衝熏其面加大黄以利痰飲欬嗽篇

曾

古今録驗續命湯

麻黄　桂枝　當歸　人參　石膏　乾姜　甘草各三兩　芎藭一兩五錢　杏仁四十枚

右九味以水一斗煮取四升温服一升當小汗薄覆脊憑几坐汗出則愈不汗更服無所

禁勿當風并治但伏不得臥欬逆上氣面目浮腫

治中風痱身體不能自收（收字下一有持字）口不能言冒昧不知痛處或拘急不得轉側（姚云與大續命同兼治婦人產後去血者及老人小兒○）

中風歷節蓐附方

外臺走馬湯　巴豆二枚（熬）　杏仁二枚

右二味以綿纏搥令碎熱湯二合捻取白汁飲之當下老少量之

治中悪心痛腹脹大便不通通治飛尸鬼擊病腹滿寒疝宿食篇附方

津

通脉四逆湯　甘草三兩炙○宋板作二兩　附子大者一枚　乾姜三兩強人可四兩

右三味以水三升煮取一升二合去滓分温再服其脉即出者愈後加減法面色赤者加葱九莖腹中痛者去葱加芍藥二兩嘔者加

生姜二兩咽痛者去芍藥加桔梗一兩利止脉不出者去桔梗加人參二兩病皆與方相應者乃服之拠柴板補病皆與方相應者乃服之十字

少陰病下利清穀裏寒外熱手足厥逆脉微欲絕身反不惡寒其人面赤色柴板赤色或作色赤腹痛或乾嘔或咽痛或利止脉不出者通脉四逆湯主之少陰篇

○下利清穀裏寒外熱汗出而厥者通脉四逆湯主之厥陰篇并嘔吐噦下利篇

通脉四逆加猪膽汁湯　甘草二兩炙　乾姜三兩強人可四兩　附子大者一枚生　猪膽汁半合

右四味以水三升煮取一升二合去滓内猪膽汁分温再服其脉即來無猪膽以羊膽代之

吐已下断汗出而厥四肢拘急不解脉微欲絕者通脉四逆加猪膽汁湯主之霍乱篇

頭風摩散　大附子一枚炮　鹽等分

右二味爲散沐了以方寸匕已摩疾上令藥力行 中風歷節篇

良

狼牙湯 狼牙三兩

右一味以水四升煮取半升以綿纏筯如繭浸湯瀝陰中日四遍

少陰脉滑而數者陰中即生瘡陰中蝕瘡爛者狼牙湯洗之 婦人雜病篇

宇

禹餘糧丸

汗家重発汗必恍惚心亂小便已陰疼與禹餘糧丸（太陽中篇）

烏頭桂枝湯　烏頭

右一味以蜜二斤煎減半去滓以桂枝湯五合解之得一升後初服二合不知即服三合又不知復加至五合其知者如醉狀得吐者

爲中病

寒疝腹中痛逆冷手足不仁若身疼痛灸刺諸藥不能治抵當烏頭桂枝湯主之腹滿寒疝宿食篇

烏頭湯　麻黃　芍藥　黃耆各三兩　甘草三兩炙　川烏五枚㕮咀以蜜二升煎取一升即出烏頭

右五味㕮咀四味以水三升煮取一升去滓內蜜煎中更煎之服七合不知盡服之

病歷節不可屈伸疼痛烏頭湯主之中風歷節篇○治脚氣疼痛不可屈伸同上○治寒疝腹中絞痛賊風入攻五藏拘急不得轉側發作有時使人陰縮手足厥逆腹滿寒疝宿食篇附方

烏頭赤石脂丸

蜀椒一兩一法二分　烏頭一分炮
附子半兩炮一法一分　乾姜一兩一法一分　赤石脂一兩一法二分

右五味末之蜜丸如梧子大先食服一丸日

三服不知稍加服

心痛徹背背痛徹心烏頭赤石脂丸主之胷痺

心痛短氣篇

烏梅圓　烏梅三百個　細辛六兩　附子六兩炮

桂枝六兩　人參六兩　黃蘗六兩　乾姜十兩　黃

連一斤〇宋板作十六兩　當歸四兩　蜀椒四兩

右十味異擣篩合治之以苦酒漬烏梅一宿

去核蒸之五斤宋板作斗升米下飯熟擣成泥和

蘗令相得內臼中與蜜杵二千下圓如梧桐子大先食飲服十圓日三服稍加至二十圓禁生冷滑物臭食等

傷寒脉微而厥至七八日膚冷其人躁無暫安時者此爲藏厥非爲蚘厥宋板非爲蚘厥作非蚘厥也蚘厥者其人當吐蚘令病者靜而復時煩者挍宋板補者字此爲藏寒蚘上入其挍宋板補其字膈故煩須臾復止復食而嘔又煩者蚘聞食臭出

其人當自吐蚘蚘厥者烏梅圓主之又主久
利厥陰篇

溫經湯
吳茱萸三兩　當歸　芎藭　芍藥
甘草　人參　桂枝　阿膠　牡丹皮　生
姜各二兩　半夏半升　麥門冬一升

右十二味以水一斗煮取三升分溫三服

問曰婦人年五十所病下利數十日不止暮
即発熱少腹裏急腹滿手掌煩熱脣口乾燥

何也師曰此病屬帶下何以故曾經半產瘀血在小腹少腹不去何以知之其證脣口乾燥故知之當以溫經湯主之婦人雜病篇◯亦主婦人少腹寒久不受胎兼取崩中去血或月水來過多及至期不來同上

久

苦酒湯　半夏十四枚　雞子一枚

右二味內半夏著苦酒中以雞子殼置刀鐶

宋板鐶作環中安火上令三沸去滓少少含嚥之

不差更作三劑服之宋板無服之二字

少陰病咽中傷生瘡不能語言聲不出者苦

酒湯主之少陰篇

括蔞薤白白酒湯　括蔞實一枚　薤白半升

白酒七升

右三味同煮取二升分温再服

胸痺之病喘息欬唾胸背痛短氣寸口脉沉

而遲關上小緊數括蔞薤白白酒湯主之胷痺心痛短氣篇

括蔞薤白半夏湯　括蔞實一枚　薤白三兩

半夏半升　白酒一斗

右四味同煮取四升溫服一升日三服

胷痺不得臥心痛徹背者括蔞薤白半夏湯主之胷痺心痛短氣篇

括蔞瞿麥丸　括蔞根二兩　茯苓　薯蕷各三

兩　附子炮一枚　瞿麥一兩

右五味末之煉蜜丸梧子大飲服三丸日三服不知增至七八丸以小便利腹中溫爲知

小便不利者有水氣其人若渴用栝蔞瞿麥丸主之消渴小便利淋萹

栝蔞牡蠣散　栝蔞根　牡蠣熬等分

右爲細末飲服方寸匕日三服

百合病渴不差者栝蔞牡蠣散主之百合狐惑陰陽

毒

篇

瓜蒂散　瓜蒂熬黄　赤小豆各一分〇玉函作各十六銖

右二味各別擣篩爲散已合治之取一錢匕以香豉一合用熱湯七合煮作稀糜去滓取汁和散溫頓服之不吐者少少加得快吐乃止諸亡血虛家不可與瓜蒂散

病如桂枝證頭不痛項不強寸脉微浮胸中痞鞕氣上衝咽喉不得息者此爲胸有寒也

當吐之宜瓜蒂散太陽下篇○病人手足厥冷脈乍緊者邪結在胸中心中滿而煩饑不能食者病在胸中當須吐之宜瓜蒂散厥陰篇○宿食在上脘當吐之宜瓜蒂散腹滿寒疝宿食篇

滑石白魚散　滑石二分　亂髮燒二分　白魚二分

右三味杵爲散飲服方寸匕日三服

小便不利蒲灰散主之滑石白魚散茯苓戎

鹽湯並主之消渴小便利淋瀝

滑石代赭湯　百合七枚　滑石三兩　代赭石如彈丸大一枚

右先以水洗百合漬一宿當白沫出去其水更以泉水二升煎取一升去滓別以泉水二升煎滑石代赭取一升去滓後合和重煎取一升五合分溫服

百合病下之後者滑石代赭湯主之百合狐惑陰陽

毒篇

苦參湯

蝕於下部則咽乾苦參湯洗之（百合狐惑陰陽毒篇）

栝蔞桂枝湯

栝蔞根（二兩） 桂枝（三兩） 芍藥（三兩） 甘草（二兩） 生姜（三兩） 大棗（十二枚）

右六味以水九升煮取三升分溫三服取微汗汗不出食頃啜熱粥發之

太陽病其證備身體強几几然脈反沉遲此

爲痓栝蔞桂枝湯主之痓濕暍篇

還魂湯　麻黄三兩一方四兩　杏仁七十箇　甘草一兩炙千金用桂心二兩

右三味以水八升煮取三升去滓分令咽之

通治諸感忤

救卒死客忤死還魂湯主之千金方云主卒忤鬼擊飛尸諸奄忽氣絶無復覺或已無脉口噤拘不開去齒下湯湯下口不下者分病人髮左右捉踏肩引之藥下復增取二升須臾立甦○雜療篇

也

射干麻黃湯　射干十三枚一云三兩　麻黃四兩

生姜四兩　細辛　紫菀　款冬花各三兩　五味子半升　大棗七枚　半夏大者八枚一法半斤

右九味以水一斗二升先煑麻黃兩沸去上沫內諸藥煑取三升分溫三服

欬而上氣喉中水雞聲射干麻黃湯主之　肺痿肺癰欬嗽上氣篇

末

麻黃湯　麻黃三兩　桂枝二兩　甘草一兩炙

杏仁七十個

右四味㕮咀（抝玉函補㕮咀二字）以水九升先煮麻黃減二升去上沫內諸藥煮取二升半去滓溫服八合覆取微似汗不須啜粥餘如桂枝法將息

太陽病頭痛發熱身疼腰痛骨節疼痛悪風

無汗而喘者麻黃湯主之（太陽中篇）◯太陽與陽明合病喘而胸滿者不可下宜麻黃湯主之（宋板無主之二字◯同上）◯太陽病十日以去脉浮細而嗜卧者外已解也設胸滿脇痛者與小柴胡湯脉但浮者與麻黃湯（同上）◯太陽病脉浮緊無汗発熱身疼痛八九日不解表證仍在此當発其汗服藥已微除其人発煩目瞑劇者必衄衄乃解所以然者陽氣重故也麻黃湯

主之（同上）○脉浮者病在表可發汗宜麻黄湯（同上）○脉浮而數者可發汗宜麻黄湯（同上）○陽明中風脉弦浮大而短氣腹都滿脇下及心痛久按之氣不通鼻乾不得汗嗜臥一身及面（宋板無面字）目悉黄小便難有潮熱時時噦耳前後腫刺之小差外不解病過十日脉續浮者與小柴胡湯脉但浮無餘證者與麻黄湯若不尿腹滿加噦者不治（陽明篇）○陽明病脉

浮無汗而喘者發汗則愈宜麻黃湯同上◎傷
寒脉浮緊不發汗因致衄者麻黃湯主之太陽中篇

麻黃加朮湯　麻黃三兩　桂枝二兩　甘草二兩炙
　杏仁七十箇　白朮四兩
右五味以水九升先煮麻黃減二升去上沫內
諸藥煮取二升半去滓溫服八合覆取微似汗
濕家身煩疼可與麻黃加朮湯發其汗爲宜
慎不可以火攻之痓濕暍篇

麻黃附子甘草湯　麻黃（二兩）　甘草（二兩炙）
附子（炮一枚）
右三味以水七升先煮麻黃一兩沸去上沫
內諸藥煮取三升（玉函三升作二升半）去滓溫服一升
（玉函一升作八合）日三服
少陰病得之二三日麻黃附子甘草湯微發
汗以二三日無裏證故微發汗也（少陰篇）○水
之爲病其脉沉小屬少陰浮者爲風無水虛

脹者爲氣水發其汗卽已脉沉者宜麻黃附子湯浮者宜杏子湯杏子湯未見恐是麻黃杏仁甘草石膏湯○水氣篇

麻黃杏仁甘草石膏湯 麻黃四兩 杏仁十五箇 甘草二兩炙○玉函作一兩 石膏半斤

右四味以水七升先煮麻黃減二升去上沫內諸藥煮取二升去滓溫服一升本云黃耳杯

發汗後不可更行桂枝湯汗出而喘無大熱者可與麻黃杏仁甘草石膏湯主之宋板無主之二字○太陽中篇○下後不可更行桂枝湯若汗出而喘無大熱者可與麻黃杏子甘草石膏湯太陽下篇

麻黃杏仁薏苡甘草湯

麻黃半兩湯炮　甘草一兩炙　薏苡仁半兩　杏仁十箇炒

右剉麻豆大每服四錢匕水盞半煮八分去

滓溫服有微汗避風

病者一身盡疼發熱日晡所劇者名風濕此病傷於汗出當風或久傷取冷所致也可與麻黃杏仁薏苡甘草湯痓濕暍篇

麻黃細辛附子湯　麻黃二兩　細辛二兩　附子一枚炮

右三味以水一斗先煮麻黃減二升去上沫內諸拠玉函宋板補諸字藥煮取三升去滓溫服一升

日三服
少陰病始得之反發熱脉沉者麻黄細辛附子湯主之少陰篇
千金麻黄醇酒湯　麻黄三兩
右一味以美清酒五升煮取二升半頓服盡冬月用酒春月用水煮之
治黄疸附方黄疸篇
麻黄連軺赤小豆湯　麻黄二兩　連軺二兩連翹

根也生姜二兩赤小豆一升生梓白皮一升
杏仁四十箇◎玉函作三十枚大棗十二枚甘草一兩炙◎
朱板作二兩
已上玉函朱板已上作右共八味以潦水一斗先煮麻
黃再沸去上沫內諸藥煮取三升去滓拠朱板補
去滓二字分溫三服半日服盡
傷寒瘀熱在裏身必發黃麻黃連軺赤小豆
湯主之陽明篇

麻黃升麻湯　麻黃二兩半　升麻　當歸各一
兩一分　知母　黃芩　萎蕤各十八銖一作菖蒲　石
膏　白朮　乾薑　芍藥　天門冬　桂枝
茯苓　甘草炙各六銖
右十四味㕮咀據玉函補㕮咀二字以水一斗先煮麻
黃一兩沸去上沫內諸藥煮取三升去滓
分溫三服相去如炊三斗米頃令盡汗出
愈

傷寒六七日大下後寸脉沉而遲手足厥逆下部脉不至咽喉不利唾膿血泄利不止者爲難治麻黄升麻湯主之（厥陰篇）

麻仁丸

麻子仁（二升） 芍藥（半升〇玉函宋板共作半斤）

大黄（一升〇玉函宋板共作一斤） 厚朴（一斤炙〇宋板作一尺）

枳實（半斤炙） 杏仁（一斤熬）

右六味爲末（宋板無爲末二字）煉蜜爲丸（宋板爲丸作和丸）如梧桐子大飲服十丸日三服漸加以和（宋板）

和作知爲度

趺陽脉浮而濇浮則胃氣强濇則小便數浮濇相搏大便則難金匱難作堅其脾爲約麻仁丸主之陽明篇并五藏風寒積聚篇

註

桂枝湯一名陽旦湯　桂枝三兩　芍藥三兩　甘草二兩炙　生姜三兩　大棗十二枚

右五味㕮咀宋板㕮咀下有三味二字以水柒升微火煮

取三升去滓適寒溫服一升服已須臾歠熱稀粥一升餘以助藥力溫覆令一時許遍身漐漐微似有汗者益佳不可令如水流漓（宋板漓作離）病必不除若一服汗出病差停後服不必盡劑若不汗更服依前法又不汗後服小促其間半日許令三服盡若病重者一日一夜服周時觀之服一劑盡病證猶在者更作服若汗不出者（宋板無者字）乃服至二三劑禁生冷

粘滑肉麪五辛酒酪臭悪等物

大陽中風陽浮而陰弱（王函弱字上有濡字）陽浮者熱自發陰弱者汗自出嗇嗇悪寒淅淅悪風翕翕發熱鼻鳴乾嘔者桂枝湯主之（太陽上篇）○大陽病頭痛發熱汗出悪風者（米板無者字）桂枝湯主之（同上）○大陽病下之後其氣上衝者可與桂枝湯方用前法（王函無方用前法四字）若不上衝者不可與之（同上）○大陽病三日已發汗若吐若

下若溫鍼仍不解者此爲壞病桂枝不復(據玉函補復字)中與之(據宋板補之字)也觀其脈證知犯何逆隨證治之(以上從玉函爲一章)○桂枝湯(據玉函補湯字)本爲解肌若其人脈浮緊發熱汗不出者不可與之(據宋板補之字)也常須識此勿令誤也(同上)○若酒客病不可與桂枝湯得湯(玉函宋板湯作之)則嘔以酒客不喜甘故也(同上)○凡服桂枝湯吐者其後必吐膿血也(同上)○大陽病初服桂枝湯反

煩不解者先刺風池風府却與桂枝湯則愈同上○服桂枝湯大汗出若據玉函補若字脉洪大者與桂枝湯如前法若形如瘧一日再發者汗出必解宜桂枝二麻黃一湯同上○太陽病外證未解脉浮弱者當以汗解宜桂枝湯太陽中篇○太陽病外證未解者宋板無者字不可下也下之爲逆欲解外者宜桂枝湯主之宋板無主之二字○同上○太陽病先發汗不解而復下之脉浮者

不愈浮爲在外而反下之故令不愈今脉浮故知在外當須解外則愈宜桂枝湯主之朱板無主之二字○同上○病常自汗出者此爲榮氣和榮氣和者外不諧以衛氣不共榮氣和諧故爾以榮行脉中衛行脉外復發其汗榮衛和則愈宜桂枝湯同上○病人藏無他病時發熱自汗出而不愈者此衛氣不和也先其時發汗則愈宜桂枝湯主之朱板無主之二字○同上○傷寒不

大便六七日頭痛有熱者與承氣湯其小便清（一作青）者知不在裏仍在表也當須發汗若頭痛者必衄宜桂枝湯（同上）○傷寒發汗已解半日許復煩脉浮数者可更發汗宜桂枝湯主之（朱板無主之二字○同上）○傷寒醫下之續得下利清穀不止身疼痛者急當救裏後身疼痛清便自調者急當救裏宜四逆湯救表宜桂枝湯（同上）○太陽病發熱汗出者此爲榮弱衛強

故使汗出欲救邪風者宜桂枝湯同上○傷寒大下後復發汗心下痞惡寒者表未解也不可攻痞當先解表表解乃可攻痞解表宜桂枝湯攻痞宜大黃黃連瀉心湯太陽下篇○陽明病脉遲汗出多微惡寒者表未解也可發汗宜桂枝湯陽明篇○病人煩熱汗出則解又如瘧狀日晡所發熱者屬陽明也脉實者宜下之脉浮虛者宜發汗下之與大承氣湯發汗

宜桂枝湯同上〇太陰病脉浮者可發汗宜桂枝湯太陰篇〇下利後身疼痛清便自調者急當救表宜桂枝湯發汗可発汗篇〇下利腹脹滿身體疼痛者先溫其裏乃攻其表溫裏宜四逆湯攻表宜桂枝湯厥陰篇并嘔吐噦下利篇〇吐利止而身痛不休者當消息和觧其外宜桂枝湯小和之霍乱篇〇師曰婦人得平脉陰脉小弱其人渴不能食無寒热名姙娠桂枝湯主之

於法六十日當有此證設有醫治逆者却一月加吐下者則絶之（婦人姙娠篇）○產後風續之數十日不解頭微痛惡寒時時有熱心下悶乾嘔汗出雖久陽旦證續在耳可與陽旦湯（婦人產後篇）

桂枝加桂湯　桂枝（五兩）　芍藥（三兩）　生姜（三兩）

（○玉函作二兩）　甘草（二兩炙）　大棗（十二枚）

右五味以水七升煮取三升去滓溫服一升

本云桂枝湯今加桂滿五兩所以加桂者以能泄奔豚氣也

燒針金匱燒針上有發汗後三字令其汗針處被寒核起而赤者必發奔豚氣從少腹上衝金匱衝作至心者灸其核上各一壯與桂枝加桂湯更加桂三宋板三作二兩也據宋板補也字○太陽中篇奔豚篇

桂枝加芍藥湯　桂枝三兩　芍藥六兩　甘草炙二兩　大棗十二枚　生姜三兩

右五味以水七升煮取三升去滓温分三服玉函作温服一升本方桂枝湯今加芍藥

本太陽病醫反下之因而宋板而作爾腹滿時痛者屬太陰也桂枝加芍藥湯主之大實痛者桂枝加大黃湯主之太陰篇○太陰爲病脉弱其人續自便利設當行大黃芍藥者宜減之以其人胃氣弱易動故也下利者先煎芍藥三沸○同上

桂枝加大黃湯

桂枝三兩　大黃一兩○宋板作二兩

玉函作三兩 芍藥六兩 生姜三兩 甘草二兩炙

大棗十二枚

右六味㕮咀玉函補㕮咀二字以水七升煮取三升

去滓溫服一升日三服

本太陽病醫反下之因而宋板而作爾腹滿時痛

者屬太陰也桂枝加芍藥湯主之大實痛者

桂枝加大黃湯主之太陰篇○太陰爲病脈弱

其人續自便利設當行大黃芍藥者宜減之

以其人胃氣弱易動故也下利者先煎芍藥三沸○同上

桂枝去芍藥湯　桂枝三兩　甘草二兩炙　生姜三兩　大棗十二枚

右四味㕮咀據玉函補㕮咀二字以水七升煮取三升去滓溫服一升本云桂枝湯今去芍藥將息如前法

太陽病下之後其據玉函補其字脉促胷滿者桂枝去芍藥湯主之若微惡據玉函補惡字寒者桂枝去

芍藥加附子湯主之太陽上篇

桂枝加葛根湯

葛根四兩　麻黄三兩○玉函無麻黄　芍藥二兩　生姜三兩　甘草二兩炙　大棗十二枚　桂枝三兩

右七味以水一斗先煮麻黄葛根減二升去上沫內諸藥煮取三升去滓溫服一升覆取微似汗不須啜粥餘如桂枝法將息及禁忌按宋板補將息及禁忌五字

太陽病項背强几几反汗出惡風者桂枝加葛根湯主之太陽上篇

桂枝加附子湯 桂枝三兩 芍藥三兩 甘草三兩○玉函作二兩 生姜三兩 大棗十二枚 附子一枚炮

右六味㕮咀三物按玉函補㕮咀三物四字以水七升煮取三升去滓温服一升本云桂枝湯今加附子將息如前法

大陽病發汗遂漏不止其人惡風小便難四支微急難以屈伸者桂枝加附子湯主之太陽上篇

桂枝加厚朴杏子湯

桂枝三兩 甘草二兩炙 生姜三兩 芍藥三兩 大棗十二枚 厚朴二兩炙 杏仁五十枚

右七味以水七升微火煮取三升去滓溫服一升覆取微似汗

太陽病下之微喘者表未解故也桂枝加厚朴杏子湯主之（太陽中篇）○喘家作桂枝湯加厚朴杏子佳（太陽上篇）

桂枝去芍藥加附子湯　桂枝（三兩）　甘草（二兩）炙　生姜（三兩）　大棗（十二枚）　附子（一枚炮）

右五味㕮咀（执玉函補㕮咀二字）以水七升煮取三升去滓溫服一升本云桂枝湯今去芍藥加附子將息如前法

太陽病下之後脉促胷滿者桂枝去芍藥湯主之若微惡（據玉函補惡字）寒者桂枝去芍藥加附子湯主之（太陽上篇）

桂枝附子湯

桂枝（四兩） 附子（三枚炮） 生姜（三兩） 甘草（二兩炙） 太棗（十二枚）

右五味以水六升煮取二升去滓分溫三服

傷寒八九日風湿相搏身體（身體一作骨節）疼煩不能自轉側不嘔不渴脉浮虛而濇者桂枝附子湯主

之若其人金匱無其人二字大便鞕一云臍下心下鞕○金匱鞕作堅小便自利者桂枝去桂加白朮湯主之太陽下篇痓濕暍篇

桂枝附子去桂加白朮湯

附子三枚炮 白朮四兩 生姜三兩 甘草二兩炙 大棗十二枚

右五味以水六升煮取二升去滓分溫三服三服初一服其人身如痺半日許復服之三服都盡其人如冒狀勿怪此以附子朮併走皮內

逐水氣未得除故使之耳法當加桂四兩此本一方二法以大便鞕小便自利去桂也以大便不鞕小便不利當加桂附子三枚恐多也虛弱家及產婦宜減服之

傷寒八九日風濕相搏身體疼煩不能自轉側不嘔不渴脉浮虛而濇者桂枝附子湯主之若其人金匱無其人二字大便鞕一云臍下心下鞕○金匱鞕作堅小便自利者桂枝去桂加白朮湯主之太陽

下焉及瘥混喝焉

千金桂枝去芍藥加皂莢湯 桂枝 生姜各三兩 甘草二兩 大棗十枚 皂莢二枚去皮子炙焦

右五味以水七升微微火煮取三升分溫三服

治肺痿吐涎沫肺痿肺癰欬嗽上氣篇附方

桂枝加龍骨牡蠣湯 桂枝 芍藥 生姜各三兩 甘草二兩 大棗十二枚 龍骨 牡蠣

各三兩

右七味以水七升煮取三升分溫三服○小品云虛弱浮熱汗出者除桂加白薇子各三分故曰二加龍骨湯

夫失精家小腹弦急陰頭寒目眩一作目眶痛髮落脉極虛芤遲爲精穀亡血失精脉得諸芤動微緊男子失精女子夢交桂枝龍骨牡蠣湯主之血痹虛勞篇

桂枝二麻黃一湯　桂枝一兩十七銖　芍藥一兩六銖　麻黃十六銖　生姜一兩六銖　杏仁十六箇　甘草一兩二銖　大棗五枚

右七味以水五升先煮麻黃一二沸去上沫內諸藥煮取二升去滓溫服一升日再服本云桂枝湯二分麻黃湯一分合爲二升分再服今合爲一方將息如前法據宋板補本云以下二十九字

服桂枝湯大汗出若據玉函補若字脈洪大者與桂

枝湯如前法若形如瘧一（據宋板補一字）日再發者汗出必解宜桂枝二麻黃一湯（太陽上篇）

桂枝二越婢一湯　桂枝　芍藥　麻黃

甘草（各十八銖）　大棗（四枚）　生姜（一兩三錢）　石膏（二十四銖）

右七味㕮咀（宋板無㕮咀二字）以水五升先（據玉函補先字）煮麻黃一二沸去上沫內諸藥煮取二升去滓溫服一升本方當裁爲越婢湯桂枝湯合

之（拠宋板補之字）飲一升今合爲一方（以下十字拠宋板補之）

桂枝湯二分越婢湯一分

太陽病發熱惡寒熱多寒少脉微弱者此無陽也不可更作（玉函更作復）發其（拠玉函補其字）汗宜桂枝二越婢一湯（太陽上篇）

桂枝麻黃各半湯

桂枝（一兩十六銖）　芍藥　生姜　甘草（炙）　麻黃（各一兩）　大棗（四枚）　杏仁（二十四枚）

右七味㕮咀（擬玉函補㕮咀二字）以水五升先煮麻黃一二沸去上沫內諸藥煮取一升八合去滓溫服六合本云桂枝湯三合麻黃湯三合併爲六合頓服將息如上法（擬宋板補本云以下二十三字）

太陽病得之八九日如瘧狀發熱惡寒熱多寒少其人不嘔清便欲自可（玉函欲自可作自調）一日二三度發脉微緩者爲欲愈也脉微而惡寒者此陰陽俱虛不可更發汗更下更吐也面

色反有熱色者未欲解也以其不能得小汗出身必痒宜桂枝麻黃各半湯太陽上篇

桂枝甘草湯　桂枝四兩　甘草二兩炙

右二味以水三升煮取一升去滓頓服

發汗過多其人叉手自冒心心下悸欲得按者桂枝甘草湯主之太陽中篇

桂枝甘草龍骨牡蠣湯　桂枝一兩　甘草炙

牡蠣熬　龍骨各二兩○玉函作各三兩

右爲末（宋板爲末作四味）以水五升煮取二升半（玉函無半字）去滓溫服八合日三服

火逆下之因燒鍼煩躁者桂枝甘草龍骨牡蠣湯主之（太陽中篇）

桂枝芍藥知母湯　桂枝（四兩）芍藥（三兩）甘草（二兩）麻黃（二兩）生姜（五兩）白朮（五兩）知母（四兩）防風（四兩）附子（二枚炮）

右九味以水七升煮取二升溫服七合日三

服

少陰脉浮而弱則血不足浮則爲風風血相搏即疼痛如掣盛人脉濇小短氣自汗出歷節疼不可屈伸此皆飲酒汗出當風所致諸肢節疼痛身體尫羸脚腫如脫頭眩短氣温温欲吐桂枝芍藥知母湯主之中風歷節篇

桂枝茯苓丸　桂枝　茯苓　牡丹　桃仁熬　芍藥各等分

右五味末之煉蜜和丸如兔屎大每日食前服一丸不知加至三丸

婦人宿有癥病經斷未及三月而得漏下不止胎動在臍上者爲癥痼害妊娠六月動者前三月經水利時胎也下血者後斷三月不血（不血一本作衃）所以血不止者其癥不去故也當下其癥桂枝茯苓丸主之（婦人妊娠篇）

桂枝生姜枳實湯　桂枝　生姜各三兩　枳

實五枚○枚一作兩

右三味以水六升煮取三升分温三服

心中痞諸逆心懸痛桂枝生姜枳實湯主之胷痹心痛短氣篇

雞屎白散　雞屎白

右一味爲散取方寸匕以水六合和温服

轉筋之爲病其人臂脚直脉上下行微弦轉筋入腹者雞屎白散主之趺蹶手指臂腫轉筋陰狐疝蚘蟲篇

桂枝去桂加茯苓白朮湯

芍藥三兩　甘草二兩炙　生姜　白朮　茯苓各三兩　大棗十二枚

右六味㕮咀拠玉函補㕮咀二字以水八升煮取三升去滓溫服一升小便利則愈本云桂枝湯今去桂枝加茯苓白朮

服桂枝湯或下之仍頭項强痛翕翕發熱無汗心下滿微痛小便不利者桂枝去桂加

茯苓白术湯主之（太陽上篇）

桂枝加芍藥生姜各一兩人參三兩新加湯

桂枝三兩　芍藥四兩　甘草二兩炙　人參三兩

大棗十二枚　生姜四兩

右六味㕮咀四味（按玉函補㕮咀四味四字）以水一斗二

升煮取三升去滓溫服一升本云桂枝湯今

加芍藥生姜人參

發汗後身疼痛脈沈遲者桂枝加芍藥生姜

各一兩人參三兩新加湯主之（太陽中篇）

桂枝去芍藥加蜀漆龍骨牡蛎救逆湯

桂枝三兩　甘草二兩炙　生姜三兩　大棗十二枚

蜀漆三兩　牡蛎五兩熬　龍骨四兩

右爲末（宋本爲末作七味玉函作七味㕮咀）以水一斗二升先煮蜀漆減二升内諸藥煮取三升去滓溫服一升本方桂枝湯今去芍藥加蜀漆龍骨牡蛎一法以水一斗二升煮取五升（據玉函補本方以下）

二十八字

傷寒脉浮醫以火迫劫之亡陽必驚狂臥起不安者桂枝去芍藥加蜀漆牡蠣龍骨救逆湯主之太陽中篇○火邪者桂枝去芍藥加蜀漆牡蠣龍骨救逆湯主之驚悸吐衄下血胷滿瘀血篇

桂枝加黃耆湯　桂枝　芍藥各三兩　甘草二兩　生姜三兩　大棗十二枚　黃耆二兩

右六味以水八升煮取三升溫服一升須臾

飲熱稀粥一升餘以助藥力温覆取微汗若
不汗更服
黄汗之病兩脛自冷假令發熱此屬歷節食
已汗出又身常暮盜汗出者此勞氣也若汗
出已反發熱者久久其身必甲錯發熱不止
者必生惡瘡若身重汗出已輒輕者久久必
身瞤瞤即胷中痛又從腰以上必汗出下無
汗腰髖弛痛如有物在皮中狀劇者不能食

身疼重煩燥小便不利此爲黃汗桂枝加黃耆湯主之水氣篇○諸病黃家但利其小便假令脉浮當以汗觧之宜桂枝加黃耆湯主之黃疸篇

桂枝人參湯

桂枝四兩　甘草四兩炙　白朮三兩

人參三兩　乾姜三兩

右五味以水九升先煮四味取五升內桂更煮取三升去滓揔玉函宋板補去滓二字温服一升日再

夜一服

太陽病外證未除而数下之遂恊熱而利利下不止心下痞鞕表裏不解者桂枝人參湯主之太陽下篇

桂姜草棗黄辛附湯

桂枝三兩　生姜三兩

甘草二兩　大棗十二枚　麻黄　細辛各二兩

附子一枚炮

右七味以水七升煮麻黄去上沫内諸藥煮

取二升分溫三服當汗出如蟲行皮中即愈
氣分心下堅大如盤邊如旋杯水飲所作桂
枝去芍藥加黃辛附子湯主之水氣篇
不
茯苓桂枝甘草大棗湯　茯苓半斤　甘草三兩
○金匱作二兩　大棗十五枚　桂枝四兩
右四味以甘爛水一斗先煮茯苓減二升內
諸藥煮取三升去滓溫服一升日三服

作甘爛水法取水二斗置大盆內以杓揚之
水上有珠子五六千顆相逐取用之

發汗後其人金匱無其人二字臍下悸者欲作奔豚茯苓桂枝甘草大棗湯主之太陽中篇并奔豚篇

茯苓甘草湯

茯苓二兩〇玉函作三兩　桂枝二兩
生姜三兩　甘草一兩炙

右四味以水四升煮取二升去滓分溫三服

傷寒汗出而渴者五苓散主之不渴者茯苓

甘草湯主之（太陽中篇）◎傷寒厥而心下悸者（宋板無者字）宜先治水當服茯苓甘草湯却治其厥不爾水漬入胃必作利也（厥陰篇）

茯苓杏仁甘草湯　茯苓（三兩）　杏仁（五十箇）
甘草（一兩）

右三味以水一斗煮取五升温服一升日三服不差更服

胷痺中氣塞短氣茯苓杏仁甘草湯主之橘

枳姜湯亦主之胷痺心痛短氣者

茯苓戎鹽湯　茯苓半斤　白朮二兩　戎鹽彈丸大一枚

右三味先將茯苓朮煎成入戎鹽再煎分溫三服

小便不利蒲灰散主之滑石白魚散茯苓戎鹽湯並主之消渴小便利淋者

茯苓四逆湯　茯苓六兩○玉函宋板共作四兩　人參

一兩 甘草二兩炙 乾姜一兩半 附子一枚

右五味㕮咀拠玉函補㕮咀二字以水五升煮取三升玉函三升作一升二合去滓温服七合日三宋板三作二服

發汗若下之病仍不解煩躁者茯苓四逆湯主之太陽中篇

茯苓澤瀉湯

茯苓半斤 澤瀉四兩 甘草二兩

桂枝二兩 白术三兩 生姜四兩

右六味以水一斗煮取三升内澤瀉再煮取二

升半溫服八合日三服

胃反吐而渴欲飲水者茯苓澤瀉湯主之外臺治消渴脉絕胃反吐食又有小麥一升○嘔吐噦下利篇

外臺茯苓飲

茯苓　人參　白朮各三兩

枳實二兩　橘皮二兩半　生姜四兩

右六味水六升煮取一升八合分溫三服如人行八九里進之

治心胸中有停痰宿水自吐出水後心胸間

虛氣滿不能食消痰氣令能食痰飲欬嗽篇附方

文蛤散　文蛤五兩

右一味杵爲散以沸湯五合和服方寸匕

渴欲飲水不止者文蛤散主之消渴小便利淋篇○

病在陽應以汗解之反以冷水噀之若灌之其熱被劫不得去彌更益煩肉上粟起意欲飲水反不渴者服文蛤散若不差者與五苓散寒實結胸無熱證者與三物小陷胸湯白

散玉函小陷胸湯白散作小白散亦可服太陽下篇

文蛤湯　文蛤五兩　麻黃　甘草　生姜各三兩　石膏五兩　杏仁五十枚　大棗十二枚

右七味以水六升煮取二升溫服一升汗出即愈

吐後渴欲得水而貪飲者文蛤湯主之兼主微風脉緊頭痛嘔吐噦下利篇

附子瀉心湯　大黃二兩　黃連　黃芩各一兩

附子二枚炮〇玉函作一枚

右四味切玉函切作㕮咀三味以麻沸湯二升漬之須臾絞去滓內附子汁分溫再服

心下痞而復惡寒汗出者附子瀉心湯主之太陽下篇

附子粳米湯

附子一枚炮　半夏半升　甘草一兩　大棗十枚　粳米半升

右五味以水八升煮米熟湯成去滓溫服一升日三服

腹中寒氣雷鳴切痛胸脇逆滿嘔吐附子粳米湯主之痛而閉者厚朴三物湯主之腹滿寒疝宿食篇

附子湯

附子二枚炮　茯苓三兩　人參二兩

白朮四兩　芍藥三兩

右五味㕮咀按玉函補㕮咀二字以水八升煮取三升去滓溫服一升日三服

少陰病得之一二日口中和其背惡寒者當灸之附子湯主之少陰篇○少陰病身體痛手

足寒骨節痛脉沉者附子湯主之同上○婦人懷娠六七月脉弦發熱其胎愈脹腹痛惡寒者少腹如扇所以然者子藏開故也當以附子湯溫其藏婦人妊娠篇

風引湯

大黃　乾姜炮　龍骨各四兩　桂枝三兩　甘草炙　牡蛎各二兩　寒水石　滑石　赤石脂　白石脂　紫石英　石膏各六兩

右十二味杵麤篩以韋囊盛之取三指撮井

花水三升煮三沸温服一升

除熱癱癎治大人風引少小驚癎瘈瘲日數十發醫所不療除熱方巢氏云脚氣宜風引湯○中風歷節篇

古

五苓散

猪苓十八銖　澤瀉一兩六銖半○玉函宋板共無半字　茯苓十八銖　桂枝半兩　白朮十八銖

右五味爲末宋板爲末作擣爲散以白飲和服方寸匕日三服多飲煖水汗出愈如法將息拠宋板補如法

將息四字●

大陽病發汗後大汗出胃中乾煩燥宋板燥作躁不得眠欲得飲水者少少與飲之令胃氣和則愈若脉浮小便不利微熱消渴者與宋板無與字五苓散主之太陽中篇○發汗已脉浮數煩渴者五苓散主之同上○傷寒汗出而渴者五苓散主之不渴者茯苓甘草湯主之同上○中風發熱六七日不解而煩有表裏證渴欲飲水

水入則吐者名曰水逆五苓散主之上同◯病在陽應以汗解之反以冷水噀之若灌之其熱被刼不得去彌更益煩肉上粟起意欲飲水反不渴者服文蛤散若不差者與五苓散寒實結胸無熱證者與三物小陷胸湯白散玉函小陷胸湯亦可服白散作小白散太陽下篇◯本以下之故心下痞與瀉心湯痞不解其人渴而口燥煩小便不利者五苓散主之上同◯太陽病寸

緩關浮尺弱其人發熱汗出復惡寒不嘔但心下痞者此以醫下之也如其不下者病人不惡寒而渴者此轉屬陽明也小便數者大便必鞕不更衣十日無所苦也渴欲飲水少少與之但以法救之渴者宜五苓散陽明篇○霍乱頭痛發熱身疼痛熱多欲飲水者五苓散主之寒多不用水者理中丸主之霍乱篇○假令瘦人臍下有悸吐涎沫而癲眩此水也五

苓散主之（痰飲咳嗽篇）○脉浮小便不利微熱消渴者宜利小便發汗五苓散主之（消渴小便利淋篇）○渴欲飲水水入則吐者名曰水逆五苓散主之（同上）

呉茱萸湯

呉茱萸（一升）　人參（三兩）　生姜（六兩）
大棗（十二枚）

右四味以水七升煮取三（玉函宋板共三作二）升去滓溫服七合日三服

食穀欲嘔者宋板無者字屬陽明也吳茱萸湯主之得湯反劇者屬上焦也陽明篇◯少陰病吐利手足厥宋板厥作逆冷煩躁欲死者吳茱萸湯主之少陰篇◯乾嘔吐涎沫頭痛者吳茱萸湯主之厥陰篇并嘔吐噦下利篇◯嘔而胸滿者吳茱萸湯主之嘔吐噦下利篇

厚朴三物湯

厚朴八兩　大黃四兩　枳實五枚

右三味以水一斗二升先煮二味取五升內

大黃煮取三升溫服一升以利爲度

腹中寒氣雷鳴切痛胷脇逆滿嘔吐附子粳米湯主之痛而閉者厚朴三物湯主之腹滿寒疝宿食篇

厚朴生姜半夏甘草人參湯

厚朴半斤炙　生姜半斤　人參一兩　半夏半升　甘草二兩炙

右五味㕮咀執玉函補㕮咀二字以水一斗煮取三升去滓溫服一升日三服

發汗後腹脹滿者厚朴生姜半夏甘草人參湯
主之太陽中篇

厚朴七物湯 厚朴半斤 甘草三兩 大黃二兩
大棗十枚 枳實五枚 桂枝二兩 生姜五兩
右七味以水一斗煮取四升溫服八合日三
服嘔者加半夏五合下利去大黃寒多者加
生姜至半斤
病腹滿發熱十日脉浮而數飲食如故厚朴

七物湯主之（腹滿寒疝宿食篇）

厚朴麻黃湯

厚朴（五兩） 麻黃（四兩） 半夏（半升）

石膏（如雞子大） 杏仁（半升） 乾姜（二兩） 細辛（二兩）

小麥（一升） 五味子（半升）

右九味以水一斗二升先煮小麥熟去滓內諸藥煮取三升温服一升日三服

欬而脉浮者厚朴麻黃湯主之脉沉者澤漆湯主之（肺痿肺癰欬嗽上氣篇）

厚朴大黃湯　厚朴一尺　大黃六兩　枳實四枚

右三味以水五升煮取二升分溫再服

支飲胸滿者厚朴大黃湯主之痰飲欬嗽篇

候氏黑散　菊花四十分　白朮十分　細辛三分

茯苓三分　牡蠣三分　桔梗八分　防風十分

人參三分　礬石三分　黃芩五分　當歸三分　乾

姜三分　芎藭三分　桂枝三分

右十四味杵爲散酒服方寸匕日一服初服

二十日温酒調服禁一切魚肉大蒜常宜冷食六十日止即藥積（六十日止即藥積一本作自能助藥力）在腹中不下也熱食即下矣冷食自能助藥力

治大風四肢煩重心中惡寒不足者（外臺治風癩○中風歷節痛）

紅藍花酒　紅藍花一兩

右一味以酒一大升煎減半頓服一半未止再服

婦人六十二種風及腹中血氣刺痛紅藍花酒主之婦人雜病篇

江

越婢湯 麻黄六兩 石膏半斤 生姜三兩 大棗十五枚 甘草二兩

右五味以水六升先煮麻黄去上沫内諸藥煮取三升分溫三服○惡風者加附子一枚炮風水加术四兩古今錄驗

風水悪風一身悉腫脉浮不渴續自汗出無大熱越婢湯主之（水氣篇）

千金越婢加朮湯　麻黄（六兩）　石膏（半斤）　生姜（三兩）　甘草（二兩）　白朮（四兩）　大棗（十五枚）

右六味以水六升先煮麻黄去沫內諸藥煮取三升分溫三服○悪風加附子一枚炮

治肉（肉或作内）極熱則身體津脫腠理開汗大泄厲風氣下焦脚弱（中風歷節篇附方）○裏水者一身面目

黄腫其脉沉小便不利故令病水假如小便自利此亡津液故令渴也越婢加朮湯主之水氣○裏水越婢加朮湯主之甘草麻黄湯亦主之同上

越婢加半夏湯

麻黄六兩　石膏半斤　生姜三兩　大棗十五枚　甘草二兩　半夏半升

右六味以水六升先煮麻黄去上沫內諸藥煮取三升分溫三服

欬而上氣爲此肺脹其人喘目如脫狀脈浮大者越婢加半夏湯主之肺痿肺癰欬嗽上氣篇

天

調胃承氣湯　大黃四兩　甘草二兩炙　芒硝半觔玉函宋板共作半升

右三味㕮咀宋板無㕮咀二字以水三升煮取一升去滓內芒硝更上火微煮令沸少少溫服之

傷寒脈浮自汗出小便數心煩微惡寒脚攣

急反與桂枝湯宋板無湯字欲攻其表此誤也得之便厥咽中乾煩燥宋板燥作躁吐逆者作甘草乾姜湯與之以復其陽若厥愈足溫者更作芍藥甘草湯與之其脚卽伸若胃氣不和讝語者少與調胃承氣湯若重發汗復加燒針者四逆湯主之太陽上篇

◯問曰證象陽旦按法治之而增劇厥逆咽中乾兩脛拘急而讝語師曰言夜半手足當溫兩脚當伸後如師言

何以知此答曰寸口脉浮而大浮則宋板無則字無爲風大則宋板無則字爲虚風則生微熱虚則兩脛攣病證宋板證作形象桂枝因加附子參其間增桂令汗出附子溫經亡陽故也厥逆咽中乾煩燥宋板燥作躁陽明內結讝語煩亂更飲甘草乾姜湯夜半陽氣還兩足當熱脛尚微拘急重與芍藥甘草湯爾乃脛伸以承氣湯微溏則止其讝語故知病可愈同上◯發汗後惡

寒者虛故也不惡寒但熱者實也當和胃氣與調胃承氣湯太陽中篇○太陽病未解脉陰陽俱停一作微必先振慄汗出而解但陽脉微者先汗出而解但陰脉微一作尺脉實者下之而解若欲下之宜調胃承氣湯主之宋板無主之二字○同上

○傷寒十三日過經讝語者以有熱也當以湯下之若小便利者大便當鞕而反下利脉調和者知醫以丸藥下之非其治也若自下

利者脉當微厥今反和者此爲內實也調胃承氣湯主之同上○太陽病過經十餘日心下溫溫欲吐而胷中痛大便反溏腹微滿鬱鬱微煩先此時自極吐下者與調胃承氣湯若不爾者不可與但欲嘔胷中痛微溏者此非柴胡證以嘔故知極吐下也同上○陽明病不吐不下心煩者可與調胃承氣湯陽明篇○太陽病三日發汗不解蒸蒸發熱者屬胃也調

胃承氣湯主之同上○傷寒吐後腹脹滿者與調胃承氣湯同上○大便不通胃氣不和者

抵當湯

水蛭熬 蝱蟲各三十箇熬 桃仁十二箇 大黃三兩

右四味爲末宋板無爲末二字以水五升煮取三升去滓溫服一升不下再服

太陽病六七日表證仍在脈微而沉反不結胸其人發狂者以熱在下焦少腹當鞕滿小

便自利者下血乃愈所以然者以太陽隨經瘀熱在裏故也抵當湯主之太陽中篇○太陽病身黄脉沉結少腹鞕小便不利者爲無血也小便自利其人如狂者血證諦也抵當湯主之同上○陽明證其人喜忘者必有畜血所以然者本有久瘀血故令喜忘屎雖鞕大便反易其色必黒者埶朱叔補者字宜抵當湯下之陽明篇○病人無表裏證發熱七八日雖脉浮数者

可下之假令已下脉數不解合熱則消穀善宋板善作喜饑至六七日不大便者有瘀血宜抵當湯陽明篇◯婦人經水不利下抵當湯主之亦治男子膀胱滿急有瘀血者◯婦人雜病篇

抵當丸

水蛭二十箇熬　蝱蟲二十五箇熬◯宋板作二十箇　桃仁二十五箇◯宋板作二十箇玉函作三十箇　大黃三兩

右四味杵分爲宋板無爲字四丸以水一升煮一丸取七合服之晬時當下血若不下者更服

傷寒有熱少腹滿應小便不利今反利者爲有血也當下之不可餘藥宜抵當丸（太陽中篇）

葶藶大棗瀉肺湯　葶藶（熬令黃色擣丸如彈丸大）大棗（十二枚）

右先以水三升煮棗取二升去棗內葶藶煮取一升頓服（三日一劑可至三四劑此先服小青龍湯一劑乃進）

肺癰喘不得臥葶藶大棗瀉肺湯主之（肺痿肺癰欬嗽上氣篇）〇肺癰胷滿脹一身面目浮腫鼻塞

清涕出不聞香臭酸辛欬逆上氣喘鳴迫塞葶藶大棗瀉肺湯主之同上○支飲不得息葶藶大棗瀉肺湯主之痰飲欬嗽篇

天雄散　天雄炮三兩　白朮八兩　桂枝六兩

龍骨三兩

右四味杵爲散酒服半錢匕日三服不知稍增之血痹虛勞篇

佐

柴胡加芒硝湯

柴胡二兩十六銖　黄芩一兩

人參一兩　甘草一兩炙　生姜一兩　半夏二十銖〇

玉函作五枚　大棗四枚　芒硝二兩

右八味以水四升煮取二升去滓内芒硝更煮微沸分温再服不觧更作服擬玉函補服字

傷寒十三日不觧胷脅滿而嘔日晡所發潮熱已而微利此本柴胡證下文而宋板而作以不得利今反利者知醫以丸藥下之此擬宋板補此字

非其治也潮熱者實也先宜服（拠宋本補服字）小柴胡湯以解外後以柴胡加芒硝湯主之（太陽中篇）

柴胡去半夏加括蔞湯

柴胡八兩　人參　黄芩　甘草各三兩　括樓根四兩　生姜二兩　大棗十二枚

右七味以水一斗二升煮取六升去滓再煎取三升溫服一升日三（三或作二）服

治瘧病發渴者亦治勞瘧（瘧病篇附方）

柴胡桂枝湯　桂枝　黃芩　人參各一兩半
甘草炙一兩　半夏二合半　芍藥一兩半　大棗六枚　生姜一兩半　柴胡四兩
右九味以水七金匱七作六升煮取三升去滓溫服一升擲宋板補一升二字日三服擲金匱補日三服三字本云人參湯作如桂枝法加半夏柴胡黃芩復如柴胡法今用人參作半劑擲宋板補本云以下二十九字
傷寒六七日發熱微惡寒支節煩疼微嘔心

下支結外證未去者柴胡加桂枝湯主之太陽下篇○發汗多亡陽譫語者不可下與柴胡加桂枝湯和其榮衛以通津液後自愈發汗後病篇

○治心腹卒中痛者腹滿寒疝宿食篇附方

柴胡桂枝乾姜湯

柴胡半斤　桂枝三兩　乾姜三兩○玉函宋板共作二兩　黃芩三兩　牡蠣三兩熬○宋板作二兩　甘草二兩炙　栝蔞根四兩

右七味以水一斗二升煮取六升去滓再煎

取三升温服一升日三服初服微煩復服汗出便愈

傷寒五六日已發汗而後下之胷脇滿微結小便不利渴而不嘔但頭汗出往來寒熱心煩者此爲未解也柴胡桂枝乾姜湯主之〔太陽下篇〕〇治瘧寒多微有熱或但寒不熱者服一劑如神〔瘧病篇附方〕

柴胡加龍骨牡蠣湯　半夏二合（宋板作二合半）〇大棗

六枚柴胡四兩生姜一兩半人參一兩半龍骨一兩半●鉛

丹一兩半○玉函作黃丹桂枝一兩半茯苓一兩半大黃二兩

牡蛎一兩半黃芩一兩半○拠玉函来板補入之

右十二味以水八升煮取四升內大黃切如碁子更煮一二沸去滓溫服一升本方柴胡湯內加龍骨牡蛎黃丹桂茯苓大黃也今分作半劑拠玉函補本方以下二十四字

傷寒八九日下之胸滿煩驚小便不利讝語

一身盡重不可轉側者柴胡加龍骨牡蛎湯主之（太陽中篇）

千金三黃湯

麻黃五分　獨活四分　細辛二分　黃芪二分　黃芩三分（一本分字盡改作錢字）

右五味以水六升煮取二升溫（溫字上或有分字）三服一服小汗二服大汗心熱加大黃二分腹痛（痛一作滿）加枳實一枚氣逆加人參三分悸加牡蛎三分渴加括蔞根三分先有寒加附子一枚

治中風手足拘急百節疼痛煩熱心乱惡寒經日不欲飲食中風歷節痛附方

千金三物黃芩湯　黃芩一兩　苦參二兩　乾地黃四兩

右三味以水八升煮取二升溫服一升多吐下蟲

治婦人在草蓐自發露得風四肢苦煩熱頭痛者與小柴胡湯頭不痛但煩者此湯主之婦人

產後篇

附方

酸棗仁湯　酸棗仁二升　甘草一兩　知母二兩

茯苓二兩　芎藭二兩　○深師有生姜二兩

右五味以水八升煮酸棗仁得六升內諸藥

煮取三升分溫三服

虛勞虛煩不得眠酸棗仁湯主之血痺虛勞篇

皂莢丸　皂莢八兩用酥炙

右一味末之蜜丸梧子大以棗膏和湯服三

右日三夜一服

欬逆上氣時時吐濁但坐不得眠皂莢丸主之肺痿肺癰欬嗽上氣篇

四時加減柴胡飲子

冬三月加柴胡八分白朮八分陳皮五分大腹檳郎四枚并皮子用生姜五分桔梗七分

春三月加枳實減白朮共六味

夏三月加生姜三分枳實五分甘草三分共八味

秋三月加陳皮三分共六味

右各㕮咀分爲三貼一貼以水三升煮取三升分溫三服如人行四五里進一服如四體壅滯甘草少許無貼分作三小貼無小貼以水一升煮取七合溫服再合滓爲一服重煮都成四服

退五藏虛熱雜病篇

犀角湯

飲食中毒煩滿治之果實菜穀禁忌篇

幾

葵子茯苓散　葵子一斤　茯苓三兩

右二味杵爲散飲服方寸匕日三服小便利則愈

姙娠有水氣身重小便不利洒淅悪寒起卽頭眩葵子茯苓散主之婦人姙娠篇

橘枳姜湯　橘皮一斤　枳實三兩　生姜半斤

右三味以水五升煮取二升分温再服

胷痺胷中氣塞短氣茯苓杏仁甘草湯主之

橘枳姜湯亦主之肘後千金云治胷痺胷中愊愊如滿噎塞習習如癢喉中澁唾燥沫○胷痺心痛短氣荋

橘皮竹筎湯

橘皮二升　竹筎二升　大棗三十枚　生姜半斤　甘草五兩　人參一兩

右六味以水一斗煮取三升温服一升日三服

噦逆者橘皮竹茹湯主之嘔吐噦下利篇

橘皮湯　橘皮四兩　生姜半斤

右二味以水七升煮取三升温服一升下咽即愈

乾嘔噦若手足厥者橘皮湯主之嘔吐噦下利篇

芎歸膠艾湯　芎藭　阿膠　甘草各二兩　艾葉　當歸各三兩　芍藥四兩　乾地黃六兩

右七味以水五升清酒五升合煮取三升去

滓內膠令消盡溫服一升日三服不差更作一方加乾姜一兩胡氏治婦人胞動無乾姜

師曰婦人有漏下者有半產後因續下血都不絕者有姙娠下血者假令姙娠腹中痛爲胞阻膠艾湯主之婦人姙娠篇◯婦人陷經漏下黑不觧膠姜湯主之林億云校諸本無膠姜湯方想是前姙娠中膠艾湯◯婦人雜病篇

九痛丸

附子炮三兩 生狼牙炙香一兩 巴豆

一兩，熬，研如脂 人參 乾姜 呉茱萸各一兩

右六味末之，煉蜜丸如桐子大，酒下。强人初服三丸，日三服，弱者二丸。

治九種心痛，兼治卒中悪，腹脹痛，口不能言。又治連年積冷，流注心胷痛，并冷腫上氣，落馬墜車血疾等，皆主之。忌口如常法。胷痹心痛短氣萹

枳實梔子豉湯

枳實三枚，炙 梔子十四枚

豉一升

右三味以清漿水七升空煮取四玉函取四作減三升內枳實梔子煮取二升下玉函下作內豉更煮五六沸去滓分溫再服覆令微似汗若有宿食者加大黃如博碁子大五六枚服之愈拠宋板補服之愈三字

大病差後勞復者枳實梔子豉湯主之陰陽易篇

枳實芍藥散

枳實燒令黑勿大過　芍藥等分

右二味杵爲散服方寸匕日三服并主癰膿以麥粥下之

產後腹痛煩滿不得臥枳實芍藥散主之婦人

產後篇◯師曰產婦腹痛法當以枳實芍藥散假令不愈者此爲腹中有乾血着臍下宜下瘀血湯主之亦主經水不利同上

枳朮湯　枳實七枚　白朮二兩

右二味以水五升煮取三升分溫三服腹中

耎即當散也

心下堅大如盤邉如旋杯水飲所作枳朮湯主之（水氣蓄）

枳實薤白桂枝湯 枳實四枚 厚朴四兩 薤白半斤 桂枝一兩 括蔞一枚

右五味以水五升先煮枳實厚朴取二升去滓內諸藥煮数沸分温三服

胷痹心中痞留氣結在胷胷滿脇下逆搶心

枳實薤白桂枝湯主之人參湯亦主之胷痹心痛短氣蔕

外臺桔梗白散一名三物小白散桔梗　貝母各三分○玉函作各十八銖　巴豆一分熬○玉函作六銖

右件宋板無件字三味爲末玉函宋板共末作散內巴豆更於臼中杵之以白飲和服強人飲服半錢匕机宋板補匕字羸者減之病在膈上必吐在膈下必利不利進熱粥一杯利過不止進冷粥一盃

身熱皮粟不解欲引衣自覆者宋板無者字若以水潠之洗之益令熱刼不得出當汗而不汗則煩假令汗出已腹中痛與芍藥三兩如上法

病在陽應以汗解之反以冷水潠之若灌之其熱被刼不得去彌更益煩肉上粟起意欲飲水反不渴者服文蛤散若不差者與五苓散寒實結胸無熱證者與三物小陷胸湯白

散玉函小陷胷湯作小白散亦可服大陽下篇

桔梗湯

桔梗一兩　甘草二兩

右二味以水三升煮取一升分溫再服則吐膿血也

欬而胷滿振寒脉數咽乾不渴時出濁唾腥臭久久吐膿如米粥者爲肺癰桔梗湯主之

亦治血痹肺痿肺癰咳嗽上氣篇○少陰病二三日咽痛者可與甘草湯不差者宋板無者字與桔梗湯少陰篇

美

蜜煎導方　食蜜七合○㮣宋板蜜作食蜜

右㮣宋板補右字一味於銅器中微火煎之宋板無之字稍凝宋板稍凝作當須凝似飴狀攪之勿令焦著欲可

丸併手捻作挺令頭銳大如指長二寸許當熱時急作冷則硬以內穀道中以手急抱欲大便時乃去之

陽明病自汗出若發汗小便自利者此爲津液內竭雖鞕不可攻之當須自欲大便宜蜜煎導而通之若土瓜根及與（朱板無與字）大猪膽汁皆可爲導（陽明篇）之

瀉心湯　大黃二兩　黃連　黃芩各一兩

右三味以水三升煮取一升頓服

心氣不足吐血衄血瀉心湯主之○亦治霍亂驚悸吐衄下血胸滿瘀血篇○婦人吐涎沫醫反下之心下即痞當先治其吐涎沫小青龍湯主之涎沫止乃治痞瀉心湯主之婦人雜病篇○本以下之故心下痞與瀉心湯痞不解其人渴而口燥煩小便不利者五苓散主之太陽下篇○傷寒服湯

藥下利不止心下痞鞕服瀉心湯已復以他藥下之利不止醫以理中與之利益甚理中者理中焦此利在下焦赤石脂禹餘糧湯主之復不止者當利其小便同上

芍藥甘草湯 白芍藥玉函無白字 甘草各四兩炙

右二味㕮咀宋板無㕮咀二字以水三升煮取一升半去滓分溫再服之宋板無之字

傷寒脈浮自汗出小便數心煩微惡寒脚攣

急反與桂枝湯（宋板無湯字）欲攻其表此誤也得之便厥咽中乾煩燥（宋板燥作躁）吐逆者作甘草乾姜湯與之以復其陽若厥愈足溫者更作芍藥甘草湯與之其脚即伸若胃氣不和讝語者少與調胃承氣湯若重發汗復加燒針者四逆湯主之（太陽上篇）○問曰證象陽旦按法治之而增劇厥逆咽中乾兩脛拘急而讝語師曰言夜半手足當溫兩脚當伸後如師言

何以知此答曰寸口脉浮而大浮則宋板無則字無爲風大則宋板無則字爲虛風則生微熱虛則兩脛攣病證宋板證作形象桂枝因加附子參其間增桂令汗出附子溫經亡陽故也厥逆咽中乾煩燥宋板燥作躁陽明內結譫語煩亂更飲甘草乾姜湯夜半陽氣還兩足當熱脛尚微拘急重與芍藥甘草湯爾乃脛伸以承氣湯微溏則止其譫語故知病可愈同上

芍藥甘草附子湯　芍藥三兩甘草○三兩炙玉函作各一兩附子一枚炮

以上玉函宋板以上作右共三味㕮咀摠玉函補㕮咀二字以水

五升玉函五作三煮取一升五玉函五作三合去滓分

温三摠宋板補三字服

發汗病不解反惡寒者虛故也芍藥甘草附

子湯主之太陽中篇

四逆湯　甘草二兩炙　乾姜一兩半　附子一枚

右三味㕮咀（宋板無㕮咀二字）以水三升煮取一升二合去滓分温再服强人可大附子一枚乾姜三兩

傷寒脉浮自汗出小便數心煩微惡寒脚攣急反與桂枝湯（宋板無湯字）欲攻其表此誤也得之便厥咽中乾煩燥（宋板燥作躁）吐逆者作甘草乾姜湯與之以復其陽若厥愈足温者更作芍藥甘草湯與之其脚即伸若胃氣不和譫

語者少與調胃承氣湯若重發汗復加燒鍼者四逆湯主之（太陽上篇）○傷寒醫下之續得下利清穀不止身疼痛者急當救裏後身疼痛清便自調者急當救表救裏宜四逆湯救表宜桂枝湯（太陽中篇）○病發熱頭痛脉反沉若不差身體疼痛當救其裏宜四逆湯（同上）○脉浮而遲表熱裏寒下利清穀者宜四逆湯主之（陽明篇）○自利不渴者屬太陰以其藏有寒故也當

溫之宜服四逆輩太陰篇○少陰病脉沉者急溫之宜四逆湯少陰篇○少陰病飲食入口則吐心中溫溫欲吐復不能吐始得之手足寒脉弦遲者此胷中實不可下也當吐之若膈上有寒飲乾嘔者不可吐也當溫之宜四逆湯同上○大汗出熱不去内拘急四肢疼又下利厥逆而惡寒者四逆湯主之厥陰篇○大汗若大下利而厥冷者四逆湯主之同上○嘔而脉

弱小便復利身有微熱見厥者難治四逆湯主之厥陰篇并嘔吐噦下利篇○下利腹脹滿身體疼痛者先溫其裏乃攻其表溫裏宜四逆湯攻表宜桂枝湯同上○吐利汗出發熱惡寒四肢拘急手足厥冷者四逆湯主之霍乱篇○既吐且利小便復利而大汗出下利清穀內寒外熱脈微欲絕者四逆湯主之同上

四逆加人參湯　甘草炙二兩　附子生一枚

乾姜一兩半　人參一兩

右四味以水三升煮取一升二合去滓分温再服

惡寒脉微而復利利止亡血也四逆加人參湯主之霍亂篇

四逆散

甘草炙　枳實　柴胡　芍藥

右四味各十分擣篩白飲和服方寸匕日三服後加減法欬者加五味子乾姜各五分并

主下利悸者加桂枝五分小便不利者加茯苓五分腹中痛者加附子一枚炮令坼泄利下重者先以水五升煮薤白三升煮取三升去滓以散三方寸匕內湯中煮取一升半分溫再服

少陰病四逆其人或欬或悸或小便不利或腹中痛或泄利下重者四逆散主之少陰篇

赤丸 茯苓四兩 半夏四兩一方用桂 烏頭二兩炮

細辛一兩（〇千金作人參）

右四味末之內眞朱爲色煉蜜丸如麻子大先食酒飮下三丸日再夜一服不知稍增之以知爲度

寒氣厥逆赤丸主之（腹滿寒疝宿食篇）

眞武湯

茯苓　芍藥各三兩　白朮二兩　附子一枚炮　生姜三兩

右五味以水八升煮取三升去滓溫服七合

日三服後加減法若欬者加五味半升細辛乾姜各一兩若小便利者去茯苓若下利者去芍藥加乾姜二兩若嘔者去附子加生姜足前爲半斤

少陰病二三日不已至四五日腹痛小便不利四肢沉重疼痛自下利者此爲有水氣其人或欬或小便利或下利或嘔者眞武湯主之少陰篇○太陽病發汗汗出不解其人仍發

熱心下悸頭眩身瞤動振振欲擗地者眞武
湯主之太陽中篇

梔子豉湯　梔子十四枚　香豉四合
右二味以水四升先煮梔子得二升半內豉
煮取一升半去滓分爲二服溫進一服得快
吐者止後服
發汗吐下後虛煩不得眠若劇者必反覆顚
倒心中懊憹梔子豉湯主之若少氣者梔子

甘草豉湯主之若嘔者梔子生姜豉湯主之
太陽中篇◯發汗若下之而煩熱胸中窒者梔子
豉湯主之同上◯傷寒五六日大下之後身熱
不去心中結痛者未欲解也梔子豉湯主之
同上◯凡用梔子湯病人舊微溏者不可與服
之同上◯陽明病脉浮而緊咽燥口苦腹滿而
喘發熱汗出不惡寒反惡熱身重若發汗則
燥心憒憒反讝語若加燒宋板燒作温鍼必怵惕煩躁不

得眠若下之則胃中空虛客氣動膈心中懊憹舌上胎者梔子豉湯主之陽明篇○陽明病下之其外有熱手足溫不結胸心中懊憹饑不能食但頭汗出者梔子豉湯主之同上○下利後更煩按之心下濡者爲虛煩也宜梔子豉湯厥陰篇并嘔吐噦下利篇

梔子甘草豉湯

梔子十四箇　甘草二兩炙　香豉四合

右三味以水四升先煑梔子甘草取二升半內豉煑取一升半去滓分爲拠玉函補爲字二服溫進一服得快拠玉函補快字吐者止後服

發汗吐下後虛煩不得眠若劇者必反覆顛倒心中懊憹梔子豉湯主之若少氣者梔子甘草豉湯主之若嘔者梔子生姜豉湯主之太陽中篇

梔子生姜豉湯　梔子十四箇　生姜五兩　香

豉四合

右三味以水四升先煑梔子生姜取二升半内豉煑取一升半去滓分爲二服温進一服得快吐者止後服（快，玉函作快吐，外臺作快吐。）

發汗吐下後虚煩不得眠若劇者必反覆顛倒心中懊憹梔子豉湯主之若少氣者梔子甘草豉湯主之若嘔者梔子生姜豉湯主之

太陽

中篇

梔子大黃湯　梔子十四枚　大黃一兩　枳實五枚　豉一升

右四味以水六升煮取二升分溫三服

酒黃疸心中懊憹或熱痛梔子大黃湯主之

黃疸蒿

梔子乾姜湯　梔子十四枚　乾姜二兩

右二味以水三升半煮取一升半玉函無半字去滓分爲拠玉函補爲字二玉函二作三服溫進一服得快

㮨玉函補快字吐者止後服

傷寒醫以丸藥大下之身熱不去微煩者梔子乾姜湯主之太陽中篇

梔子蘗皮湯

肥梔子一十五個〇玉函作十四枚㮨宋板作肥梔子　甘草一兩炙　黃蘗二兩〇玉函作二兩十六銖

右三味㕮咀㮨玉函補㕮咀二字以水四升煮取一升半去滓分溫再服

傷寒身黃發熱者宋板無者字梔子蘗皮湯主之

陽明篇

梔子厚朴湯　梔子十四枚　厚朴四兩炙　枳實四枚炙令黄

已上玉函宋板已上作右共三味以水三升半煮取一升半去滓分爲拠玉函補爲字二服溫進一服得吐者止後服

傷寒下後心煩腹滿臥起不安者梔子厚朴湯主之太陽中篇

赤石脂禹餘糧湯　赤石脂一斤　太一禹餘
糧一斤〇拟朱板補太一二字
巳上玉函朱板巳上作右共二味以水六升煮取二升
去滓分溫拟玉函朱板補分溫二字三服
傷寒服湯藥下利不止心下痞鞕服瀉心湯
已復以他藥下之利不止醫以理中與之利
益甚理中者理中焦此利在下焦赤石脂禹
餘糧湯主之復利不止者當利其小便太陽下篇

薯蕷丸方

薯蕷三十分　當歸　桂枝　麯　乾地黄　豆黄卷各十分　甘草二十八分　人參七分　芎藭　芍藥　白朮　麥門冬　杏仁各六分　柴胡　桔梗　茯苓各五分　阿膠七分　乾姜三分　白斂二分　防風六分　大棗百枚爲膏

右二十一味末之，煉蜜和丸如彈子大，空腹酒服一丸，一百丸爲劑。

虚労諸不足，風氣百疾，薯蕷丸主之。血痺虚労篇

蜀漆散　蜀漆燒　雲母燒二日夜　龍骨等分

右三味杵爲散未發前以漿水服半錢錢字下一有匕字溫瘧加蜀漆半分臨發時服一錢匕一方雲母作雲實

瘧多寒者名曰牡牡或作牝瘧蜀漆散主之瘧病篇

十棗湯　芫花熬　甘遂　大戟

右上玉函宋板共無上字三味等分各別擣爲散以水一升半先煮大棗肥者十枚取八金匱八作九合去滓內藥末強人服一錢匕羸人服半錢溫服之平

旦服若下少病不除者明日更服加半錢得快下利後糜粥自養

太陽中風下利嘔逆表解者乃可攻之其人漐漐汗出發作有時頭痛心下痞鞕滿引脇下痛乾嘔短氣汗出不惡寒者此表解裏未和也十棗湯主之太陽下篇○病懸飲者十棗湯主之痰飲欬嗽篇○欬家其脉弦爲有水十棗湯主之同上○夫有支飲家欬煩胷中痛者不卒死

至一百日一本有武字一歲宜十棗湯同上

蛇床子散 蛇床子仁

右一味末之以白粉少許和令相得如棗大

綿裹內之自然溫

溫陰中坐藥一本云婦人陰寒溫中坐藥蛇床子散主之○婦人雜病篇

炙甘草湯一名復脉湯 甘草四兩炙 生姜三兩

桂枝三兩 人參二兩 阿膠二兩 生地黃一斤

麥門冬半升 麻子仁半升 大棗十二枚○玉函宋擘共作三十枚

右九味以清酒七升水八升先煮八味取三升去滓内膠烊消盡温服一升日三服

傷寒脈結代心動悸炙甘草湯主之太陽下篇

治虚勞不足汗出而悶脈結悸行動如常不出百日危急者十一日死血痹虚勞篇附方○治肺痿涎唾多心中温温液液者肺痿肺癰欬嗽上氣篇附方

燒裩散　取婦人中裩近隱處剪燒灰

右一味以水和服方寸匕日三服小便即利

陰頭微腫則愈婦人病取男子裩當燒灰

傷寒陰陽易之爲病其人身體重少氣少腹裏急或引陰中拘攣熱上衝胸頭重不欲舉眼中生花花一作眵膝脛拘急者燒裩散主之陰陽易篇

腎氣丸方見八味丸下

赤小豆當歸散

赤小豆三升浸令芽出曝乾　當歸十兩

右二味杵爲散漿水服方寸匕日三服

病者脈數無熱微煩默默但欲臥汗出初得

之三四日目赤如鳩眼七八日目四皆皆一本作黃〇一本此有字黑若能食者膿已成也赤小豆當歸散主之百合狐惑陰陽毒篇〇下血先血後便此近血也赤小豆當歸散主之驚悸吐衄下血胸滿瘀血篇

升麻鱉甲湯

升麻二兩　當歸一兩　蜀椒一兩

甘草二兩　鱉甲手指大一片炙　雄黃半兩

右六味以水四升煑取一升頓服之老小再服取汗肘後千金方陽毒用升麻湯無鱉甲有桂陰毒用甘草湯無雄黃

陽毒之爲病面赤斑斑如錦文咽喉痛唾膿血五日可治七日不可治升麻鱉甲湯主之金匱百合狐惑陰陽毒篇○陰毒之爲病面目青身痛如被杖咽喉痛五日可治七日不可治升麻鱉甲湯去雄黃蜀椒主之同上

紫參湯

紫參半斤　甘草三兩

右二味以水五升先煮紫參取二升内甘草煮取一升半分溫三服

下利肺痛紫參湯主之嘔吐噦下利篇

紫石寒食散見千金翼　紫石英　白石英　赤石脂　鍾乳　括蔞根　防風　桔梗　文蛤　鬼臼各十分　太一餘糧十分燒　乾姜　附子炮　桂枝各四分

右十三味杵爲散酒服方寸匕

治傷寒令愈不復雜療篇

近効方朮附湯　白朮二兩　附子一枚半炮　甘草

一兩炙
右三味剉每五錢匕姜五片棗一枚水盞半
煎七分去滓溫服
治風虛頭重眩苦極不知食味暖肌補中益
精氣中風歷節篇附方
比
白虎湯　知母六兩　石膏一斤　甘草二兩炙
粳米六合

右四味以水一斗煮米熟湯成去滓溫服一升日三服林億云按前篇云熱結在裏表裏俱熱者白虎湯主之又云其表未解不可與白虎湯此云脉浮滑表有熱裏有寒者必表裏字差矣又陽明一證云脉浮遲表熱裏寒四逆湯主之又少陰一證云裏寒外熱通脉四逆湯主之以此表裏自差明矣千金翼云白虎湯非也

傷寒脉浮滑此以拠朱本改補以字表有熱裏有寒白虎湯主之太陽下篇◯三陽合病腹滿身重難以轉側口不仁而面垢又作枯一云向經讝語遺尿發

汗則譫語下之則額上生汗手足逆冷若自汗出者白虎湯主之陽明篇◯傷寒脉滑而厥者裏有熱也宋板無也字白虎湯主之厥陰篇

白虎加人參湯 知母六兩 石膏一斤 甘草二兩炙 粳米六合 人參三兩

右五味以水一斗煮米熟湯成去滓溫服一升日三服

服桂枝湯大汗出後大煩渴不解若執玉函補若字

脉洪大者白虎加人參湯主之太陽上篇○傷寒病若吐若下後七八日不解熱結在裏表裏俱熱時時惡風大渴舌上乾燥而煩欲飲水數升者白虎加人參湯主之太陽下篇○傷寒無大熱口燥渴心煩背微惡寒者白虎加人參湯主之同上○傷寒脉浮發熱無汗其表不解者不可與白虎湯渴欲飲水無表證者白虎加人參湯主之同上○陽明病脉浮而緊咽燥

口苦腹滿而喘發熱汗出不惡寒反惡熱身重若發汗則燥心憒憒反讝語若加溫鍼必怵惕煩燥不得眠若下之則胃中空虛客氣動膈心中懊憹舌上胎者梔子豉湯主之若渴欲飲水口乾舌燥者白虎加人參湯主之若脉浮發熱渴欲飲水小便不利者猪苓湯主之陽明篇○陽明病汗出多而渴者不可與猪苓湯以汗多胃中燥猪苓湯復利其小便故

也同上○太陽中熱者暍是也其人汗出惡寒身熱而渴者白虎加人參湯主之痓濕暍篇○渴欲飲水口乾舌燥者白虎加人參湯主之消渴小便利淋篇

白虎加桂枝湯

知母六兩　甘草二兩炙　石膏一斤　粳米二合　桂枝三兩

右剉每五錢水一盞半煎至八分去滓温服汗出愈一云五味以水一斗煮米熟湯成去滓温服一升日三服

溫瘧者其脉如平身無寒但熱骨節疼煩時嘔白虎加桂枝湯主之瘧病篇

白通湯

葱白四莖　乾姜一兩　附子一枚

右三味以水三升煮取一升去滓分溫再服

少陰病下利白通湯主之少陰篇○少陰病下利脉微者與白通湯利不止厥逆無脉乾嘔煩者白通加猪膽汁湯主之服湯脉暴出者死微續者生同上

白通加猪膽汁湯　葱白四莖　乾姜一兩　附
子生一枚　人尿五合　猪膽汁一合
巳上玉函宋板三宋板巳上作右作五三味以水三升煮取
一升去滓內膽汁人尿和令相得分溫再服
若無膽亦可用
少陰病下利脉微者與白通湯利不止厥逆
無脉乾嘔煩者白通加猪膽汁湯主之服湯
脉暴出者死微續者生少陰篇

百合知母湯　百合七枚　知母三兩

右先以水洗百合漬一宿當白沫出去其水更以泉水二升煎取一升去滓別以泉水二升煎知母取一升去滓後合和煎取一升五合分溫再服

百合病發汗後者百合知母湯主之　百合狐惑陰陽毒篇

百合雞子湯　百合七枚　雞子黃一枚

右先以水洗百合漬一宿當白沫出去其水更以泉水二升煎取一升去滓內雞子黃攪匀煎五分溫服

百合病吐之後者百合雞子湯主之百合狐惑陰陽毒篇

百合地黃湯 百合七枚 生地黃汁一升

右以水洗百合漬一宿當白沫出去其水更以泉水二升煎取一升去滓內地黃汁煎取

一升五合分溫再服中病勿更服大便當如漆

百合病不經吐下發汗病形如初者百合地黃湯主之（百合狐惑陰陽毒篇）

百合洗方（百合一升）

右以百合一升以水一斗漬之一宿以洗身洗已食煮餅勿以鹽豉也

百合病一月不解变成渴者百合洗方主之

百合狐惑陰陽毒篇

百合滑石散　百合一兩炙　滑石三兩

右爲散飲服方寸匕日三服當微利者止服熱則除

百合病変發熱者一本作發寒熱百合滑石散主之

百合狐惑陰陽毒篇

白朮散見外臺　白朮　芎藭各二分　蜀椒二分

牡蠣二分

右四味杵爲散酒服一錢匕日三服夜一服但苦痛加芍藥心下毒痛倍加芎藭心煩吐痛不能食飲加細辛一兩半夏大者二十枚服之後更以醋漿水服之若嘔以醋漿水服之復不解者小麥汁服之已後渴者大麥粥服之病雖愈服之勿置

姙娠養胎白术散主之（婦人姙娠篇）

三物備急丸

大黃一兩　乾姜一兩　巴豆一兩

熬

右藥各須精新先擣大黃乾姜爲末研巴豆内中合治一千杵用爲散蜜和丸亦佳密器中貯之莫令氣歇見千金司空裴秀爲散用亦可先和成汁乃傾口中令從齒間得入至良驗

主心腹諸卒暴百病若中惡客忤心腹脹滿卒痛如錐刺氣急尸禁停尸卒死者以煖水若酒服大豆許三四丸或不下捧頭起灌令

下咽須臾當差如未差更與三丸當服中鳴即吐下便差若口禁亦須折齒灌之雜病篇

毛

木防已湯

木防已三兩　石膏十二枚雞子大　桂枝二兩　人參四兩

右四味以水六升煮取二升分溫再服

膈間支飲其人喘滿心下痞堅面色黧黑其脉沉緊得之數十日醫吐下之不愈木防已

湯主之虛者卽愈實者三日復發復與不愈
者宜木防已湯去石膏加茯苓芒硝湯主之
痰飲欬嗽篇
木防已去石膏加茯苓芒硝湯　木防已
桂枝各二兩　芒硝三合　人參　茯苓各四兩
右五味以水六升煮取二升去滓内芒硝再
微煎分溫再服微利則愈
膈間支飲其人喘滿心下痞堅面色黧黑其

脉沉緊得之數十日醫吐下之不愈木防已湯主之虛者卽愈實者三日復發復與不愈者宜木防已湯去石膏加茯苓芒硝湯主之痰飲欬嗽篇

世

小青龍湯　麻黄　芍藥　細辛　乾姜

甘草炙　桂枝各三兩〇金匱作二兩　五味　半夏各半升

右八味以水一斗先煮麻黄減二升去上沫

内諸藥煮取三升去滓溫服一升加減法若渴者（朱板無者字）去半夏加括蔞根三兩若微利者（朱板無者字）去麻黃加蕘花如一雞子大（朱板雞子上有一字下無大字）熬令赤色若噎者去麻黃加附子一枚炮若小便不利少腹滿者去麻黃加茯苓四兩若喘者（朱板無者字）去麻黃加杏仁半升去皮尖

傷寒表不解心下有水氣乾嘔發熱而咳或

渴或利或噎或小便不利少腹滿或喘者小青龍湯主之（太陽中篇）○肺癰胸滿脹一身面目浮腫鼻塞清涕出不聞香臭酸辛欬逆上氣喘鳴迫塞葶藶大棗瀉肺湯主之三日一劑可至三四劑此先服小青龍湯一劑乃進（肺痿肺癰欬嗽上氣篇）○傷寒心下有水氣欬而微喘發熱不渴服湯已渴者此寒去欲解也小青龍湯主之（太陽中篇）○病溢飲者當發其汗大青龍湯

主之小青龍湯亦主之痰飲欬嗽篇○欬逆倚息不得臥小青龍湯主之同上附方○青龍湯下已多唾口燥寸脉沉尺脉微手足厥逆氣從少腹上衝胸咽手足痺其面翕熱如醉狀因復下流陰股小便難時復冒者與茯苓桂枝五味甘草湯治其氣衝衝氣即低而反更欬胷滿者用桂苓五味甘草湯去桂加乾姜細辛以治其欬滿欬滿即止而更復渴衝氣復

發者以細辛乾姜爲熱藥也服之當遂渴而渴反止者爲支飲也支飲者法當冒冒者必嘔嘔者復內半夏以去其水水去嘔止其人形腫者加杏仁主之其證應內麻黄以其人遂痺故不內之若逆而內之者必厥所以然者以其人血虚麻黄發其陽故也若面熱如醉此爲胃熱上衝熏其面加大黄以利之同上

○婦人吐涎沫醫反下之心下即痞當先治

其吐涎沫小青龍湯主之涎沫止乃治痞瀉心湯主之婦人雜病篇

小建中湯

桂枝三兩　甘草三兩炙○宋板作二兩

芍藥六兩　大棗十二枚　生姜三兩○金匱作二兩　膠飴一升

右六味以水七升煮取三升去滓內膠飴更上微火消解溫服一升日三服嘔家不可用建中湯以甜故也

傷寒陽脉澁陰脉弦法當腹中急痛者先與

小建中湯不差者與（宋板無與字）小柴胡湯主之（太陽中篇）◯傷寒二三日心中悸而煩者小建中湯主之（同上）◯虛労裏急悸衄腹中痛夢失精四肢痠疼手足煩熱咽乾口燥小建中湯主之（血痹虛労篇）◯男子黄小便自利當與小建中湯（黄疸篇）◯婦人腹中痛小建中湯主之（婦人雜病篇）

小柴胡湯

柴胡（半斤）　黄芩（三兩）　人參（三兩）

半夏半斤○金匱作半斤 甘草炙 生姜各三兩 大棗十二枚
右七味㕮咀玉函補㕮咀二字以水一斗二升煮取
六升去滓再煎取三升溫服一升日三服後
加減法若胷中煩而不嘔者去半夏人參加
括蔞實一枚若渴者宋板無者字去半夏加人參
合前成四兩半括蔞根四兩若腹中痛者去
黃芩加芍藥三兩若脇下痞鞕去大棗加牡
蠣四兩若心下悸小便不利者去黃芩加茯

苓四兩若不渴外有微熱者去人參加桂枝捥宋板補枝字三兩溫覆取宋板無取字微汗愈若欬者去人參大棗生姜加五味子半升乾姜二兩

大陽病十日以去脉浮細而嗜臥者外已解也設胷滿脇痛者與小柴胡湯脉但浮者與麻黃湯太陽中篇○傷寒中風五六日宋板作五六日中風往來寒熱胷脇苦滿默默不欲飲食心煩喜嘔或胷中煩而不嘔或渴或腹中痛或脇下痞鞕或心

下悸小便不利或不渴身有微熱或欬者小柴胡湯主之同上○血弱氣盡腠理開邪氣因入與正氣相搏結於脅下正邪分爭往來寒熱休作有時默默不欲飲食藏府相連其痛必下邪高痛下故使嘔也小柴胡湯主之○服柴胡湯已渴者屬陽明也宋板無也字以法治之同上○得病六七日脉遲浮弱惡風寒手足溫醫二三下之不能食而脅下滿痛面目及身

黃頸項強小便難（宋板難作黃）者與柴胡湯後必下重本渴而飲水嘔者柴胡湯不復（按玉函補復字）中與也食穀者噦（同上）○傷寒四五日身熱惡風頸項強脅下滿手足溫而渴者小柴胡湯主之（同上）○傷寒陽脈澀陰脈弦法當腹中急痛先與小建中湯不差者與（宋板無與字）小柴胡湯主之（同上）○傷寒中風有小（按玉函補小字）柴胡證但見一證便是不必悉具凡柴胡湯病證而

下之若柴胡證不罷者復與柴胡湯必蒸蒸而振却復發熱汗出而解同上◯太陽病過經十餘日反二三下之後四五日柴胡證仍在者先與小柴胡湯嘔不止心下急鬱鬱微煩者爲未解也與大柴胡湯下之則愈同上◯傷寒十三日不解胸脇滿而嘔日晡所發潮熱已而微利此本柴胡證下之而不得利今反利者知醫以丸藥下之非其治也潮熱者實

也先宜服拠宋板補服字小柴胡湯以解外後以柴胡加芒硝湯主之同上○婦人中風七八日續得金匱作來得寒熱發作有時經水適斷者金匱無者字此爲熱入血室其血必結故使如瘧狀發作有時小柴胡湯主之太陽下篇并婦人雜病篇○傷寒五六日頭汗出微惡寒手足冷心下滿口不欲食大便鞕脉細者此爲陽微結必有表復有裏也脉沉亦在裏也汗出爲陽微假令純陰

結不得復有外證悉入在裏此爲半在裏半在外也脉雖沉緊不得爲少陰病所以然者陰不得有汗今頭汗出故知非少陰也可與小柴胡湯設不了了者得屎而解太陽下篇○傷寒五六日嘔而發熱者柴胡證具而以他藥下之柴胡證仍在者復與柴胡湯此雖已下之不爲逆必蒸蒸而振却發熱汗出而解若心下滿而鞕痛者此爲結胸也大陷胸湯主

之但滿而不痛者此爲痞柴胡不中與之宜半夏瀉心湯同上○陽明病發潮熱大便溏小便自可胷脇滿不去者與小柴胡湯陽明篇○陽明病脇下鞕滿不大便而嘔舌上白胎者可與小柴胡湯上焦得通津液得下胃氣因和身濈然而汗出解也同上○陽明中風脉弦浮大而短氣腹都滿脇下及心痛久按之氣不通鼻乾不得汗嗜臥一身及面朱本無面字目悉黃小便難

有潮熱時時發耳前後腫刺之小差外不解病過十日脉續浮者與小柴胡湯脉但浮無餘證者與麻黃湯若不尿腹滿加噦者不治同上◯本太陽病不解轉入少陽者脇下鞕滿乾嘔不能食往來寒熱尚未吐下脉沉緊者與小柴胡湯少陽篇◯嘔而發熱者小柴胡湯主之厥陰篇并嘔吐噦下利篇◯傷寒差已後更發熱者小柴胡湯主之脉浮者以汗解之脉沉實者

以下解之陰陽易篇○諸黃腹痛而嘔者宜柴胡
湯黃疸篇宋校正曰必小柴胡湯○問曰新產婦人有三病
一者病痓二者病鬱冒三者大便難何謂也
師曰新產血虛多汗出喜中風故令病痓亡
血復汗寒多故令鬱冒亡津液胃燥故大便
難產婦鬱冒其脉微弱嘔而不能食大便反
堅但頭汗出所以然者血虛而厥厥而必冒
冒家欲解必大汗出以血虛下厥孤陽上出

故頭汗出所以產婦喜汗出者亡陰血虛陽氣獨盛故當汗出陰陽乃復大便堅嘔不能食者小柴胡湯主之婦人產後篇○治婦人在草蓐自發露得風四肢苦煩熱頭痛者與小柴胡湯頭不痛但煩者三物黃芩湯主之同上附方

小陷胸湯　黃連一兩○玉函作二兩　半夏半升　括蔞實大者一枚

右三味以水六升先煮括蔞取三升去滓內

諸藥煮取二升去滓分溫三服

小結胸病正在心下按之則痛脉浮滑者小陷胸湯主之（太陽下篇）○病在陽應以汗解之反以冷水潠之若灌之其熱被劫不得去彌更益煩肉上粟起意欲飲水反不渴者服文蛤散若不差者與五苓散寒實結胸無熱證者與三物小陷胸湯白散（玉函小陷胸湯白散作小白散）亦可服（同上）

生姜瀉心湯　生姜四兩　甘草三兩炙　人參三兩　乾姜一兩　黄芩三兩　半夏半升　黄連一兩　大棗十二枚
右八味以水一斗煮取六升去滓再煎取三升温服一升日三服附子瀉心湯本云加附子半夏瀉心湯甘草瀉心湯同體别名耳生姜瀉心湯本云理中人參黄芩湯去桂枝朮加黄連幷瀉肝法　撿宋板補本云以下五十字

傷寒汗出解之後胃中不和心下痞鞕乾噫食臭脇下有水氣腹中雷鳴下利者生姜瀉心湯主之太陽下篇

旋覆花代赭石湯

旋覆花三兩　人參二兩　生姜五兩玉函作二兩　半夏半升　代赭石一兩　甘草三兩炙〇　大棗十二枚

右件玉函宋板共無件字七味以水一斗煮取六升去滓再煎取三升溫服一升日三服

傷寒發汗若吐若下解後心下痞鞕噫氣不除者旋覆花代赭石湯主之太陽下篇

小承氣湯　大黃四兩　厚朴二兩炙　枳實三枚大者炙

已上玉函朱板已上作右共三味以水四升煮取一升二合去滓分溫二玉函二作三服初服湯當更衣不爾者盡飲之若更衣者勿服之

陽明病脉遲雖汗出不惡寒者其身必重短

氣腹滿而喘有潮熱者此外欲解可攻裏也手足濈然而（朱本無而字）汗出者此大便已鞕也大承氣湯主之若汗多微發熱惡寒者外未解也（一法與桂枝湯）其熱不潮未可與承氣湯若腹大滿不通者可與小承氣湯微和胃氣勿令至（拠宋板補至字）大泄下（陽明篇）○陽明病潮熱大便鞕者可與大承氣湯不鞕者不可（拠宋板補可字）與之若不大便六七日恐有燥屎欲知之法少

與小承氣湯湯入腹中轉矢氣者此有燥屎也拠宋板補也字乃可攻之若不轉矢氣者此但初頭鞕後必溏不可攻之攻之必脹滿不能食也欲飲水者與水則噦其後發熱者必大便復鞕而少也以小承氣湯和之不轉矢氣者慎不可攻也同上○陽明病其人多汗以津液外出胃中燥大便必鞕鞕則讝語小承氣湯主之若一服讝語止者拠宋板補者字更莫復服同上○

陽明病讝語發潮熱脉滑而疾者小承氣湯主之因與承氣湯一升腹中轉矢氣者更服一升若不轉矢氣者（拠宋板補者字）勿更與之明日又（拠宋板補又字）不大便脉反微濇者裏虛也爲難治不可更與承氣湯也（同上）〇太陽病若吐若下若發汗後（拠宋板補後字）微煩小便數大便因鞕者與小承氣湯和之愈（同上）〇得病二三日脉弱無太陽柴胡證煩燥心下鞕至四五日雖

能食以小承氣湯少少與微和之令小安至六日與承氣湯一升若不大便六七日小便少者雖不能（來亦能作受　一云不大便）○食但初頭鞕後必溏未定成鞕攻之必溏須小便利屎定鞕乃可攻之宜大承氣湯（同上）○下利譫語者有燥屎也宜小承氣湯（厥陰篇并嘔　吐噦下利篇）○治大便不通噦數譫語（嘔吐噦下　利篇附方）

小青龍加石膏湯　麻黄　芍藥　桂枝

細辛 甘草 乾姜各三兩 五味子 半夏各半升 石膏二兩

右九味以水一斗先煮麻黄去上沫内諸藥煮取三升强人服一升羸者减之日三服小兒服四合

肺脹欬而上氣煩燥而喘脉浮者心下有水小青龍加石膏湯主之（千金證治同外臺加脅下痛引缺盆○肺痿肺癰欬嗽上氣篇）

千金生姜甘草湯　生姜五兩　人參三兩　甘草四兩　大棗十五枚

右四味以水七升煮取三升分溫三服

治肺痿欬唾涎沫不止咽燥而渴肺痿肺癰欬嗽上氣篇附方

旋覆花湯

旋覆花三兩　葱十四莖　新絳少許

右三味以水三升煮取一升頓服之

肝着其人常欲蹈其胸上先未苦時但欲飲

熱旋覆花湯主之五藏風寒積聚篇〇寸口脈弦而大弦則爲減大則爲芤減則爲寒芤則爲虛寒虛相搏此名曰革婦人則半產漏下旋覆花湯主之婦人雜病篇

小半夏湯

半夏一升　生姜半斤

右二味以水七升煮取一升半分溫再服

嘔家本渴渴者爲欲解今反不渴心下有支飲故也小半夏湯主之千金云小半夏加茯苓湯〇痰飲欬嗽篇

○黄疸病小便色不変欲自利腹滿而喘不可除熱熱除必噦噦者小半夏湯主之黄疸篇

○諸嘔吐穀不得下者小半夏湯主之嘔吐噦下利篇

小半夏加茯苓湯　半夏一升　生姜半斤　茯苓三兩○一法四兩

右三味水七升煑取一升五合分温再服

卒嘔吐心下痞膈間有水眩悸者小半夏加

茯苓湯主之痰飲欬嗽篇○先渴後嘔爲水停心下此屬飲家小半夏加茯苓湯主之同上

消礬散

消石　礬石燒等分

右二味爲散以大麥粥汁和服方寸匕日三服病隨大小便去小便正黃大便正黑是候也

黃家日晡所發熱而反惡寒此爲女勞得之膀胱急少腹滿身盡黃額上黑足下熱因作

黒疽其腹脹如水状大便必黒時溏此女勞之病非水也腹滿者難治用消礬散主之黄疸篇

生姜半夏湯　半夏半升　生姜汁一升

右二味以水三升煮半夏取二升内生姜汁煮取一升半小冷分四服日三夜一嘔止停後服

病人胸中似喘不喘似嘔不嘔似噦不噦徹心中憒憒然無奈者生姜半夏湯主之嘔吐噦下

利篇

以下有方無名者

小兒疳蟲蝕齒方　雄黃　葶藶

右二味末之取臘日豬脂鎔以槐枝綿裹頭

四五枚點藥烙之　婦人雜病篇

救卒死方　薤搗汁灌鼻中　雜療篇下同

又方　雄雞冠割取血管吹內鼻中

又方　豬脂如雞子大苦酒一升煮沸灌喉

中

又方　雞肝及血塗面上以灰圍四旁立起

又方　大豆二七粒以雞子白并酒和盡以

吞之

救卒死而壯熱者方　礬石半斤以水一斗

半煮消以漬脚令没踝

救卒死而目閉者方　騎牛臨面擣薤汁灌

耳中吹皂莢末鼻中立效

救卒死而張口反折者方　灸手足兩爪後十四壯了飲以五毒諸膏散（有巴豆者）

救卒死而四肢不收失便者方　馬屎一升水三斗煮取二斗以洗之又取牛洞（稀糞也）一升溫酒灌口中灸心下一寸臍上三寸臍下四寸各一百壯差

救小兒卒死而吐利不知是何病方　狗屎一丸絞取汁以灌之無濕者水煮乾者取汁

尸蹷脉動而無氣氣閉不通故静而死也治方
菖蒲屑内鼻兩孔中吹之令人以桂屑着舌
下
又方　剔取左角髮方寸燒末酒和灌令入
喉立起
救卒死客忤死方　韮根一把　烏梅二十枚
呉茱萸半升炒
右三味以水一斗煮之以病人櫛内中三沸

擲浮者生沈者死煮取三升去滓分飲之
救自縊死且至暮雖已冷必可治暮至旦小難
也恐此當言陰氣盛故也然夏時夜短於晝又
热猶應可治又云心下若微温者一日以上猶
可治之方　徐徐抱解不得截繩上下安被
卧之一人以脚踏其兩肩手少挽其髪常弦
弦勿縱之一人以手按據胸上數動之一人
摩捋臂脛屈伸之若已殭但漸漸强屈之并

按其腹如此一炊頃氣從口出呼吸眼開而猶引按莫置亦勿苦勞之須臾可少（少字下一有與字）桂湯及粥清含與之令濡喉漸漸能嚥及稍止若向令兩人以管吹其兩耳罙好此法最善無不活也

凡中暍死不可使得冷得冷便死療之方

屈草帶繞暍人臍使三兩人溺其中令溫亦可用熱泥和屈草亦可扣瓦椀底按及車釭

以着暍人取令溺須得流去此謂道路窮無湯當令溺其中欲使多人溺取令温若湯便可與之不可泥及車缸恐此物冷暍既在夏月得热泥土煖車缸亦可用也

救溺死方　取竈中灰兩石餘以埋人從頭至足水出七孔即活

治馬墜及一切筋骨損方見肘後方　大黄一兩浸湯戚下　緋帛如手大燒灰　亂髮如雞子大燒灰用　久用

炊單布一尺燒灰　敗蒲一握三寸　桃仁四十九枚㕷
甘草如中指節炙
右七味以童子小便量多少煎湯成内酒
大盞次下大黄去滓分温三服先剉敗蒲席
半領煎湯浴衣被蓋覆斯須通利数行痛楚
立差利及浴水赤勿恠即瘀血也
治自死六畜肉中毒方　黄蘗屑擣服方寸
匕禽獸魚蟲禁忌篇下同

治食欝肉漏脯中毒方　欝肉密器蓋之隔宿者是也漏脯茅屋漏下沾着者是也　燒犬屎酒服方寸匕每服人乳汁亦良○飲生韭汁三升亦得

治黍米中藏乾脯食之中毒方　大豆濃煮汁飲數升卽解亦治狸肉漏脯等毒

治食生肉中毒方　掘地深三尺取其下土三升以水五升煮數沸澄清汁飲一升卽愈

治六畜鳥獸肝中毒方　水浸豆豉絞取汁

服数升愈
治馬肝毒中人未死方　雄鼠屎二七粒末之水和服日再服屎尖者是
又方　人垢取方寸匕服之佳
治食馬肉中毒欲死方　香豉二兩　杏仁三兩
右二味蒸一食頃熟杵之服日再服
又方　煮蘆根汁飲之良
治噉蛇牛肉食之欲死者　飲人乳汁一升

立愈

又方　以泔洗頭飲一升愈○牛肚細切以
水一斗煮取一升煖飲之大汗出者愈

治食牛肉中毒方　甘草煮汁飲之卽解

治食犬肉不消心下堅或腹脹口乾大渴心急
發熱妄語如狂或洞下方　杏仁一升合皮熟研用
右一味以沸湯三升和取汁分三服利下肉
片大驗

鳥獸有中毒箭死者其肉有毒觧之方　大豆煮汁及鹽汁服之觧

鱠食之在心胷間不化吐復不出速下除之久成癥病治之方　橘皮一兩　大黄二兩　朴硝二兩

右三味以水一大升煮至小升頓服即消

食鱠多不消結爲癥病治之方○　馬鞭草

右一味擣汁飲之○或以姜葉汁飲之一錢

亦消○又可服吐藥吐之
食魚後食毒兩種煩亂治之方　橘皮濃煎
汁服之卽解
食鱠鱐魚中毒方　蘆根煮汁服之卽解
食蟹中毒治之方　紫蘇煮汁飲之三升○
紫蘇子擣汁飲之亦良
又方　冬瓜汁飲二升食冬瓜亦可
食諸果中毒治之方　猪骨燒灰

右一味末之水服方寸匕○亦治馬肝漏脯等毒果實菜穀禁忌篇下同

食諸菌中毒悶亂欲死治之方

人糞汁飲一升○土漿飲一二升○大豆濃煮汁飲之○服諸吐利藥並解

食楓柱一作樹菌而笑笑一作哭不止治之以前方

誤食野芋煩毒欲死治之以前方其野芋根山東人名魁芋人種芋三年不收亦成野芋並殺人

蜀椒閉口者有毒誤食之戟人咽喉氣病欲絶或吐下白沫身體痹冷急治之方 肉桂煎汁飲之○飲冷水一二升○或食蒜○或飲地漿○或濃煮豉汁飲之並解

食躁式一作式躁方 豉濃煮汁飲之

鉤吻與芹葉相似誤食之殺人解之方肘後云與茱萸食芥相似

薺苨八兩

右一味水六升煮取二升分溫二服鉤吻生地傍無

他草莖有毛者以此別之

葉中有水莨菪葉圓而光有毒誤食之令人狂亂狀如中風或吐血治之方　甘草煮汁服之即解

春秋二時龍帶精入芹菜中人偶食之爲病發時手青腹滿痛不可忍名蛟龍病治之方

硬糖二三升

右一味日兩度服之吐出如蜥蜴三五枚差

食苦瓠中毒治之方　黎穄一作穰煮汁數服之解

飲食中毒煩滿治之方　苦參三兩　苦酒一升半

右二味煮三沸三上三下服之吐食出即差或以水煮亦得

貪食食多不消心腹堅滿痛治之方　鹽一升　水三升

右二味煮令鹽消分三服當吐出食便差

凡諸毒多是假毒以投无知時宜煮甘草薺苨汁飲之通除諸毒藥

古方通覽終

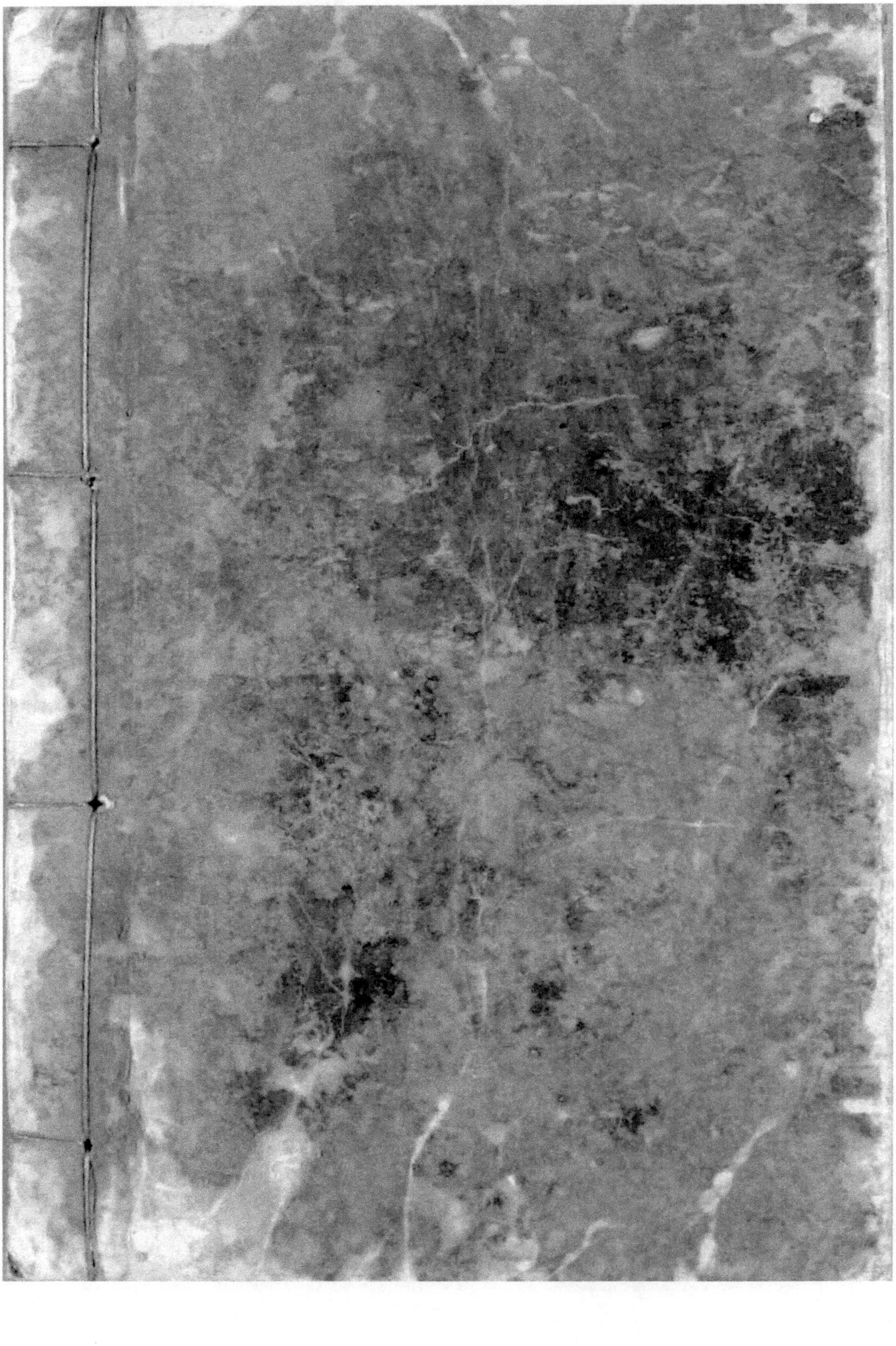

前言

如何切实有效提高高职高专学生的识图能力，是人才培养方案中的重点和难点。如何将学生学到的专业知识顺利地转化为技能，更是高等职业教育真正的培养目标。图纸是工程师的语言，教会学生读图识图，就是培养学生在施工中的交流和沟通能力。本书通过建筑和安装工程识图理论和经典工程的图纸案例教学，逐步培养学生的识图知识及能力，并通过单项能力训练逐步培养学生的专业技能，使其在顶岗实习中逐步找准自己的岗位，尽快完成从学生到技术人员的角色转变。

本书主要内容包括建筑工程施工图识读、建筑工程施工图纸例图、校内综合实训与顶岗实习3篇。在第1篇建筑工程施工图识读中重点介绍施工图的基本构成和阅读技巧，并从建筑、结构、给排水、采暖通风、电气5个专业分别讲解各专业的核心知识和识图方法，尤其是结构专业，以最新的《16G101—1,2,3》国标图集为切入点，系统讲解“平法”表示在基础、柱、墙、梁、板、楼梯项目中的应用，弥补了以往理论课教学中不讲或者很少讲“平法”的不足。各部分内容图文并茂，直观易懂；第2篇建筑工程施工图例图部分，在选择施工图教学案例时，第一套图纸选用集居住和商业为一体的商住楼，高层钢筋混凝土框架-剪力墙结构，图纸涉及专业面广，各专业的内容均有普遍性和示范性；第二套图纸则选用多层框架结构的医疗建筑，工程结构设计中采用了基础隔震措施，施工图纸具有一定的先进性和复杂性，尤其是安装工程，涉及的系统多，管线布置交错，更适合能力较强的学生提升需求；轻钢结构目前在工业和民用建筑中都有较大规模的使用，第三套图纸为轻钢结构的单层工业厂房，为学生学习钢结构房屋提供了很好的教学依据；第3篇为校内综合实训与顶岗实习。涵盖劳动安全、劳动保护、文明施工、环境保护等内容，在学生综合实训与顶岗实习工程中，细化指导教师、指导技师的管理职责，把学生应该遵守的实习守则制度化、条款化更加明确，共同约束和规范教学实践活动更规范。校内综合实训则通过砌体工程、脚手架工程、钢筋工程、模板工程、混凝土工程、抹灰工程、防水工程7个具有普遍性的实训项目，从实训目标、实训条件、实训内容、质量标准等方面建立了“体系化模板”，指导性强，各院校各专业可根据自身实训条件选择安排。

本书可用于高职高专学校建筑工程技术、建筑设计、工程造价、工程监理、建筑设备、房地产管理、安全技术管理等专业的施工图识读和实训教学，也可用于一般建筑工程技术人员的培训教材。

本书编写组成员均为长期从事工程设计、现场施工、学校教学的“双师型”教师，具有扎实的理论基础和丰富的施工和教学经验，本书符合实际、更具有可操作性。

本书由甘肃建筑职业学院李贵文担任主编，甘肃建筑职业学院李保强担任副主编。具体分工为：第1篇中第1,2章由甘肃建筑职业学院李海铭编写；第3,4章和第3篇中第9、10、11章由李贵文编写；第1篇中第5章和第3篇中第12章由李保强编写；第2篇中的工程施工图纸建筑部分由李海铭、李洁和甘肃宏图建筑设计有限公司李作福完成，结构部分由李贵文完成，给排水和采暖通风部分由魏钢完成，电气部分由李保强完成。全书由王娟丽教授担任主审。

本书在编写过程中参考了大量资料文献，在此谨向所有参考文献的老师们致以诚挚的谢意。

基于技术的变化和编者水平，书中出现错漏和不妥之处，敬请读者批评指正，编者会不定期派送“勘误表”。

编　者

2019年3月

目录

第1篇 建筑工程施工图识读

第1章

工程施工图概述

工程施工图是表示工程项目总体布局,建筑物、构筑物的外部形状、内部布置、结构构造、内外装修、材料作法以及设备、施工等要求的图样。施工图具有图纸齐全、表达准确、要求具体的特点,是进行工程施工、编制施工图预算和施工组织设计的依据,也是进行技术管理的重要技术文件。一套完整的施工图一般包括建筑施工图、结构施工图、给排水施工图、采暖通风施工图及电气施工图等专业图纸,也可将给排水、采暖通风和电气施工图合在一起统称设备施工图。

1.1 工程施工图的作用

工程设计图纸是工程技术界的通用语言,是工程技术人员进行信息传递的载体,它是具有法律效力的正式文件,是建筑工程重要的技术档案。设计人员通过施工图,表达设计意图和设计要求;造价人员依据施工图确定工程造价;施工人员通过熟悉图纸,理解设计意图,按照图纸要求完成施工;工程监理人员按照图纸要求进行工程质量监督。建筑工程竣工后,施工单位必须根据工程施工图纸及设计变更文件,认真绘制竣工图纸交给业主,作为今后使用与维修、改建、鉴定的重要依据。业主不得任意改变建筑的使用功能。业主除把竣工图纸作为重要的文件归档保管外,还必须将一份竣工图纸送交当地城建档案馆长期保存。当业主与施工单位因工程质量产生争议时,施工图是技术仲裁或法律裁决的重要依据。

1.2 建筑工程施工图表达

1.2.1 建筑工程施工图表达的依据

①《房屋建筑制图统一标准》(GB/T 50001—2010),建筑总平面、建筑、结构以及各设备专业均适用。主要内容:图纸幅面规格、图线、字体、比例、符号、定位轴线、建筑材料图例、图样画法、尺寸标注等。

②《建筑制图标准》(GB/T 50104—2010),适用于建筑图。

③《建筑结构制图标准》(GB/T 50105—2010),适用于建筑结构工程专业制图。

④《建筑给水排水制图标准》(GB/T 50106—2010),适用于建筑给水排水工程专业制图。

⑤《采暖通风与空调设计制图标准》(GB/T 50114—2001),适用于采暖通风与空调设计工程专业制图。

⑥《建筑电气制图标准》(GB/T 50786—2012),适用于建筑电气工程专业制图。

1.2.2 建筑工程施工图表达的内容

1)建筑施工图

建筑施工图主要用来表示建筑物的规划位置、外部造型、内部各房间的布置、内外装修构造和施工要求的图件。主要图纸有:施工首页图、施工图目录、建筑总平面图、建筑设计说明、建筑平面图、建筑立面图、建筑剖面图和建筑详图(主要详图有外墙身剖面详图、楼梯详图、门窗详图、厨厕详图等),简称"建施"。

2)结构施工图

结构施工图主要表示建筑物承重结构的结构类型、结构布置,构件种类、数量、大小及做法。主要图纸有:结构设计说明、结构平面布置图(基础平面图、柱网平面图、楼层结构平面图及屋顶结构平面图等)和结构详图(基础断面图、楼梯结构施工图、柱、梁等现浇构件的配筋图),简称"结施"。

3)设备施工图

设备施工图主要表达建筑物的给排水、采暖通风、供电照明等设备的布置和施工要求,简称"设施"。因此设备施工图又分为3类:

①给排水施工图:表示给排水管道的平面布置和空间走向、管道及附件作法和加工安装要求的图件。包括给排水设计说明、管道平面布置图、管道系统图、管道安装详图等。

②采暖通风施工图:表示管道平面布置和构造安装要求的图纸。包括采暖通风设计说明、管道平面布置图、管道系统图、管道安装详图等。

③电气施工图:表示电气线路走向和安装要求的图件。包括电气工程设计说明、线路平面布置图、线路系统图、线路安装详图等。

1.2.3 施工图的编排次序

为了便于查阅图件、档案管理和方便施工,一套完整的房屋施工图总是按照一定的次序进行编排装订。各专业图件,在编排时按下面要求进行:基本图在前,详图在后;先施工的在前,后施工的在后;重要的在前,次要的在后。一套完整的房屋施工图的编排次序如下:

1)首页图

首页图列出了项目名称、建设单位、工程编号、设计日期、项目负责、图纸目录等,在图纸目录中有各专业图纸的图件名称、数量、所在位置,反映出了一套完整施工图纸的编排次序,便于查找。

2)建筑设计总说明

①工程设计的依据:建筑面积,有关地质、水文、气象等方面资料。

②设计标准:建筑标准、结构荷载等级、抗震设防标准、采暖、通风、照明标准等。

③施工要求:施工技术要求;建筑材料要求,如水泥标号、混凝土强度等级、砖的标号、钢筋的强度等级,水泥砂浆的标号等。

④建筑节能标准。

⑤绿色建筑。

3)建筑施工图

建筑施工图包括总平面图、建筑平面图(底层平面图、标准层平面图、顶层平面图、屋顶平面图)、建筑立面图(正立面图、背立面图、侧立面图)、建筑剖面图、建筑详图(厨房详图、卫生间详图、屋顶详图、外墙身详图、楼梯详图、门窗详图、安装节点详图等)。

4)结构施工图

结构施工图包括结构设计说明、基础平面图、基础详图、结构平面图(各楼层结构平面图、屋顶结构平面图)、构件详图(楼梯结构施工图、现浇构件配筋图)。

5)给排水施工图

给排水施工图包括给排水设计说明和图例、管道平面图、管道系统图、管道加工安装详图。

6)采暖通风施工图

采暖通风施工图包括采暖通风设计说明和图例、管道平面图、管道系统图、管道加工安装详图等。

7)施工图

施工图包括电气工程设计说明、线路平面图、线路系统图、线路安装详图等。

1.2.4　图纸幅面及图框

根据《建筑制图标准》的规定，图纸幅面的规格分为0、1、2、3、4共5种。一套施工图，应以一种规格的图纸幅面为主，在特殊情况下，允许加长1～3号图纸的长度和宽度，0号图纸只能加长长边。图纸幅面尺寸应符合表1.1的规定。

表1.1　图纸幅面尺寸

幅面代号 / 尺寸代号	A0	A1	A2	A3	A4
$B \times L$	841 mm×189 mm	594 mm×841 mm	420 mm×594 mm	297 mm×420 mm	210 mm×297 mm
c	10			5	
a	25				

加大幅面尺寸是由基本幅面的短边成整数倍增加后得出。

图纸上限定绘图区域的线框称为图框，图框用粗实线绘制，其格式分为留装订边和不留装订边两种，但同一工程的图样只能采用一种格式。建筑制图一般采用留装订边的格式。

图纸幅面分为横式和立式两种。其中以短边作为垂直边的称为横式(即X型幅面)，以短边作为水平边的称为立式(即Y型幅面)。一般A0～A3图纸宜使用横式，必要时，也可使用立式。其幅面装订格式见图1.1。

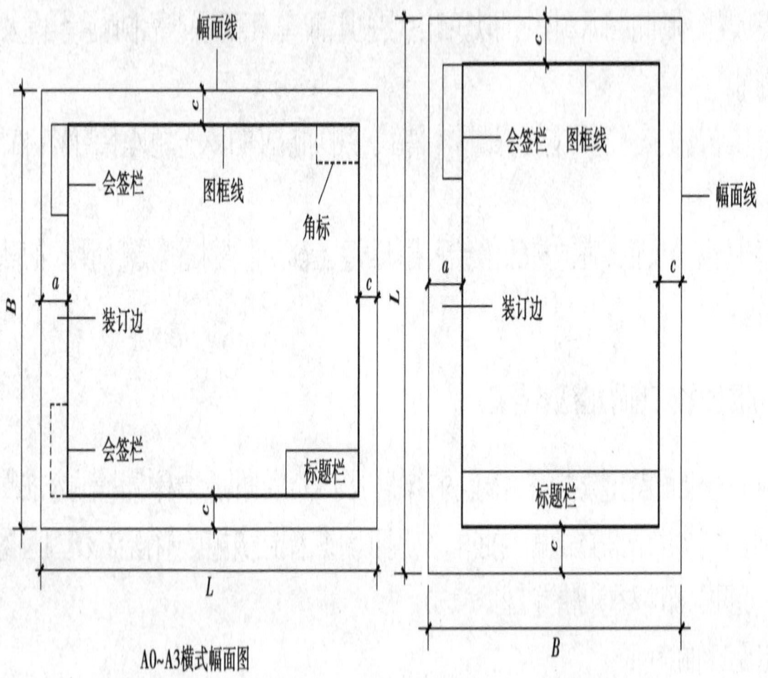

A0~A3横式幅面图

注：标虚线的会签栏和角标用于道理工程制图

A4立式幅面图

图1.1　图框格式

1.2.5　绘图比例

各平面图制图比例，见表1.2。

表1.2　各平面图制图比例

图　名	常用比例
总平面图、土方图、排水图	1:500、1:1000、1:2000
总平面专业断面图	1:100、1:200、1:1000、1:2000
平面图、剖面图、立面图	1:50、1:100、1:200
次要平面图	1:300、1:400
详　图	1:1、1:2、1:5、1:10、1:20、1:25、1:50
建筑给排水、采暖、电气平面图	1:200、1:150、1:100
建筑给排水轴测图、电气系统图	1:150、1:100、1:50

1.3　施工图识读的基本方法和技巧

建筑施工图识读有一定方法和技巧，掌握了这种方法和技巧就能做到事半功倍的效果。

1)理清顺序

拿到一份图纸后，先看什么图，后看什么图，应该有主有次。一般是按如下顺序进行：

①首先仔细阅读设计说明，了解建筑物的概况、位置、标高、材料要求、质量标准、施工注意事项以及一些特殊的技术要求，在整体上形成一个初步印象。

②接着要看平面图，了解房屋的平面形状、开间、进深、柱网尺寸，各种房间的安排和交通布置，以及门窗位置，对建筑物形成一个平面概念，为看立面图、剖面图打好基础。

③看立面图，了解建筑物的朝向、层数和层高的变化，以及门窗、外装饰的要求等。

④看剖面图，大体了解剖面部分的各部位标高变化和室内情况。

⑤看结构图，了解平面图、立面图、剖面图等建筑图与结构图之间的关系，加深对整个工程的理解。

⑥详细阅读所指的大样图或节点图。必须根据平面图、立面图、剖面图等图中的索引符号，详细阅读所指的大样图或节点图，做到粗细结合、大小交圈。只有循序渐进，才能理解设计意图，看懂设计图纸。

2)记住尺寸

建筑工程虽然各式各样，但都是通过各部分尺寸的改变而出现的各种不同的造型和效果。图纸上的尺寸很多，作为技术人员来说，不需要也不可能将图上所有的尺寸都记住。但是，对建筑物的一些主要尺寸，主要构配件的规格、型号、位置、数量等，则是必须牢牢记住的。这样可以加深对设计图纸的理解，有利于施工操作，减少或避免施工错误。一般来说，要牢记以下一些尺寸：开间进深要记牢，长宽尺寸莫忘掉；纵横轴线心中记，层高总高很重要；结构尺寸要记住，构件型号别错了；基础尺寸是关键，结构强度不能少；梁柱断面记牢靠，门窗洞口要留好。

3)弄清关系

看图时必须弄清每张图纸之间的相互关系。因为一张图纸无法详细表达一项工程各部位的具体尺寸、做法和要求，所以必须用很多张图纸，从不同的方面表达某一个部位的做法和要求。这些不同部位的做法和要求，就是一个完整的建筑物的全貌。所以，一份施工图纸的各张图纸之间，都有着密切的联系。在看图时，必须以平面图中的轴线编号、位置为基准，做到"手中有图纸，心中有轴线，千头又万绪，处处不离线"。图纸之间的关系，一般来说主要是：轴线是基准，编号要相吻；标高要交圈，高低要相等；剖面看位置，详图详索引；如用标准图，引出线标明；要求和做法，快把说明拿；土建和安装，对清洞、沟、槽；材料和标准，有关图中查；建筑和结构，前后要对照。弄清各张图纸之间的关系，是看图的重要环节,是发现问题、减少或避免差错的基本措施。

4)抓住关键

在看施工图时,必须抓住每张图纸中的关键。只有掌握住关键,才能抓住要害,少出差错。一般应抓住以下4个方面:

①平面图中的关键。在施工中常出现的一些差错有一定的共性。如"门是里开外开,轴线是正中偏中,朝向是东南西北,墙厚是一砖几砖"。门在平面图中有开启方向,而窗则没有开启方向,必须查大样图才能确定。轴线在墙上是正中还是偏中,哪一层是正中,哪一层是偏中,必须弄清,才不会造成轴线错误,以免错把所有的轴线都当成中线。房屋的朝向必须弄清楚,图上有指北针的以指北针为准,无指北针的以总平面图和总说明上的朝向为准。一般建筑物的平面图中,应符合上北下南、左西右东的规律。对每一轴线、每一部位的墙厚也要仔细查对,如哪道墙是一砖厚,哪道墙是半砖厚,绝对不能弄错。

②在立面图中,必须掌握门窗洞口的标高尺寸,以便在立皮数杆和预留窗台时不致发生错误。

③在剖面图中,主要应掌握楼层标高、屋顶标高。有的还要通过剖面图掌握室内洞口、内门标高、楼地面做法、屋面保温和防水做法等。

④在结构图中,主要应掌握基础、墙、梁、柱、板、屋盖系统的设计要求、具体尺寸、位置、相互间的衔接关系以及所用的材料等。

5)了解特点

工业建筑要满足各种不同的生产工艺要求,在设计与施工中就各有不同的特点。如酸处理车间,对墙面、地面等有耐酸要求,就要采取不同的处理方法;精密仪表车间,对门窗、墙壁有不同的防尘、恒温、恒湿要求。民用建筑由于使用功能不同,也有不同的特点。如影剧院,由于对声学有特殊要求,故在顶棚、墙面有不同的处理方法和技术要求。因此,在熟悉每一份施工图纸时,必须了解该项工程的特点和要求,包括以下几方面:

①地基基础的处理方案和要求达到的技术标准。

②对特殊部位的处理要求。

③对材料的质量标准或对特殊材料的技术要求。

④需注意或容易出问题的部位。

⑤新工艺、新结构、新材料等的特殊施工工艺。

⑥设计中提出的一些技术指标和特殊要求。

⑦在结构上的关键部位。

⑧室内外装修的要求和材料。

只有了解了一个工程项目的特点,才能更好地、全面地理解设计图纸,保证工程的特殊需要。在识读施工图前,必须掌握正确的识读方法和步骤。而看图应按照"总体了解、顺序识读、前后对照、重点细读"的读图方法。

第2章 建筑施工图识读

2.1 房屋的组成及其作用

2.1.1 房屋的组成

一幢房屋由基础、墙或柱、楼地面、楼梯、屋顶、门窗等部分组成。

①基础是房屋埋在地面以下的承重构件,它承受着房屋的全部荷载,并把荷载传给地基。

②墙或柱是房屋的垂直承重构件,它承受屋顶、楼层传来的各种荷载,并传给基础。外墙同时也是房屋的围护构件,起着保温隔热、隔音的作用;内墙同时起分隔和隔音的作用。

③楼板是房屋的水平承重和分隔构件,它承受着人、家具、设备和自重荷载,并将这些荷载传给柱或墙。楼面是楼板上的铺装面层;地面是指首层室内地坪。

④楼梯是楼房中联系上下层的垂直交通构件,也是火灾等灾害发生时的紧急疏散要道。

⑤屋顶是房屋顶部的围护和承重构件,用以防御自然界的风、雨、雪、日晒和噪声等,同时承受自重及外部荷载,有时也起疏散作用。

⑥门窗:门具有疏散、采光、通风、防火、保温隔热、隔音等多种功能;窗具有采光、通风、保温隔热、隔音、观察、眺望的作用。

⑦其他:房屋还有通风道、烟道、电梯、阳台、壁橱、勒脚、雨篷、台阶、天沟、雨水管等配件和设施,在房屋中根据使用要求分别设置。

2.1.2 房屋建筑施工图的内容及特点

房屋建筑工程施工图是将建筑物的平面布置、外形轮廓、尺寸大小、结构构造和材料做法等内容,按照《建筑制图标准》的规定,用正投影方法,详细准确地画出的图样。它是用以组织、指导建筑施工,进行经济核算,工程监理、完成整个房屋建造的一套图样,所以又称为房屋施工图。

房屋建筑施工图的特点:

①施工图中的各图样,主要是根据正投影法绘制的,所绘图样都应符合正投影的投影规律。

②施工图应根据形体的大小,采用不同的比例绘制。

③由于房屋建筑工程的构配件和材料种类繁多,为作图简便起见,《房屋建筑统一制图标准》和《总图制图标准》规定了一系列的图例符号和代号来代表建筑构配件、卫生设备、建筑材料等。

④施工图中的尺寸,除标高和总平面图以"m"为单位外,一般施工图中必须以"mm"为单位,在尺寸数字后面不必标注尺寸单位。

2.2　建筑施工图的基本绘制方法

2.2.1　建筑图制图图线

常用建筑图制图图线详见表2.1。

表2.1　常用建筑图制图图线

名称		线型	线宽	用途
粗实线	粗		b	①主要轮廓线。 ②平、剖面图中被剖切的主要建筑构件的轮廓线。 ③建筑立面图的外轮廓线、剖切符号。 ④建筑构造详图中被剖切的主要部分的轮廓线。 ⑤建筑构配件详图中构配件的外轮廓线。 ⑥新建各种给排水管道线。
	中		$0.5b$	①平、剖面图中被剖切的次要建筑构件的轮廓线。 ②建筑平、立面图和剖面图中一般建筑构件的轮廓线。 ③建筑构件详图及建筑配件详图中一般轮廓线。 ④尺寸起止线。 ⑤剖切平面后面物体的主要轮廓线。
	细		$0.25b$	①总平面图中新建人行道、排水沟、草地、花坛等的可见轮廓线，原建筑物、铁路道路、桥涵、围墙的可见轮廓线、基础底宽。 ②图例线、索引符号、尺寸线、尺寸界线、引出线、标高符号、指北针。
虚线	粗		b	①新建建筑物的不可见轮廓线。 ②结构图上不可见的钢筋线。
	中		$0.5b$	①一般不可见轮廓线。 ②建筑构配件不可见轮廓线。 ③总平面图中计划扩建的建筑物、铁路、道路、桥涵、围墙等的不可见轮廓线。 ④平面图中吊车轮廓线。
	细		$0.25b$	①总平面图上的原有建筑物、铁路、道路、桥涵、围墙等的不可见轮廓线。 ②图例线、地沟。
点画线	粗		b	①吊车轨道线。 ②结构图的支撑线。
	中		$0.5b$	土方填挖区的零点线
	细		$0.25b$	中心线、对称线、单位轴线

续表

名称		线型	线宽	用途
双点画线	粗		b	预应力钢筋线
	细		$0.25b$	①假想轮廓线 ②成型前原始轮廓线
折断线			$0.25b$	断开界线
波浪线			$0.25b$	断开界线

2.2.2　常用建筑工程图例

建筑工程施工图中的一些图例都是按照《房屋建筑工程制图统一标准》及相关国家标准图集绘制，常见建筑工程图例见附录表，提供给读者，以便查阅。

1) 常用地形图图例

常用地形图图例详见附录-1。

2) 常用总平面图图例

常用总平面图图例详见附录-2。

3) 常用建筑材料图例

常用建筑材料图例详见附录-3。

4) 常用建筑构配件图例

常用建筑构配件图例详见附录-4。

2.2.3　建筑施工图表示方法

1) 定位轴线及编号

定位轴线是确定建筑物或构筑物主要承重构件平面位置的重要依据。在施工图中，凡是墙、柱子、大梁、屋架等主要承重构件，都要画出定位轴线来确定其位置。

对于非承重的隔墙（框架填充墙）、次要构件等，其位置可用附加定位轴线（分轴线）来确定，也可用注明其与附近定位轴线有关尺寸的方法来确定。《房屋建筑统一制图标准》对绘制定位轴线的具体规定如下：

①定位轴线应用细单点长画线绘制。

②定位轴线一般应编号，编号应注写在轴线端部的圆圈内。圆应用细实线绘制，直径为8～10 mm。定位轴线圆的圆心，应在定位轴线的延长线上。

③平面图上定位轴线的编号，宜标注在图样的下方与左侧。横向编号应用阿拉伯数字，从左到右顺序编写；竖向编号应用大写拉丁字母，从下自上顺序编写。拉丁字母的I、O、Z不得用作轴线编号。定位轴线的编号顺序如图2.1所示。

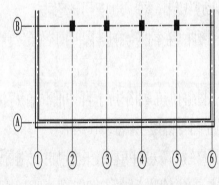

图2.1　定位轴线的编号

④附加定位轴线的编号,应以分数形式表示,所以也称分轴线。两根轴线间的附加轴线,应以分母表示前一轴线的编号,分子表示附加轴线的编号,编号宜用阿拉伯数字顺序编写;附加定位轴线的编号详见图2.2所示。

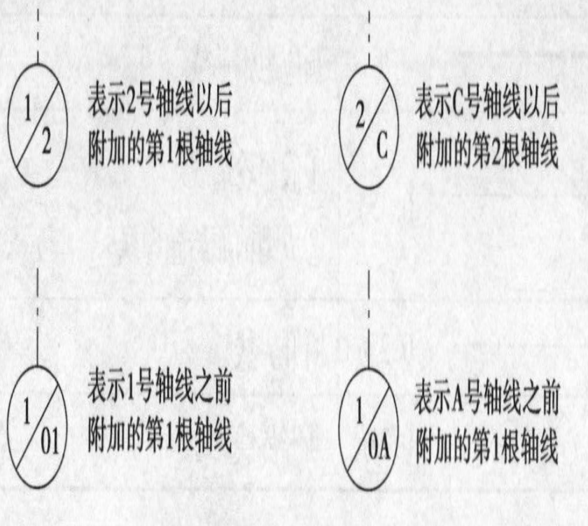

图2.2　附加定位轴线的编号

⑤对于详图上的轴线编号,若该详图适用于几根轴线时,应同时标注有关轴线的编号;通用详图中的定位轴线,一般只画圆,不注写轴线编号,如图2.3所示。

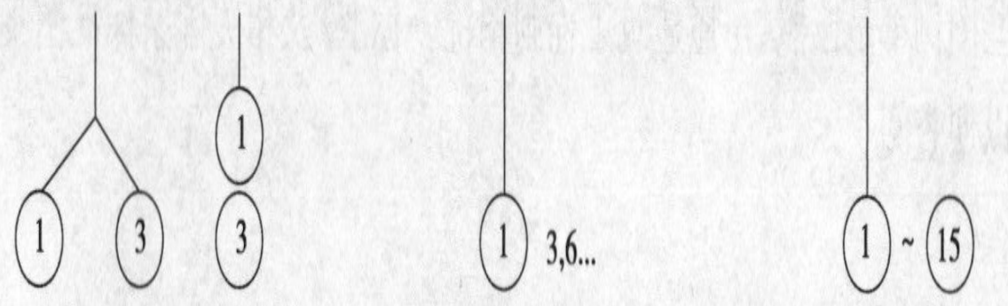

(a)用于2根轴线时　(b)用于3根或3根以上轴线时　(c)用于3根以上连续编号的轴线时

图2.3　详图的轴线编号

2)剖切符号及断面符号

①剖视的剖切符号应由剖切位置线及投射方向线组成,均应以粗实线绘制。剖切位置线的长度宜为6~10 mm;投射方向线应垂直于剖切位置线,长度应短于剖切位置线,一般为4~6 mm。剖视剖切符号如图2.4所示。

剖视剖切符号的编制宜采用阿拉伯数字,按顺序由左至右,由下至上连续编排,并应注写在剖视方向线的端部。

②断面的剖切符号应只用剖切位置线表示,并以粗实线绘制,长度宜为6~10 mm,编号宜采用阿拉伯数字,按顺序连续编排,并应注写在剖切位置线的一侧。编号所在的一侧应为该断面的剖视方向。断面剖切符号如图2.5所示。

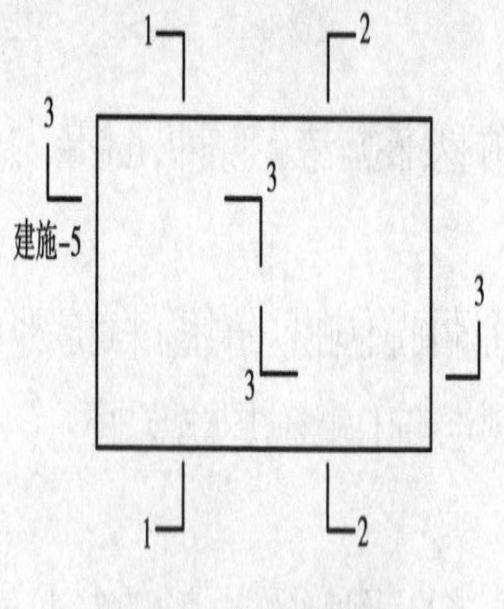

图2.4　剖视的剖切符号

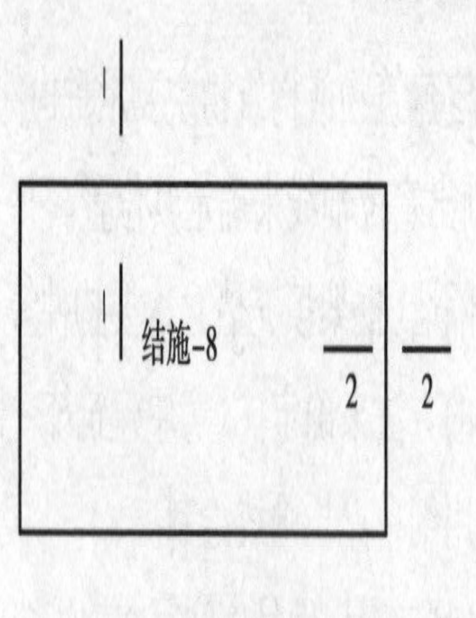

图2.5　断面的剖切符号

3)索引符号及详图符号

(1)索引符号

图样中的某一局部或构件,如需另见详图,应以索引符号标出,如图2.6(a)所示。索引符号由直径为10 mm的圆和水平直径组成,圆及水平直径均以细实线绘制。索引符号应按下列规定编写:

①如与被索引的详图同在一张图纸内,应在索引符号的上半圆中用阿拉伯数字注明该详图的编号,并在下半圆中画一段水平细实线,如图2.6(b)所示。

②如与被索引的详图不在同一张图纸内,应在索引符号的上半圆中用阿拉伯数字注明该详图的编号,在索引符号的下半圆中用阿拉伯数字注明该详图所在图纸的编号,如图2.6(c)所示。

③索引出的详图,如采用标准图,应在索引符号水平直径的延长线上加注该标准图册的编号,如图2.6(d)所示。

④索引符号如用于索引剖视详图,应在被剖切的部位绘制剖切位置线,并以引出线引出索引符号,引出线所在的一侧应为投射方向,如图2.7所示。

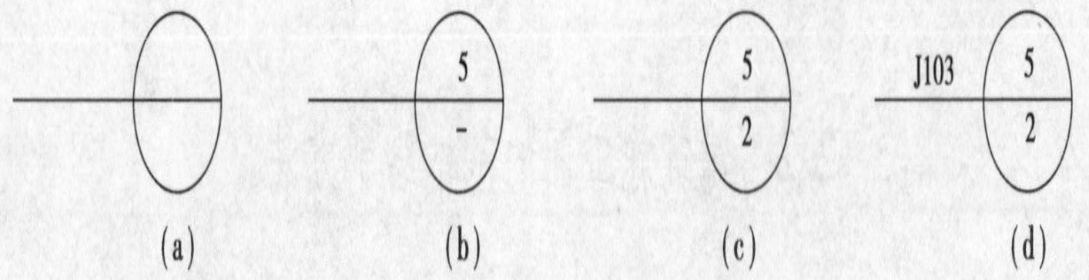

图2.6　索引符号

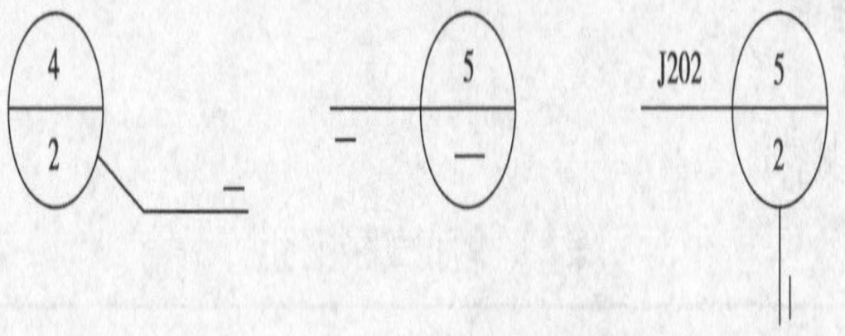

图2.7　用于索引剖面图的索引符号

(2)详图符号

详图的位置和编号,应以详图符号表示。详图符号的圆应以直径为14 mm的粗实线绘制。详图应按下列规定编写:

①详图与被索引的图样同在一张图纸内时,应在详图符号内用阿拉伯数字注明详图的编号,如图2.8所示。

②详图与被索引图样不在同一张图纸内,应用细实线在详图符号内画一水平直径线,在上半圆中注明详图编号,在下半圆中注明被索引的图纸的编号,如图2.9所示。

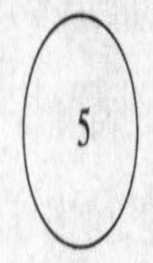

图2.8　与被索引图样
同在一张图纸内的详图符号

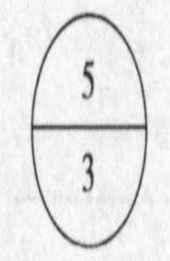

图2.9　与被索引图样
不在一张图纸内的详图符号

4)引出线

引出线是对图样上某些部位引出文字说明、符号编号和尺寸标注等用的,其画法规定如下:

①引出线应以细实线绘制,宜采用水平方向的直线、与水平方向成30°、45°、60°、90°的直线,或经上述角度再折为水平线。文字说明宜注写在水平线的上方,如图2.10(a)所示;也可注写在水平线的端部,如图2.10(b)所示。索引详图的引出线应与水平直径线相连接,如图2.10(c)所示。

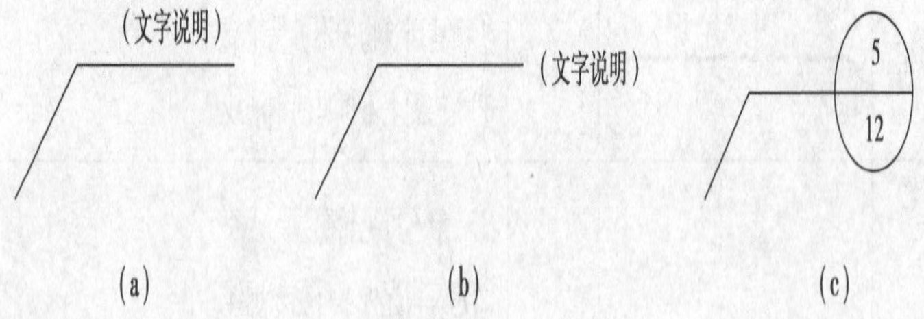

图2.10　引出线

②同时引出几个相同部分的引出线,宜互相平行,如图2.11(a)所示;也可画成集中于一点的放射线,如图2.11(b)所示。

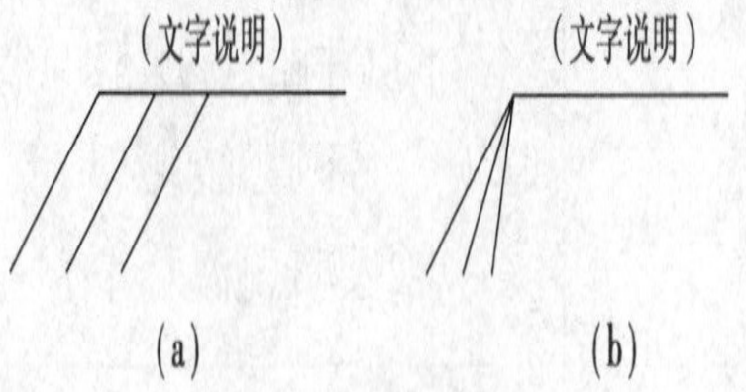

图2.11　共用引出线

③多层构造引出线,应通过被引出的各层。文字说明宜注写在水平线的上方,或注写在水平线的端部,说明的顺序应由上至下,并应与被说明的层次相互一致,如图2.12(a)所示;如层次为横向排序,则由上自下的说明顺序应与由左至右的层次相互一致,如图2.12(b)所示。

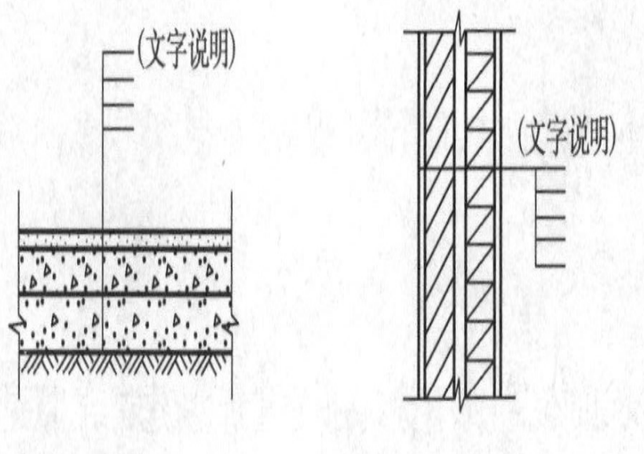

(a) (b)

图2.12 多层构造引出线

5)标高

建筑物各部分或各个位置的高度主要用标高来表示。《房屋建筑制图统一标准》中,规定了它的标注方法:

①标高符号应以直角等腰三角形表示,按图2.13(a)所示,用细实线绘制,如标注位置不够,也可按图2.13(b)所示形式绘制。图2.13(a)、(b)用于表示实形投影的标高。标高符号的具体画法如图2.13(c)、(d)所示。

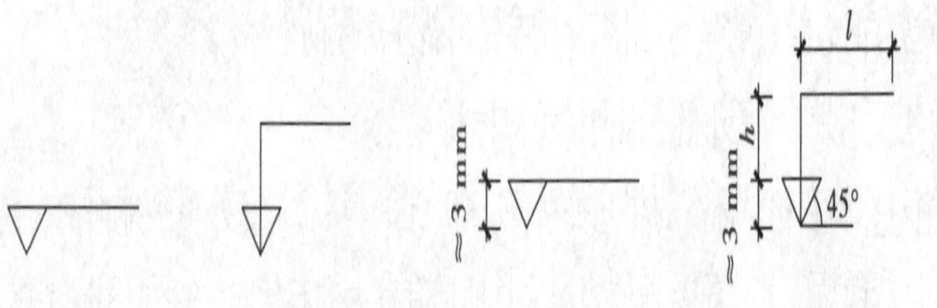

(a) (b) (c) (d)

h—竖直段高度
l—水平段长度

图2.13 标高符号

②总平面图室外地坪标高符号,宜用涂黑的三角形表示,如图2.14(a)所示,具体画法如图2.14(b)所示。

③标高符号的尖端应指至被注高度的位置。尖端一般应向下,也可向上。标高数字应注写在标高符号的延长线一侧。如图2.15所示的标高形式,用于标注积聚投影的标高。

④标高数字应以米为单位,注写到小数点以后第三位。在总平面图中,可注写到小数点以后第二位。

⑤零点标高应注写成±0.000,正数标高不注"+",负数标高应注"-",例如:3.000、-0.600。

⑥在图样的同一位置需表示几个不同标高时,标高数字可按图2.16的形式注写。

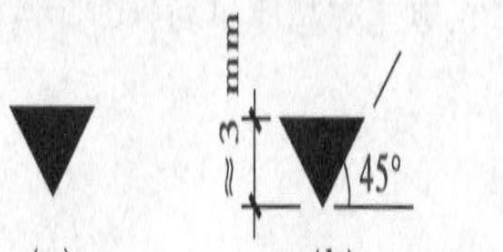

(a) (b)

图2.14 在平面图上的标高符号

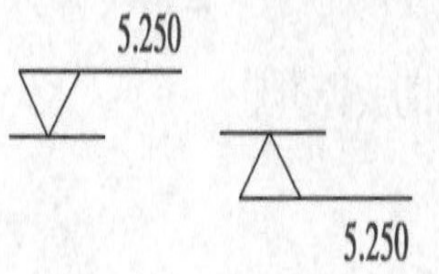

图2.15 标高的指向

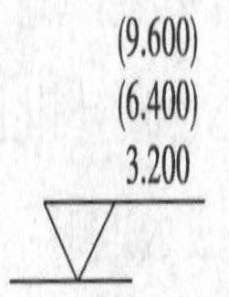

图2.16 同一位置标注多个标高数字

⑦标高的分类。房屋建筑工程施工图的标高可分为绝对标高和相对标高。绝对标高是以黄海平均海平面为零点,以此为基准而设置的标高称为绝对标高。相对标高是根据工程需要而选定的,这类标高称为相对标高。在一般建筑工程中,通常取底层室内主要地面作为相对标高的基准面(即±0.000);其他标高以基准面标高(即±0.000)作为参照标高进行标注。

房屋的标高,还有建筑标高和结构标高的区别。建筑标高是指构件包括粉刷层在内的、装修完成后的标高;结构标高一般不包括构件表面的粉饰层厚度,是在结构施工后的完成面的标高。

6)尺寸标注

图样上的尺寸包括尺寸线、尺寸界线、尺寸起止符号和尺寸数字,如图2.17所示。

①尺寸线应用细实线绘制,且应与被注长度平行。详图本身的任何图线均不得用作尺寸线。

②尺寸起止符号一般用中粗短斜线绘制,其倾斜方向应与尺寸界线成顺时针45°角,长度宜为2~3 mm。

③尺寸界线用细实线绘制,一般应与被注长度垂直,其一端应离开图样轮廓线不小于2 mm,另一端宜超出尺寸线2~3 mm。图样轮廓线可作为尺寸界线,如图2.18所示。

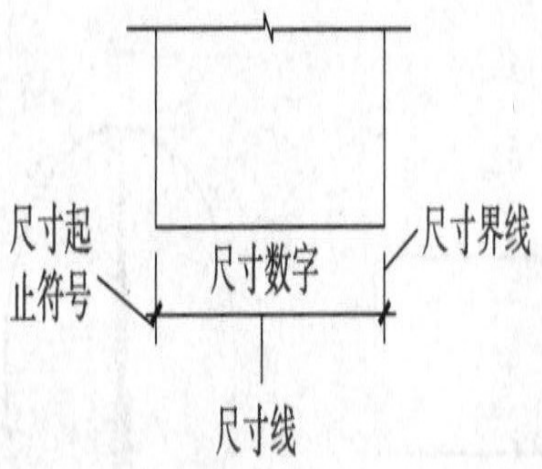

图2.17 尺寸标注

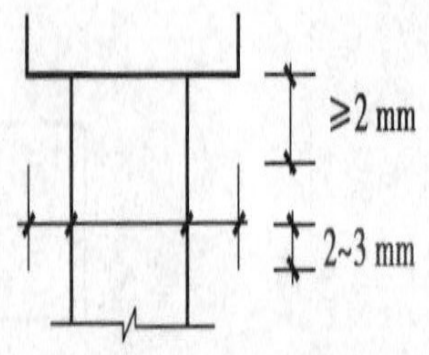

2.18 图样轮廓线可作为尺寸界线

图样上的尺寸,应以尺寸数字为准,不得从图上直接量取。图样上的尺寸单位,除标高及总平面图以"m"为单位外,其他必须以"mm"为单位。

尺寸数字一般应依据其方向注写在靠近尺寸线的上方中部。如没有足够的注写位置,最外边的尺寸数字可注写在尺寸界线的外侧,中间相邻的尺寸数字可错开注写,如图2.19(a)所示。

④尺寸数字宜标注在图样轮廓线以外,不宜与图线、文字及符号等相交;有时尺寸数字也可标在图样内,如图2.19(b)所示。

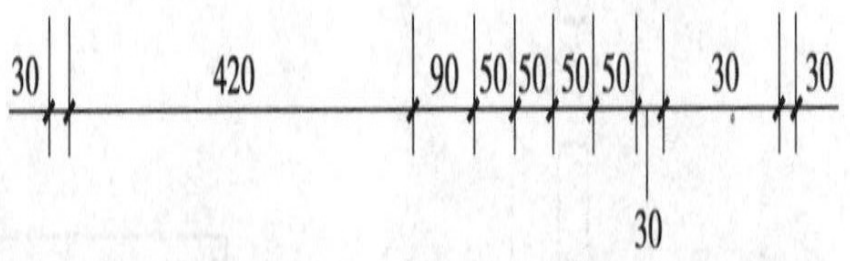

(a)

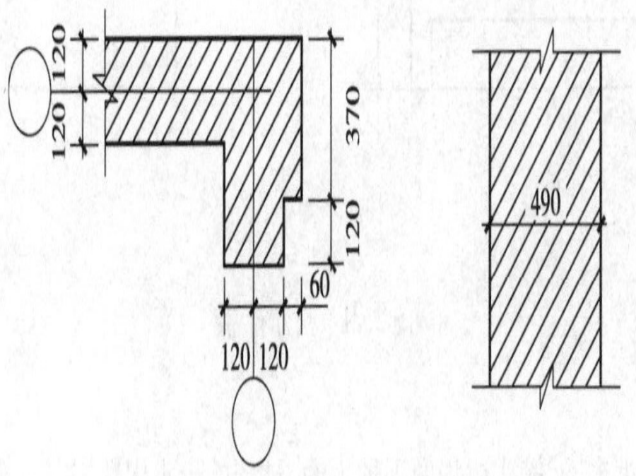

(b)

图2.19 尺寸数字的标注

互相平行的尺寸线,应从被注写的图样轮廓线由近向远整齐排列,较小尺寸应离轮廓线较近,较大尺寸应离轮廓线较远。

图样轮廓线以外的尺寸界线,距图样最外轮廓之间的距离不宜小于10 mm。平行排列的尺寸线的间距宜为7~10 mm,并应保持一致。

7)其他符号

(1)对称符号

当建筑物或构配件的图形对称时,可只画对称图形的一半,然后在图形的对称中心处画上对称符号,另一半图形可省略不画。对称符号由对称线和两端的两对平行线组成。对称线用细单点长画线绘制;平行线用细实线绘制,其长度宜为6~10 mm,每对的间距宜为2~3 mm;对称线垂直平分两对平行线,对称线两端超出平行线宜为2~3 mm,如图2.20(a)所示。

(2)连接符号

连接符号是用来表示构件图形的一部分与另一部分的相接关系。连接符号应以折断线表示需连接的部位。两部位相距过远时,折断线两端靠图样一侧应标注大写拉丁字母表示连接编号。两个被连接的图样必须用相同的字母编号,如图2.20(b)所示。

(3)指北针

指北针是用来指明建筑物朝向的,其形状如图2.20(c)所示。其圆的直径宜为24 mm,用细实线绘制;指针尾部的宽度宜为3 mm,指针头部应注"北"或"N"字。需用较大直径绘制指北针时,指针尾部宽度宜为直径的1/8。

(4)折断符号

当图形采用直线折断时,其折断符号为折断线,它经过被折断的图面,如图2.21(a)所示。对圆形构件的图形折断

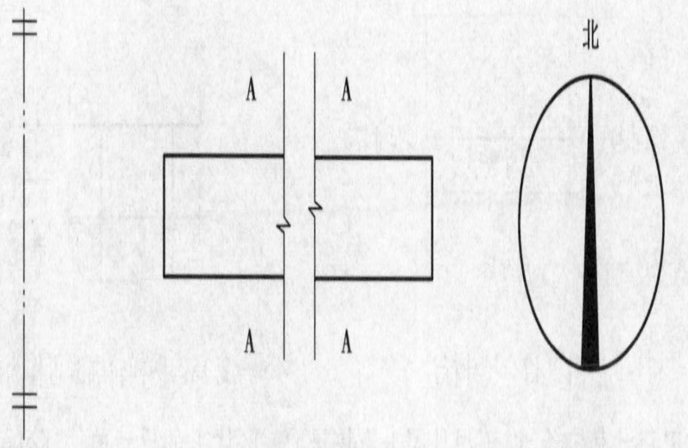

(a)对称符号　(b)连接符号　(c)指北针

图 2.20　其他符号

时,其折断符号为曲线,如图 2.21(b)所示。

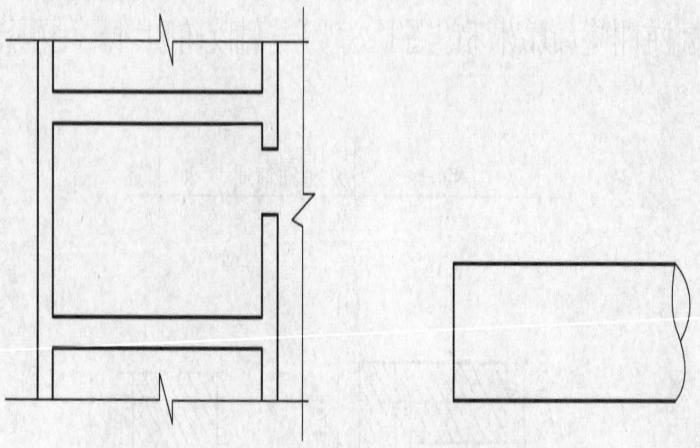

(a)　(b)

图 2.21　折断符号

(5)坡度标注

标注坡度时,一般用单面箭头表示,箭头应指向下坡方向,坡度的大小用数字写在箭头的上方,如图 2.22(a)所示。对于坡度较大的屋面、屋架等,可用直角三角形的形式标注它的坡度,如图 2.22(b)所示。

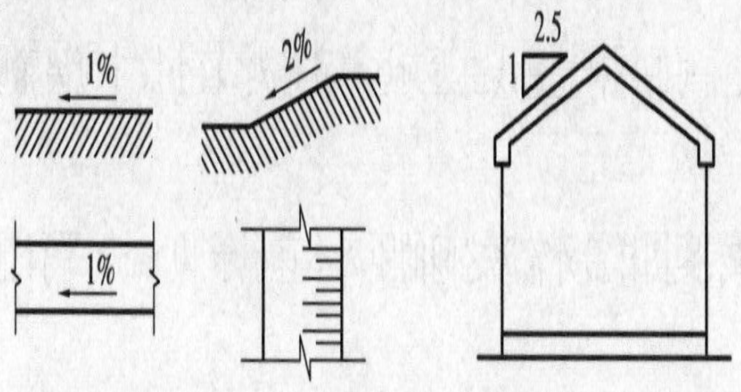

(a)　(b)

图 2.22　坡度标注

2.3　建筑施工图

2.3.1　总平面布置图

总平面图反映新建工程的总体布局,表示原有的和新建房屋的位置、标高、道路、构筑物、地形、地貌等情况。根据总平面图可以进行房屋定位、施工放线、土方施工、施工总平面布置和总平面中其他环境设施布置等。

1)总平面图的概念及用途

(1)概念

总平面图表示整个建筑基地的总体布局,具体说明了新建房屋的位置、朝向以及周围环境(原有建筑、交通道路、绿化、地形)的基本情况。

(2)用途

总平面图可用作是新建房屋定位、施工放线、布置施工现场的依据。

2)图示内容

(1)表明新建区的总体布局

包括用地范围、各建筑物及构筑物的位置(原有建筑、拆除建筑、新建建筑、拟建建筑)、道路、交通、绿化等的总体布局。

(2)确定新建建筑物的平面位置

①根据原有房屋和道路定位。若新建房屋周围存在原有建筑、道路,此时新建房屋定位是以新建房屋的外墙到原有房屋的外墙或到道路中心线的距离。

②修建成片住宅、规模较大的公共建筑、工厂或地形较复杂时,可用坐标定位。

③测量坐标定位。对于一般建筑物定位应标明两个墙角的坐标,若为南北朝向的建筑,只标明一个墙角的坐标即可。放线时,根据现场已有的导线点的坐标,用测量仪导测出新建房屋的坐标。

(3)标注建筑物首层室内地面、室外整平地面的绝对标高

标注室内地面的绝对标高和相对标高的相互关系,如 ±0.000 = 48.25,室外整平地面的标高符号为涂黑的实心三角形,标高注写到小数点后两位。若建筑基地的规模大且地形有较大的起伏时,总平面图除了标注必要的标高外,还要绘出建设区内的等高线。从等高线的分布可知建设区内地形的坡向,从而确定建筑物室外的排水方向及平场需开挖、填方的土石方量。

(4)指北针和风玫瑰图

根据图中所绘制的指北针可知新建建筑物的朝向,根据风玫瑰图可了解新建房屋地区常年的盛行风向(主导风向)以及夏季风主导风方向。有的总平面图中可只绘出指北针。

(5)水、暖、电等管线及绿化布置情况

包括给水管、排水管、供电线路尤其是高压线路、采暖管道等管线在建筑基地的平面布置;雨水的排水方向及坡度。

3)图示特点

(1)绘图比例较小

总平面图所要表示的地区范围较大,除新建房物外,还要包括原有房屋和道路、绿化等总体布局。因此,《制图标准》规定,总平面图的绘图比例应选用 1:500、1:1000、1:2000。

(2)用图例表示其内容

由于总平面图绘图比例较小,所以图中的原有房屋、道路、绿化、桥梁边坡、围墙及新建房屋等均用图例表示。《制图标准》列出了建筑总平面图的常用图例。在较复杂的总平面图中,如用了《房屋建筑统一制图标准》中没有的图例,应在图纸中的适当位置绘出新增加的图例。

总平面图中尺寸单位为"米",注写到小数点后两位。

2.3.2　建筑设计说明

根据《建筑工程设计文件编制深度规定》(2016 年版),建筑施工图设计说明应包括以下内容:

1)设计依据

①政府及行业主管部门的立项批复及初步设计审查批文文号。

②建设单位提供的用地红线图、地形图,以及设计委托书。

③工程勘察单位提供的《岩土工程勘察报告》。

④现行国家规范和国家、地方的法规、标准。

2)项目概况

①项目名称。

②建设单位、建设地点。

③工程概况:建筑面积、建筑基底面积、项目设计规模等级、设计使用年限、建筑层数和建筑高度、建筑防火分类和耐火等级、人防工程类别和防护等级,人防建筑面积、屋面防水等级、地下室防水等级、主要结构类型、抗震设防烈度等,以及能反映建筑规模的主要技术经济指标等。如住宅的套型和套数(包括每套的建筑面积、使用面积)、旅馆的客房间数和床位数、医院的门诊人次和住院部的床位数、车库的停车泊位数等。

④设计标高。建筑工程的相对标高与总图绝对标高的关系。

⑤用料说明和室内外装修。

a.墙体、墙身防潮层、地下室防水、屋面、外墙面、勒脚、散水、台阶、坡道、油漆、涂料等处的材料和做法,可用文字说明或部分文字说明,部分直接在图上引注或加注索引号,其中包括节能材料的说明。

b.室内装修部分除用文字说明外,亦可用表格形式表达,在表上填写相应的做法或代号;较复杂或较高级的民用建筑应另行委托室内装修设计;凡属二次装修的部分,可不列装修做法表和进行室内施工图设计。

⑥对采用新技术、新材料的做法说明及对特殊建筑造型和必要的建筑构造的说明。

⑦门窗表及门窗性能(防火、隔声,防护,抗风压、保温、气密性、水密性等),用料、颜色、玻璃、五金件等的设计要求。

⑧幕墙工程(玻璃、金属,石材等)及特殊屋面工程(金属、玻璃、膜结构等)的性能及制作要求(节能、防火、安全、隔声构造等)。

⑨电梯(自动扶梯)选择及性能说明(功能、载重量、速度、停站数、提升高度等)。

⑩建筑防火设计说明。

⑪无障碍设计说明。

3)建筑节能设计说明

①设计依据。

②项目所在地的气候分区及围护结构的热工性能限值。

③建筑的节能设计概况、围护结构的屋面(包括天窗)、外墙(非透明幕墙)、外窗(透明幕墙)、架空或外挑楼板、分户墙和户间楼板(居住建筑)等构造组成和节能技术措施,明确外窗和透明幕墙的气密性等级。

④建筑体形系数计算、窗墙面积比(包括天窗屋面比)计算和围护结构热工性能计算,确定设计值。

⑤根据工程需要采取的安全防范和防盗要求及具体措施,隔声减振减噪、防污染、防射线等的要求和措施。

⑥需要专业公司进行深化设计的部分,对分包单位明确设计要求,确定技术接口的深度。

⑦其他需要说明的问题。

2.3.3 绿色建筑预评估

①项目简介。

②基本信息。包括项目名称、项目地址、建设单位、设计单位等。

③建筑概况:建筑名称、建筑类型、建筑形式、建筑目标星级、建筑单体栋数,规划用地面积、总建筑面积、建筑占地面积、室外地面面积、建筑面积(地上)、建筑面积(地下)、建筑高度、建筑层数、建筑密度、容积率、建筑户数、人均用地指标、绿地率、机动车停车位等。

④规范标准参考依据。包括《绿色建筑评价标准》(GB/T 50378—2014)、《绿色建筑评价技术细则》(2015年)。

⑤绿色建筑达标情况:从节地与室外环境、节能与能源利用、节水与水资源利用、节材与材料资源利用、室内环境质量、提高与创新6个方面评定绿色建筑设计阶段等级达标情况,星级等级有★、★★、★★★。

⑥绿色建筑技术体系:针对不同的建筑物编制技术列表。

⑦结论:依据项目综合得分评定,故满足《绿色建筑评价标准》(GB/T 50378—2014)中绿色★星级的设计要求。

2.3.4 建筑工程做法一览表

主要反映楼地面、内外墙面、屋面、顶棚、楼梯间等各个部位的构造做法。可以选用建筑标准图集,一般采用表格的形式表述,如表2.2所示。

表2.2 工程做法

项 目	名 称	用料编号	使用部位	备 注
屋面	上人屋面	甘06J5-25-屋16	屋面-1	保温层为60厚A级防火保温岩棉板,SBS防水层3厚2层
	不上人屋面	甘06J5-13-屋7	屋面-2	保温层为60厚A级防火保温岩棉板,SBS防水层3厚2层
	水泥砂浆屋面	甘02J01-177-屋Ⅲ11	挑檐、雨篷	
顶棚	板底抹混合砂浆顶棚	甘02J01-140-棚4	居室、客厅前室、楼梯间	外刷白色涂料
	板底刮腻子喷涂顶棚	甘02J01-140-棚4	地下室	
	水泥砂浆抹灰顶棚	甘02J01-141-棚5	餐厅、阳台	外刷白色涂料
	铝合金方板吊顶	甘02J01-152-棚32	卫生间、厨房	颜色由用户自定
	铝合金方板吊顶	甘02J01-152-棚32	商店	是否采用由用户自定

2.3.5 门窗表

主要反映门窗类型、设计编号、洞口尺寸(/mm)、数量、图集名称及选用型号,如表2.3所示。

2.3.6 建筑平面图

1)建筑平面图的形成和作用

(1)建筑平面图的形成

用一个假想的水平剖切平面沿房屋略高于窗台的部位剖切,移去上半部分,对剩余部分做正投影而得到的水平投影图,称为建筑平面图,简称平面图。

建筑平面图实质上是房屋各层的水平剖面图。一般地说,房屋有几层,就应画出几个平面图,并在图形的下方注出相应的图名、比例等。沿房屋底层窗洞口剖切所得到的平面图称为底层平面图,最上面一层的平面图称为顶层平面图。中间各层如果平面布置相同,可只画一个平面图表示,称为标准层平面图。

(2)建筑平面图的作用

建筑平面图主要反映房屋的平面形状、大小和房间的相互关系、内部布置、墙(柱)的位置、厚度和材料、门窗的位置以及其他建筑构配件的位置和大小等。

建筑平面图是施工放线、砌墙、安装门窗、室内装修和编制预算的重要依据。

2)建筑平面图的分类和图示内容

(1)建筑平面图的分类

①地下室平面图:表示房屋建筑地下室的平面形状、各房间的平面布置及楼梯布置等情况。

②底层(首层)平面图:表示房屋建筑底层的布置情况。在底层平面图上还需反映室外可见的台阶、散水、花台、花池等。此外,还应标注剖切符号及指北针。

③楼层平面图:表示房屋建筑中间各层及最上一层的布置情况,楼层平面图还需画出本层的室外阳台和下一层的雨篷、遮阳板等。

④屋顶平面图:屋顶平面图是在房屋的上方,向下作屋顶外形的水平投影而得到的投影图。它表示屋顶情况,如屋面排水的方向、坡度、雨水管的位置、上人孔及其他建筑配件的位置等。

表 2.3　门窗表

类型	设计编号	洞口尺寸/mm	数量										图集选用		
			-1	1	2	3	4～12	13	14～15	16	17	合计	图集名称	页次	选用型号
门	FM-1	1200×2100	5			2	2×9=18	2	2×2=4	2	2	35	甘 02J06-6	23	MFM3(甲)-1212
	FM-2	1200×2100				4	4×9=36	4	4×2=8	4		56	甘 02J06-6	23	GFM5(甲)-1221
	FM-3	1000×2100	4	2		4		2		2	2	12	甘 02J06-6	22	MFM3(甲)-1021
	FM-5	1800×2100		2	2							4	甘 02J06-6	23	MFM3(甲)-1821
	FM-4	700×1600	4	4	4	4	4×9=36	1	4×2=8	1	2	70	甘 02J06-6	22	MFM3(甲)-0721 距地面高 500
	M-1	900×2100		5	2	8	8×9=72	8	8×2=16	8		119	甘 02J06-1	8	M1-73
	M-2	800×2100				8	8×9=72	8	8×2=16	8		112	甘 02J06-1	7	M1-43
	M-3	1500×3000		2								2	甘 02J06-1	32	M1-611
	M-4	1500×2100		2								2	电子对讲门		订做
	M-5	1500×2100		2								2	甘 02J06-4	74	1521WM2
	M-6	1500×2100		1	1						2	4	甘 02J06-1	33	M1-618
	TLM-1	3600×2400				2	2×9=18	2	2×2=4	2		28	甘 02J6-1	98	参照 JNTLM-95-9 制作
	TLM-2	2100×2100				2	2×9=18	2	2×2=4	2		28	甘 02J6-1	98	JNTLM-95-3
	TLM-3	1600×2100				2	2×9=18	2	2×2=4	2		28	甘 02J6-1	98	参照 JNTLM-95-2 制作
	TLM-4	2100×2400				4	4×9=36	2	4×2=8	2		52	甘 02J6-1	98	JNTLM-95-8
	TLM-5	3000×2400				2	2×9=18	2	2×2=4	2		28	甘 02J6-1	98	参照 JNJM-95-9 制作
	钢制防火卷帘	3900×3600		1								1	甘 02J06-6	60	参照 GFJ3(F3)-4236 制作
窗	C-1	2100×1500				2	2×9=18	2	2×2=4	2	2	30	甘 02J6-1	61	JNPKC · W-60-86
	C-2	1800×1500				2	2×9=18	4	2×2=4	4		32	甘 02J6-1	61	JNPKC · W-60-85

(2)建筑平面的图示内容

①平面布局:表示房屋的平面形状。

②定位轴线:确定房屋各承重构件,如承重墙、柱等的位置。

③尺寸标注:平面图中的尺寸分为外部尺寸和内部尺寸两部分。

外部尺寸:第一道尺寸用于表示门、窗洞口宽度尺寸、定位尺寸、墙体的宽度尺寸,以及细小部分的构造尺寸;第二道尺寸表示轴线之间的距离;第三道尺寸表示外轮廓的总尺寸。另外,室外台阶或坡道的尺寸可单独标注。

内部尺寸:表明房间的净空间和室内的门窗洞的大小、墙体的厚度等尺寸。

④图例及相关符号:在底层平面图中,必须在需要绘制剖面图的部位画出剖切符号;在需要另画详图的局部或构件处,画出索引符号;底层平面图还需画出指北针。

3)建筑平面图的图例及规定画法

平面图常用 1:100、1:50 的比例绘制,由于比例较小,所以门窗及细部构配件等均应按规定图例绘制。

平面图中的线型应粗细分明,凡被剖切到的墙、柱断面轮廓线用粗实线画出,没有剖切到的可见轮廓线,如窗台、梯段、卫生设备、家具陈设等用中实线或细实线画出。尺寸线、尺寸界线、索引符号、标高符号等用细实线画出,轴线用细单点长画线画出。平面图比例若为小于等于 1:100 时,可画简化的材料图例(如砖墙涂红、钢筋混凝土涂黑等)。

4)建筑平面图的识读

平面图的识读步骤如下。

①了解图名、比例及文字说明。

②了解平面图的总长、总宽的尺寸,以及内部房间的功能关系、布置方式等。

③了解纵横定位轴线及其编号;主要房间的开间、进深尺寸,墙(或柱)的平面布置。

④了解平面各部分的尺寸。

⑤了解门窗的布置、数量及型号。

⑥了解房屋室内设备配备等情况。

⑦了解房屋外部的设施,如散水、雨水管、台阶等的位置及尺寸。

⑧了解房屋的朝向及剖面图的剖切位置、索引符号等。

5)绘制建筑平面图的方法和步骤

(1)绘制建筑施工图的步骤和方法

①确定绘制图样的数量。根据房屋的外形、层数、平面布置和构造内容的复杂程度,以及施工的具体要求,确定图样的数量,做到表达内容既不重复也不遗漏。图样的数量在满足施工要求的条件下以少为好。

②选择适当的比例。

③进行合理的图面布置。图面布置(包括图样、图名、尺寸、文字说明及表格等)要主次分明、排列均匀紧凑、表达清楚,尽可能保持各图之间的投影关系。同类型的、内容关系密切的图样,可集中在一张或图号连续的几张图纸上,以便对照查阅。

④施工图的绘制方法。绘制建筑施工图,一般是按平面图→立面图→剖面图→详图的顺序。先用铅笔画底稿,经检查无误后,按《房屋建筑统一制图标准》规定的线型加深图线。用铅笔加深或描图上墨时,一般顺序是:先画上部,后画下部;先画左边,后画右边;先画水平线,后画垂直线或倾斜线;先画曲线,后画直线。

⑤图名、比例和纵横定位轴线编号。建筑平面图一般以 1:100 的比例绘制,一般标有三道尺寸线:第一道尺寸线为细部(门窗洞口、阳台、墙体)尺寸线;第二道尺寸线为轴线间距离;第三道尺寸线为建筑物总长度或总宽度(墙体外皮之间距离)。

(2)绘制建筑平面图的步骤

①画所有定位轴线(画得略长一些),然后画出墙、柱轮廓线。

②定门窗洞的位置,画细部,如楼梯、台阶、卫生间、散水、花池等。

③经检查无误后,擦去多余的图线,按规定线型加深。

④标注轴线编号、标高尺寸、内外部尺寸、门窗编号、索引符号以及书写其他文字说明。在底层平面图中,还应画剖

切符号以及在图外适当的位置画上指北针图例,以表明方位。

⑤最后,在平面图下方写出图名及比例等。

2.3.7 建筑立面图

1)建筑立面图的形成、命名及规定画法

(1)建筑立面图的形成

在与房屋立面平行的投影面上所作的正投影图,称为建筑立面图,简称立面图。

它主要反映房屋的外貌、各部分配件的形状和相互关系,以及立面装修做法等。它是建筑及装饰施工的重要图样。

(2)建筑立面图的命名

建筑立面图一般有3种命名方式:

①按房屋的朝向来命名:南立面图、北立面图、东立面图、西立面图。

②按立面图中首尾轴线编号来命名:如①~⑤立面图、⑤~①立面图、Ⓐ~Ⓒ立面图、Ⓒ~Ⓐ立面图。

③按房屋立面的主次(房屋主出入口所在的墙面为正面)来命名:正立面图、背立面图、左侧立面图、右侧立面图。

3种命名方式各有特点,在绘图时应根据实际情况灵活选用。

(3)建筑立面图的规定画法

为了使立面图外形清晰、层次感强,立面图应采用多种线型。一般立面图的外轮廓用粗实线表示;门窗洞、檐口、阳台、雨篷、台阶、花池等突出部分的轮廓用中实线表示;门窗扇及其分格线、花格、雨水管、有关文字说明的引线及标高等均用细实线表示;室外地坪线用加粗实线表示。

2)建筑立面图的识读

①了解图名及比例。从图名或轴线的编号可知,图例是表示房屋南向的立面图(①~⑤立面图),比例1:100。

②了解立面图与平面图的对应关系。

对照建筑底层平面图上的指北针或定位轴线编号,可知南立面图的左端轴线编号为①,右端轴线编号为⑤,与建筑平面图相对应。

③了解房屋的体形和外貌特征。

④了解房屋各部分的高度尺寸及标高数值。立面图上一般应在室内外地坪、每一层楼层、檐口(有时在门、窗、台阶)等处标注标高,并沿高度方向注写某些部位的高度尺寸。一般以室内第一层地面作为±0.000标高。从图中所注标高可知,房屋室外地坪比室内地面低多少高差值。屋顶最高处标高,可推算出房屋外墙的总高度。

⑤了解门窗的形式、位置及数量。

⑥了解房屋外墙面的装修做法。从立面图文字说明可知外墙立面的装饰,外墙面为铁锈红瓷砖面,屋顶及雨篷为红色琉璃瓦,所有檐口边、阳台边、墙面线条均刷白色涂料。

3)绘制建筑立面图的步骤

立面图一般应按投影关系画在平面图上方,与平面图轴线对齐,以便识读。侧立面图或剖面图可放在所画立面图的一侧。

立面图所采用的比例一般和平面图相同。由于比例较小,所以门窗、阳台、栏杆及墙面复杂的装修可按图例绘制。为简化作图,对立面图上同一类型的门窗,可详细地画一个作为代表,其余均用简单图例来表示。此外,在立面图的两端应画出定位轴线符号及其编号。

具体绘图步骤如下:

①画室外地坪、两端的定位轴线、外墙轮廓线、屋顶线等。

②根据层高、各部分标高和平面图门窗洞口尺寸,画出立面图中门窗洞、檐口、雨篷、雨水管等细部的外形轮廓。

③画出门扇、墙面分格线、雨水管等细部,对于相同的构造、做法(如门窗立面和开启形式),可以只详细画出其中的一个,其余的只画外轮廓。

④检查无误后加深图线,并注写标高、图名、比例及有关文字说明。

2.3.8 建筑剖面图

1)建筑剖面图的形成和用途

(1)建筑剖面图的形成

假想用一个或一个以上的垂直于外墙轴线的铅垂剖切平面将房屋剖开,移去靠近观察者的部分,对剩余部分所作的正投影图,称为建筑剖面图,简称剖面图。

(2)建筑剖面图的形成和用途

主要反映房屋内部垂直方向的高度、分层情况,楼地面和屋顶的构造以及各构配件在垂直方向的相互关系。它与平面图、立面图相配合,是建筑施工图的重要图样。

剖面图的数量及其剖切位置应根据建筑物的复杂情况而定。一般剖切位置应选择房屋的主要部位或结构较为典型的部位,如楼梯间等,并尽量使剖切平面通过门窗洞口。剖面图的图名应与建筑底层平面图的剖切符号一致。

2)建筑剖面图的图示内容和规定画法

(1)剖面图的图示内容

①表示被剖切到的墙、梁及其定位轴线。

②表示室内底层地面,各层楼面、屋顶、门窗、楼梯、阳台、雨篷、防潮层、踢脚板、室外地面、散水、明沟及室内外装修等剖切到和可见的内容。

③标注尺寸和标高。

剖面图中应标注相应的标高与尺寸。

标高:应标注被剖切到的外墙门窗口的标高,室外地面的标高,檐口、女儿墙顶的标高,以及各层楼地面的标高。

尺寸:应标注门窗洞口高度、层间高度和建筑总高度,室内还应标注出内墙体上门窗洞口的高度以及内部设施的定位和定形尺寸。

④表示楼地面、屋顶各层的构造。

一般用引出线说明楼地面、屋顶的构造做法。如果另画详图或已有说明,则在剖面图中用索引符号引出说明。

(2)建筑剖面图的规定画法

剖面图的比例应与平面图、立面图的比例一致,因此在剖面图中一般不画材料图例符号,被剖切平面剖切到的墙、梁、板等轮廓线用粗实线表示,没有被剖切到但可见的部分用细实线表示,被剖切断的钢筋混凝土梁、板涂黑。

3)建筑剖面图的识读

(1)了解图名及比例

在建筑平面图中看清剖面图的剖切位置及剖切代号及剖切方向。一般情况下剖面图的绘制比例与平面图相同。

(2)了解剖面图与平面图的对应关系

将图名和轴线编号与底层平面图的剖切符号对照,可知剖面图是通过轴线以及剖切方向构成的。

(3)了解房屋的结构形式

从剖面图上的材料图例可以看出该房屋的楼面、屋面、楼梯、挑檐、墙体、梁板等构件采用的材料,也可判别出所采用的结构形式。

(4)了解屋顶、楼地面的构造层次及做法

在剖面图中,常用多层构造引出线和文字注明屋顶、楼地面的构造层次及做法。

(5)了解房屋各部位的尺寸和标高情况

在剖面图中画出主要承重墙的轴线及其编号和轴线的间距尺寸,在竖直方向标注出房屋主要部位即室内外地坪、楼层、门窗洞口上下、阳台、檐口或女儿墙顶面等处的标高及高度方向的尺寸。在外侧竖向一般需标注细部尺寸、层高及总高。

(6)了解楼梯的形式和构造

从剖面图可以了解楼梯的形式:板式楼梯或梁式楼梯;几跑楼梯、楼梯的级数及踏宽与踏高,休息平台宽度。

(7)了解索引详图所在的位置及编号

在剖面图中,楼梯扶手、防滑条、挑檐等的详细形式和构造须另见详图或选用标准图集制作与安装。

4)绘制建筑剖面图的方法和步骤

①画定位轴线、室内外地坪线、各层楼面线和屋面线,并画出墙身轮廓线。

②画出楼板、屋顶的构造厚度,再确定门窗位置及细部(如梁、板、楼梯段与休息平台等)。

③检查无误后,擦去多余线条。按施工图要求加深图线,画材料图例。注写标高、尺寸、图名、比例及有关文字说明。

2.3.9 建筑详图

建筑详图、建筑平面图、立面图、剖面图一般比例较小,对建筑的细部构造难以表达清楚。为了满足施工要求,对建筑的细部构造应用较大的比例详细地表达出来,这样的图称为建筑详图,有时也叫作大样图。

详图的特点是比例大,反映的内容详尽。常用的比例有1:50、1:20、1:10、1:5、1:2、1:1等。建筑详图一般有:

①局部构造详图,如楼梯详图、墙身详图等。

②构件详图,如门窗详图、阳台详图等。

③装饰构造详图,如墙裙构造详图、门窗套装饰构造样图。

详图要求图的内容详尽清楚、尺寸标准齐全、文字说明详尽。一般应表达出构配件的详细构造;所用的各种材料及其规格;各部分的构造连接方法及相对位置关系;各部位、各细部的详细尺寸;有关施工要求、构造层次及制作方法说明等。同时,建筑详图必须加注图名(或详图符号),详图符号应与被索引的图样上的索引符号相对应,在详图符号的右下侧注写比例。对于套用标准图或通用图的建筑构配件和节点,只需注明所套用图集的名称、型号、页次,可不必另画详图。

1)墙身详图

(1)墙身详图的表达方式及规定画法

墙身详图实质上是建筑剖面图中外墙身部分的局部放大图。它主要反映墙身各部位的详细构造、材料做法及详细尺寸,如檐口、圈梁、过梁、墙厚、雨篷、阳台、防潮层、室内外地面、散水等,同时要注明各部位的标高和详图索引符号。墙身详图与平面图配合,是砌墙、室内外装修、门窗安装、编制施工预算以及材料估算的重要依据。

墙身详图一般采用1:20的比例绘制,如果多层房屋中楼层各节点相同,可只画出底层、中间层及顶层。为节省图幅,画墙身详图的可从门窗洞中间折断,化为几个节点详图的组合。

墙身详图的线型与剖面图一样,但由于比例较大,所有内外墙应用细实线画出粉刷线以及标注材料图例。墙身详图上所标注的尺寸和标高与建筑剖面图相同,但应标出构造做法的详细尺寸。

(2)墙身详图的识读

①了解图名、比例。

②了解墙体的厚度及所属定位轴线。

③了解屋面、楼面、地面的构造层次和做法。

④了解各部位的标高、高度方向的尺寸和墙身细部尺寸。

墙身详图应标注室内外地面、各层楼面、屋面、窗台、圈梁或过梁以及檐口等处的标高。同时,还应标注窗台、檐口等部位的高度尺寸及细部尺寸。在详图中,应画出抹灰及装饰构造线,并画出相应的材料图例。

⑤了解各层梁(过梁或圈梁)、板、窗台的位置及其与墙身的关系。

⑥了解檐口的构造做法。

2)楼梯详图

楼梯是楼房上下层之间的重要交通通道,一般由楼梯段、休息平台和栏杆(栏板)组成。

楼梯详图就是楼梯间平面图及剖面图的放大图。它主要反映楼梯的类型、结构形式、各部位的尺寸及踏步、栏板等装饰做法。它是楼梯施工、放样的主要依据,一般包括楼梯平面图、剖面图和节点详图。

(1)楼梯平面图

楼梯平面图是用一个假想的水平剖切平面通过每层向上的第一个梯段的中部(休息平台下)剖切后,向下作正投影所得到的摄影图。它实质上是房屋各层建筑平面图中楼梯间的局部放大图,通常采用1:50的比例绘制。

三层以上房屋的楼梯,当中间各层楼梯位置、梯段数、踏步数都相同时,通常只画出底层、中间层(标准)和顶层三个平面图;当各层楼梯位置、梯段数、踏步数不相同时,应画出各层平面图。各层被剖切到的梯段,均在平面图中以45°细折断线表示其断开位置。在每一梯段处画带有箭头的指示线,并注写"上"或"下"字样。通常,楼梯平面图画在同一张图纸内,并互相对齐,这样既便于识读又可省略标注一些重复尺寸。

楼梯平面图的识读步骤:

①了解楼梯在建筑平面图中的位置及有关轴线的布置。

②了解楼梯间、梯段、梯井、休息平台等处的平面形式和尺寸以及楼梯踏步的宽度和踏步数。

③了解楼梯的走向及上、下起步的位置。

④了解楼梯间各楼层平面、休息平台面的标高。

⑤了解中间层平面图中不同梯段的投影形状。

⑥了解楼梯间的墙、门、窗的平面位置、编号和尺寸。

⑦了解楼梯剖面图在楼梯底层平面图中的剖切位置及投影方向。

(2)楼梯剖面图

楼梯剖面图是用一假想的铅垂剖切平面,通过各层的同一位置梯段和门窗洞口,将楼梯剖开向另一未剖到的梯段方向作正投影所得到的剖面投影图。通常采用1:50的比例绘制。

在多层房屋中,若中间各层的楼梯构造相同时,则剖面图可只画出底层、中间层(标准层)和顶层,中间用折断线分开;当中间各层的楼梯构造不同时,应画出各层剖面。

楼梯剖面图宜和楼梯平面图画在同一张图纸上。习惯上,屋顶可以省略不画。

楼梯剖面图的识读步骤:

①了解图名、比例。

②了解轴线编号和轴线尺寸。

③了解房屋的层数、楼梯梯段数、踏步数。

④了解楼梯的竖向尺寸和各处标高。

⑤了解踏步、扶手、栏板的详图索引符号。

(3)楼梯节点详图

楼梯节点详图主要包括楼梯踏步、扶手、栏杆(或栏板)等。常选用建筑构造通用图集中的节点做法,与详图索引符号对照可查阅有关标准图集,得到它们的断面形式、细部尺寸、用料、构造连接及面层装修做法等。

3)楼梯详图的画法

(1)楼梯平面图

①首先画出楼梯间的开间、进深轴线和墙厚,门窗洞位置,确定平台宽度、梯段宽度和长度。

②采用两平行线间距任意等分的方法划分踏步宽度。

③画栏杆(或栏板)、上下行箭头等细部,检查无误后加深图线,注写标高、尺寸、剖切符号、图名、比例及文字说明等。

(2)楼梯剖面图

①画轴线、定室内外地面与楼面线、平台位置及墙身,量取楼梯段的水平长度、竖直高度及起步点的位置。

②用等分两平行线间距离的方法划分踏步的宽度、步数和高度、级数。

③画出楼板和平台板后,再画楼梯段、门窗、平台梁及栏杆、扶手等细部。

④检查无误后加深图线,在剖切到的轮廓范围内画上材料图例,注写标高和尺寸,最后在图下方写上图名及比例等。

第3章

平法与结构识图基础知识

3.1 平法识图简介

3.1.1 平法的概念

平法是建筑结构施工图平面整体设计方法的简称,是我国目前对混凝土结构施工图设计表示方法的重大改革成果,是国家科委、住房和城乡建设部重点推广的项目。平法的创始人是山东大学陈青来教授。1996年11月,建设部批准《混凝土结构施工图平面整体表示方法制图规则和构造详图》(现浇混凝土框架、剪力墙、框架-剪力墙、框支剪力墙结构)为国家建筑标准设计图集。经过20多年的不断修订、完善,2016年8月,中华人民共和国住房和城乡建设部(建质函2016)168号批准用16G101-1、16G101-2、16G101-3分别代替11G101-1、11G101-2、11G101-3。

3.1.2 平法的特点

1)够简单

平法采用了标准化的设计制图规则,结构施工图表达数字化、符号化,单张图纸的信息量较大并且集中;构件分类明确,层次清晰,表达准确,设计效率成倍提高。

2)易操作

平法采用标准化的构造详图,形象、直观,施工者易懂、易操作;标准构造详图可集国内较成熟、可靠的常规节点构造之大成,集中分类归纳后编制成国家建筑标准设计图集供设计选用。

3)低能耗

平法能大幅度降低设计成本,降低设计消耗,节约自然资源。

4)高效率

平法大幅度提高了设计效率,结构设计周期明显缩短,结构设计人员的工作强度显著降低。

5)改变用人结构

平法促进了人才分布格局的改变,实质性地影响了建筑结构领域的人才结构。

6)促进人才竞争

平法促动了设计院内的人才竞争,促进了结构设计水平的提高。

3.1.3 平法图集的使用范围

随着平法图集的日臻完善,平法的使用范围也在逐步扩大,截至目前,平法图集可使用于现浇混凝土柱、墙、梁、板、楼梯、基础构件等,具体对照如下:

16G101-1适用于现浇混凝土框架、剪力墙、梁、板。

166101-2适用于现浇混凝土板式楼梯。

16G101-3适用于独立基础、条形基础、筏形基础、桩基础。

3.2 平法识图学习方法推荐

3.2.1 学好平法要具备哪些专业知识

1)建筑方面的知识

要完全懂得平法,首先必须掌握建筑专业的相关知识,明确建筑物的类别、功能、用途;明确建筑物的长、宽、高、层高、门窗洞口的尺寸和标高、地面、楼面和屋面的基本构造;明确墙体材料、建筑物的耐火等级、绿色建筑星级、建筑物的合理使用年限等相关说明。

2)结构方面的知识

工程结构方面的知识包括钢筋混凝土结构的基本知识、混凝土结构设计规范和高层建筑混凝土结构技术规程的有关知识、与抗震规范相关的建筑抗震和建筑减震、隔震知识、施工验收规范中相关的知识,以及地方性的政策和结构安全方面的法规。

3)施工组织方面的知识

工程技术人员还要熟悉施工的过程,尤其是熟悉施工组织设计对钢筋混凝土构件和钢筋配置的具体要求。例如,工程中钢筋是"绑扎搭接连接"还是"机械连接"或者是"对焊连接",混凝土是现场集中搅拌还是泵送商品混凝土,钢筋是否需要现场"冷加工"等。

4)设备安装方面的知识

在工程中设备管道穿梁穿墙,要在剪力墙和框架-剪力墙结构中混凝土墙体预留洞口,现浇混凝土楼板、屋面板预留洞口。类似于建筑物基础的设备基础等都是比较普遍的问题。许多设计单位提供的结构施工图中,预留洞的图纸在设备图中,而结构图纸中往往只有标准做法,所以土建专业的施工人员和工程咨询人员就要熟悉设备图纸。

5)工程概预算方面的知识

平法结构图纸中标示的钢筋长度为"钢筋的基本长度",和预算中"钢筋在下料长度"是有所区别的,其本质的不同在于"量差""弯钩长度增加值""箍筋尺寸近似算法"等。使用阶段不同,计算的钢筋长度和质量也就有所区别。

3.2.2 如何学好平法

1)把握图集目录

看目录的目的是要掌握这本图集的基本内容,掌握所读图纸的基本特征,依据图集"对号入座",找准图例,认真研读。

2)熟记关键数据

在平法图集中有下列一些关键的数据需要熟记:混凝土构件在不同环境类别下保护层厚度、钢筋的基本锚固长度、抗震锚固长度、搭接长度、箍筋加密区高度取值等,只要掌握了这几个数据,慢慢地融会贯通,问题将迎刃而解。

3)采用构件对比法分析

在学习的过程中如果一味的记数据,会比较困难。我们可以对各种构件进行对比,例如,梁和柱有何关系,柱倒了就是梁,梁立起来就是柱,它们有很多相似的地方。看图集的时候,把这些相同的和不同的进行对比,记忆起来就会容易得多。

4)多在施工现场学习

在工地上对照工程实体学习平法相对要容易一些,但是,在校学生不可能人人都有这样的便利条件。如果没有机会去工地,要学会利用网络资源去学习。网络上有很多讲座、视频、现场仿真教学、三维透视图像、BIM 技术等,都是非常好的学习资源。

3.2.3 平法施工图的表达方式和读图顺序

平法的基本特点是在平面布置图上直接表示构件尺寸和配筋方式。它的表示方法有 3 种:平面注写方式、列表注写方式和截面注写方式。平法施工图纸出图的基本顺序是:

①结构设计总说明。

②基础及地下结构设计说明。

③基础及地下结构平法施工图。

④框架柱和剪力墙平法施工图。

⑤梁平法施工图。

⑥板平法施工图。

⑦混凝土板式楼梯施工图。

这种顺序形象地表达了现场真实的施工顺序,即:结构设计总说明→底部支承结构(基础及地下结构)→竖向支承结构(柱和剪力墙)→水平支承结构(梁)→平面支承结构(板)→楼梯及其他特殊构件。由于出图顺序和施工组织顺序一致,所以便于施工技术人员理解、掌握和具体实施操作。

3.3 阅读结构设计说明

3.3.1 结构设计说明的基本内容

结构设计总说明是我们正确阅读结构设计图纸的先导性、纲要性依据,通常包括:工程概况、设计标高、设计依据、设计基准年限、建筑安全等级、建筑重要程度、建筑地区防震烈度、建设场地分类、基础设计等级、上部结构框架柱梁墙的抗震等级、恒荷载和建筑活荷载取值、主要建筑材料及强度指标、结构设计计算软件名称和版本号、标准图集目录、结构混凝土构件的环境类别、混凝土保护层厚度、钢筋接头类型和连接方法、结构构件施工要求、结构施工图纸目录等。

基础及地下结构设计说明,通常包括:建设场地的工程地质情况、地下水分布情况、地下水和土壤对混凝土结构及结构中钢筋的腐蚀性评价、地下降水施工方法、土方开挖放坡系数、特殊土的等级划分和处理方法、基础的处理方法、基础施工要求、地下结构的防水和抗渗等级、基础持力层的确定、持力层的承载能力特征值、基础承载力实验要求、基础施工质量检测要求、基础沉降检测要求、基础施工缝和后浇带的施工要求等。

3.3.2 结构设计说明阅读要点

1)首先要阅读建筑总平面图和《工程地质勘察报告》

阅读建筑总平面图可以知道工程在地理位置和周围建筑物之间的关系、建筑物的朝向、该地区的主导风向、建设场地的平均海拔等。通过阅读《工程地质勘察报告》,可以了解到该工程所在区域的地质成因、地层构造、地下水深度和成因、基础所选择持力层的埋置深度,施工中是否需要采取放坡或者支护、是否采取人工降水措施、是否会出现流沙等不良地质影响、地下土层中是否含有甲烷等有毒气体、建设场地是否存在泥石流和滑坡等地质灾害等。完全理解《工程地质勘察报告》,需要有工程地质方面的知识储备。

2)其次要认真研读地基基础和建筑物的分类

①依据《建筑地基基础设计规范》(GB 50007—2011),地基基础设计应根据地基复杂程度、建筑物规模和功能特征以及由于地基问题可能造成的建筑物破坏或影响正常使用的程度分为甲级、乙级和丙级 3 个设计等级。

②依据《建筑工程抗震设防分类标准》(GB 50223—2008),建筑工程应分为甲、乙、丙、丁 4 个抗震设防类别。

3)建设场地的抗震适宜性评价

建设场地划分为有利地段、一般地段、不利地段和危险地段。

4)建筑物所的抗震等级和设防烈度

依据《建筑抗震设计规范》(GB 5011—2010),建筑物的抗震等级与建筑物所在地区的抗震设防烈度、结构类型、建筑物高度有关,对采取隔震措施的建筑物,要依据隔震后的烈度重新确定建筑的抗震等级。

5)收集配套平法图集使用的其他结构图集

除平法图集外,其他结构图集总体上分为国家标准图集和地区标准图集。收集标准图是结构识图中必不可少的工作。对墙体上的过梁、室内外地沟和盖板、检查井等成品构件,施工图纸中一般不会详细绘出,需要技术人员依据图集标号查找。

6)逐步熟悉建筑施工验收规范

对施工质量要求中的一般性问题,结构设计说明中不可能一一罗列,通常的描述方法是"图中未尽事宜详见《建筑施工验收规范》"。钢筋的连接质量要求、模板安装时的起拱高度等均需要自己动手查找。

7)重视结构设计说明中的特殊技术要求

对结构后浇带的预留位置、处理方法、二级浇筑的时间间隔,框架梁柱的钢筋接头形式,剪力墙的底部加强区高度,结构嵌固端的位置、框架柱的箍筋加密区范围等重要信息,往往在工程结构设计说明中有比较详细的叙述,务必要认真研读,切实领会。如果疏忽,可能在实际工作会造成严重的工程质量事故。

8)结构图纸和其他专业施工图纸的密切配合

设备安装工程中的预留洞口、穿梁穿墙套管需要在结构施工阶段完成。仅仅阅读图纸不能完全满足施工需要,要学会阅读水、电、暖、气、通风、空调、设备等相关专业的图纸。

注:建筑场地为 I 类时,除 6 度外应允许按表内降低一度所对应的抗震等级采取抗震构造措施,但相应的计算要求不应降低;接近或等于高度分界时,应允许结合房屋不规则程度及场地、地基条件确定抗震等级;大跨度框架指跨度不小于 18 m 的框架;高度不超过 60 m 的框架-核心筒结构按框架-抗震墙的要求设计时,应按表中框架-抗震墙结构的规定确定其抗震等级。

3.4 阅读工程地质勘察报告

3.4.1 工程地质勘察报告的分类

工程地质勘察一般会按照工程设计阶段分步进行,但是不同工程对勘察的阶段会有不同的划分,大体上都会分为 3 个阶段:选址勘察阶段,初步勘察阶段,详细勘察阶段。

1)选址勘察阶段

要搜集施工区域的地形地貌、地理位置、地层结构等相关数据,并根据收集到的数据进行实地勘察,对地质结构进行分析,并根据分析结果筛选条件较好的场地。这样做的作用在于从总体上判断建筑场地的工程地质条件是否适合工程建设项目。

2)初步勘察阶段

对已有资料进行分析,根据工程需要和场地条件进行工程勘察和地质物理勘察工作,主要根据选址勘察阶段总结的报告书,收集工程建筑的基本资料及基本建设形式,了解主要工程设备情况,其作用在于对场地内建筑地段的稳定性作出评价,为确定建筑总平面布置、主要建筑物地基基础设计方案及不良地质现象的防治工程方案作出工程地质讨论。

3)详细勘察阶段

主要工作是勘察、原位测试、室内土工试验及一定程度上的地理勘察、工程地质测绘和调查工作。其主要作用在于提出设计所需工程地质条件的各项技术参数,对建筑地基作出岩土工程评价,为基础设计、地基处理和加固、不良地质现象的防治工程等具体方案作出取证和结论。

3.4.2　工程地质勘察报告的基本内容

每个单位编制报告的格式都不大一样,一般包括文字和图表两大部分。

①文字部分有工程概况,勘察目的、任务,勘察方法及完成工作量,依据的规范标准,工程地质地貌、气象和水文条件,岩土构成特征及参数,地下水和土壤的腐蚀性评价,特殊土层的专门评价,建设场地的适宜性评价,场地地震效应参数,基础持力层的选择和承载力描述,建议选用的基础形式和基础施工方法等。

②图表部分包括平面图、剖面图、钻孔柱状图、土工试验成果表、物理力学指标统计表、分层土工试验报告表等。

3.5　阅读工程施工图审查报告

2013年4月27日,中华人民共和国住房和城乡建设部发布了《房屋建筑和市政基础设施工程施工图设计文件审查管理办法》(住建部令第13号),其中第三条规定:国家实施施工图设计文件(含勘察文件,以下简称"施工图")审查制度。施工图未经审查合格的,不得使用。

3.5.1　施工图审查的主要内容

①建设项目必须具备可行性研究、立项批复、建设用地规划许可证、建设工程规划许可证、工程勘察、设计合同书、工程地质勘察报告等文件;施工图设计不得超越上述文件的批复。

②规划、建筑、结构、给排水、消防、采暖、通风、电气等各专业是否执行了设计规范中的强制性条文。

③建筑节能、绿色建筑是否达到设计标准。

④其他有关公共安全事项。

⑤勘察、设计企业和注册执业人员以及相关人员的行为是否符合国家和地方有关法律、法规、规章的规定。

⑥施工图是否达到规定的深度要求。

⑦是否损害公众利益。

3.5.2　施工图审查流程

工程施工图审查流程如图3.1所示。

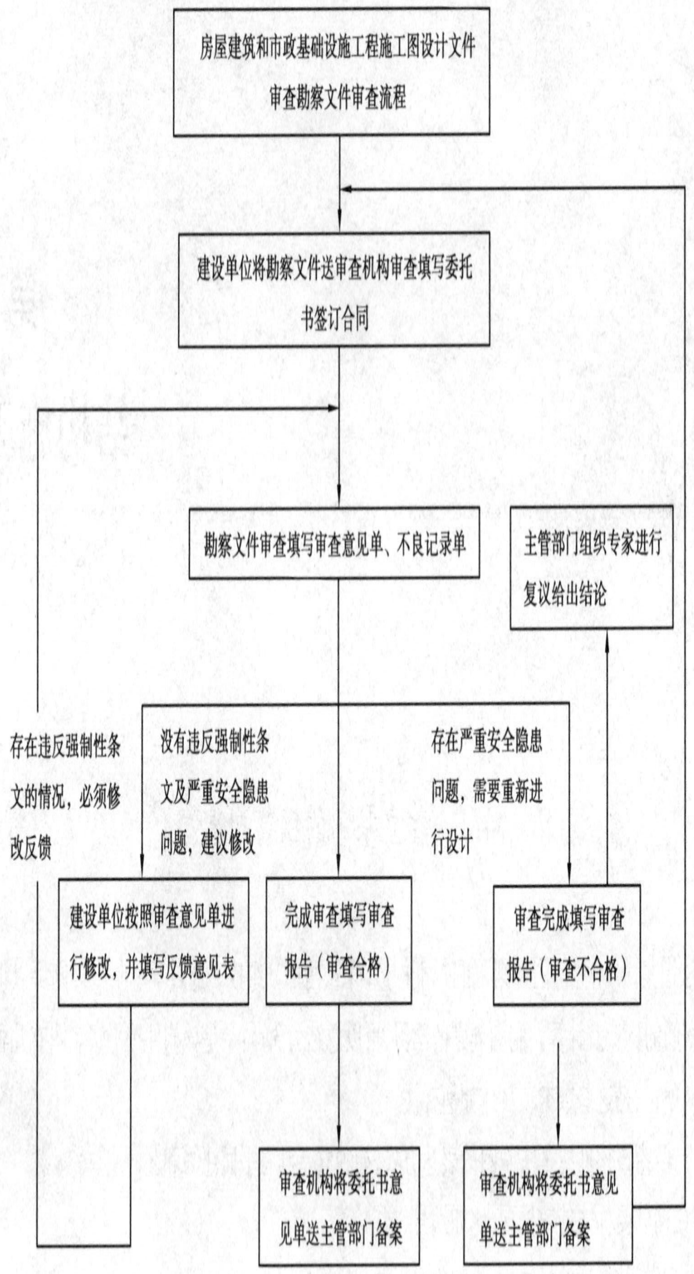

图3.1　施工图审查流程图

3.5.3　施工图审查报告

经审查合格的设计文件,由施工图设计审查机构提交《建设工程施工图设计文件审查意见书》和《建设工程施工图设计文件审查报告书》,设计单位按照审查意见书答复审查中提出的问题,最后在施工图纸上加盖审查单位的"审查专用章"。

第4章

结构施工图识读

4.1 独立基础的钢筋构造

16G101-3平法图集由“平法制图规则”和“标准构造详图”两部分组成。通过学习制图规则可以识图，通过学习构造详图可以了解钢筋的构造及计算。制图规则的学习，可以总结为3点：一是该构件按平法制图有几种表达方式；二是该构件有哪些数据项；三是这些数据项具体如何标注。

①平法表达方式：指该构件按平法制图的表达方式，如独立基础有平面注写和截面注写。

②数据项：指该构件要标注的数据项，比如编号、配筋等。

③数据标注方式：指数据项的标注方式，如集中标注和原位标注。

4.1.1 独立基础底板钢筋

1）独立基础底板配筋、普通独立基础和杯口、独立基础的底部双向配筋等的注写规定

①以B代表各种独立基础底板的底部配筋。

②X向配筋以X打头、Y向配筋以Y打头注写；当两向配筋相同时，则以X & Y打头注写。

【例4-1】 当独立基础底板配筋标注为：B：X Φ 16@150，Y Φ 16@200时，表示基础底板底部配置HRB400级钢筋，X向直径为Φ16，分布间距150；Y向直径为Φ16，分布间距200，如图4.1、图4.2所示。

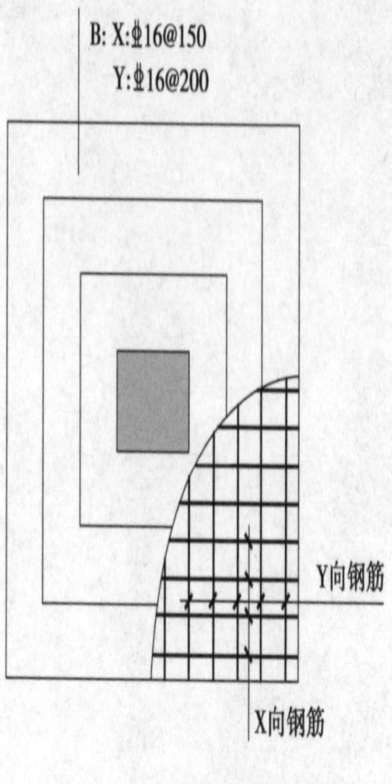

图4.1 独立基础底板底部双向配筋

③独立基础底板双向交叉钢筋长向设置在下，短向设置在上。

2）对称独立基础底板底部配筋长度减短10%构造

当独立基础底板长度≥2 500 mm，除外侧钢筋外，底板配筋长度可取相应方向底板长度的0.9倍，如图4.3所示。

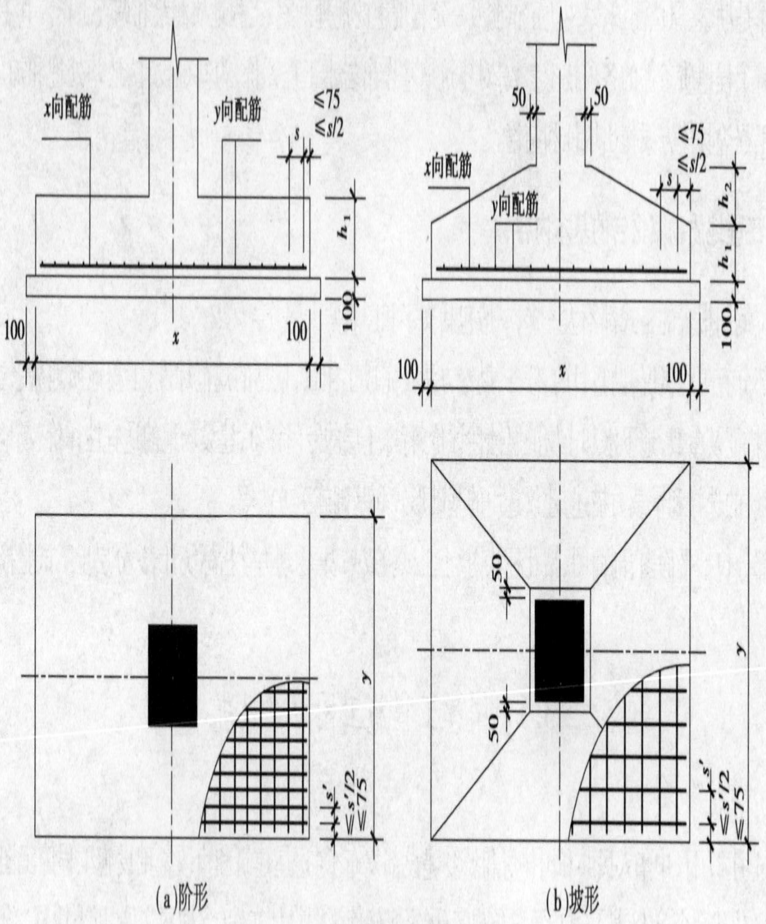

图4.2 独立基础底板底部双向配筋示意

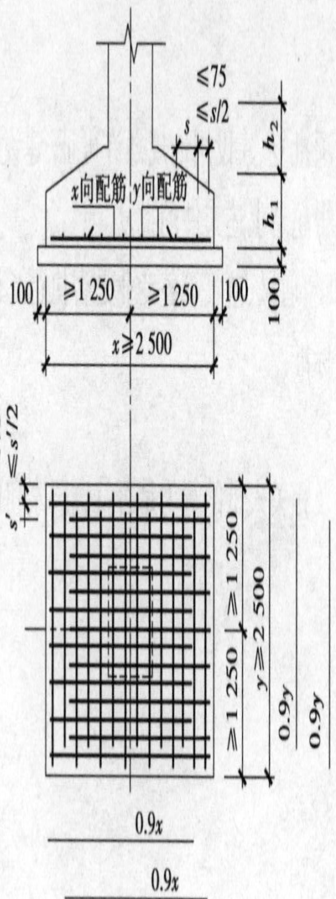

图4.3 对称独立基础底板底部配筋长度减短10%构造

3）圆形独立基础的底板配筋

圆形独立基础底板配筋分为正交配筋和放射状配筋，如图4.4所示。

4）杯口形独立基础的底板配筋

杯口形独立基础的底板配筋，如图4.5所示。

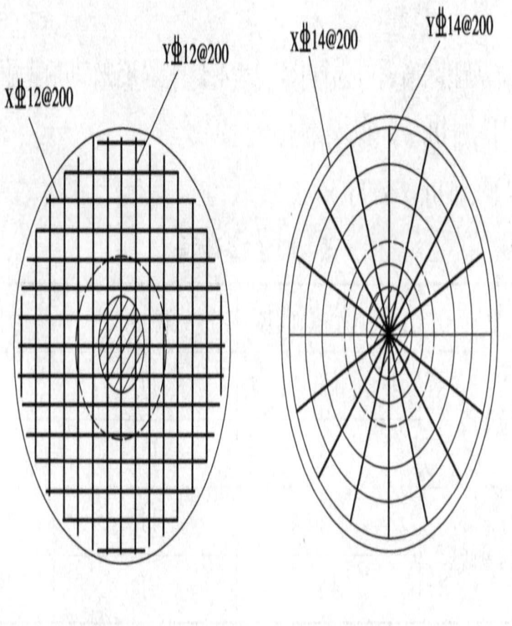

图4.4　圆形独立基础的底板配筋

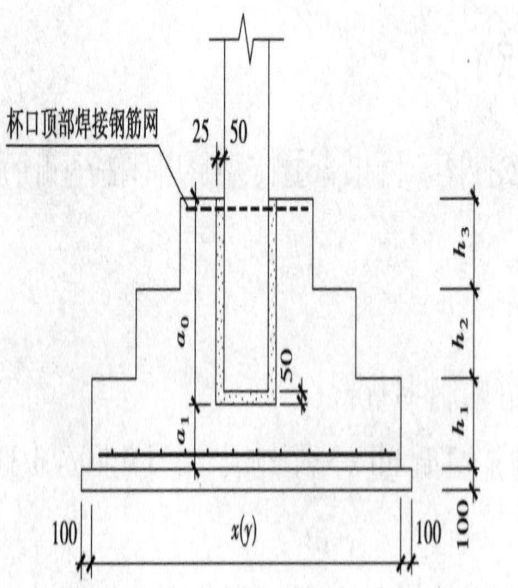

图4.5　杯口形独立基础的底板配筋

4.1.2　杯口独立基础顶部钢筋

注写杯口独立基础顶部焊接钢筋网时,以Sn打头引注杯口顶部焊接钢筋网的各边钢筋。

【例4-2】　单杯口独立基础顶部钢筋网标注为:Sn 2Φ14,表示杯口顶部每边配置2根HRB400级直径为Φ14的焊接钢筋网,如图4.6所示。

【例4-3】　双杯口独立基础顶部钢筋网标注为Sn 2Φ16,表示杯口每边和双杯口中间杯壁的顶部均配置2根HRB400级直径为Φ16的焊接钢筋网,如图4.7所示。

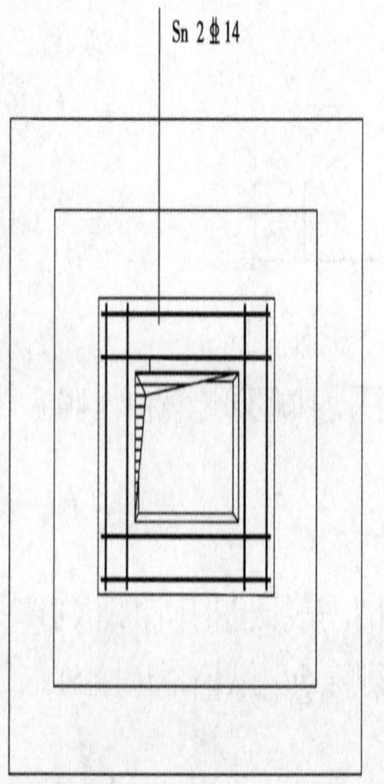

图4.6　单杯口独立基础顶部焊接钢筋网示意

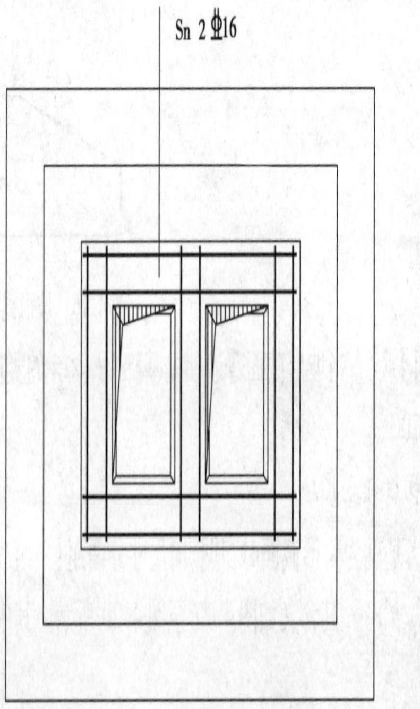

图4.7　双杯口独立基础顶部焊接钢筋网示意

高杯口独立基础应配置顶部钢筋网;非高杯口独立基础是否配置,应根据具体工程情况确定。

当双杯口独立基础中间杯壁厚度小于400 mm时,在中间杯壁中配置构造钢筋见相应标准构造详图。

4.1.3　高杯口独立基础侧壁钢筋

高杯口独立基础的杯壁外侧和短柱配筋的具体注写规定如下:

①以O代表杯壁外侧和短柱配筋。

②先注写杯壁外侧和短柱纵筋,再注写箍筋。注写为:角筋/长边中部筋/短边中部筋,箍筋(两种间距);当杯壁水平截面为正方形时,注写为:角筋/x边中部筋/y边中部筋,箍筋(两种间距,杯口范围内箍筋间距/短柱范围内箍筋间距)。

【例4-4】　高杯口独立基础的杯壁外侧和短柱配筋标注为O:4Φ20/Φ16@220/Φ16@200,Φ10@150/300,表示高杯口独立基础的杯壁外侧和短柱配置HRB400级竖向钢筋和HPB300级箍筋。其竖向钢筋为:4Φ20角筋,Φ16@220长边中部筋和Φ16@200短边中部筋;其箍筋直径为Φ10,杯口范围间距150,短柱范围间距300,如图4.8所示。

③双高杯口独立基础的杯壁外侧配筋,其注写形式与单高杯口相同,施工区别在于杯壁外侧配筋为同时环住两个杯口的外壁配筋。如图4.9所示。当双高杯口独立基础中间杯壁厚度小于400 mm时,在中间杯壁中配置构造钢筋见相应标准构造详图。

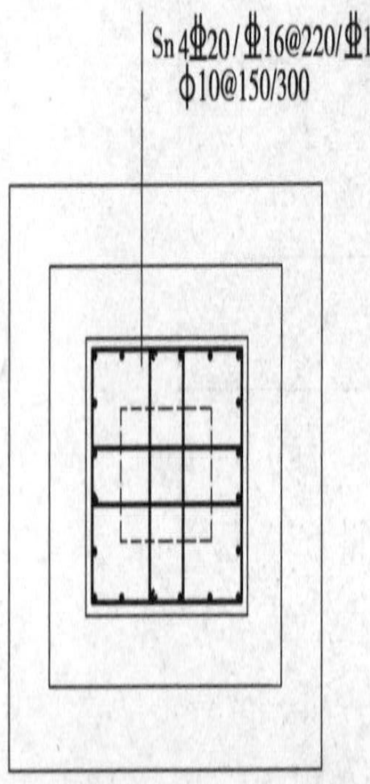

4.8　高杯口独立基础杯壁配筋示意图

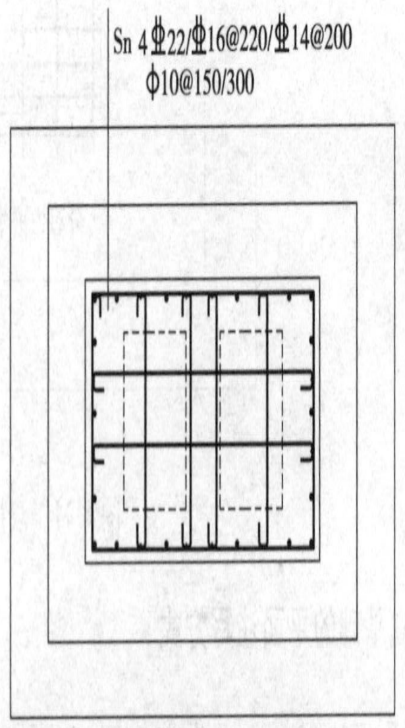

图4.9　双高杯口独立基础杯壁配筋示意图

④注写普通独立深基础短柱竖向尺寸及钢筋。当独立基础埋深较大,设置短柱时,短柱配筋应注写在独立基础中。具体注写规定如下:

a.以DZ代表普通独立深基础短柱。

b.先注写短柱纵筋,再注写箍筋,最后注写短柱标高范围。注写为:角筋/长边中部筋/短边中部筋,箍筋,短柱标高范围;当短柱水平截面为正方形时,注写为:角筋/x边中部筋/y边中部筋,箍筋,短柱标高范围。

【例4-5】　当短柱配筋标注为DZ:4Φ20/5Φ18/5Φ18,Φ10@100,-2.500~-0.050,表示独立基础的短柱设置在-2.500~-0.050高度范围内,配置HRB400级竖向钢筋和HPB300级箍筋。其竖向钢筋为4Φ20角筋,5Φ18x边中部筋和5Φ18y边中部筋;其箍筋直径为Φ10,间距100。如图4.10所示。

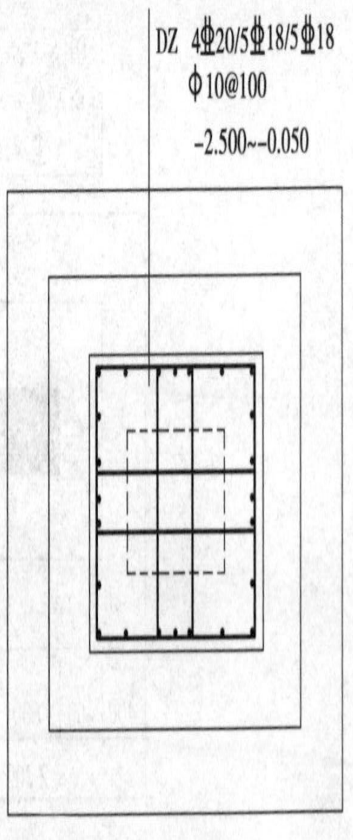

图4.10　独立基础短柱配筋示意图

4.1.4　多柱独立基础的顶部钢筋

独立基础通常为单柱独立基础,也可为多柱独立基础(双柱或四柱等)。多柱独立基础的编号、几何尺寸和配筋的标注方法与单柱独立基础相同。当为双柱独立基础且柱距较小时,通常仅配置基础底部钢筋;当柱距较大时,除基础底部配筋外,还需在两柱间配置基础顶部钢筋或设置基础梁;当为四柱独立基础时,通常可设置两道平行的基础梁,需要时可在两道基础梁之间配置基础顶部钢筋。

多柱独立基础顶部配筋和基础梁的注写方法规定如下：

注写双柱独立基础底板顶部配筋。

双柱独立基础底板的顶部配筋，通常对称分布在双柱中心两侧，注写为：双柱间纵向受力钢筋/分布钢筋。当纵向受力钢筋在基础底板顶面非满布时，应注明其总根数。

【例4-6】 T:11⌀18@100/ϕ10@200，表示独立基础顶面配置纵向受力钢筋HRB400级，直径为⌀18，设置根数为11根，间距100；分布筋HPB300级，直径为ϕ10，分布间距200，如图4.11所示。

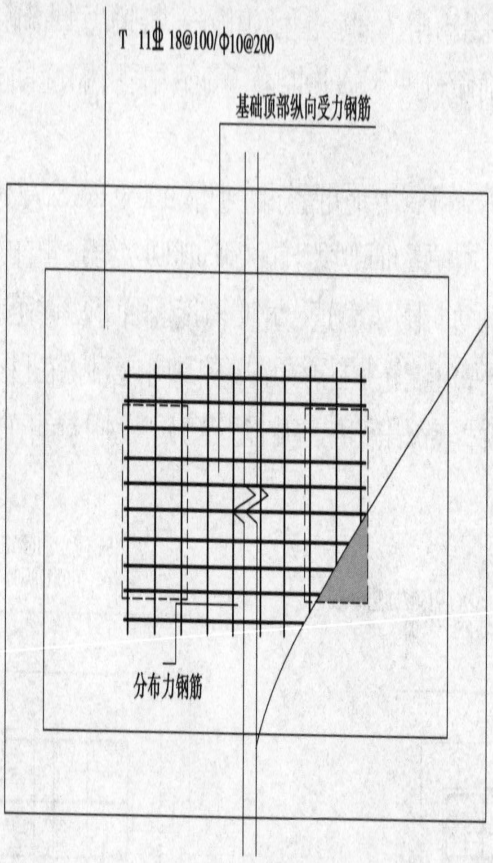

图4.11 双柱独立基础顶部配筋示意图

4.1.5 独立基础的平面注写方式

独立基础的平面注写方式，分为集中标注和原位标注两部分内容。普通独立基础和杯口独立基础的集中标注，是在基础平面图上集中引注包括：基础编号、截面竖向尺寸、配筋三项必注内容，以及基础底面标高（与基础底面基准标高不同时）和必要的文字注解两项选注内容。素混凝土普通独立基础的集中标注，除无基础配筋内容外，均与钢筋混凝土普通独立基础相同。独立基础集中标注的具体内容，规定如下：

1）独立基础集中标注示意图

独立基础集中标注如图4.12、图4.13所示。

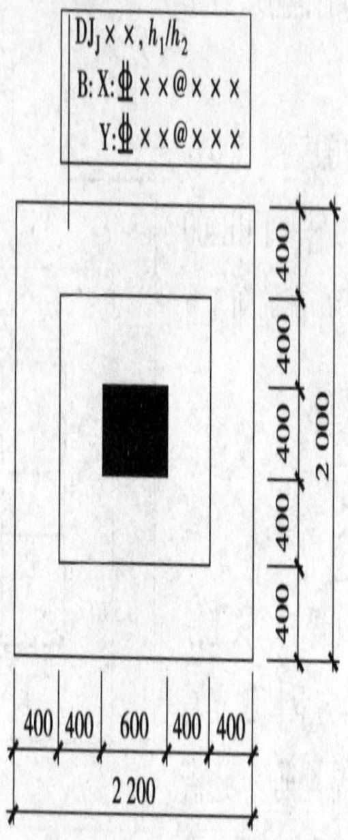

图4.12 某二阶普通独立基础平面注写方式表达示意图

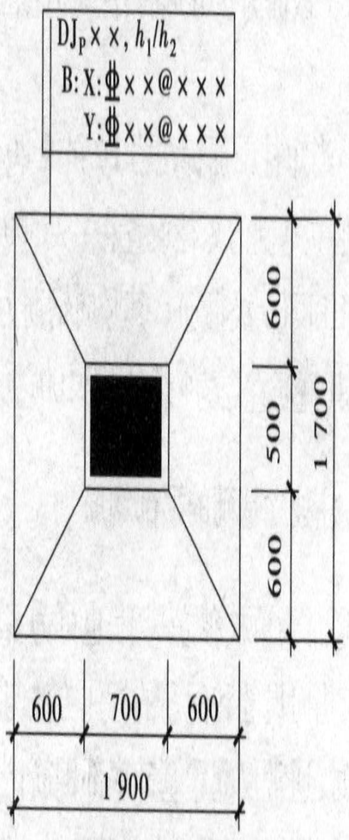

图4.13 坡形普通独立基础平面注写方式表达示意图

2）独立基础编号

注写独立基础编号为独立基础集中注写的必注内容，见表4.1。独立基础底板的截面形状通常有两种：

①阶形截面编号加下标"J"，如DJ_J××、BJ_J××；

②坡形截面编号加下标"P"，如DJ_P××、BJ_P××。

表4.1 独立基础编号

类 型	基础底板、截面形状	代 号	序 号
普通独立基础	阶形	DJ_J	××
	坡形	DJ_P	××
杯口独立基础	阶形	BJ_J	××
	坡形	BJ_P	××

4.1.6 独立基础截面竖向尺寸

独立基础截面竖向尺寸为必注内容。下面按普通独立基础和杯口独立基础分别进行说明。

1）普通独立基础

注写$h_1/h_2/\cdots$，具体标注为：

①当基础为阶形截面时，标注如图4.14所示。

【例4-7】 当阶形截面普通独立基础DJJ××的竖向尺寸注写为400/400/300时，表示：$h_1=400$，$h_2=400$，$h_3=300$，基础底板总厚度为1 100。

本例为三阶；当为更多阶时，各阶尺寸自下而上用"/"分隔顺写；当基础为单阶时，其竖向尺寸仅为一个，且为基础总厚度，如图4.15所示。

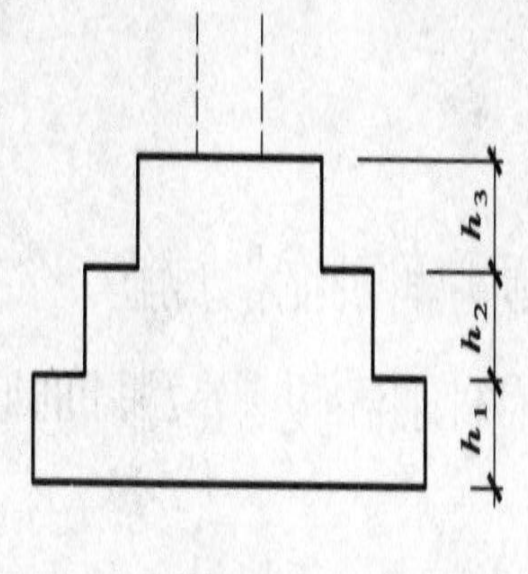

图4.14 阶形截面普通独立基础竖向尺寸

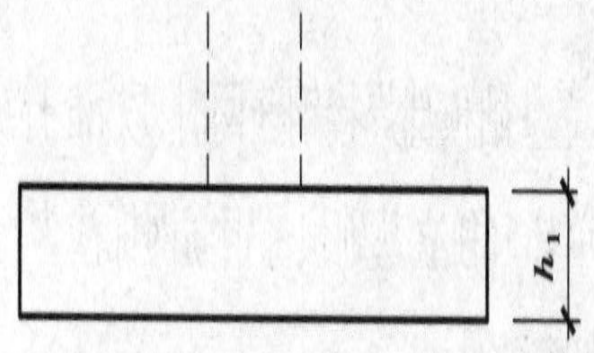

图4.15 单阶普通独立基础竖向尺寸

②当基础为坡形截面时，注写为$h_1/h_2/\cdots$，如图4.16所示。

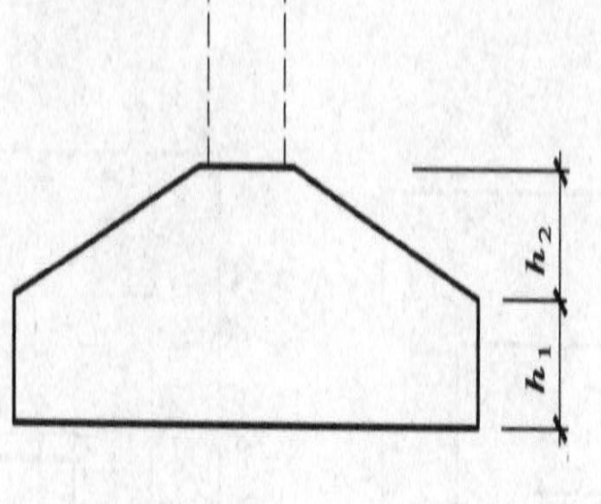

图4.16 坡形截面普通独立基础竖向尺寸

【例4-8】 当坡形截面普通独立基础DJ_P××的竖向尺寸注写为4 000/300时，表示$h_1=400$，$h_2=300$，基础底板总厚度为700。

2）杯口独立基础

①当基础为阶形截面时，其竖向尺寸分两组：一组表达杯口内，另一组表达杯口外，两组尺寸以"，"分隔，注写为：a_0/a_1，$h_1/h_2/\cdots$，其含义如图4.17至图4.20所示。其中，杯口深度a_0为柱插入杯口的尺寸加50 mm。

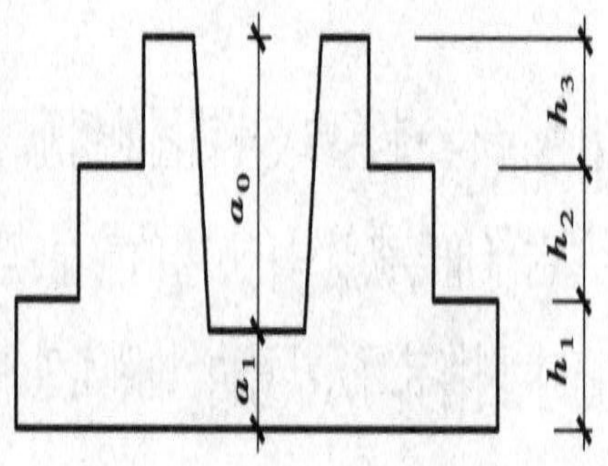

图4.17　阶形截面杯口独立基础竖向尺寸(一)

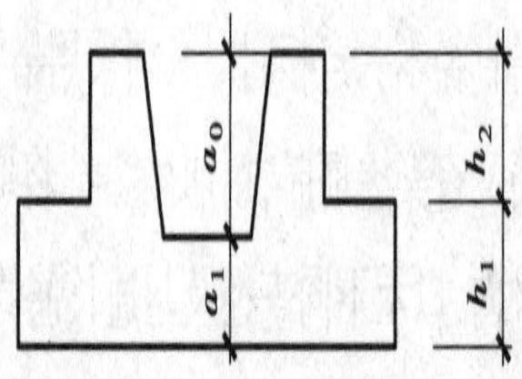

图4.18　阶形截面杯口独立基础竖向尺寸(二)

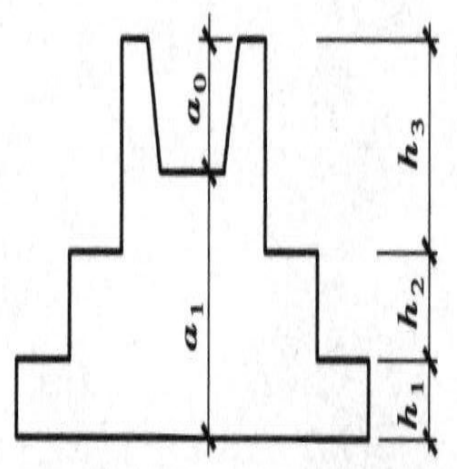

图4.19　阶形截面高杯口独立基础竖向尺寸(一)

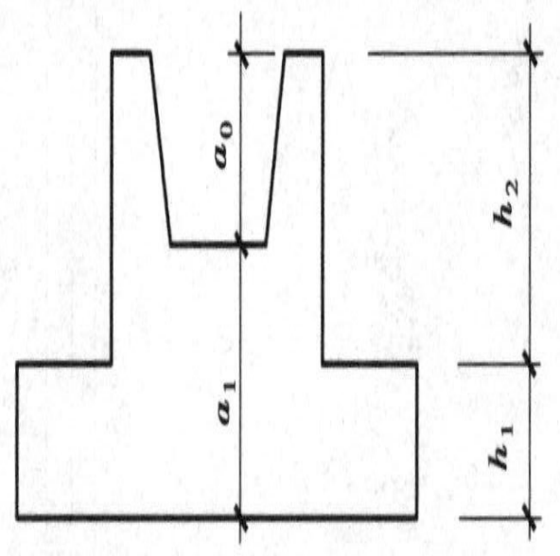

图4.20　阶形截面高杯口独立基础竖向尺寸(二)

②当基础为坡形截面时,注写为:$a_0/a_1,h_1/h_2/h_3\cdots$,其含义如图4.21和图4.22所示。

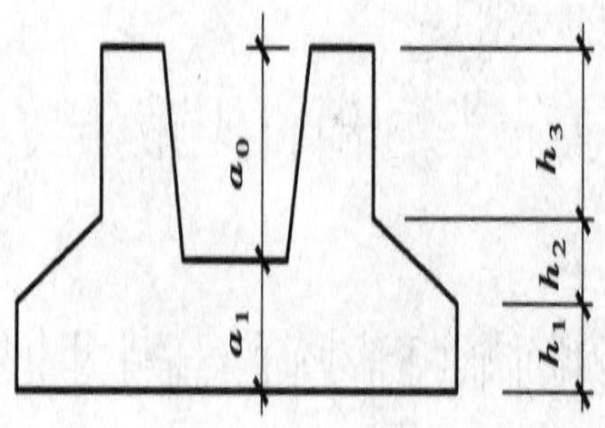

图2.21　坡形截面高杯口独立基础竖向尺寸

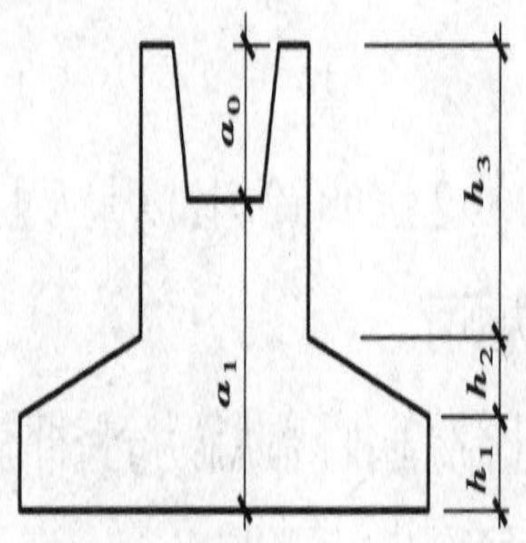

图2.22　坡形截面高杯口独立基础竖向尺寸

4.2　梁的平法施工图识读

梁的标注方式分为平面标注方式和截面标注方式,如表4.2所示。

表4.2　梁中的钢筋

注写方式		备　注
平面注写方式	集中标注	平面注写方式为主 原位标注取值优先
	原位标注	
截面注写方式		截面注写可单独使用,也可与平面注写结合使用

平面标注方式是在梁平面布置图上分别在不同编号的梁中各选一根梁,在其上标注梁的截面尺寸和配筋的具体数值,以此来表达梁平法施工图。梁平面标注示例如图4.23所示。

平面标注包括集中标注和原位标注,集中标注表达梁的通用数值,原位标注表达梁的特殊数值。当集中标注中的某项数值不适用于梁的某部位时,则将该项具体数值原位标注,施工时,原位标注取值优先。

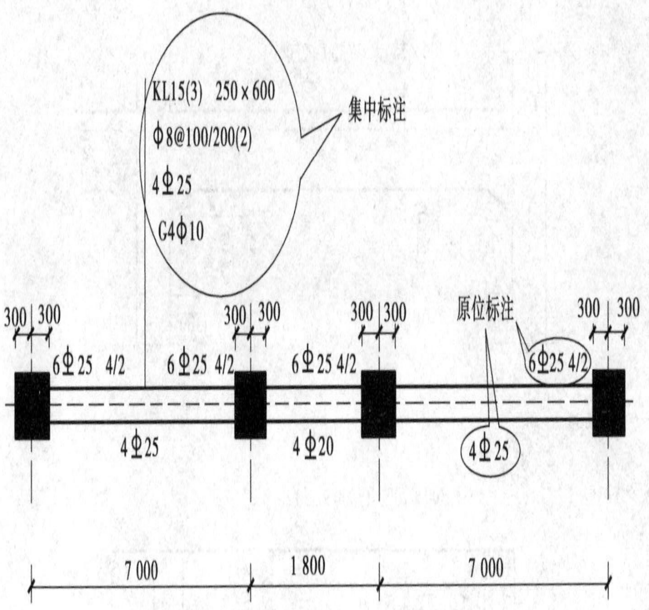

图4.23　梁平面标注示例图

4.2.1　梁的集中标注

1)梁集中标注的必标项和选标项

集中标注表达的梁通用数值包括梁编号、梁截面尺寸、梁箍筋、上部通长筋、梁侧面构造筋(或受扭钢筋)和标高六项,梁集中标注的内容前五项为必注值,后一项为选注值。

2)梁标号的标注

表4.3中列出了梁的各种类型的代号,同时给出了各种梁的特征。特别需要掌握下关于是否带有悬挑的标注规则。

表4.3　梁中的各种类型

梁的类型	代　号	序　号	跨数及是否带有悬挑
楼层框架梁	KL	××	(××)、(××A)或者(××B)
屋面框架梁	WKL	××	(××)、(××A)或者(××B)
框支梁	KZL	××	(××)、(××A)或者(××B)
非框架梁	L	××	(××)、(××A)或者(××B)
悬挑梁	XL	××	
井字梁	JZL	××	(××)、(××A)或者(××B)

注:(xxA)为一端有悬挑,(xxB)为两端有悬挑,悬挑不计入跨数。【例】KL7(5A)表示第7号框架梁,5跨,一端有悬挑;L9(7B)表示第9号非框架梁,7跨,两端有悬挑。

两个梁编成同一编号的条件是:

①两个梁的跨数相同,而且对应跨的跨度和支座情况相同。

②两个梁在各跨的截面尺寸对应相同。

③两个梁的配筋相同(集中标注和原位标注相同)。

相同尺寸和配筋的梁,在平面图上布置的位置(轴线正中或轴线偏中)不同,不影响梁的编号。

3)梁的截面尺寸标注

当为等截面梁时,用$b\times h$表示;

当为竖向加腋梁时,用$b\times h$　GYc1×c2表示,其中,c1为腋长,c2为腋高,如图4.24(a)所示。

当为水平加腋梁时,一侧加腋时用$b\times h$　PYc1×c2表示,其中,c1为腋长,c2为腋宽,如图4.24(b)所示。

当有悬挑梁且根部和端部的高度不同时,用斜线分隔根部与端部的高度值,即为$b\times h_1/h_2$,如图4.24(c)所示。

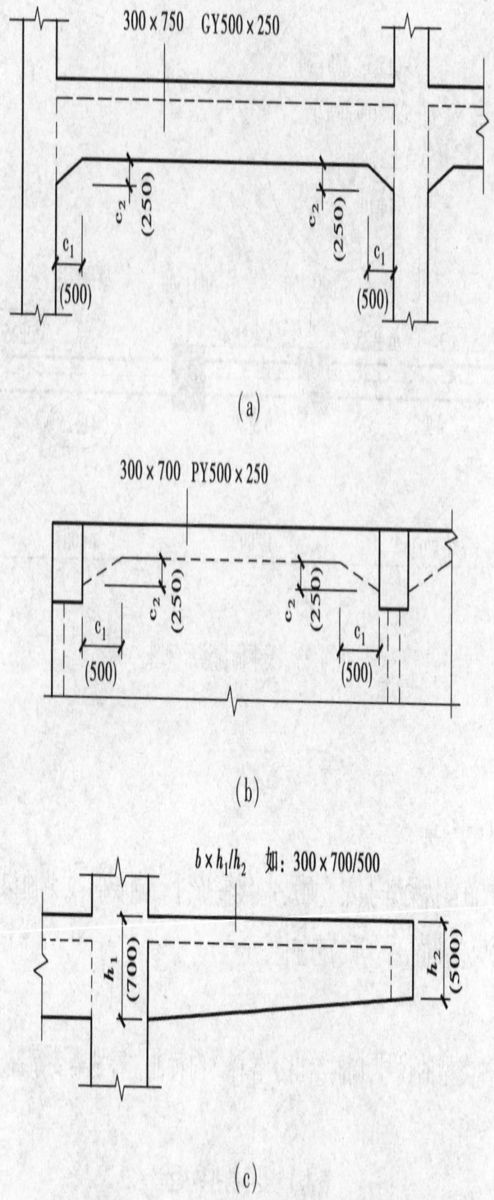

图4.24 挑梁根部和端部不同高时的标注

4)梁箍筋标注

标注包括钢筋级别、直径、加密区与非加密区间距及肢数。箍筋加密区与非加密区的不同间距及肢数用斜线"/"分隔;当梁箍筋为同一种间距及肢数时,则不需用斜线;当加密区与非加密区的箍筋肢数相同时,则将肢数标注一次;箍筋肢数写在括号内。

【例4-9】 ϕ8@100(4)/150(2),表示箍筋为HPB300钢筋,直径ϕ8,加密区间距为100,四肢箍;非加密区间距为150,两肢箍。图4.25中,ϕ6@100/200(2)表示箍筋直径为6,加密区间距为100,非加密区间距为200,双肢箍。

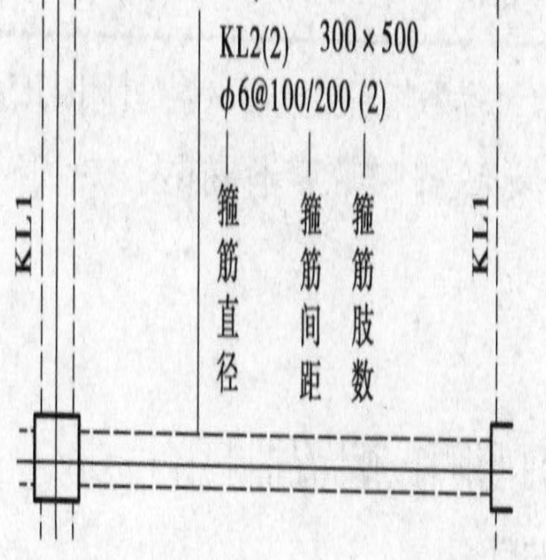

图4.25 梁箍筋的平法标注

当抗震设计中的非框架梁、悬挑梁、井字梁,及非抗震设计中的各类梁采用不同的箍筋间距及肢数时,也用斜线"/"将其分隔开来。注写时,先注写梁支座端部的箍筋(包括箍筋的箍数、钢筋级别、直径、间距与肢数),在斜线后注写梁跨中部分的箍筋间距及肢数。

【例4-10】 13ϕ10@150/200(4),表示箍筋为HPB300钢筋,直径ϕ10;梁的两端各有13个四肢箍,间距为150;梁跨中部分间距为200,四肢箍。18ϕ12@150(4)/200(2),表示箍筋为HPB300钢筋,直径ϕ12,梁的两端各有18个四肢箍,间距为150;梁跨中部分,间距为200,双肢箍。

5)梁上部通长钢筋及架立筋标注

通长筋指直径不一定相同但必须采用搭接、焊接或机械连接接长且两端不一定在端支座锚固的钢筋。当同排纵筋中既有通长筋又有架立筋时,用加号"+"将通长筋和架立筋相连。标注时将角部纵筋写在加号的前面,架立筋写在加号后面的括号内,以示不同直径及与通长筋的区别。当全部采用架立筋时,则将其写入括号内,如图4.26所示。

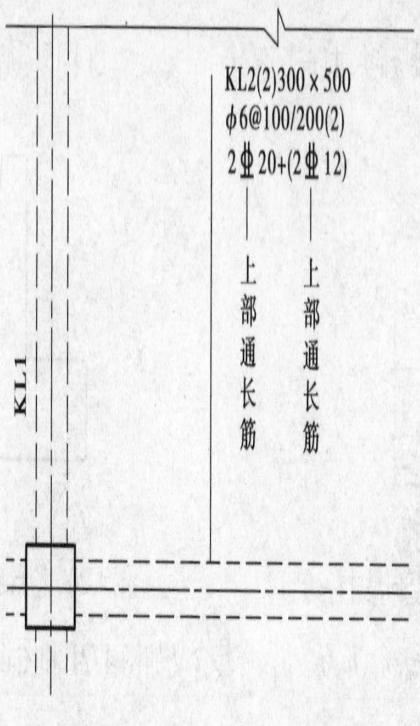

图4.26 梁上部通长筋及架立筋平法标注图

【例4-11】 2Φ20+(2ϕ12)表示:2Φ20为通长筋,2ϕ12为架立筋。当梁上部同排纵筋仅为架立筋时,将架立筋写在括号内即可。

当梁的上部纵筋和下部纵筋为全跨相同,且多数跨配筋相同时,此项可加注下部纵筋的配筋值,用分号";"将上部与下部纵筋的配筋值分隔开来。

【例4-12】 4Φ22;3Φ20表示梁的上部配置4Φ22的通长筋,梁的下部配置3Φ20的通长筋。

6)梁下部通长钢筋标注

①注写在梁下部跨中位置。

②当下部纵筋多于一排时,用斜线"/"将各排纵筋自上而下分开。例:6Φ25 2/4表示下部两排钢筋,最下排4Φ25,其上一排2Φ25,如图2.27(a)所示。

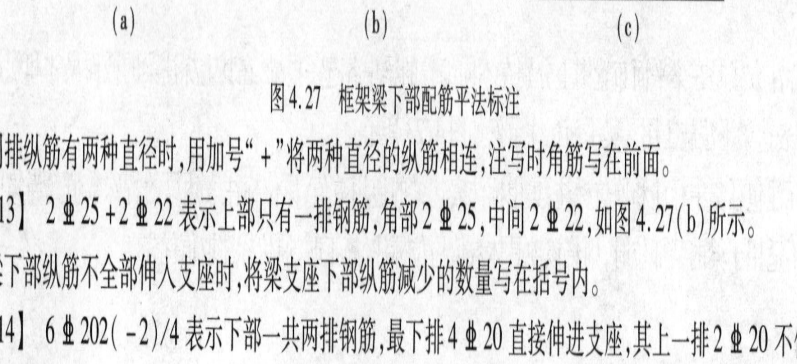

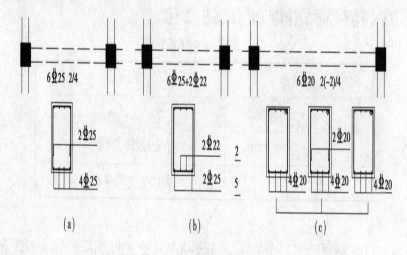

图4.27 框架梁下部配筋平法标注

③当同排纵筋有两种直径时,用加号"+"将两种直径的纵筋相连,注写时角筋写在前面。

【例4-13】 2Φ25+2Φ22表示上部只有一排钢筋,角部2Φ25,中间2Φ22,如图4.27(b)所示。

④当梁下部纵筋不全部伸入支座时,将梁支座下部纵筋减少的数量写在括号内。

【例4-14】 6Φ202(-2)/4表示下部一共两排钢筋,最下排4Φ20直接伸进支座,其上一排2Φ20不伸入支座,如图2.27(c)所示。

⑤当已按规定注写了梁上部和下部均为通长的纵筋值时,则不需在梁下部重复做原位标注。如图4.28所示。

7)梁的侧面中部纵向钢筋标注

梁侧面中部筋习惯称"腰筋",包括构造纵筋或受扭钢筋。

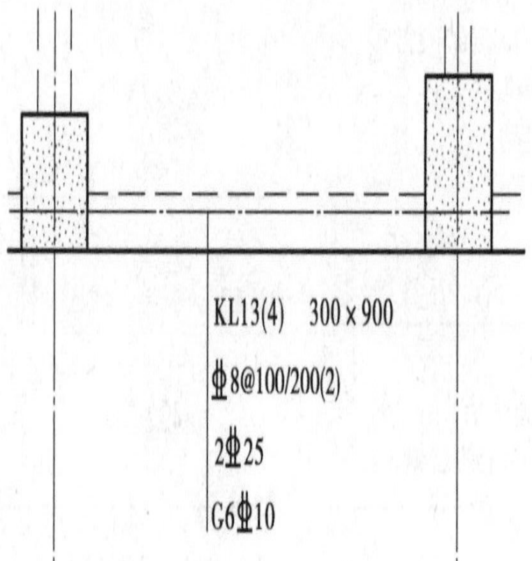

图4.28　框架梁无原位标注时的配筋图

①当梁的腹板高度≥450 mm时,需要配置纵向构造钢筋,构造筋在梁内按跨布置,在本跨两端柱内锚固,锚固长度为15d。此项标注值以大写字母G打头,标注值是梁两个侧面的总配筋值,是对称配置的。

【例4-15】 G4Φ12,表示梁的两个侧面共配置4Φ12的纵向构造钢筋,每侧各配置2Φ12。

②梁受扭钢筋一般是指由于梁两侧荷载不同,对框架梁产生一定扭矩时,在梁两侧面对称设置钢筋来抵抗扭矩。同时受扭钢筋满足了构造筋的要求,因此梁配置了受扭钢筋就不重复布置构造筋。受扭钢筋属于受力筋,锚固应满足受拉钢筋的锚固要求。受扭钢筋一般按跨布置,锚固在本跨两端柱内,锚固方式同梁上、下纵筋。当梁侧面需配置受扭纵向钢筋时,此项标注值以大写字母N打头,接续标注配置在梁两个侧面的总配筋值,且对称配置。

【例4-16】 N4Φ16,表示梁的两个侧面共配置N4Φ16的抗扭筋,每侧各配置2Φ16,如图4.29所示。

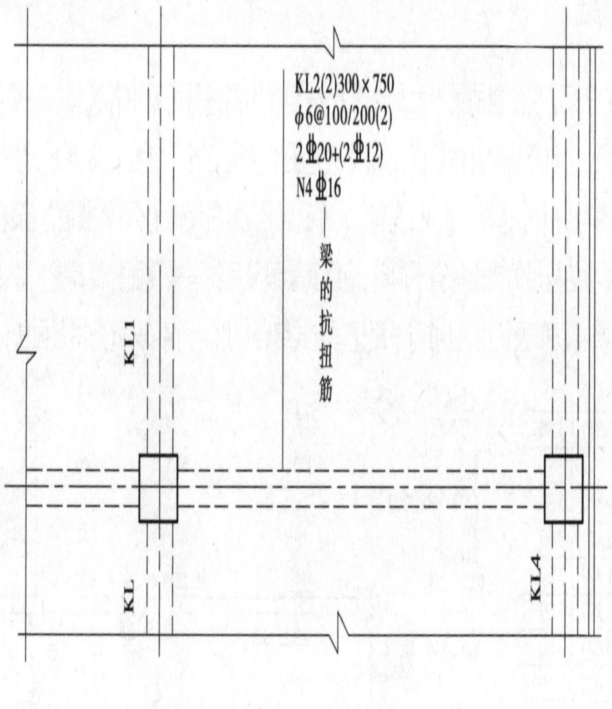

图4.29　框架梁侧构造钢筋的平法标注图

8)梁顶面标高高差标注(该项为选注值)

梁顶面标高高差,系指相对于结构层楼面标高的高差值。对于位于结构夹层的梁,则指相对于结构夹层楼面标高的高差。有高差时,须将其写入括号内,无高差时不注。

当某梁的顶面高于所在结构层的楼面标高时,其标高高差为正值,反之为负值。

【例4-17】 某结构标准层的楼面标高为44.950 m,当卫生间位置次梁梁顶标高为44.850 m,梁顶面标高高差注写为(-0.100)时,即表明该梁顶面标高分别相对于44.950 m和48.850 m低0.10 m,如图4.30所示。

4.2.2　梁的原位标注

原位标注表达梁的特殊数值。当集中标注中的某项数值不适用于梁的某部位时,则将该项数值原位标注,如梁支座上部纵筋,梁下部纵筋,施工时原位标注取值优先,如图4.31所示。梁原位标注的内容规定如下:

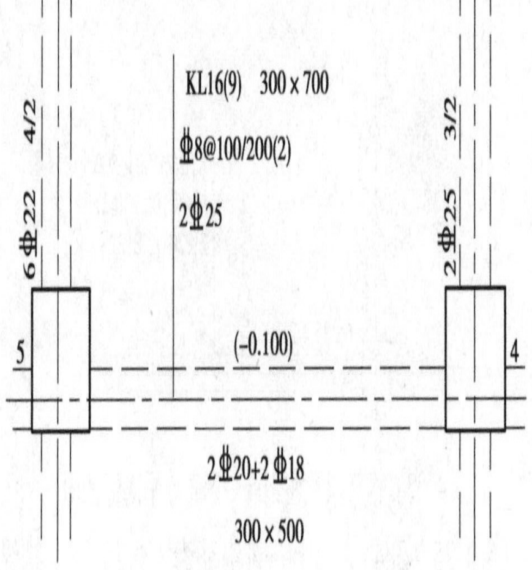

图4.30　框架梁顶面降标高平法标注

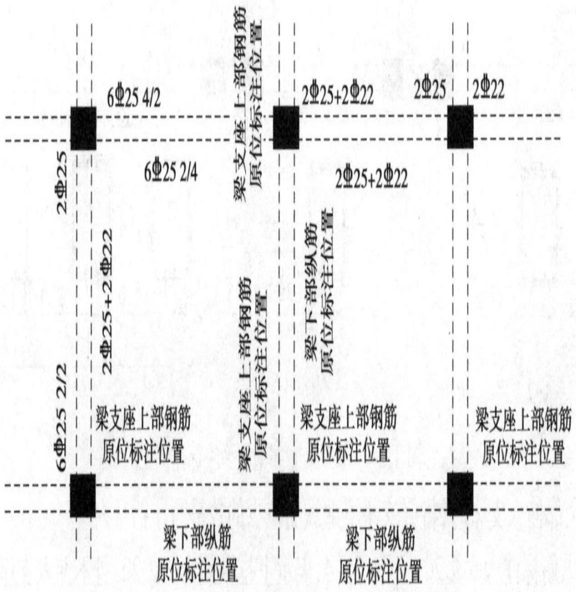

图4.31　框架梁配筋平法标注示意图

1)梁支座上部纵筋的原位标注

梁支座上部纵筋包含上部通长筋在内的所有通过支座的纵筋。

①当上部纵筋多于一排时,用斜线"/"将各排纵筋自上而下分开。

【例4-18】 梁支座上部纵筋标注为6Φ25　4/2,表示上一排纵筋为4Φ25,下一排纵筋为2Φ25,如图4.32所示。

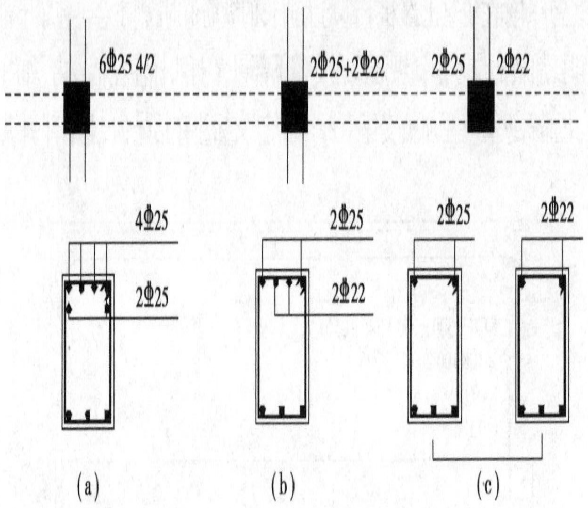

图4.32　框架梁支座钢筋原位标注图

②当同排纵筋有两种直径时,用加号"+"将两种直径的纵筋相连,标注时将角部纵筋写在前面。

【例4-19】 梁支座上部标注为4Φ25+2Φ22,表示梁支座上部有6根纵筋,2Φ25放在角部,2Φ25+2Φ22放在中部。

③当梁中间支座两边的上部纵筋不同时,须在支座两边分别标注;当梁中间支座两边的上部纵筋相同时,只在支座的一边标注配筋值,另一边省去不标注。如图4.32分别标注。图4.33则省去不标。

2)梁跨下部纵筋的原位标注

①当下部纵筋多于一排时,用斜线"/"将各排纵筋自上而下分开。

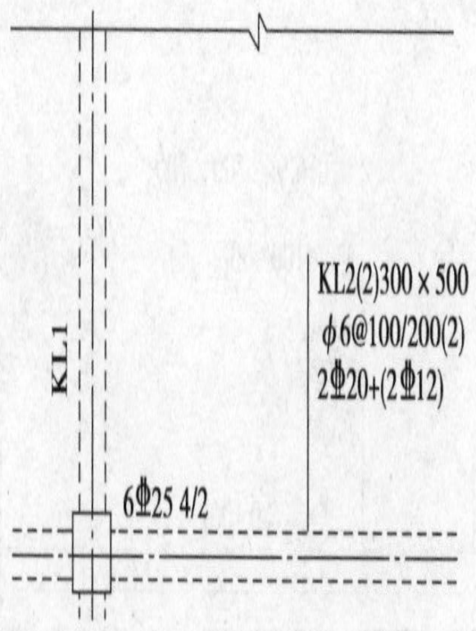

图 4.33　框架梁支座钢筋一侧省略平法标注图

【例 4-20】　梁下部纵筋标注为 6 Φ 25　2/4，表示上一排纵筋为 2 Φ 25，下一排纵筋为 4 Φ 25，全部伸入支座。

②当同排纵筋有两种直径时，用"+"将两种直径的纵筋相连，标注时角筋写在前面，如图 4.34(a)(b)所示。

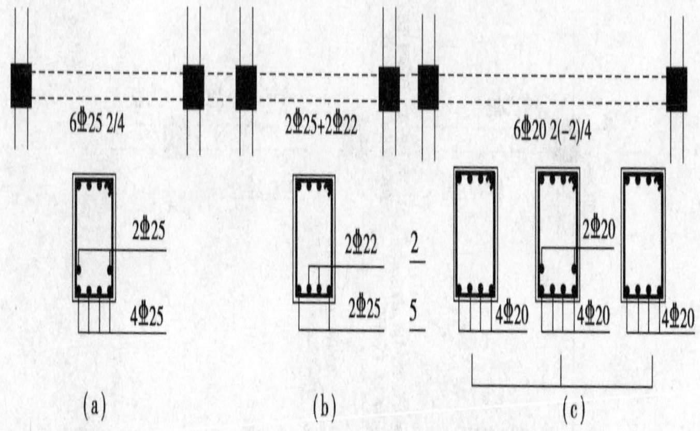

图 4.34　框架梁底部钢筋平法标注图

③当梁下部纵筋不全部伸入支座时，将梁支座下部纵筋减少的数量写在括号内。

【例 4-21】　梁下部纵筋标注为 6 Φ 20　2(-2)/4，表示上排纵筋为 2 Φ 20，且不伸入支座；下一排纵筋为 4 Φ 20，全部伸入支座，如图 4.34(c)所示。

【例 4-22】　梁下部纵筋标注为 2 Φ 20 + 3 Φ 20(-3)/5 Φ 20，表示上排纵筋为 2 Φ 20 和 3 Φ 20，其中 3 Φ 20 不伸入支座；下一排纵筋为 5 Φ 20，全部伸入支座。

【例 4-23】　6 Φ 20(-2)/4 表示下部一共两排钢筋，最下排 4 Φ 20 直接伸进支座，其上一排 2 Φ 20 不伸入支座，如图 4.34(c)所示。

④当梁的集中标注中已分别标注了梁上部和下部均为通长的纵筋值时，则不会再在梁下部重复做原位标注。

⑤当梁设置竖向加腋时，加腋部位下部斜纵筋应在支座下部以 Y 打头标注在括号内，如图 4.35 所示。当梁设置水平加腋时，水平加腋内上、下部斜纵筋应在加腋支座上部以 Y 打头标注在括号内，上下部斜纵筋之间用"/"分隔，如图 4.36 所示。

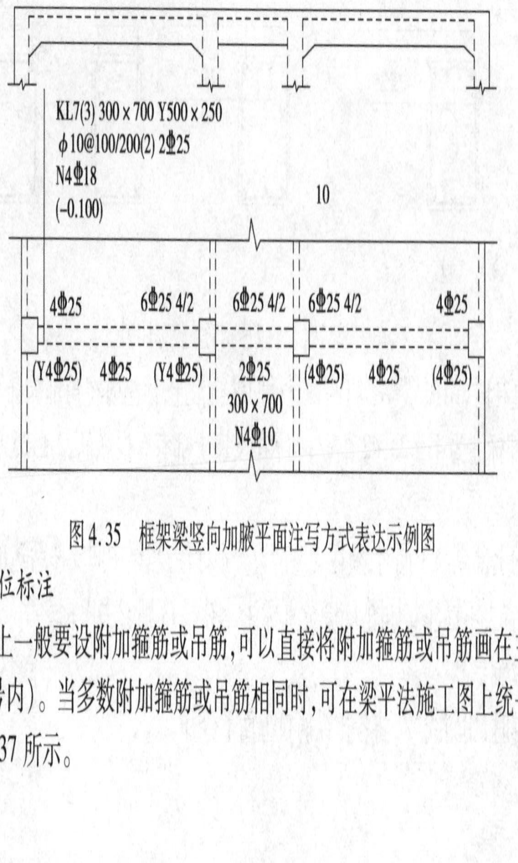

图 4.35　框架梁竖向加腋平面注写方式表达示例图

3）附加箍筋或吊筋的原位标注

在主次梁相交处的主梁上一般要设附加箍筋或吊筋，可以直接将附加箍筋或吊筋画在主梁上，用引线注明总配筋值（附加箍筋的肢数注在括号内）。当多数附加箍筋或吊筋相同时，可在梁平法施工图上统一注明，少数与统一注明值不同时，在原位引注，如图 4.37 所示。

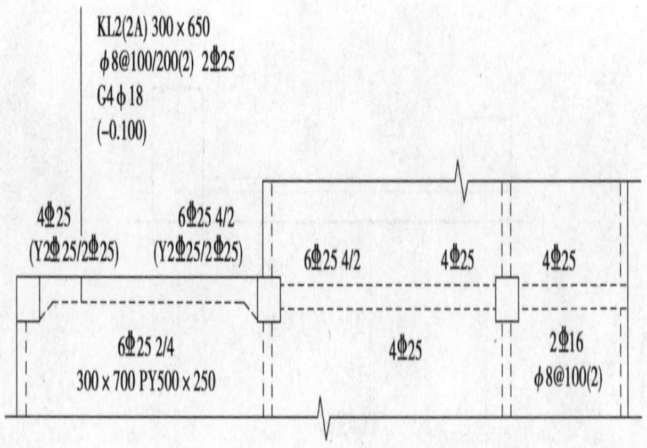

图 4.36　梁水平加腋平面注写方式表达示例图

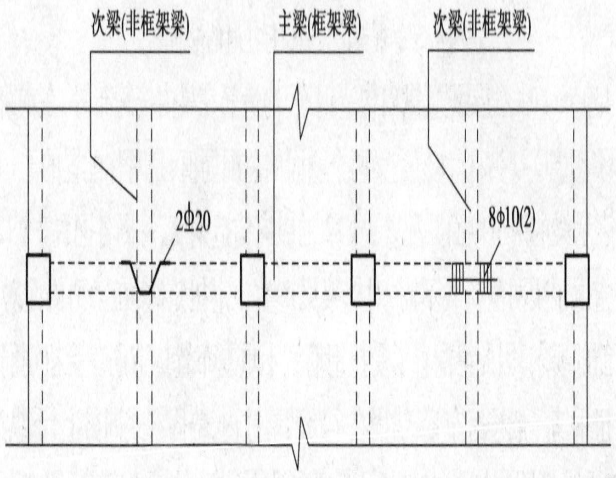

图 4.37　附加箍筋和吊筋画法示例图

4.2.3　截面注写方式

截面标注方式是在分标准层绘制的梁平面布置图上，分别在不同编号的梁中各选择一根梁用剖面号引出配筋图，并在配筋图上标注截面尺寸和配筋的具体数值，以此来表达梁平法施工图。如图 4.38 所示，对所有梁按表 2.3 所示的规定进行编号，从相同编号的梁中选择一根梁，先将"单边截面号"画在该梁上，再将截面配筋详图画在本图或其他图上。当某梁的顶面标高与结构层的楼面标高不同时，应继其梁编号后注写梁顶面标高高差（注写规定与平面注写方式相同）。截面注写方式既可以单独使用，也可与平面注写方式结合使用。图 4.39 就是用截面法标注的典型示例图。

层号	标高(m)	层高(m)
屋面2	65.670	
塔层2	62.370	3.30
屋面1(塔层1)	59.070	3.30
16	55.470	3.60
15	51.870	3.60
14	48.270	3.60
13	44.670	3.60
12	41.070	3.60
11	37.470	3.60
10	33.870	3.60
9	30.270	3.60
8	26.670	3.60
7	23.070	3.60
6	19.470	3.60
5	15.870	3.60
4	12.270	3.60
3	8.670	3.60
2	4.470	4.20
1	-0.030	4.50
-1	-4.530	4.50
-2	-9.030	4.50

结构层楼面标高
结构层高

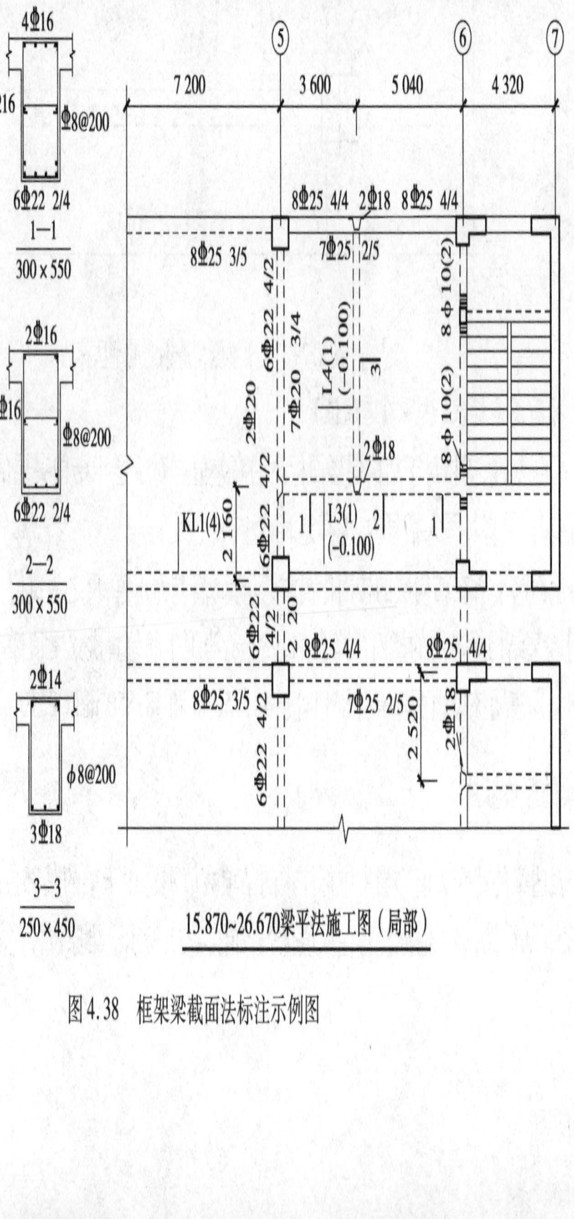

图 4.38　框架梁截面法标注示例图

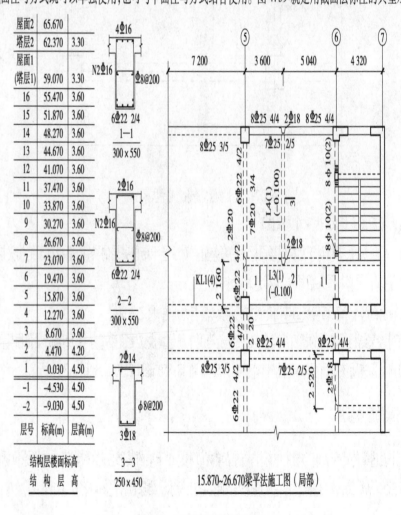

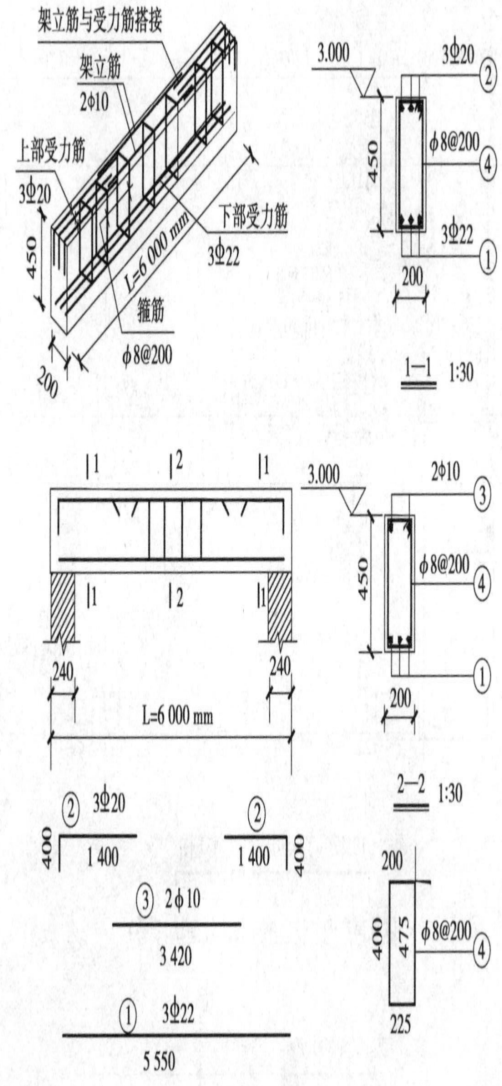

图4.39　截面法标注梁配筋示例图

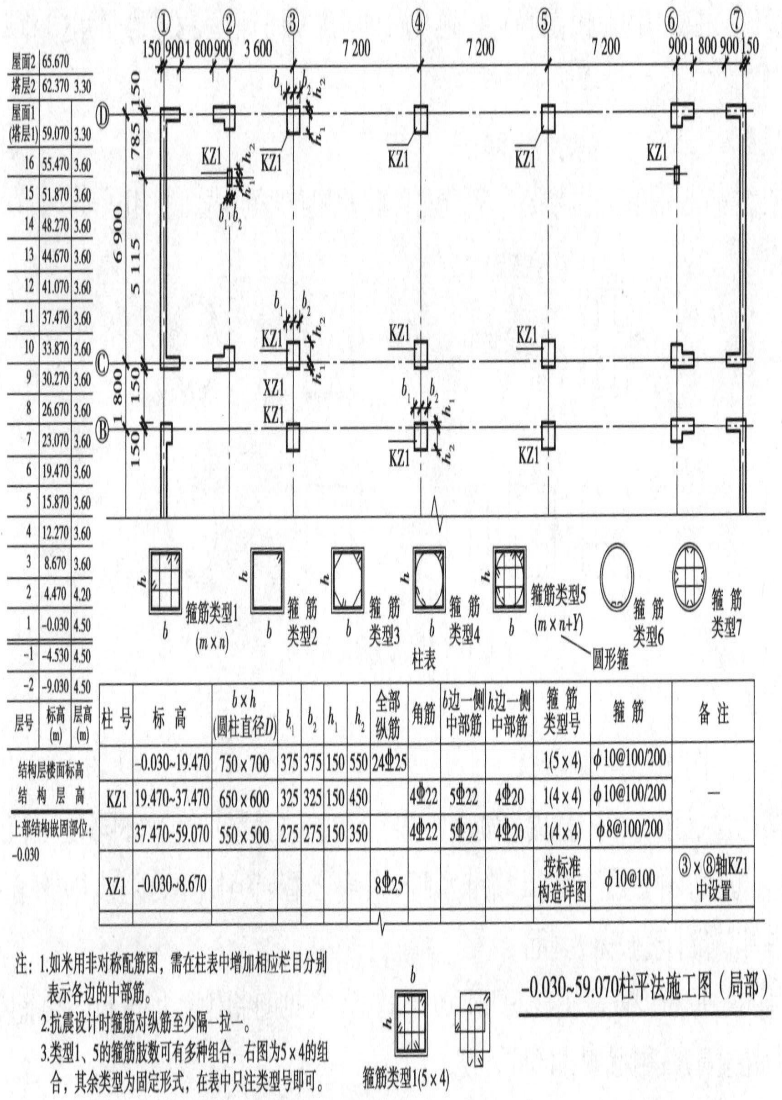

图4.40　柱平法施工图(列表法注写)

4.3　柱的平法施工图识读

柱平法施工图系在柱平面布置图上采用列表注写方式或截面注写方式表达。

4.3.1　列表注写方式

列表注写方式是在柱平面布置图上，分别在同一编号的柱中选择一个(有时需要选择几个)截面标注几何参数代号；在柱表中注写柱编号、柱段起止标高、几何尺寸与配筋的具体数值，并配以各种柱截面形状及其箍筋类型图，以此来表达柱平法施工图，如图4.40所示。

列表注写方式通过把各种柱的编号、截面尺寸、偏中情况、角部纵筋、b边一侧中部筋和h边一侧中部筋、箍筋类型号和箍筋规格间距注写在一个"柱表"上，着重反映同一个柱在不同楼层上"变截面"的情况；同时，在结构平面图上标注每个柱的编号。下面先介绍"柱表"的内容。

1)柱编号

柱编号由类型代号和序号组成，见表4.4。

表4.4　柱分类及编号

柱类型	代号	序号	特　征
框架柱	KZ	××	柱根部嵌固在基础或地下结构上，并与框架梁刚性连接构成框架
框支柱	KZZ	××	柱根部嵌固在基础或地下结构上，并与框支梁刚性连接构成框支结构。框支结构以上转换为剪力墙结构
芯柱	XZ	××	设置在框架柱、框支柱、剪力墙柱、核心部位的暗柱
梁上柱	LZ	××	支承或悬挂在梁上的柱
剪力墙上柱	QZ	××	支承在剪力墙顶部的柱

注：编号时，当柱的总高、分段截面尺寸和配筋均对应相同，仅分段截面与轴线的关系不同时，仍可将其编为同一柱号，但应在图中注明截面与轴线的关系。当柱的总高、分段截面尺寸和配筋均对应相同，仅柱在平面布置图上的偏中位置不同时，仍可将其编为同一柱号。实际施工图经常把框架柱的偏中情况注写在平面布置图中，而在柱表中只注写框架柱的$b×h$尺寸，不注写偏中尺寸。

2)各段柱的起止标高

自柱根部位往上以变截面位置或截面未变但钢筋改变处为分界，分段注写。框架柱和框支柱的根部标高系指基础顶面标高；芯柱的根部标高系指根据结构实际需要而定的起始位置标高；梁上柱的根部标高系指梁顶面标高；剪力墙上柱的根部标高为墙顶面标高。

3)截面尺寸

对于矩形柱，注写柱截面尺寸$b×h$(至于框架柱的偏中尺寸b_1、b_2和h_1、h_2，直接标注在柱平面布置图上，更加清楚)。

对于圆柱，表中$b×h$一栏改用圆柱直径数字前加d表示。

对于芯柱，根据结构需要，可以在某些框架柱的一定高度范围内，在其内部的中心位置设置(分别引注其柱编号)。芯柱截面尺寸按构造确定，并按标准构造详图施工，设计不注；当设计者采用与本构造详图不同的做法时，应另行注明。芯柱定位随框架柱走，不需要注写其与轴线的几何关系。

4)全部钢筋

当柱纵筋直径相同，各边根数也相同时(包括矩形柱、圆柱和芯柱)，将纵筋注写在"全部纵筋"一栏中。除此之外，柱纵筋分角筋、截面b边中部筋和h边中部筋三项分别注写(对于采用对称配筋的矩形截面柱，可仅注写一侧中部筋，对称边省略不注)。

值得注意的是,柱表中对柱角筋、截面 b 边中部筋和 h 边中部筋三项分别注写是必要的,因为这 3 种纵筋的钢筋规格有可能不同。

5)箍筋类型

在箍筋类型栏内注写箍筋类型号与肢数。常见箍筋类型号所对应的箍筋形状如图 4.41 所示。

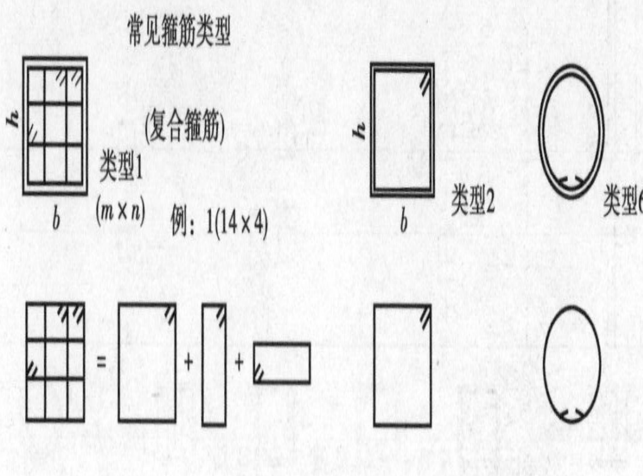

图 4.41　常见箍筋类型

6)箍筋注写

箍筋注写包括钢筋级别、直径与间距。

当为抗震设计时,用斜线"/"区分柱端箍筋加密区与柱身非加密区长度范围内箍筋的不同间距。施工人员根据标准构造详图,在规定的几种长度值中取其最大者作为加密区长度。当框架节点核芯区内箍筋与柱端箍筋设置不同时,应在括号中注明核芯区内箍筋直径及间距。

【例 4-24】 Φ10@100/250,表示箍筋为 HPB300 级钢筋,直径Φ10,加密区间距为 100 mm,非加密区间距为 250 mm。当箍筋沿柱全高为一种间距时,则不用"/"线。

【例 4-25】 Φ10@100,表示箍筋为 HPB300 级钢筋,直径Φ10,间距为 100 mm,沿柱全高加密。当圆柱采用螺旋箍筋时,需在箍筋前加"L"。

【例 4-26】 LΦ10@100/250,表示采用螺旋箍筋,HPB300 级钢筋,直径Φ10,加密区间距为 100 mm,非加密区间距为 250 mm。

当柱(包括芯柱)纵筋采用搭接连接且为抗震设计时,在柱纵筋搭接长度范围内(应避开柱端的箍筋加密区)的箍筋均应按≤5d(d 为搭接纵筋最小直径)及≤100 mm 的间距加密,搭接区内箍筋直径≥d/4(d 为搭接钢筋最大直径)。

当为非抗震设计时,在柱纵筋搭接范围内的箍筋加密,应由设计者另行注明。

在柱平法施工图中,应根据具体工程的设计绘制箍筋类型图,并标注与柱表中相应的 b、h 及类型号,箍筋类型图一般绘制在柱表的上部或其他合适的位置(当为抗震设计时,确定箍筋肢数要满足"隔一拉一"以及箍筋肢数的要求)。

4.3.2　截面注写方式

截面注写方式,是在分标准层绘制的柱平面布置图的柱截面上,分别在同一编号的柱中选择一个截面,以直接注写截面尺寸和配筋具体数值的方式来表达柱平法施工图,如图 4.42 所示。

截面法注写柱平法施工图,应分别在很多相同编号的柱中选择一个截面来表达 KZ1、KZ2、KZ3 和 LZ1、XZ,如图 4.43所示。

例如,柱编号:KZ1,(由柱类型代号和序号组成。)截面尺寸:650×600。与轴线关系的几何参数代号 b_1,b_2 和 h_1,h_2 的具体数值分别为 325 mm,325 mm 和 150 mm,450 mm。(矩形截面注写为 $b \times h$,以 D 打头注写圆柱截面直径)。角筋:配有角筋 4Φ22;b 边中部筋:5Φ22;h 边中部筋:4Φ20。(所有纵筋为同一直径时,均注写全部纵筋。矩形截面的角筋与中部筋直径不同时,按"角筋 + b 边中部筋 + h 边中部筋"的形式注写,也可在直接引注中仅注写角筋,然后在截面配筋图上原位注写中部筋,采用对称配筋时,可仅注写一侧中部筋。)箍筋:Φ10@100/200,(包括钢筋级别、直径与间距。在箍筋前加"L"表示螺旋箍;箍筋的肢数及复合方式在柱截面配筋图上表示。当为抗震设计时,用"/"区分箍筋加密区与非加密区箍筋的间距,箍筋沿柱全高为一种间距时,则不使用"/"。)柱标高段:19.470—37.470 在结构层高信息表中读出。

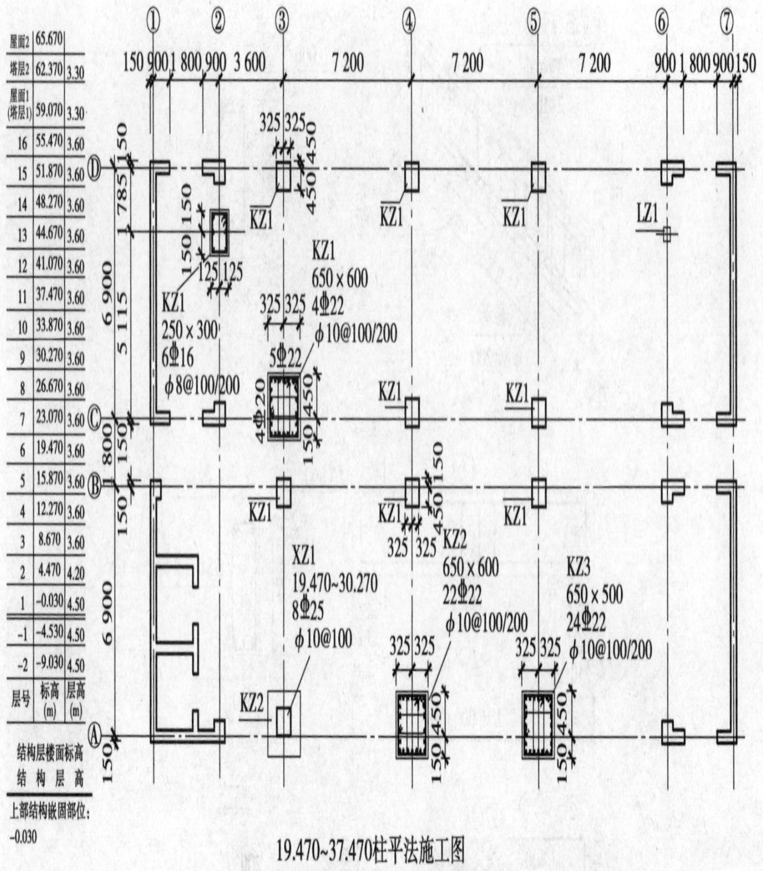

图 4.42　柱平法施工图(截面法注写)

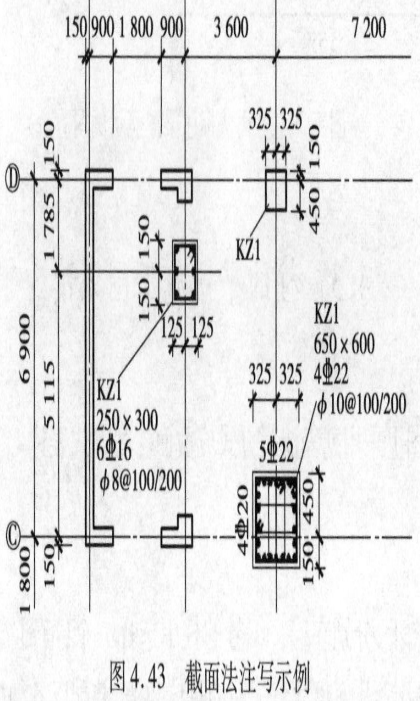

图 4.43　截面法注写示例

4.4　剪力墙的平法施工图识读

剪力墙平法施工图注写有两种方式,即列表注写方式和截面注写方式。两种方式均适用于各种结构类型,列表注写方式可在一张图纸上将全部剪力墙一次性表达清楚,也可以按照剪力墙标准层逐层表达。截面注写方式通常需要先划分剪力墙标注层,再按标注层分别绘制。截面注写方式实际上是一种综合表达方式,采用该方式时剪力墙的墙柱需要在原位绘制配筋截面,属于完全截面注写,而墙身不需要绘制配筋,属于不完全注写,墙梁实际上是平面注写。为了表达简单,才将其统称为截面注写方式。由于截面注写方式要求原位绘制墙柱配筋截面,为了清楚,通常采用绘制的绘图比例与列表注写的方式有所不同。

采用两种方式设计的图纸,单张图纸所表达的信息量是有差别的,但所表达的内容实际上完全相同。因此,剪力墙标准构造详图可以分别与任何一种配合使用,且均能与平法施工图自然合并,共同构成完整的剪力墙结构施工图。墙柱编号由墙柱类型代号和序号组成,其表达形式应符合表 4.5 的规定。

表4.5　墙柱编号

墙柱类型	代　号	序　号
约束边缘构件	YBZ	××
构造边缘构件	GBZ	××
非边缘暗柱	AZ	××
扶壁柱	FBZ	××

4.4.1　剪力墙平法施工图的截面注写方式

1)截面注写方式的一般要求

截面注写方式，是在分标准层绘制的剪力墙平面布置图上，直接在墙柱、墙身、墙梁上注写截面尺寸和配筋具体数值。剪力墙墙柱截面标注如图4.44所示。

选用适当比例原位放大绘制剪力墙平面布置图，其中对墙柱绘制配筋截面图；对所有墙柱、墙身、墙梁分别按规定进行编号，并分别在相同编号的墙柱、墙身、墙梁中选择一根墙柱、墙身、墙梁或洞口进行注写。

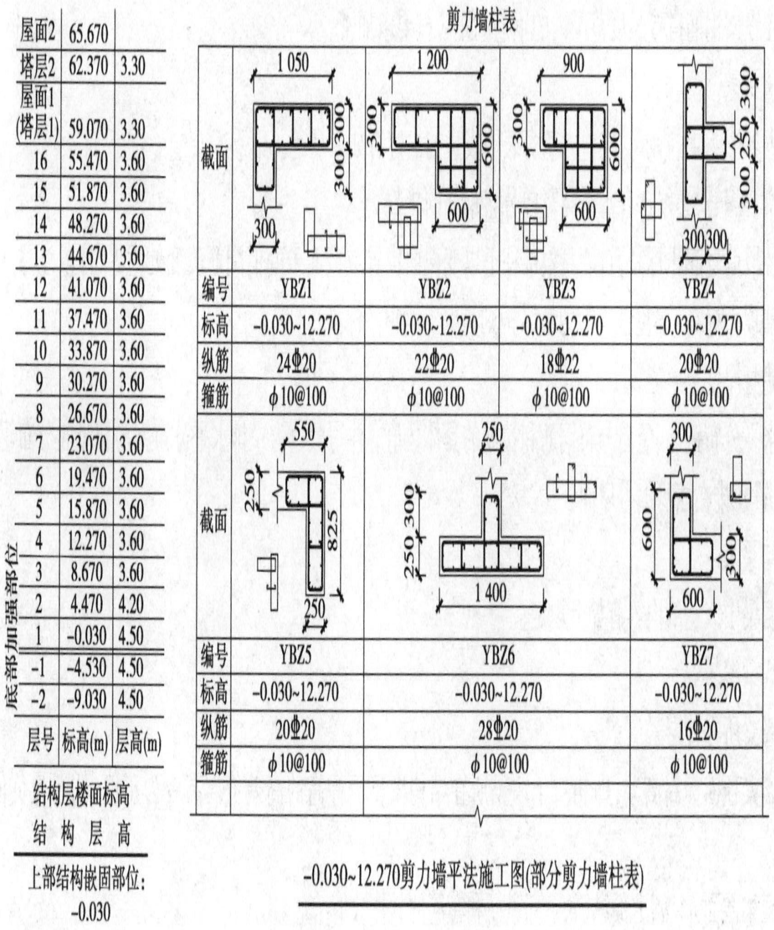

图4.44　剪力墙柱截面配筋

2)剪力墙柱的截面注写

在进行标注的截面配筋图上集中注写以下内容：

①墙柱编号，见表4.5。

②注明几何尺寸。

③墙柱的全部竖向钢筋：××B××。

④墙柱的核心部位箍筋/墙柱扩展部位箍筋：A××@××/A××。

关于截面配筋集中注写的说明：

①墙柱编号的注写：应注意约束边缘与构造边缘构件两种墙柱的代号不同，其几何尺寸和配筋率应满足现行规范的相关规定。

②墙柱竖向纵筋的注写：对于约束边缘构件，所注纵筋不包括设置在墙柱扩展部位的竖向纵筋。该部位的纵筋规格与剪力墙身的竖向分布筋相同，但分布间距必须与设置在该部位的拉筋保持一致，且应小于或等于墙身的竖向分布筋间距。对于构造边缘构件则无墙柱扩展部分，墙柱纵筋的分布情况在截面配筋图上应绘制清楚。

③墙柱核心部位箍筋与墙柱扩展部位拉筋的注写：墙柱核心部位的箍筋注写竖向分布间距，且应注意采用同一间距(全高加密)，箍筋的复合方式应在截面配筋图上绘制清楚；墙柱扩展部位的拉筋不注写竖向分布间距，其竖向分布间距与剪力墙水平分布筋的竖向分布间距图相同，拉筋应同时拉住该部位的墙身竖向分布筋和水平钢筋，拉筋应在截面配筋图上绘制清楚。

④各种墙柱截面配筋图上应原位加注几何尺寸和定位尺寸。

⑤在相同编号的约束边缘端柱YDZ和构造边缘端柱GDZ的截面注写示意，如图4.45所示。

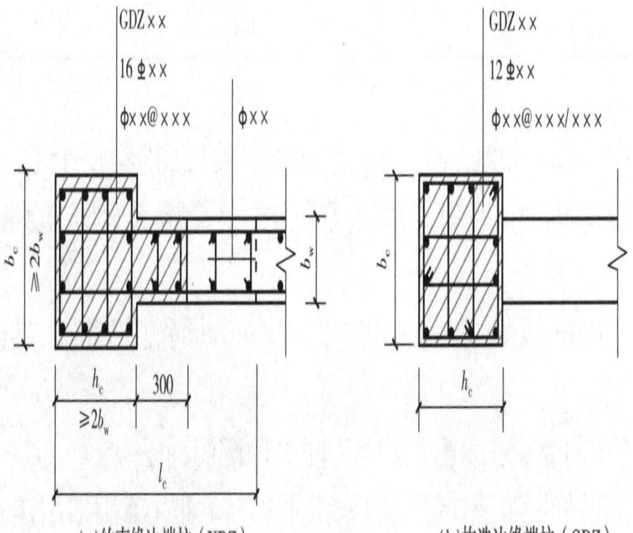

(a)约束缘边端柱(YDZ)　　(b)构造边缘端柱(GDZ)

图4.45　剪力墙约束边缘端柱YDZ和构造边缘端柱GDZ的截面注写方式示意图

3)剪力墙身的截面注写

从相同编号的墙身中选择一道墙身，如图4.46所示。

按顺序引注的内容为：

①墙身编号：Q××(××)，其中括号内需要注写钢筋的排数。

②墙厚尺寸：×××。

③水平/垂直分布钢筋/拉筋：A××/A××@×××/A×@×a@×b双向(或梅花双向)。

剪力墙身Q××(×)的注写示意。

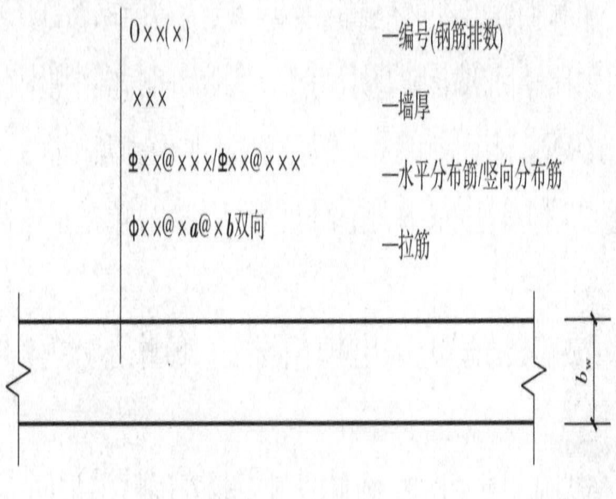

图4.46　剪力墙身注写示意图

4)剪力墙梁的截面注写

①墙梁编号：见表4.6。

当连梁设有对角暗撑时，注写形式为LL(JC)××，×A××/A××@××××2。注写两根暗撑的截面尺寸(箍筋外皮尺寸)；注写一根暗撑的全部纵筋，并标注“×2”，表明有两根暗撑相互交叉；注写暗撑箍筋的具体数值。

当连梁设有交叉斜筋时，注写形式为LL(JX)××，×A××2；注写连梁一侧对角斜筋的配筋直径，并标注“×4”，表示四个角都设置;注写连梁一侧折线筋配置值,并标注"×2",表明对称设置。

表4.6 剪力墙墙梁编号

墙梁类型	代 号	序 号
连梁	LL	××
连梁(对角暗撑配筋)	LL(JC)	××
连梁(交叉斜筋配筋)	LL(JX)	××
连梁(集中对角斜筋配筋)	LL(DX)	××
暗梁	AL	××
边框梁	BKL	××

当连梁设有集中对角斜筋时,代号为LL(DX)××,注写一条对角线上的对角斜筋,并标注"×2",表明对称设置。

②所有楼层号(墙梁顶面相对标高高差),截面尺寸/箍筋(肢数),下部纵筋、上部纵筋、侧面纵筋按有关梁的内容。

5)剪力墙洞口的表示方法

无论采用列表注写方式还是截面注写方式,剪力墙的洞口均可在剪力墙平面布置图上原位表达。

洞口的具体表示方法:

①在剪力墙平面布置图上绘制洞口示意,并标注洞口中心的平面定位尺寸。

②在洞口中心位置引注的内容有,洞口编号,洞口几何尺寸,洞口中心相对标高和洞口每边补强钢筋。

具体规定如下:

①洞口编号:矩形洞口为JD××,圆形洞口为YD××。

②洞口几何尺寸:矩形洞口为洞宽×洞高($b \times h$),圆形洞口为直径D。

③洞口中心相对标高,是相对于结构层楼(地)面标高的洞口中心高度。当其高于结构层楼面时为正值,低于时为负值。

④洞口每边补强钢筋,分5种不同情况:

a.当矩形洞口的宽、高均不大于800 mm时,此项注写为洞口每边补强钢筋的具体数值,如果按标准构造详图设置补强钢筋时可不注。当洞宽、高方向补强钢筋不一致时,分布注写洞口方向、洞高方向补强钢筋,以"/"分隔。

b.当矩形或圆形洞口的洞宽或直径大于800 mm时,在洞口的上、下需设置补强暗梁,此项写为洞口上、下每边暗梁的总结与箍筋的具体数值。(在标准构造详图中,补强暗梁梁高一律定为400 mm,施工时按表中构造详图取值,设计不注。当设计者采用与标准构造详图不同的做法时,应另行注明)。圆形洞口时尚需注明环向加强钢筋的具体数值;当洞口上、下边为剪力墙连梁时,此项免注;洞口竖向两侧设置边缘构件时,也不在此项表达。

c.当圆形洞口设置在连梁中部1/3范围(且圆洞直径不应大于1/3梁高)时,需注写在圆洞上下水平设置的每边补强纵筋与箍筋。

d.当圆形洞口设置在墙身或暗梁、边框梁位置,且洞口直径不大于300时,此项注写为洞口上下左右每边布置的补强纵筋的具体数值。

e.当圆形洞口直径大于300 mm但不大于800 mm时,其加强钢筋在标准构造详图中是按照圆外切正六边形的边长方向布置,设计仅需注写六边形中一边补强钢筋的具体数值。

6)地下室外墙的标示方法

地下室外墙的集中编号,由墙身代号、序号组成。表达为:DWQ××。如:DWQ1、DWQ2等。

地下室外墙平面注写方式,包括集中标注墙体编号、厚度、贯通筋、拉筋和原位标注附加非贯通筋等两部分内容。当仅设置贯通筋,未设置附加非贯通筋时,则仅作集中标注。

4.4.2 剪力墙平法施工图的列表注写方式

1)剪力墙平面布置图

剪力墙施工图与常规表示方法相同。平面布置图表明定位轴线、剪力墙的编号、形状及轴线的关系,图中的定位轴线与建筑施工图保持一致,剪力墙按照约束边缘构件和构造边缘构件分别进行编号,比如YBZ1、YBZ2等。剪力墙列表标注如图4.47所示。

2)剪力墙柱表

在剪力墙柱表中表达的内容有如下规定:

①注写墙柱编号,绘制该墙柱的截面配筋图,标注墙柱几何尺寸。

②注写各段墙柱的起止标高。各段墙柱的起止标高自墙柱根部往上以变截面或截面未变但配筋改变处为界,分段注写,墙柱根部标高一般指基础顶面标高。

③注写各段墙柱的纵向钢筋和箍筋。注写值应与表中绘制的截面配筋图对应一致。纵向钢筋注总配给制;墙柱箍筋的注写方式与柱箍筋相同。

应特别注意:对于约束边缘构件,除注写阴影部位的箍筋外,尚需在剪力墙平面布置图中注写非阴影区内布置的拉筋(或箍筋)。

所有墙柱纵向钢筋搭接长度范围内的箍筋间距应按要求加密。

3)剪力墙身表

剪力墙表如图4.47所示。在剪力墙身表中表达的内容有如下规定:

①注写墙身编号,必须含有水平与竖向分布钢筋的排数。

②注写各段墙身起止标高,自墙身根部往上以变截面位置或截面未变但配筋改变处为界,分段注写。墙身根部标高一般指基础顶面标高(部位框支剪力墙结构则为框支梁顶面标高)。

③注写墙身厚度。

④注写水平分布钢筋、竖向分布钢筋和拉筋的具体数值。注写数值为一排水平分布钢筋和竖向分布钢筋的规格与间距,具体设置几排在墙身编号后面表达。

4)剪力墙梁表

在剪力墙梁中表达的内容有如下规定:

①注写墙梁编号。

②注写墙梁所在楼层号。

③注写墙梁顶面标高高差,即相对于墙梁所在结构图楼面标高的高差值。高者为正值,低者为负值,无高差时不注。

④注写墙梁截面$b \times h$,上部纵筋、下部纵筋和箍筋的具体数值。

⑤当墙梁的侧面纵筋与剪力墙身的水平分布筋相同时,表中不注,否则应补充注明梁侧面纵筋的具体数值。注写时,以大写字母G打头,接续注写直径与间距。

5)结构层楼面标高与结构层高

结构层楼面标高及结构层高与柱列表注写方式相同,如图4.47所示。

剪力墙梁表

编号	所在楼层号	梁顶相对标高高差	梁截面 $b*h$	上部纵筋	下部纵筋	箍　筋
LL1	2–9	0.800	300*2000	4Ф22	4Ф22	Φ10@100(2)
	10–16	0.800	250*2000	4Ф20	4Ф20	Φ10@100(2)
	屋面1		250*1200	4Ф20	4Ф20	Φ10@100(2)
LL2	3	−1.200	300*2520	4Ф22	4Ф22	Φ10@150(2)
	4	−0.900	300*2070	4Ф22	4Ф22	Φ10@150(2)
	5–9	−0.900	300*1770	4Ф22	4Ф22	Φ10@150(2)
	10–屋面1	−0.900	250*1770	3Ф22	3Ф22	Φ10@150(2)
LL3	3		300*2070	4Ф22	4Ф22	Φ10@100(2)
	4		300*1770	4Ф22	4Ф22	Φ10@100(2)
	4–9		300*1170	4Ф22	4Ф22	Φ10@100(2)
	10–屋面1		250*1170	3Ф22	3Ф22	Φ10@100(2)
LL4	2		250*2070	3Ф20	3Ф20	Φ10@120(2)
	3		250*1770	3Ф20	3Ф20	Φ10@120(2)
	4–屋面1		250*1170	3Ф20	3Ф20	Φ10@120(2)
AL1	2–9		300*600	3Ф20	3Ф20	Φ8@120(2)
	10–16		250*500	3Ф18	3Ф18	Φ8@150(2)
BKL1	屋面1		500*750	4Ф22	4Ф22	Φ10@150(2)

剪力墙身表

编号	标　高	墙厚	水平分布筋	垂直分布筋	
Q1	−0.030–30.270	300	Ф12@200	Ф12@200	φ6@600@600
	30.270–59.070	250	Ф10@200	Ф10@200	φ6@600@600
Q2	−0.030–30.270	250	Ф10@200	Ф10@200	φ6@600@600
	30.270–59.070	200	Ф10@200	Ф10@200	φ6@600@600

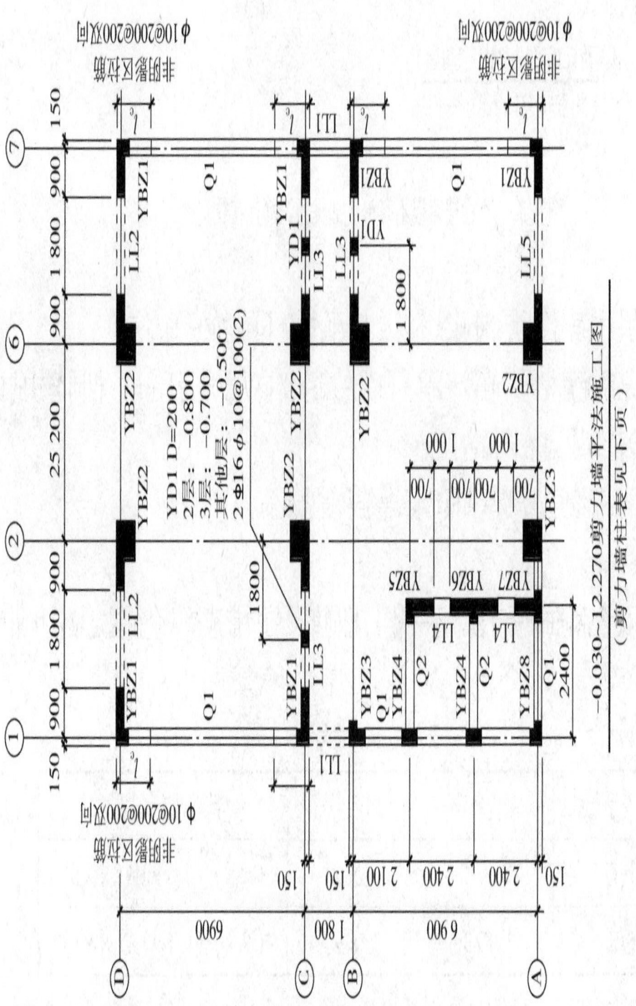

−0.030~12.270剪力墙平法施工图

（剪力墙柱表见下页）

层号	标高(m)	层高(m)
屋面2	65.670	
塔层2	62.370	3.30
屋面1 (塔层1)	59.070	3.30
16	55.470	3.60
15	51.870	3.60
14	48.270	3.60
13	44.670	3.60
12	41.070	3.60
11	37.470	3.60
10	33.870	3.60
9	30.270	3.60
8	26.670	3.60
7	23.070	3.60
6	19.470	3.60
5	15.870	3.60
4	12.270	3.60
3	8.670	3.60
2	4.470	4.20
1	−0.030	4.50
−1	−4.530	4.50
−2	−9.030	4.50

底部加强部位

结构层楼面标高
结构层高
上部结构嵌固部位：
−0.030

注：1.可在结构层楼面标高、结构层高表中加设混凝土强度等级等栏目。
2.本示例中l_c为约束边缘构件沿墙肢的伸出长度(实际工程中应注明具体值)，约束边缘构件非阴影区拉筋（除图中有标注外）：竖向与水平钢筋交点处均设置，直径 φ8。

图4.47　剪力墙列表标注

4.5　板的平法施工图识读

板的平法标注有有梁楼盖板和无梁楼盖板两种。

4.5.1　有梁楼盖板平法施工图的注写方式

有梁楼盖板平法施工图是在楼面板和屋面板布置图上采用平面注写的表达方式。板平面注写主要包括板块集中标注和板支座原位标注，如图 4.48 所示。

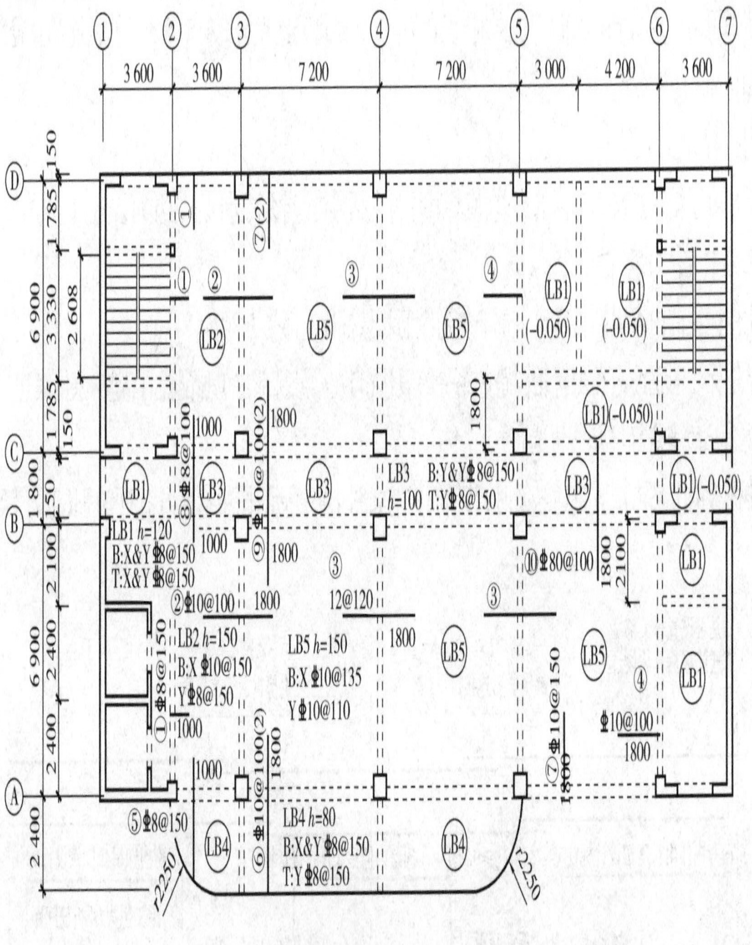

15.870~26.670板平法施工图

图 4.48　有梁楼盖板平法施工图

现浇混凝土有梁楼盖板平法和板支座原位标注。

1）板块集中标注的内容

有梁楼盖板是指以梁为支座的楼面板和屋面板，它的制图规则同样适用于梁板式转换层、剪力墙结构、砌体结构以及有梁地下室的楼面板与屋面板的平法施工图设计。

(1)有梁楼盖板的编号

对于普通楼面板，两向均以一跨为一块板；对于密肋楼盖，两向主梁(框架梁)均以一跨为一板块(非主梁密肋不计)。所有板块应逐一编号，相同编号的板块可择其一作集中标注，其他仅注写置于圆圈内的板的编号以及当板面标高不同时的标高高差。板块编号按表 4.7 的规定。

表 4.7　板块编号

板的类型	代　号	序　号
楼面板	LB	××
屋面板	WB	××
悬挑板	XB	××

所有板块应逐一编号,相同编号的板块选择一块板做集中标注,如标注有 LB1、LB2、LB3、LB4、LB5 等。

如 LB5 $h=150$ mm,表示板厚为 150 mm;B:X Φ10@135,表示为 X 方向板的钢筋间距为 135 mm;Y Φ10@110,表示为 X 方向板的钢筋间距为 110 mm。

(2)有梁楼盖板的板厚

板厚注写为 $h=\times\times\times$(为垂直于板面的厚度);当悬挑板的端部改变截面厚度时,用斜线分隔根部和端部的高度值,注写为 $h=\times\times\times/\times\times\times$;当设计已在图中统一注明板厚时,此项可不注。

(3)贯通钢筋

贯通纵筋按板块的下部和上部分别注写(当板块上部不设贯通纵筋时则不注),并以 B 代表下部,以 T 代表上部,B & T 代表下部和上部;X 向贯通纵筋以 X 打头,Y 向贯通纵筋以 Y 打头,两向贯通纵筋配置相同时以 X&Y 打头。

当贯通筋采用两种规格"隔一布一"方式时,表达为φ8/10@110,这表示直径为 8 mm 的钢筋和直径为 10 mm 的钢筋二者间隔 110 mm 交替布置。

(4)板面标高高差

此项是指相对于结构层楼面标高的高差,应将其注写在括号内,当无高差时不需注写。

2)板支座集中标注内容

板支座原位标注的内容包括板支座上部非贯通纵筋和悬挑板上部受力钢筋。

板支座原位标注的钢筋应在配置相同跨的第一跨表达;当在梁悬挑部位单独配置时,则在原位表达。

3)有梁楼盖板的平法标准配筋构造

当有梁楼面板的上部未配置贯通纵筋时,其钢筋构造如图 4.49 所示;图中括号内钢筋锚固长度 l_a 仅用于梁板式转换层的板。

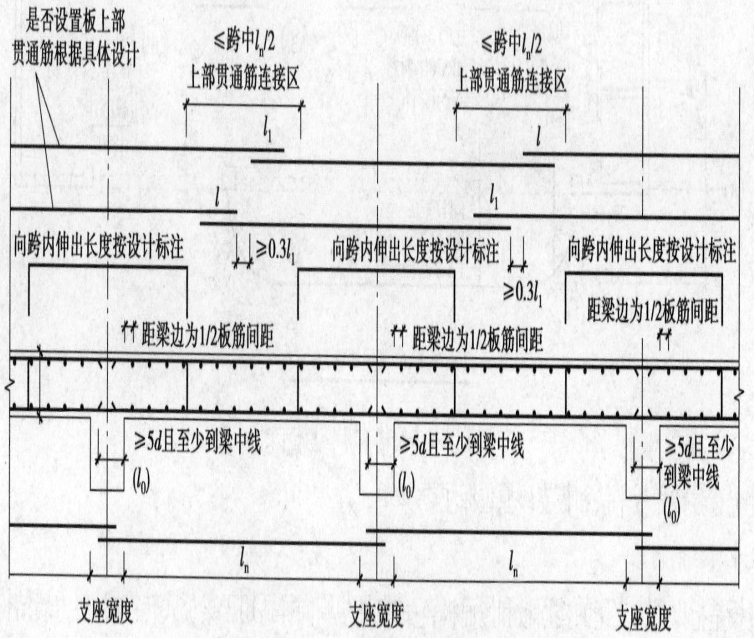

图 4.49 有梁楼盖的楼面板 LB 与屋面板 WB 钢筋构造(上部无贯通钢筋)

4)有梁楼盖板不等跨时上部贯通纵筋的连接构造

有梁楼盖板不等跨时上部贯通纵筋的连接构造,如图 4.50 所示。

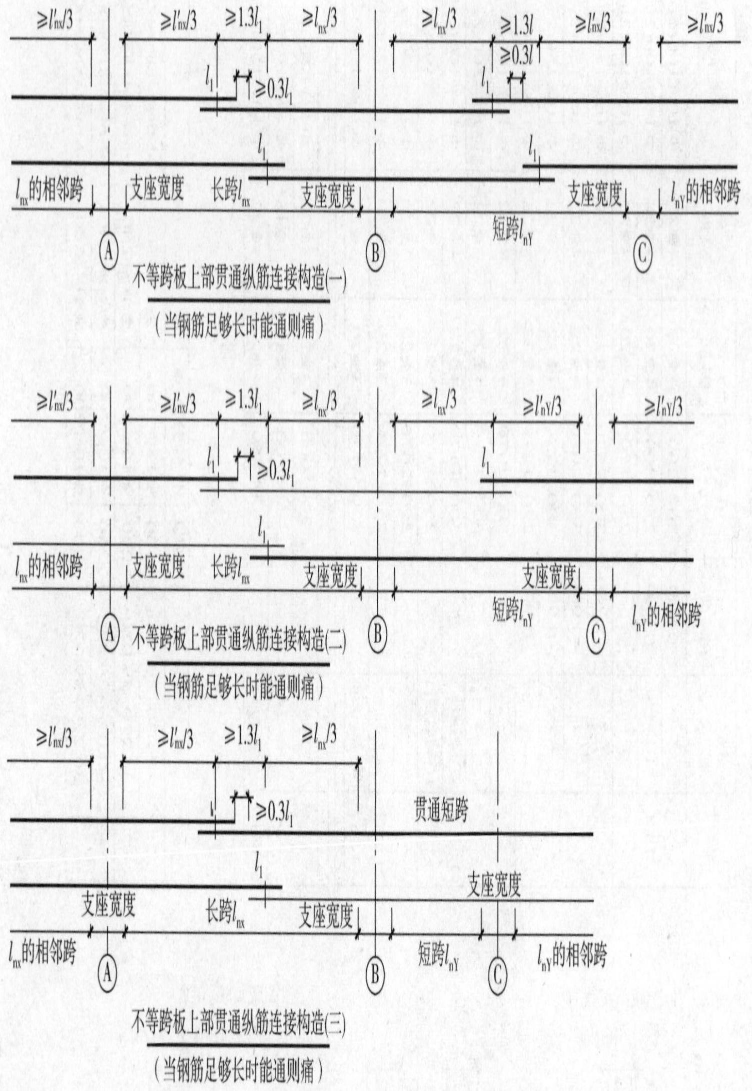

图 4.50 有梁楼盖板不等跨上部贯通纵筋连接构造

4.5.2 无梁楼盖板平法施工图的注写方式

无梁楼盖板是指以柱为支座的楼面板与屋面板。为了保证柱顶处楼盖板的抗冲切满足计算要求,规范规定板的厚度不应小于 150 mm,且在与 45°冲切破坏锥面相交的范围内配置按计算所学的箍筋及相应的架立筋或弯起钢筋。

无梁楼盖板平法施工图是指在楼面板和屋面板布置图上,采用平面注写的表达方式,主要包括板带集中标注和板带支座原位标注。

实际工程中,为了减少无梁楼盖板的厚度并满足受力要求,多采用在柱顶处设柱帽的方法。

1)板带集中标注的内容

板块集中标注的内容,为板块编号、板厚、贯通纵筋以及当板面标高不同时的标高高差等。

集中标注应在板带贯通纵筋配置相同跨的第一跨(X 向为左端跨,Y 向为下端跨)注写。相同编号的板带可选择一个作集中标注,其他仅注写板带编号(注在圆圈内)。

板带集中标注的内容为:板带编号,板带厚和板带宽,箍筋和贯通纵筋。

(1)无梁楼盖板的编号

无梁楼盖板是分"板带"配置钢筋的,所有板带逐一编号,相同编号的板带选择一个在规定位置作集中标注。板带编号按表 4.8 规定。

表 4.8 板带编号

板带类型	代 号	序 号	跨数及有无悬挑
柱上板带	ZSB	××	(××)、(××A)或(××B)
跨中板带	KZB	××	(××)、(××A)或(××B)

注:1. 跨数按柱网轴线计算(两相邻柱轴线之间为一跨)。

2. (××A)为一端悬挑,(××B)为两端悬挑,悬挑不计入跨数。

一般情况下,无梁楼盖的柱顶宜设置柱帽。当无梁楼盖的柱顶不设置柱帽时,需要在柱顶的板内设置暗梁。通常在施工图中的柱轴线处画出粗虚线来表示暗梁。暗梁的编号见表 4.9。

表4.9　暗梁编号

构件类型	代　号	序　号	跨数及有无悬挑
暗梁	AL	××	(××)、(××A)或(××B)

注:1.跨数按柱网轴线计算(两相邻柱轴线之间为一跨)。
2.(××A)为一端悬挑,(××B)为两端悬挑,悬挑不计人跨数。

(2)无梁楼盖板的板厚和暗梁的截面尺寸

板带宽度一般集中注写,如"$b=100$";板带厚度一般在图的下方作统一标注,若局部某些板块的厚度不同,可单独在相应板块上注写。板带厚注写为$h=×××$,板带宽注写为$b=×××$。当无梁楼盖板的整体厚度和板带宽度已在图中注写时,此项可不注。暗梁的截面尺寸是指:箍筋外皮宽度×板厚。

(3)贯通钢筋

贯通纵筋按板带下部和板带上部分别注写,并以B代表下部,T代表上部,B & T代表下部和上部。

当局部区域的板面标高与整体不同时,应在无梁楼盖的板平法施工图上注明板面标高高差及分布范围。

2)板带支座原位标注的内容

板带支座原位标注的具体内容为板带支座上部非贯通纵筋。

以一段与板带同向的中粗实线段代表板带支座上部非贯通纵筋。对柱上板带,采用实线段贯穿柱上区域绘制;对跨中板带,采用实线段贯通网轴线绘制。在线段上注写钢筋编号、配筋值及在线段的下方注写自支座中线向两侧跨内的伸出长度。

当板带支座非贯通纵筋自支座中线向两侧对称伸出时,其伸出长度可仅在一侧标注;当配置在有悬挑段的边柱上时,该筋伸出到悬挑尽端,设计不注。当支座上部非贯通纵筋呈放射分布时,设计者应注明配筋间距的度量位置。不同部位的板带支座上部非贯通纵筋相同者,可仅在一个部位注写,其余则在代表非贯通纵筋的线段上注写编号。

当板带上部已经配有贯通纵筋,但需增加配置板带支座上部非贯通纵筋时,应结合已配同向贯通纵筋的直径与间距,采取"隔一布一"的方式,其注写规定与有梁楼盖板相同。

施工时应注意,当支座一侧设置了上部贯通纵筋(标注以T打头),而在支座另一侧仅设置了上部非贯通纵筋时,如果支座两侧设置的纵筋直径、间距相同,应将二者连通,避免各自在支座上部分分别锚固。

3)暗梁AL的注写方式

在施工图中的柱轴线处画中粗虚线来表示暗梁,其注写包括暗梁集中标注和原位标注两种。

①暗梁集中标注的内容包括暗梁的编号、截面尺寸、暗梁箍筋、上部通长筋或架立筋四部分。

②暗梁支座原位标注的内容包括暗梁支座上部纵筋和暗梁下部纵筋。当在暗梁集中标注的内容不适用于某跨或某悬挑端时,则将其不同数值标注在该跨或该悬挑端,施工时按原位注写取值。

4.6　板式楼梯施工图识读

按平法设计绘制的楼梯施工图,一般是由楼梯的平法施工图和标准构造详图两大部分构成。梯板的平法注写方式包括平面注写、剖面注写和列表注写3种。本节依据《现浇混凝土板式楼梯》(16G101-2)平面整体表示方法图集,着重介绍AT型(包括ATa、ATb、ATc)和BT型楼梯的平面注写及配筋构造。平台板、梯梁及梯柱的平法注写方式参见国家建筑标准设计图集《混凝土结构施工图平面整体表示方法制图规则和构造详图(现浇混凝土框架、剪力墙、梁、板)》(16G101-1)。本章板式楼梯适用于非抗震及抗震设防烈度为6~9度地区现浇钢筋混凝土板式楼梯。

4.6.1　板式楼梯的平面注写方式

平面注写方式是指在楼梯平面布置图上,以注写截面尺寸和配筋具体数值的方式来表达楼梯施工图。平面注写内容,包括集中标注和外围标注。

1)集中标注的内容

集中标注的内容有五项,具体规定如下:

(1)梯板类型代号与序号

梯板类型代号与序号用AT××、BT××、ATa××等表示。

(2)梯板厚度

注写为$h=×××$。当为带平板的梯板且梯段板厚度和平板厚度不同时,可在梯段板厚度后面括号内以字母P打头注写平板厚度。

【例4-27】 $h=140$(P150),表示梯段板厚度为140 mm,梯板平板段厚度为150 mm。

(3)踏步段总高度和踏步级数

踏步段总高度$H_s=h_s×(m+1)$和踏步级数m之间以"/"分隔。

(4)梯板纵向钢筋

梯板纵向钢筋分为支座上部纵筋和下部纵筋,之间以";"分隔。

(5)梯板分布筋

梯板分布筋以F打头注写分布钢筋具体值,也可在图中统一说明中查找。

【例4-28】 平面图中梯板类型及配筋的完整标注示例如下(AT型):

AT3,$h=130$	梯板类型及编号,梯板板厚
1500/10	踏步段总高度/踏步级数
⌀10@150;⌀12@130	上部纵筋;下部纵筋
F⌀8@250	梯板分布筋

2)外围标注的内容

①楼梯间的平面尺寸,包括轴线尺寸、休息平台的宽度以及平面图上应标注的其他尺寸。

②楼层结构标高与层间结构标高,包括楼面、地面及休息平台的标高。

③楼梯的上下行方向,用箭头配合文字"下"或"上"表示楼梯的下行或上行方向。

④梯板的平面几何尺寸,包括梯段的定位和宽度、踏步宽度。

⑤平台板配筋,包括平台板厚度、支座负筋、板底受力筋、分布钢筋。

⑥楼梯梁的配筋,包括梯梁截面尺寸、纵向受力钢筋、抗扭腰筋、箍筋等。

⑦梯柱的配筋,包括梯柱截面尺寸、纵向钢筋、箍筋。

4.6.2　AT型楼梯平面注写和标准配筋构造

1)AT型楼梯的平面注写

(1)AT型楼梯的适用条件

两梯梁之间的矩形梯板全部由踏步段构成,踏步段两端均以梯梁为支座。凡是满足该条件的楼梯均可为AT型,如平行双跑楼梯(图4.51)、平行双分楼梯、交叉楼梯和剪刀楼梯等。

(2)AT型楼梯平面注写内容

AT型楼梯平面注写方式如图4.48所示。集中注写的内容有5项:第1项为梯板类型代号与序号AT××;第2项为梯板厚度;第3项为踏步段总高度H_s/踏步级数$(m+1)$;第4项为上部纵筋和下部纵筋;第5项为梯板的分布钢筋。

(3)梯板的分布钢筋

梯板的分布钢筋可直接标注,也可统一说明。

(4)平台板PTB、梯梁、梯柱配筋

平台板PTB、梯梁、梯柱配筋可参照《混凝土结构施工平面整体表示方法制图规则和构造详图(现浇混凝土框架、剪力墙、梁、板)》(16G101-1)标注。

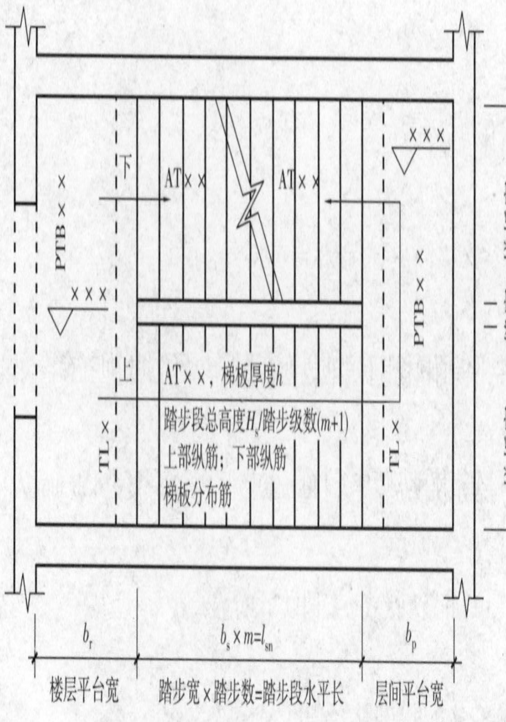

▽×××—▽×××楼梯平面图

图4.51 AT型楼梯平面注写方式

【例4-29】 图4.52为AT型楼梯平法施工图设计示例，平面注写方式包括集中标注和外围标注。

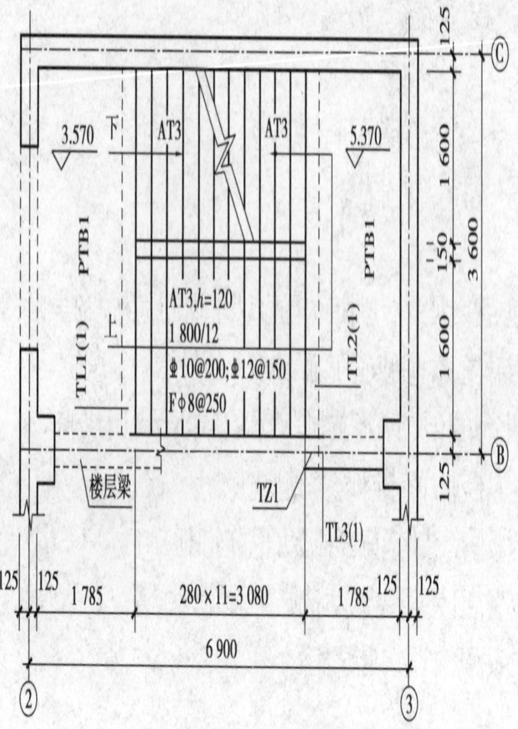

(▽3.570—▽5.370楼梯平面图)

图4.52 AT型楼梯平法施工图(平面注写方式)设计示例

图中集中标注有5项内容：第1项为梯板类型代号与序号AT3；第2项为梯板厚度 h = 120 mm；第3项为踏步段总高度 H_s = 1 800 mm，踏步数为12级(步)；第4项梯板上部纵筋为⏀10@200，下部纵筋为⏀12@150；第5项梯板的分布筋为中Φ8@250。

外围标注的内容是：楼梯间的平面尺寸开间为3 600 mm = (1 600×2 + 125×2 + 150)，进深为6 900 mm = (1 785×2 + 3 080 + 125×2)；层间的结构标高为5.370 m；楼层的结构标高为3.570 m；梯板的平面几何尺寸梯段宽1 600 mm，梯段的水平投影长度为3 080 mm；梯井宽150 mm；楼层和层间平台宽均为1 785 mm；另外还有墙厚250 mm；楼梯的上下方向箭头。

图中楼层和层间平台板、梯梁、梯柱的配筋的注写内容略。

2)AT型楼梯的标准配筋构造

AT型楼梯的标准配筋构造如图4.53所示。

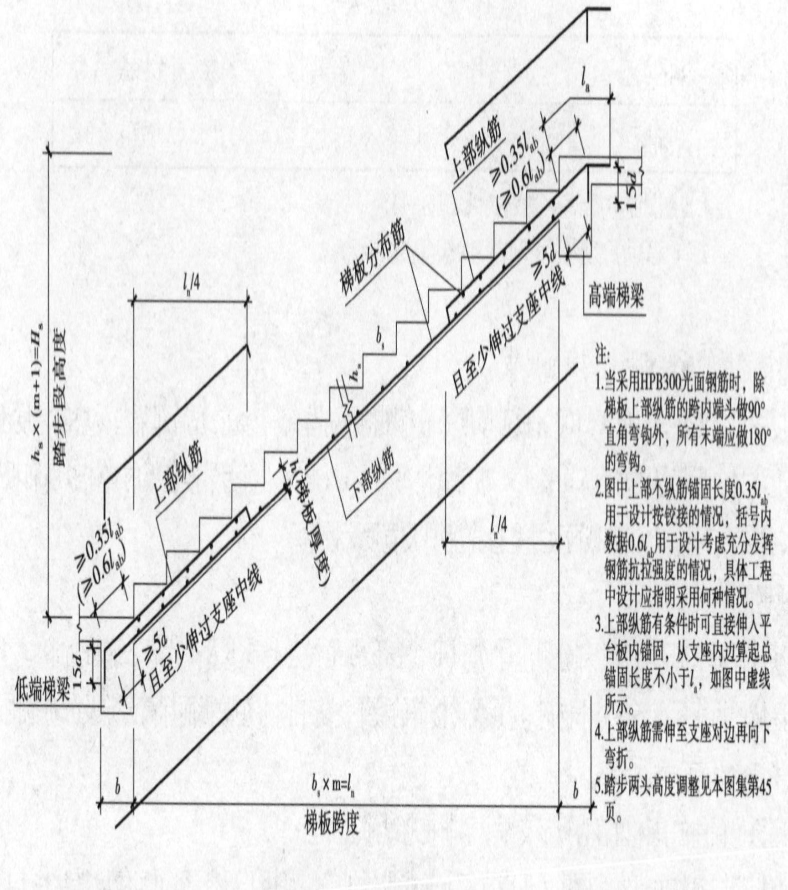

图4.53 AT型楼梯标准配筋构造

4.6.3 ATa型楼梯平面注写和标准配筋构造

1)ATa型楼梯平面注写

(1)ATa型楼梯的适用条件

ATa型楼梯设置滑动支座，不参与结构整体抗震计算。其适用条件为：两梯梁之间的矩形梯板全部由踏步段构成，即踏步段两端均以梯梁为支座，梯板低端支承处做成滑动支座，滑动支座直接落在梯梁上。在框架结构中，楼梯中间平台通常设梯柱、梁，中间平台可与框架柱连接。

(2)ATa型楼梯平面注写内容

ATa型楼梯平面注写方式如图4.54所示。集中注写的内容有5项：第1项为梯板类型代号与序号ATa××；第2项为梯板厚度 h；第3项为踏步段总高度 H_s/踏步级数(m+1)；第4项为上部纵筋及下部纵筋；第5项为梯板的分布钢筋。

(3)梯板的分布钢筋

梯板的分布钢筋可直接标注，也可统一说明。

(4)平台板PTB、梯梁、梯柱配筋

平台板PTB、梯梁、梯柱配筋可参照《混凝土结构施工平面整体表示方法制图规则和构造详图(现浇混凝土框架、剪力墙、梁、板)》(16G101-1)标注。

(5)ATa型楼梯滑动支座

当ATa作为两跑楼梯中的一跑时，上下梯段平面位置错开一个踏步宽。

(6)滑动支座做法由设计指定，当采用与本图集不同的做法时，由设计另行给出，如图4.55所示。

2)ATa型楼梯板的标准配筋构造

ATa型楼梯板的标准配筋构造如图4.56所示，图4.57、图4.58为ATa型楼梯施工图剖面注写示例。

ATb型、ATc型、BT型楼梯适用条件、楼梯平面注写内容、楼梯板的标准配筋构造详见《现浇混凝土板式楼梯》(16G101-2)。

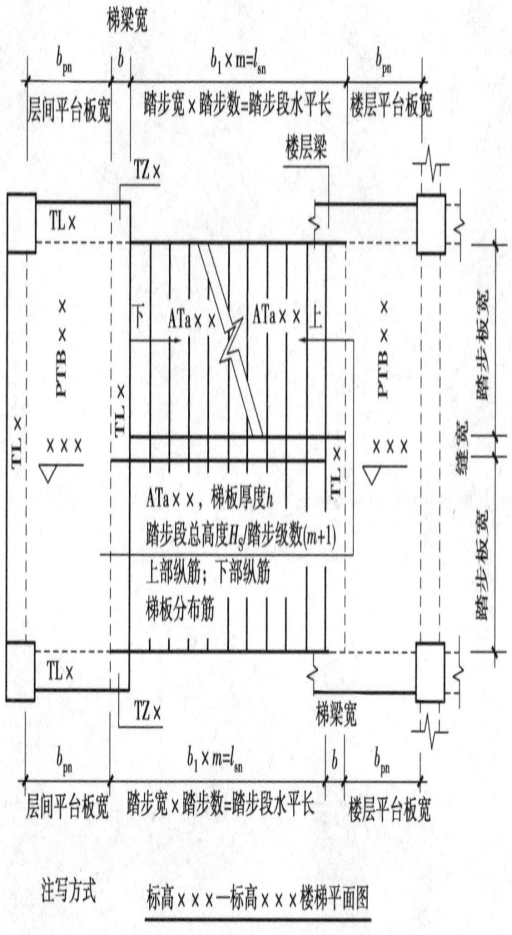

图4.54　ATa型楼梯平面注写方式

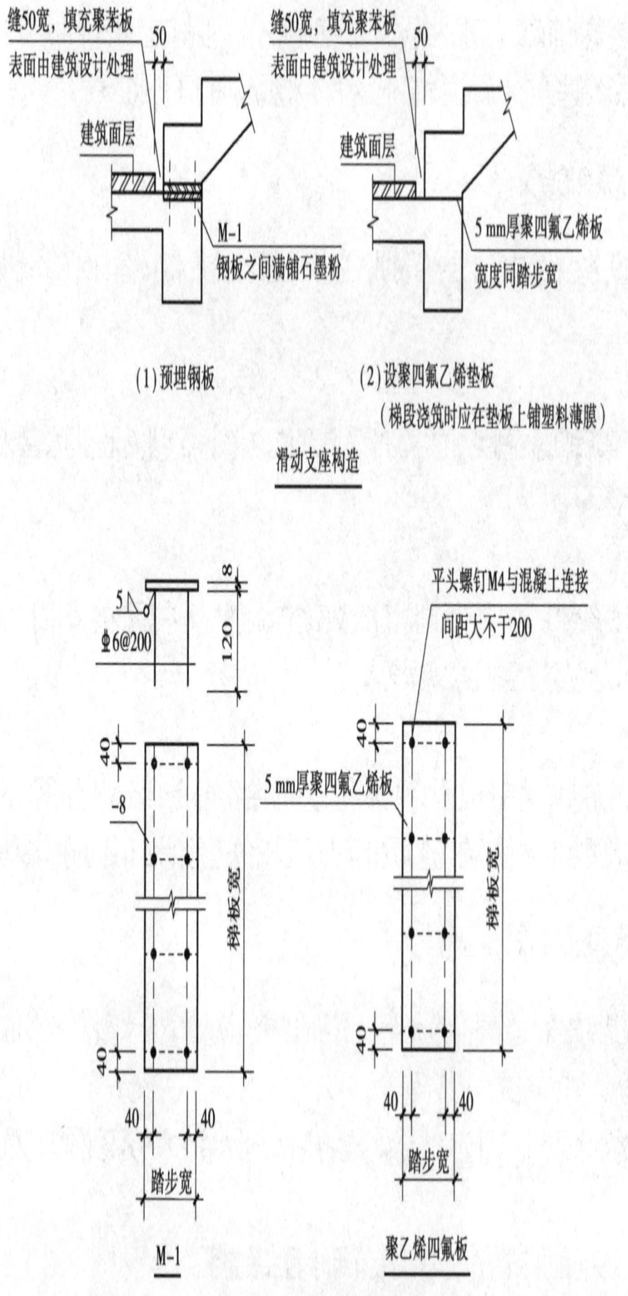

图4.55　ATa型楼梯滑动支座构造

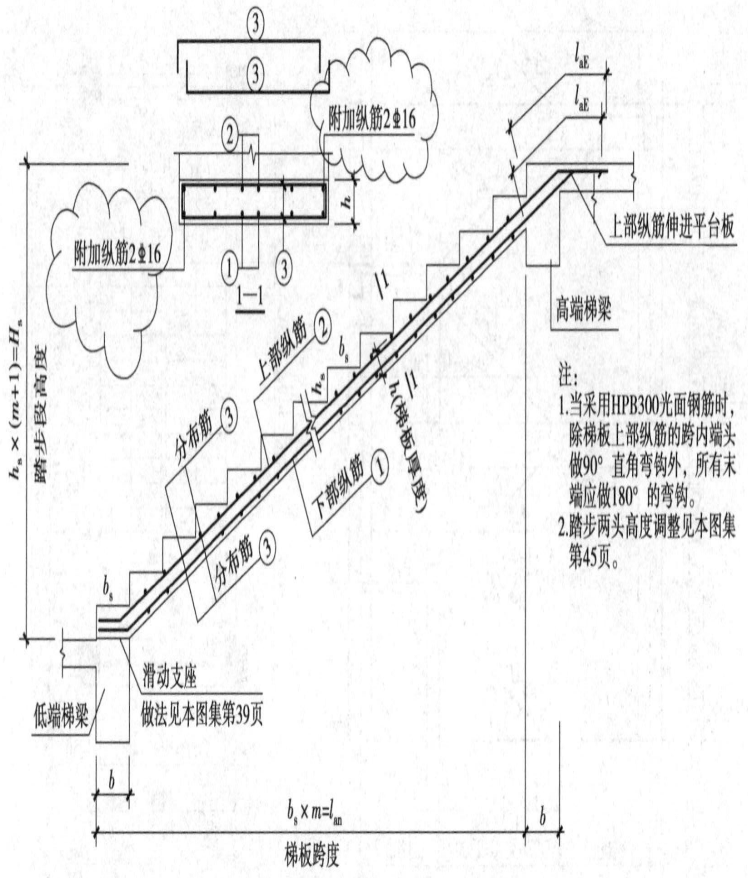

图4.56　ATa型楼梯板的标准配筋构造

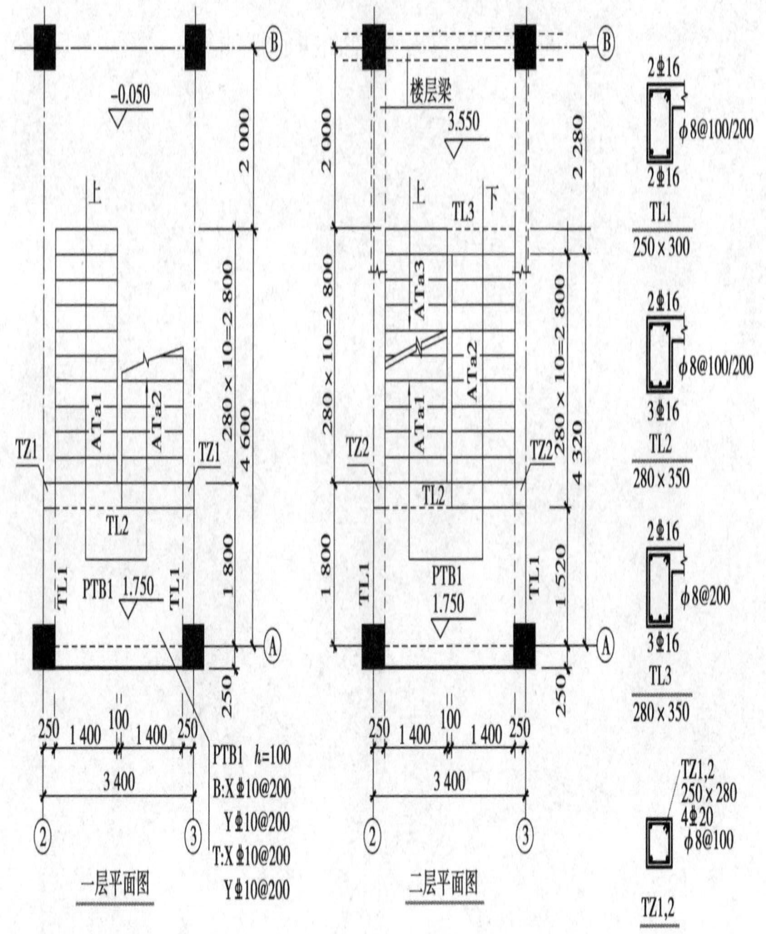

注：梯板抗震等级同框架。

图4.57　ATa型楼梯施工图剖面注写示例(平面图)

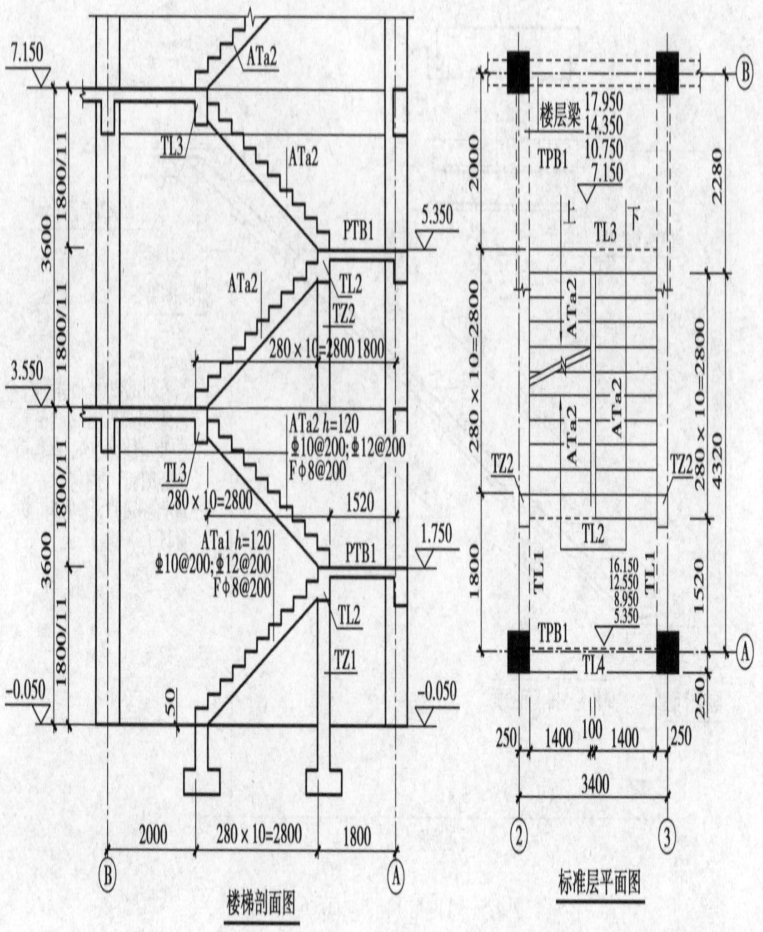

图4.58 ATa型楼梯施工图剖面注写示例(剖面图)

第5章 设备施工图识读

5.1 室内给水施工图识读

5.1.1 建筑给水系统基本概念

建筑给水工程是将城市市政给水管网中的水输送到建筑物内各个用水点上,并满足用户对水质、水量、水压要求的工程,包括室内给水系统和室外给水系统两个部分。室内给水系统如图5.1所示。

5.1.2 室内给水系统的分类

室内给水系统的任务是将水从室外给水管网引入室内,并送到各个用水点。室内给水系统按供水对象及其用途可以分三类:

1)生活给水系统

该系统供给公共建筑和工业企业建筑内的饮用、烹调、盥洗、洗涤、沐浴等生活上的用水,要求水质必须严格符合国家规定的饮用水质标准。

2)生产给水系统

该系统供给生产设备冷却、原料和产品的洗涤,以及各类产品制作过程中所需的生产用水。由于工艺不同,生产用水对水质、水量、水压以及安全方面的要求,差异较大。

3)消防给水系统

为扑灭建筑物发生的火灾,需专门设置可靠的给水系统以供给各类消防设备灭火的用水,这一系统称为消防给水系统。消防用水对水质要求不高,但必须按建筑设计防火规范的有关规定,保证有足够的水量和水压。

5.1.3 室内给水系统的组成

室内给水的流程是室外给水总管内的净水经引入管和水表节点流入室内给水管网直至各用水点,由此组成了室内给水系统,如图5.1所示。具体组成部分如下:

①引入管:自室外给水总管将水引至室内给水干管的管段。引入管在寒冷地区必须埋设在冰冻线以下或做保温处理。

②水表节点:水表装置在引入管段上,其前后装有阀门、泄水装置等。

③给水管网:由水平干管、立管和支管等组成的管道系统。

④配水龙头或用水设备:如水嘴、淋浴喷头、水箱、消防栓等。

⑤水泵、水箱、贮水池:是用来加压、蓄水及调节水量的附设设施。

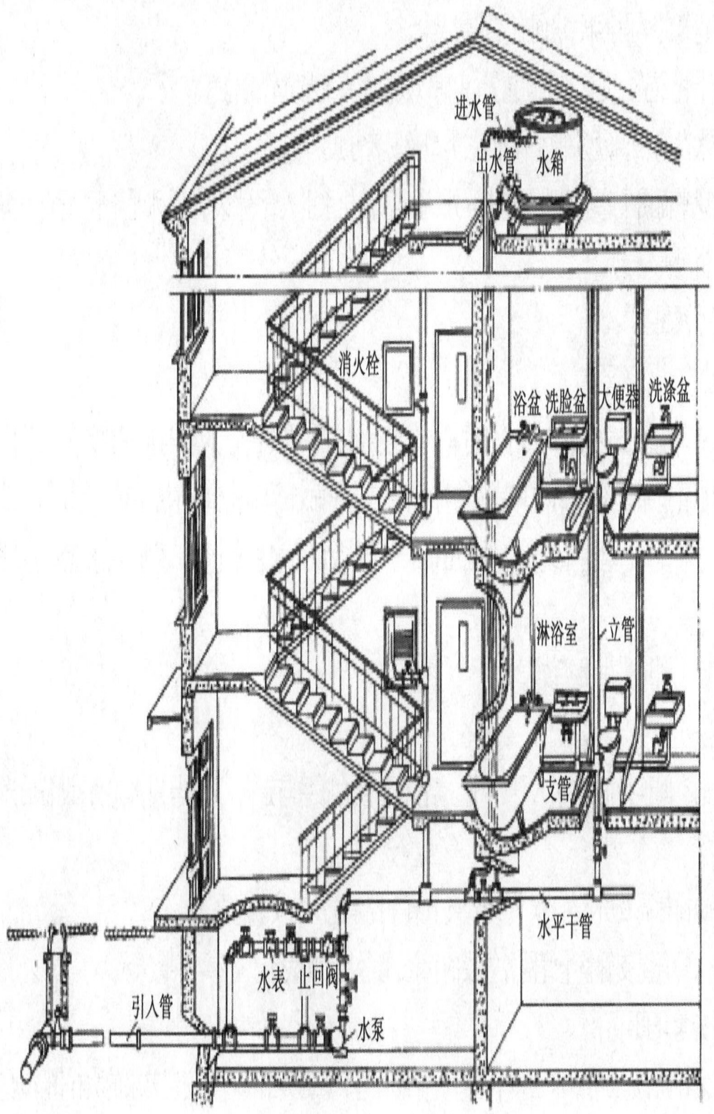

图5.1　室内给水系统

5.1.4　室内给水系统的方式

给水方式是指建筑内部给水系统的供水方式,是根据建筑物的性质、高度、配水点的布置情况以及室内所需水压、室外管网水压和水量等因素综合决定的给水系统的布置形式。

1)直接给水方式

室外给水管网的水量、水压在一天内任何时间均能保证满足室内管网最不利点需要时,采用此方式,如图5.2所示,即室内给水系统直接在室外管网压力下工作。是一种简单的给水方式。

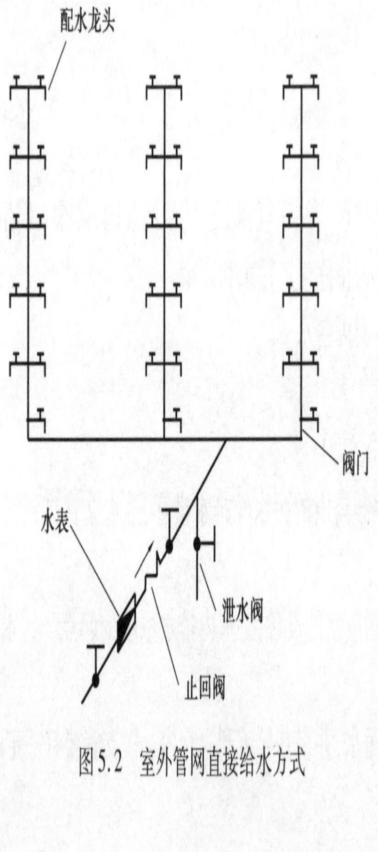

图5.2　室外管网直接给水方式

2)设水箱的给水防水

当市政管网提供的水压周期性不足时,可采用设水箱的给水方式。当低峰用水时(一般在夜间),利用室外管网提供的水压,直接向建筑内部给水系统供水并向水箱进水,给水箱储备水量;当高峰用水时(一般白天),室外管网水压不足,由水箱向建筑内部给水系统供水,如图5.3、图5.4所示。

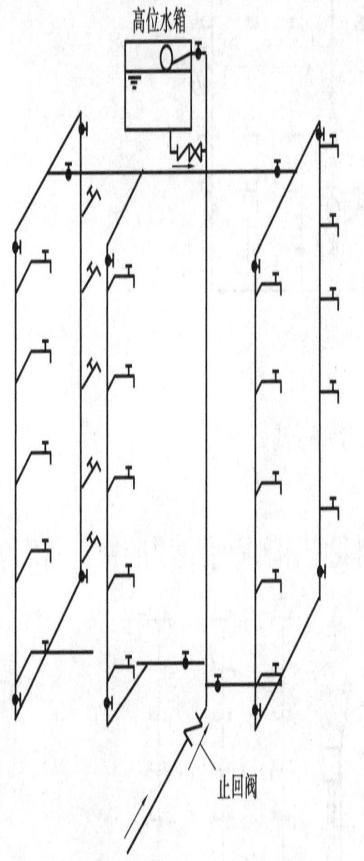

图5.3　低峰用水时设水箱的给水防水

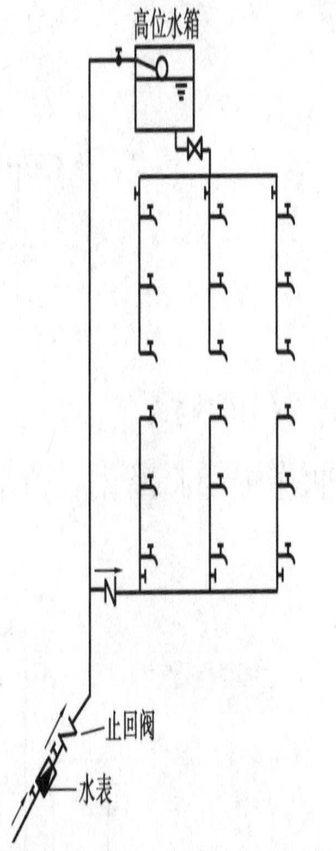

图5.4　高峰用水时设水箱的给水防水

3)设水泵和水箱的联合给水方式

当室外给水管网中压力低于或周期性低于室内给水管网所需水压,而且室内用水量又很不均匀时,宜采用设置水泵和水箱的联合给水方式,如图5.5所示。

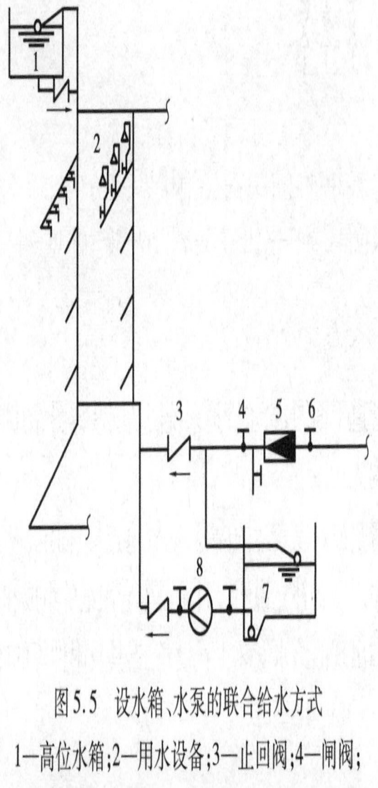

图5.5　设水箱、水泵的联合给水方式

1—高位水箱;2—用水设备;3—止回阀;4—闸阀;

5—水表;6—闸阀;7—蓄水池;8—加压水泵

4)竖向分区供水的给水方式

在高层建筑中,为避免底层设备、管线承受过大的静水压力,保证下部楼层管网正常用水,可采用分区给水系统,低区可直接采用室外供水,高区由水泵输送到储蓄水箱供水,如图5.6所示。

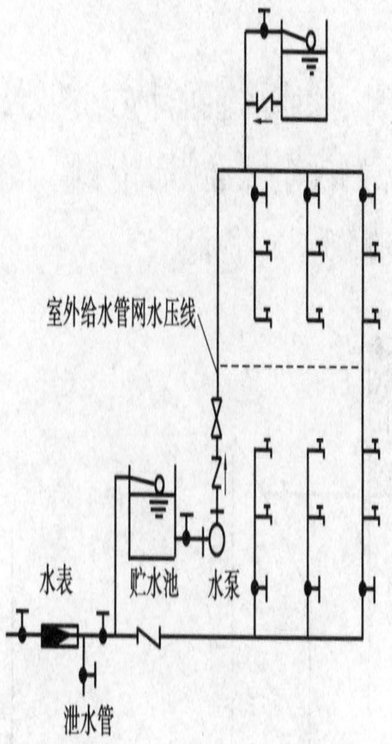

图5.6 分区给水方式

5)设气压给水设备的给水方式

在给水系统中设置气压给水设备,利用该设备的气压水罐内气体的可压缩性,升压供水,如图5.7所示。

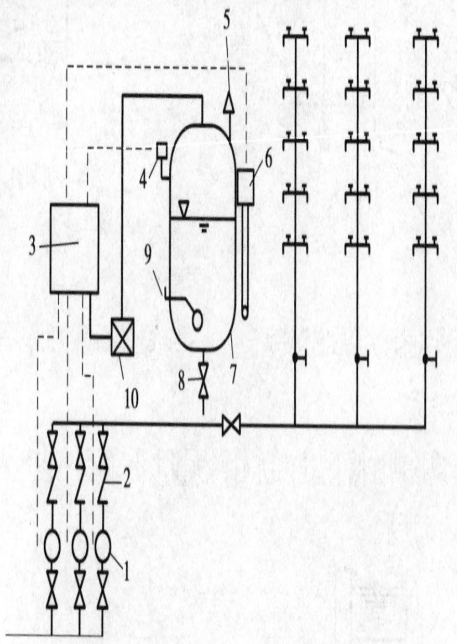

图5.7 气压给水方式

1—水泵;2—止回阀;3—电气控制箱;4—压力开关;5—安全阀;
6—液位信号器;7—气压罐;8—阀门;9—排气阀;10—补气装置

5.1.5 室内给水施工图识读

室内给水施工图主要包括给水管道平面图、给水管道系统图及安装详图、图例和施工说明等内容。

1)图纸设计说明、目录、设备图例表

设计说明是对施工图中表达不清楚或难以表达的内容,如管道连接、固定、竣工验收要求、施工方法和要求以及必须遵守的技术规程、规定等,在图纸中用文字补充说明。目录是整套图纸的组成和顺序,识图时可以此为索引查看相应图纸。设备材料表通常列出施工图中出现的给水安装工程设备、器具及附件等的图例符号、规格以及数量等信息。

2)室内给水管道平面图

(1)图示方法

室内给水管道平面图是在建筑平面上表明给水管道和用水设备的平面布置的图样,是施工图纸中最基本、最重要的图样,常用1:100和1:50的比例画出。给水管道平面图原则上应分层绘制,当楼层平面管道布置相同时,仅画出标准层管道平面布置图即可,但底层管道平面图应单独画出。

在管道平面图中,各种管道不论在楼面地面之上或之下,一律视为可见,都应按照管道规定的图例、线形画出。管道的直径、高度和标高,通常都标注在管道系统图上。

(2)主要内容

①标明房屋建筑的平面形状、房间布置等情况。

②标明各个干管、立管、支管的平面位置、走向以及给水系统与立管的位置。

③标明各用水设施、配水龙头的平面布置、类型及安装方式。

④在底层房屋平面图中除了表明上述内容外,还要反映给水引入管、水表节点、水平干管、管道地沟的平面位置、走向及构造组成等情况。

3)给水管道系统图

(1)图示方法

室内给水管道系统图是表明室内给水管道和设备的空间关系以及管道、设备与房屋建筑的相对位置、尺寸等情况的立体图样。给水管道系统图,具有立体感强的特点,通常用正面斜等轴测图的方法绘制。其比例通常与平面图相同,这样便于对照尺寸和使用。管道系统图与平面图相结合可以反映给水系统全貌。因此,给水管道系统图是室内给水施工图的重要图样。

给水管道在施工图中采用粗实线表示。

(2)主要内容

①标明管道的空间连接情况,引入管、干管、立管和支管的联系与走向,支管与用水龙头、设备的连接与分布,以及立管的编号等。

②标明楼层地面标高及引入管、水平干管、支管直至配水龙头的安装标高。

③标明从引入管直至支管整个管网各管段的管径,管径用DN表示。

4)给水管道安装详图

给水管道安装详图,是表明给水工程中某些设备或管道节点的详细构造与安装要求的大样图。可查阅给排水设备安装标准图集。

5.2 室内排水施工图识读

5.2.1 建筑排水系统基本概念

室内排水系统的任务是把室内生活、生产中的污废水以及落在屋面上的雨雪水加以收集,通过室内排水管道排到室外排水管网,如图5.8所示。

5.2.2 室内排水系统的分类

室内排水系统按被排污水的性质分为:

①生活污水排水系统:设在居住建筑、公共建筑和工厂的生活间内,排除人们生活中的洗涤污水和粪便污水。

②生产污废水系统:设在工业厂房,排除生产污水和废水。

③屋面雨雪水系统:收集、排除屋面雨雪水。

5.2.3 室内排水系统的组成

室内排水的流程是各个用水卫生器具内的污水经排水横管、排水立管排到室外检查井,最后流入室外排水系统。其组成部分如下:

①污废水受水器:承接收集室内污废水的设备,是室内排水系统的起点。污水经受水器→存水弯→横支管→排水立管→流入排出管。

②横支管:承接卫生器具流出的污水,并将其导流到立管内。横支管要有一定的坡度。

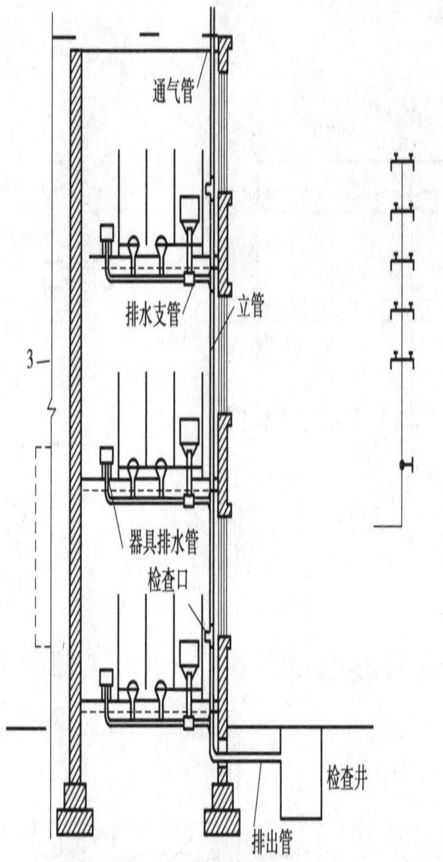

图5.8 室内排水系统的组成

③排水立管:接受各横支管流来的污水,并将其导流到排出管。

④排出管:接收排水立管的污水,并将其排至室外管网。它是室内管道与室外检查井的连接管。该管埋地敷设,有一定坡度,坡向检查井。

⑤伸顶通气管:是排水立管或通气立管的上端延伸出屋顶的部分。其作用是将污水管道中产生的有害气体排至大气中去,保证污水流动通畅,防止卫生器具的水封受到破坏。伸顶通气管管径根据当地气温决定,在不结冰的地区可与立管相同或小一号;在有冰冻的横冷地区,管径要比立管大50 mm。不上人屋面伸顶通气管伸出屋面高500 mm左右,上人屋面伸顶通气管高出屋面2 m以上。

⑥检查口、清扫口:为了疏通排水管道,在排水立管上,设置检查口,在横支管起端安置清扫口。

5.2.4 室内排水施工图识读

室内排水施工图主要包括:排水管道平面图、排水管道系统图、安装详图及图例和施工说明等。

1)图纸设计说明、目录、设备图例表

室内排水设计说明是对施工图表达不清楚的内容,如管道连接、固定、竣工验收要求、施工方法以及必须遵守的技术规程、规定等,在图纸中用文字补充说明。图纸目录是整套施工图的组成和顺序,识图时可以此为索引查看相应图纸。设备材料表通常列出施工图中出现的排水设备、器具及附件等的图例符号、规格以及数量等信息。

2)平面图

室内排水管道平面图主要表明建筑物内排水管道及有关卫生器具的平面布置。其图示特点和图示方法与给水施工图基本相同。排水管道在施工图中采用粗虚线表示。

如果一张平面图同时要绘出给水和排水两种管道,则两种管道的线之间要留有一定距离,避免重叠混淆。平面图上的线条都是示意性的,它并不能说明其实安装情况。其主要内容有:

①标明卫生器具及设备的安装位置、类型数量及定位尺寸。平面图中的卫生器具及设备是用图例表示的,只能说明其类型,看不出构造和安装方式,在读图时必须结合有关详图或技术资料才能知道其构造、具体安装尺寸和连接方法。

②标明排出管的平面位置、走向数量及排水系统编号与室外排水管网的连接形式、管径和坡度等;排出管通常都标注系统编号。

③标明排水干管、立管、支管的平面位置及走向,管径尺寸及立管编号。

④标明检查口、清扫口的位置。

3)系统图

系统图的图示方法与给水管道系统图图示方法基本相同。只是排水管道用虚线表示,管道在水平管段上标注污水流设计坡度,排水管道系统上的图例符号与给水管路系统上所用的图例符号不同。其主要内容有:

①标明排水立管上横支管的分支情况和立管下部的汇合情况,以及排水系统组成,排出管的根数、走向。

②通过图例符号标明横支管上连接哪些卫生器具,以及管道上的检查口、清扫口和通气口风帽的位置与分布情况。

③标明管径尺寸、管道各部分的安装标高、楼地面标高及横管的安装坡度等尺寸;管道支架在图上一般不作表示,由施工人员按有关规程和习惯性做法去确定。

4)安装详图

排水管道安装详图是标明排水工程中某些设备或管道节点的详细构造与安装要求的大样图。可查阅给排水设备安装标准图集。

5.3 采暖通风施工图识读

5.3.1 采暖系统基本概念

采暖工程是指利用热媒(如水或蒸汽)将热能从热源输送到各用户,以补偿房间热量的损耗,使室内保持人们所需要的空气温度的供热系统安装工程。

5.3.2 采暖系统的分类

采暖系统可根据热媒、设备及系统形式分类。

1)按热媒种类分类

①热水采暖系统:以热水为热媒的采暖系统,主要应用于民用建筑。

②蒸汽采暖系统:以水蒸气为热媒的采暖系统,主要应用于工业建筑。

③热风采暖系统:以热空气作为热媒向室内供应热量的采暖系统,主要应用于大型工业车间。

2)按设备相对位置分类

①局部采暖系统:将热源、热网、散热器3部分在构造上合在一起的采暖系统。

②集中采暖系统:将热源和散热设备分别设置,用热网相连接,由热源向各个房间或建筑物供给热量的采暖系统。

③区域采暖:由一个热源向几个厂区或城镇集中供应热能的系统。

3)按系统介质流动方向分类

按系统管道介质流动方向的不同,可分为垂直式和水平式系统。

4)按组成系统的各个立管环路总长度是否相同分类

①异程式系统:通过各个立管的循环环路的总长度不相等。

②同程式系统:通过各个立管的循环环路的总长度相等。

5)按供、回热媒方式的不同分类

①单管系统:热水经单根立管或水平管顺序流过多组散热器,并顺序地在各散热器中冷却的系统。

②双管系统:热水经供水立管或水平供水管平行地分配给多组散热器,冷却后的回水自每个散热器直接沿回水立管或水平回水管流回热源的系统。

5.3.3 采暖系统组成

采暖结构形式虽不尽相同,但都由3个主要部分组成,即:热的发生器(热源),输送热量的管道(热网),室内散热器(散热设备),如图 5.9 所示。

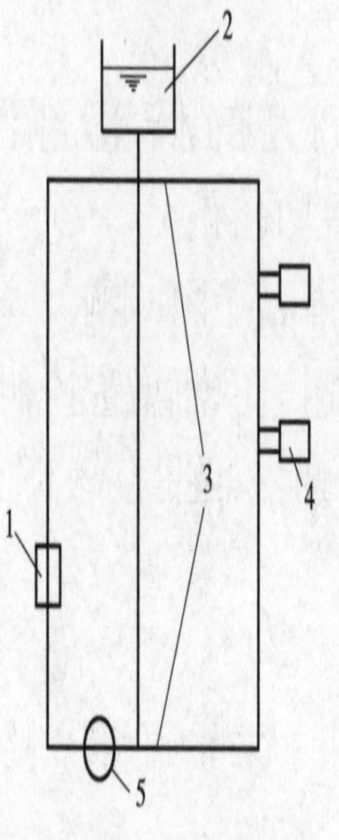

图 5.9　热水采暖系统示意图
1—热水锅炉;2—膨胀水箱;
3—热水管道;4—散热器;5—循环水泵

5.3.4　热水采暖系统

以热水作为热媒的采暖方式叫作热水采暖。

1)热水采暖系统的工作原理

水在锅炉中被加热,使热水沿供热水管道上升,进入散热器散热;冷却了的水经过回水管流回锅炉继续加热,或经水泵加压;水不断地回锅炉被加热,又不断地到散热器放热冷却,连续不断地在系统内循环流动。

2)热水采暖系统的分类

①按热媒参数区分,可分为低温热水采暖系统和高温热水采暖系统。热媒温度在 100 ℃以下的称为低温热水采暖,这种采暖应用较广;温度在 100 ℃以上的称为高温热水采暖。

②按热水系统的循环动力区分,可分为自然循环系统(重力循环系统)和机械循环系统。

③按系统的每组立管根数区分,可分为单管系统和双管系统。

④按系统的管道介质流动方向区分,可分为垂直式系统和水平式系统。

3)热水采暖系统的形式

(1)自然循环热水采暖系统

该系统如图 5.10 所示。水在循环流动过程中,由于供水、回水温度差的存在,产生了密度差,该系统就靠密度差作为循环动力。

(2)机械循环热水采暖系统

在密闭的采暖系统中,靠水泵作为循环动力的系统,称机械循环热水采暖系统。

机械循环热水采暖系统的形式有多种,根据供热水平干管在采暖中设置的位置高低以及供热立管形式,可分为:

①机械循环双管上供下回式热水采暖系统。

水平干管敷设在建筑物的顶层,由此连接供热立管支管向下通往各层房间散热器,故称上行式;回水水平干管敷设于底层散热器的下部,与回水立管连接,故称下回式;每组立管都是两根:一个为供热管;一个为回水管,故称双管,合起来叫作双管上供下回式,如图 5.11 所示。

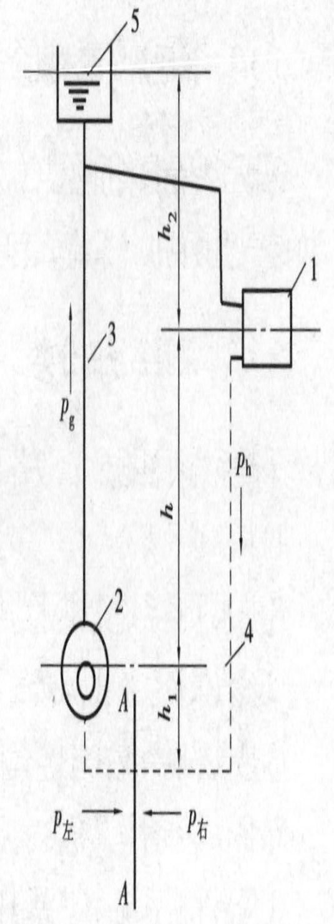

图 5.10　自然循环热水采暖系统

②机械循环下供下回式热水采暖系统。

单管上供下回,管道简单,安装方便,经单管立管流入各层散热器的水温是递减的,下层散热片数多,占地面积大,如图 5.12 所示。

③机械循环中供式热水采暖系统。

从系统总立管引出的水平供水干管,敷设在系统的中部。下部系统为上供下回式,上部系统可采用下供下回式(双管,图 5.13 左侧),也可采用上供下回式(单管,见图 5.13 右侧)。中供式系统可避免由于顶层梁底标高过低,致使供水干管挡住顶层窗户,减轻上供下回式楼层过多易出现的垂直失调的现象,但上部系统要增加排气装置。中供式系统可用于原有建筑物加建楼层或上部建筑面积少于下部建筑面积的场合。

④水平式系统。

水平式系统的排气方式要比垂直上供下回系统复杂些。它需要在散热器上设置跑风阀以分散排气,即顺流式,如图 5.14(a)所示;或在同一层散热器上部串连一根空气管集中排气,即跨越式,如图 5.14(b)所示。对较小的系统可用分散排气方式,对散热器较多的系统宜用集中排气方式。

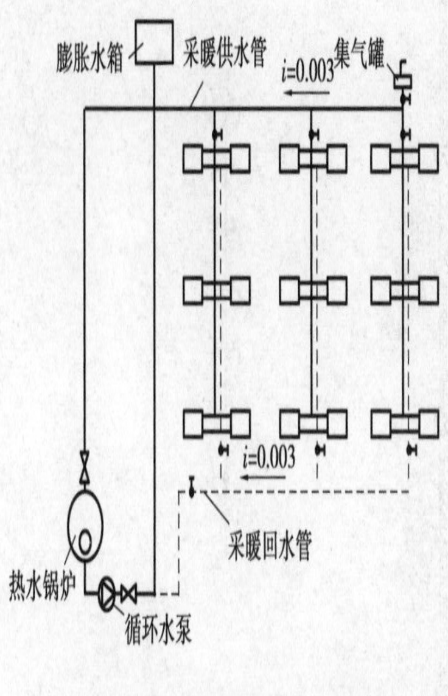

图 5.11　机械循环上供下回式热水采暖系统图

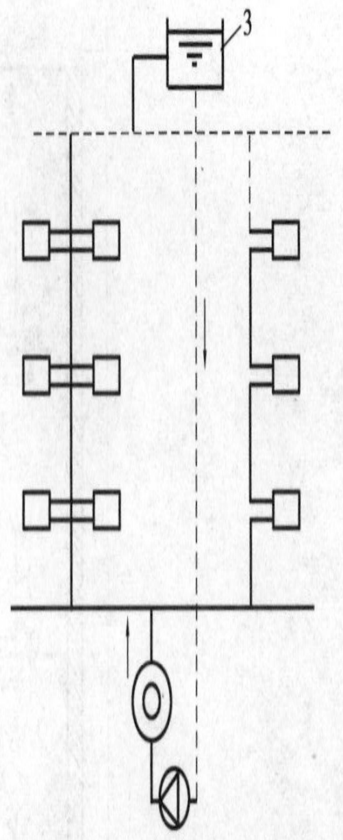

图 5.12　机械循环下供下回式热水采暖系统

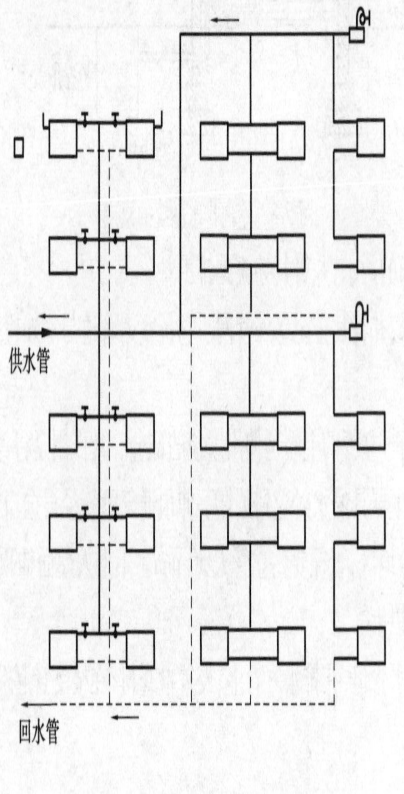

图 5.13　机械循环中供式热水采暖系统

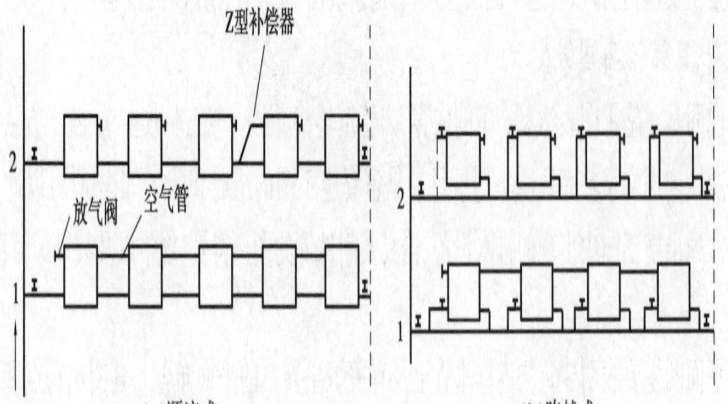

(a)顺流式　(b)跨越式

图 5.14　单管水平式系统

5.3.5　蒸汽采暖系统

蒸汽采暖系统的工作原理与热水采暖系统依靠降低水温而散出热量不同,蒸汽采暖系统是依靠饱和蒸汽在凝结时放出汽化潜热来实现采暖的。蒸汽采暖系统的工作原理如图 5.15 所示。

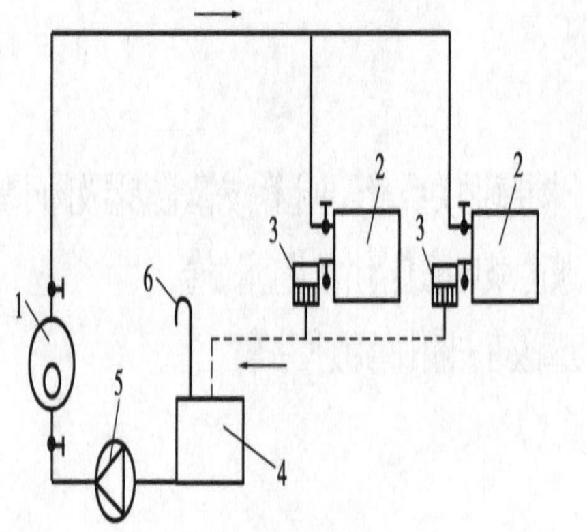

图5.15 蒸汽采暖系统

1—蒸汽锅炉;2—散热器;3—疏水器;4—凝结水箱;5—凝结水泵;6—通气管

5.3.6 低温热水地板辐射采暖系统

随着科技的发展和人民生活水平的提高,除了常规散热器的对流换热采暖方式,低温热水地板辐射采暖的应用也越来越广泛。

1)系统组成

在住宅建筑中,热水地板辐射采暖的加热管一般应按户划分独立的系统,并设置集配装置,如分水器和集水器,再按房间配置加热盘管。一般不同房间或住宅各主要房间宜分别设置加热盘管与集配装置相连。低温热水地板辐射采暖系统如图5.16所示。

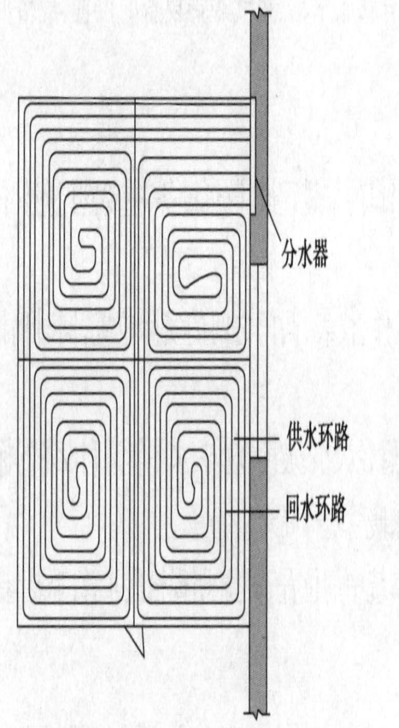

图5.16 采暖平面布置示意图

2)相关技术措施和施工安装要求

①加热盘管及其覆盖层与外墙、楼板结构层间应设绝热层,当允许双向传热时可不设绝热层。

②覆盖层厚度不宜小于50 mm,并应设伸缩缝,肋管穿过伸缩缝时宜设长度不小于100 mm的柔性套管。

③绝热层设在土壤上时应先做防潮层,在潮湿房间内加热管覆盖层上应做防水层。

④热水温度不应高于60 ℃,民用建筑供水温度宜为35~50 ℃,供、回水温差宜小于或等于10 ℃。

⑤系统工作压力不应大于0.8 MPa,否则应采取相应的措施。

⑥加热盘管宜在环境温度高于5 ℃的条件下施工,并应防止油漆、沥青或其他化学溶剂接触管道。

⑦加热盘管伸出地面时,穿过地面构造层部分和裸露部分应设硬质套管;在混凝土填充层内的加热管上不得设可拆卸接头;盘管固定点间距:直管段小于或等于1 m时宜为500~700 mm,弯曲管段小于0.35 m时宜为200~300 mm;加热盘管布置形式如图5.17所示。

⑧细石混凝土填充层强度不宜低于C15,应掺入防龟裂添加剂;应有膨胀补偿措施:面积大于或等于30 m^2,每隔5~6 m应设5~10 mm宽的伸缩缝;与墙、柱等交接处应设5~10 mm宽的伸缩缝,缝内应填充弹性膨胀材料。

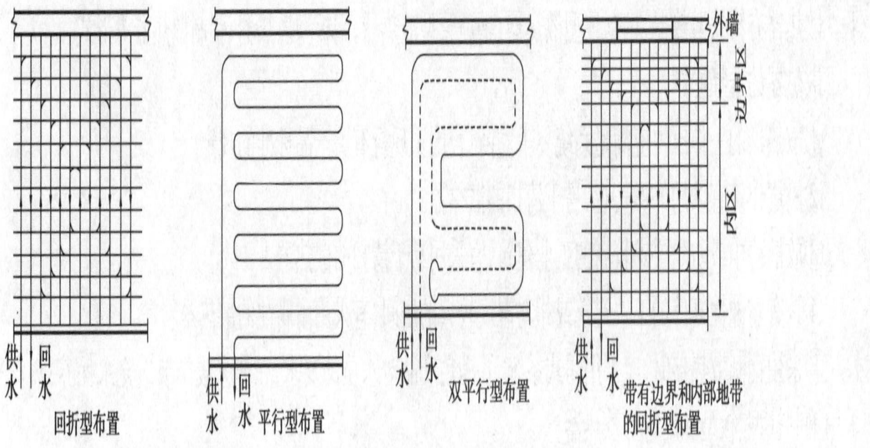

图5.17 加热盘管布置形式

⑨隔热材料应符合下列要求:导热系数小于或等于0.05 W/(m·K);抗压强度大于或等于100 kPa;吸水率小于或等于6%;氧指数大于或等于32%。

⑩加热盘管安装构造如图5.18所示;集水器、分水器安装如图5.19所示。

⑪调试与试运行。

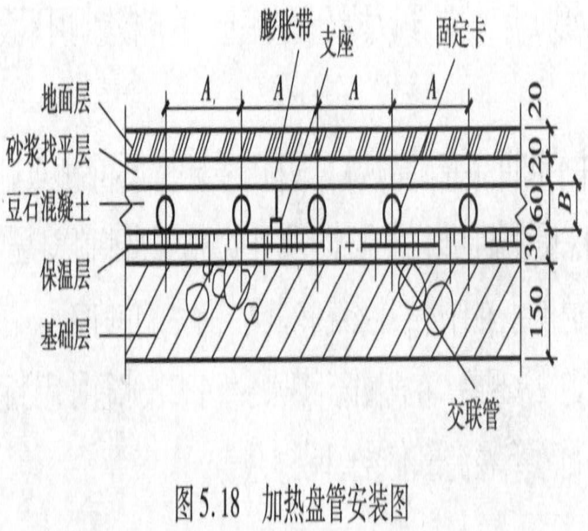

图5.18 加热盘管安装图

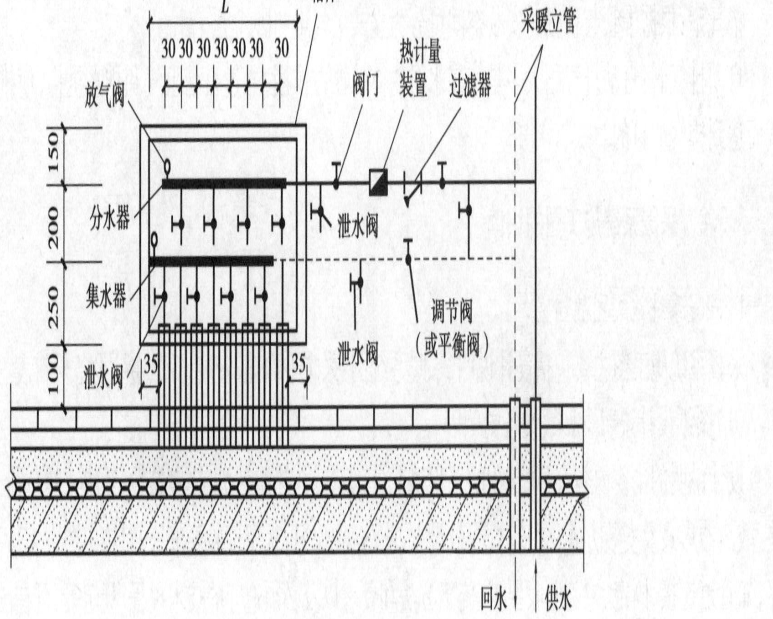

图5.19 集水器、分水器安装示意图

5.3.7 管材、附件和采暖设备

1)管材与附件

(1)管材

采暖管道通常采用钢管,室外采暖管道常采用无缝钢管(管径≤200 mm)和焊接钢管,一般热水采暖管道可采用焊接钢管。

(2)管道附件

管道附件指疏水器、减压器、除污器、补偿器、阀门、压力表、温度计、管道支架等。

2)散热器

散热器用于将管道系统中输送的热媒质以对流或辐射为主的方式与室内空气进行热交换,一般设置于外墙的窗下。散热器有铸铁散热器、钢制柱型散热器、钢扁管型散热器、钢板型散热器、铝制散热器等形式。

散热器的选择原则：

①散热器的工作压力应满足系统要求，并符合国家现行有关产品标准的规定。

②民用建筑宜选用外形美观、易于清扫的散热器。

③放散粉尘或防尘要求较高的工业建筑，宜采用易于清扫的散热器。

④具有腐蚀性气体的工业建筑或相对湿度较大的房间，宜采用耐腐蚀的散热器。

⑤采用钢制散热器时，应采用闭式系统，并满足产品对水质的要求，在非采暖季节应充水保养；蒸汽采暖系统不应采用钢制柱型、板型和扁管等散热器。

⑥采用铝制散热器时，应采用内防腐型铝制散热器，并满足产品对水质的要求。

⑦安装热量表和恒温阀的热水采暖系统不宜采用水流通道内含有粘砂的散热器。

散热器的布置要求：

①散热器宜安装在外墙窗台下，当安装有困难（如玻璃幕墙、落地窗等），也可安装在内墙，但不能影响散热。

②在双层外门的外室以及门斗中不应设置散热器，以防冻裂。

③公用建筑楼梯间或有回廊的大厅，散热器应尽量分配在底层。住宅楼梯间可不设置散热器。

3）膨胀水箱

膨胀水箱在热水采暖系统中的作用：在密闭的热水采暖循环系统中，水不断地被加热而温度升高、体积增大，使得系统中的压力升高，导致管道和采暖设备超压，而膨胀水箱即可接纳膨胀出来的水以避免系统超压。膨胀水箱安装在系统最高点，起着调节系统水位的作用；在自然循环系统中，其可排除系统中的空气。膨胀水箱既可容纳因膨胀而多余的水，还可补充因系统泄漏引起的缺水现象。在机械循环热水系统中膨胀水箱可起到定压作用。

膨胀水箱的配管有膨胀管、循环管、溢流管、信号管和排水管等。

4）集气罐与自动排气阀

集气罐：根据干管与顶棚的安装空间可分为立式集气罐和卧式集气罐。

自动排气阀：自动排气阀大多是依靠水对物体的浮力作用，通过自动阻气和排水机构，使排气孔自动打开或关闭，从而达到排气的目的。

5.3.8 采暖系统施工图的识读

1）采暖系统施工图的组成

采暖系统施工图主要包括设计说明、采暖系统图、采暖平面图、安装详图、主要设备材料表等内容。

（1）图纸设计说明、目录、设备图例表

设计说明的主要内容有：建筑物的工程概况、气象参数、热源种类、热媒参数、系统总热负荷、系统形式、进出口压力差、散热器形式及安装方式、管道材质、敷设方式、防腐、保温、水压试验要求等；对施工图中表达不清楚或难以表达的内容，如管道连接、固定、竣工验收要求、施工方法和要求以及必须遵守的技术规程、规定等，可在图纸中用文字补充说明。目录是整套图纸的组成和顺序，识图时可以此为索引查看相应图纸。设备材料表通常列出施工图中出现的采暖安装工程设备、器具及附件等的图例符号、规格以及数量等信息。

（2）平面图

为了表达出各层的管道及设备布置情况，采暖施工平面图也应分层表示。为了简便，只画出房屋首层、标准层及顶层的平面图再加标注即可。

①底层采暖平面图：除与楼层平面图相同的有关内容外，还应标明供热引入口的位置、系统编号、散热器及立管位置、管径、坡度及采用的标准图号（或详图号）。

②标准层采暖平面图：标准层采暖平面图指除底层和地下室外的（标准层）采暖平面图，应标明房间名称、编号、立管编号、散热设备的安装位置、规格、片数（尺寸）及安装方式（明设、暗设、半暗设），立管的位置及数量。

③顶层采暖平面图：除与楼层采暖平面图相同的内容外，对于上供式系统，要标明总立管、水平干管的位置；标明干管管径大小、管道坡度，以及干管上的阀门、管道固定支架及其他构件的安装位置；热水采暖要标明膨胀水箱、集气罐等设备的位置、规格及管道连接情况。

（3）系统图（轴测图）

①标明采暖工程管道的上、下楼层间的关系，管道中干管、支管、散热器及阀门等的空间位置关系。

②标明各管段的直径、标高、坡度、坡向、散热器片数及立管编号。

③标明各楼层的地面标高、层高及有关附件的高度尺寸等。

④标明集气罐的规格、安装形式。

（4）详图

表示采暖工程某一局部或某一构配件的详细尺寸、材料类别和施工做法的图样。

2）采暖施工图识读方法

采暖施工图应按热媒在管内所走的路程顺序，将系统图与平面图结合对照进行。

（1）平面图

室内采暖平面图主要标示管道、附件及散热器在建筑平面上的位置以及它们相互的关系，是施工图中的主体图样。识读时的注意事项如下：

①查明热媒入口及入口地沟情况。

②查明建筑物内散热器的平面位置、种类、片数或尺寸以及散热器的安装方式。

③了解水平干管的布置方式，材质、管径、坡度、坡向、标高，干管上的阀门、固定支架、补偿器等的平面位置和型号。

④通过立管编号查清系统立管数量和布置位置。

⑤在热水采暖平面图上还应标有膨胀水箱、集气罐等设备的位置、规格尺寸以及设备所连接管道的平面布置和尺寸。

（2）系统图

采暖系统图标示从热媒入口至出口的采暖管道、散热设备、主要阀门附件的空间位置和相互关系。识读时的注意事项如下：

①查明热媒入口处各种装置、附件、仪表、阀门之间的实际位置，同时搞清热媒来源、流向、坡向、坡度、标高、管径等。

②查明管道系统的连接，各管段管径大小、坡度、坡向，水平管道和设备的标高，以及立管编号等。

③了解散热器类型规格、片数，采暖管道标高。

④注意查清其他附件与设备在系统中的位置。凡注明规格尺寸者，都要与平面图和材料表等进行核对。

5.4 建筑电气施工图识读

5.4.1 建筑电气工程的概述

建筑电气工程是为建筑物、构筑物输配电能、转换电能、使用电能的设施和装置，是建筑内所有电气的总称。

建筑电气施工图是阐述建筑电气系统的工作原理，描述建筑电气产品的构成和功能，用来指导各种电气设备、电气线路的安装、运行、维护和管理的图纸，它是编制建筑电气工程预算和施工方案、指导施工的重要依据。建筑电气专业技术人员必须熟悉识读建筑电气工程图。

5.4.2 建筑电气工程的分类

1）室外电气分项工程有

①架空线路及杆上电气设备安装。

②变压器、箱式变电所安装。

③成套配电柜、控制柜（屏、台）和动力、照明配电箱（盘）及控制柜安装。

④电线、电缆导管和线槽敷设。
⑤电线、电缆穿管和线槽敷设。
⑥电缆头制作、导线连接和线路电气试验。
⑦建筑物外部装饰灯具。
⑧航空障碍标志灯和庭院路灯安装。
⑨建筑照明通电试运行。
⑩接地装置安装。

2)变配电室分项工程有
①变压器、箱式变电所安装。
②成套配电柜、控制台(屏)和动力、照明配电箱(盘)安装。
③裸母线、封闭母线、插接式母线安装。
④电缆沟内和电缆竖井内电缆敷设。
⑤电缆头制作、导线连接和线路电气试验。
⑥接地装置安装。
⑦避雷引下线和变配电室接地干线敷设。

3)供电干线分项工程有以下几种:
①裸母线、封闭母线、插接式母线安装。
②桥架安装和桥架内电缆敷设。
③电缆沟内和电缆竖井内电缆敷设。
④电线、电缆导管和线槽敷设。
⑤电线、电缆穿管和线槽敷设。
⑥电缆头制作、导线连接和线路电气试验。

4)电气动力分项工程有以下几种:
①成套配电柜、控制柜(屏、台)和动力、照明配电箱(盘)及控制柜安装。
②低压电动机、电加热器及电动执行机构检查、接线。
③低压电气动力设备检测、试验和空载试运行。
④桥架安装和桥架内电缆敷设。
⑤电线、电缆导管和线槽敷设。
⑥电线、电缆穿管和线槽铺线。
⑦电缆头制作、导线连接和线路电气试验。
⑧插座、开关、风扇安装。

5)电气照明安装分项工程有以下几种:
①成套配电柜、控制柜(屏、台)和动力、照明配电箱(盘)安装。
②电线、电缆导管和线槽敷设。
③电线、电缆导管和线槽敷线。
④槽板配线。
⑤钢索配线。
⑥电缆头制作、导线连接和线路电气试验。
⑦普通灯具安装。
⑧专用灯具安装。
⑨开关、插座、风扇安装。
⑩建筑照明通电试运行。

6)备用和不间断电源安装分项工程有以下几种:
①成套配电柜、控制柜(屏、台)和动力、照明配电箱(盘)安装。
②柴油发电机组安装。
③不间断电源的其他功能单元安装。
④裸母线、封闭母线、插接式母线安装。
⑤电线、电缆导管和线槽敷设。
⑥电线、电缆导管和线槽敷线。
⑦电缆头制作、导线连接和线路电气试验。
⑧接地装置安装。

7)防雷及接地安装分项工程有以下几种:
①接地装置安装。
②避雷引下线和变配电室接地干线敷设。
③建筑物等电位连接。
④接闪器安装。

5.4.3 智能建筑

1)智能建筑的定义

以建筑物为平台,基于对各类智能化信息的综合应用,集架构、系统、应用、管理及优化组合为一体,具有感知、传输、记忆、推理、判断和决策的综合智慧能力,形成以人、建筑、环境互为协调的整合体,为人们提供安全、高效、便利及可持续发展功能环境的建筑。

2)智能建筑工程的分类
①通信网络系统。
②办公自动化系统。
③建筑设备监控系统。
④火灾报警及消防联动系统。
⑤安全防范系统。
⑥综合布线系统。
⑦智能化集成系统。
⑧住宅智能化系统等。

3)住宅(小区)智能化系统
①火灾报警及消防联动系统。
②安全防范系统(含电视监控系统、入侵报警系统、巡更系统、门禁系统、楼宇对讲系统、住户对讲呼救系统、停车管理系统)。
③物业管理系统(现场计量及远程传输系统、建筑设备监控系统、公共广播系统、小区网络及信息服务系统、物业办公自动化系统)。
④智能家庭信息平台等分项工程。

5.4.4 建筑电气施工图的特点

阅读建筑电气施工图必须熟悉电气图基本知识(表达形式、通用画法、图形符号、文字符号)和建筑电气工程图的特点。建筑电气施工图的特点主要有以下几点:

①简图是电气图的主要表达形式。在建筑电气施工图中,电气设备、装置、元件、电气线路以及安装方式等,大多使用统一的图形符号和文字符号来表达。识读电气施工图就必须正确的理解、熟练地识别图形符号和文字符号所表达的

内容和含义,以及它们之间的相互关系。

②建筑电气施工图中的各个回路是由电源、用电设备、导线和开关控制设备组成。要真正理解图纸,还应该了解设备的基本结构、工作原理、工作程序、主要性能和用途等。

③电气工程图中电气设备、元件等,都是通过导线连接起来的一个整体的。电气设备、电气元件和电气连接线是电气工程图描述的主要内容。

④建筑电气安装工程施工与土建工程及其他安装工程施工应相互配合进行。如暗铺线路、电气设备基础及各种电气预埋件与土建工程密切相关,因此,阅读建筑电气工程图时应与有关的土建工程图、管道工程图等对应起来阅读。

5.4.5 建筑供配电系统概述

1)电力系统的组成

电力系统就是由各种电压等级的电力线路将发电厂、变电所和电力用户联系起来的一个发电、输电、变电、配电和用电的整体,如图5.20所示。

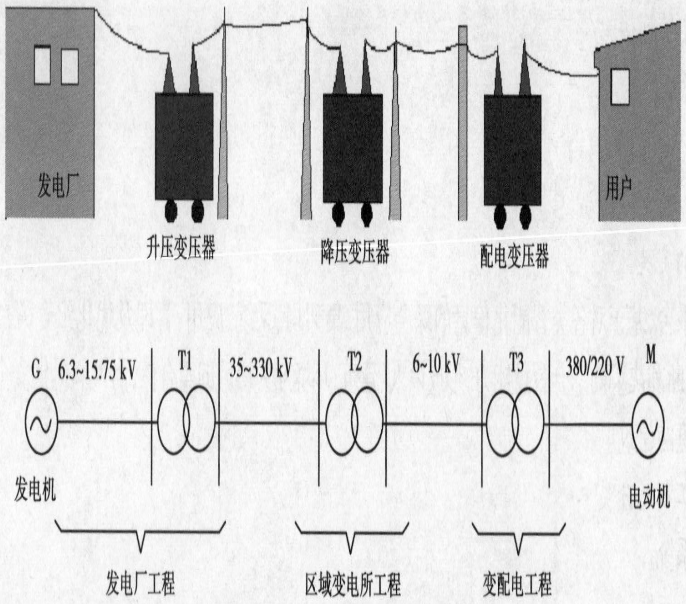

图5.20 电力系统的组成

2)电力负荷的等级

根据其重要性和中断供电造成的损失或影响的程度分为以下三级:

(1)一级负荷及其供电要求

中断供电将造成人身伤亡者;中断供电将在政治、经济上造成重大损失者;中断供电将影响有重大政治、经济意义的用电部门的正常工作者。在这种情况下一级负荷应由两个独立电源供电,当任何一路电源发生故障中断供电时,另一路应能保证一级负荷的全部用电。

(2)二级负荷及其供电要求

中断供电将在政治上、经济上造成较大损失者,如主要设备损坏、大量产品报废、连续生产过程被打乱需较长时间才能恢复、重点企业大量减产等;中断供电将影响重要用电单位的正常工作者,如:铁路枢纽、通信枢纽等用电单位中的重要电力负荷,以及中断供电将造成大型影剧院、大型商场等人员集中的重要的公共场所秩序混乱者。

当地区供电条件允许且投资不高时,二级负荷宜由两个电源供电。当地区供电条件困难或负荷较小时,二级负荷可由一条6~10 kV及以上的专用线路供电。

(3)三级负荷及其供电要求

不属于一级和二级负荷者。三级负荷对供电系统无特殊要求。

3)电力线路

电力线路是输送电能的通道。其任务是把发电厂生产的电能输送并分配到用户,把发电厂、变配电所和电能用户联系起来。它由不同电压等级和不同类型的线路构成。

建筑供配电线路的额定电压等级多为10 kV线路和380 V线路,并有架空线路和电缆线路之分。

4)供电电压等级

电压有高压和低压之分,我们常把1 kV及以上的电压称为高压,1 kV以下的电压称为低压。6~10 kV电压用于送电距离为10 km左右的工业与民用建筑供电,380 V电压用于建筑物内部供电或向工业生产设备供电,220 V电压多用于生活设备、小型生产设备及照明设备供电。

5)低压配电系统的主要配电方式

低压配电系统由配电装置(配电盘)及配电线路组成。配电方式主要有放射式、树干式、混合式,如图5.21所示。

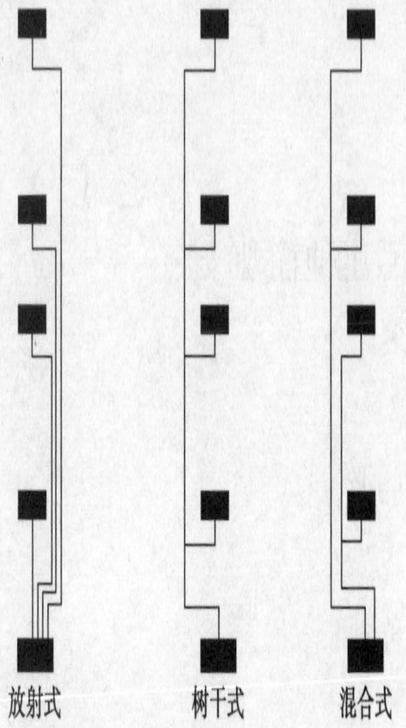

图5.21 低压配电系统的主要方式

(1)放射式

设备和线路相互独立,支路发生故障时,不会影响其他支路上的电气设备;供电可靠性较好,但使用设备增大、投资大;干线故障时候要停电。

(2)树干式

一条干线带几条支线,干线故障时影响范围大;供电可靠性差,但所用设备少,投资少;采用母线槽、接插式配电箱,施工方便。

(3)混合式

很多情况下,往往采用放射式和树干式相结合的配电方式,亦称混合式配电。

5.4.6 建筑变配电工程主要电气设备的构成

建筑变配电工程就是解决建筑物所需电能的供应和分配的工程。10 kV及以下的变配电所就是从电力系统接受电能、变换电压、分配电能的场所。变配电所的电气设备大多数是成套的定型设备,包括电力变压器、配电装置、母线、控制设备及低压电器等。

1)电力变压器

电力变压器是用来变换电压等级的电气设备,主要有油浸式变压器和干式变压器两种类型,如图5.22、图5.23所示。

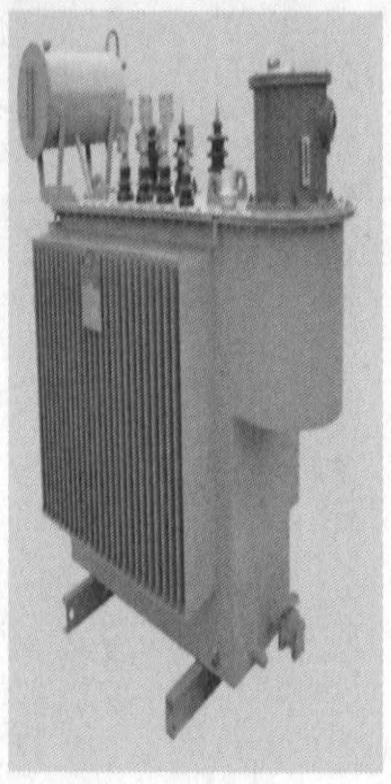

图5.22 油浸式变压器

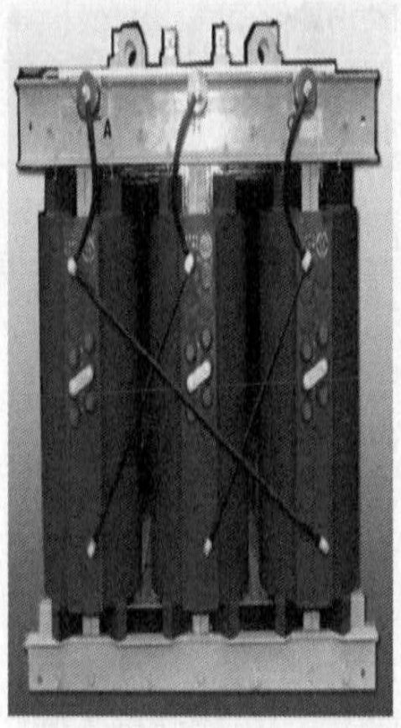

图5.23 干式变压器

2)配电装置

配电装置是接受与分配电能,对线路进行控制、测量、保护及调整的电气设备,主要包括以下几种设备:

(1)高压断路器

高压断路器是一种高压开关设备,具有良好的灭弧性能,可以带负荷接通和断开高压电路,一般用于电力设备和电力线路的控制和保护。类型有:油断路器、真空断路器、六氟化硫断路器(SF6 断路器),如图5.24至图5.26所示。

图5.24　少油式断路器图

图5.25　六氟化硫断路器

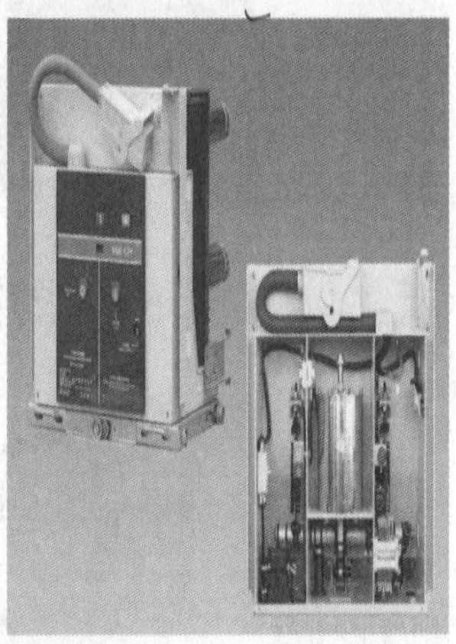

图5.26　真空断路器

(2)高压熔断器

高压熔断器用来保护电力线路和电气设备,类型有:户内型和户外型两种,如图5.27、图5.28所示。

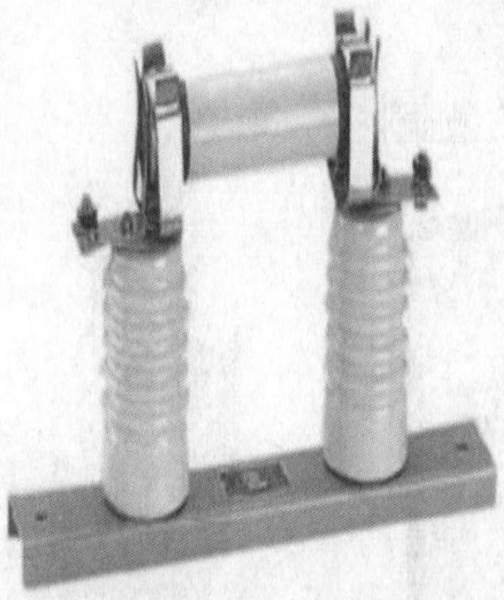

图5.27　户内高压熔断器

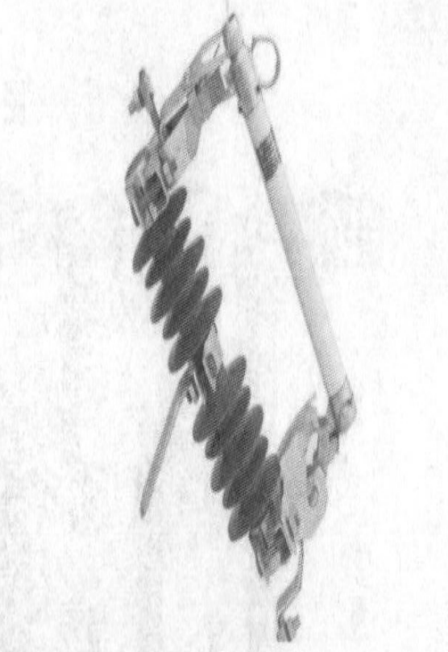

图5.28　户外高压熔断器

(3)高压隔离开关

高压隔离开关用来隔离高压电源,以保证其他电气设备的安全检修,它不能带负荷操作。类型有:户内型和户外型两种,如图5.29、图5.30所示。

图5.29　户内高压隔离开关

图5.30　户外高压隔离开关

(4)高压负荷开关

高压负荷开关用来分断一般负荷电流、变压器空载电流,它虽可以带负荷操作,但不能切断很大的短路电流,只能与高压熔断器联合使用,作保护开关之用。类型分为户内型和户外型两种,如图5.31、图5.32所示。

图5.31　户内高压负荷开关

图5.32　户外高压负荷开关

(5)避雷器

避雷器是一种保护电器,用来保护变配电设备和线路的绝缘,免受雷电过电压的损害,使系统安全运行,如图5.33所示。

(6)电力电容器

电力电容器主要用于提高工频交流电力系统的功率周数,如图5.34所示。

图5.33　避雷器

图5.34　电容器

(7)互感器

互感器是一种特种变压器,专供测量仪表和继电保护使用,按用途不同分为电压互感器和电流互感器,如图5.35、图5.36所示。

图5.35　电压互感器

图5.36　电流互感器

(8)高压成套配电柜

高压成套配电柜接受与分配电能,对线路进行控制、测量、保护。类型主要包括固定式和手车式两种;按柜中主要元件,可分为断路器柜、互感器柜、电容器柜、避雷器柜等,如图5.37、图5.38所示。

图5.37　固定式配电柜

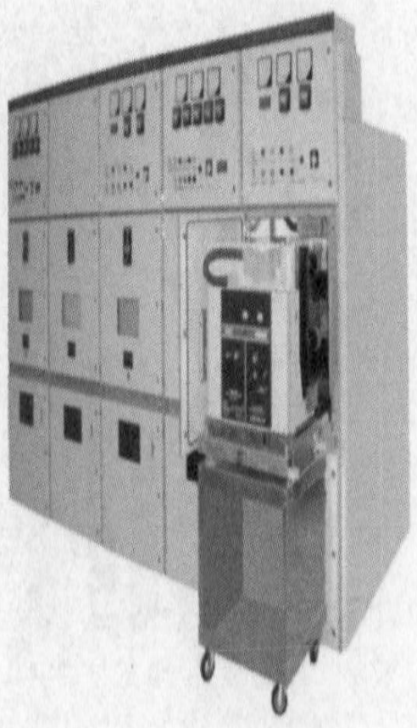

图5.38　手推式电柜

(9)母线

母线是变配电设备之间的连接线,在电流较大的场所采用。按照材质,母线又有铜母线(铜排)和铝母线(铝排)之分。10 kV及以下的配变电所一般都采用硬母线。硬母线按形状来分有矩形母线、槽型母线、菱形母线、管型母线等。矩形母线是最常用的母线,也称母线排。如图5.39至图5.41所示。

图5.39　固定式矩形母线

图5.40　固定式低压封闭插接母线

图5.41　固定式槽形母线

(10)绝缘子

绝缘子的主要作用是绝缘和固定母线和导线。类型分为户内和户外两种。绝缘子一般安装在高、低压开关柜上,母线桥上,墙或支架上,如图5.42所示。

图5.42　绝缘子

(11)控制设备及低压电器

控制设备及低压电器主要用来接通和断开线路,以及控制用电设备。控制设备主要包括低压盘(屏)、柜、箱;低压电器主要包括各种控制开关、控制器、接触器、启动器等,如图5.43至图5.47所示。

图5.43　控制箱

图5.44　控制柜

图5.45　低压配电柜

图5.46　断路器

图5.47　交流接触器

5.4.7　建筑电气常用的电线、电缆

1)电线

电线有裸导线和绝缘电线。

(1)裸导线

裸导线一般为架空线路的主体,输送电能。有两种类型:

①裸单线:有TY——铜质圆单线和LY——铝质圆单线两种。

②裸绞线:有TJ——铜绞线、LJ——铝绞线和LGJ——钢芯铝绞线三种。

(2)绝缘电线

①BV——铜芯塑料绝缘线。

②BX——铜芯橡胶绝缘线。

③BLV——铝芯塑料绝缘线。

④BVV——铜芯塑料绝缘护套线。

⑤BLVV——铝芯塑料绝缘护套线。

2)电缆

电缆一般为多芯导线,在电路中起着输送和分配电能的作用。电缆由线芯、绝缘层、保护层三部分组成。电缆按用途可分为：

(1)电力电缆

电力电缆用来输送和分配大功率电能。

①聚氯乙烯绝缘聚氯乙烯护套电力电缆。

VV　　　　VLV

例如：VV_{22}-4×120+1×50，表示4根截面为120 mm^2 和1根截面为50 mm^2 的铜芯聚氯乙烯绝缘电缆，钢带铠装聚氯乙烯护套五芯电力电缆。

②交联聚乙烯绝缘聚氯乙烯护套电力电缆：有YJV和YJLV两种。

例如：YJV_{22}-4×120表示4根截面为120 mm^2 铜芯交联聚乙烯绝缘电力电缆。

(2)控制电缆

常用控制电缆有KVV和KVLV两种，用于传输控制电流。

(3)通信电缆

通信电缆用于传输信号和数据。

①按用途可分为：电话电缆(HYQ和HYV两种)；同轴射频电缆(SYV-75-5)。

②按绝缘层可分为：油浸纸绝缘(Z)、橡皮绝缘(X)、塑料绝缘(V、Y)3种。

电力电缆剖面图和控制电缆剖面，如图5.48、图5.49所示。

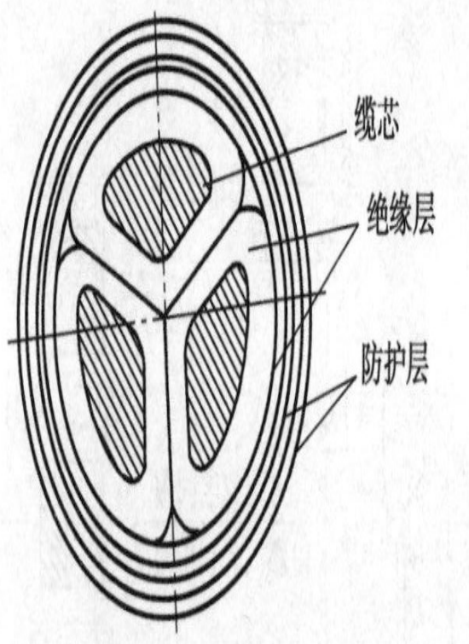

图5.48　电力电缆剖面图

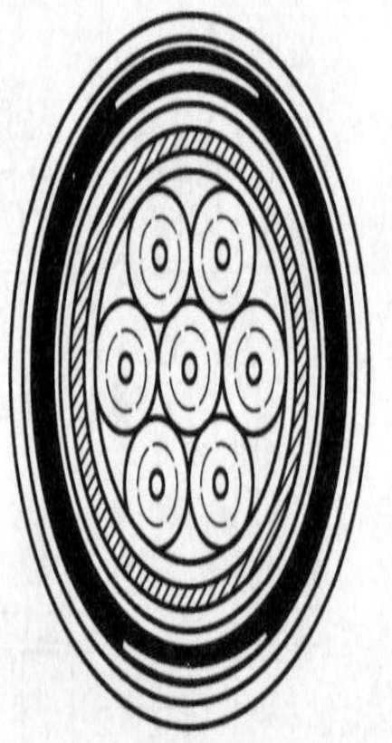

图5.49　控制电缆剖面图

5.4.8　建筑物防雷

1)建筑物的防雷分类

按照现行的国家标准《建筑物防雷设计规范》(GB 50057—2010)要求和建筑物的重要性、使用性质、发生雷电事故的可能性及后果，将防雷要求分为了3类。民用建筑物应划分为第二类和第三类防雷建筑物。在雷电活动频繁或强雷区，可适当提高建筑物的防雷保护措施。具体工程的防雷类别由工程设计确定。

2)建筑物的防雷措施

按照《建筑物防雷设计规范》的规定，建筑物应采取的防雷措施主要有以下3种：

(1)防直击雷的措施

防直击雷的措施是在建筑物顶部易受雷击部位装设避雷针、避雷带等。

(2)防雷电感应的措施

防雷电感应的措施是在建筑物上设置收集并泄放电荷的装置(如避雷带、避雷针等)；建筑物内金属物体防雷电感应的措施是将建筑物内金属设备、金属管道等，通过接地装置与大地做可靠的连接，进行防护。

(3)防雷电波侵入的措施

对电缆进出线，应在进出端将电缆的金属外皮、金属导管等与电气设备接地相连；对低压架空进出线，应在进出处装设避雷器，并应与绝缘子铁脚、金具连在一起并接到电气设备的接地网上；进出建筑物的架空金属管道，在进出处应就近接到防雷或电气设备的接地网上或独自接地。

3)建筑物防雷装置的用途及组成

防雷装置的作用是减少闪击对建筑物上或建筑物附近造成物质性损害和人身伤亡，它主要由接闪器、引下线、接地装置、防雷等电位连接、电涌保护器组成。

(1)接闪器

接闪器是直接接受雷击的金属导体。类型有：避雷针、避雷带、避雷网以及兼作接闪的金属屋面和金属构件等。

①避雷针：安装在建筑物突出部位或独立装设的针形导体，其下端经引下线与接地装置焊接，通常采用镀锌圆钢或镀锌钢管制成，如图5.50所示。

②避雷带和避雷网：安装在建筑物顶部易受雷击的部位。避雷带通常采用小截面圆钢或扁钢沿屋顶突出的部位敷设；避雷网是按规范要求在屋面组成的避雷网格。避雷带和避雷网必须经引下线与接地装置可靠地连接，如图5.51所示。

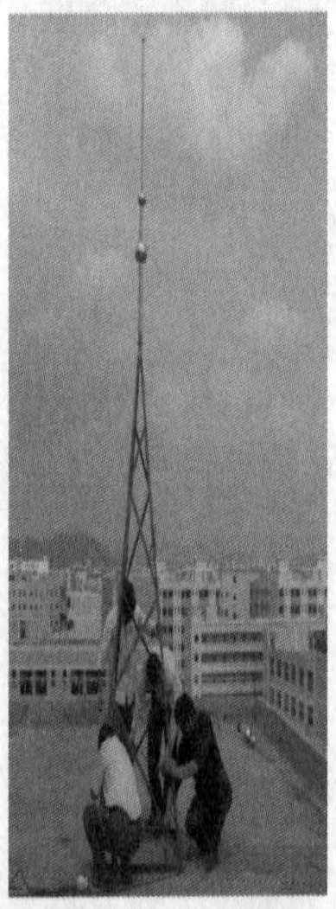

图5.50　单独设置的避雷针

图5.51　沿屋顶女儿墙敷设的避雷带

(2)引下线

引下线是将雷电流从接闪器传导至接地装置的导体，通常采用圆钢或扁钢敷设。采用专设引下线时，通常在各引下线距地面1.8 m处设置断接卡子。断接卡子的设置是便于测量接地电阻和检查接地线的连接情况。引下线类型有：沿建筑物外墙敷设的专设引下线和利用建筑物构造柱主筋作引下线，如图5.52至图5.55所示。

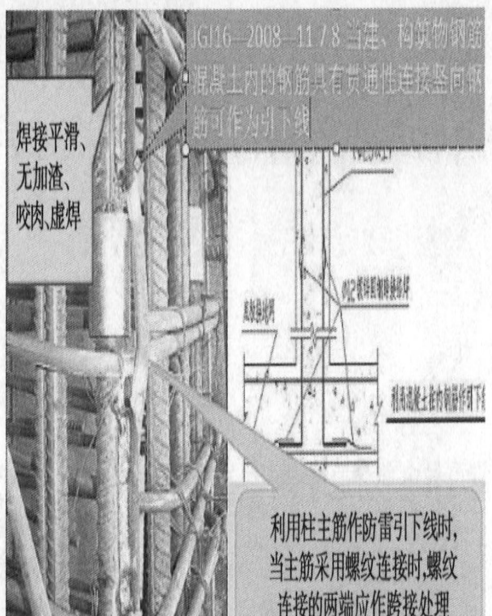

图5.52　利用柱主筋作引下线

图5.53　沿建筑物外墙专设引下线

(3)接地装置

接地装置用于传导雷电流并将其流散入大地。接地装置由接地体和接地线两部分组成。类型有：利用建筑物基础钢筋作接地体和人工敷设接地体。

①接地体：埋入土壤中或混凝土基础中作散流用的导体，如图5.56所示。

②接地线：从引下线断接卡或换线处至接地体的连接导体或从接地端子、等电位连接带至接地体的连接导体，常用截面不小于25 mm×4 mm的热镀锌扁钢作接地线，如图5.57所示。

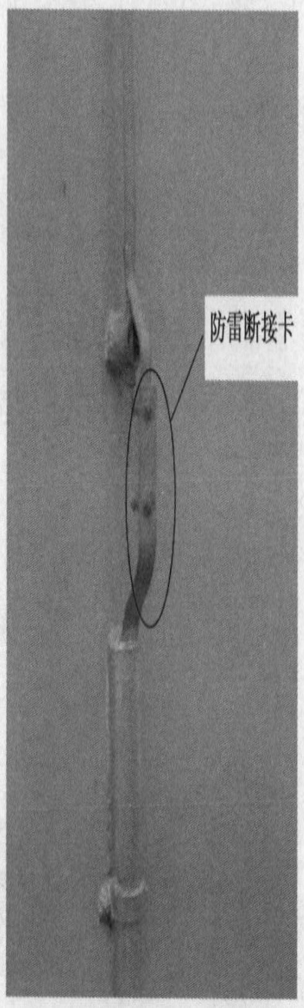

图 5.54　明敷设引下线与断接卡

图 5.55　暗敷设引下线与断接卡

图 5.56　用筏板基础作接地体

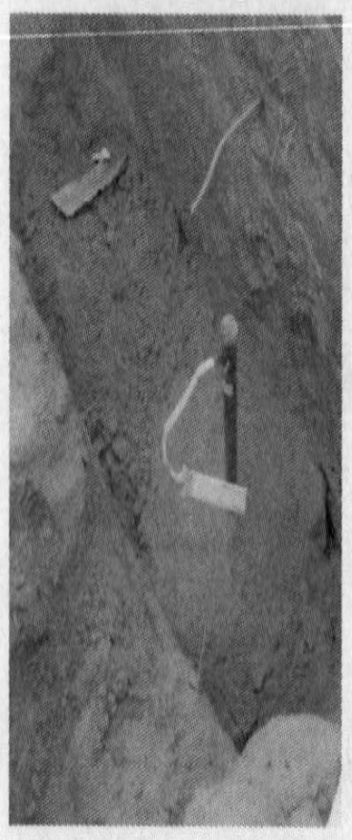

图 5.57　人工接地体

(4)低压配电系统的接地形式

低压配电系统的接地形式可分为 TN、TT、IT 3 种系统,其中,TN 系统又可分为 TN-C、TN-C-S、TN-S 3 种形式。

①TN 系统:电力系统有一点直接接地,电气装置的外露可导电部分通过保护线与该接地点相连接。根据中性导体(N)和保护导体(PE)的配置方式,TN 系统可分为如下 3 类:

a. TN-C 系统:整个系统的 N、PE 线是合一的。

b. TN-C-S 系统:系统中有一部分线路的 N、PE 线是合一的。

c. TN-S 系统:整个系统的 N、PE 线是分开的。

②TT 系统:电力系统有一点直接接地,电气装置的外露可导电部分通过保护线接至与电力系统接地点无关的接地极。

③IT 系统:电力系统与大地间不直接连接,电气装置的外露可导电部分通过保护接地线与接地极连接。

(5)防雷等电位联结(LEB)

将分开的诸金属物体直接用连接导体或经电涌保护器连接到防雷装置上,以减小雷电流引发的电位差,如图 5.58 所示。

(6)总等电位联结(MEB)

总等电位联结是将进线配电箱的接地母线、进出建筑物的各种公共设施的金属管道(水管、燃气管、采暖和空调管道等)、建筑物的金属结构、人工接地极(如果有)及其接地极的引线等通过进线配电箱附近的总等电位联结端子板(MEB)进线连通,使其保护范围内的各种电气装置与装置外露的可导电部分都处在同一电位上,减少不同金属部件间的电位差,如图 5.59 所示。

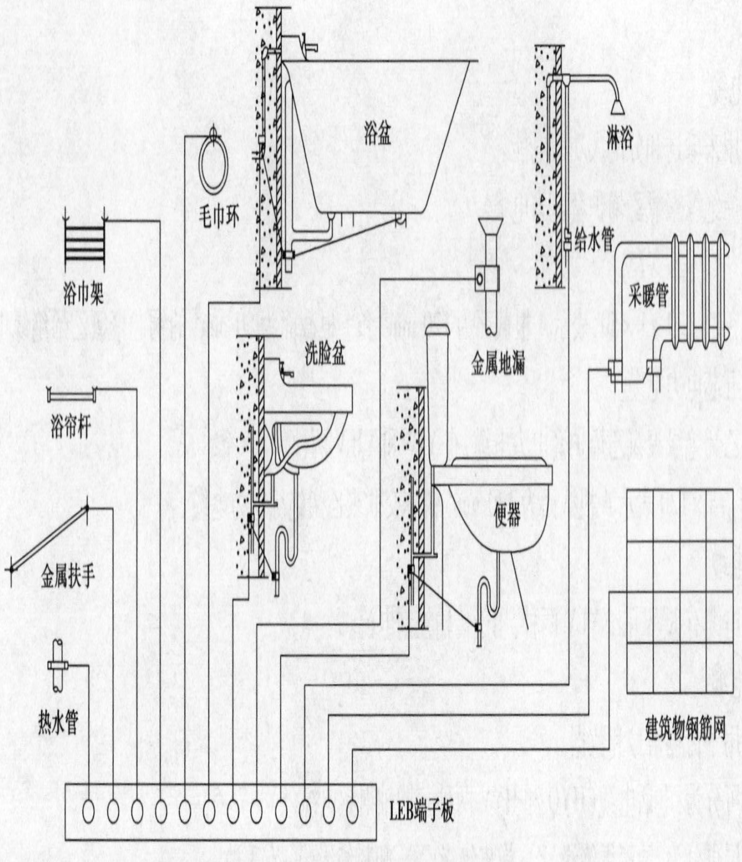

图 5.58　卫生间局部等电位联结

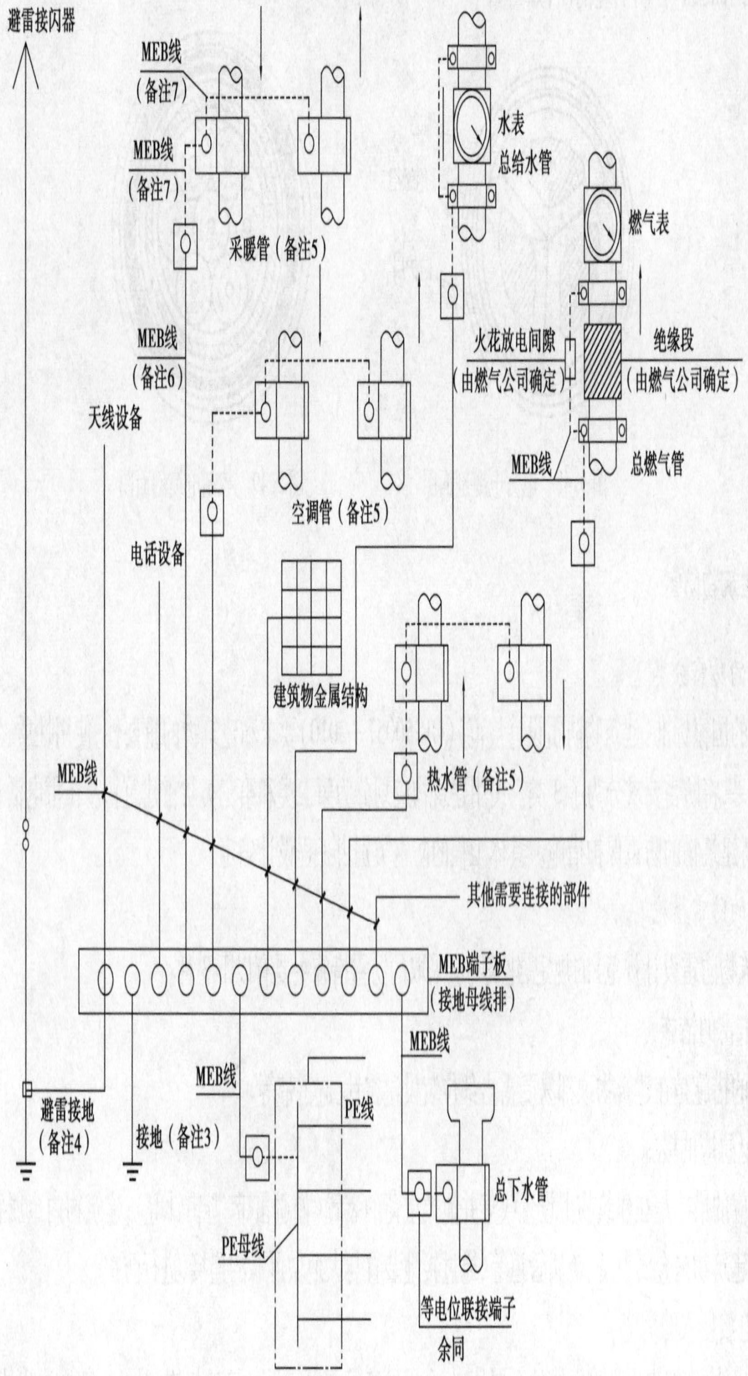

图 5.59　总等电位连接

5.4.9 建筑电气施工图常用的文字符号

在电气工程图中,文字符号标注在电气设备、装置和元器件上或其附近,用以标明电气设备、装置和元器件的名称、功能、状态和特征。文字符号现行的国家标准图集是《建筑电气工程设计常用图像和文字符号》(09DX001)。

5.4.10 建筑电气施工图的组成

①目录、说明、图例、设备材料明细表。

②电气系统图:概略地表达一个项目的全面特性的简图,主要表现电气工程的供电方式、电能输送、分配控制关系和设备运行情况。从电气系统图中可以看出工程的概况。

③电气平面图:采用图形和文字符号,将电气设备及电气设备之间电气通路的连接线缆、路由、敷设方式等信息绘制在一个以建筑专业平面图为基础的图内,并表达其相对或绝对位置信息,它是进行电气安装的主要依据。

④电气总平面图:采用图形和文字符号,将电气设备及电气设备之间电气通路的连接线缆、路由、敷设方式、电力电缆井、人(手)孔等信息绘制在一个以总平面图为基础的图内,并表达其相对或绝对位置信息。

⑤设备布置图:表现各种电气设备和器件的平面与空间位置、安装方式及其相互关系的图纸。

⑥安装接线图:表示电气设备、电器元件和线路的安装位置、配线方式、接线方法、配线场所等特征,用来指导安装、接线和查线。

⑦电气原理图:表现某一电气设备或系统工作原理的图纸。

⑧电气详图:一般指用1∶20至1∶50的比例绘制出的详细电气平面图或局部电气平面图。

5.4.11 建筑电气施工图的识读

识读建筑电气工程图必须熟悉电气图基本知识(表达形式、通用画法、图形符号、文字符号)和建筑电气工程图的特点,同时要掌握一定的阅读方法。

阅读建筑电气工程图的方法没有统一规定,通常可按下面的顺序进行。

1)设计说明

设计说明主要包括工程概况、设计依据、设计范围、供配电设计、照明设计、线路敷设、设备安装、防雷接地、弱电系统、施工注意事项等。

识读一套电气施工图,首先应仔细阅读设计说明。通过阅读,可以了解工程总体概况,了解图纸中未能表达清楚的各有关事项,如供电电源的来源、电压等级、线路敷设方法、设备安装高度及安装方式,了解施工时应注意的事项等。特别要注意的是有些分项局部问题是在各分项工程的图纸上说明的,在看分项工程图时,也要先看设计说明。

2)图例、主要设备材料表

图例列出了本套图纸中所涉及的一些图形符号或文字符号,目的是使读图者容易看懂样图。主要设备材料表列出了本套图纸中所涉及的电气设备和材料的名称、型号、规格和数量。

3)系统图

各分项工程的图纸中都包含有系统图,如变配电工程的高低压配电系统图、电力工程的电力系统图、照明工程的照明系统图以及与弱电工程对应的弱电系统图等。阅读系统图的目的是了解系统的基本组成,了解电气工程的供电方式、电能输送、分配控制关系和主要电气设备、元件的连接关系,了解配电系统各回路的名称、用途、容量以及主要电气设备、开关元件、导线电缆的规格、型号、参数等。

4)平面图

电气平面图是表示电气设备、装置与线路平面布置的图纸,是进行电气安装的主要依据。电气平面图以建筑平面图为依据,在建筑平面图上绘出电气设备、装置及线路的安装位置、敷设方法等。常用的电气平面图有:变配电所平面图、动力平面图、照明平面图、防雷平面、接地平面图、各种弱电平面图。

阅读电气平面施工图图时,一般可按此顺序:进线→总配电箱→干线→支干线→分配电箱→用电设备。

5)详图

详图是表现电气工程中设备的某一部分的具体安装要求和做法的图纸。

第2篇

建筑工程施工图例图

第6章

某公司高层综合楼例图

6.1 高层综合楼工程基本概况

6.1.1 建筑专业概况

本项目为某公司高层综合楼,建筑物长40.00 m,宽13.00 m,高49.65 m,总建筑面积9 987.35 m^2。工程地下一层为设备用房和小型汽车库,地上1~2层为商铺,3~16层为单元式住宅。建筑分类为两类,地下室耐火等级为一级,地上部分耐火等级为两级,地下室防水等级为两级,地下室抗渗等级为S6,屋面防水等级Ⅱ级,屋面防水层合理使用年限为15年,建筑物合理使用年限为50年,建筑专业共有21张图纸。

6.1.2 结构专业概况

本工程为现浇钢筋混凝土框架-剪力墙结构,工程的抗震设防烈度为7度,设计地震加速度值为0.15 g,设计地震分组为第三组,Ⅱ类建筑场地,1~2层属于乙类建筑,3层及以上属于丙类建筑。采用大直径人工成孔灌注桩基础,框架抗震为二级,剪力墙抗震等级为一级,顶层大空间井字梁结构部分框架的抗震等级为一级。施工图中框架柱、梁、板、楼梯均采用"平法标注",结构专业共有39张图纸。

6.1.3 给排水专业概况

本工程生活供水水源为城市管网,分高区和低区供水。1~6层为低区,由市政管网直给,7层及以上为高区,通过地下室内的变频加压设备进行二次供水。生活热水通过屋面太阳能系统和室内电热水器共同提供。消防系统设计有室外消火栓系统、室内消火栓系统、自动喷淋系统和气体灭火系统,地下室设计有消防水池和消防泵房,本专业共有施工图22张。

6.1.4 暖通专业概况

采暖热源为城市集中供热系统提供的高温热水,地下室和商业部分采用暖气片,住宅部分则是利用地下室的热交换站将高温热水交换为低温热水后用铺设地暖管的方式采暖。地下室设计有机械送排风系统。暖通专业共有13张图纸。

6.1.5 电气专业概况

本工程在地下室设计有低压配电室,电梯、商铺和消防的负荷等级为二级,其余为三级。设计有低压配电系统、照明系统、防雷接地系统、有线电视系统、网络电话系统、网络布线系统、楼宇对讲系统、火灾自动报警系统等,电气专业共有28张图纸。

6.2 高层综合楼工程施工图

施工图见附录Ⅰ。

第7章 某县妇幼保健医院业务楼例图

7.1 某县妇幼保健医院业务楼工程基本概况

7.1.1 建筑专业概况

本项目为某县妇幼保健院业务楼，属于比较复杂的多层医疗建筑，建筑物长43.60 m，宽16.30 m，高19.65 m，总建筑面积3 802.58 m^2，地下为基础隔震层兼做管道层，地上6层均为医疗类建设用房。建筑分类为二类，地下室耐火等级为一级，地上部分耐火等级为二级，地下室防水等级为二级，地下室抗渗等级为S6，屋面防水等级Ⅱ级，屋面防水层合理使用年限为15年，建筑物合理使用年限为50年，建筑专业共有19张图纸。

7.1.2 结构专业概况

本工程为现浇钢筋混凝土框架结构，工程的抗震设防烈度为8度，设计地震加速度值为0.20 g，设计地震分组为第三组，Ⅱ类建筑场地，属于乙类建筑。采用大直径人工成孔灌注桩基础，在基础顶面与一层地面之间设计层高1.50 m的隔震层，利用叠层橡胶支座进行隔震，隔震后上部结构水平作用减弱，框架抗震为一级。施工图中框架柱、梁、板、楼梯均采用"平法标注"，结构专业共有23张图纸。

7.1.3 给排水专业概况

本工程生活供水水源为城市管网，由市政管网直给。生活热水通过室内电热水器共同提供。消防系统设计有室外消火栓系统、室内消火栓系统、自动喷淋系统和气体灭火系统，本专业共有施工图22张。

7.1.4 暖通专业概况

采暖热源为建设单位自备锅炉房提供的高温热水，通过换热站将高温热水交换为低温热水后用铺设地暖管的方式采暖。本建筑的第4层和第5层设计有机械通风系统，暖通专业共有12张图纸。

7.1.5 电气专业概况

本工程手术室、术前准备室、术后复苏室、麻醉室、早产儿室、产房的负荷等级为一级负荷中的特别重要负荷，医用电梯、走廊照明、计算机负荷为一级负荷，客梯、消防电梯为二级负荷，其余为三级负荷。设计有低压配电系统、照明系统、防雷接地系统、有线电视系统、网络电话系统、网络布线系统、安保系统、病房呼叫系统、火灾自动报警系统等，电气专业共有32张图纸。

7.2 某县妇幼保健医院业务楼施工图

施工图见附图Ⅱ。

第8章

某药业有限责任公司钢结构单层工业厂房例图

8.1 某药业有限责任公司钢结构单层工业厂房概况

8.1.1 建筑专业概况

本项目为某药业有限责任公司单层工业厂房,属于比较典型的门式钢架轻型结构,建筑物长60.00 m,宽36.00 m,高8.40 m,总建筑面积2 160 m^2,耐火等级为丙类二级,金属坡屋面,屋面防水等级为Ⅲ级,建筑物主体结构合理使用年限为50年,围护结构合理使用年限为25年,建筑专业共有4张图纸。

8.1.2 结构专业概况

本工程门式钢架轻型结构,工程的抗震设防烈度为7度,设计地震加速度值为0.15 g,设计地震分组为第三组,Ⅱ类建筑场地,属于丙类建筑,采用柱下钢筋混凝土独立基础,钢结构专业共有13张图纸。

8.2 某药业有限责任公司钢结构单层工业厂房施工图

施工图见附图Ⅲ。

第3篇

校内综合实训与顶岗实习

第9章 校内综合实训与顶岗实习安全教育

9.1 施工安全教育的目的和意义

为了加强学生在校内综合实训和毕业前顶岗实习期间的安全管理,维护正常的教学和生活秩序,保障学生人身和财产安全,促进学生身心建康发展,依据国家教育部颁布的《高等职业学校学生实习管理办法》及国家有关安全法规,应在学生顶岗实习之前对全体学生和指导教师进行安全教育,以保证学生校内综合实训和顶岗实习过程中的安全。

9.1.1 施工安全教育的目的及意义

发生安全事故的原因有很多,但最主要的原因:一是思想上不重视,安全意识差;二是机械设备安全保护性能差,施工人员操作不规范;三是安全防护措施不到位,可靠性差。为防止发生安全事故,必须抓住事故发生的根本原因。从根本上消除安全隐患,才能有效地控制事故的发生。随着科技的发展和受教育程度的提高,人们对施工安全生产的要求越来越高。施工安全管理与人们的生活息息相关,只有重视施工安全,按安全生产的要求严格控制,才能建造出优质的工程,从而造福于人类。因此,高校学生进入实训车间或施工现场顶岗实习的安全教育就要高度重视,要贯彻"安全第一、预防为主、综合治理"的安全生产方针,加强对实习学生和指导教师的安全培训教育,增强他们的安全生产意识和安全防护能力,避免由于思想的松懈和安全教育不足而造成人员伤亡事故。

9.1.2 贯彻落实安全教育制度

为了加强学生在校内实训和校外定岗实习安全管理,制定安全教育制度,请全体师生认真执行:

①安全意识是现代职业教育的重要组成部分,是现代员工的重要素质之一。安全教育必须列入学校实习、实训工作的重要议事日程,并认真组织实施。实习、实训是教育活动中安全事件的高发环节,师生必须对其高度重视,时刻牢记安全第一,贯彻"预防为主,教育先行"的方针,努力把事故消除在萌芽状态中。

②每学期由相应系部组织实训学生集中进行实习、实训安全教育,使学生铭记安全操作规程、安全事故处理办法及安全急救措施。

③各班班主任要利用学校的"安全教育日"对学生进行实习、实训安全教育,要备好课,选好安全教育的内容和案例。

④学生进行实习实训前,由实习指导教师组织学生进行安全教育,并进行安全知识考试。安全知识考试不及格者,不能参加本工种的实习、实训活动。

⑤安全教育要贯彻于整个实习、实训的全过程,要做到每次实习、实训前有集中教育,过程中有注意事项,结束后有安全总结。

⑥在按实训操作规程、实习计划进行安全教育的基础上,还要结合每一次实习、实训的特殊性,制订出相应的安全规定,并告知到每位学生,提高学生的安全保护意识和防范能力。

9.1.3 安全教育实施工程

实训安全教育内容见表9.1,参加实训安全教育人员签名表见表9.2。

表9.1 安全教育记录

实训安全教育:
教育时间:
教育地点:
教育对象:学院系(部)专业班级
1.对参加实训的学生在实训前一定要进行安全教育,全体参加实训的同学必须坚决服从实训室指导教师、指导技师指挥,严格遵守校纪校规,实训过程中一切要按操作规程进行,做到安全实训,消除一切安全隐患。 2.学生动手实训前,要由实训室指导教师和指导技师进行安全操作教育,否则不能动手实训。 3.学生实训期间要严格要求自己,并应注意: a.杜绝抽烟、喝酒、打牌、起哄、打逗、骂人、打架等违纪事件。如有违纪,停止实训,严重者交学院(学生学籍所在地)处理。 b.注意临边洞的位置,需集中精力防止坠落。不要高空投掷,以防落物伤人。任何人不准乱扔工具,不准随意开动一切机械,不准开玩笑、打闹。 c.防扎钉、防触电,远离各种机械设备、电气线路,防止机械伤害。 d.要注意地面环境状况,防止扎、挠及摔倒等其他伤害。 e.不准在脚手架、防护栏杆上休息,不准在脚手架上睡觉,不准在现场追逐打闹。 f.任何人禁止爬脚手架,上下脚手架要通过斜道或安全楼梯,且不要集体同时上下。 g.一切行动要服从指导教师和指挥者安排,不得擅自行动。 h.不准在脚手架和有挑头梁板处行走,并注意防滑。脚手架扣件要拧紧,栓框等边要拧紧,防止落下伤人。 i.堆放模板等材料要注意安全,防止过高导致倒塌。 4.学生实训时,《实训室学生实训管理要求》中规定需应用的劳保用品一定要穿戴(如戴安全帽、实训手套,穿实训服等)。不准穿奇装异服、拖鞋(或高跟鞋、赤脚和易滑带钉的鞋),不许留披肩长发,否则不准参加实训,且按旷课处理。 5.凡属学生实训中不按规章制度办理,不听指挥而发生的责任事故或者工伤,一律由违规者个人负责,学校概不承担责任。 学生签名: 日　期:

表9.2 参加实训安全教育人员签到表

姓名:	姓名:	姓名:	姓名:	姓名:	姓名:	姓名:
姓名:	姓名:	姓名:	姓名:	姓名:	姓名:	姓名:
姓名:	姓名:	姓名:	姓名:	姓名:	姓名:	姓名:
姓名:	姓名:	姓名:	姓名:	姓名:	姓名:	姓名:
姓名:	姓名:	姓名:	姓名:	姓名:	姓名:	姓名:
姓名:	姓名:	姓名:	姓名:	姓名:	姓名:	姓名:

9.2 建筑施工作业的特点和主要危险

建筑施工项目有土石方工程、砌筑工程、模板工程、钢筋工程、混凝土工程、屋面和地下防水工程、保温防腐工程、装修工程、钢结构工程、装配式结构工程、结构吊装工程、设备和管道安装工程等;作业工种基本分为:普工、瓦工、抹灰工、钢筋工、木工、模板工、混凝土工、起重吊装工、焊接工、架体搭设工、机械操作工、电气操作工、金属探伤工、油工、机动车驾驶员、司炉工、生产调试员等。建筑行业是有较大危险性的行业,高处作业、露天作业、交叉作业、临时施工用电繁多。其中,高处坠落、触电事故、物体打击、机械伤害、坍塌事故等5种为建筑业最常发生的事故,占事故总和的85%以上,称为“五大伤害”。

9.3 建筑安全法规常识

适合建筑行业劳动安全的常用法规有《中华人民共和国宪法》《中华人民共和国刑法》《中华人民共和国劳动法》《中华人民共和国建筑法》《中华人民共和国安全生产法》等。安全生产法规是国家法律体系中的一个重要组成部分,是国家关于改善劳动条件、实现安全生产、保护劳动者再生产过程中的安全和健康而采取的各种措施的总和。“加强劳动保护,改善劳动条件”是《中华人民共和国宪法》为保护劳动者在生产工作过程中的安全与健康而制定的原则。“安全第一,预防为主”是我们国家的安全生产方针,已经写入了党的十三届五中全会决议和《中华人民共和国建筑法》。《中华人民共和国安全生产法》第五条规定,生产经营单位的主要负责人对本单位的安全生产工作全面负责。《中华人民共和国劳动法》规定,建立劳动关系应当订立劳动合同。劳动合同是劳动者与用人单位确立劳动关系,明确双方权利和义务的协议。《中华人民共和国安全生产法》明确了生产经营单位对施工中的安全保障、从业人员的权利和义务及国家对安全生产事故的责任追究制度。《中华人民共和国刑法》第134条规定,工厂、矿山、林场、建筑企业或其他企业、事业单位的职工,由于不服从管理,违反规章制度或强令工人违章冒险作业,因而发生重大伤亡事故或者造成其他严重后果的,处三年以下有期徒刑或者拘役。

9.4 安全生产责任保证体系

实训场所和施工单位应结合自身工作特点建立安全生产责任制、编制施工组织设计及专项施工方案、工程开工前安全技术交底、经常性安全检查、定期劳动安全教育、制订应急救援措施、落实好分包单位安全管理、所有员工持证上岗、完善生产安全事故处理机制、设置安全标志、签订个人实训安全保证书,见表9.3。

表9.3 个人实训安全保证书

个人实训安全保证书
实训是教学过程中必不可少的环节,为了保证学生在实训中的人身安全,维护学生合法权益,学生在实训前必须接受学院相关部门进行的安全教育,同时保证做到: 1.在实训期间加强自我保护意识,互相关心,互相监督,避免发生不必要的人身伤害和设备事故。 2.遵守实训的各项规章制度,遵守劳动纪律及严格执行操作规程。 3.在实训现场,按要求穿戴防护用具,不打斗、不吸烟、不酗酒,实习中不打架斗殴。发生问题或争执,通过组织来解决。 4.危险的地方不去,不该动的设施不动。 5.严格执行实习期间的出勤制度,不擅自离开实习单位;服从带队教师的指挥,集体进出实习单位,避免个人单独行动。 6.避免涉及实训单位的商业秘密和知识产权,不修改或处理实训单位的任何原始图纸和资料,未经允许不带走或抄录实习单位的图纸文件。 7.如学校临时有任务,接通知后,必须向实训指导教师请假,按时返校。 8.学院建议每个学生在实训前购买个人意外伤害保险。 以上保证如有违反,后果自负。
保证人签字: 日 期:

9.5 造成意外的典型行为

9.5.1 建筑行业是伤亡事故多发行业

事故是违背人的意志而发生的一种失去控制的意外事件。但必须明白,意外并不是偶然发生的,每次意外发生必然会有他的原因。不是由于人的不安全行为所造成,就是由于物的不安全状态所导致。而更多的情况是由人的不安全行为和物的不安全状态共同引发的。

1)通常导致意外的不安全行为

①操作失误、忽视安全、忽视警告。

②造成安全装置或安全设施失效。

③使用不安全的设备、设施和机具、工具。

④以手代替工具操作。

⑤物体存放不当。

⑥攀、坐不安全位置,行走不安全通道。

⑦在起吊物下作业、停留。

⑧机器运转时加油、修理、调整、焊接、清扫等。

⑨冒险进入危险场所;有分散注意力的行为。

⑩在必须使用个人防护用品、用具的作业场所中,忽视其使用。

⑪不安全装束。

⑫对易燃易爆等危险品处理错误。

2)通常导致意外的不安全状态

①材料、设备、器具堆放不安全。

②防护、保险、信号装置和安全防护设施缺乏或有缺陷。

③设备、工具及附件中有缺陷,设计不当,结构不符合安全要求。

④机械强度,绝缘强度不够,起重绳索不符合安全要求。

⑤机具设备维修、保养、调整不当,在非正常状态下带“病”运转或机具超负荷运转。

⑥现场环境不良,光线不足,照度不够,通风不良,作业场所狭窄,作业场地杂乱,通道不畅等。

⑦个人防护用品缺乏或不符合安全要求。

⑧交通线路配置不合理,施工工序配置不安全。

⑨无防护措施的交叉作业。

⑩现场管理不善。

3)预防意外措施

①工程技术对策:运用作业指导书中的"重大危险因素及控制对策"来消除不安全因素和环境不安全因素,实现施工工艺、机械设备等施工条件的本质化安全。

②教育对策:利用各种形式的教育和训练,树立"安全第一"的思想,掌握安全施工所必需的知识和技术。

③强制管理对策:借助于企业规章制度(职工安全违章处罚暂行规定)(安全文明施工管理办法)、法规等必要的行政、经济乃至法律手段来约束人们的行为。

④杜绝"三违",即:违章指挥、违章作业、违反劳动纪律。70%以上的事故都是由于"三违"造成的。

4)作业人员应保持自身行为安全

①衣着灵便,安全帽、安全带(绳)、防滑鞋等防护用品佩戴齐全并正确使用。

②作业需要沿钢爬梯、绳梯作垂直攀登上下时,必须使用安全自索器或速差自控器作防护保险。

③如果作业需要沿着水平梁、斜梁、水平管道或在无防护栏杆的平台上移动、行走时,必须先拉设水平安全绳。如在上边作业时,必须在上方设置安全保护绳,以供作业人员安全带拴挂。

④凡是在安全设施不完善的地点作业,一定要拴好安全带(安全绳)后再工作,安全带只能拴在上方其他构件上,不能拴在自身施工设备上。

⑤不得站在防护栏杆外作业或凭借栏杆起吊物件;在石棉瓦等轻型或简易结构的屋顶上作业时,必须放置步行板和作业踏板。

⑥在高空使用撬棍、板手类工具用力作业时,只可单手用力,另一只手要抓住坚固的物件,切不可双手用力作业,以防意外。

⑦高处作业场所附近有带电体时,传递物件的绳索必须是干燥的尼龙绳或麻绳。

5)防止坠物打击措施

①高处作业使用的工具要拴上保险绳,小件工具材料要使用工具袋;传递物品只能用绳索或手递,严禁抛掷行为。

②点焊的物件不得移动或起吊,切割的工件、边角余料、使用的工具及其他物品要放在不会被碰落而坠地的地方,凡有可能坠落的物件均要采取防止坠落措施。

③当需要"如厕"时,请使用现场的卫生间,不要钻到烟、风道等隐蔽的地方去"方便",因为这样的行为会造成失足坠落。

9.5.2 施工各阶段安全风险防控点

1)基础工程

施工方案、基坑支护、基坑降排水、基坑开挖、坑边荷载、安全防护、基坑监测、支撑拆除、作业环境、应急预案。

2)脚手架工程(以扣件式钢管脚手架为例)

立杆基础、架体与建筑结构拉结、杆件间距与剪刀撑、脚手板与防护栏杆、交底与验收、横向水平杆设置、杆件连接、层间防护、构配件材质、搭设通道。

3)模板工程

支架基础、支架构造、支架稳定、施工荷载、交底与验收、杆件连接、底座与托撑、构配件材质、支架拆除。

4)高空作业

安全帽、安全网、安全带、临边防护、洞口防护、通道口防护、攀登作业、悬空作业、移动式操作平台、悬挑式物料钢平台。

5)施工用电

外电防护、接地与接零保护系统、配电线路、配电箱与开关箱。一般项目应包括:配电室与配电装置、现场照明、用电档案。

6)施工机械(以塔式起重机为例)

载荷限制装置、行程限位装置、保护装置、吊钩、滑轮、卷筒与钢丝绳、多塔作业、安拆、验收与使用。一般项目包括:附着装置、基础与轨道、结构设施、电气安全。

7)施工机具

平刨、圆盘锯、手持电动工具、钢筋机械、电焊机、搅拌机、气瓶、翻斗车、潜水泵、振捣器、桩工机械。

9.5.3 40条典型违章行为

①进入施工现场不佩戴或不正确佩戴安全帽。

②作业时未按规定正确使用劳动保护用品(工作服、工作帽、手套、绝缘鞋)。

③从事机床、砂轮、焊接等有飞溅物的作业时,不戴防护眼镜或防护面罩。

④使用无齿锯时没紧固。

⑤在转动的无齿锯片上直接研磨物件。

⑥使用大锤、手锤等工具时不带手套。

⑦起重指挥人员作业时不使用口哨、指挥旗或对讲机。

⑧起重机械、电动设备(机具)、电焊机等工作完毕后,未把控制器拨至零位、未切断电源、未锁紧夹轨钳等就离开现场。

⑨无漏电保护器就使用手动电动工具。

⑩乙炔瓶、氧气瓶使用时未直立。

⑪乙炔瓶未装防回火装置。

⑫乙炔瓶、氧气瓶之间未保持5 m以上的距离。

⑬用安全带当传递绳或绑扎绳。

⑭在超过2 m标高且无任何防护措施的情况下,在单梁或平台边缘,孔洞边缘和吊挂物体上作业、休息。

⑮处于高处(2 m标高及以上)时,在无防护栏杆及未绑扎的脚手板上作业。

⑯高处作业(2 m标高及以上)时,不系安全带或身系安全带不栓在牢固可靠处。

⑰不将安全带栓挂在水平防护绳或安全绳上就任意在单梁、平台、孔洞边缘处行走或作业。

⑱高处作业不走楼梯、斜步道或梯子,而沿脚手架、绳索、栏杆、吊车臂或上料提升架的结构及墙体、支柱等上下攀登。

⑲酒后进入现场施工及操作各类机械、设备、车辆。

⑳起重机械、施工电梯、上料提升架等机械的制动、限位、联锁及保护等不齐全或失灵还继续操作。

㉑特殊工种人员未持证上岗。

㉒无证人员操作起重机械、机动车辆。

㉓非电工私接乱拉电源。

㉔从事金属容器或管道内等作业未设监护人。

㉕用氧气做通风及吹扫气源。

㉖将电源线钩挂在刀闸、开关或插座上使用。

㉗机械、机床、台钻等转动设备的传动轴、转动带、齿轮、皮带轮等无保护罩就使用。

㉘承重的钢丝绳与物体棱角直接接触时,未在棱角处垫半圆管及半圆管未做防脱绑扎。

㉙吊挂物件超过一周的不加第二道保护绳索。

㉚倒链(手动葫芦)的挂钩或吊钩直接钩挂在物体或结构上使用。

㉛架子工人员搭设脚手架未按规定搭设:作业层无双道防护栏杆,脚手板未按规定铺设或绑扎。脚手架或施工吊架,未设置施工人员上下和行走的安全通道或爬梯。

㉜电工对电源的接线、布线未执行三相无线制。

㉝工作零线与保护零线混用。

㉞电气设备未做可靠的保护零线接地。

㉟施工电源线的敷设、布置与金属结构或脚手板未采取绝缘、隔离措施。

㊱未采取措施,在易燃、易爆物周围或区域内进行焊接及其他明火作业。

㊲从事有毒、有害及粉尘作业,未按规定使用防毒害、防粉尘的防护用品、用具。

㊳操作机床、电钻等转动设备时戴手套。

㊴焊工对电焊机二次线的破裂、裸露和接头松动不处理就使用或不停电就处理。

㊵特殊危险作业工序未按《安全施工作业票》的防护措施执行。

9.6 劳动者在安全生产方面的权利和义务

《中华人民共和国劳动法》第五十六条规定,劳动者在劳动过程中必须严格遵守安全操作规程。劳动者对用人单位管理人员违章指挥,强令冒险作业,有权拒绝执行;对危害生命安全和身体健康的行为,有权提出批评、检举和控告。劳动者在作业过程中要做到"四不伤害":不伤害自己,不伤害他人,不被他人伤害,保护他人不受伤害。特种作业要求:从事电工、起重机械、金属焊接、机动车驾驶、脚手架搭设、锅炉司炉、爆破、压力容器操作及接触易燃、易爆、有害气体、射线、剧毒等特殊作业人员,必须经过有关部门培训取证后,方可上岗工作。第五十五条规定,"从事特种作业的劳动者必须经过专门培训并取得作业资格"。

9.7 劳动防护用品

劳动防护用品是直接保护劳动者生命和健康所必需的一种预防性装备,可以保护劳动者机体的局部或全身免受外来侵害。使用劳动防护用品,是防止或减少工伤事故,预防职业病和职工中毒危害的重要措施之一。《中华人民共和国建筑法》规定,作业人员有权对影响人身健康的作业程序和作业条件提出改进意见,有权获得安全生产所需的防护用品。作业人员对危及生命安全和人身健康的行为有权提出批评,有权检举和控告。劳动防护用品种类有:安全帽、安全带、工具袋、电焊防护面罩,有机玻璃防护面罩,有色护目镜、白光护目镜、防辐射铅服、防酸工作服、防酸手套、防酸胶鞋、高压绝缘手套、高压绝缘胶鞋、防尘防毒面具等。

一般劳动保护用品为:工作服、劳保手套、绝缘鞋、雨靴、雨衣、口罩、卫生洗涤用品等。

劳动防护用品按防护部位可分为头部、眼面部、呼吸器官、听觉器官、手部、足部、躯干、皮肤、防坠落等,我们一定要正确使用劳动防护用品。

劳动防护用品佩戴应注意以下几点:

①工作服要保持清洁,穿戴得体。敞开的袖口或衣襟有被机器夹卷的危险,因此要做到袖口、领口、下摆"三紧"。在有静电的场所作业,要穿防静电工作服。禁止赤膊工作。

②安全帽要戴正、系紧护绳。缓冲衬垫要与帽体相距至少32 mm的空间,以缓冲高处坠落物的冲击力。安全帽要定期检验,发现下凹、龟裂或破损应及时更换。

③高处作业(2 m以上)必须佩戴安全带。使用时要检查安全带有无破损、挂钩是否完好可靠;安全带要系在腰部,挂钩应扣在身体重心以上的位置,固定靠前,安全带要防止日晒、雨淋,并定期检验。

④劳动过程对手的伤害最直接、最普遍,如磨损、灼烫、刺割等,所以要特别注意对手的防护。防护手套种类很多,有纱手套、帆布手套、皮手套、绝缘手套等,要根据工作性质的不同来选择。大锤敲击、车床操作禁止戴手套,以避免手套缠卷或脱手而造成伤害。

⑤从事电、气焊作业的电、气焊工人必须戴电气焊手套,穿绝缘鞋,使用护目镜及防护面罩。

⑥凡直接从事带电作业的劳动者,必须穿绝缘鞋,戴绝缘手套,防止发生触电事故。

⑦从事有毒、有尘、噪声等作业的需佩戴防尘、防毒口罩和防噪声耳塞;倒运酸瓶要穿防酸服、防酸靴、戴防酸手套及玻璃面罩、口罩;金属探伤作业要穿防射线铅服,戴放射线护目镜;防腐保温作业要穿防粉尘工作服,戴防风眼镜、电焊手套;金属容器内涂刷树脂,戴送气头盔等。总之,各工种都应配置相应的防护用品,并认真穿戴使用。

9.8 安全标志

根据国家有关标准,安全标志由安全色、几何图形和图形符号构成,用以表达特定安全信息。安全标志分为禁止标志、警告标志、指令标志和提示标志四类。

禁止标志的含义是不准或制止人们的某种行为,它的几何图形是带斜杠的圆环,颜色为红色,图形是黑色,背景是白色。

警告标志是指使人们注意可能发生的危险,几何图形是正三角形,颜色为黑色,图形是黑色,背景是黄色。

指令标志是必须遵守的意思,几何图形是圆形,颜色为黑色,图形是白色,背景为黄色。

提示标志是指示注意目标的方向,几何图形是长方形,图形文字是白色。当背景是所提示的标志,用绿色。消防设备提示标志用红色。

9.9 保护环境文明施工

环境保护是我国的一项基本国策,其法律、法规、标准有强制性执行的规定。各级领导必须从执法的高度重视环境保护工作,建立环境保护责任制,加强宣传教育,使职工自觉执行环境保护措施,防止和尽量减少施工现场对周围环境的影响。文明施工过程中,要做好现场围挡、封闭管理、施工场地、材料管理、现场办公与住宿、现场防火等方面的工作。

9.9.1 具体措施

①施工人员要按照每天的作业计划领用设备和材料,做到当天领当天用完。特殊情况下,设备、材料在现场的存放时间也不得超过3天。设备材料包装物存放不超过4小时。

②设备、材料在现场一定要码放整齐,切忌横七竖八,乱堆乱放。

③工具和材料、废料要放在不会给他人带来危险的地方,不能堵塞通道,高处存放时要采取保护措施。

④现场使用的链条葫芦、千斤绳等工器具,不用时要挂放或摆放整齐。

⑤现场使用电焊机时,应用安全围栏围好或使用电焊机集装箱。电焊二次线拉设要横平竖直,不得乱拉乱拽,以免影响通道或造成其他危险。

⑥拆箱板上、墙面上突出的钉子,螺丝钉要及时拔去或打弯,预制板上突出的吊环要及时割除,以免给自己和他人带来危害。

⑦现场工棚、休息室、工具室要自始至终地保持清洁、卫生。

⑧上道工序交给下道工序的作业面,要经过彻底的清理整顿,打扫干净。

⑨自觉保护设备、构件、地面的清洁卫生和表面完好,防止"二次污染"和设备损伤。

⑩凡吊装的设备、构件必须在地面先擦拭干净再吊装。

⑪禁止在设备及构件上乱割乱焊。

⑫禁止在建筑物的墙面和设备上涂抹乱画。

⑬不得在已完工的地坪上拖拉物件。

⑭进行砖石砌体、抹面、粉刷和油漆作业，必须采取防止滴漏的措施以及对作业面下方的构筑物或设备采取遮盖措施。

⑮在混凝土路面、地坪或地面上搅拌、存放砂、石、沙浆，必须采取砂、石不直接落地的保护措施。

⑯不得随意踏踩设备、仪表、盘柜和保温层及护板，不允许将设备当作施工脚手架进行作业。

⑰电焊机二次线不得有裸露的接头，以防人员触电或损失设备。不得随意在墙面、楼板上凿洞，确因施工需要凿洞，必须经过书面批准。

⑱在设备和已施工完的地面上进行切割、打磨等作业，必须对设备和水磨石地面采取保护措施。

⑲利用钢筋混凝土柱、梁作起重地锚时，必须对柱、梁表面加半圆管、木头及柔软物等保护措施。

⑳施工负责人要每天安排或检查作业场所的文明施工情况，作业面要做到"随干随清"，要始终保持作业区域干净整洁，做到工完料净场地清。

㉑现场施工产生的棉纱头、电焊条头、电缆头、电缆皮、废铅丝、电线头、木头、纸箱、废钢材、建筑垃圾等要及时清理，有毒有害固体废弃物（废油棉纱、废油液、废岩棉、废玻璃丝布、废铝箔纸等）要分类存放到指定的有毒有害废弃物存放点，严禁乱扔。

㉒机械、工器具擦拭干净，停放在安全位置。

㉓溢出或渗漏的液体，如油脂、油漆、酸、碱等，要立即清除干净，且施工中要采取保护措施，以免造成污染和给健康带来危害。

㉔现场卫生设施、饮水设施等要方便使用，要自觉保持清洁卫生。

9.10 消防安全

9.10.1 一般发生火灾的原因

①明火，吸烟人乱扔烟头，电、火焊作业等造成的火花飞溅等。

②电气设备起火，主要是由于电气设备的安装和维护不善造成短路、电器设备过热或机械设备润滑系统缺油等。

③化学物质反应引起火灾。红磷、黄磷使用、储存、运输不当，电石、金属钠管理不善，遇水反应起火；静电起火。如用汽油洗涤材料、皮带在皮带轮上摩擦、油槽车行使中有在槽内晃动，都会产生静电，不及时消除，都会造成火灾或爆炸；电气设备发生故障，雷击、物体自燃也都有可能引起火灾。

9.10.2 具体灭火措施

①一旦发生火灾，应立即动手并通知附近的人投入灭火抢救工作，并迅速拨打电话报警和通知保卫部门。

②正确使用灭火器材或用水灭火。以下情况的火灾千万不能用水扑救：遇水燃烧的物质（碱金属等）和灼热物质着火；在电源未切断之前，电器着火；非水溶性，比水轻的可燃易燃液体，如：苯、甲苯着火；遇水能产生有毒气体，如磷化锌、磷化铝等。以下情况千万不能用泡沫灭火剂救火：遇水燃烧物质和带电设备着火；火灾爆炸，遇到有毒气体散发出来时，一定要戴上防毒面具后再去抢救；施工现场明火作业，操作前必须办理动火票，经现场有关部门（负责人）批准，做好防护措施并派专人看火（监护）后方可操作。用火证只限在规定时间、地点使用。每日作业完毕或焊工离开现场时，必须确认用火已熄灭、周围已无隐患、电闸已拉下，确认无误后，方可离开。焊、割作业不准与油漆、喷漆、木料加工等易燃、易爆作业同时上下交叉进行。高处焊接下方应设有专人监护，中间应有防护隔板。进入施工现场作业区，特别是在易燃、易爆物周围，严禁吸烟。

第10章 工程开工前准备

10.1 一般建设工程相关手续办理程序

由于建设项目规模大、技术复杂、涉及的专业面宽，因此，从项目设想、施工到投入使用，少则需要几年，多则需要十几年。同时，由于投资额巨大，这就要求项目建设只能成功，不能失败，否则将造成严重后果，甚至影响国民经济发展。建设项目是按照一个总体设计建设的，是可以形成生产能力或使用价值的若干单位工程的总体。建设产品的固定性，使其设计单一，不能成批生产（建设），也给实施带来难度，且受环境影响大，管理复杂。因此，办理工程施工的相关手续是一项庞大而复杂的系统工程。

1）获取土地

通过拍卖、转让、划拨等途径取得土地。

2）项目建议书

①项目建议书报告（委托咨询单位或有资质的设计院编制）。

②项目建议书申请报告（红头文件）。

③土地成交确认书。

④国有土地出让合同。

⑤规划选址意见。

3）可行性研究

①可行性研究报告文本（委托有资质的单位做，需要项目建议书的批复）。

②可行性研究报告申请。

③环境影响评价意见书。

4）土地使用证

①土地使用权登记申请表。

②营业执照及企业章程。

③组织机构代码证。

④法人代表身份证明。

⑤法人身份证（复印件）。

⑥土地登记委托书。

⑦委托人身份证（复印件）。

⑧宗地图。

⑨地籍调查界址表(由国土局测量队填写)。

⑩经公证的国有土地使用权出让合同(原件+复印件)。

⑪经公证的成交确认书。

⑫出让金、契税缴款通知书。

⑬出让金发票复印件。

⑭履约保证金(复印件)。

⑮契证(复印件)。

⑯交付通知书。

⑰规划用地许可证(复印件)。

5)规划用地许可证

①土地成交确认书。

②国有土地出让合同。

③建设用地规划许可证申请表。

④选址意见书及附图。

⑤项目建议书。

6)勘察设计招投标

①经审批部门同意的项目建议书或可行性研究报告的批复。

②具有土地管理部门颁发的土地使用证。

③具有规划管理部门确定的项目建设地点、规划控制条件和用地红线图。

④委托代理单位进行招投标代理。

⑤编制招标文件,并送招标办备案(勘察设计包括方案设计、勘察设计、初步设计、施工图设计等)。

7)环境影响评价

①由有资质的环评单位制作报告书(1个月)或表(1个星期)(需要项目建议书、选址建议书、规划用地许可证)。

②申请报告。

③项目建议书。

8)交评

需要提供规划设计方案。

9)日照分析

需提供所有图纸(电子计算模型文件和成果文件)。

10)建设工程规划设计方案审核

①建设(市政)工程规划设计方案申报表。

②建设项目选址意见书及附图。

③项目建议书批复。

④建设用地规划许可证及附图。

⑤绘制在1:500或1:1000城市坐标系统现状地形图上的总平图规划图一份(附DWG格式和PDF格式的电子文件)。

⑥相应资质的设计单位设计完成的规划设计方案(附电子文件)。

11)初步设计审批

①造价审核报告书:设计单位做的每一幢房屋的单体预算上报发改局审核。

②申请报告。

③环评意见。

④规划局方案会审意见。

⑤初步设计文本。

12)城管审核绿化

①申请报告。

②绿化申报方案:需达到初步设计深度,包括设计说明、设计构思、设计原则、总评、节点意向、苗木表、概算等及电子文件。

③规划意见书、红线图、用地条件图。

④立项批复文件。

⑤绿化率计算表。

⑥设计单位资质证书复印件。

13)立项文件

①初步设计批复。

②规划用地许可证。

③土地使用证。

④工程规划设计方案审核意见。

⑤造价审核报告书。

⑥申请报告(红头文件)。

⑦环境评估意见。

14)工程施工图纸

15)施工图审查意见和答复意见

16)施工图审查合格书(绿皮书)

17)工程施工招标文件

①委托代理公司进行清单编制,招标文件编制。

②提供施工图设计图纸。

18)工程施工和监理单位招投标

①施工和监理中标的技术标书。

②施工和监理中标的商务标书。

19)建筑消防设计防火审核

①建筑消防设计防火审核申报表,自动消防设施设计防火审核申请表。

②建筑工程项目1:500实测总平面图(建筑总平面图,室外给排水总平面图)。

③规划用地许可证及附图(复印件)。

④立项批复(复印件)。

⑤消防设计专篇(设置自动消防设施的建筑工程项目)。

⑥全套土建、结构、水、电、暖通施工图(钢结构建筑必须提供结构施工图,其他建筑结构项目不提供)、设计联系单等资料。

⑦设计单位相应资质证书复印件。

⑧原已建造的建筑单体,须提供当时消防审核与消防验收合格意见书复印件。

⑨上述凡复印件资料,均需加盖自己单位(建设单位)公章。

20)房屋建筑和市政基础设施工程施工图设计文件审查备案(由资质的图审单位负责审查)。

①工程施工图设计文件审查备案申请表原件。

②工程施工图设计文件审查合格证书2份。

③工程施工图设计文件审查意见书2份。

④工程施工图设计文件审查意见回复2份。

⑤施工图复审意见书2份。

⑥技术咨询合同书。

21)建设工程规划许可证

①建设(市政)工程规划许可证申请表。

②会审会议纪要、项目立项文件及扩初批复文件。

③建设用地规划许可证及附图复印件。

④土地权属证明、土地出让合同复印件。

⑤经同意使用的1:500或1:1000地形图两份及数字文件。

⑥经审查同意的绘制在1:5000或1:1000城市坐标系统现状地形图上的总平面规划图1份及电子文件。

⑦建设工程规划设计方案审查意见回复单。

⑧相应资质的设计单位设计的施工图总平面图及电子文件。

⑨建设与交通、公安、消防、城管、环保、农业等相关部门的审查意见。

⑩若是改建、扩建或使用性质调整项目,需原规划许可证及附图复印件、土地权属证明、房屋产权证明等。

22)新建建筑物防雷设施设计审核

①防雷装置设计审核申请书。

②防雷工程设计单位和人员的资质证、资格证书。

③规划用地许可证及附图(复印件加盖公章)。

④建设项目总平面图。

⑤建筑设计说明。

⑥立面、侧面图。

⑦结构设计说明。

⑧基础平面图。

⑨电气设计说明(高层建筑防侧击雷措施及说明)。

⑩基础接地平面图。

⑪屋顶防雷平面图等图纸。

23)招投标回复

①立项文件。

②规划用地许可证。

③建设规划施工许可证。

④勘察单位人员名单、资质证书、营业执照、合同。

⑤设计单位人员名单、资质证书、营业执照、合同。

⑥监理单位人员名单、资质证书、营业执照、合同(全部登记编号)。

⑦施工单位人员名单、资质证书、营业执照、合同(全部登记编号)。

⑧网上登记人员进行核对。

24)人防图纸审核意见

全套人防相关图纸。

25)建设施工许可证

①项目立项批文。

②建设工程规划许可证。

③勘察单位中标通知书、合同、资质证书。

④设计单位中标通知书、合同、资质证书。

⑤监理单位中标通知书、合同、资质证书。

⑥施工单位中标通知书、合同、资质证书。

⑦施工图设计文件审查合格证。

⑧节能备案登记表。

⑨人身意外伤害保险单及发票。

⑩安全生产许可证。

⑪项目负责人、项目部专职安全人员考核证书。

⑫建设工程施工现场周边环境安全条件及安全施工措施评估表。

⑬建筑工程安全质量监督登记表。

⑭建筑工程施工安全监督登记表。

⑮建设施工许可证申请表。

⑯全套施工图(盖好图审章、结构师章、设计单位章)。

26)建设工程初验

①建设工程验线申请表。

②城市规划部门出具的建设工程放线联系单(规划局出具的联系单)。

③建设工程规划许可证及附图复印件。

④底层平面图。

⑤放线测绘资料。

27)建设工程复验

①建设工程验线申请表。

②城市规划部门出具的建设工程放线联系单(初验时规划局出具的联系单)。

③复线测绘资料。

28)市政工程验线

①建设工程验线申请表。

②建设工程放线联系单。

③市政工程规划许可证及附图复印件。

④放线测绘资料。

⑤工程管线的竣工测量合同、施工进度计划表和竣工测量计划。

29)建筑物室外工程施工

30)建设工程规划许可证(副换正)

①竣工验收申请表。

②建设工程规划许可证。

③建设工程规划许可证附图。

④建设工程许可证复印件。

⑤竣工测绘报告书,图纸和电子文件。

⑥土地证复印件。

⑦经审核通过的总平面图。

31)消防验收(发消防合格单)

①委托消防检测单位做检测报告书。

②上网抽签,抽到上门检测。

32)质监验收

33)防雷验收

34)资料备案

35)工程决算审计

36)工程竣工验收

37)商品房预售许可证

①商品房预售申报表。

②建设用地许可证及附图。

③建设工程许可证和规划红线图(核原件)。

④土地证原件与复印件。

⑤土地出让或转让合同。

⑥按提供预售的商品房计算,投入开发建设的资金达到工程建设总投资的25%以上(已完成基础工程),应明确施工进度和竣工日期(质监站证明)。

⑦施工许可证和工程施工合同。

⑧初步设计会审文件。

⑨企业执照(盖公章)。

⑩企业资质登记证书原件和复印件。

⑪法人代表授权委托书原件,法人和代理人身份证复印件。

⑫分幢分层平面图和光盘。

⑬商品房价格备案表。

⑭商品房销售的清册;幢号、室号、平均价格。

⑮需向境外预售商品房的,应同时提交允许向境外预售的批准文件。

⑯经房管部门审核的测绘报告。

⑰地下人防位置面积证明(人防办确认)。

⑱发改局立项文件。

⑲抵押权人同意预售证明(设有抵押权的)。

⑳初期物业管理合同备案单。

㉑镇海区民用建筑缴纳防空地下室建设费核准单。

38)房地产开发企业网上备案提交资料

①房地产开发企业入网认证表(原件)。

②营业执照(复印件)。

③房地产开发企业资质证(复印件)。

④税务注册证明(复印件)。

⑤法人代表和代理人身份证(复印件)。

⑥委托书(法定代表人授权代理人办理网上备案人证事宜)。

⑦商品房预售申报表(复印件)。

⑧发改局立项文件(复印件)。

⑨建筑用地规划许可证(复印件)。

⑩建设工程规划许可证(复印件)。

⑪建筑工程施工许可证(复印件)。

⑫预售许可证(复印件)。

⑬土地使用权证(原件和复印件)。

⑭小区规划平面图。

⑮建筑平面图和测绘平面图。

⑯房地产测绘报告(预测)。

⑰商品房不纳入网上备案申报和销售清册。

⑱合同样本(工商备案过)。

⑲价格备案表。

⑳物业管理费、容积率、绿化率。

㉑房地产公司资质介绍和楼盘介绍(交通条件、配套设施、周边环境、公司品牌)。

注:复印件加盖企业公章。

39)招聘物业公司

①召开业主大会,成立业主委员会。

②核定物业收费标准。

③选聘物业公司。

④和业主签订物业服务合同。

40)工程建设完成

10.2 施工图纸会审

图纸会审是指工程各参建单位(建设单位、监理单位、施工单位)在收到设计院经过第三方审查合格的施工图设计文件后,对图纸进行全面细致的熟悉,审查出施工图中存在的问题及不合理情况并提交设计院进行处理的一项重要活动。图纸会审由建设单位组织并记录,通过图纸会审可以使各参建单位特别是施工单位熟悉设计图纸、领会设计意图、掌握工程特点及难点,找出需要解决的技术难题并拟订解决方案,从而将因设计缺陷而存在的问题消灭在施工之前。

10.2.1 图纸会审的目的

为了使参与工程建设的各方了解工程设计的主导思想、建筑构思和要求,采用的设计规范,确定的抗震设防烈度、防火等级,基础、结构、内外装修及机电设备设计,对主要建筑材料、构配件和设备的要求,采用的新技术、新工艺、新材料、新设备的要求以及施工中应特别注意的事项,掌握工程关键部分的技术要求,保证工程质量,设计单位必须依据国家设计技术管理的有关规定,对提交的施工图纸进行系统的设计技术交底。同时,也为了减少图纸中的差错、遗漏、矛盾,将图纸中的质量隐患与问题消灭在施工之前,使设计施工图纸更符合施工现场的具体要求,避免返工浪费,在施工图设计技术交底时,监理单位、设计单位、建设单位、施工单位及其他有关单位需对设计图纸在自审的基础上进行会审。施工图纸是施工单位和监理单位开展工作最直接的依据。现阶段大多会对施工进行监理,设计监理很少,图纸中难免存在差错,故设计交底与图纸会审更显得必要。设计交底与图纸会审是保证工程质量的重要环节,也是保证工程顺利施工的主要步骤,监理和各有关单位应当充分重视。图纸会审的目的可概括为以下两点:①使施工单位和各参建单位熟悉设计图纸,了解工程特点和设计意图,找出需要解决的技术难题,并制订解决方案;②解决图纸中存在的问题,减少图纸的差错,将图纸中的质量隐患消灭在萌芽之中。

10.2.2 图纸会审的程序

设计交底与图纸会审在项目开工之前进行,开会时间由监理单位决定并发通知。参加人员应包括监理、建设、设计、施工等单位的有关人员。按照《建设工程监理规范》第5.2.2条要求,项目监理人员应参加由建设单位组织的设计技术交底会。一般情况下,设计交底与图纸会审会议由总监理工程师主持,监理单位和各专业施工单位(含分包单位)分别编写会审记录。由监理单位汇总和起草会议纪要,总监理工程师应对设计技术交底会议纪要进行签认,并提交建设、设计和施工单位会签。图纸会审可采用全部图纸集中会审、分部图纸会审、分阶段图纸会审及分专业图纸会审,具体会审形式由监理确定。

1)图纸会审的一般程序

业主或监理方主持人发言→设计方图纸交底→施工方、监理方代表提问题→逐条研究→形成会审记录文件→签字、盖章后生效。

①图纸会审会议由业主或监理主持,主持单位应做好会议记录及组织参加人员签字。

②由设计单位介绍设计意图、结构设计特点、工艺布置与工艺要求、施工中注意事项等。

③各有关单位对图纸中存在的问题进行提问。参加图纸会审的每个单位提出的问题或优化建议在会审会议上必须经过讨论并作出明确结论;对需要再次讨论的问题,在会审记录上明确最终答复日期。

④图纸会审记录由监理负责整理并分发各个相关单位执行、归档。

⑤各个参建单位对施工图、工程联系单以及图纸会审记录做好备档工作。

⑥作废的图纸设计以书面形式通知,各个施工单位自行处理,不得影响施工。

⑦图纸会审前必须组织预审。阅图中发现的问题应归纳汇总,会上派一个代表为主发言,其他人可视情况适当解释、补充。

⑧施工方及设计方专人对提出和解答的问题做好记录,以便查核。

⑨整理成为图纸会审记录,由各方代表签字盖章认可。

2)图纸会审的内容

①是否无证设计或越级设计;图纸是否经设计单位正式签署。

②地质勘探资料是否齐全。

③设计图纸与说明是否符合当地要求。

④设计地震烈度是否符合当地要求。

⑤几个设计单位共同设计的图纸相互间有无矛盾;专业图纸之间,平、立、剖面图之间有无矛盾;标注有无遗漏。

⑥总平面图与施工图的几何尺寸、平面位置、标高等是否一致。

⑦是否满足防火、消防要求。

⑧建筑结构与各专业图纸本身是否有差错及矛盾;结构图与建筑图的平面尺寸及标高是否一致;建筑图与结构图的表示方法是否清楚;图纸是否符合制图标准;预埋件是否表示清楚;有无钢筋明细表或钢筋的构造要求在图中是否表示清楚。

⑨施工图中所列的各种标准图册施工单位是否具备。

⑩材料来源有无保证,能否替换;图中所要求的条件能否满足;新材料、新技术的应用是否有问题。

⑪地基处理方法是否合理;建筑与结构构造是否存在不能施工、不便施工的技术问题,或容易导致质量、安全、工程费用增加等方面的问题。

⑫工艺管道、电气线路、设备装置、运输道路与建筑物之间或相互间有无矛盾,布置是否合理。

⑬施工安全、环境卫生有无保证。

⑭图纸是否符合监理大纲所提出的要求。

3)会审记录的内容

图纸会审后应有施工图会审记录。会审记录应标明以下各项:

①工程名称:所在工程名称。

②工程编号:所在工程编号。

③表号:图纸会检表的表号。

④图纸卷册名称:所审图纸的卷册名称。

⑤图纸卷册编号:所审图纸的卷册编号,图纸中应注明。

⑥主持人:此处为监理人员签名,主持。

⑦时间:图纸会审时间,应注明x年x月x日。

⑧地点:图纸会审场所。

⑨参加人员:所有参与人员,包括工程各参建单位(建设单位、监理单位、施工单位)的与会人员。

⑩图纸会审中提出的意见。

a.图号:有问题的图纸编号。

b.提出单位:提出问题的单位(一般填写施工单位)。

c.提出意见:提出的问题(一般由施工单位提出)。

d.处理意见:对提出的问题做出的回复(由设计院作出回复)。

⑪签字、盖章:表底应有设计单位代表、建设单位代表、施工单位代表、监理单位代表的签字以及各单位盖章。

第11章 校内综合实训

校内综合实训课程是对理论教学课程的进一步完善和补充,是切实提升学生动手能力的重要途径。实训教学能够有效地培养学生的兴趣、激发学生的求知欲望,启迪学生智慧,陶冶情操,能够创设符合学生认识规律的学习环境,能够较好地训练学生的科学方法和培养各种能力,因此,实训课是高等职业院校教学中重要的组成部分。如今,职业院校教学正在进行着深刻的变革,加强实训课教学是适应职业院校教学领域变革的必然趋势,也是我国职业教育落实科学素质教育的重要措施。三年制高等职业院校校内综合实训一般安排在第五学期进行,土建类专业的校内综合实训主要包括:砌体工程、脚手架工程、钢筋工程、模板工程、混凝土工程、抹灰工程、防水工程等。

11.1 指导教师工作细则

11.1.1 指导教师岗位职责

①根据教学总体安排,认真完成教学实训和有关任务。

②认真贯彻教学实训大纲,执行实训计划;对规定的讲课内容、操作项目及实训时间不得随意增减。

③认真讲解本工种实训操作规程及有关要求,为学生作业示范;坚持巡回指导,监督学生严格遵守操作规程,发现问题及时解决。

④认真做好学生的考勤、实训报告的批改和评分工作。

⑤负责对学生进行职业道德、文明实训和安全生产的教育;严格执行安全生产的各项规章制度,确保师生的安全。

⑥负责本工种学生实训所用的材料、工具、刀具、量具等的准备和管理工作。

⑦保持设备完好清洁,做好设备的维修和保养,出现故障及时报修。

⑧定时打扫工作场所的卫生,各种物品堆放必须整洁有序。

⑨根据教学需要,及时做好教学仪器、设备的申购工作。

⑩完成领导交给的其他任务。

11.1.2 指导教师工作要求

①在政治思想、道德品质、教学态度、工作作风以及服饰仪表、言谈举止等方面都要严格要求自己,真正做到为人师表,在学生中树立良好形象。

②自觉遵守学校和系部的规章制度,不迟到、早退,不延迟开工,不提早收工,按时签到。坚守岗位,不擅自离岗或串岗,工作时间不聊天,不打瞌睡,不看书、报,不做与实训无关的事。

③狠抓学生的实训过程教育。对学生要严格要求、严格管理,集中实训前要进行文明实训和安全生产方面的教育,签订校内安全责任书;同时要关心爱护学生,耐心带教,对学生违纪和实训时看书、聊天、串岗等行为要及时批评教育。

④努力学习新技术、新工艺,不断提高自己的业务水平和操作技能;不断改进教学方法,提高教学质量和教学效果。

⑤实训指导教师在有实训任务时,原则上不能请假,如有特殊原因必须请假者,须提前做好有关的调课工作。

⑥提前5 min上班,做好一切准备工作,并准时带教,同时进行考勤;下班前10 min做收尾工作,收拾工量具及其他实训用具,学生打扫卫生结束后须点名方可离开。

⑦对实训内容、时间要控制好,实训任务提前结束时,应事先安排好备用课题(备好课),不能让学生实训时无事可做或非常空闲。

⑧每天实训结束前进行20 min左右讲评。

⑨实训讲义由各工种备课组统一编写,实训报告由指导老师批改、登记成绩,学期结束时一并交实训处。

⑩设备或电路出故障时,应及时报修,并填写报修单,维修后由操作人员验收签字;添置仪器、设备需提前填写申购单,经学校批准后统一购买。

11.1.3 指导教师的工作细则

1)教学任务下达与承接

①实训教学任务按教学进程安排,由系部(实训处)依据教师承担任务的能力和条件,具体落实指导教师。

②实训任务的最终下达,由教务处以教师授课任务书的形式通知各任课教师。

③各任课教师承接任务后,应认真做好各项准备工作,按计划和要求完成实训指导工作。

2)实训任务的布置与安排

①各实训指导教师应在实训教学执行周的前一周,利用课余或晚自习时间,安排布置实训任务,发放实训指导文件、资料。

②布置任务前,应预先与实训室和指导技师进行联系,并向实训指导技师安排相应的工作,提出具体要求。

③向学生布置任务时,应按任务书、指导书规定的内容和要求。主要包括下列内容:实训任务,目的及应掌握的知识点,实训组织,过程要求,操作程序,工具使用方法、设备使用管理规定及注意事项,安全注意事项,成绩考核评定办法,纪律及考勤,实训材料、工具用具管理规定。

3)实训指导与管理

(1)实训组织

①实训前,实训室按规定安排指导技师,由指导教师全权负责安排和指导。

②指导教师应做好班级分组与分工安排,在班级组建相应的机构,建立相应的制度与管理办法等。

③提前填好工具、机具借用单,材料领用计划与签证单,并交到实训室,以便实训室审核和做相应的准备工作。

(2)安全管理

①指导教师作为第一安全主体,负责实训过程中的安全管理工作。

②指导教师组织学生开展安全教育,指导学生分组,每组配置安全员并成立安全监督小组,安排指导技师,抓好实训过程安全管理与监督。

③指导教师必须在实训当周学生正式进场实训前组织开展一级安全技术交底,交底内容重点包括实训全过程安全纪律、安全规程、安全案例等;指导教师安排实训指导技师每天针对具体实训内容开展二级安全技术交底,交底内容重点包括操作规程、防护措施、安全要求等。

(3)实训过程指导

①实训指导教师在指导过程中应挂工作牌,戴安全帽,身着工作服。

②指导教师应按任务书中规定的学生应知应会的内容进行具体指导。

③指导中应解决和纠正技师和学生在实训过程中的问题。

④指导教师可利用实训或晚自习时间在指定的教室进行理论指导。

(4)实训过程管理

①实训过程中,应做好纪律检查、考勤等工作,对劳动态度差、出工不出力的现象要及时予以纠正和处罚。

②随时检查安全情况,对不戴安全帽、违章操作等现象要及时教育。

③适时组织学生召开相关阶段性例会,进行技师安全交底,提出工作要求,总结阶段性工作等。

④实训组织过程中,涉及材料、机具等问题,应及时与实训室联系,以便及时解决。

⑤实训指导教师应每天填写实训日志,记录当天的实训情况。它可作为实训指导教师到场时间的考核依据。

(5)成绩考核与评定

①实训任务结束前,应按任务书、指导书规定的考核办法,及时对学生完成的工作的质量进行检查和评定。

②考核应在指导技师和班级相关人员协同下认真进行,之后由老师填写。

③按考核表上的要求和实训报告书的质量进行成绩评定。原始考核表、成绩评定单和批改的实训报告书交实训室存档,成绩册按相关规定交到实训办公室。

11.2 指导技师工作细则

11.2.1 指导技师工作职责

①根据实训指导教师的安排进行操作训练指导工作。

②根据实训室和实训指导教师的安排做好相应的准备工作。

③协助实训指导教师对学生进行组织管理、考勤、安全教育、安全管理等,并参与学生的成绩考核与评定工作。

④应主动向实训室及实训指导教师汇报实训情况,积极配合实训室及实训指导教师完成实训任务。

⑤实训工作结束后做好设备保养及场地清理工作。

⑥严格遵守劳动纪律,完成实训室交给的其他工作任务。

⑦对学生进行安全交底工作,负责学生在实训过程中的安全问题。

⑧严格执行安全实训一票否决制度,确保学生安全实训。

⑨管理、维护好实训室设备、器械,严禁学生将其带离实训室。

⑩学生实训过程中,指导技师全程现场指导。

11.2.2 实训过程指导

①熟悉实训文件及相关资料,严格按任务书、指导书规定的内容和要求进行指导。

②严格按操作规程指导学生的训练操作过程,做到规划严谨。

③指导过程应身体力行,标准示范,并进行讲解。

11.3 学生实训守则

11.3.1 总则 .

①校内实训室是学院实践教学的主要场所。为了合理使用实训室资源,充分、高效地发挥校内实训室的作用,进一步做好实训管理工作,更好地服务于高职教育教学,特制订本制度。

②校内实训室分为公共实训室和专业实训室两种。公共实训室即全校各个专业均可使用的实训室,主要包括机房、多媒体教室和语音教室等;专业实训室是指由学院建设的专业性较强,为某一个系或专业服务的实训室。实训室的管理实行集中与分散相结合的原则,公共实训室由实训与网络中心管理,专业实训室由实训与网络中心委托所在系管理。

11.3.2 仪器设备损坏、丢失赔偿

①由于使用人或管理人玩忽职守、保管不当,导致实训室的仪器设备被窃、损坏、遗失等,要查清责任,对当事人进行严肃处理。事故损失在200元以下的,由系主任处理,报教务处实训与网络中心备案;损失在1 000元以下的,由所在系提出处理意见,协同教务处与网络中心报主管院长处理;损失在1 000元以上的,由所在系提出处理意见,协同教务处实训与网络中心和主管院长报学院处理。

②由于下列原因之一造成仪器设备损坏、丢失者,应负赔偿责任,严重者给予相应的行政处分:

a.不遵守制度,违反操作规程,造成损坏或丢失。

b.未经部门领导许可擅自使用或任意拆卸仪器设备,造成损坏或丢失。

c.擅自将设备器材挪作私用或保管不善,造成损坏或丢失。

③赔偿处理办法:

a.器材价值在1 000元以下者,按原价赔偿。

b.价值在1 000元以上或发生重大事故者,视情节轻重,给予适当的行政处分,并按原价赔偿。

c.丢失仪器设备零件时,可以只赔偿零配件费用。对于能够维修使用的仪器设备,可以只赔偿维修费。如果维修后质量明显下降,要按照质量降低程度,酌情赔偿。

④根据仪器设备损坏程度、后果及责任人态度,可以减免或加倍赔偿:

a.责任人能迅速改正错误,表现良好,经本人提出,系主任同意,并经教务处实训与网络中心审批,可酌情减免赔偿的数额。

b.责任人一贯遵守制度、爱护仪器设备,因偶尔疏忽造成损失,事故发生后能积极设法挽救损失、主动报告、检讨深刻,可酌情减免赔偿。

c.责任人一贯不爱护仪器设备、不负责任、态度恶劣、情节严重,影响很坏者,应加重处理。

⑤发生仪器设备损坏、丢失事故时,实训室管理人员应组织有关人员查明原因,提出赔偿处理意见,并上报系部审批。

⑥确定赔偿责任和金额后,由责任人向财务处缴款。对无故拖延、不执行赔偿决定者可以采用适当的行政措施。

⑦学生损坏、丢失仪器设备者,参照本条例执行。

11.3.3 实训室教学管理

1)学生须知

①进入实训室时间为课前10分钟,其他时间不允许随意出入。原则上,凡进入实训室的学生必须携带有效证件(身份证、学生证、借阅证等)

②禁止在实训室内大声喧哗及打闹;严禁穿着奇装异服、背心、拖鞋等进入实训室;禁止携带食品、饮料进入实训室;禁止在实验室内吸烟、吃口香糖或随地吐痰;禁止在教学仪器设备、墙壁及桌面上乱写乱画。

③禁止在实训室内玩手机游戏、听音乐、上网聊天或登录与课堂教学无关的网站。

④严禁未经指导教师及实训室管理人员允许,随意开启电源、教学仪器设备及空调开关,严禁在实训室内私自使用电源。

⑤实训前,学生必须认真预习实训指导书规定的有关内容。实训时,经指导教师认可才能开始实训准备工作。

⑥实训时,学生必须服从指导教师的指导,严肃认真,正确操作,独立完成实训任务,认真完成实训报告或实训作业,并交指导教师审阅,不得抄袭他人实训结果。

⑦实训中设备发生故障或损坏时,应及时报告指导教师处理。凡违反操作规程或擅自使用其他设备,导致设备、器皿、工具损坏者,应主动说明原因、写出书面检查,并按有关规定赔偿。

⑧遵章守纪,严格执行作息制度,不迟到,不早退,上课期间严禁擅自离开工学教室,有事需向实训课老师请假,点名未到者按旷课处理。

⑨团结同学,互帮互学。教室内严禁打闹、玩耍,由此造成的人身意外,后果自负。

⑩进入实训教室,严禁吸烟、携带食物,违者参照学校相关管理规定处罚。

⑪爱护公物,爱护教具、工具,文明学习,室内外应保持清洁。

⑫学生不得擅自将工具、量具及教学设备带出实训教室,对故意损坏工具、设备者,除照价赔偿外应处以一定罚款。

⑬每天课程结束后,必须做好工具和量具的清洁、清点以及值日生工作,如发现短缺或损坏,应及时向实训课老师汇报。离开实训教室时,应确认已切断电源、关闭门窗。

⑭准时上课,不得迟到、早退及缺勤。

11.4 实训工器具和劳动保护用品发放规则和管理制度

11.4.1 实训工器具和劳动保护用品发放规则

1)实训工器具发放规则

实训工器具是高职院校学生实训能够完成的必备工具,主要包括墨盒、线锤、瓦刀、扳手等。

①提前一天由实训室库房管理员通知各实训班级负责人,凭有效证件以班级为单位前来实训室领取实训工具。

②由实训室库房管理员对实训学生进行安全教育,并培训实训工具的使用方法和正确维修方法。

③告知实训学生借用期限及损坏赔偿办法。

④各组由2~3人进入库房,由实训室管理人员和实训班级负责人清点实训工具数量,并检查是否完好,如有缺损或不能正常使用,立即补领或更换。

⑤各实训班级负责人在登记表上填写班级、组号及日期,将登记表交由实训室库房管理人员。

⑥告知实训班级学生如期归还实训工器具,并清洗干净。以班级为单位归还,由实训室库房管理员和实训班级负责人清点实训工器具的数量,并检查是否损坏;如果存在破损将依据实训工器具管理制度处以罚款;做好记录备案。

2)劳动保护用品发放规则

劳动保护用品是保护实训学生在生产过程中的安全和健康的辅助用品,主要包括安全帽、实训工作服和安全手套等。发放劳动防护用品不是福利待遇,是校内实训的基本需要。应根据不同工种及不同的劳动条件制订发放标准。具体发放规则如下:

①提前一天由实训室库房管理员通知各实训班级负责人,凭有效证件以班级为单位前来实训室领取实训工具。

②由实训室库房管理员对实训学生进行安全教育,并培训劳动保护用品的使用方法。

③告知实训学生借用期限及损坏赔偿办法。

④各组由2~3人进入库房,由实训室库房管理员和实训班级负责人清点实训劳动保护用品的数量,并检查是否破损(如手套破洞、漏指、安全帽裂纹或开裂、安全工作服开线等),如有缺损,立即补领或更换。

⑤由各实训班级负责人在登记表上填写班级、组号及日期,将登记表交由实训室库房管理人员。

⑥告知实训班级学生归还劳动保护用品的期限。以班级为单位归还,由实训室库房管理员和实训班级负责人清点实训劳动保护用品的数量,并检查是否破损(如手套破洞、漏指、安全帽裂纹或开裂、安全工作服开线等);如果存在破损将依据实训劳动保护用品管理制度处以罚款;做好记录备案。

11.4.2 实训工器具和劳动保护用品管理制度

①所有的实训工器具和劳保用品都有一定的价值和规定的使用期限,因此,实训学生在领用实训工器具和劳保用品时要经实训室主管领导批准。

②个人领取的劳动保护用品或用具要妥善保管,丢失和损坏劳动保护用品者一律自行配备并罚款100元,意外事故除外。

③实训工器具和劳保用品在规定的使用期满后,实训室可以申请领用新的,回收旧的。

④根据工种、工作环境、实训条件、实训强度的不同,规定发放标准和使用期限。

⑤需补领的防护用品经实训班级负责人申请、本单位领导及实训室主管审批,交赔偿费后,由实训室安全员或专职人员补发。

⑥实训室必须严格按照学校规定为实训班级免费发放实训工器具和劳动保护用品,更换已经损坏或已到使用期限的劳动保护用品,不得收取或变相收取任何费用。

⑦实训室应根据实训学生的生产特点和劳动防护的需要发给不同的防护用品;即使是相同工种,因工艺、设备、材料、环境不同,防护用品发放也不同。

⑧发放、领用实训工器具和劳动防护用品,要从实际出发,按照"实用和节约"的原则,不准扩大或缩小发放范围,要杜绝变卖实训工器具和防护用品的现象。对不执行实训工器具和劳动防护用品管理规定的学生或管理者,要依法追究个人及相关班级的责任。

⑨学生在实训过程中,必须按照安全生产规章制度和劳动防护用品使用规则,正确佩戴和使用劳动保护用品;未按规定佩戴和使用劳动保护用品者,不得上岗作业。

⑩实训管理人员须定期检查、鉴定实训工器具和劳动防护用品,对损坏、发霉、变质、虫蛀等失去安全防护性能的实训工器具、防护用品应及时更换或维修;超过使用期限的应及时予以报废,不得继续使用。

⑪安全工器具应按规定和实际需要进行放置,不得存放不合格的安全工器具。

⑫安全工器具使用前应认真检查,严禁使用过期、损坏、不合格的安全工器具。

⑬每个月应对安全工器具进行一次全面检查,确保合格完备,检查后应履行签字手续。

11.5 砌体结构综合实训

11.5.1 实训目标

砌体结构工程施工实训是教学计划规定的重要教学环节,是提高学生专业素质、培养学生岗位职业能力的重要手段。通过实训期间的各种工种训练,应达到如下目的:

①理论联系实际,在实际操作中,验证、巩固、深化已学的有关理论和专业知识,提高学生独立分析问题、解决问题的心智、能力,做到操作技能与心智技能并重。

②使学生获得砌体结构工程施工技术和项目管理的实际知识,了解书本知识和实际情况的区别和联系;掌握砌体工程施工准备工作内容、砌筑方法及验收内容。

③开阔学生的工程技术眼界,了解我国目前砌体结构工程技术和项目管理的现状和发展状况。

④培养学生吃苦耐劳、主动学习和全面学习的观念,培养学生工作中的协调配合能力,提高学生的综合素质。

11.5.2 实训条件要求

1)实训场地要求

砌筑工程作业有室内作业和室外作业两种情况。为比较真实的还原砌体结构工程的施工现场,我们将砌筑用的水泥、砂子、砌块等原材料和砌筑作业工位均进行露天布置,砌筑工具、模板、脚手架和劳保用品集中存放在实训室内。每个砌筑作业组由7~8人组成,每小组操作业面不得小于30 m^2,水泥、砂子、砌块等材料分组。

2)实训工具

灰铲、瓦刀、小线、大铲、刨锛、拖线板、线坠、卷尺、皮数杆、墨斗、红蓝铅笔、水准仪、大尺(50 m)、灰车、灰斗、砌筑脚手架、百格网、铁锹等。

3)主要材料配置

机制红砖、各种规格的烧结黏土空心砖砌块、砂、水泥、外加剂、墙体拉结钢筋、圈梁、构造柱钢筋、砌筑工艺展板等。

11.5.3 实训内容

240墙、370墙墙体砌筑，马牙槎留设、构造柱、圈梁、过梁施工。

11.5.4 砌筑工艺流程

流程为：基层清理→放线→找平→排砖→立皮数杆→挂线→砌筑砖墙→浇筑构造柱→验收。

①选砖：砌清水墙应选择棱角整齐，无弯曲、裂纹，颜色均匀，规格基本一致的砖。敲击时声音响亮，焙烧过火变色、变形的砖可用在基础及不影响外观的内墙上。

②基层清理、放线：砌筑前应将基层表面的灰砂、泥土、杂物等清扫干净。弹好轴线、墙身线，根据进场砖的实际规格尺寸弹出门窗洞口位置线。

③组砌方式：370 mm、240 mm、180mm厚砖墙的组砌形式：一顺一丁、三顺一丁、梅花丁等。

④砌筑方法：有三一砌砖法、挤浆法、刮浆法和满口灰法。

⑤砌体的组砌要求：上下错缝、内外搭接，以保证砌体的整体性。同时，组砌要有规律，少砍砖，以提高砌筑效率，节约材料。

⑥抄平：砌墙前应在基础防潮层或楼面上定出各层标高，并用M7.5水泥砂浆或C10细石混凝土找平，使各段砖墙底部标高符合设计要求。

⑦放线：根据龙门板上给定的轴线及图纸上标注的墙体尺寸，在基础顶面上用墨线弹出墙的轴线和墙的宽度线，并定出门洞口位置线。

⑧摆砖：摆砖是指在放线的基面上按选定的组砌方式用干砖试摆。摆砖的目的是为了核对所放的墨线在门窗洞口，附墙垛等处是否符合砖的模数，以尽可能减少砍砖。

⑨立皮数杆：皮数杆是指在其上画有每皮砖和砖缝厚度以及门窗洞口、过梁、楼板、梁底、预埋件等标高位置的一种木制标杆。

⑩挂线：为保证砌体垂直平整，砌筑时必须挂线，一般24墙可单面挂线，37墙及以上的墙则应双面挂线。

⑪砌砖：砌砖的操作方法很多，常用的是"三一"砌砖法和挤浆法。砌砖时，先挂上通线，按所排的干砖位置把第一皮砖砌好，然后盘角。盘角又称立头角，指在砌墙时先砌墙角，然后从墙角处拉准线，再按准线砌中间的墙。砌筑过程中应三皮一吊、五皮一靠，以保证墙面垂直平整。

⑫勾缝、清理。清水墙砌完后，要进行墙面修正及勾缝。墙面勾缝应横平竖直、深浅一致、搭接平整，不得有丢缝、开裂和粘结不牢等现象。砖墙勾缝宜采用凹缝或平缝，凹缝深度一般为4～5 mm。勾缝完毕后，应进行墙面、柱面和落地灰的清理。

11.5.5 砌筑工程质量评定

①砖砌体顶面标高允许偏差±15 mm。

②砖砌体表面平整度允许偏差±5 mm。

③砖砌体门窗洞口高、宽允许偏差±5 mm。

④砖砌体外墙上下窗洞偏移允许偏差±20 mm。

⑤砖砌体水平灰缝平直度允许偏差±10 mm。

⑥砖体中砂浆应饱满密实，垂直及水平灰缝的砂浆饱满度不得低于95%，不允许出现内外相通的空隙。

⑦组砌方法应正确，竖缝错开不准有通缝，水平灰缝要平直，平直度偏差不超过10 mm。

11.6 脚手架工程综合实训

11.6.1 实训目标

让学生实际操作搭设脚手架，增强学生施工工序能力，掌握脚手架的施工方法，熟悉脚手架的有关安全知识。

11.6.2 实训条件要求

1)实训场地要求

每个作业组由7～8人组成，每小组操作面不得小于30 m^2，钢管、扣件、脚手板等材料分组存放。

2)实训工具

活动扳手、短锤、脚手架扳手、水平仪、折尺、脚手架安全带、安全帽、手套、绳索、钢剪、带状吊索(吊带)、防坠器、专业工具袋、工作靴(软底鞋)、安全照明、运输工具、滑轮、滑板绳、防尘口罩、专用连体服、耳塞等。

3)主要材料配置

钢管：一般采用直径48 mm×3.5 mm钢管或无缝钢管，也可用外径为50～51 mm、壁厚3～4 mm的焊接钢管；扣件：有直角扣、回转扣、对接扣；安全网和钢制脚手板等。

11.6.3 实训内容

搭设双排多立柱扣件式外墙脚手架。

11.6.4 脚手架施工程序及流程

1)搭设步骤

扣件检查→地基处理→安放垫木→垫木调平→底座抄平→铺放垫板→摆放扫地杆(贴近地面的大横杆)→逐根树立立杆，随即与扫地杆扣紧→安第一步大横杆(与各立杆扣紧)→安第二步大横杆→加设临时斜撑杆(上端与第二步大横杆扣紧，脚手架搭完后拆除)→第三步大横杆→外侧加设抛撑→横向剪刀撑→纵向剪刀撑→铺脚手板→挂密目安全网。

若搭设超过10 m则使用前须进行检查验收。初次开始搭设时应设置抛撑进行加固。

2)施工工艺

①脚手架必须设置纵、横向扫地杆。纵向扫地杆应采用直角扣件固定在距底座上皮不大于200 mm处的立杆上。横向扫地杆也应采用直角扣件固定在紧靠纵向扫地杆下方的立杆上。当立杆基础不在同一高度时，必须将高处的纵向扫地杆向低处延长两跨与立杆固定，高低差应不大于1 m。

②吊运脚手架构件等材料，要长、短分开，码放整齐，绑扎成束，并用绳索两点启运，落放应平稳。搭拆脚手架要上下配合，零配件要用绳索提拉，严禁抛掷。

③脚手架使用中，要按着施工方案及设计计算书的要求严格控制荷载。此外，放置材料要均匀，不得集中堆放。

④在大风、大雨、大雪等恶劣天气后，项目部要对架子进行全面检查，保证架子安全。

3)立杆搭设应符合下列规定

①立杆接长除顶层可采用搭接外，其他各层各步接头必须采用对接扣件连接；相邻立杆的对接扣件不得在同一高度内。

a.两根相邻立杆的接头不应设置在同步内，同步内隔一根立杆的两个相隔接头在高度方向错开的距离不小于500 mm；各接头中心至主接点的距离不宜大于步距的1/3。

b.搭接长度不应小于1 m，应采用不少于2个旋转扣件固定，端部扣件边缘至杆端距离不应小于100 mm。

②开始搭接立杆时,应每隔6跨设置一根抛撑,直至构件安装稳固后方可根据情况拆除。

4)纵向水平杆搭设应符合下列规定

①纵向水平杆宜设置在立杆内侧,其长度不宜小于3跨。

②纵向水平杆接长宜用对接扣件,也可采用搭接。对接、搭接应符合下列规定:纵向水平杆的对接扣件应交错布置,各接头至最近主接点的距离不宜大于纵距的1/3;搭接长度不应小于1 m,应等间距地用旋转扣件固定,端部扣件盖板的边缘至杆端距离不应小于100 mm。

③纵向水平杆应作为横向水平杆的支座,用直角扣件固定在立杆上。

5)横向水平杆搭设应符合下列规定

①主节点必须设置一根横向水平杆,用直角扣件扣接且严禁拆除。主节点处两个直角扣件的中心距不应大于150 mm。

②作业层上非主节点处的横向水平杆,宜根据支撑脚手板的需要等间距设置,最大间距不应大于纵距的1/2。

6)扣件安装应符合下列规定

①扣件规格必须与钢管外径相同。

②螺栓拧紧力矩不应小于40 N·m,且不应大于65 N·m。

③在主节点处固定纵向和横向水平杆、剪刀撑、横向斜撑等用的直角扣件的中心点的相互距离不应大于150 mm。

④对接扣件的开口应朝上或朝内。

7)脚手板的铺设应符合下列规定

①脚手板应铺满,离开建筑面120~150 mm。

②脚手板的探头应用直径3.2 mm的镀锌钢丝固定在支承杆件上;在拐角、斜道平台口处的脚手板应与横向水平杆可靠的连接,防止滑动。

③自顶层作业层的脚手板往下计,宜每隔12 m满铺一层脚手板;脚手架必须在外侧立面的两端各设置一道剪刀撑,并应由底至顶连续设置;中间各道剪刀撑之间的净距不应大于15 m。高度在24 m以上的脚手架应在外侧整个立面整个长度和高度上连续设置剪刀撑。

11.6.5 脚手架验收

①观察钢管脚手架整体或局部的垂直偏差,尤其要观察脚手架四角、开分断处二侧端口是否偏斜、下沉。如发现有异样者,应立即组织人员进行加固。

②经常检查垫铺的竹笆,及时修复断筋断条,填补空洞,并应同时检查各竹笆的绑扎点。

③连墙杆件的紧固及移位加固。对影响施工的部位,应在技术部门制订措施后,方可进行移位变更工作,操作人员不得擅自进行连墙杆件的移位。

④仔细检查密目网根部绑扎是否松动,网绳是否破断,发现松动要及时修复,发现破断要及时更换。

⑤清除积聚在脚手架危险部位的材料、砖石、混凝土块等杂物。

11.6.6 脚手架拆除

①拆架应遵守由上而下、先搭后拆、后搭先拆的原则,即先拆拉杆、脚手板、剪刀撑、斜撑,而后拆小横杆、大横杆、立杆等。一般的拆除顺序为:安全网→栏杆→脚手板→剪刀撑→小横杆→大横杆→立杆。

②不准分立面拆架或在上下两步同时进行拆架。做到:一步一清、一杆一清。拆立杆时,要先抱住立杆再拆开最后两个扣。拆除大横杆、斜撑、剪刀撑时,应先拆中间扣件,然后托住中间,再解端头扣。所有连墙杆、斜拉杆、登高设施的拆除,应随脚手架拆除同步施工。严禁先将连墙体整层或数层拆除后再拆脚手架。分段拆除高差不应大于2步,如高差大于2步,应增设连墙加固。

③保证拆除后架体的稳定性不被破坏,如连墙杆被拆除前,应加设临时支撑防止变形。拆除各标准节时,应防止失稳。

④当脚手架拆至下部最后一根长钢管的高度(约6.5 m)时,应先在适当位置搭临时抛撑加固,后拆连墙体。

11.6.7 脚手架拆除的安全技术措施

1)脚手架拆除前的准备工作

全面检查脚手架,重点检查扣件连接固定、支撑体系等是否符合安全要求;拆除前进行技术交底;清除脚手架中留存的材料、电线等杂物。

①架体拆除前,必须察看施工现场环境,包括架空线路、外脚手架、地面的设施等种类障碍物、地锚、缆风绳、连墙杆及被拆架体各吊点、附件、电气装置的情况,凡能提前拆除的尽量拆除掉。

②拆架时应划分作业区,周围设绳绑围栏或竖立警戒标志,地面应设专人指挥,禁止非作业人员进入。

③拆除时要统一指挥,上下呼应,动作协调,当解开与另一人有关的结扣时,应先通知对方,以防坠落。

④在拆架时,不得中途换人,如必须换人,应将拆除情况交待清楚。

⑤每天拆架下班时,不应留下隐患部位。

⑥拆架时严禁碰撞脚手架附近电源线,以防触电。

⑦所有杆件和扣件在拆除时应分离,不准在杆件上附着扣件或两杆连着送到地面。

⑧所有的脚手板,应自外向里竖立搬运,以防脚手板和垃圾物从高处坠落伤人。

2)拆除的安全技术措施

①进入施工现场的人员必须戴好安全帽,高空作业系好安全带、穿好防滑鞋等,现场严禁吸烟。

②进入施工现场的人员要爱护场内的各种绿化设施和标志牌。

③拆除的高处作业人员必须戴好安全帽、系安全带、穿软底鞋。

④拆除时不应碰坏门窗、玻璃等成品装饰。

⑤在拆架过程中不得中途换人,如须换人,应将拆除时的情况交待清楚。

⑥严禁酗过酒人员上架作业。施工操作时要求精力集中,禁止开玩笑和打闹。

⑦脚手架拆除人员必须是经考试合格的专业架子工。上岗人员要定期体检,体检合格者方可发上岗证。凡患有高血压、贫血病、心脏病及其他不适于高空作业者,一律不得上脚手架操作。

⑧上架子作业人员上下均应走人行梯道,不准攀爬架子。

⑨拆除架子要使用电焊气割时,应派专职人员做好防火工作,并配备料斗,防止火星和切割物溅落。

⑩材料、工具用滑轮和绳索运输,施工人员严禁高空投掷杆件、物料、扣件及其他物品。

⑪使用的工具要放在工具袋内,防止掉落伤人;登高要穿防滑鞋,袖口及裤口要扎紧。

⑫运至地面的材料应按指定地点随拆随运,分类堆放,当天拆当天清,拆下的扣件和铁丝要集中回收处理。应随时整理、检查,按品种、分规格堆放作业。

11.7 钢筋工程实训

11.7.1 实训目标

①能根据图纸进行钢筋的配料计算。

②能根据钢筋配料单进行钢筋制作。

③能根据施工图纸进行钢筋绑扎。

④能用检测工具和检验规范对钢筋工程质量进行检验和评定。

11.7.2 实训条件要求

1)实训场地要求

钢筋工程作业有室内作业和室外作业两种情况,各规格钢筋、操作台、钢筋加工机械、钢筋安装场地均采用室内布置。每个安装作业组由7~8人组成,每小组操作面不得小于40 m^2。操作场地应干燥、通风,操作人员应有上岗证。机具设备齐全。应首先在室内做好钢筋配料表、料牌(料牌应标明:钢号、规格尺寸、形状、数量)。

2)实训工具

钢筋弯曲机、钢筋切断机、钢筋调直机、钢筋对焊机、钢筋加工台、钢丝刷、扳手、扎丝、钢筋钩等。

3)主要材料配置

钢筋的品种、规格需根据设计要求配置,同时应具有产品合格证、出厂检验报告和进场按规定抽样复试报告。当钢筋的品种、规格需作变更时,应办理设计变更文件。当加工过程中发现钢筋脆断、焊接性能不良或力学性能显著不正常时,应对该批钢筋进行化学成分检验或其他专项检验。

11.7.3 实训内容

依据指导教师指定的钢筋施工图纸,编制钢筋配料表、钢筋代换计算,填写钢筋料牌。

1)填写配料表所应满足的要求

①对有搭接接头的钢筋下料时,按下料长度公式计算后,尚应加长钢筋的搭接长度。

②配料计算时,要考虑钢筋的形状和尺寸。对外型复杂的构件,应采用放1:1足尺或放大样的办法。

③配料时,还要考虑施工需要的附加钢筋,例如,基础双层钢筋网中保证上层钢筋位置用的钢筋撑脚等。

2)钢筋代换应符合下列规定

①不同种类钢筋代换,应按钢筋受拉承载力设计值相等原则进行。

②当构件受抗裂、裂缝宽度或挠度控制时,钢筋代换应进行抗裂、裂缝宽度或挠度验算。

③钢筋代换后,应满足混凝土结构设计规范中规定的钢筋间距、锚固长度、钢筋最小直径、根数等要求。

④对有抗震要求的框架,不宜以强度较高的钢筋代替原设计中的钢筋。

3)钢筋加工

①钢筋除锈。使用钢筋前均应清除钢筋表面的铁锈、油污和锤打能剥落的浮皮。除锈可通过钢筋冷拉或在钢筋调直过程中完成;少量的钢筋除锈,可采用电动除锈机或喷砂方法除锈;钢筋局部除锈可采取人工用钢丝刷或砂轮等方法。

②钢筋调直。

a.对局部曲折、弯曲或成盘的钢筋应加以调直。

b.钢筋调直:ϕ10 mm以内钢筋一般使用卷扬机拉直和调直机调直,ϕ10 mm以上应采用弯曲机、平直锤或人工捶击矫正的方法调直。

③钢筋切断。

a.钢筋弯曲成型前,应根据配料表要求的长度分别截断,通常宜用钢筋切断机进行。

b.对机械连接钢筋、电渣焊钢筋、梯子筋横棍、顶模棍钢筋不能使用切断机,应使用切割机械,使钢筋的切口平,与竖向方向垂直。

c.钢筋切断时,应将同规格钢筋不同长度长短搭配,统筹排料。一般先断长料,后断短料,以减少断头和损耗。

④钢筋弯曲成型。

a.钢筋的弯曲成型多采用弯曲机进行,在缺乏设备或少量钢筋加工时,可用手工弯曲成型。

b.钢筋弯曲时应将各弯曲点位置画出,画线尺寸应根据弯曲角度不同和钢筋直径扣除钢筋弯曲调整值。钢筋端部带半圆弯钩时,该段长度画线时应增加0.5d。

4)钢筋绑扎

(1)材料准备

成型钢筋、20~22号镀锌铁丝、钢筋马凳(钢筋支架)、固定墙双排筋的间距支筋(梯子筋)、保护层垫块(水泥砂浆垫层或成品塑料垫块)。

(2)机具准备

钢筋钩子、撬棍、钢筋扳子、钢筋剪子、绑扎架、钢丝刷子、粉笔、墨斗、钢卷尺等。

(3)作业条件

①熟悉图纸,确定钢筋的穿插就位顺序,并与有关工种做好配合工作,如支模、管线、防水施工与绑扎钢筋的关系,确定施工方法,做好技术交底工作。

②核对实物钢筋的级别、型号、形状、尺寸及数量是否与设计图纸和加工料单、料牌吻合。

③钢筋绑扎地点已清理干净,施工缝处理已符合设计、规范要求。

④抄平、放线工作(即标明墙、柱、梁板、楼梯等部位的水平标高和详细尺寸线)已完成。

⑤基础钢筋绑扎如遇到地下水时,必须有降水、排水措施。

⑥已将成品、半成品钢筋按施工图运至绑扎部位。

5)独立基础钢筋安装施工工艺

工艺流程为:层上弹底板钢筋位置线→按线布放钢筋→绑扎底板下部及地梁钢筋→(水电预埋)→设置垫块→放置马凳→绑扎底板上部钢筋→设置插筋定位框→插墙、柱预埋钢筋→基础底板钢筋验收。

基础钢筋绑扎流程如下:

①底板钢筋绑扎时,如有基础梁,可先分段绑扎成型或根据梁位弹线就地绑扎成型。

②弹好钢筋位置分格标志线,布放基础钢筋。

③绑扎钢筋,四周两行钢筋交叉点应每点绑牢,中间部分交叉点可相隔交错扎牢,但必须保证受力钢筋不位移。双向主筋的钢筋网需全部钢筋相交点扎牢,相邻绑扎点的扎丝扣成八字形,以免网片歪斜变形。

④基础底板采用双层钢筋网时,在底层钢筋网上应设置钢筋马凳或钢筋支架,之后即可绑上层钢筋的纵横两个方向的定位钢筋,并在定位钢筋上划分标志,摆放纵横钢筋,绑扎方法同下层钢筋。钢筋马凳或钢筋支架间距1 m左右设置一个。

⑤底板上下钢筋有接头时,应按规范要求错开,其位置及搭接长度均应符合设计、规范要求。

⑥墙、柱主筋插筋伸入基础时,可采用ϕ10钢筋焊牢于底板面筋或基础梁的箍筋上作为定位线,与墙、柱伸入基础的插筋绑扎牢固,插筋伸入基础的深度要符合设计及规范的锚固长度要求;甩出长度和甩头错开应符合设计及规范规定,其上端应采取措施保证甩筋垂直、不倾倒、变位。

⑦基础钢筋的保护层应按设计要求严格控制,若设计无规定,对有混凝土垫层的基础,其底板纵向受力钢筋保护层不应小于40 mm,当无混凝土垫层时不应小于70 mm。

6)柱钢筋安装施工工艺

工艺流程为:弹柱子线→修整底层伸出的柱预留钢筋(含偏位钢筋)→套柱箍筋→竖柱子立筋并接头连接→在柱顶绑定距框→在柱子竖筋上标识箍筋间距→绑扎箍筋→固定保护层垫块。

①套柱箍筋:按图纸要求间距,计算好每根柱箍筋数量,先将箍筋套在伸出基础或底板顶面、楼板面的竖向钢筋上,然后立柱子钢筋。

②柱竖向受力筋绑扎:柱竖向受力筋绑扎接头时,在绑扎接头搭接长度内,绑扣不少于3个,绑扣要向柱中心;绑扎接头的搭接长度及接头面积百分率应符合设计、规范要求。如果柱子采用光圆钢筋搭接时,角部弯钩应与模板成45°,中间钢筋的弯钩应与模板成90°。

③箍筋绑扎:在立好的柱子竖向钢筋上,按图纸要求划箍筋间距线,然后将箍筋向上移动,由上而下缠扣绑扎。箍筋与主筋要垂直,箍筋转角处与主筋均要绑扎。箍筋弯钩叠合处应沿柱竖筋交错布置,并绑扎牢固,有抗震要求的部位,箍筋端头应弯成135°,平直部分不少于10d(d为箍筋直径)。如箍筋采用90°搭接时,应予以焊接。焊缝长度、单面

焊不小于10d。

④柱基、柱顶、梁柱交接处箍筋间距应按设计要求加密。柱上下两端箍筋应加密,加密区长度及加密区箍筋间距应符合设计要求。柱的纵向受力钢筋搭接长度范围内的箍筋、配筋应符合设计或规范要求。如设计要求箍筋设拉筋时,拉筋应钩住箍筋,拉筋弯钩应呈135°。

⑤柱筋保护层厚度应符合规范要求,垫块(或塑料卡)应绑在柱竖筋外皮上,以保证主筋保护层厚度准确。

⑥当柱截面尺寸有变化时,柱应在板内弯折或在下层就搭接错位,弯后的尺寸要符合设计和规范要求。

7)钢筋工程质量检测

①熟悉钢筋工程质量验收规范。

②熟悉检测工具使用方法。

③应用工具在校内实训场对半成品工程进行检测。

④填写质量检测表格。

11.8　模板工程实训

11.8.1　实训目标

①能根据施工图纸和施工实际条件进行模板配板设计。

②能根据施工图纸和施工实际条件,查找资料和完成施工中遇到的一些必要计算。

③能根据施工图纸和施工实际条件编写模板工程施工技术交底。

④能根据建筑工程质量验收方法及验收规范进行模板工程的质量检验。

11.8.2　实训条件要求

1)实训场地要求

模板工程实训作业分室内和室外作业两部分,模板计算部分各小组在教室内完成,模板安装部分在实训场地内完成。每个组由7~8人组成,每作业组操作面积为35 m² 左右,钢模板、钢管、扣件、木方、工具支撑分组存放。

2)实训工具

安装工程需要扳手、羊角榔头、电锯、电刨、手电钻,检查工具需要钢卷尺、水准仪、线垂、塔尺、水准尺。

3)主要材料配置

1 830 mm×915 mm×18 mm覆面木胶合板;厚度≥25 mm的松木板;2 000 mm×50 mm×100 mm松枋;ϕ48×3.5 mm钢管及扣件;ϕ48M1 200 mm系列门架及附件;尾头直径>80 mm的原木,系列对拉螺栓,支撑件(柱箍、钢楞、支架、钢桁架、梁卡具连接件)。

(1)材料的主要力学指标

胶合板:

抗弯强度:f_m=24 MPa;抗剪强度:f_v=1.4 MPa;弹性模量:E=8 500 MPa。

(2)松木

抗弯强度:f_m=13 MPa;;抗剪强度:f_v=1.4 MPa;抗压强度:f_c=10 MPa;弹性模量:E=9 000 MPa;重力密度:5 kN/m³;截面回转半径:圆木$i=d/4$,方木$i=d/121/2$,其中,d为直径,b为短边长。

(3)钢管

截面积:A=489 mm²;截面抵抗矩:W=5 080 mm³;截面惯性矩:I=121 900 mm⁴;抗弯、抗压强度设计值:f=205 MPa;截面回转半径:i=15.8 mm;钢管立柱允许荷载:当采用对接时,横杆步距1 000 mm,立柱允许荷载35.7 kN;横杆步距1 250 mm,立柱允许荷载33.1 kN;横杆步距1 500 mm,立柱允许荷载30.3 kN;横杆步距1 800 mm,立柱允许荷载27.2 kN。

(4)对拉螺栓

M12:净面积75 mm²、容许拉力12.9 kN;M14:净面积105 mm²、容许拉力17.8 kN;M16:净面积144 mm²、容许拉力24.5 kN;M18:净面积174 mm²、容许拉力29.6 kN;M20:净面积225 mm²、容许拉力38.2 kN;M22:净面积282 mm²、容许拉力47.9 kN;门架:容许承载力75 kN。

11.8.3　实训内容

1)确定荷载并进行荷载组合

(1)荷载标准值

①模板自重标准值。

木(竹)胶合板模板:用于支设楼板时取0.3 kN/m²,用于支设梁时取0.4 kN/m²。

钢框胶合板模板:用于支设楼板时取0.4 kN/m²,用于支设梁时取0.6 kN/m²。

②新浇混凝土自重标准值:对普通混凝土取24 kN/m³,轻骨料混凝土取23 kN/m³,密实性混凝土取25 kN/m³。

③钢筋自重标准值:楼板取1.1 kN/m³,框架梁取1.5 kN/m³。

④施工人员及设备荷载标准值:

a.计算模板及直接支承模板的小楞时,均布荷载取2.5 kN/m²,另应以集中荷载2.5 kN再行验算,比较两者所得的弯矩值,采用其中较大者。

b.计算直接支承小楞结构构件时,均布活荷载取1.5 kN/m²。

c.计算支架立柱及其他支承结构构件时,对均布荷载取1.0 kN/m²。

⑤振捣混凝土时产生的荷载标准值:对水平面模板可采用2.0 kN/m²;对垂直面模板可采用4.0 kN/m²。

⑥新浇筑混凝土对模板侧面的压力标准值。

新浇筑混凝土对模板侧面的压力标准值——采用内部振捣器时,可按以下两式计算,并取其较小值:

$$F=0.22r_c t_0 \beta_1 \beta_2 V^{1/2} \qquad F=r_c H$$

公式中　F:新浇筑混凝土对模板的最大侧压力(KN/m²)。

γ_c:混凝土的重力密度(kN/m³)取25 kN/m³。

t_0:新浇混凝土的初凝时间(h),可按实测确定。当缺乏实验资料时,可采用t=200/(T+15)计算;一般取值5h。

V:混凝土的浇灌速度(m/h);取0.5 m/h。

H:混凝土侧压力计算位置处至新浇混凝土顶面的总高度(m)。

β_1:外加剂影响修正系数,不掺外加剂时取1。

β_2:混凝土塌落度影响系数。

⑦倾倒混凝土时产生的荷载标准值。

对垂直面模板产生的水平荷载标准值:当采用溜槽、串桶或导管时取2.0 kN/m²。

除上述7项荷载外,当水平模板支撑结构的上部继续浇筑砼时,还应考虑上部传递下来的荷载。

2)荷载设计值

荷载设计值应为荷载标准值乘以相应的荷载分项系数。

3)荷载组合

计算模板承载能力时,对于平板及薄壳的模板及支架,取①+②+③+④;对于梁和拱模板的底板及支架取①+②+③+⑤;对于梁、拱、柱(边长≤300 mm)、墙(厚≤100 mm)的侧面模板取⑤+⑥;对于大体积结构、柱(边长>300 mm)、墙(厚>100 mm)的侧面模板取⑥+⑦。验算模板刚度时,对于平板及薄壳的模板及支架,取①+②+③;对于梁和拱模板的底板及支架取①+②+③;对于梁、拱、柱(边长≤300 mm)、墙(厚≤100 mm)的侧面模板取⑥;对于大体积结构、柱(边长>300 mm)、墙(厚>100 mm)的侧面模板取⑥+⑦。

4)挠度要求

①模板面板及大小楞:取模板构件计算跨度的1/400。

②支架的压缩变形值或弹性扰度,为相应结构计算跨度的1/1 000。

③当梁板跨度≥4 m时,模板应按设计要求起拱;起拱高度宜为全长跨度的1/1 000~3/1 000。

5)其他

为防止模板及其支撑在风荷载作用下倾倒,应从构造上采取有效措施,如在相互垂直的两个方向加水平及斜拉杆、缆风绳、地锚等。验算模板及支架在自重和风荷载作用下的抗倾覆稳定性时,应符合有关的专门规定。

6)设计计算提示及要求

①模板结构构件中的面板(木、钢、胶合板)、大小楞等,均属于受弯构件,可按简支梁或连续梁计算。当模板构件的跨度超过三跨时,可按三跨连续梁计算。

②计算公式查有关手册或书籍,正确选用。

③必须绘制计算简图,并标示相关数值。

④"墙模板"设计时,对面板和内楞应进行抗弯强度和挠度验算,对拉螺栓应进行拉力和应力计算。

⑤"梁模板"设计时,对底模和侧模进行抗弯强度、抗剪强度和挠度验算,大小楞进行抗弯强度和挠度验算,支撑进行强度和稳定性验算。(小楞按简支梁计算,在计算挠度时,梁作用在小楞上的荷载可作为一个集中荷载计算;大楞按连续梁计算,它承受着小楞传来的集中荷载,可简化成均布荷载计算。)

⑥"柱模板"设计时,主要是对柱箍进行强度和挠度验算(按拉弯构件进行计算);若采用对拉螺栓,应进行拉力和应力计算。

⑦"楼板模板"设计时,对面板和大小楞进行抗弯强度和挠度验算,支撑进行强度和稳定性验算。

手算后,利用《房屋建筑工程施工技术与管理软件》进行模板设计并与手算比较。

11.8.4 模板拼装(梁、柱及独立柱基)操作实训

1)柱模板安装

(1)主要内容

柱对拉件制作;钢木柱箍加工制作。拼装柱模板;支撑加固系统安装。

(2)要求

①柱箍、对加拉件加工尺寸计算正确、实用。

②模板拼装正确。

③柱箍安装方法、数量正确,柱校正、支撑加固方法正确。

2)框架梁模板安装

(1)主要内容

梯形梁模板及支撑体系安装;矩形梁模板及支撑体系安装(选项)。

(2)要求

工作完成后,拆除模板并分类堆放整齐,做到工完场清。

3)独立柱基模板安装

(1)主要内容

2~3个台阶的独立柱基模板拼装。

(2)要求

要求学生基本掌握独立柱基的模板安装,对标高控制、基础项部柱轴线控制和侧板的连接固定及相互关系能正确处理,安装方法正确实用。工作完成后,拆除模板并分类堆放整齐,做到工完场清。

11.8.5 模板工程质量检测

①模板的支承点及支撑系统是否可靠和稳定,连接件中的紧固螺栓及支撑扣件紧固情况是否满足要求。

②预埋件:预埋件的规格、数量、位置和固定情况是否正确可靠,应逐项检查验收。

③必须按《建筑安装工程质量检验评定标准》的规定,进行逐项评定、模板工程施工验收。

④支架模板设计上的施工荷载是否符合要求。

⑤在模板上运输混凝土或操作是否搭设了符合要求的走道板。

⑥作业面孔洞及临边是否有防护措施。

⑦垂直作业是否有隔离防护措施。

⑧模板的接缝不应漏浆;在浇筑混凝土前,木模板应浇水湿润,但模板内不应有积水。

⑨模板与混凝土的接触面应清理干净并涂刷隔离剂,但不得采用影响结构性能或妨碍装饰工程施工的隔离剂。

⑩浇筑混凝土前,模板内的杂物应清理干净。

⑪对清水混凝土工程及装饰混凝土工程,应使用能达到设计效果的模板。

11.9 混凝土工程实训

11.9.1 实训目标

通过实践,学生应掌握混凝土的制备、运输、浇筑、养护、拆模各工序的要点和技术要求,在顶岗管理中能确保混凝土浇筑的质量,能进行施工配合比的核算,能胜任混凝土浇筑方案的组织、安排、设计和相关技术的交底工作。

11.9.2 学生掌握以下专业技能

①掌握识图的基本知识,能读懂施工图,能按照图纸计算用工、用料。

②掌握现行混凝土与钢筋混凝土施工规范中有关混凝土工程的技术要求和工艺的基本知识。

③掌握混凝土配合比设计和换算、混凝土配料单的正确配料和拌制。

④掌握常用混凝土搅拌机、振捣器、混凝土泵的构造原理、技术性能及使用方法。

⑤掌握混凝土的运输、浇筑、振捣和养护等主要施工工艺及施工方法。

⑥掌握混凝土工程的质量标准及检查方法。

11.9.3 实训条件要求

1)实训场地要求

由各校按实际情况安排实训指导教师,由实训基地安排实训师傅,实训时间为1周。实习单位应选择有一定施工水平和技术能力的施工企业,实习对象应选择中型的工业与民用建筑工程。每组以一个工程项目为主要实习对象,每组人数不宜超过5人。每小组作业场地不得小于30 m^2,并且场地需要硬化。

2)实训工具

小型搅拌机、磅秤、灰斗、铁锹、手推车、水桶、灰车、插入式振动棒、钢钎、塌落度桶、铁抹子等。

3)主要材料配置

石子、砂子、水泥、外加剂等。

11.9.4 实训内容

①做好混凝土的配料工作,计算混凝土试配强度。

②做好混凝土拌制、运输、浇筑的相关技术。

③做好厚大体积混凝土的浇筑工作,并采取相应的措施,避免产生温度裂缝。

④做好混凝土浇筑前钢筋的隐检工作。

⑤做好混凝土工程的技术交底工作。

⑥留置相应的混凝土试块为相应的工序和确定相应的强度服务。

⑦做好混凝土工程的质量检查、验收和质量评定工作。

⑧解决混凝土浇筑过程中出现的相应问题。

11.9.5 混凝土工程施工

1)施工配合比及施工配料

混凝土的配合比是根据混凝土的配制强度在实验室试配、调整而确定的，也称为实验室配合比。实验室配合比所用砂、石都是不含水分的，而施工现场砂、石都有一定的含水率，且含水率随气温等条件不断变化。为保证混凝土的质量，施工中应按砂、石实际含水率对原配合比进行修正。根据现场砂、石含水率调整后的配合比称为施工配合比。设实验室配合比为水泥：砂：石 = 1：x：y，水灰比 W/c，现场砂、石含水率分别为 Wx、Wy，则施工配合比为：水泥：砂：石 = 1：$X(1+Wx)$：$Y(1+Wx)$，水灰比 W/c 不变，但加水量应扣除砂、石中的含水量。

施工配料是确定每拌一次需用的各种原材料量，可根据施工配合比和搅拌机的出料容量计算。

2)混凝土的搅拌

(1)搅拌时间

搅拌时间是影响混凝土质量及搅拌机生产率的重要因素之一，时间过短，拌和不均匀，会降低混凝土的强度及和易性；时间过长，不仅会影响搅拌机的生产率，而且会使混凝土和易性降低或产生分层离析现象。搅拌时间与搅拌机的类型、鼓筒尺寸、骨料的品种和粒径以及混凝土的坍落度等有关，混凝土搅拌的最短时间(即自全部材料装入搅拌筒中起到卸料止)可参考表11.1。

表11.1 混凝土搅拌的最短时间 单位：s

混凝土坍落度/mm	搅拌机机型	搅拌机出料量/L		
		<250	250~500	>500
≤30	自落式	90	120	150
	强制式	60	90	120
>30	自落式	90	90	120
	强制式	60	60	90

注：掺有外加剂时，搅拌时间适当延长。

(2)投料顺序

投料顺序应从提高搅拌质量，减少叶片、衬板的磨损，减少拌和物与搅拌筒的黏结，减少水泥飞扬，改善工作条件等方面综合考虑确定。常用方法有：

①一次投料法。即在上料斗中先装石子，再加水泥和砂，然后一次投入搅拌机。在鼓筒内先加水或在料斗提升进料的同时加水，这种上料顺序会使水泥夹在石子和砂中间，上料时不致飞扬，又不致粘住斗底，且水泥和砂先进入搅拌筒形成水泥砂浆，可缩短包裹石子的时间。

②二次投料法。它又分为预拌水泥砂浆法和预拌水泥净浆法。预拌水泥砂浆法是先将水泥、砂和水加入搅拌筒内进行充分搅拌，成为均匀的水泥砂浆，再投入石子搅拌成均匀的混凝土。预拌水泥净浆法是将水泥和水充分搅拌成均匀的水泥净浆后，再加入砂和石子搅拌成混凝土。

二次投料法搅拌的混凝土与一次投料法相比较，混凝土强度提高约15%；在强度相同的情况下，可节约水泥15%～20%。

③水泥裹砂法。此法又称为SEC法。采用这种方法拌制的混凝土称为SEC混凝土，也称作造壳混凝土。其搅拌程序是先加一定量的水，将砂表面的含水量调节到某一规定的数值后，再将石子加入与湿砂拌匀，然后将全部水泥投入与润湿后的砂、石拌和，使水泥在砂、石表面形成一层低水灰比的水泥浆壳(此过程称为"成壳")，最后将剩余的水和外加剂加入，搅拌成混凝土。采用SEC法制备的混凝土与一次投料法比较，强度可提高20%～30%，混凝土不易产生离析现象，泌水少，工作性能好。

④进料容量又称干料容量，为搅拌前各种材料体积的累积。进料容量 H 与搅拌机搅拌筒的几何容量 V_g 有一定的比例关系，一般情况下 $V_j/V_g = 0.22 \sim 0.4$，鼓筒式搅拌机可用较小值。如任意超载(进料容量超过10%以上)，就会使材料在搅拌筒内无充分的空间进行拌和，会影响混凝土拌合物的均匀性；如装料过少，则不能充分发挥搅拌机的效率。进料容量可根据搅拌机的出料容量和混凝土的施工配合比计算。

使用搅拌机时，应该注意安全。在鼓筒正常转动之后，才能装料入筒。鼓筒运转时，不得将头、手或工具伸入筒内。因故(如停电)停机时，要立即设法将筒内的混凝土取出，以免凝结。在搅拌工作结束后，应立即清洗鼓筒内外。叶片磨损面积如超过10%左右，就应按原样修补或更换。

3)混凝土的运输

对混凝土拌合物运输的要求是：运输过程中，应保持混凝土的均匀性，避免产生分层离析现象；混凝土运至浇筑地点，应符合浇筑时所规定的坍落度(见表11.2)混凝土应以最少的中转次数、最短的时间，从搅拌地点运至浇筑地点。保证混凝土从搅拌机卸出到浇筑完毕的延续时间不超过表11.3的规定；运输工作应保证与混凝土的浇筑工作连续进行；运送混凝土的容器应严密，其内壁应平整光洁，不吸水，不漏浆，黏附的混凝土残渣应经常清除。

表11.2 混凝土浇筑时的坍落度

项次	结构种类	坍落度/cm
1	基础或地面等的垫层，无配筋的厚大结构(挡土墙，基础或厚大的块体等)或配筋稀疏的结构	1～3
2	板、梁和大型及中型截面的柱子等	3～5
3	配筋密列的结构(薄壁、斗仓、筒仓、细柱等)	5～7
4	配筋特密的结构	7～9

注：1.本表系指采用机械振捣的坍落度，采用人工捣实时可适当增大；

2.需要配制大坍落度混凝土时，应掺用外加剂；

3.曲面或斜面结构的混凝土，其坍落度值应根据实际需要另行选定；

4.轻骨料混凝土的坍落度宜比表中数值减少1～2 cm；

5.自密实混凝土的坍落度另行规定。

表11.3 混凝土从搅拌机中卸出后到浇筑完毕的延续时间(min)

混凝土强度等级	气温/℃	
	低于25	高于25
C30及C30以下	120	90
C30以上	90	60

注：1.掺用外加剂或采用快硬水泥拌制混凝土时，应按试验确定；

2.轻骨料混凝土的运输、浇筑延续时间应适当缩短。

4)混凝土浇筑

混凝土浇筑的要保证混凝土的均匀性和密实性，要保证结构的整体性、尺寸的准确性和钢筋、预埋件位置的正确性。拆模后，混凝土表面要平整、光洁。

浇筑前应检查模板、支架、钢筋和预埋件的正确性，并进行验收。由于混凝土工程属于隐蔽工程，因此对混凝土量大的工程、重要工程或重点部位的浇筑，以及其他施工中的重大问题，均应随时填写施工记录。

(1)浇筑要求

①防止离析。浇筑混凝土时，混凝土拌合物由料斗、漏斗、混凝土输送管、运输车内卸出，如自由倾落高度过大，粗

骨料在重力作用下克服黏着力后的下落动能大,下落速度较砂浆快,可能形成混凝土离析。因此,混凝土自高处倾落的自由高度不应超过2 m,在竖向结构中限制自由倾落高度不宜超过3 m,否则应沿串筒、斜槽、溜管等下料。

②正确留置施工缝。混凝土结构大多要求整体浇筑,如因技术或组织上的原因不能连续浇筑,且停顿的时间有可能超过混凝土的初凝时间时,应事先确定在适当位置留置施工缝。由于混凝土的抗拉强度约为其抗压强度的1/10,因此施工缝是结构中的薄弱环节,宜留在结构剪力较小的部位。柱子宜留在基础顶面、梁或吊车梁牛腿的下面、吊车梁的上面、无梁楼盖柱帽的下面,同时要方便施工。与板连成整体的大截面梁应留在板底面下20~30 mm处,当板下有梁托时,留置在梁托下部。单向板应留在平行于板短边的任何位置。有主次梁的楼盖宜顺着次梁方向浇筑,施工缝应留在次梁跨度的中间1/3长度范围内。墙可留在门洞口过梁跨中1/3范围内,也可留在纵横墙的交接处。双向受力的楼板、大体积混凝土结构、拱、薄壳、多层框架等及其他复杂的结构,应按设计要求留置施工缝。在施工缝处继续浇筑混凝土时,应除掉水泥浮浆和松动石子,并用水冲洗干净,待已浇筑混凝土的强度不低于1.2 MPa时才允许继续浇筑。注:在结合面应先铺抹一层水泥浆或与混凝土砂浆成分相同的砂浆。

(2)浇筑方法

浇柱这种结构(现浇多层钢筋混凝土框架结构的浇筑为例)首先要划分施工层和施工段。施工层一般按结构层划分,而每一施工层如何划分施工段,则要考虑工序数量、技术要求、结构特点等。要做到木工在第一施工层安装完模板准备转移到第二施工层的第一施工段上时,该施工段所浇筑的混凝土强度应达到允许工人在上面操作的强度(1.2 MPa)。

施工层与施工段确定后,就可求出每班(或每小时)应完成的工程量,据此可选择施工机具和设备并计算其数量。混凝土浇筑前应做好必要的准备工作,如模板、钢筋和预埋管线的检查和清理以及隐蔽工程的验收;浇筑用脚手架、走道的搭设和安全检查;根据试验室下达的混凝土配合比通知单准备和检查材料,并做好施工用具的准备等。浇筑柱子时,施工段内的每排柱子应由外向内以对称的顺序浇筑,不要由一端向另一端推进,以防柱子模板因湿胀而受推倾斜导致误差积累难以纠正。开始浇筑柱子时,底部应先浇筑一层50~100 mm厚且与所浇筑混凝土内砂浆成分相同的水泥砂浆。浇筑完毕后,如柱顶处有较大厚度的砂浆层,则应加以处理。柱子浇筑后应间隔1~1.5 h,待所浇混凝土拌合物初步沉实,再浇筑上面的梁板结构。

梁和板一般应同时浇筑,从一端开始向前推进。只有当梁高大于1 m时才允许将梁单独浇筑,此时的施工缝应留在楼板板面下200~300 mm处。梁底与梁侧面注意振实,振动器不要直接触及钢筋和预埋件。楼板混凝土的虚铺厚度应略大于板厚,用表面振动器或内部振动器振实,用铁插尺检查混凝土厚度,振捣完后用长的木抹子抹平。

为保证捣实质量,混凝土应分层浇筑,每层厚度见表11.4。浇筑叠合式受弯构件时,应按设计要求确定是否设置支撑,且叠合面应根据设计要求预留凸凹差(当无要求时,凸凹为6 mm)。

表11.4 混凝土浇筑层的厚度

项　次	捣实混凝土的方法		浇筑层厚度/mm
1	插人式振动		振动器作用部分长度的1.25倍
2	表面振动		200
3	人工捣固	在基础或无筋混凝土和配筋稀疏的结构中	250
		在梁、墙、板、柱结构中	200
		在配筋密集的结构中	150
4	轻骨料混凝土	插人式振动	300
		表面振动(振动时需加荷)	200

5)混凝土养护与拆模

(1)混凝土养护

混凝土浇筑捣实后,会逐渐凝固硬化,这个过程主要由水泥的水化作用来实现,而水化作用必须在适当的温度和湿度条件下才能完成。因此,为了保证混凝土有适宜的硬化条件,且使其强度不断增长,必须对混凝土进行养护。

混凝土的养护方法分自然养护和人工养护。自然养护是利用平均气温高于5 ℃的自然条件,用保水材料或草帘等对混凝土加以覆盖后适当浇水,使混凝土在一定的时间内、在湿润状态下硬化。当最高气温低于25 ℃,混凝土浇筑完毕后应在12 h以内加以覆盖和浇水;最高气温高于25 ℃,应在6 h以内开始养护。浇水养护的时间长短视水泥品种而定,硅酸盐水泥、普通硅酸盐水泥和矿渣硅酸盐水泥拌制的混凝土,不得少于7昼夜;火山灰质硅酸盐水泥和粉煤灰硅酸盐水泥拌制的混凝土或有抗渗性要求的混凝土,不得少于14昼夜。浇水次数以能保持混凝土具有足够的湿润状态为度。养护初期,水泥的水化反应较快,需水也较多,所以要特别注意浇筑以后头几天的养护工作。此外,在气温高、湿度低时,也应增加洒水的次数。混凝土必须养护至其强度达到1.2 MPa以后,方准在其上踩踏和安装模板及支架。也可以构件表面喷洒塑料薄膜来养护混凝土,这种方法适用于不易洒水养护的高耸构筑物和大面积混凝土结构。它是将过氯乙烯树脂塑料溶液用喷枪喷洒在混凝土表面上,溶液挥发后会在混凝土表面形成一层塑料薄膜,使混凝土与空气隔绝,从而阻止其水分的蒸发以保证水化作用的正常进行。特别要注意的是,所选薄膜在养护完成后能自行老化脱落。不能自行脱落的薄膜,不宜于喷洒在要做粉刷的混凝土表面上。在夏季,薄膜成型后要防晒,否则易产生裂纹。人工养护就是人工控制混凝土的养护温度和湿度,使混凝土强度增长,如蒸汽养护、热水养护、太阳能养护等,它主要用来养护预制构件,现浇构件大多用自然养护。

(2)混凝土的拆模

模板拆除日期取决于混凝土的强度、模板的用途、结构的性质及混凝土硬化时的气温。

不承重的侧模,在混凝土强度能保证其表面棱角不因拆除模板而受损坏时,即可拆除。承重模板,如梁、板等底模,应等混凝土达到规定强度后,方可拆除。

拆模后,如发现缺陷,应进行修补。对面积小、数量不多的蜂窝或露石的混凝土,先用钢丝刷或压力水洗刷基层,然后用1:2~1:2.5的水泥砂浆抹平;对较大面积的蜂窝、露石、露筋,应按其全部深度凿去薄弱的混凝土层,然后用钢丝刷或压力水冲刷,再用比原混凝土强度等级高一个级别的细骨料混凝土填塞,并仔细捣实。对影响结构性能的缺陷,应与设计单位研究处理。

11.9.6 混凝土工程质量要求

①对浇筑的混凝土应坚持开盘鉴定制度。

②混凝土浇筑中,要加强旁站监理,严格控制浇筑质量,检查混凝土塌落度,严禁在已搅拌好的混凝土中注水。

③检查振捣情况,不得漏振、过振,注意模板、钢筋位置和牢固程度,有跑模和钢筋位移情况应及时处理,特别要注意混凝土浇筑中施工缝、沉降缝、后浇带处混凝土的浇筑处理。

④对楼梯与柱部位不同等级混凝土的浇筑顺序和浇筑混凝土的等级要严格检查,防止低等级混凝土注入高等级混凝土部位。

⑤根据混凝土浇筑情况,监理工程师亲自监督留置试块。

⑥要检查和督促承包单位适时做好成形压光和覆盖浇水养护。

⑦承包单位拆模时要事先向监理工程师提出申请,经监理工程师依拆模条件判断确认后方可进行。

⑧混凝土强度达到1.2 MPa前,不得在其上踩踏或安装模板及支架。

⑨做好混凝土季节施工浇筑过程中的质量控制。

11.10 抹灰工程实训

11.10.1 实训目标

通过对抹灰工程的现场实践,学生应对抹灰工程的施工全过程有全面的了解,掌握抹灰工程的施工方法和要点,上岗后能熟练地组织抹灰工程的施工。通过实训,学生应掌握以下专业技能:掌握内墙各部位、各层抹灰的标准、掌握墙面抹灰的操作要点、掌握2~3中常见装饰抹灰的操作要点、掌握常见装饰抹灰的操作要点和做法。

11.10.2 实训条件要求

1)实训场地要求

每个实训小组有前期砌筑好的砖墙,墙面长度不得小于3.0 m,砖墙一端要有内外墙连接的丁字头,墙体高度不小于2.5 m。在砖墙附近要预留8.0 m^2 左右的场地用来拌制砂浆,每组实训人数不宜超过5人。

2)实训工具

小型搅拌机、铁锹、灰桶、铁抹子、木抹子、托灰板、刮尺、靠尺、方尺、拖线板、洒水壶、笤帚等。

3)主要材料配置

①材料要求:一般采用42.5R练石牌普通硅酸盐水泥,并具有出厂质保单或物理试验报告,当出厂超过3个月时按试验结果使用。

②砂:中砂,平均粒径为0.35~0.5 mm,使用前应过0.5 mm孔径筛子。不得含有杂物。

③石灰膏:应用块状生石灰淋制,必须用孔径不大于3 mm×3 mm的筛过滤,并储存在沉淀池中。熟化时间,常温下一般不少于15 d;用于罩面时,不应少于30 d;使用时,石灰膏内不得含有未熟化的颗粒和其他杂质。

④磨细石生灰粉:其细度应通过4 900孔/cm^2 筛。用前应用水浸泡使其充分熟化,熟化时间宜为7 d以上。

⑤纸筋:用白纸筋或草纸筋,使用前应用水浸透、捣烂、洁净;罩面纸筋宜用机碾磨细。稻草、麦秸应经石灰浆浸泡处理。

⑥麻刀:要求柔软干燥,敲打松散,长度10~30 mm,在使用前四五天用石灰膏调好(也可用合成纤维)。

⑦检查砂浆的品种、配合比和稠度。

11.10.3 实训内容

240标准砖墙面上抹灰,等级达到中级抹灰要求。

11.10.4 抹灰前墙体的准备

①经有关部门进行结构工程验收,合格后方可进行抹灰工程,并弹好+50 cm水平线。

②抹灰前,应检查门窗框安装位置是否正确,与墙连接是否牢固,连接处缝隙较大时应在砂浆中掺入少量麻刀嵌塞,使其塞缝密实;门口要设铁皮保护。

③应将过梁、梁垫、圈梁及组合柱等表面凸出部分剔平,对蜂窝、麻面、露筋等应剔到实处,刷素水泥浆一道(内掺水重10%的107胶),紧跟着用1∶3水泥砂浆分层补平;脚手眼应堵严密,外露钢筋头、铅丝头等要清除干净,窗台砖应补齐;内隔墙与楼板、梁底等交接处应用斜砖砌严密。

④管道穿越墙洞和楼板洞应及时安放套管,并用1∶3水泥砂浆或细石砼填嵌密实;电线管、消火栓箱、配电箱安装完毕,并将背后露明部分钉好钢丝网;接线盒用纸堵严。

⑤壁柜门框及其他木制配件安装完毕,窗帘钩、通风篦子、吊柜及其他预埋铁活位置和标高应准确无误,并刷好防腐、防锈涂料。

⑥砖墙等表面的灰尘、污垢和油渍等应清除干净,并洒水湿润。

⑦根据室内高度和抹灰现场的具体情况,提前搭好操作用的高凳和架子,架子要离开墙面及墙角200~250 mm,以利操作。

⑧室面大面积施工前应确定施工方案,先做样板间,经鉴定合格后再正式施工。

⑨屋面防水工程完工前进行室内抹灰施工时,必须采取防护措施。

⑩内墙面、柱面的阳角和门窗洞口的阳角,在大面积抹灰前应先用1∶2水泥砂浆做护角,护角每侧宽不小于50 mm。

⑪外墙窗台、窗、雨篷、阳台和突出腰线等的上面应做流水坡度,下面应做滴水槽或滴水线,滴水线要顺直,滴水槽深和宽度不应小于10 mm,并整齐一致。

11.10.5 砖墙面抹灰施工工艺

工艺流程:顶板勾缝→墙面浇水→贴灰饼→抹水泥踢脚板→做护角→抹水泥窗台板→墙面冲筋→抹底灰→修抹预留孔洞、电气箱、槽盒→抹罩面灰。

1)墙面浇水

墙面应用细管自上而下浇水湿透,一般应在抹灰前一天进行(一天浇两次)。

2)贴灰饼

一般将抹灰按质量要求分为普通、中级和高级。室内砖墙抹灰层的平均总厚度,不得大于下列规定:普通抹灰-18 mm,中级抹灰-20 mm,高级抹灰-25 mm。

首先根据设计图纸要求的抹灰质量等级和基层表面平整度垂直情况,进行吊垂直、套方找规矩,经检查后确定抹灰厚度,但最少不应少于7 mm。墙面凹度较大时要分层补平(石灰砂浆和水泥混合砂浆每遍厚度宜为7~9 mm,操作时先贴上灰饼再贴下灰饼。贴灰饼时要根据室内抹灰要求(分清做踢板还是水泥墙裙)选择下灰饼的正确位置,用靠尺板找好垂直与平整。灰饼宜用1∶3水泥砂浆做成5 cm见方的形状。

3)抹水泥踢脚板(或水泥砂浆墙墙裙)

用清水将墙面润透,污物冲洗干净,接着抹1∶3水泥砂浆底层,表面用大杠刮平,木抹子搓毛,常温下第二天便可抹面层砂浆。面层用1∶2.5水泥砂浆压光,一般做法为凸出白灰墙面5~7 mm,但有的做法是与石灰墙面一样平,或凹进石灰墙面等,要按照设计要求施工(水泥砂浆墙裙同此做法)。

4)做水泥护角

室内墙面、柱面的阳角和门窗洞口的阴角,应用1∶3水泥砂浆打底与贴灰饼找平,待砂浆稍干后再用素水泥膏抹成小圆角,宜用1∶2水泥砂浆做明护角(化底灰或标筋高2 mm),其高度不应低于2 m,每侧宽度不小于50 mm。过梁底部要方正,门窗口护角做完后应及时用清水刷洗门窗框上的水泥浆。

5)抹水泥窗台板

先将窗台基层清理干净,松动的砖要重新砌筑好。砖缝划深,用水浇透,然后用1∶2∶3豆石混凝土铺实,厚度大于2.5 cm。次日,刷掺水重10%107胶素水泥浆一道,紧跟着抹1∶2.5水泥砂浆面层,待面层颜色要开始变白时,浇水养护2~3 d。窗台板下口要求平直,不得有毛刺。

6)墙面冲筋

用与抹灰层相同的砂浆冲筋,冲筋的根数应根据房间墙面宽度来决定,筋宽约为5 cm左右。

7)抹底灰

一般情况下,冲完筋约2 h左右就可以抹底灰,不要垂直水平刮找一遍。用木抹子搓毛,然后全面检查底子灰是否平整,阴阳角是否方正,管道后和阴角交接处、墙与顶板交接处是否光滑平整,并用靠尺检查墙面垂直与平整情况。散热器背后的墙面抹灰宜在散热器安装前进行。

8)修抹预留孔洞、电气箱、槽、盒

当底灰抹平后，应立即设专人先把预留孔洞、电气箱、槽、盒周边5 cm的石灰砂浆清理干净，改用1:1:4水泥混合砂浆把洞、箱、槽、盒抹方正、光滑、平整(要比底灰或标筋高2 mm)。

9)抹罩面灰

当底子灰六七成干时，即可开始抹罩面灰(如底子灰过干应浇水潮湿)。罩面灰应二遍成活，厚度约2 mm，最好两人同时操作，一人先薄薄刮一遍，另一人随即抹平，按先上后下顺序进行，再赶光压实，然后用钢板抹子压一遍，最后用塑料抹子顺抹子纹压光，随即用毛刷蘸水将罩面灰污染处清刷干净，不应甩破活(如遇施工洞，可甩整面墙，但注意切齐)。

10)成品保护

抹灰前必须事先把门窗框与墙连接处的缝隙用水泥砂浆嵌塞密实，门口钉设铁皮或木板保护，要及时清擦干净残留在门窗框上的砂浆，特别是铝合金框宜粘保护膜，保护到快要竣工需清擦玻璃时为止，推小车或搬运车辆时要注意不要碰坏口角和墙面。抹灰用的大杠和铁锹把不要靠放在墙上，严禁踩蹬窗台，防止损坏其棱角。拆除脚手架时要轻拆轻放，拆除后的材料应放整齐，不要撞坏门窗、墙面和口角。要注意保护好墙上的预埋件、窗帘钩、通风篦子等，墙上的电线槽盒、水暖设备预留洞等不要随意抹死。要注意保护楼地面，不得直接在楼地面上拌灰。冬期施工，室外抹灰硬化初期不得受冻，室内抹灰室温不得小于5 ℃。做油漆墙面的抹灰，不能掺食盐或氯化钙。用冻结法砌筑的墙，没有解冻前不得抹灰。

11.10.6 质量要求

①各抹灰层之间及抹灰层与基体之间必须粘牢固，无脱层、空鼓，面层无炸灰和裂缝(风裂除外)等缺陷。

②表面光滑、洁净、接槎平整。

③孔洞、槎、金属管道后面抹灰应尺寸正确，边缘整齐、光滑，管道后面平整。

④护角应符合施工规范的规定，表面光滑平顺；门窗框与墙体间隙填塞密实，表面平整。

⑤分格条宽度、深度均匀，平整光滑，楞角整齐，横平竖直，通顺。

⑥滴水坡向正确，滴水线顺直，滴水槽深度、宽度均不少于10 mm，整齐一致。

⑦允许偏差，见表11.5所示。

表11.5 抹灰质量允许偏差表

项 次	项 目	允许偏差/mm		
		普通	中级	高级
1	表面平整	5	4	2
2	阴、阳角垂直	—	4	2
3	立面垂直	—	5	3
4	阴、阳角方向	—	4	2
5	分格条(缝)平直	—	3	1

11.11 防水工程实训

11.11.1 实训目标

通过参加本培训，使施工人员熟练掌握防水涂料、防水卷材的施工工法，掌握屋面和各节点部位防水层的施工方法、工艺流程和操作技能，能够进行一般性防水工程质量检查验收；掌握常见厨卫间、地下工程的防水构造做法，掌握厨卫间、地下工程和节点部位防水层的施工方法、工艺流程和操作技能，能够进行厨卫间、地下工程、防水工程质量检查验收。

通过本培训，使施工人员能够具备安全生产、文明施工、产品保护的基本知识及自身安全防护的基本能力，具有相应的职业精神。

11.11.2 场地环境设备要求

1)指标与环境要求

由于建筑防水材料，有一定的刺激性，味道难闻，少数材料还有一定的毒性，故要求培训基地空间较大且具有良好的通风采光功能。建议按人均8～10 m^2 来建设施工屋及防水培训基地，且建筑空间高度应大于5 m，以确保培训场地有足够的空间进行通风、换气和采光。

2)平面布置要求

防水实训基地应按照“教、学、做一体化”要求进行建设，分为四个功能区：一是建筑防水构造展示区，在该区域摆放全套不同部位的建筑构件节点防水构造做法样板，样板尺寸一般为实际构件大小的一半，展示有：上人屋面、女儿墙阴阳角、变形缝、坡屋面、种植屋面、屋檐天沟、出屋面管(井)、建筑外墙侧窗、厨卫间排水、地下室外墙、混凝土底板后浇带等部位的正确防水构造做法；二是建筑防水材料展示区。在该区域陈列不同系列的防水卷材、防水涂料、补漏胶膏等防水材料；三是防水技能训练区。建筑防水一般有混凝土自密实防水、附加层防水、密封胶防水三大类，混凝土自密实防水可结合混混凝土施工实训进行操作训练，该区域主要是进行卷材附加层防水实训；四是防水知识教学区。该区域布置有投影仪、黑板以及足够一个班学生学习的课桌椅，老师在此区域讲授建筑防水知识、展示教学图片、播放教学视频材料，学生在此区域进行学习和分组编写建筑防水专项施工方案。

3)主要设备材料配置

主要设备配置包括：展示用防水节点构造实物、实训用构造节点、用于展示的防水材料、实训耗材、实训工具、防水施工规范标准、共建企业的新研发产品、防水知识性展板、实训管理制度展板等。实训用构造节点、实训耗材、实训工具、防水施工规范标准等配置具体详见表10.6至表11.9。

表11.6 实训用构造节点(模型)数量

序 号	物料名称	数 量	备 注
1	出坡屋面管模型	3套	可适当缩小比例(建议不要小于1:2)
2	双坡屋面模型	3套	
3	厨卫间．窗台模型	3套	
4	屋顶檐沟．漏水口模型	3套	
5	屋面及女儿墙模型	3套	
6	地下室顶板．侧墙模型		

表11.7 实训耗材

种类		序号	物料名称	数量
防水实训材料	防水卷材	1	1.5 mm镀金膜面单面战卷材(标准产品20 m^2)	2卷
		2	SBS改性沥青防水卷材	2卷
		3	PVC防水卷材	2卷
		4	APP防水卷材	2卷
	防水涂料	5	聚氨酯防水卷材	2桶
		6	聚合物水泥防水涂料	2桶
		7	水泥基渗透结晶型防水涂料	2桶
	密封膏	8	硅酮密封膏	5支
		9	聚氨酯密封膏	5支
	堵漏灌浆	10	粉状堵漏剂:堵漏灵或堵漏宝等	5包
		11	水性聚氨酯灌浆材料	5支
		12	环氧树脂灌浆材料	5支

表11.8 防水图集、施工规范、防水知识性展板、实训管理制度展板

类别	序号	物料名称	数量
防水施工规范标准	1	各类地方、区域、全国防水图集、防水施工规范	各5套
防水知识性、构造细节展板	2	各种知识性、构造细节展板,包括:国内防水材料(防水建材,防水涂料、密封膏、堵漏灌浆),卷材大面积施工流程图,屋面结构防水做法,地下室结构防水做法,屋面和地下室防水现场施工图等	20板
实训管理制度展板	3	相关实训管理制度展板	3板

表11.9 实训用工具

序号	物料名称	数量	序号	物料名称	数量
1	椅子	50张	6	裁纸刀	25把
2	胶桌垫	4卷	7	钢卷尺	25个
3	扫把	25把	8	刮板	50个
4	小平铲	50把	9	手套	50副
5	桶	白色大桶25个	10	毛刷	50个

注:上述实训用构造节点、实训耗材、实训工具仅对应一个标准班(50人,分组实训,每组6人左右),超出时应相应增加。

11.11.3 实训任务设计

在实训用构造节点(模型)上模拟屋面卷材防水工程施工、卫生间涂膜防水施工、地下工程后浇带防水施工实训。

防水节点构造实物采用钢筋混凝土制作,比例大小为正常尺寸的1/2,表面涂刷了环氧树脂等强化涂料,以加强构件节点的表面刚度,便于施工人员多次进行涂抹防水涂料、铺贴卷材等防水施工操作技能训练。此外,可以探索"仿真"防水材料进行防水施工操作模拟训练,例如:用胶水来"仿真"粘贴防水卷材,用不同颜色的墨水来"仿真"替代防水涂料等;不断改进"仿真"防水施工实训的方法,不断寻求更仿真的防水材料替代品。各基地可根据自己的教学计划来安排本实训,建议时间不少于5天;开展的实训任务,可根据实训时间、实训条件、施工人员基础等实际情况而定。

11.11.4 实训内容

①卷材防水屋面模拟施工:屋面大面积卷材铺贴模拟施工,屋面节点卷材铺贴模拟施工(包括:a.檐口;b.天沟、檐沟及水落口;c.泛水与卷材收头;d.变形缝;e.排气孔与伸出屋面管道;f.阴阳角等部位)。

②卫生间、坑内涂膜防水模拟施工:卫生间坑地面涂膜防水模拟施工,卫生间坑四个侧面涂膜防水模拟施工。

③地下工程底板、外墙防水模拟施工:地下工程底板、外墙卷材外贴防水模拟施工,地下工程底板、外墙后浇带防水模拟施工。

11.11.5 实训指导

施工人员携带相应教学课本,每组施工人员应购《屋面工程技术规范》(GB 50345—2012),《屋面工程质量验收规范》(GB 50207—2012),《地下工程防水技术规范》(GB 50108—2008),《地下防暑工程质量验收规范》(GB 50208—2011)各一本;教学人员应提供相关辅助指导资料。

1)屋面节点卷材防水构造做法

卷材屋面节点部位的施工对防水质量而言至关重要,应用节点大样图和实物照片提供比较有代表性的节点构造做法来供学生参考。实训前应准备好以下大样图:

①檐口构造做法。

②檐沟构造做法。

③水落口构造做法。

④泛水收头构造做法。

⑤女儿墙泛水收头与压顶构造做法。

⑥伸出屋面管道构造做法。

⑦屋面变形缝构造做法。

2)屋面防水卷材铺贴施工

(1)铺贴方向

卷材的铺贴方向应根据屋面坡度和屋面是否有振动来确定。当屋面坡度小于3%时,卷材宜平行于屋脊铺贴;屋面坡度在3%~15%时,卷材可平行或垂直于屋脊铺贴;屋面坡度大于15%或受振动时,沥青卷材、高聚物改性沥青卷材应垂直于屋脊铺贴。合成高分子卷材可根据屋面坡度,屋面是否有振动,防水层的粘接方式、粘结强度、是否机械固定等因素综合考虑采用平行或垂直屋脊铺贴。上下层卷材不得相互垂直铺贴。屋面坡度大于25%时,卷材宜垂直屋脊方向铺贴,并应采取固定措施,固定点还应密封。

(2)施工顺序

防水层施工时,应先做好节点、附加层和屋面排水比较集中部位(如屋面与水落口连接处、檐口、天沟、檐沟、屋面转角处等)的处理,然后由屋面最低标高处向上施工。铺贴天沟、檐沟卷材时,宜顺天沟、檐口方向,减少搭接。铺贴多跨和有高低跨的屋面时,应按先高后低、先远后近的顺序进行。

大面积屋面施工时,为提高工效和加强管理,可根据面积大小、屋面形状、施工工艺顺序、人员数量等因素划分流水施工段。施工段的界线宜设在屋脊、天沟、变形缝等处。

搭接方法及宽度要求:铺贴卷材应采用搭接法,上下层及相邻两副卷材的搭接缝应错开,平行于屋脊的搭接缝用顺流水方向搭接;垂直于屋脊的搭接缝应顺年最大频率风向(主导方向)搭接。

层叠铺设的各层卷材,在天沟与屋面的连接处应采用叉接法搭接,搭接缝应错开。接缝宜留在屋面或天沟侧面,不宜留在沟底。坡度超过25%的拱形屋面和天窗下的坡面上,应尽量避免短边搭接,如必须短边搭接时,在搭接处应采

取防止卷材下滑的措施。如预留凹槽,将卷材嵌入凹槽并用压条固定密封。高聚物改性沥青卷材和合成高分子卷材的搭接缝宜用与它材性相容的密封材料封严。各种卷材的搭接宽度应符合表11.10的要求。

表11.10 卷材搭接宽度

搭接方法		短边搭接宽度/mm		长边搭接宽度/mm	
卷材种类＼铺贴方法		满粘法	空铺、点粘、条粘法	满粘法	空铺、点粘、条粘法
高聚物改性沥青防水卷材		80	100	80	100
自粘聚合物改性沥青防水卷材		60		60	
合成高分子防水卷材	胶粘剂	80	100	80	100
	胶粘带	50	60	50	60
	单焊缝	60,有效焊接宽度不小于25			
	双焊缝	80,有效焊接宽度10×2+空腔宽			

3)卫生间涂膜防水施工

由于卫生间普遍面积比较小,且穿墙管道、卫生洁具等较多,故当前多采用涂膜防水。

①强制性条文:"涂膜防水层不得有渗漏或积水现象"。

②施工验收规范规定:涂膜防水应根据防水涂料的品种分层分遍涂布,不得一次涂成。

③涂膜防水层的基层应坚实,平整、干净,应无孔隙,起砂和裂缝。基层应干燥。

④施工要点:必须待上道涂层干燥后方可进行后道涂料施工,干燥时间视当地温度和湿度而定,一般为4~24 h。

④地下室外墙墙体施工缝,防水构造模拟施工缝如止水处理不当,易造成墙体渗漏。

⑤施工完成后,质量检验项目及要求见表11.11。

表11.11 防水工程质量验收表

检验项目		要 求	检验方法
主控项目	卷材防水层所有卷材及其配套材料	必须符合设计要求	检查出厂合格证,质量检测报告和现场抽样复验报告
	卷材防水层	不得有渗漏或积水现象	雨后或淋水、蓄水试验
	卷材防水层在天沟,檐沟,泛水,变形缝和水落口等处细部做法	必须符合设计要求	观察检查和检查隐蔽工程验收记录
一般项目	卷材防水层的搭接缝	应粘(焊)接牢固,密封严密,并不得有皱折、翘边和鼓泡	观察检查
	防水层的收头	应与基层粘结并固定牢固,封口封严,不得翘边	观察检查
	卷材的铺设方向,卷材的搭接宽度允许偏差	铺设方向应正确,搭接宽度的允许偏差为-10 mm	观察和尺量检查

第12章 顶岗实习

顶岗实习是指完成教学实习和学习基础技术课后,到专业对口的企业直接参与生产过程,综合运用所学的知识和技能,以完成一定的生产任务,并进一步获得感性认知,掌握操作技能,学习企业管理,养成正确劳动态度的一种实践性教学形式。通过顶岗实习,学生可以从大学生活、学习中切换到现实社会中去,脚踏实地深入到生产一线去。从而磨练和增强岗位责任感。这也是现代社会对高职生的基本要求。

12.1 顶岗实习岗位和技能要求

12.1.1 岗位职责

1)施工员

施工员是指在建筑与市政工程施工现场,从事施工组织策划、施工技术与管理,以及施工进度、成本、质量和安全控制等工作的专业人员。

①参与施工组织管理策划。

②参与制订管理制度。

③参与图纸会审、技术核定。

④负责施工作业班组的技术交底。

⑤负责组织测量放线、参与技术复核。

⑥参与制订并调整施工进度计划、施工资源需求计划,编制施工作业计划。

⑦参与做好施工现场组织协调工作,合理调配生产资源,落实施工作业计划。

⑧参与现场经济技术签证、成本控制及成本核算。

⑨负责施工平面布置的动态管理。

⑩参与质量、环境与职业健康安全的预控。

⑪负责施工作业的质量、环境与职业健康安全过程控制,参与隐蔽、分项、分部和单位工程的质量验收。

⑫参与质量、环境与职业健康安全问题的调查,提出整改措施并监督落实。

⑬负责编写施工日志、施工记录等相关施工资料。

⑭负责汇总、整理和移交施工资料。

2)质量员

质量是指在建筑与市政工程施工现场,从事施工质量策划、过程控制、检查、监督、验收等工作的专业人员。

①参与进行施工质量策划。

②参与制订质量管理制度。

③参与材料、设备的采购。

④负责核查进场材料、设备的质量保证资料,监督进场材料的抽样复验。

⑤负责监督、跟踪施工试验,负责计量器具的符合性审查。

⑥参与施工图会审和施工方案审查。

⑦参与制订工序质量控制措施。

⑧负责工序质量检查和关键工序、特殊工序的旁站检查,参与交接检验、隐蔽验收、技术复核。

⑨负责检验和分项工程的质量验收、评定,参与分部工程和单位工程的质量验收、评定。

⑩参与制订质量通病预防和纠正措施。

⑪负责监督质量缺陷的处理。

⑫参与质量事故的调查、分析和处理。

⑬负责质量检查的记录,编制质量资料。

⑭负责汇总、整理、移交质量资料。

3)安全员

安全员是指在建筑与市政工程施工现场,从事施工安全策划、检查、监督等工作的专业人员。

①参与制订施工项目安全生产管理计划。

②参与建立安全生产责任制度。

③参与制订施工现场安全事故应急救援预案。

④参与开工前安全条件检查。

⑤参与施工机械、临时用电、消防设施等的安全检查。

⑥负责防护用品和劳保用品的符合性审查。

⑦负责作业人员的安全教育培训和特种作业人员资格审查。

⑧参与编制危险性较大的分部、分项工程专项施工方案。

⑨参与施工安全技术交底。

⑩负责施工作业安全及消防安全的检查和危险源的识别,对违章作业和安全隐患进行处置。

⑪参与施工现场环境监督管理。

⑫参与组织安全事故应急救援演练,参与组织安全事故救援。

⑬参与安全事故的调查、分析。

⑭负责安全生产的记录、安全资料的编制。

⑮负责汇总、整理、移交安全资料。

4)标准员

标准员是指在建筑与市政工程施工现场,从事工程建设标准实施组织、监督、效果评价等工作的专业人员。

①参与企业标准体系表的编制。

②负责确定工程项目应执行的工程建设标准,编列标准强制性条文,并配置标准有效版本。

③参与制定质量安全技术标准落实措施及管理制度。

④负责组织工程建设标准的宣传和培训。

⑤参与施工图会审,确认执行标准的有效性。

⑥参与编制施工组织设计、专项施工方案、施工质量计划、职业健康安全与环境计划,确认执行标准的有效性。

⑦负责建设标准实施交底。

⑧负责跟踪、验证施工过程标准执行情况,纠正执行标准中的偏差,重大问题提交企业标准化委员会。

⑨参与工程质量、安全事故调查,分析标准执行中的问题。

⑩负责汇总标准执行确认资料、记录工程项目执行标准的情况,并进行评价。

⑪负责收集对工程建设标准的意见、建议,并提交企业标准化委员会。

⑫负责工程建设标准实施的信息管理。

5)材料员

材料员是指在建筑与市政工程施工现场,从事施工材料的计划、采购、检查、统计、核算等工作的专业人员。

①参与编制材料、设备配置计划。

②参与建立材料、设备管理制度。

③负责收集材料、设备的价格信息,参与供应单位的评价、选择。

④负责材料、设备的选购,参与采购合同的管理。

⑤负责进场材料、设备的验收和抽样复检。

⑥负责材料、设备进场后的接收、发放、储存管理。

⑦负责监督、检查材料、设备的合理使用。

⑧参与回收和处置剩余及不合格材料、设备。

⑨负责建立材料、设备管理台账。

⑩负责材料、设备的盘点、统计。

⑪参与材料、设备的成本核算。

⑫负责材料、设备资料的编制。

⑬负责汇总、整理、移交材料和设备资料。

6)机械员

机械员是指在建筑与市政工程施工现场从事施工机械的计划、安全使用监督检查、成本统计及核算等工作的专业人员。

①参与制订施工机械设备使用计划,负责制订维护保养计划。

②参与制订施工机械设备管理制度。

③参与施工总平面布置及机械设备的采购或租赁。

④参与审查特种设备安装、拆卸单位资质和安全事故应急救援预案、专项施工方案。

⑤参与特种设备安装、拆卸的安全管理和监督检查。

⑥参与施工机械设备的检查验收和安全技术交底,负责特种设备使用备案、登记。

⑦参与组织施工机械设备操作人员的教育培训和资格证书查验,建立机械特种作业人员档案。

⑧负责监督检查施工机械设备的使用和维护保养,检查特种设备安全使用状况。

⑨负责落实施工机械设备安全防护和环境保护措施。

⑩参与施工机械设备事故调查、分析和处理。

⑪参与施工机械设备定额的编制,负责机械设备台账的建立。

⑫负责施工机械设备常规维护保养支出的统计、核算、报批。

⑬参与施工机械设备租赁结算。

⑭负责编制施工机械设备安全、技术管理资料。

⑮负责汇总、整理、移交机械设备资料。

7)劳务员

劳务员是指在建筑与市政工程施工现场从事劳务管理计划、劳务人员资格审查与培训,劳动合同与工资管理、劳务纠纷处理等工作的专业人员。

①参与制订劳务管理计划。

②参与组建项目劳务管理机构和制定劳务管理制度。

③负责验证劳务分包队伍资质,办理登记备案;参与劳务分包合同签订,对劳务队伍现场施工管理情况进行考核评价。

④负责审核劳务人员身份、资格,办理登记备案。

⑤参与组织劳务人员培训。

⑥参与或监督劳务人员劳动合同的签订、变更、解除、终止及参加社会保险等工作。

⑦负责或监督劳务人员进出场及用工管理。

⑧负责劳务结算资料的收集整理,参与劳务费的结算。

⑨参与或监督劳务人员工资支付、负责劳务人员工资公示及台账的建立。

⑩参与编制、实施劳务纠纷应急预案。

⑪参与调解、处理劳务纠纷和工伤事故的善后工作。

⑫负责编制劳务队伍和劳务人员管理资料。

⑬负责汇总、整理、移交劳务管理资料。

8)资料员

资料员是指在建筑与市政工程施工现场从事施工信息资料的收集、整理、保管、归档、移交等工作的专业人员。

①参与制订施工资料管理计划。

②参与建立施工资料管理规章制度。

③负责建立施工资料台账,进行施工资料交底。

④负责施工资料的收集、审查及整理。

⑤负责施工资料的往来传递、追溯及借阅管理。

⑥负责提供管理数据、信息资料。

⑦负责施工资料的立卷、归档。

⑧负责施工资料的封存和安全保密工作。

⑨负责施工资料的验收与移交。

⑩参与建立施工资料管理系统。

⑪负责施工资料管理系统的运用、服务和管理。

9)监理员

①认真学习和贯彻有关建设监理的政策、法规以及国家和省、市有关工程建设的法律、法规、政策、标准和规范,在工作中做到以理服人。

②熟悉所监理项目的合同条款、规范、设计图纸,在专业监理工程师领导下,有效开展现场监理工作,及时报告施工过程中出现的问题。

③认真学习设计图纸及设计文件,正确理解设计意图,严格按照监理程序、监理依据,在专业监理工程师的指导、授权下进行检查、验收;掌握工程全面进展的信息,及时报告专业监理工程师(或总监理工程师)。

④检查承包单位投入工程项目的人力、材料、主要设备及其使用、运行状况,并做好检查记录;督促、检查施工单位安全措施的投入。

⑤复核或从施工现场直接获取工程计量的有关数据并签署原始凭证。

⑥按设计图及有关标准,对承包单位的工艺过程或施工工序进行检查和记录,对加工制作及工序施工质量检查结果进行记录。

⑦担任旁站工作,发现问题及时指出并向专业监理工程师报告。

⑧记录工程进度、质量检测、施工安全、合同纠纷、施工干扰、监管部门和业主意见、问题处理结果等情况,做好有关的监理记录;协助专业监理工程师进行监理资料的收集、汇总及整理,并交内业人员统一归档。

⑨完成专业监理工程师(或总监理工程师)交办的其他任务。

⑩现场发现问题就地解决,同时向监理工程师汇报。

10)测量员

①紧密配合施工,坚持实事实是、认真负责的工作作风。

②测量前需了解设计意图,学习和校核图纸;了解施工部署,制定测量放线方案。

③会同建设单位一起对红线桩测量控制点进行实地校测。

③测量仪器的核定、校正。

⑤与设计、施工等方面密切配合,并事先做好充分的准备工作,制定切实可行的与施工同步的测量放线方案。

⑥须在整个施工的各个阶段和各主要部位做好放线、验线工作,并要在审查测量放线方案和指导检查测量放线工作等方面加强工作,避免返工。

⑦验线工作要主动。验线工作要从审核测量放线方案开始,在各主要阶段施工前,对测量放线工作提出预防性要求,真正做到防患于未然。

⑧准确地测设标高。

⑨负责垂直观测、沉降观测,并记录整理观测结果(数据和曲线图表)。

⑩负责及时整理完善基线复核、测量记录等测量资料。

12.1.2 专业技能

1)施工员

①能够参与编制施工组织设计和专项施工方案。

②能够识读施工图和其他工程设计、施工等文件。

③能够编写技术交底文件,并实施技术交底。

④能够正确使用测量仪器,进行施工测量。

⑤能够正确划分施工区段,合理确定施工顺序。

⑥能够进行资源平衡计算,参与编制施工进度计划及资源需求计划,控制调整计划。

⑦能够进行工程量计算及初步的工程计价。

⑧能够确定施工质量控制点,参与编制质量控制文件、实施质量交底。

⑨能够确定施工安全防范重点,参与编制职业健康安全与环境技术文件,实施安全和环境交底。

⑩能够识别、分析、处理施工质量缺陷和危险源。

⑪能够参与施工质量、职业健康安全与环境问题的调查分析。

⑫能够记录施工情况,编制相关工程技术资料。

⑬能够利用专业软件对工程信息资料进行处理。

2)质量员

①能够参与编制施工项目质量计划。

②能够评价材料、设备质量。

③能够判断施工试验结果。

④能够识读施工图。

⑤能够确定施工质量控制点。

⑥能够参与编写质量控制措施等质量控制文件,并实施质量交底。

⑦能够进行工程质量检查、验收、评定。

⑧能够识别质量缺陷,并进行分析和处理。

⑨能够参与调查、分析质量事故,提出处理意见。

⑩能够编制、收集、整理质量资料。

3)安全员

①能够参与编制项目安全生产管理计划。

②能够参与编制安全事故应急救援预案。

③能够参与对施工机械、临时用电、消防设施进行安全检查,对防护用品与劳保用品进行符合性判断。

④能够组织实施项目作业人员的安全教育培训。
⑤能够参与编制安全专项施工方案。
⑥能够参与编制安全技术交底文件,并实施安全技术交底。
⑦能够识别施工现场危险源,并对安全隐患和违章作业进行处置。
⑧能够参与项目文明工地、绿色施工管理。
⑨能够参与安全事故的救援处理、调查分析。
⑩能够编制、收集、整理施工安全资料。

4)标准员

①能够组织确定工程项目应执行的工程建设标准及强制性条文。
②能够参与制订工程建设标准贯彻落实的计划方案。
③能够组织施工现场工程建设标准的宣贯和培训。
④能够识读施工图。
⑤能够对不符合工程建设标准的施工作业提出改进措施。
⑥能够处理施工作业过程中工程建设标准实施的信息。
⑦能够根据质量、安全事故原因,参与分析标准执行中的问题。
⑧能够记录和分析工程建设标准实施情况。
⑨能够对工程建设标准实施情况进行评价。
⑩能够收集、整理、分析对工程建设标准的意见,并提出建议。
⑪能够使用工程建设标准实施信息系统。

5)材料员

①能够参与编制材料、设备配置管理计划。
②能够分析建筑材料市场信息,并进行材料、设备的计划与采购。
③能够对进场材料、设备进行符合性判断。
④能够组织保管、发放施工材料、设备。
⑤能够对危险物品进行安全管理。
⑥能够参与对施工余料、废弃物进行处置或再利用。
⑦能够建立材料、设备的统计台账。
⑧能够参与材料、设备的成本核算。
⑨能够编制、收集、整理施工材料、设备资料。

6)机械员

①能够参与编制施工机械设备管理计划。
②能够参与施工机械设备的选型和配置。
③能够参与核查特种设备安装、拆卸专项施工方案。
④能够参与组织进行特种设备安全技术交底。
⑤能够参与组织施工机械设备操作人员的安全教育培训。
⑥能够对特种设备安全运行状况进行评价。
⑦能够识别、处理施工机械设备的安全隐患。
⑧能够建立施工机械设备的统计台账。
⑨能够进行施工机械设备成本核算。
⑩能够编制、收集、整理施工机械设备资料。

7)劳务员

①能够参与编制劳务需求及培训计划。
②能够验证劳务队伍资质。
③能够审验劳务人员身份、职业资格。
④能够对劳务分包合同进行评审,对劳务队伍进行综合评价。
⑤能够对劳动合同进行规范性审查。
⑥能够核实劳务分包款、劳务人员工资。
⑦能够建立劳务人员个人工资台账。
⑧能够参与编制劳务人员工资纠纷应急预案,并组织实施。
⑨能够参与调解、处理劳资纠纷和工伤事故的善后工作。
⑩能够编制、收集、整理劳务管理资料。

8)资料员

①能够参与编制施工资料管理计划。
②能够建立施工资料台账。
③能够进行施工资料交底。
④能够收集、审查、整理施工资料。
⑤能够检索、处理、存储、传递、追溯、应用施工资料。
⑥能够安全保管施工资料。
⑦能够对施工资料立卷、归档、验收、移交。
⑧能够参与建立施工资料计算机辅助管理平台。
⑨能够应用专业软件进行施工资料的处理。

9)测量员

①掌握水准仪、经纬仪、全站仪等测绘仪器设备检验和校正,并能进行误差分析。
②能够绘制大比例尺地形图。
③能够准确识读建筑平面图、总平面图。
④能够进行场地平整测量和土方计算。
⑤掌握地下管线和地下设施的测量方法。
⑥掌握建筑物的沉降及变形观测。
⑦能够完成建筑物竣工总平面图测绘。

12.1.3 专业知识

1)施工员

①熟悉国家工程建设相关法律法规。
②熟悉工程材料的基本知识。
③掌握施工图识读、绘制的基本知识。
④熟悉工程施工工艺和方法。
⑤熟悉工程项目管理的基本知识。
⑥熟悉相关专业的力学知识。
⑦熟悉建筑构造、建筑结构和建筑设备的基本知识。
⑧熟悉工程预算的基本知识。
⑨掌握计算机和相关资料信息管理软件的应用知识。
⑩熟悉施工测量的基本知识。
⑪熟悉与本岗位相关的标准和管理规定。
⑫掌握施工组织设计及专项施工方案的内容和编制方法。

⑬掌握施工进度计划的编制方法。
⑭熟悉环境与职业健康安全管理的基本知识。
⑮熟悉工程质量管理的基本知识。
⑯熟悉工程成本管理的基本知识。
⑰了解常用施工机械机具的性能。

2)质量员

①熟悉国家工程建设相关法律法规。
②熟悉工程材料的基本知识。
③掌握施工图识读、绘制的基本知识。
④熟悉工程施工工艺和方法。
⑤熟悉工程项目管理的基本知识。
⑥熟悉相关专业力学知识。
⑦熟悉建筑构造、建筑结构和建筑设备的基本知识。
⑧熟悉施工测量的基本知识。
⑨掌握抽样统计分析的基本知识。
⑩熟悉与本岗位相关的标准和管理规定。
⑪掌握工程质量管理的基本知识。
⑫掌握施工质量计划的内容和编制方法。
⑬熟悉工程质量控制的方法。
⑭了解施工试验的内容、方法和判定标准。
⑮掌握工程质量问题的分析、预防及处理方法。

3)安全员

①熟悉国家工程建设相关法律法规。
②熟悉工程材料的基本知识。
③熟悉施工图识读的基本知识。
④了解工程施工工艺和方法。
⑤熟悉工程项目管理的基本知识。
⑥了解建筑力学的基本知识。
⑦熟悉建筑构造、建筑结构和建筑设备的基本知识。
⑧掌握环境与职业健康管理的基本知识。
⑨熟悉与本岗位相关的标准和管理规定。
⑩掌握施工现场安全管理知识。
⑪熟悉施工项目安全生产管理计划的内容和编制方法。
⑫熟悉安全专项施工方案的内容和编制方法。
⑬掌握施工现场安全事故的防范知识。
⑭掌握安全事故救援处理知识。

4)标准员

①熟悉国家工程建设相关法律法规。
②熟悉工程材料的基本知识。
③掌握施工图绘制、识读的基本知识。
④熟悉工程施工工艺和方法。
⑤了解工程项目管理的基本知识。
⑥掌握建筑结构、建筑构造、建筑设备的基本知识。
⑦熟悉工程质量控制、检测分析的基本知识。
⑧熟悉工程建设标准体系的基本内容和国家、行业工程建设标准化管理体系。
⑨了解施工方案、质量目标和质量保证措施编制及实施基本知识。
⑩掌握与本岗位相关的标准和管理规定。
⑪了解企业标准体系表的编制方法。
⑫熟悉工程建设标准实施进行监督检查和工程检测的基本知识。
⑬掌握标准实施执行情况记录及分析评价的方法。

5)材料员

①熟悉国家工程建设相关法律法规。
②掌握工程材料的基本知识。
③了解施工图识读的基本知识。
④了解工程施工工艺和方法。
⑤熟悉工程项目管理的基本知识。
⑥了解建筑力学的基本知识。
⑦熟悉工程预算的基本知识。
⑧掌握物资管理的基本知识。
⑨据熟悉抽样统计分析的基本知识。
⑩熟悉与本岗位相关的标准和管理规定。
⑪熟悉建筑材料市场调查分析的内容和方法。
⑫熟悉工程招投标和合同管理的基本知识。
⑬掌握建筑材料验收、存储、供应的基本知识。
⑭掌握建筑材料成本核算的内容和方法。

6)机械员

①熟悉国家工程建设相关法律法规。
②熟悉工程材料的基本知识。
③了解施工图识读的基本知识。
④了解工程施工工艺和方法。
⑤熟悉工程项目管理的基本知识。
⑥了解工程力学的基本知识。
⑦了解工程预算的基本知识。
⑧掌握机械制图和识图的基本知识。
⑨掌握施工机械设备的工作原理、类型、构造及技术性能的基本知识。
⑩熟悉与本岗位相关的标准和管理规定。
⑪熟悉施工机械设备的购置、租赁知识。
⑫掌握施工机械设备安全运行、维护保养的基本知识。
⑬熟悉施工机械设备常见故障、事故原因和排除方法。
⑭掌握施工机械设备的成本核算方法。
⑮掌握施工临时用电技术规程和机械设备用电知识。

7)劳务员

①熟悉国家工程建设相关法律法规。
②了解工程材料的基本知识。

③了解施工图识读的基本知识。
④了解工程施工工艺和方法。
⑤熟悉工程项目管理的基本知识。
⑥熟悉流动人口管理和劳动保护的相关规定。
⑦掌握信访工作的基本知识。
⑧了解人力资源开发及管理的基本知识。
⑨了解财务管理的基本知识。
⑩熟悉与本岗位相关的标准和管理规定。
⑪熟悉劳务需求的统计计算方法和劳动定额的基本知识。
⑫掌握建筑劳务分包管理、劳动合同、工资支付和权益保护的基本知识。
⑬掌握劳务纠纷常见形式、调解程序和方法。
⑭了解社会保险的基本知识。

8)资料员

①熟悉国家工程建设相关法律法规。
②了解工程材料的基本知识。
③熟悉施工图绘制、识读的基本知识。
④了解工程施工工艺和方法。
⑤熟悉工程项目管理的基本知识。
⑥了解建筑构造、建筑设备及工程预算的基本知识。
⑦掌握计算机和相关资料管理软件的应用知识。
⑧掌握文秘、公文写作基本知识。
⑨熟悉与本岗位相关的标准和管理规定。
⑩熟悉工程竣工验收备案管理知识。
⑪掌握城建档案管理、施工资料管理及建筑业统计的基础知识。
⑫掌握资料安全管理知识。

9)测量员

①掌握一般测绘基础知识。
②掌握误差理论、测量规范。
③掌握工程构造的基本知识。
④掌握工程识图的基本知识。
⑤掌握地形图的识读和地物、地貌符号。

12.2 顶岗实习指导书

12.2.1 顶岗实习性质和目的

学生综合实训是职业技术学院实践性教学的重要教学环节,是学生理论联系实际,增长实践知识的重要手段和方法。实训中,学生在专业技术人员和指导教师的帮助下,将所学知识和实训内容互相验证,并对一些实际问题加以分析和讨论,可使其对建筑工程技术专业基本知识有一个良好的认识,为今后就业奠定一个良好的基础。

12.2.2 顶岗实习内容

①学会看懂实训工地的建筑施工图纸,了解工程的性质、规模、建筑结构特点。
②了解和掌握本工程施工的主要工序。
③掌握施工现场的项目管理办法和安全施工标准化管理的内容。
④熟悉施工现场,土建与安装配合内容协调各工种之间的关系。

12.2.3 顶岗实习工地选择要求

综合实训工地是帮助学生完成综合实训的重要条件之一,是顺利完成实训任务的前提。实训工地是学生的课堂,专业技术人员是学生最好的教师。实训工地好坏将直接影响实训的质量,所以应尽量选一些具有代表性的、交通方便、安全管理到位的工地。

12.2.4 顶岗实习具体内容和要求

1)施工组织设计

①能编制施工组织设计、了解编制依据,工程概况,掌握施工大纲。
②了解施工总体部署,工程质量,工程及安全施工目标,项目部人员及配备,施工程序及流水线。
③掌握施工进度计划、施工准备、施工现场平面布置、主要施工方案及施工方法。
④了解土建与安装的配合、工程质量保证体系和质量措施。
⑤了解施工安全保证、施工工期保证措施、冬季施工保证措施。
⑥了解现场文明施工及环境保证措施。
⑦熟悉保护地下管线、周边建筑物和文物措施。
⑧了解资金计划及降低成本措施、采用新工艺及合理化建议。
⑨熟悉回访保修、照明安装质量目标,工程特点、工程部署。
⑩了解劳动力计划表、主要材料、构配件(门窗)计划表。
⑪熟悉施工总平面布置图。

2)施工方案内容

①学会土方开挖的施工方案、坑壁支护设计的方案。
②井桩开挖、浇筑施工方案,桩基础施工方案。
③筏板基础的施工方案、箱基础的施工方案。
④学会编制地下混凝土防水施工方案。
⑤学会编制分部分项工程钢筋的施工方案、分部分项工程模板的施工方案。
⑥学会编制地下室大模板的拆除施工方案、现浇砼支撑系统设计计算方案。
⑦了解泵送砼的浇筑施工方案。
⑧编写砌体工程施工方案、外饰抹灰的施工方案。
⑨了解物料提升机设计计算方案、外用电梯人货两用电梯和塔吊拆装方案。
⑩了解大型设备起重吊装作业方案。
⑪了解外墙新材料聚苯板保温施工方案、外墙玻璃幕的施工方案。
⑫学会编写落地式脚手架具体搭设安全方案、吊篮脚手架设计计算书、卸料平台设计计算方案。
⑬了解钢屋架的施工方案、钢网架结构的施工方案,了解防水卷材工程的施工方案。

3)施工工艺标准及要求

①熟练掌握水平仪、经纬仪的使用方法,并能协助现场施工人员进行抄平放线。
②掌握人工、机械挖土施工标准,人工、机械回填土的施工要求。

③掌握灰土基础施工工艺要求、砂石基础施工工艺要求。

④了解钢筋混凝土预制桩打桩工艺标准。

⑤了解泥浆护壁回转钻孔灌注桩施工工艺要求、螺旋钻孔灌注桩施工工艺标准。

⑥掌握人工成孔灌注桩施工工艺标准、设备基础施工工艺标准、素混凝土施工工艺标准。

⑦掌握防水砼施工工艺标准、水泥砂浆施工工艺。

⑧熟悉地下沥青卷材防水层施工工艺标准,了解地下高分子合成橡胶卷材防水施工工艺标准、地下聚氨酯防水材料冷作业施工要求。

⑨掌握砖混结构构造柱、圈梁、板缝支模工艺要求。

⑩熟悉框架框架结构定型组合钢模板的安装与拆除要求、组合钢木胶合板模板的安装与拆除要求。

⑪了解现浇剪力墙结构大模板的安装与拆除标准、密肋楼板模壳的安装与拆除标准。

⑫掌握地下室钢筋绑扎工艺标准。

⑬了解砖混、外砖内模结构构造柱,圈梁板缝钢筋绑扎工艺要求。

⑭了解剪力墙结构大模板墙体钢筋绑扎工艺标准、现浇框架结构钢筋绑扎工艺标准、双钢筋叠合板钢筋绑扎工艺标准。

⑮了解钢筋手工电弧焊工艺标准、水平钢筋窄间隙焊工艺要求、钢筋闪光对焊工艺标准。

⑯了解钢筋电渣压力焊的工艺标准,锥螺纹钢筋接头工艺标准。

⑰掌握混凝土拌制、运输、浇筑、养护与混凝土配合比的计算方法。

⑱掌握普通混凝土现场拌制工艺要求。

⑲熟悉砖混结构、构造柱、圈梁、板缝与混凝土施工工艺标准。

⑳掌握剪力墙结构大模板普通砼施工工艺标准、全现浇结构(大模板)轻制混凝土施工工艺标准。

㉑掌握现浇框架结构砼浇筑施工工艺标准、双钢筋叠合板安装施工工艺标准。

㉒熟悉预应力实心整间大楼板安装工艺要求、预制钢筋混凝土框架结构构件安装工艺标准。

㉓了解预制楼梯、休息平台及垃圾道安装工艺标准,预制砼条板安装工艺标准。

㉔掌握施工现场内业技术资料的类型,能熟练应用微机填写、打印、制作表格。熟悉施工现场内业安全技术资料及质量检查标准及隐蔽验收资料的做法。

㉕了解钢结构手工电弧焊焊接工艺标准、扭剪型高强螺栓连接工艺要求、大六角强螺栓连接工艺标准。

㉖了解钢屋架制作工艺标准、钢屋架安装工艺标准。

㉗了解钢网架结构拼装工艺标准、钢网架结构安装工艺标准、钢结构防火涂料涂装工艺标准。

㉘掌握炉渣垫层施工工艺要求、砼垫层施工工艺要求、细石混凝土地面施工工艺标准。

㉙掌握水泥沙浆地面施工要求、地平施工工艺标准、地板砖干铺、湿铺工艺要求。

㉚了解大理石、花岗岩及碎拼大理石地面施工工艺标准、缸砖、水泥花砖地面施工要求、预制混凝土板块和水泥方砖路面铺设施工标准。

㉛掌握厕、浴间涂膜、SBS防水施工工艺标准。

㉜了解地毯铺设施工工艺标准。

㉝了解木门窗安装工艺要求、钢门窗安装工艺要求、铝合金门窗安装工艺标准、塑钢门窗安装工艺标准。

㉞熟悉内墙抹灰砂浆工艺标准、水泥沙浆抹灰工艺标准、加气砼条、板、墙面抹灰标准、混凝土内墙、顶栅抹灰的工艺标准。

㉟了解墙面干贴施工工艺标准、墙面干贴石施工工艺标准。

㊱了解喷涂、滚涂、弹涂施工工艺标准、清水砖墙勾缝施工工艺标。

㊲熟悉钢木框扇玻璃安装工艺要求、铝合金、塑钢框扇玻璃安装工艺标准。

㊳了解木龙骨罩面顶棚工艺标准、轻钢龙骨罩面顶棚工艺标准。

㊴掌握室外贴面砖施工工艺标准、大理石、磨光花岗岩、预制水磨石饰面施工、干挂大理石、花岗岩施工工艺标准。

㊵熟悉墙面瓷砖的工艺标准要求、金属饰面安装工艺标准、玻璃幕墙安装的工艺标准。

㊶了解木制门窗清漆、调合漆施工工艺标准、混凝土及抹灰表面施涂油性涂料施工工艺标准。

㊷了解一般刷(喷)内外墙面工艺要求、木地(楼)板施涂打蜡施工工艺标准,内墙面裱糊壁纸、墙布的施工工艺要求。

㊸掌握屋面保温层施工工艺标准,屋面找平层施工工艺标准。

㊹掌握沥青、油毡(SBS)卷材屋面防水施工工艺标准、合成高分子卷材屋面防水施工工艺标准。

㊺了解落水管、变形缝制作安装要求。

12.3 当一名合格的项目经理(助理)

12.3.1 项目经理(助理)的能力要求

1)号召力

这里的号召力,就是调动项目组成员以及客户、供应商、职能经理、公职人员等工作积极性的能力。一般情况下,项目经理部的成员是从企业内部各个部门调来组合而成的,因此每个人的素质、能力和思想境界或多或少存在不同之处。每个人从单位到项目部上班也都带有不同的目的,有的人是为了钱,有的人是为了学点技术和技能,而有的人是为了混日子。因此,每个人的工作积极性会有所不同,为了钱的人如果没有得到他期望的工资,他就会有厌倦情绪;为了学技术和技能的人如果认为该项目没有他要学的或认为岗位不对口学不到技术和技能,也会产生厌倦情绪;为了混日子的人,则是做一天和尚撞一天钟——得过且过。因此,项目经理应具有足够的号召力才能激发各种成员的工作积极性。

2)影响力

主要是对项目组成员产生影响的能力。项目经理除了要拥有且其他员工认为重要的特殊知识,正确、合法地发布命令之外,还需要适当分配项目组成员的个人工作任务,授权他人自由使用资金,提高员工的职位,增加员工的工资报酬。并利用员工对某项具体工作的热爱建立相应的激励措施。

3)交流能力

交流能力即有效倾听、劝告和理解他人行为的能力,也就是和其他人之间的友好的人际关系。强势领导必将制约企业的发展。项目经理只有具备足够的交流能力才能与下属、上级进行平等的交流。与下级的交流非常重要,因为群众的声音是来自最基层、最原始的声音(特别是群众的反对声音),一个项目经理如果没有对下属职工的意见进行足够的分析、理解,那他的管理必然是强权管理,也必将引起职工的不满,其后果也必将重蹈我国历史上那些"忠言逆耳"的覆辙。

4)应变能力

应变能力是指自然人或法人在外界事物发生改变时所作出的反应,可能是本能的,也可能是经过大量思考后作出的决策。

12.3.2 项目经理(助理)的管理技能

管理技能首先要求项目经理把项目作为一个整体来看待,认识到项目各部分之间的相互联系和制约,以及单个项目与母体组织之间的关系。只有对总体环境和整个项目有清楚的认识,项目经理才能制定出明确的目标和合理的计划。具体包括:

1)计划

计划是为了实现项目的既定目标,对未来项目实施过程进行规划和安排的活动。计划作为项目管理的一项职能,贯穿于整个项目的全过程。在项目全过程中,随着项目的进展不断细化、具体化,同时又不断地修改和调整,将形成一个前后相继的体系。项目经理要对整个项目进行统一管理,就必须制定出切实可行的计划或者对整个项目的计划做到心中有数,这样各项工作才能按计划有条不紊地进行。也就是说,项目经理对施工的项目必须具有全盘考虑、统一计划的能力。

2)组织

这里所说的项目经理必须具备的组织能力是指为了使整个施工项目达到它既定的目标,使全体参加者分工与协作以及设置不同层次的权力和责任制度而构成的一种人的组合体的能力。当一个项目在中标后(有时在投标时),担任(或拟担任)该项目领导者的项目经理就必须充分利用他的组织能力对项目进行统一的组织,比如确定组织目标、确定项目工作内容、组织结构设计、配置工作岗位及人员、制定岗位职责标准和工作流程及信息流程、制定考核标准等。在项目实施过程中,项目经理又必须充分利用他的组织能力对项目的各个环节进行统一的组织,即处理在实施过程中发生的人和人、人和事、人和物的各种关系,使项目按既定的计划进行。

3)目标定位

项目经理必须具有定位目标的能力,目标是指项目为了达到预期成果所必须完成的各项指标的标准。目标有很多,但最核心的是质量目标、工期目标和投资目标。项目经理只有对这三大目标定位准确、合理,才能使整个项目的管理有一个总方向,各项目工作也才能朝着这三大目标开展。要制定准确、合理的目标(总目标和分目标)就必须熟悉合同提出的项目总目标、反映项目特征的有关资料。

4)整体意识

项目是一个错综复杂的整体,它可能含有多个分项工程、分部工程、单位工程,如果对整个项目没有整体意识,定会顾此失彼。

5)授权能力

也就是要使项目部成员共同参与决策,而不是那种传统的领导观念和领导体制。任何一项决策均要通过有关人员的充分讨论,并经充分论证后才能做出决定。这不仅可以做到以德服人,还可集思广益,从而该决策将更得民心、更具有说服力,也更科学、更全面。

参考文献

[1] 万健,陈文元.建筑施工综合实训[M].重庆:重庆大学出版社,2016.

[2] 李社生.建筑施工图识读[M].北京:科学出版社,2013.

[3] 危道军.建筑施工技术[M].2版.北京:科学出版社,2015.

[4] 李贵文.土建类高职院校校内实习实训基地信息化建设与应用研究[J].教育现代化,2019(6).

附　录

附录Ⅰ 建筑工程施工图实例（框架-剪力墙结构）

×××建筑工程有限责任公司

×××JIANZHU GONGCHENG YOUXIAN ZEREN GONGSI

综 合 楼

ZONGHELOU

工程号：2017-09-23

×××建筑设计有限责任公司

×××JIANZHU SHEJI YOUXIAN ZEREN GONGSI

图 纸 目 录

序号	图 号	图纸名称
1	建施-01	总平面布置图
2	建施-02	建筑设计说明
3	建施-03	绿色建筑评价
4	建施-04	门窗表 工程材料及做法
5	建施-05	地下室平面图
6	建施-06	一层平面图
7	建施-07	二层平面图
8	建施-08	三层平面图
9	建施-09	四~十二层、十四、十五层平面图
10	建施-10	十三、十六层平面图
11	建施-11	电梯机房、屋面平面图
12	建施-12	电梯机房上空、设备间屋面、采光罩平面图
13	建施-13	电梯机房屋顶平面图
14	建施-14	正立面图
15	建施-15	北立面图
16	建施-16	东立面图
17	建施-17	西立面图
18	建施-18	1—1剖面图
19	建施-19	厨房、卫生间平面放大图
20	建施-20	楼梯详图
21	建施-21	节点详图
22	建施-22	地下室自行车坡道详图
23	结施-01	结构设计总说明
24	结施-02	基础平面图
25	结施-03	基础设计说明
26	结施-04	-3.600m标高梁、板配筋图
27	结施-05	基础顶面~±0.00m墙柱平法施工图
28	结施-06	±0.00~4.80 m墙柱平法施工图
29	结施-07	4.80~8.90m墙柱平法施工图
30	结施-08	8.90~11.80m墙柱平法施工图
31	结施-09	11.80~32.10 m墙柱平法施工图
32	结施-10	35.00~37.90 m墙柱平法施工图 43.70~46.60 m墙柱平法施工图
33	结施-11	32.10~46.60 m墙柱平法施工图
34	结施-12	46.60~49.50 m墙柱平法施工图
35	结施-13	49.50~53.40 m墙柱平法施工图
36	结施-14	框架柱配筋图 53.40~55.20 m墙柱平法施工图
37	结施-15	墙柱配筋图1
38	结施-16	墙柱配筋图2
39	结施-17	±0.000 m梁平法施工图
40	结施-18	±0.000 m标高板配筋图
41	结施-19	4.800 m梁平法施工图
42	结施-20	4.800 m标高板配筋图
43	结施-21	8.900 m梁平法施工图
44	结施-22	8.900 m标高板配筋图
45	结施-23	11.800 m梁平法施工图
46	结施-24	14.70 m梁平法施工图
47	结施-25	17.60~29.20 m梁平法施工图
48	结施-26	32.10 m梁平法施工图
49	结施-27	11.80~32.10 m标高板配筋图
50	结施-28	35.00 m梁平法施工图
51	结施-29	37.90、46.60 m梁平法施工图
52	结施-30	40.80、43.70 m梁平法施工图
53	结施-31	35.00~46.60 m标高板配筋图
54	结施-32	49.500 m梁平法施工图
55	结施-33	49.500 m标高板配筋图
56	结施-34	53.400 m梁平法施工图
57	结施-35	53.400 m标高板配筋图
58	结施-36	55.200 m标高板配筋图 55.200 m梁平法施工图 59.00m梁平法施工图
59	结施-37	楼梯剖面图 地下室自行车坡道
60	结施-38	楼梯1平面图
61	结施-39	楼梯2平面图 楼梯3平面图
62	水施-01	图纸目录 图例 主要设备规格表
63	水施-02	室外消防总平面图
64	水施-03	设计说明
65	水施-04	地下室给排水平面图
66	水施-05	一层给排水平面图
67	水施-06	二层给排水平面图
68	水施-07	地下室消防给水平面图
69	水施-08	一层消防给水平面图
70	水施-09	二层消防给水平面图
71	水施-10	三层给排水平面图
72	水施-11	四~十二层、十四、十五层给排水平面图
73	水施-12	十三、十六层给排水平面图
74	水施-13	水箱间平面布置图屋顶水箱系统图
75	水施-14	三、十六层住宅给水系统图
76	水施-15	十六层住宅户内给水系统图 一、二层商铺给水系统图 3F-16F住宅室内排水系统图
77	水施-16	三一十六层住宅给水系统图 一、二层商铺给水系统图
78	水施-17	三一十六层住宅给水系统图 一、二层商铺给水系统图
79	水施-18	消防系统图
80	水施-19	地下室自喷系统图
81	水施-20	一、二层自喷系统图
82	水施-21	1-1、2-2、3-3、4-4剖面图
83	水施-22	厨房及卫生间详图
84	暖施-1	采暖通风设计说明
85	暖施-2	图纸目录 图例 设备表 分集水器连接大样
86	暖施-3	地下室采暖平面图
87	暖施-4	一层采暖平面图
88	暖施-5	二层采暖平面图
89	暖施-6	三层采暖平面图
90	暖施-7	四~十二层、十四、十五层采暖平面图
91	暖施-8	十三、十六层采暖平面图
92	暖施-9	电梯机房、屋面平面图
93	暖施-10	-1F—2F采暖系统图 换热机房管道系统图 换热站管道连接平面图 换热站管道系统流程图
94	暖施-11	住宅采暖系统图 防烟系统图 户内采暖干管系统图 热计量井大样图
95	暖施-12	地下室通风平面图
96	暖施-13	地下车库送风系统图
97	电施-01	电气设说明 电气图纸目录
98	电施-02	配电干线系统图 材料设备表 配电系统图(一)
99	电施-03	配电系统图(二)
100	电施-04	配电系统图(三)
101	电施-05	配电系统图(四)
102	电施-06	配电系统图(五)
103	电施-07	配电系统图(六)
104	电施-08	地下一层干线平面图
105	电施-09	地下一层照明平面图
106	电施-10	一层照明平面图
107	电施-11	二层照明平面图
108	电施-12	四至八层照明平面图
109	电施-13	三层照明平面图
110	电施-14	九至十二、十四、十五层照明平面图
111	电施-15	十三、十六层照明平面图
112	电施-16	屋面采光罩照明平面图
113	电施-17	屋面照明平面图
114	电施-18	屋面防雷平面图
115	电施-19	基础接地平面图
116	电施-20	弱电系统图(一)
117	电施-21	弱电系统图(二)
118	电施-22	火灾自动报警及消防联动系统图
119	电施-23	地下一层弱电平面图
120	电施-24	一层弱电平面图
121	电施-25	二层弱电平面图
122	电施-26	三层弱电平面图
	电施-27	四至十六层弱电平面图
	电施-28	屋面弱电平面图

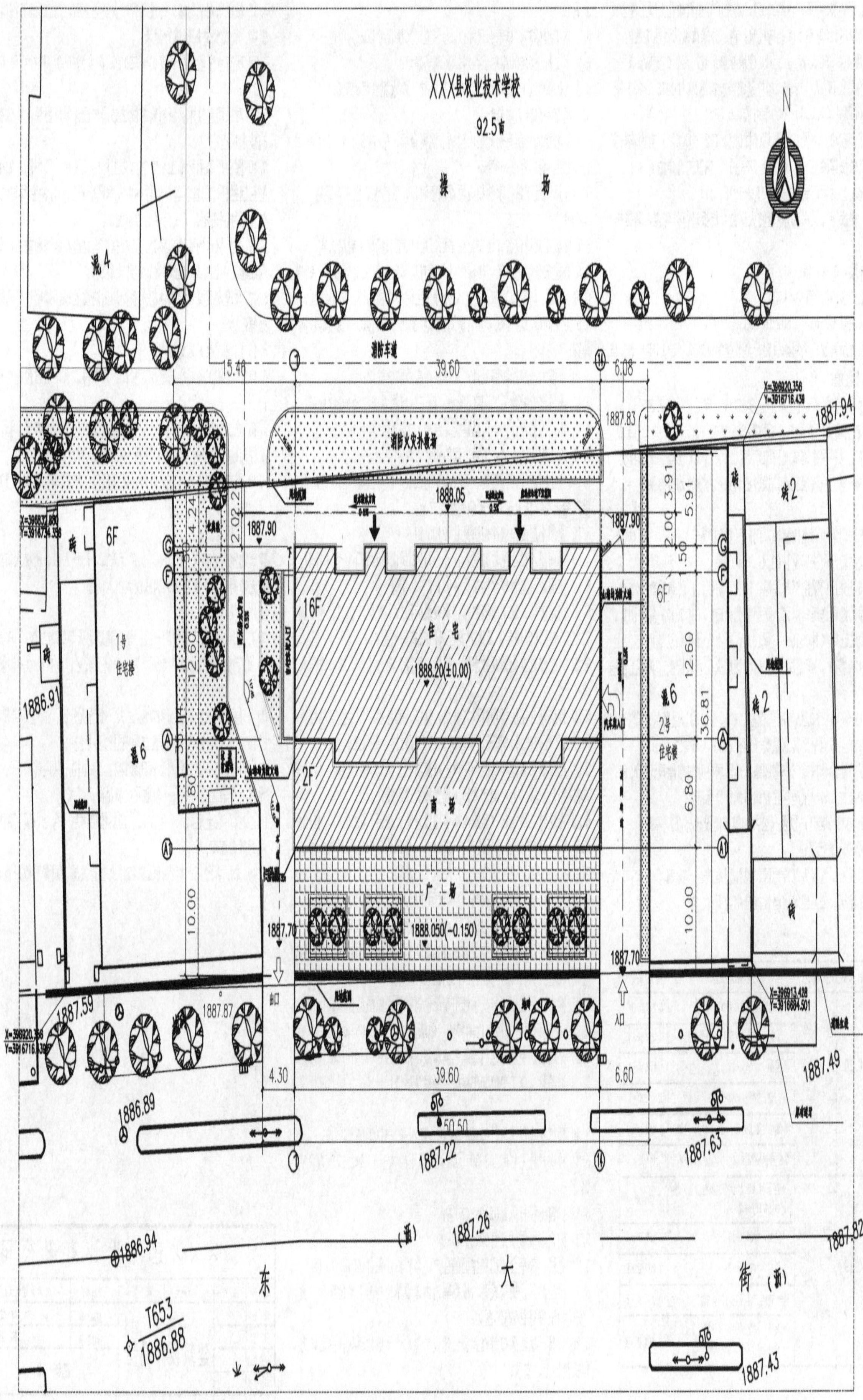

总平面布置图

主要技术经济指标

序号	名称			面积
1	总用地面积:			2846.90 m^2
2	总建筑面积:			14187.35 m^2
其中	原有建筑面积	1号住宅楼		2100 m^2
		2号住宅楼		1900 m^2
	新建	建筑面积		9987.35 m^2
		其中	地下部分	852.00 m^2
			地上商场部分	1701.21 m^2
			地上住宅部分	7434.14 m^2
3	建筑占地面积:			1468.87 m^2
4	建筑密度:			51.60%
5	容积率:			4.68
6	绿地率:			26%
7	地下停车数量(辆):			9
8	总户数:			56

图 例

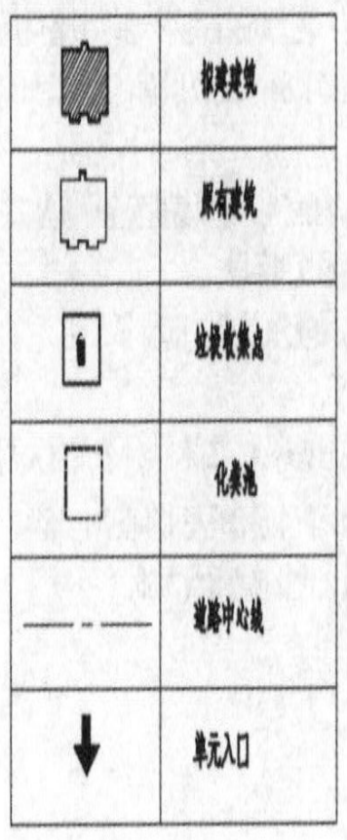

×××建筑设计有限公司

职 责	签 字	专业名称	建 筑	建设单位	×××建筑工程有限责任公司	
设 计		总平面布置图		项目名称	综合楼	
校 核				设计阶段	施工图	
专业负责				建施-01		工程号
项目负责						2017-09-23
审 核		比 例	:	日 期	2017.08 共 张	第 01 张

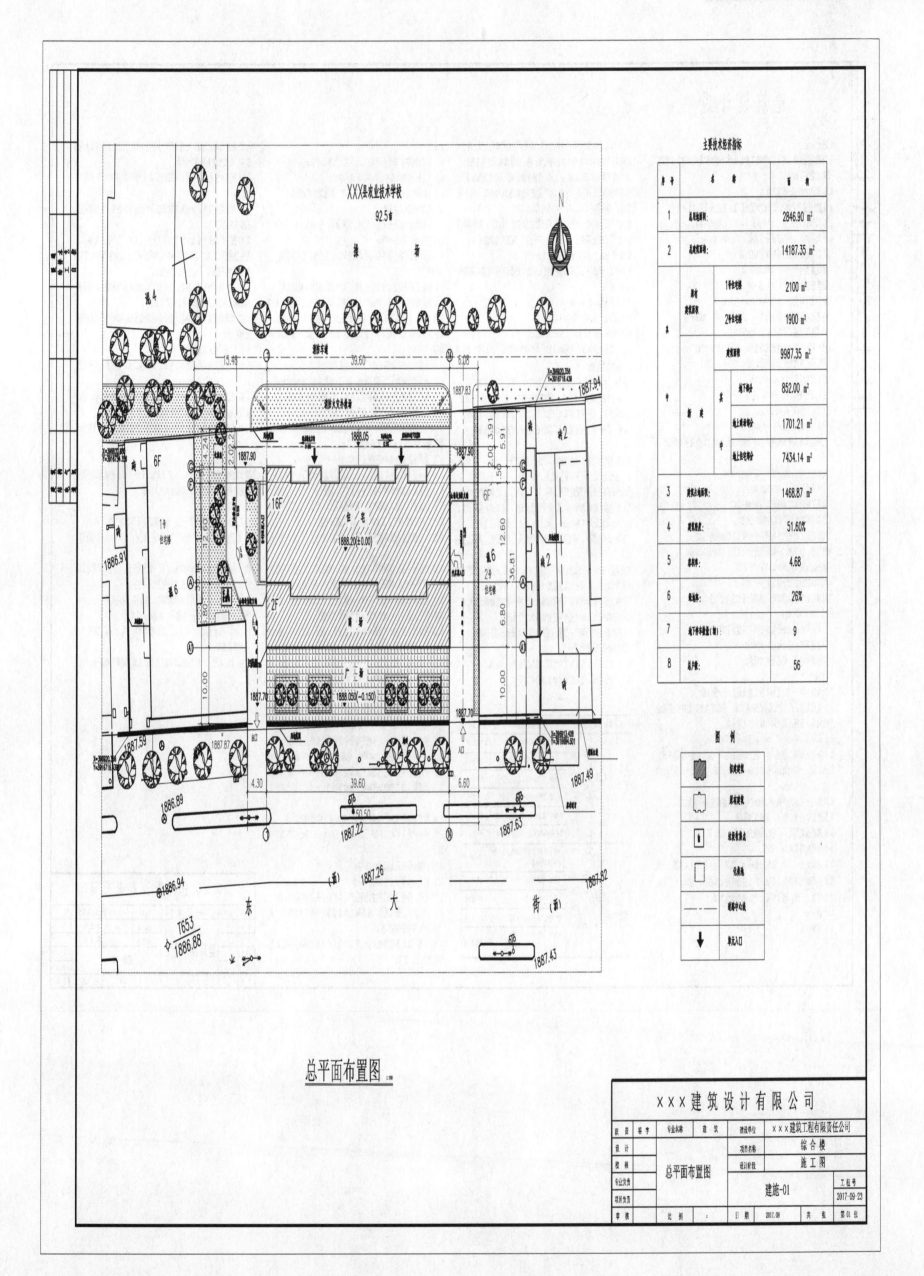

建筑设计说明

1 设计依据

1.1XXX人民政府《关于XXX建筑工程公司综合楼改扩建规划建设方案的批复》复字［2011］87号

1.2 建设单位提出的设计要求

1.3 XXX住建局对本工程的初步设计批复，定建发【2012】16号文

1.4 XXX地质勘察工程公司提供的《岩土工程勘察报告》

1.5 现行的国家有关建筑设计规范、规程和标准：

《建筑工程设计文件编制深度规定(2016版）》

《民用建筑设计通则》GB50352-2005

《商店建筑设计规范》JGJ 48—88

《建筑设计防火规范》GB50016-2014（2018）

《高层民用建筑设计防火规范》 GB 50045-95 2005年版

《公共建筑节能设计标准》GB50189-2015

《严寒和寒冷地区居住建筑节能设计标准》JGJ26-2018

《采暖居住建筑节能设计标准》DB62/T25-3033-2006

《住宅建筑规范》GB 50368-2005

《住宅设计规范》GB 500096-2011

《住宅设计标准》DB62/25-3011-2002

《汽车库建筑设计规范》 JGJ100-98

《民用建筑外墙保温系统及外墙装饰防火暂行规定》公通字（2009）46号

《城市居住区规划设计规范》GB50180-2018

《无障碍设计规范》GB50763-2012

《地下工程防水技术规范》GB50108-2008

《屋面工程技术规范》GB50345-2012

《民用建筑工程室内环境污染控制规范》GB50325-2010

《汽车库、修车库、停车场设计防火规范》GB50067-2014

《绿色建筑评价标准》GB/T50378-2014

《民用建筑绿色设计规范》JGJ/T229-2010

《甘肃省绿色公共建筑设计标准》【含条文说明】DB62/T25-3089-2014

《甘肃省绿色建筑评价实施细则》甘建科[2015]134号

《公共建筑节能设计标准》GB50189-2015

及其他相关法规、规范及地方标准。

2项目概况

2.1 项目名称： XXX建筑工程有限责任公司--综合楼；

2.2 建设地点：位于XXX县洮阳镇东大街，南邻东大街、北与XXX县农业学校毗邻、东侧及西侧均与原有住宅楼相邻。

2.3 总建筑面积：9987.35m² ；建筑总高度49.65m。

2.4 层数及层高：地下一层；地上16层；地下一层为设备间及停车库，层高3.6m；一层为商店，层高4.8m；二层为商店，层高4.4m；三～十六层为住宅，层高2.90m。

2.5 结构形式：为框架-剪力墙结构，建筑结构安全等级为二级。

3 抗震设防烈度、等级、合理使用年限

3.1 抗震设防烈度为：7度，地震加速度0.15g，第三组。

3.2 合理使用年限为： 50年。

3.3 建筑分类：二类；建筑耐火等级：二级，地下室的耐火等级：一级。

3.4 屋面防水等级为：Ⅱ级，防水层合理使用年限为：15年。地下室防水等级为：二级；防水混凝土设计抗渗等级为S6。

4 节能设计

4.1 节能措施：

4.1.1 本工程外墙300厚，内墙200厚，均采用轻集料微孔混凝土复合砌块砌筑；隔墙用120厚粘土多孔砖砌筑；内、外墙体做法及热工性能：

⑴ 砌块密度：≤550kg/m³ ； ⑵ 砌块导热系数：≤0.072 W/m·k ；

⑶ 墙体传热系数(W/m²·k)：按《居住建筑节能构造》(甘06J3-1～3）图集施工，300厚外墙≤0.30；200厚内墙≤0.55。

框架柱与复合砌块节点做法详图见《甘06J3-1-27-①②》，剪力墙与复合砌块节点做法详图见《甘06J3-1-28-⑧》，飘窗构造详图见《甘06J03-1-15》，封闭阳台见《甘06J03-1-16、17》。

所有外墙、楼梯间墙采用50厚A级防火保温岩棉板进行外保温，其传热系数分别为：

复合砌块外墙≤0.30W/(M²·K)

钢筋混凝土外墙≤0.50W/(M²·K)

楼梯间钢筋混凝土外墙≤0.50W/(M²·K)

4.1.2 本工程所有窗户采用断桥铝合金节能中空玻璃（5+12+5）平开窗；

⑴ 窗户热工性能：

气密性： ≤1.0 m³/h.m ；水密性：≥250Pa；保温性：≤2.5W/ m².k ；

⑵ 窗户安装居墙中，安装见《断桥铝合金节能门窗》（甘06J6-1）门窗口做法详见《居住建筑节能构造》(甘02J06-3-1) 图集。玻璃种类Low-E、涂膜5厚，空气层12mm，橡胶密封条；外窗平均传热系数 =2.0 。 K

4.1.3 本工程门采用《室内装饰木门》（甘02J06-5）图集，内门里平装，全部加贴脸，做法详见甘02J4-1-56-②；

所有外漏门及分户门采用钢制保温、防火、防盗门，传热系数 =1.7。

4.1.4 屋面、地面选用《屋面、地面节能构造》（甘06J5）标准图集。上人屋面做法选用（甘06J5-13-屋16），不上人屋面做法选用（甘06J5-13-屋7），保温层采用60厚A级防火保温岩棉板，其热工性能如下：

导热系数（W/m·k)：60厚A级防火保温岩棉板≤0.03，最薄处30厚1:8水泥焦渣≤0.29；屋面平均传热系数（W/m²·k)：≤0.41。

4.2 本工程节能设计按照《严寒和寒冷地区居住建筑节能设计标准》JGJ26-2010及甘肃省《采暖居住建筑节能设计标准》DB62/T25-3033-2006)；以及《公共建筑节能设计标准》(GB50189-2005)进行设计。

4.2.1 本工程所属气候为寒冷地区；总体型系数： =0.24

4.2.2 居住建筑、公共建筑保温性能分别如下： S

	体形系数	窗墙比	节能构造做法	传热系数
住宅部分	S=0.26	东：0.00 南：0.30 西：0.00 北：0.23	保温砌块外墙：甘06J3-1-14	0.3W/M²·K
			混凝土外墙：甘06J4-20-外墙21	0.50W/M²·K
			屋面：甘06J5-13	0.41W/M²·K
			门窗：甘02J06-3-1	0.20W/M²·K
			楼梯间混凝土外墙：甘06J4-20-外墙21	0.50W/M²·K
			架空楼板保温顶棚：甘06J4-81-棚6	0.48W/M²·K
公建部分	S=0.19	东：0.01 南：0.35 西：0.00 北：0.25	干挂石材（50厚岩棉板保温层）外墙：甘06J4-15-外墙15	0.55W/M²·K
			屋面：甘06J5-13	0.41W/M²·K
			门窗：甘02J06-3-1	0.20W/M²·K
			楼梯间墙：甘06J4-17-外墙17	0.35W/M²·K
			地下室、架空楼板保温顶棚：甘06J4-81-棚6	0.48W/M²·K

5 其它

5.1 本工程标高、总平面尺寸以m为单位，其他尺寸以mm为单位；

5.2 本工程±0.000相对于绝对标高现场确定；

5.3 ±0.000以下墙体用MU7.5黏土实心砖、M5水泥砂浆砌筑；

5.4 所有外窗开启扇带纱；

5.5 除楼梯间外所有房间采用预制水泥窗台板，见甘02J4-4-16-⑦；窗台板宽度=洞口宽度+500mm；

5.6 在屋面及雨篷排水的相应位置预留洞口，低落水管出水口距地200mm；

5.7 楼板留洞待设备管线安装完毕后，用C20细石混凝土封堵密实；

5.8 公建部分除卫生间、楼梯间外，所有房间散热器采用半暗装；凹槽深度100mm，与窗口同宽；住宅部分除卫生间、楼梯间外，采用地暖。

5.9 卫生间楼(地)面低于其它房间楼(地)面20mm，并按0.5%找坡，坡向地漏；

5.10 预埋木砖应做防腐处理，外露铁件应做防锈处理；

5.11 通风道安装参见02SJ906图集，施工时应注意选型及抽风口方向；

5.12 本工程的设计内容包括建筑、结构、水、暖、电设备安装；

5.13 施工中应该注意各工种之间的相互协调；

5.14 施工时应注意预埋件、暖气套管的敷设，以及预留洞的位置，严禁在梁、板、柱上凿洞，影响到结构安全；

5.15 屋顶小屋面检修梯做法见甘02J08-81；

5.16 屋面泛水做法见甘02J02-7-⑥；屋顶小屋面排水管下部设水簸箕；

5.17 屋面雨水暗管排水做法见甘02J02-13-①③；

5.18 门窗玻璃的选用应遵照《建筑玻璃应用技术规程》JGJ113和《建筑安全玻璃管理规定》及地方主管部门的有关规定；

5.19 外装修见立面图及效果图。挑檐、雨篷、阳台板外口等均做滴水线；

5.20 外装修选用的各项材料其材质、规格、颜色等，均由施工单位提供样板，经建设单位和设计单位确认后进行封样，并据此验收；

5.21 电梯临会客厅和书房面隔声、减震墙面外贴100厚岩棉板，做法见（甘02J4-1-36-3），固定木砖下设置减震橡胶垫；

5.23 内装修工程执行《建筑内部装修设计防火规范》GB50222，楼地面部分执行《建筑地面设计规范》GB50037；各部位用料工程材料及做法表；

5.24 内装修选用的各项材料，经确认后进行封样，并据此进行验收；

5.25 各单元门采用防盗对讲门，由建设单位统一订购和安装；

5.26 室内外各项露明金属件的油漆为刷防锈漆2道后，再做同室内外部位相同颜色的调和漆，做法为甘02J01-160-油23；

5.27 楼梯、平台钢栏杆扶手选用墨绿色调和漆，做法见甘02J01-160-油23；护窗钢栏杆选用白色调和漆，做法为甘02J01-160-油23；

5.28 贴墙钢扶手油漆选用墨绿色调和漆，做法为甘02J01-160-油23；

5.29 油漆均由施工单位制作样板，经确认后进行封样，并据此进行验收；

5.30 楼梯踏步做法见甘02J08-88-①，防滑条见甘02J08-53-⑥；

5.31 楼梯栏杆见甘02J08-39-①，其高度不应大于0.60m；扶手为Φ50钢管；

5.32 护窗钢栏杆见甘02J08-47-②；

5.33 阳台隔板做法见甘02J03-47-⑤；

5.34 底层、邻平台或裙房屋面的住户防盗栏做法见甘02J03-70-⑤；

5.35 卫生洁具、厨房设备、成品隔断由建设单位与施工单位配合定货，安装构造参见甘02J05图集；

5.36 灯具、送回风口等器具须经建设单位与设计单位确认样品后，方可批量加工、安装；

5.37 楼板留洞的封堵：待设备管线安装完毕后，用C20细石混凝土封堵密实，管道竖井层层进行封堵；

5.38 所有水平段栏杆长度大于500的，高度为1050；栏杆杆件间距为110；

5.39 对采用新技术、新材料的做法必须与设计单位协商，并应有相应的技术规程；

5.40 图中所选用标准图中有对结构工种的预埋件、预留洞，如楼梯、平台钢栏杆、门窗、建筑配件等以及本图所标注的各种留洞与预埋件应与各工种密切配合确认无误后方可施工；

5.41 两种材料的墙体交接处，应根据饰面材质在做饰面前加钉金属网或在施工中加贴玻璃丝网格布，防止裂缝；

5.42 预埋木砖及贴邻墙体的木质面均做防腐处理，露明铁件均做防锈处理；

5.43 门窗过梁见结施说明；

5.44 土建施工前必须与客梯、货梯厂家取得联系，敷设预埋件和管线；

5.45 施工时请各工种间严密配合，如发现设计文件中有错、漏、碰、缺等问题，请及时与设计院联系，以便协商解决；

5.46 老年人和少儿可在农业学校操场活动；原有1#住宅楼内设有社区活动室；

5.47 无障碍设计：

建筑物室内外高差为0.15m，在单元入口、商场入口、楼梯入口处均设置无障碍坡道，解决老人和残疾人出入问题；

5.48 消防设计：

本工程地下室耐火等级为一级；地上建筑耐火等级为二级；

⑴ 地下室建筑面积992.50m²，为一个防火分区；设自动喷淋消防设置；

⑵ 一层商店部分建筑面积708m²，为一个防火分区；二层商店建筑面积874m²为一个防火分区。均设自动喷淋消防系统；

⑶ 单元住宅：设一部消防封闭楼梯和一部电梯，共用前室6.5m²；前室设有两个消火栓，并设一个烟井；满足防火要求；

⑷ 为满足安全疏散：分别在12、15层楼梯休息平台处设置了两个单元互为贯通连廊；

5.49 未尽事宜应严格执行国家和甘肃省有关施工质量验收规范。

<table>
<tr><td colspan="8">×××建筑设计有限公司</td></tr>
<tr><td>职 责</td><td>签 字</td><td>专业名称</td><td>建 筑</td><td>建设单位</td><td colspan="3">×××建筑工程有限责任公司</td></tr>
<tr><td>设 计</td><td></td><td colspan="2" rowspan="5">建筑设计说明</td><td>项目名称</td><td colspan="3">综合楼</td></tr>
<tr><td>校 核</td><td></td><td>设计阶段</td><td colspan="3">施工图</td></tr>
<tr><td>专业负责</td><td></td><td colspan="3" rowspan="2">建施-02</td><td>工程号</td></tr>
<tr><td>项目负责</td><td></td><td>2017-09-23</td></tr>
<tr><td>审 核</td><td></td><td>日 期</td><td>2017.08</td><td>共 张</td><td>第02张</td></tr>
<tr><td></td><td></td><td>比 例</td><td>:</td><td></td><td></td><td></td><td></td></tr>
</table>

绿色建筑评价表

章					节	适用条款	
内容	得分 Qi	适用总分	实际得分	权重	内容	内容	得分
节地与室外环境 w1	43	100	43	0.16	土地利用	4.2.1 节约集约利用土地，容积率R=4.68	5
						4.2.2 场地内合理设置绿化用地，绿地率 Rg=26.00%	5
					室外环境	4.2.4 建筑及照明设计避免产生光污染	2
						4.2.5 场地内环境噪声符合现行国家标准《声环境质量标准》GB3096 的有关规定	4
					交通设施与公共服务	4.2.8 场地与公共交通设施具有便捷的联系，有便捷的人行通道联系交通站点	9
						4.2.9 场地内人行通道采用无障碍设计	3
						4.2.10 合理设置机动车停车设施	3
					场地设计与场地生态	4.2.11 提供便利的公共服务	6
						4.2.12 结合现状地形地貌进行场地设计与建筑布局	3
						4.2.15 合理选择绿化方式，科学配置绿化植物	3
节能与能源利用 w2	59	90	53	0.28	建筑与维护结构	5.2.1 结合场地自然条件，对建筑的体形、朝向、楼距、窗墙比等进行优化设计	6
						5.2.2 外窗的可开启部分能使建筑获得良好的通风。	6
						5.2.3 维护结构热工性能指标比国家现行相关建筑节能设计标准规定的提高幅度达 5%	6
							-
					供暖、通风和空调	5.2.4 供暖空调系统的冷、热源机组能效均优于现行国家标准《公共建筑节能设计标准》GB50189 的规定以及现行有关国家标准能效限定值的要求	6
						5.2.5 集中供暖系统热水循环泵的耗电输热比和通风空调系统风机的单位风量耗功率符合现行国家标准《公共建筑节能设计标准》GB50189 等的有关规定，且空调冷热水系统循环水泵的耗电输冷（热）比现行国家标准《民用建筑供暖通风与空气调节设计规范》GB50736 规定值低 20%	6
						5.2.7 采取措施降低过度季节供暖、通风与空调系统能耗	6
						5.2.8 采取措施降低部分负荷、部分空间使用下的供暖、通风与空调系统能耗	3
					照明与电气	5.2.9 走廊、楼梯间、门厅、大堂、大空间等场所的照明系统采用分区、定时、感应灯节能控制措施	5
						5.2.10 照明功率密度值达到现行国家标准《建筑照明设计标准》GB50034 中规定的目标值，所有区域均满足	4
						5.2.11 合理选用节能型电器设备	3
节水与水资源利用 w3	57	81	46	0.18	节水系统	6.2.1 建筑平均日用水量满足现行国家标准《民用建筑节水设计标准》	7
						6.2.2 采取有效措施避免管道漏损	8
						6.2.3 给水系统无超压出流现象	6
						6.2.4 设置用水计量装置	15
					节水器具与设备	6.2.6 使用较高用水效率等级的卫生器具	10
节材与材料资源利用 w4	46	94	43	0.19	节材	7.2.1 择优选择规则的建筑形体，属于《建筑抗震设计规范》GB50011-2010 规定的形体规则的建筑	3
						7.2.2 对地基基础、结构体系、结构构件进行优化设计，达到节材效果	5
					材料选用	7.2.7 选用本地生产的建筑材料	10
						7.2.8 现浇混凝土采用预拌混凝土	10
						7.2.9 建筑砂浆采用预拌砂浆	5
						7.2.10 合理采用高强建筑结构材料	10
室内环境质量 w5	47	85	40	0.19	室内声环境	8.2.2 主要功能房间的隔声性能良好	3
						8.2.3 采用减少噪声干扰的措施：建筑平面、空间布局合理，没有明显的噪声干扰。	2
					室内光环境与视野	8.2.5 建筑主要功能房间具有良好的户外视野	3
						8.2.6 主要功能房间的采光系数满足国家标准《建筑采光设计标准》GB50033 的要求 $75\% \leqslant RA < 80\%$	7
						8.2.7 改善建筑室内天然采光效果	4
					室内热湿环境	8.2.9 供暖系统末端现场独立调节方便、有利于改善人员舒适性，70%及以上的主要房间的供暖、空调末端装置可独立启停和调节室温	8
					室内空气质量	8.2.10 优化建筑空间、平面布局和构造设计，改善自然通风效果	13
合计	43*0.16+59*0.28+57*0.18+46*0.19+47*0.19=51.33						

由上表可知，建筑满足一星级要求。

×××建筑设计有限公司							
职 责	签 字	专业名称	建 筑	建设单位	×××建筑工程有限责任公司		
设 计		绿色建筑评价		项目名称	综合楼		
校 核				设计阶段	施工图		
专业负责				建施-03		工程号	
项目负责						2017-09-23	
审 核		比 例	:	日 期	2017.08	共 张	第03 张

门窗表

类型	设计编号	洞口尺寸(mm)	数量										图集选用		
			-1	1	2	3	4~12	13	14~15	16	17	合计	图集名称	页次	选用型号
普通门	FM-1	1200X2100	5			2	2X9=18	2	2X2=4	2	2	35	甘02J06-6	23	MFM3(甲)-1212
	FM-2	1200X2100				4	4X9=36	4	4X2=8	4		56	甘02J06-6	23	GFM5(甲)-1221
	FM-3	1000X2100	4	2				2		2	2	12	甘02J06-6	22	MFM3(甲)-1021
	FM-5	1800X2100		2	2							4	甘02J06-6	23	MFM3(甲)-1821
	FM-4	700X1600	4	4	4	4	4X9=36	4	4X2=8	4	2	70	甘02J06-6	22	MFM3(甲)-0721 距地面高500
	M-1	900X2100		5	2	8	8X9=72	8	8X2=16	8		119	甘02J06-1	8	M1-73
	M-2	800X2100				8	8X9=72	8	8X2=16	8		112	甘02J06-1	7	M1-43
	M-3	1500X3000		2								2	甘02J06-1	32	M1-611
	M-4	1500X2100		2								2	电子对讲门		订做
	M-5	1800X2100		2								2	甘02J06-4	74	1521WM2
	M-6	1500X2100		1	1						2	4	甘02J06-1	33	M1-618
	TLM-1	3600X2400				2	2X9=18	2	2X2=4	2		28	甘02J6-1	98	参照JNTLM-95-9制作
	TLM-2	2100X2100				2	2X9=18	2	2X2=4	2		28	甘02J6-1	98	JNTLM-95-3
	TLM-3	1600X2100				2	2X9=18	2	2X2=4	2		28	甘02J6-1	98	参照JNTLM-95-2制作
	TLM-4	2100X2400				4	4X9=36	2	4X2=8	2		52	甘02J6-1	98	JNTLM-95-8
	TLM-5	3000X2400				2	2X9=18	2	2X2=4	2		28	甘02J6-1	98	参照JNTLM-95-9制作
	钢制防火卷帘	3900X3600		1								1	甘02J06-6	60	参照GFJ3(F3)-4236制作
普通窗	C-1	2100X1500				2	2X9=18	2	2X2=4	2	2	30	甘02J6-1	61	JNPKC・W-60-86
	C-2	1800X1500				2	2X9=18	4	2X2=4	4		32	甘02J6-1	61	JNPKC・W-60-85
	C-3	1200X1500				4	4X9=36	4	4X2=8	4	2	58	甘02J6-1	60	JNPKC・W-60-40
	C-4	1500X1200				2	2X9=18	2	2X2=4	2		28	甘02J6-1	61	JNPKC・W-60-70
	C-5	1200X1200				4	4X9=36	4	4X2=8	4		56	甘02J6-1	60	JNPKC・W-60-23
	C-6	1800X2100		3	2							5	甘02J6-1	61	JNPKC・W-60-97
	C-7	2400X2100		3	6							9	甘02J6-1	61	参照JNPKC・W-60-98制作
	C-8	2100X2100		2								2	甘02J6-1	61	JNPKC・W-60-98
	C-9	1500X2100		1								1	甘02J6-1	61	JNPKC・W-60-95
	C-10	1500X2100			2						2	4	甘02J6-1	61	JNPKC・W-60-95
	C-11	1800X2100			2							2	甘02J6-1	61	JNPKC・W-60-97
	C-12	1800X1200									2	2	甘02J6-1	61	JNPKC・W-60-61
	C-13	2900X1600		4								4	订做		铝合金框固定窗
	ZC-1	4300X1900					2X9=18	2	2X2=4	2		26	按《断桥铝合金节能窗》JNPKC・W-60订做		
	ZC-2	4900X1900					2X9=18	2	2X2=4	2		26	按《断桥铝合金节能窗》JNPKC・W-60订做		
	ZC-3	2800X1900					2X9=18	2	2X2=4	2		26	按《断桥铝合金节能窗》JNPKC・W-60订做		
	ZC-4	1300X1900					4X9=36	4	4X2=8	4		52	按《断桥铝合金节能窗》JNPKC・W-60订做		
	ZC-5	4300X1600				2						2	按《断桥铝合金节能窗》JNPKC・W-60订做		
	ZC-6	2800X1600				2						2	按《断桥铝合金节能窗》JNPKC・W-60订做		
	ZC-7	4900X1600				2						2	按《断桥铝合金节能窗》JNPKC・W-60订做		
	ZC-8	1300X1600				4						4	按《断桥铝合金节能窗》JNPKC・W-60订做		
凸窗	PC-1	1800X1800					4X9=36	4	4X2=8	4		52	按《JNPKC・W-60》订做，按《甘06J7-38》安装		
	PC-2	1800X1500				4						4	按《JNPKC・W-60》订做，按《甘06J7-38》安装		
转角窗	ZC-9	(1300+3500)X1900				2	2X9=18	1	2X2=4	1		26	按《断桥铝合金节能窗》JNPKC・W-60订做		
	ZC-9	(3500+1300)X1900				2	2X9=18	1	2X2=4	1		26	按《断桥铝合金节能窗》JNPKC・W-60订做		
洞口	D1	500X1250	2	4	4	2	2X9=18	2	2X2=4	2	2	41	距地面高500mm		
	D3	800X450		1								1	距地面高300mm		
	D2	500X1200	1									2	距地面高1900mm		
	电梯门洞	1000X2250	2	2		2	2X9=18	2	2X2=4	2		32			
组合门窗	MC-1	6900X3900		2								2	二次装修制作与安装		
	MC-2	2400X2400				2	2X9=18	2	2X2=4	2		28	甘02J06-1	130	M4-96

说明：1.门窗订做、加工前：必须核对实际尺寸和数量；

2.门窗订做、加工前：建设单位对开启位置和方向以及颜色提出要求。

工程材料做法表

项目	名称	用料编号	使用部位	备注
屋面	上人屋面	甘12J8-32	屋面-1	保温层为60厚A级防火保温岩棉板，SBS防水层3厚2层
	不上人屋面	甘12J8-31	屋面-2	保温层为60厚A级防火保温岩棉板，SBS防水层3厚2层
平顶	板底抹混合砂浆顶棚	05J909-DP5-棚4A2	居室、客厅、前室、楼梯间	外刷白色涂料
	板底刮腻子喷涂顶棚	05J909-DP5-棚4A3	地下室	
	水泥砂浆抹灰顶棚	05J909-DP7-棚6A	餐厅、阳台	外刷白色涂料
	铝合金方板吊顶	05J909-DP20-棚36B	卫生间、厨房	颜色由用户自定
	铝合金方板吊顶	05J909-DP20-棚36B	商店	是否采用由用户自定
内粉刷	水泥砂浆墙面	05J909-NQ16-内墙8D	用于填充墙内墙面	外刷白色涂料
	水泥砂浆墙面	05J909-NQ16-内墙8C	用于混凝土内墙面	外刷白色涂料
	吸音、隔振墙面	05J909-NQ16-内墙8A	用于电梯井与客厅、卧室相邻墙面	外刷白色涂料
	釉面砖（瓷砖）墙面	05J909-NQ36-内墙17F2	厨房、卫生间	贴到顶棚底（白色）
外饰面	干挂石材墙面	甘06J4-15-外墙15	二层以下外墙面	50厚A级防火保温岩棉板保温层
	外墙涂料	甘12J2-13	三层以上外墙面	外刷涂料，色彩见建筑立面图
楼地面	水泥楼地面	05J909-LD4-楼1A(无防水)	设备间楼面，50厚聚苯板隔振层	楼梯、走道压实赶光 所有房间拉毛
		05J909-LD4-楼1A(无防水)	所有公共场所及房间	
		05J909-LD16-地12A(无防水)	所有公共场所及房间	
	地板砖楼地面	05J909-LD16-楼13A(有防水)	卫生间、厨房	
		05J909-LD16-地13A(有防水)	卫生间、厨房	
		商店地面由二次装修再定		
油漆	木门	刷底油一道、乳白色调和漆两道		内门
		刷底油一道、橘黄色调和漆两道		外门
	楼梯栏杆、扶手	栏杆刷一底两二度苹果绿色调和漆；扶手刷一底二度棕色调和漆		
其它	散水	甘12J5-1-B07-④		宽度为1.5m
	台阶	甘12J5-1-B03	一层所有门、洞入口	
	坡道	甘12J6-16-①	一层所有门、洞入口	
	地下室防水	10J301-26-③		高分子卷材防水

XXX建筑设计有限公司

职责	签字	专业名称	建筑	建设单位	×××建筑工程有限责任公司		
设计		门窗表 工程材料及做法		项目名称	综合楼		
校核				设计阶段	施工图		
专业负责				建施-04			工程号
项目负责							2017-09-23
审核		比例	:	日期	2017.08	共 张	第04张

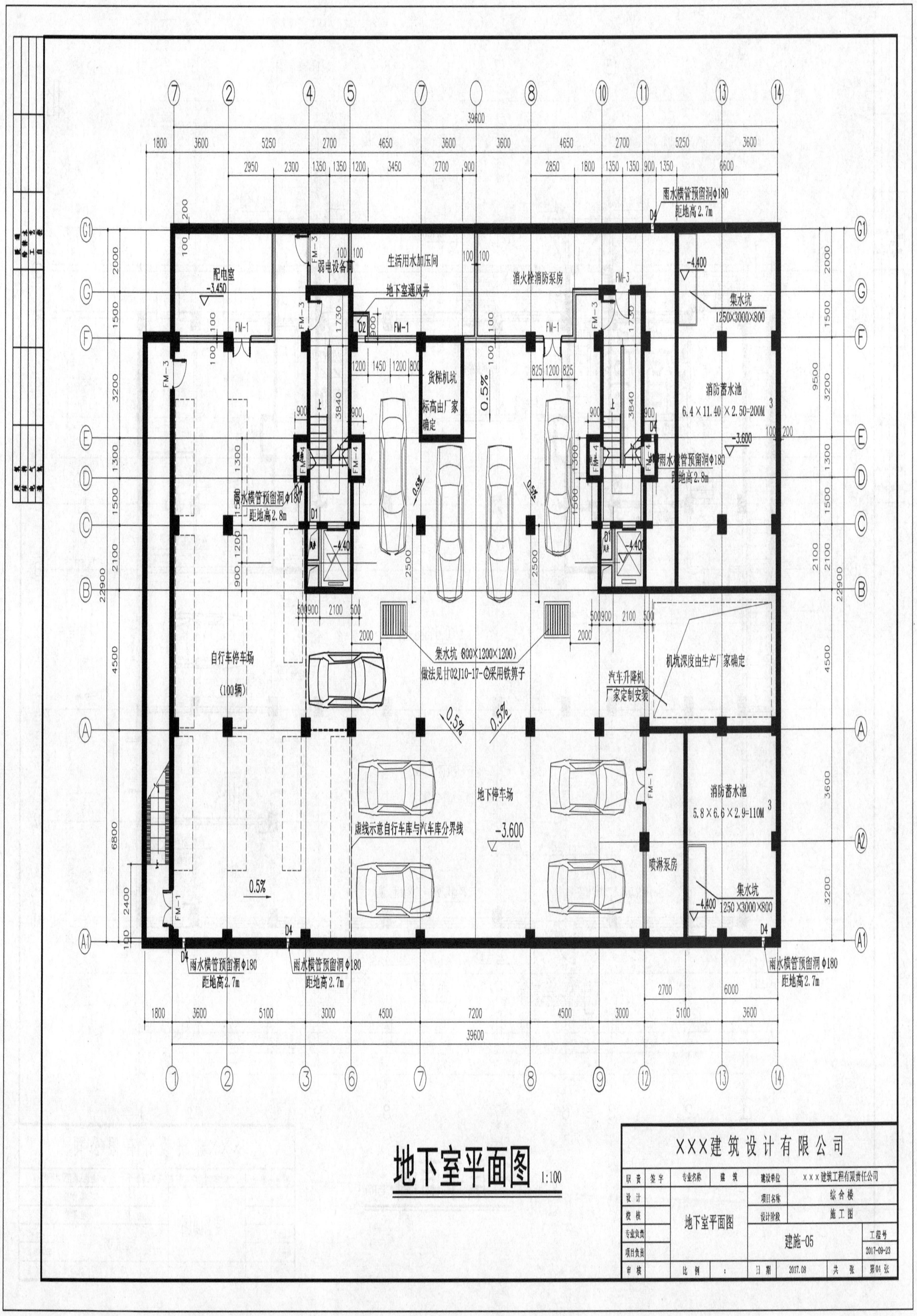
配电室
弱电设备间
生活用水加压间
消火栓消防泵房
地下室通风井
集水坑
1250×3000×800
消防蓄水池
6.4×11.40×2.50=200M3
货梯机坑
标高由厂家确定
雨水横管预留洞Φ180
距地高2.7m
距地高2.8m
自行车停车场
(100辆)
集水坑 800×1200×1200
做法见甘02J10-17-①采用铁箅子
汽车升降机
厂家定制安装
机坑深度由生产厂家确定
地下停车场
虚线示意自行车库与汽车库分界线
-3.600
消防蓄水池
5.8×6.6×2.9=110M3
喷淋泵房
1250×3000×800
39600
地下室平面图 1:100
XXX建筑设计有限公司
专业名称
建筑
建设单位
xxx建筑工程有限责任公司
项目名称
综合楼
设计阶段
施工图
地下室平面图
建施-05
工程号
2017-09-23
日期
2017.08

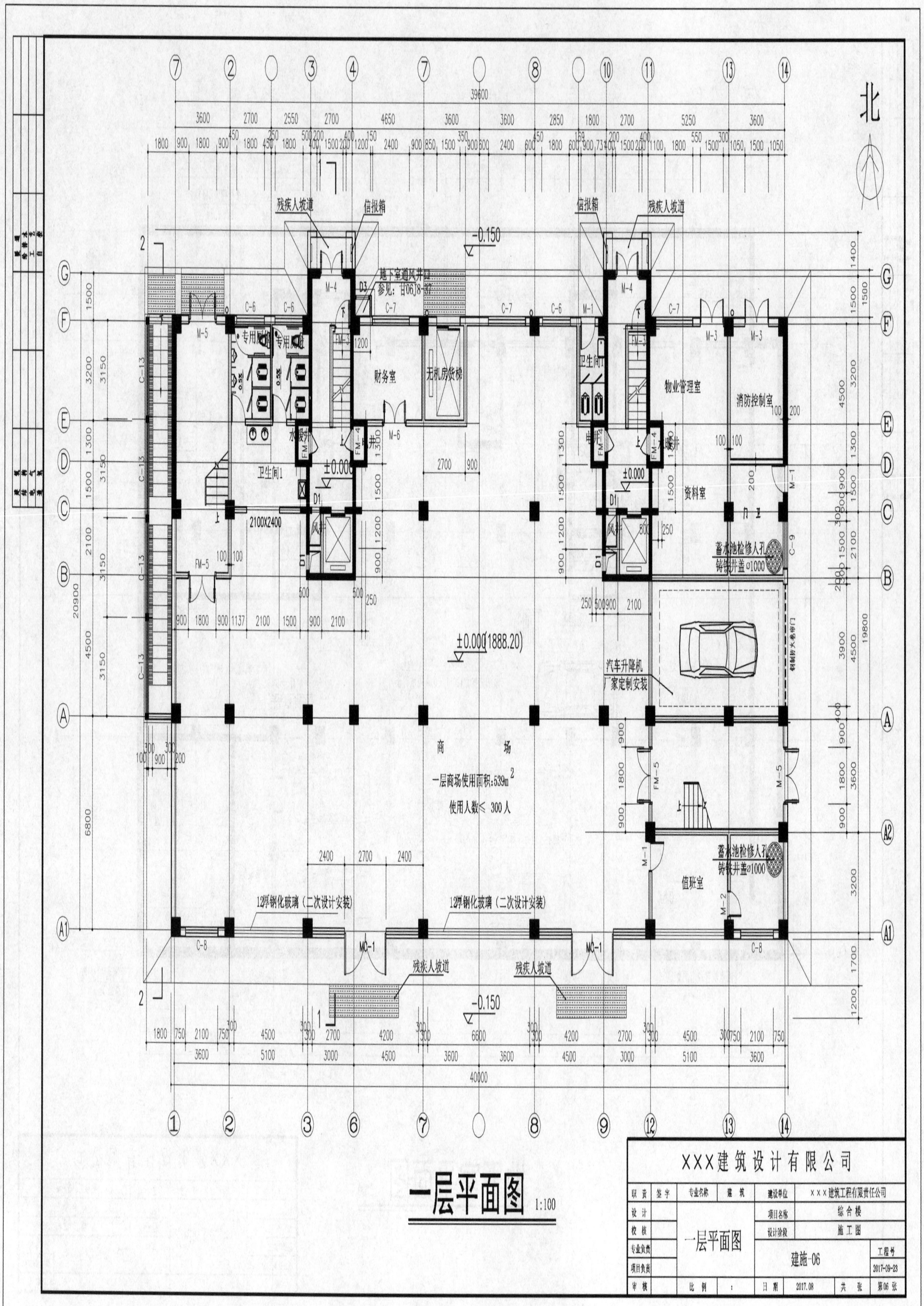
北
残疾人坡道
信报箱
-0.150
地下室通风井口
财务室
无机房货梯
物业管理室
消防控制室
卫生间1
卫生间
资料室
蓄水池检修人孔 铸铁井盖⌀1000
±0.000(1888.20)
汽车升降机 厂家定制安装
商场
一层商场使用面积:539m2
使用人数≤300人
值班室
12厚钢化玻璃（二次设计安装）
XXX建筑设计有限公司
一层平面图 1:100
×××建筑工程有限责任公司
综合楼
施工图
建施-06
2017.08
第06张

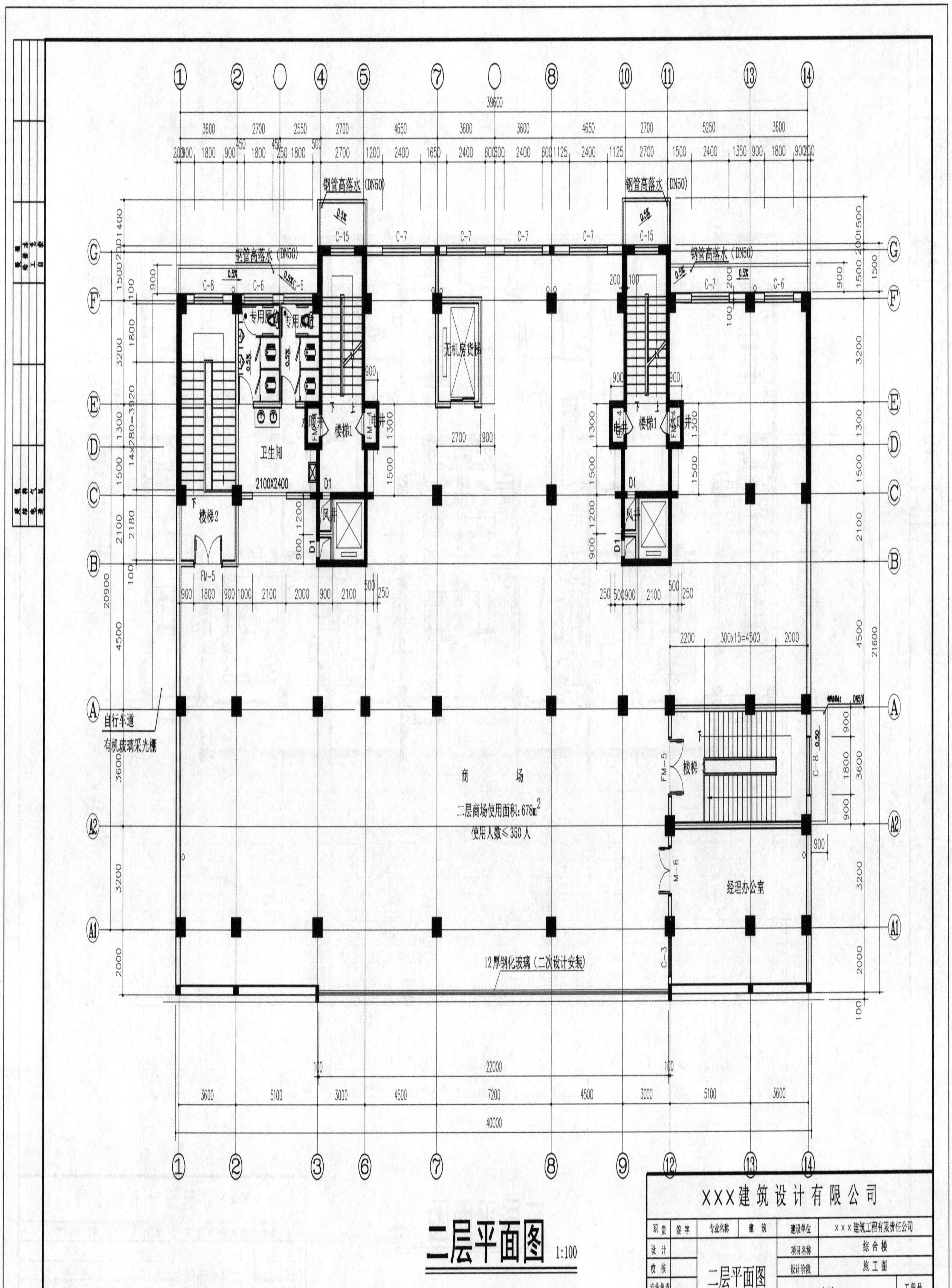
钢管高落水（DN50）
专用厕所
卫生间
2100X2400
楼梯1
楼梯2
无机房货梯
风井
FM-5
自行车道
有机玻璃采光棚
商 场
二层商场使用面积：678m2
使用人数≤350人
楼梯
经理办公室
12厚钢化玻璃（二次设计安装）
二层平面图 1:100
XXX建筑设计有限公司
建设单位
xxx建筑工程有限责任公司
项目名称
综合楼
设计阶段
施工图
二层平面图
建施-07

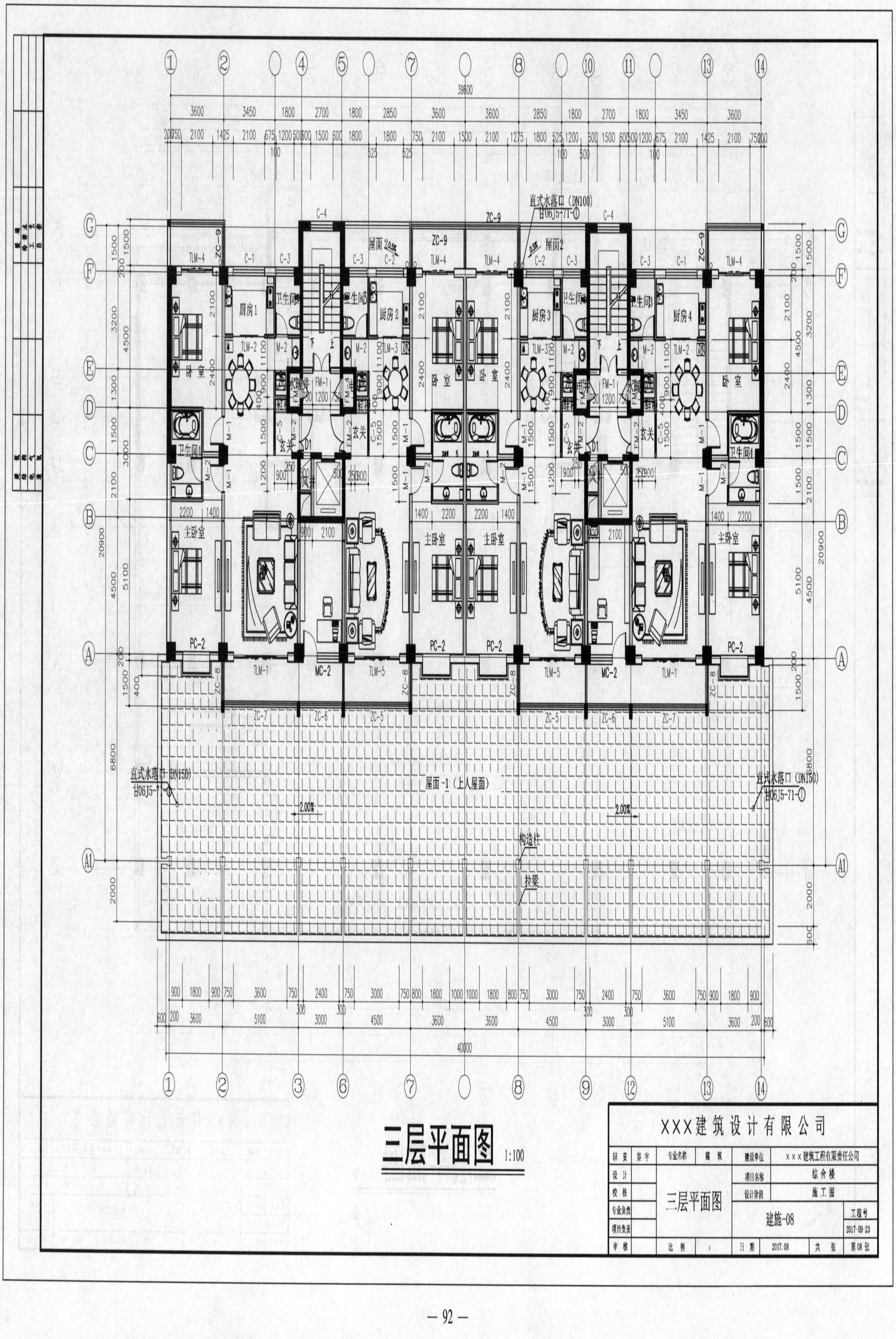
三层平面图 1:100
屋面-1（上人屋面）
直式水落口（DN150）
直式水落口（DN100）
卧室
主卧室
厨房1
厨房2
厨房3
厨房4
卫生间
玄关
风井
构造柱
拉梁
XXX建筑设计有限公司
三层平面图
建设单位
×××建筑工程有限责任公司
项目名称
综合楼
设计阶段
施工图
建施-08
工程号
2017-09-23
2017.08
第08张

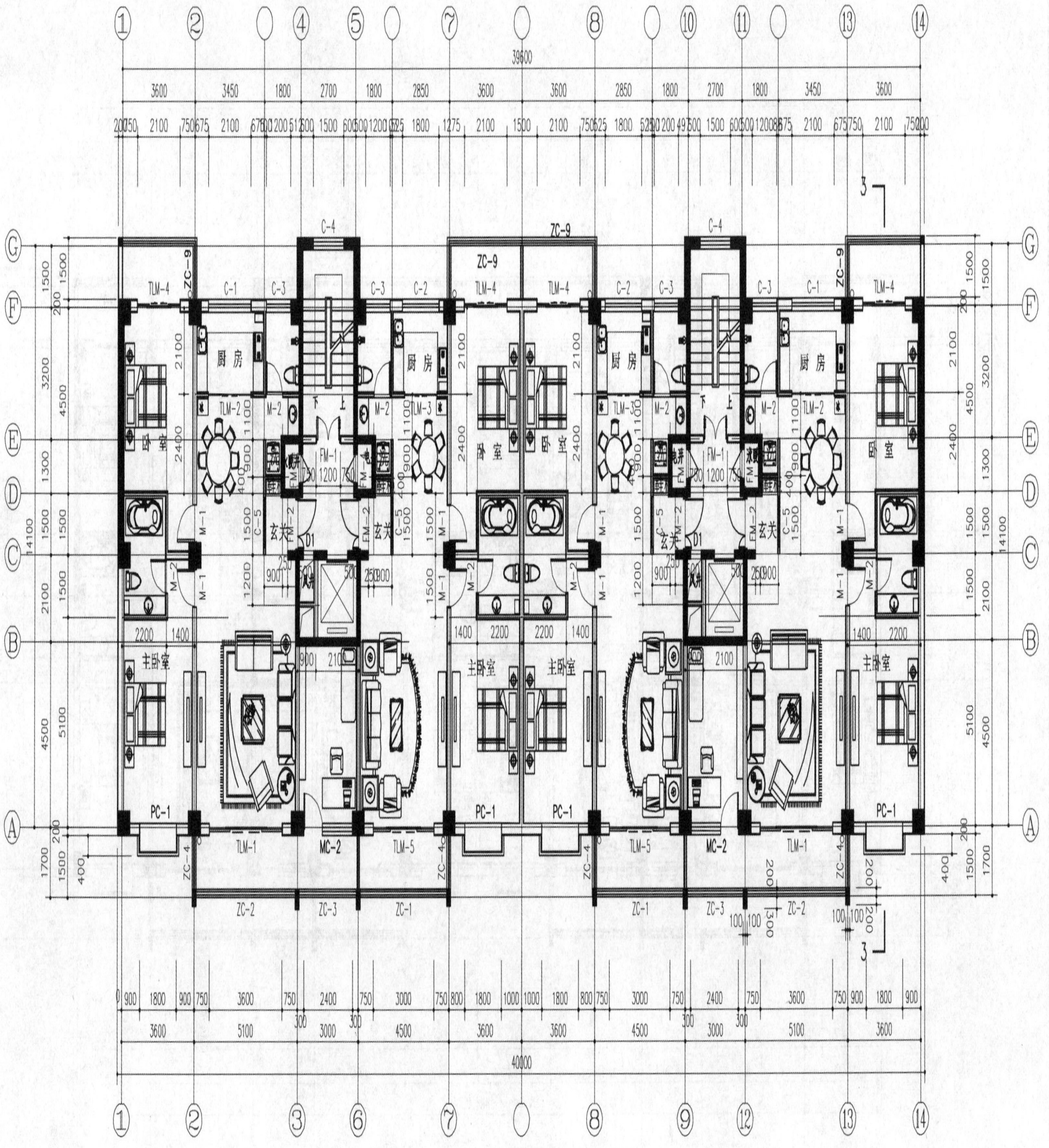

四~十二层、十四、十五平面图 1:100

XXX建筑设计有限公司							
职 责	签 字	专业名称	建 筑	建设单位	×××建筑工程有限责任公司		
设 计		四~十二层、十四、十五层平面图		项目名称	综 合 楼		
校 核				设计阶段	施 工 图		
专业负责				建施-09			工程号
项目负责							2017-09-23
审 核		比 例	:	日 期	2017.08	共 张	第19 张

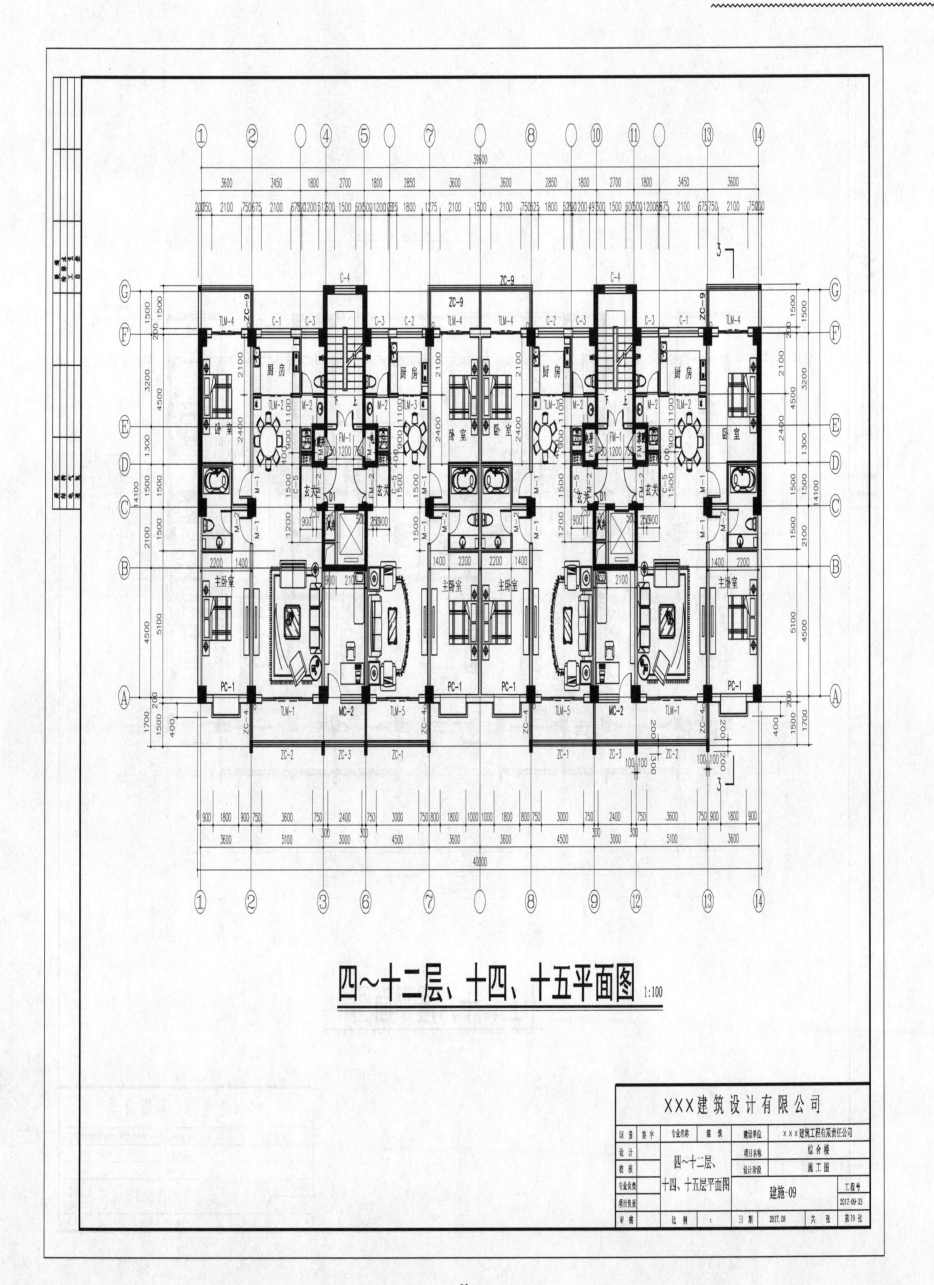

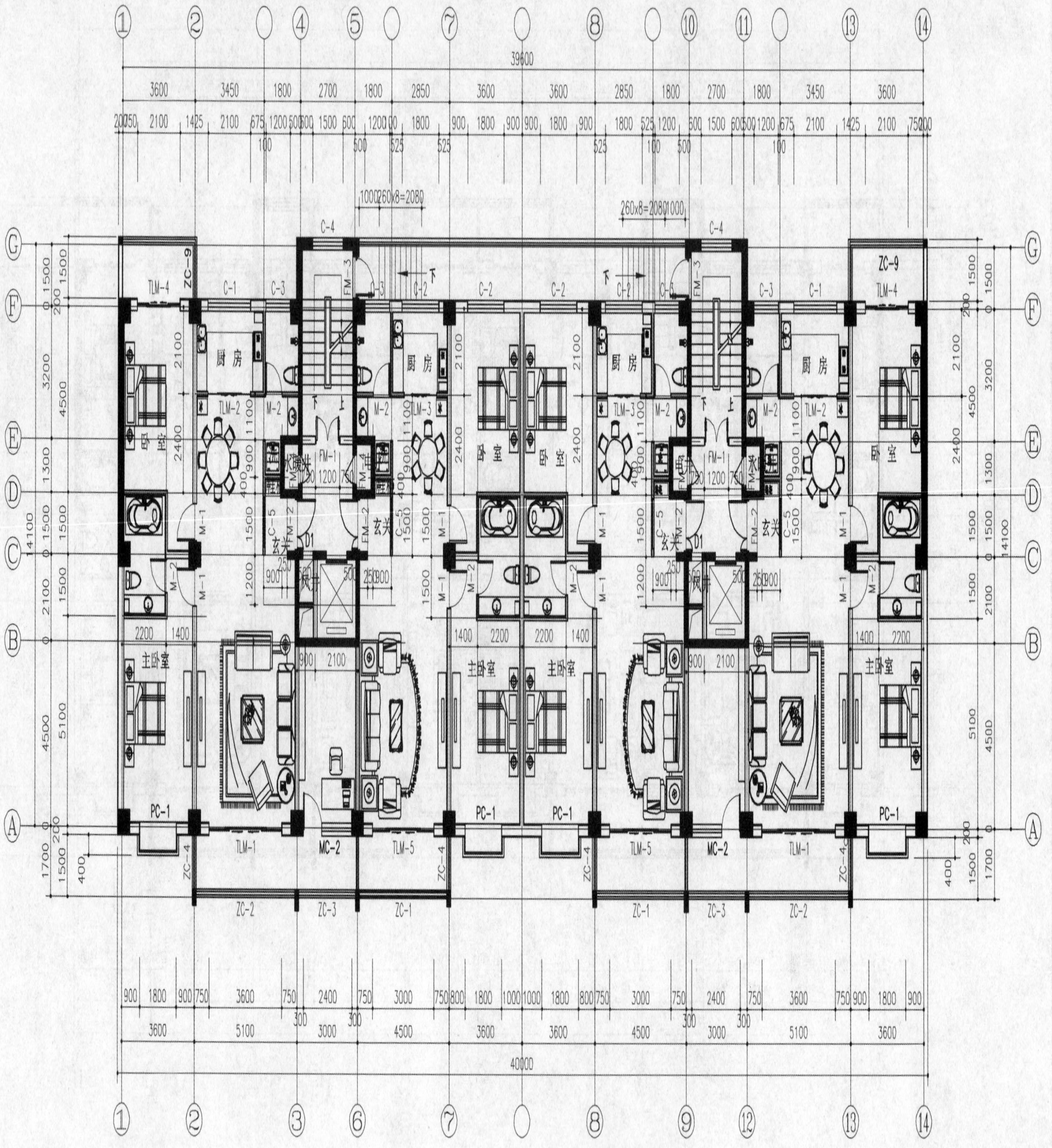

十三、十六层平面图 1:100

XXX建筑设计有限公司							
审定	签字	专业名称	建筑	建设单位	×××建筑工程有限责任公司		
设计		十三、十六层平面图		项目名称	综合楼		
校核				设计阶段	施工图		
专业负责				建施-10		工程号	
项目负责						2017-09-23	
审核		比例	:	日期	2017.08	共张	第10张

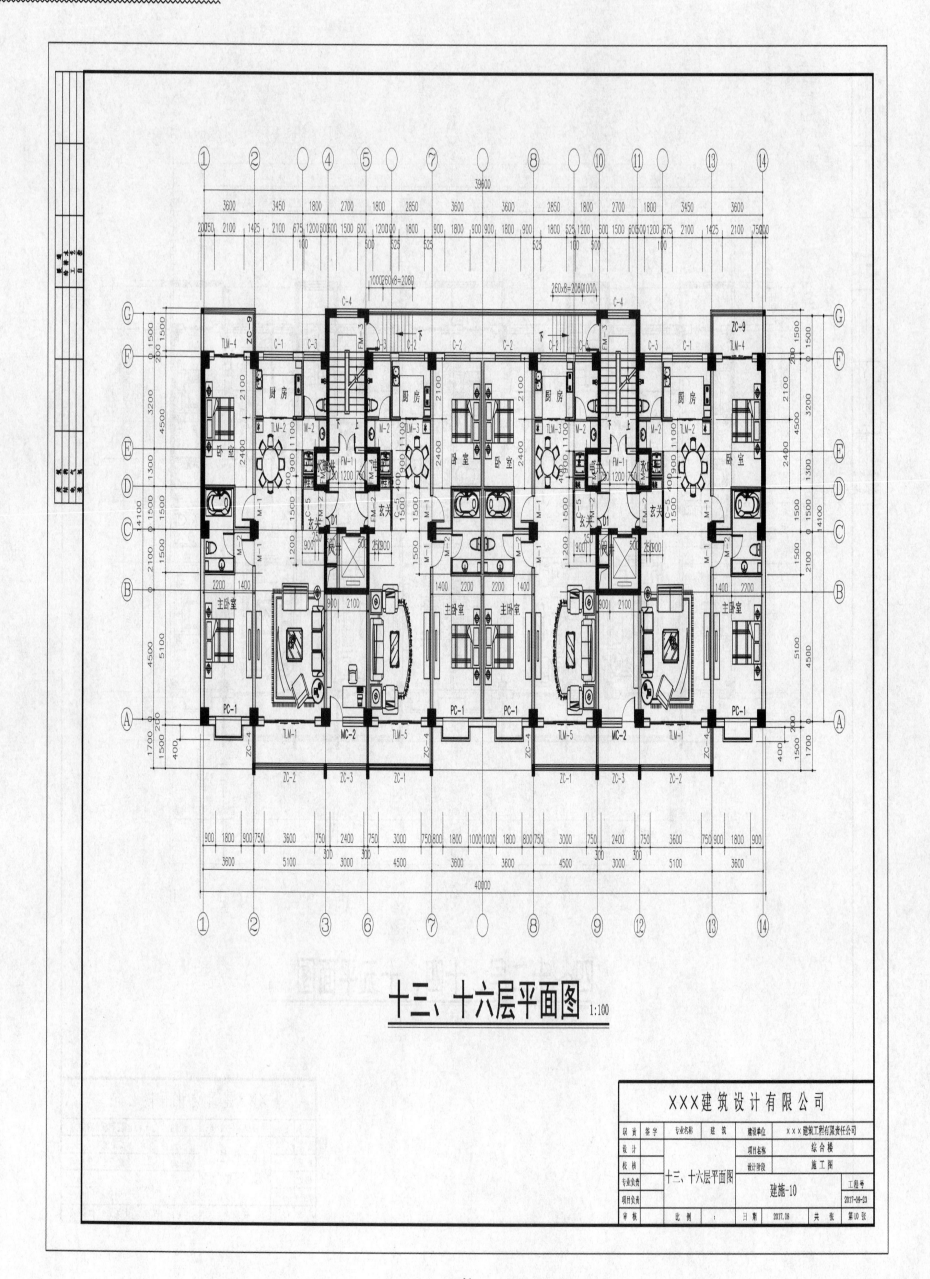

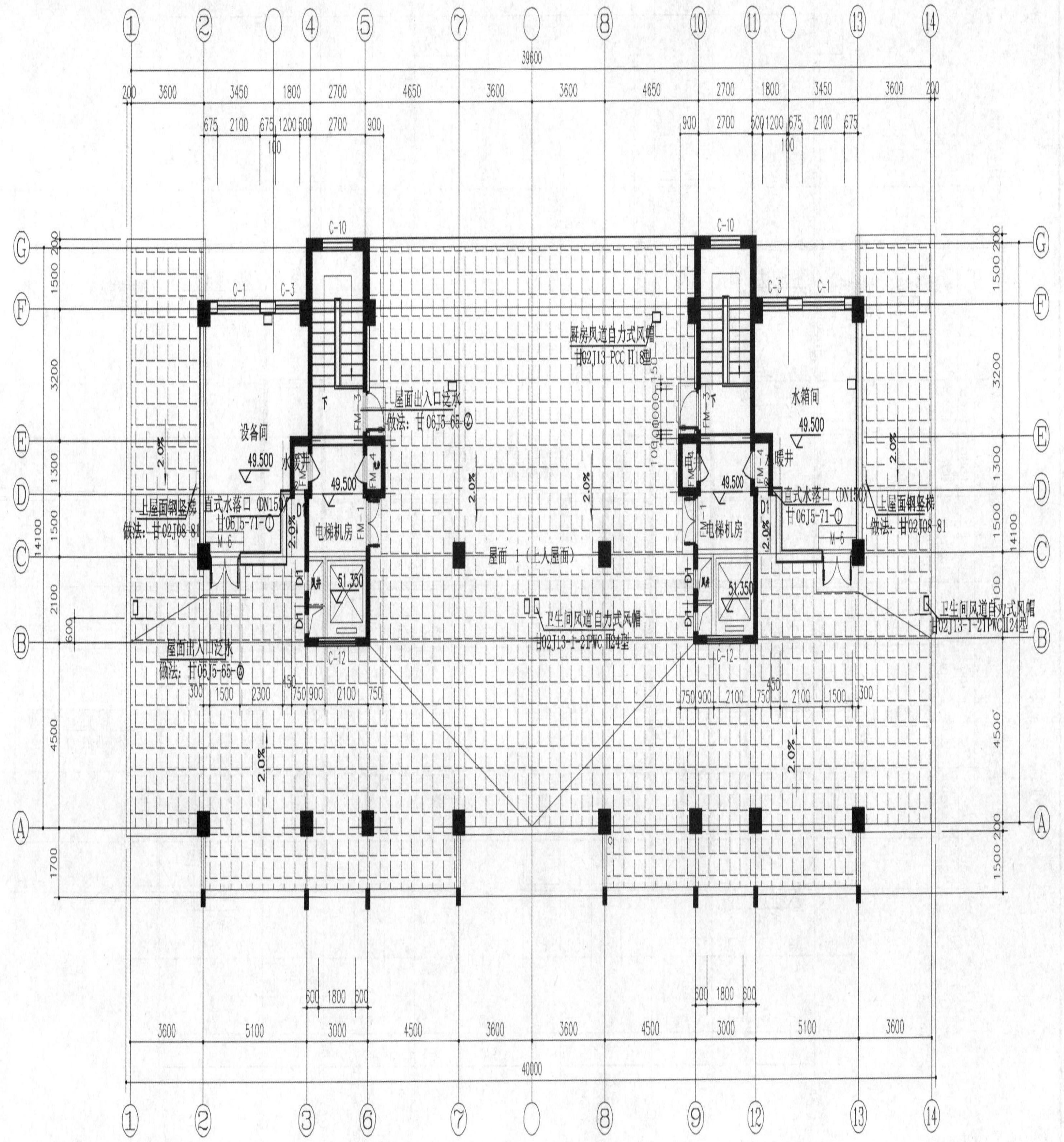

电梯机房、屋面平面图 1:100

注：1. 内排雨水管经水暖井，至地下室顶板下，悬挂横管就近接入室外雨水沟；

2. 悬挂横管按0.5%找坡，坡向出口；

3. 雨水横管每3m用预埋在混凝土板底的φ8钢筋吊挂。

XXX建筑设计有限公司							
职 责	签 字	专业名称	建 筑	建设单位	×××建筑工程有限责任公司		
设 计		电梯机房、屋面平面图		项目名称	综 合 楼		
校 核				设计阶段	施 工 图		
专业负责				建施-11		工程号	
项目负责						2017-09-23	
审 核		比 例	:	日 期	2017.08	共 张	第11 张

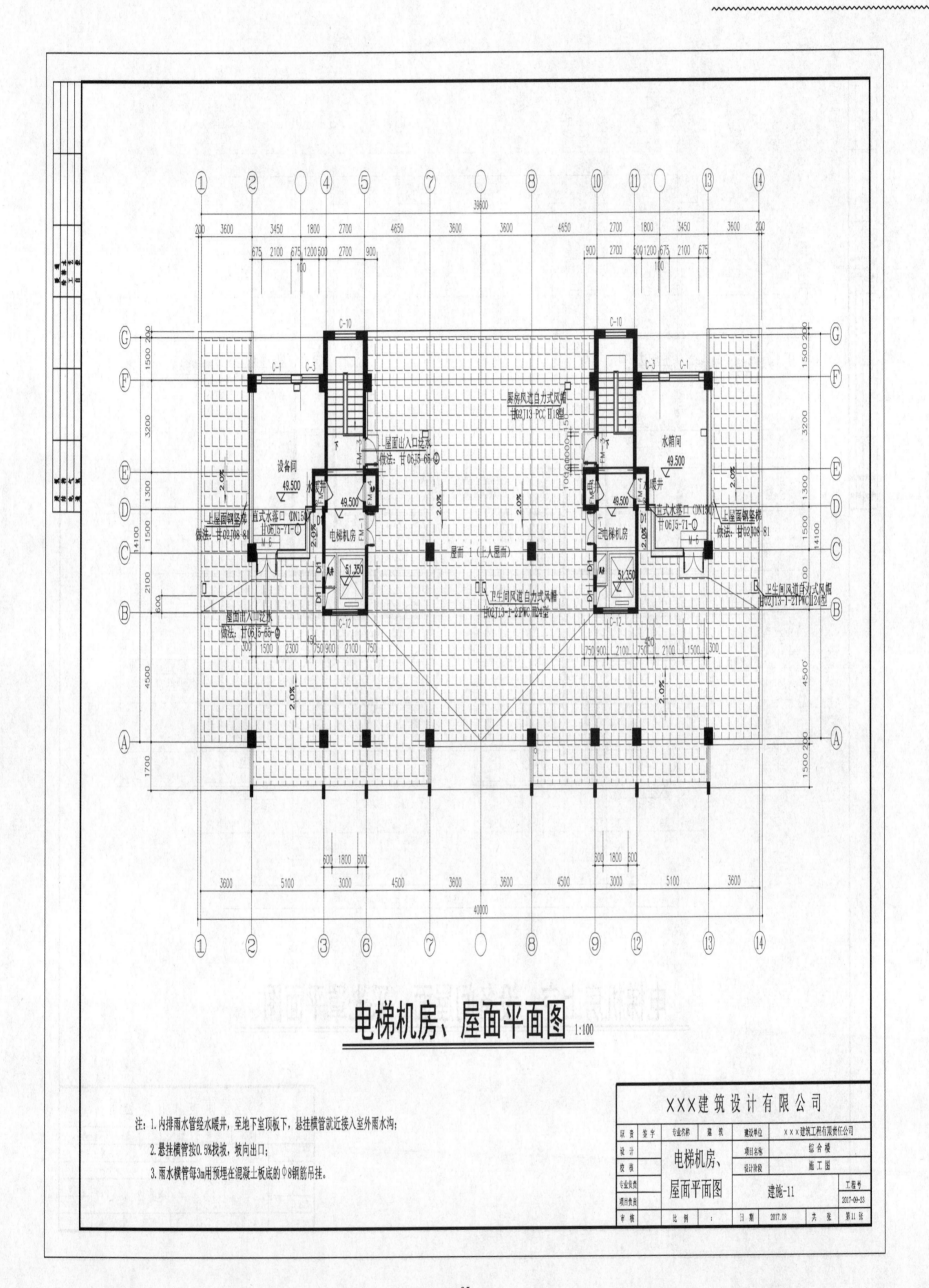

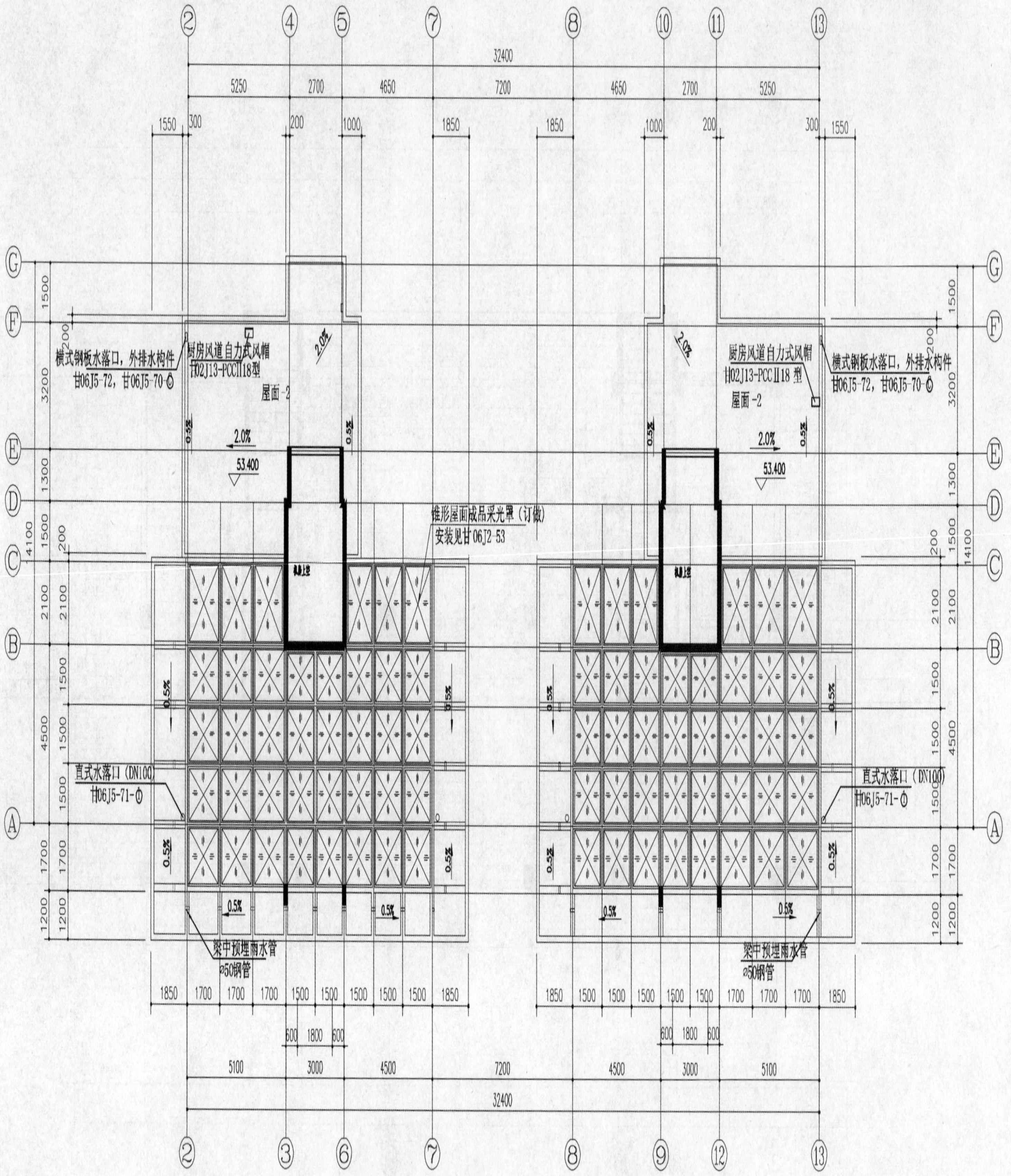

电梯机房上空、设备间屋面、采光罩平面图 1:100

XXX建筑设计有限公司

院 长	签 字	专业名称	建 筑	建设单位	×××建筑工程有限责任公司
设 计		电梯机房上空、设备间屋面、采光平面图		项目名称	综合楼
校 核				设计阶段	施工图
专业负责				建施-12	工程号 2017-09-23
项目负责					
审 核		比 例	:	日 期 2017.08	共 张 第12张

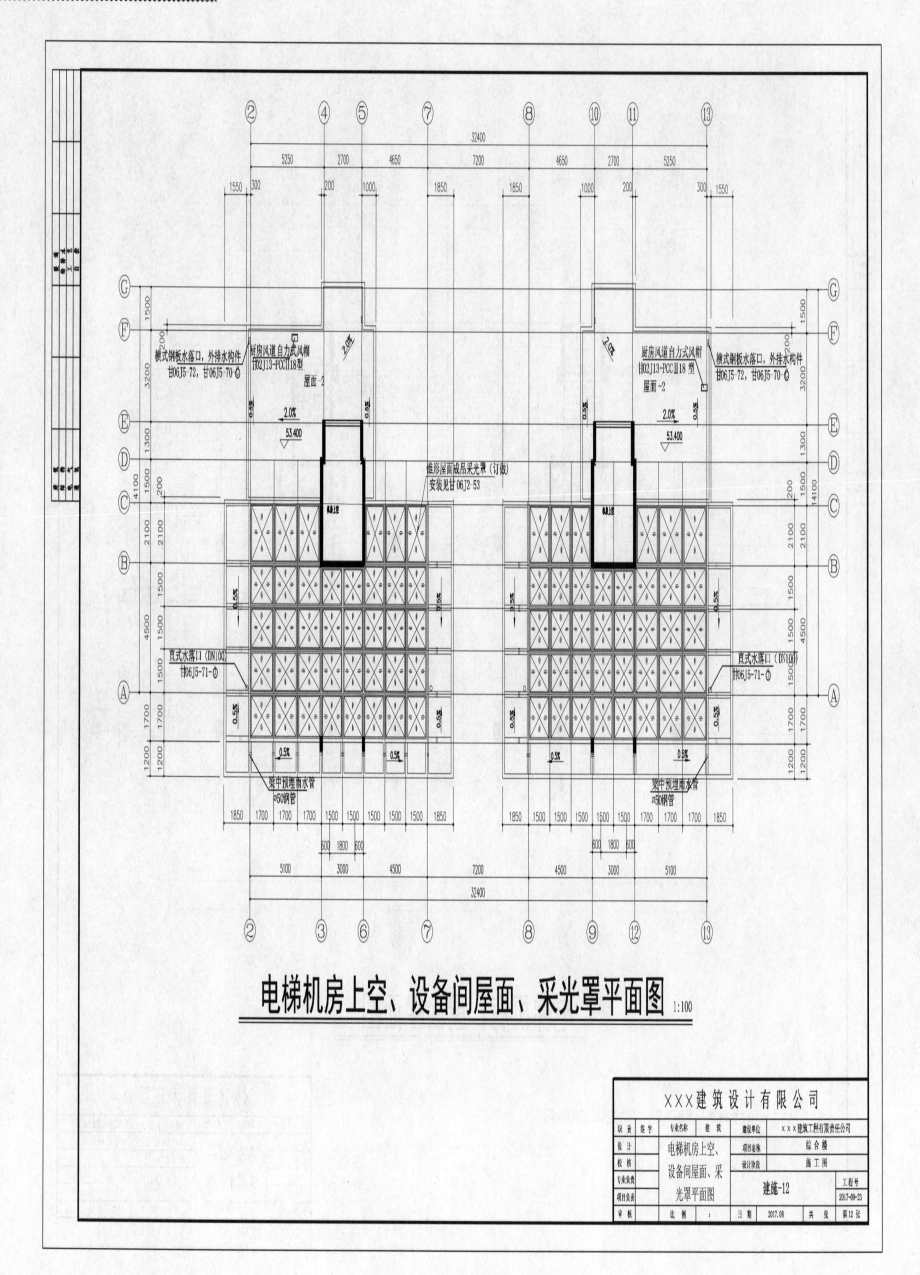

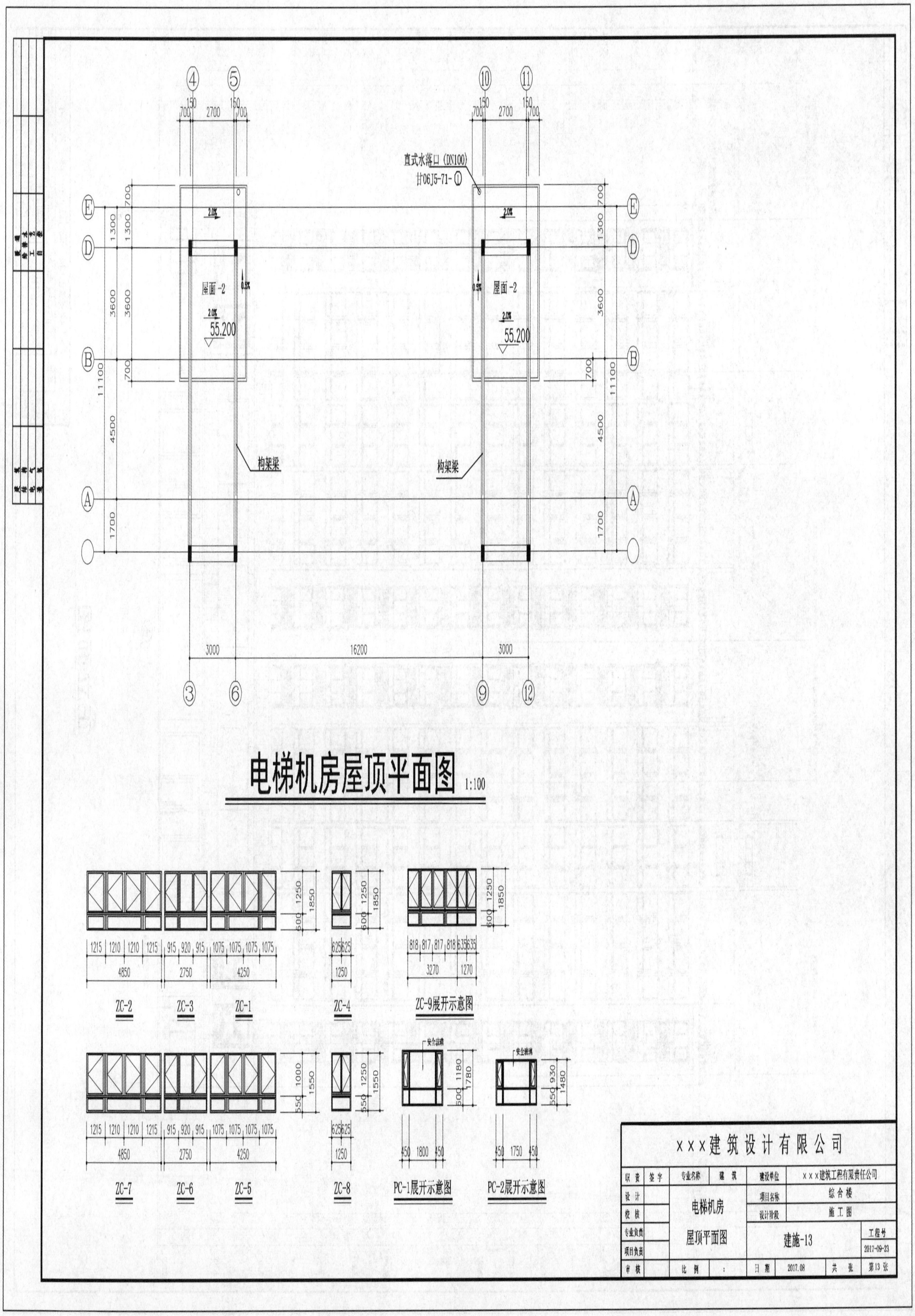
直式水落口（DN100）
甘06J5-71-①
屋面-2
55.200
构架梁
电梯机房屋顶平面图 1:100
ZC-2
ZC-3
ZC-1
ZC-4
ZC-9展开示意图
ZC-7
ZC-6
ZC-5
ZC-8
PC-1展开示意图
PC-2展开示意图
安全玻璃
×××建筑设计有限公司
专业名称 建筑
建设单位 ×××建筑工程有限责任公司
项目名称 综合楼
设计阶段 施工图
电梯机房
屋顶平面图
建施-13
工程号
2017-09-23
日期 2017.08
第13张

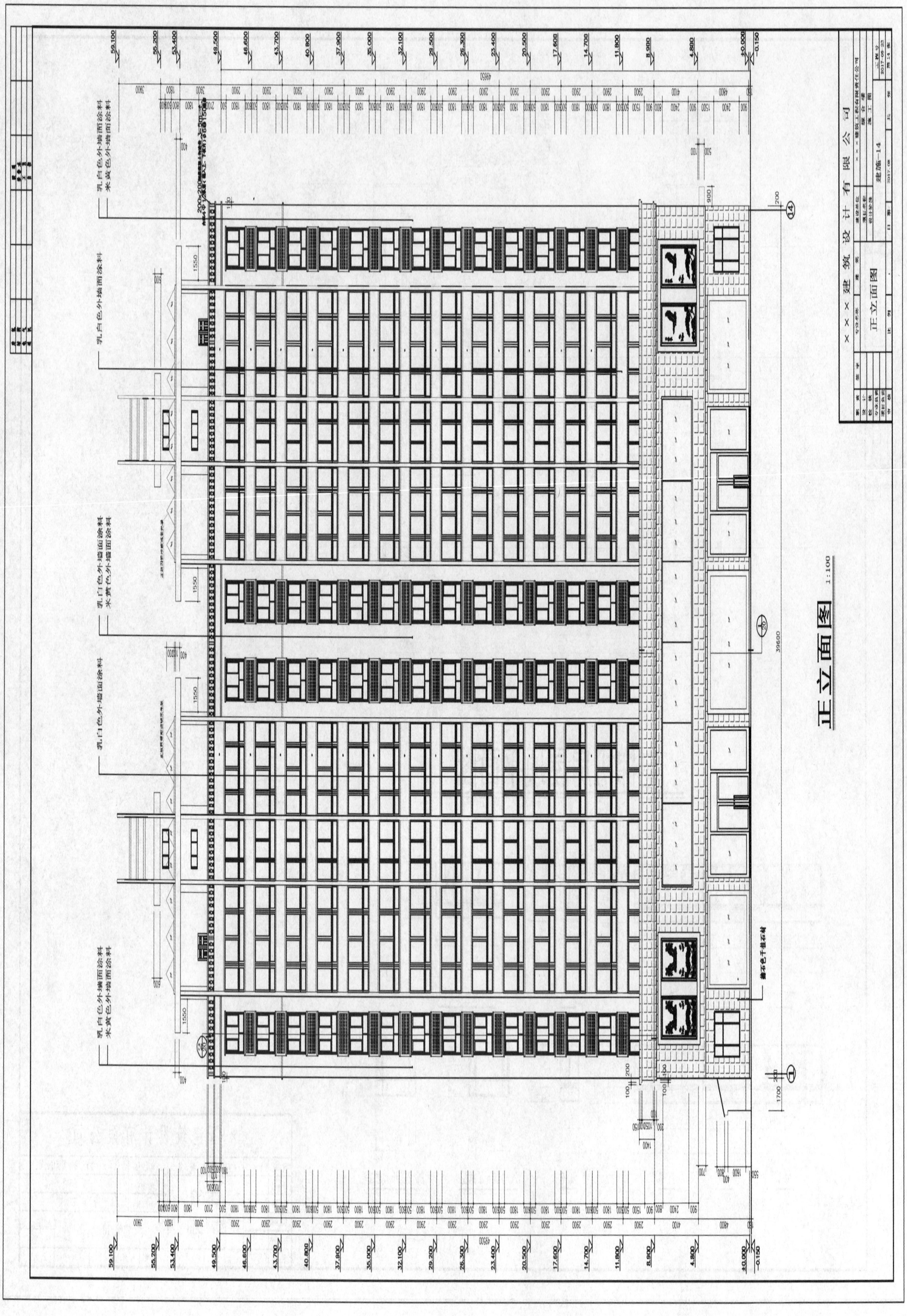

正立面图 1:100
×××建筑设计有限公司
正立面图
建施-14
乳白色外墙面涂料
米黄色外墙面涂料

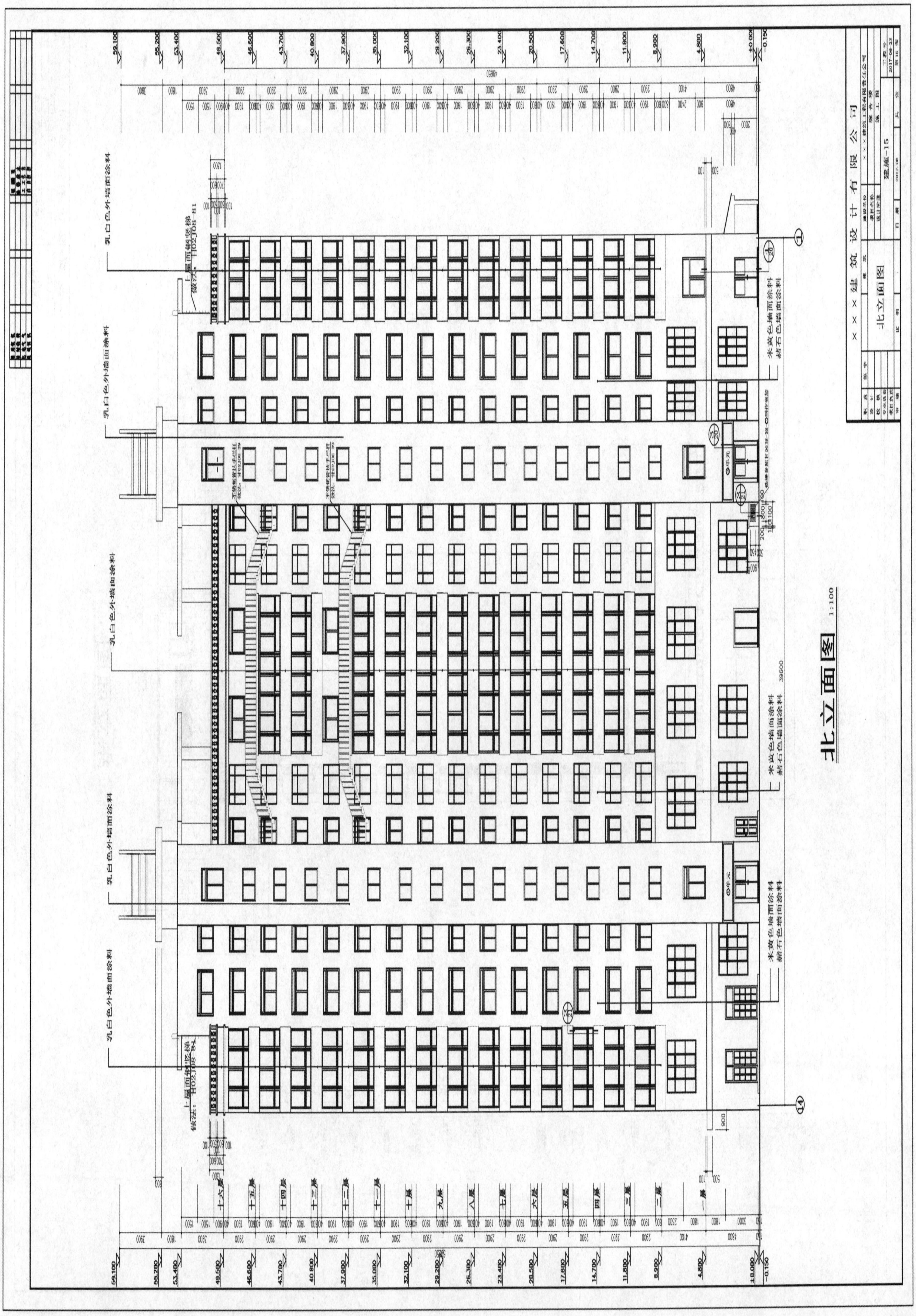
×××建筑设计有限公司
北立面图
建施-15
乳白色外墙面涂料
米黄色墙面涂料
赭石色墙面涂料
上屋面钢竖梯
北立面图 1:100

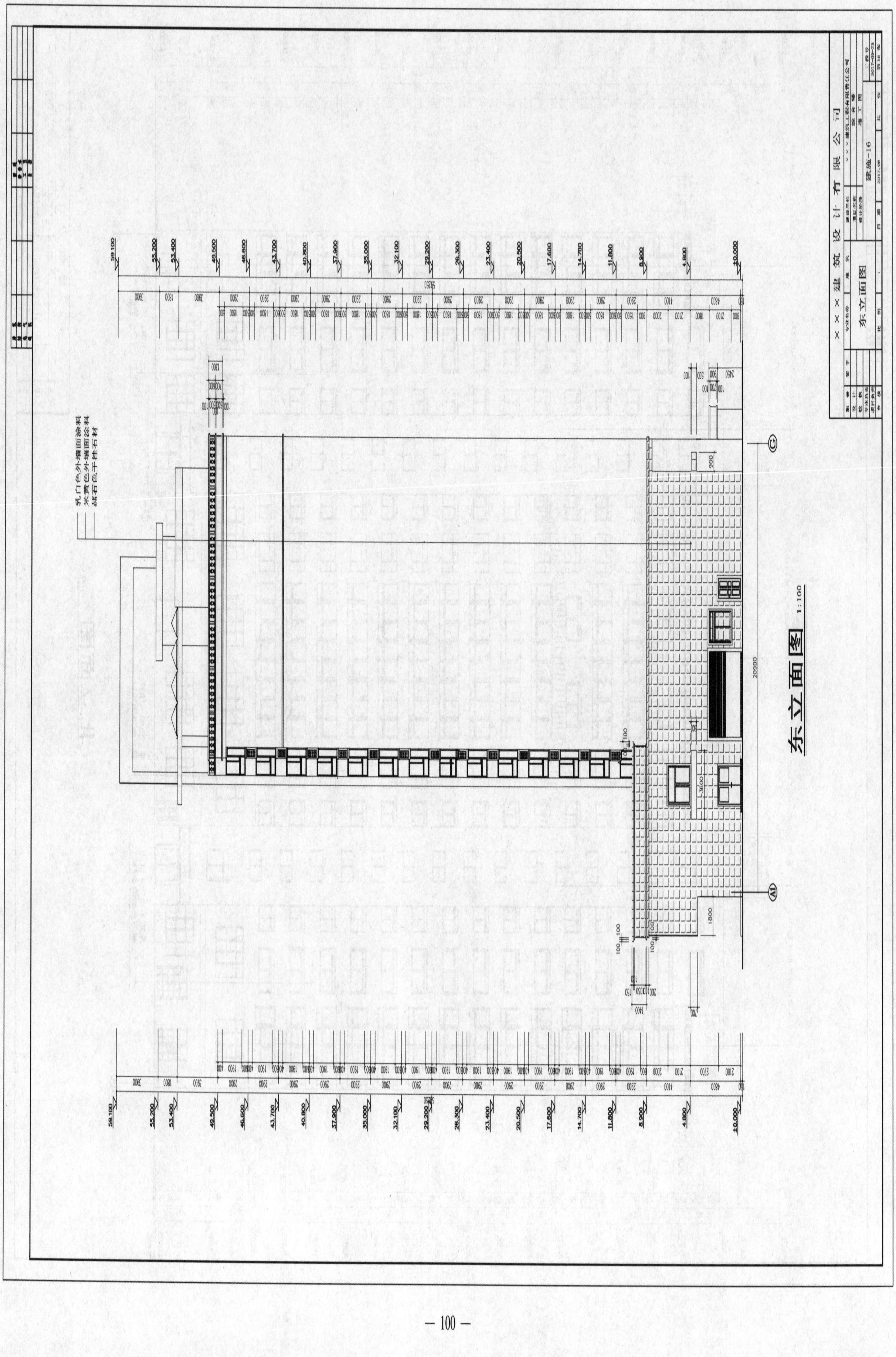
乳白色外墙面涂料
米黄色外墙面涂料
麻石色干挂石材
东立面图 1:100
×××建筑设计有限公司
东立面图
建施-16

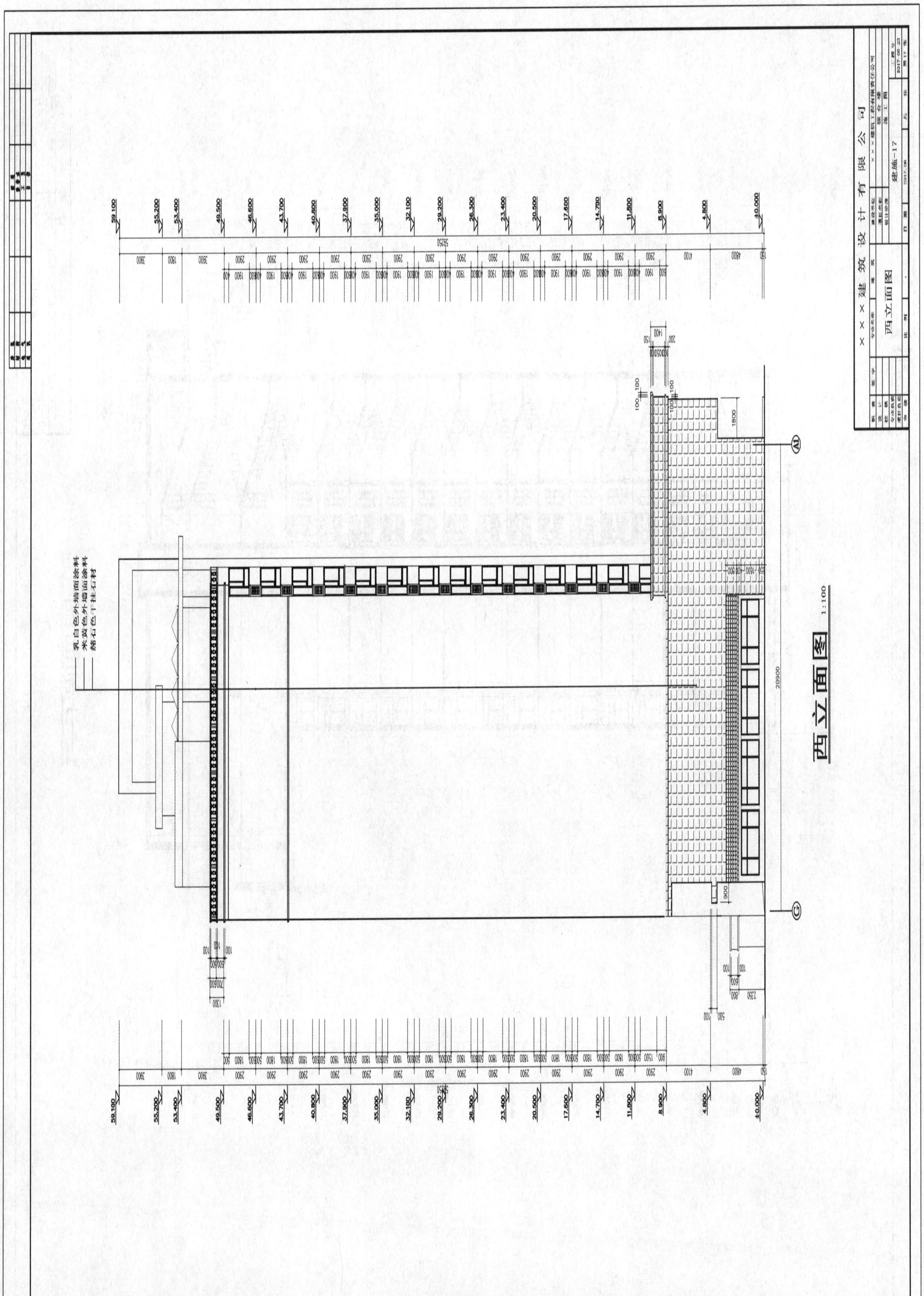
×××建筑设计有限公司
西立面图
乳白色外墙面涂料
米黄色外墙面涂料
褐石色干挂石材
西立面图 1:100

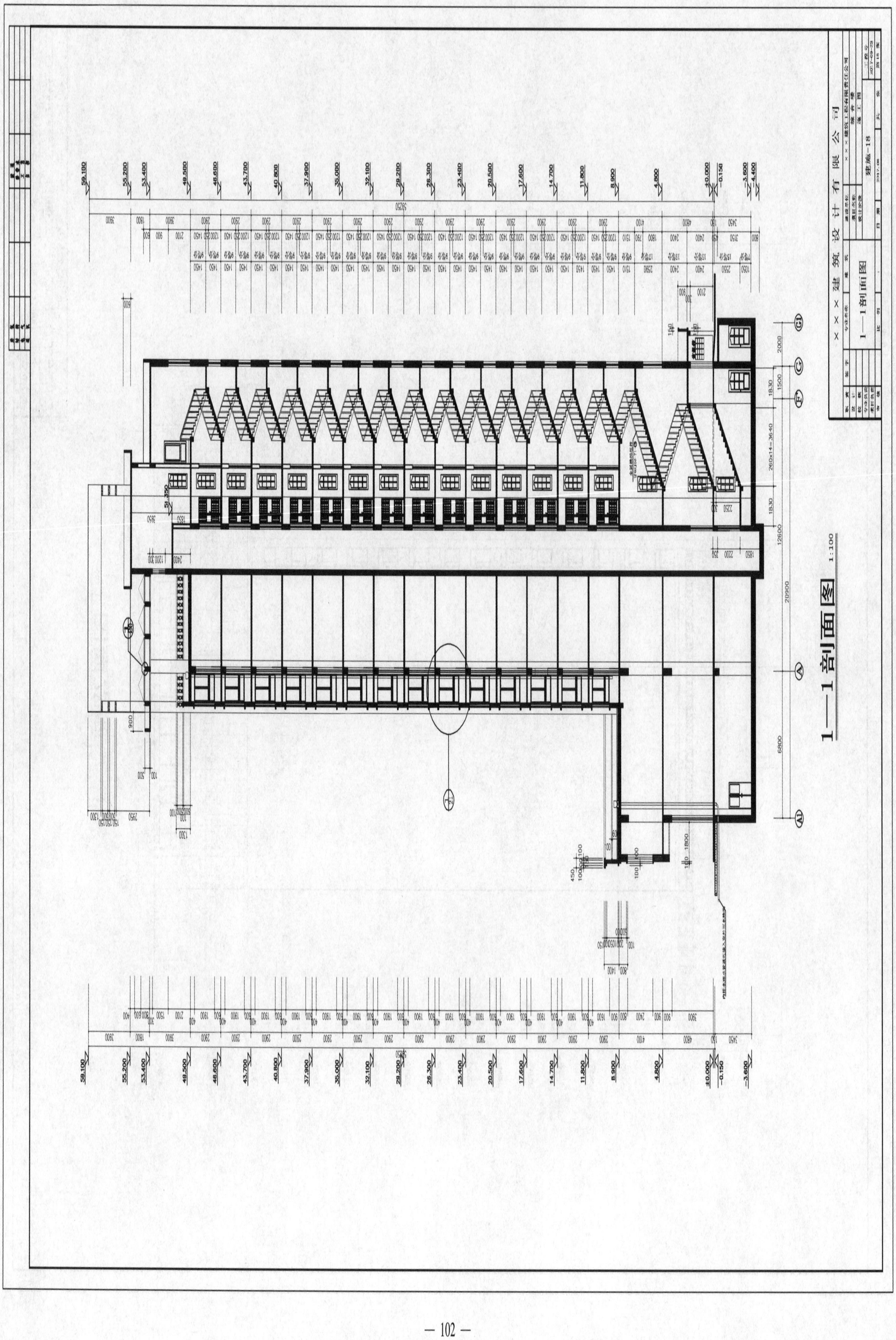
1—1剖面图 1:100

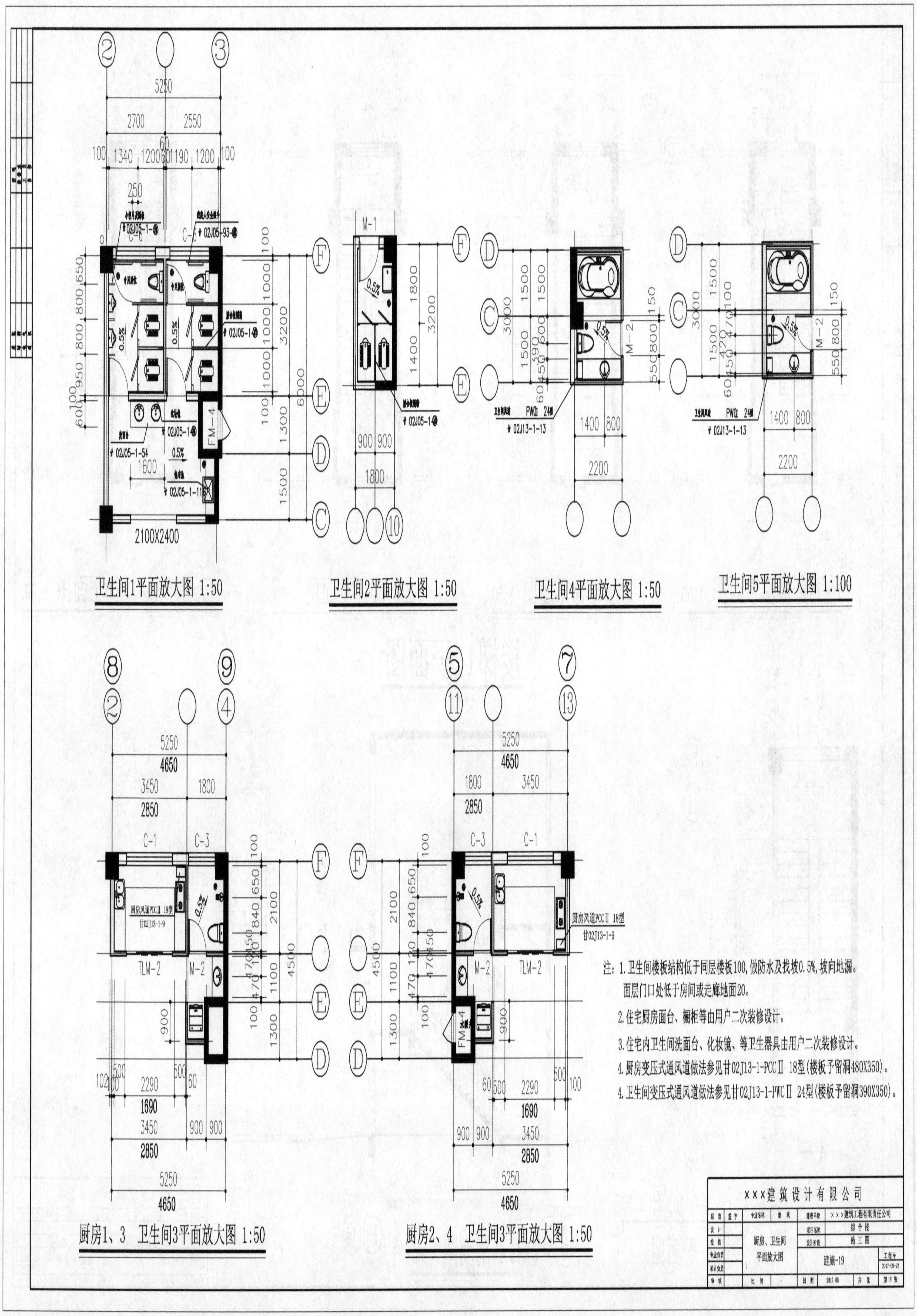
卫生间1平面放大图 1:50
卫生间2平面放大图 1:50
卫生间4平面放大图 1:50
卫生间5平面放大图 1:100
厨房1、3 卫生间3平面放大图 1:50
厨房2、4 卫生间3平面放大图 1:50
注：1.卫生间楼板结构低于同层楼板100，做防水及找坡0.5%，坡向地漏。
面层门口处低于房间或走廊地面20。
2.住宅厨房面台、橱柜等由用户二次装修设计。
3.住宅内卫生间洗面台、化妆镜、等卫生器具由用户二次装修设计。
4.厨房变压式通风道做法参见甘02J13-1-PCCⅡ 18型(楼板予留洞480X350)。
4.卫生间变压式通风道做法参见甘02J13-1-PWCⅡ 24型(楼板予留洞390X350)。
×××建筑设计有限公司
专业名称 建筑
建设单位 ×××建筑工程有限责任公司
项目名称 综合楼
设计阶段 施工图
厨房、卫生间平面放大图
建施-19
工程号
2017-09-23
日期 2017.08
第19张

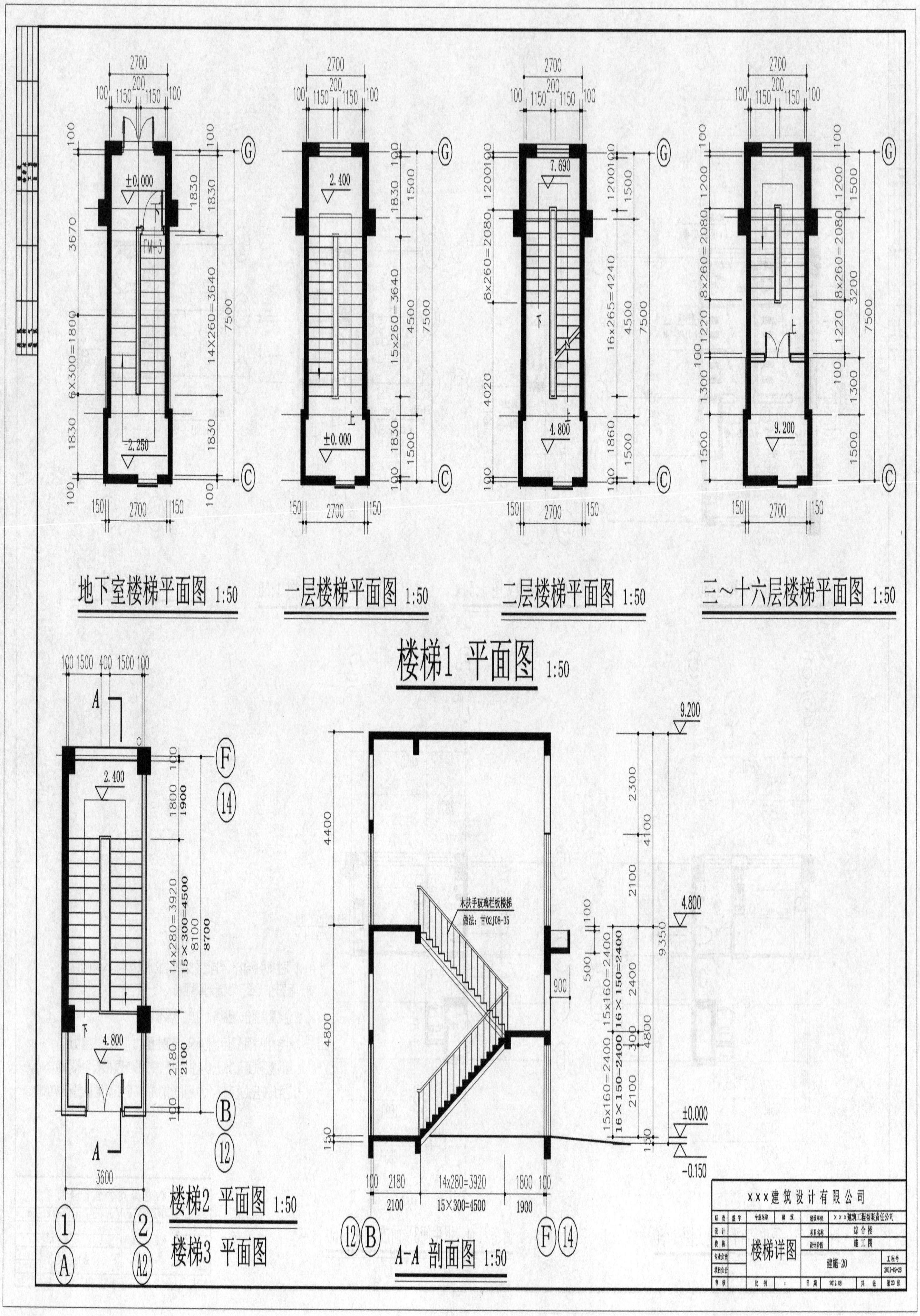
地下室楼梯平面图 1:50
一层楼梯平面图 1:50
二层楼梯平面图 1:50
三～十六层楼梯平面图 1:50
楼梯1 平面图 1:50
楼梯2 平面图 1:50
楼梯3 平面图
A-A 剖面图 1:50
木扶手玻璃栏板楼梯
做法：苏02J08-35
×××建筑设计有限公司
综合楼
施工图
楼梯详图
建施-20

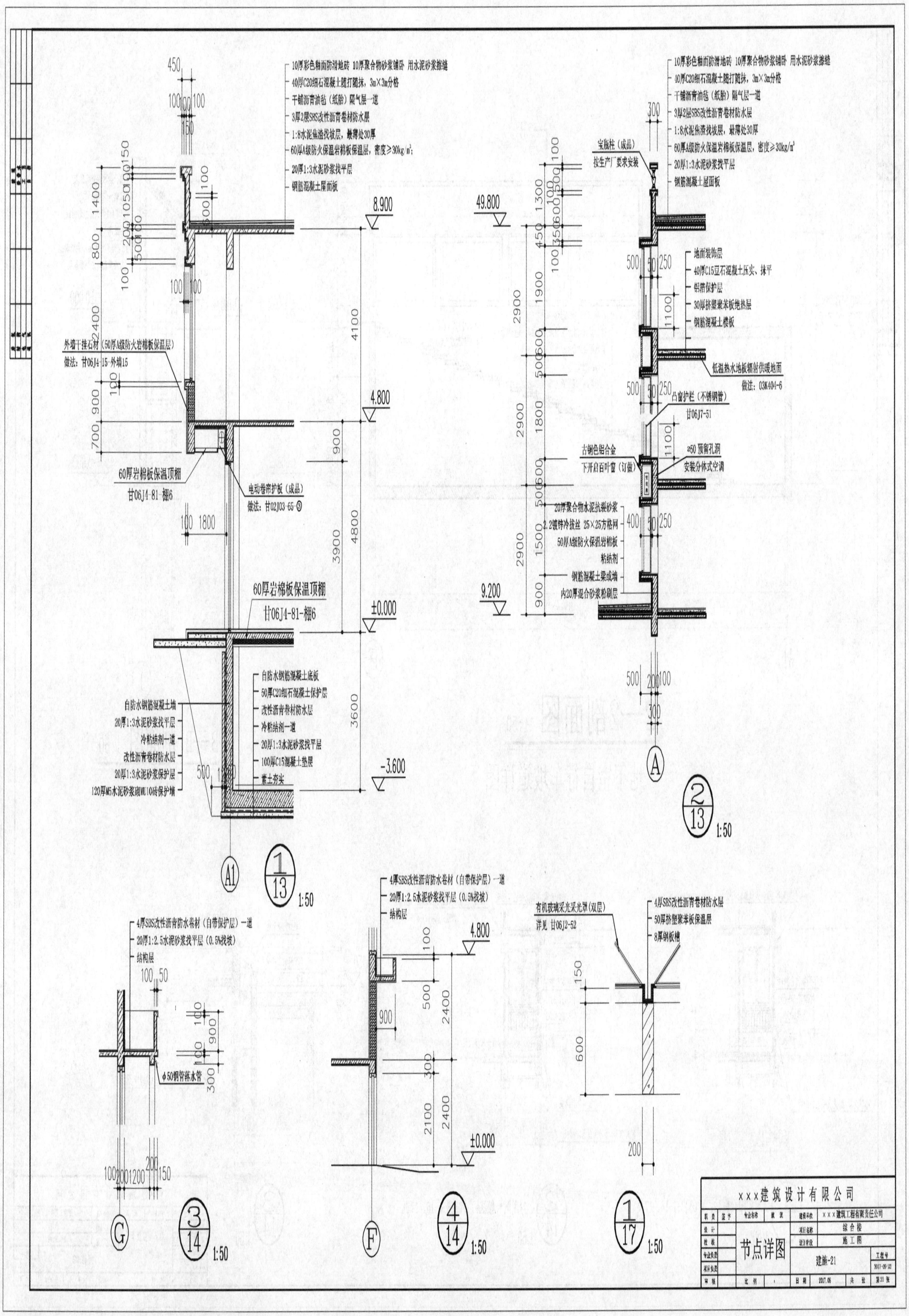
10厚彩色釉面防滑地砖 10厚聚合物砂浆铺卧 用水泥砂浆擦缝
40厚C20细石混凝土随打随抹，3m×3m分格
干铺沥青油毡（纸胎）隔气层一道
3厚2层SBS改性沥青卷材防水层
1:8水泥焦渣找坡层，最薄处30厚
60厚A级防火保温岩棉板保温层，密度≥30kg/m³;
20厚1:3水泥砂浆找平层
钢筋混凝土屋面板
8.900
外墙干挂石材（50厚A级防火岩棉板保温层）
做法：甘06J4-15-外墙15
4.800
60厚岩棉板保温顶棚
甘06J4-81-棚6
电动卷帘护板（成品）
做法：甘02J03-65-③
60厚岩棉板保温顶棚
甘06J4-81-棚6
±0.000
自防水钢筋混凝土墙
20厚1:3水泥砂浆找平层
冷粘结剂一道
改性沥青卷材防水层
20厚1:3水泥砂浆保护层
120厚M5水泥砂浆砌MU10砖保护墙
自防水钢筋混凝土底板
50厚C20细石混凝土保护层
改性沥青卷材防水层
冷粘结剂一道
20厚1:3水泥砂浆找平层
100厚C15混凝土垫层
素土夯实
-3.600
A1
1/13 1:50
49.800
宝瓶柱（成品）
按生产厂要求安装
10厚彩色釉面防滑地砖 10厚聚合物砂浆铺卧 用水泥砂浆擦缝
40厚C20细石混凝土随打随抹，3m×3m分格
干铺沥青油毡（纸胎）隔气层一道
3厚2层SBS改性沥青卷材防水层
1:8水泥焦渣找坡层，最薄处30厚
60厚A级防火保温岩棉板保温层，密度≥30kg/m³
20厚1:3水泥砂浆找平层
钢筋混凝土屋面板
地面装饰层
40厚C15豆石混凝土压实、抹平
铝箔保护层
30厚挤塑聚苯板绝热层
钢筋混凝土楼板
低温热水地板辐射供暖地面
做法：03K404-6
凸窗护栏（不锈钢管）
甘06J7-51
古铜色铝合金
下开启百叶窗（订做）
⌀50 预留孔洞
安装分体式空调
20厚聚合物水泥抗裂砂浆
2.2镀锌冷拔丝 25×25方格网
50厚A级防火保温岩棉板
粘结剂
钢筋混凝土梁或墙
内20厚混合砂浆粉刷层
9.200
A
2/13 1:50
4厚SBS改性沥青防水卷材（自带保护层）一道
20厚1:2.5水泥砂浆找平层（0.5%找坡）
结构层
⌀50钢管落水管
G
3/14 1:50
4厚SBS改性沥青防水卷材（自带保护层）一道
20厚1:2.5水泥砂浆找平层（0.5%找坡）
结构层
4.800
±0.000
F
4/14 1:50
有机玻璃采光采光罩(双层)
详见 甘06J2-52
4厚SBS改性沥青卷材防水层
50厚挤塑聚苯板保温层
8厚钢板槽
1/17 1:50
×××建筑设计有限公司
职 责
签 字
专业名称
建 筑
建设单位
×××建筑工程有限责任公司
设 计
项目名称
综 合 楼
校 核
设计阶段
施 工 图
专业负责
项目负责
节点详图
建施-21
工程号
2017-09-23
审 核
比 例
日 期
2017.08
共 张
第21 张

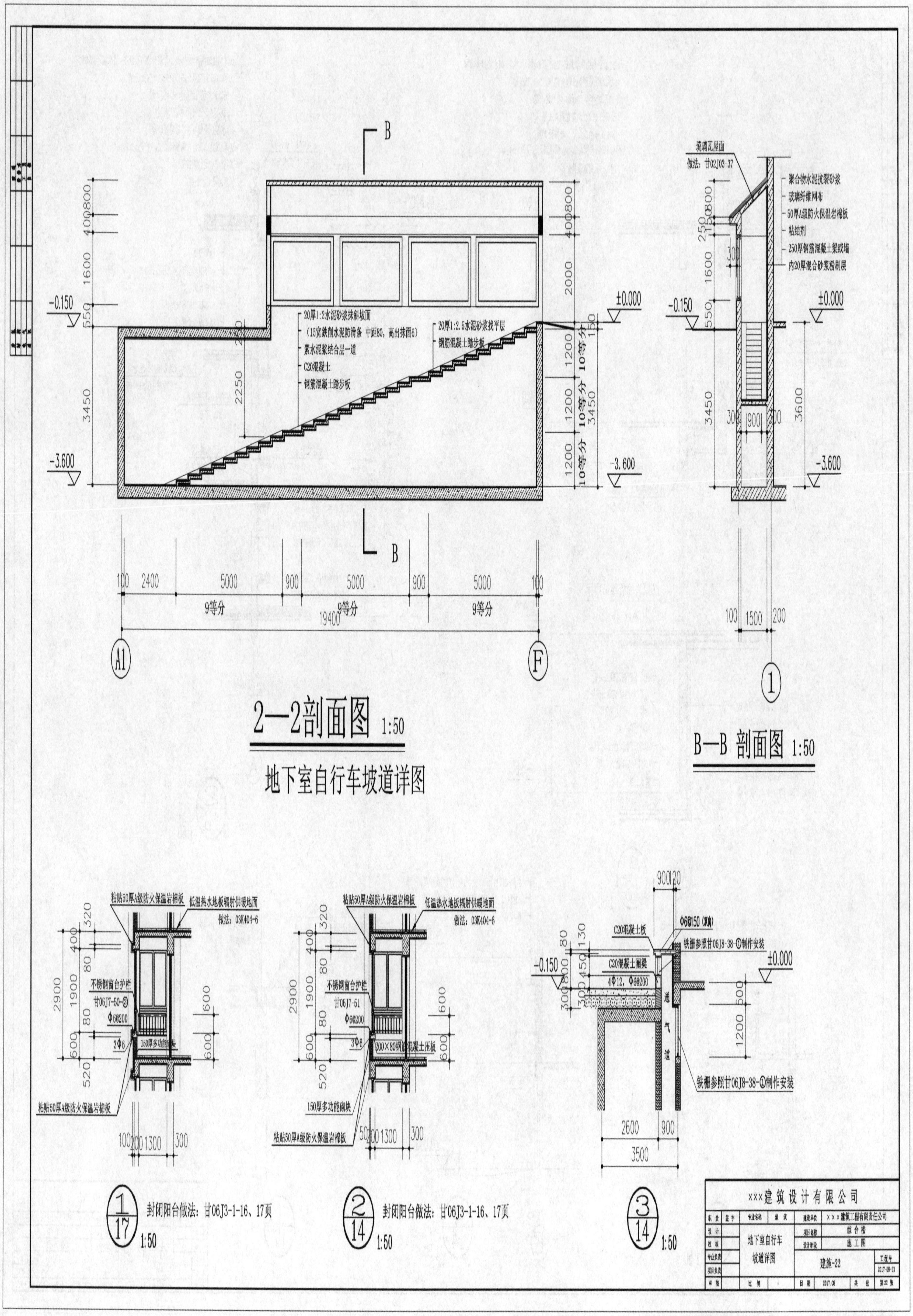
2—2剖面图 1:50
地下室自行车坡道详图
B—B 剖面图 1:50
封闭阳台做法：甘06J3-1-16、17页
1:50
封闭阳台做法：甘06J3-1-16、17页
1:50
1:50
×××建筑设计有限公司
地下室自行车坡道详图
建施-22

结 构 设 计 总 说 明

1 工程概况

本工程为XXXX建筑工程有限责任公司综合楼，拟建工程场地位于XX县；南邻东大街、北与XXXX县农业学校毗邻，东西两侧分别与原有住宅楼相邻。综合楼为地下一层，地上16层，框架剪力墙结构，建筑物高度49.950m，长度40.00m，宽度21.300m，室内外高差0.15m，地下一层层高3.6m，地上一层层高4.8m，二层层高4.4m，三~十六层层高2.90m。

2 设计依据及条件

2.1 设计文件及规范

1) 主要结构设计规范：

《建筑结构荷载规范》GB50009-2012；《混凝土结构设计规范》GB50010-2010(2015版)；《甘12系列结构标准设计图集02G01~09》

《中国地震动参数区划图》GB18306-2015

《建筑工程抗震设防分类标准》GB50223-2008；《建筑地基基础设计规范》GB50007-2011；《建筑桩基技术规范》JGJ94-2008

《工业建筑防腐蚀设计规范》GB50046-2008；《建筑结构可靠度设计统一标准》GB50068-2001；

《建筑抗震设计规范》GB50011-2010(2016版)；《地下工程防水技术规范》GB50108-2008

《湿陷性黄土地区建筑规范》GB50025-2004；《建筑地基处理技术规范》JGJ79-2012；《建筑基桩检测技术规范》JGJ106-2003

《建筑工程设计文件编制深度规定》(建设部2016年版)；

《高层建筑混凝土结构技术规程》JGJ3-2010；《高层建筑筏形与箱形基础技术规范》JGJ6-2011

2) 甘肃XX地质勘察工程公司提供的《岩土工程勘察报告》

3) 结构计算采用中国建筑科学研究院编制的"多、高层建筑结构空间有限元分析与设计软件SATWE"(2010版2011.9月)

2.2 地质概况详基础设计说明(结施-03)。

2.3 根据《建筑抗震设计规范》GB50011-2010，XX县抗震设防烈度为7度，设计地震基本加速度为0.15g，设计地震分组为第三组。

2.4 根据《建筑工程抗震设防分类标准》GB50223-2008，本工程抗震设防类别为标准设防类(丙类)，地震作用计算按抗震设防烈度7度采用，抗震措施按抗震设防烈度7度采用。结构阻尼比0.05，多遇水平地震影响系数最大值0.12，罕遇水平地震影响系数最大值0.72。

2.5 建筑场地类别为Ⅱ类，场地特征周期0.45s(根据《建筑抗震设计规范》GB50011-2010确定)。

2.6 建筑结构安全等级二级，结构设计使用年限为50年。建筑耐火等级为：二级，地下室的耐火等级为一级；地下室防水等级二级。地面粗糙度为：B类。防水底板、地下室外墙采用防水抗渗混凝土，混凝土抗渗等级为不低于P6。

2.7 主要设计用荷载标准值：

1) 建筑材料自重：混凝土25kN/m³；砂浆20kN/m³；墙体材料为：轻集料微孔混凝土复合砌块不大于5.5kN/m³

2) 楼面活荷载：住宅、厨房客厅2.0kN/m²；卫生间2.0kN/m²；消防疏散楼梯(人员密集)3.5kN/m²；电梯机房7.0kN/m²；不上人屋面0.5kN/m²；有分隔的蹲厕公共卫生间8.0kN/m²；阳台、电梯前室：2.5kN/m²；上人屋面：2.0kN/m²；商场：3.5kN/m²

3) 风荷载：0.30kN/m²(50年一遇)；雪荷载：0.50kN/m²(50年一遇)；

4) 地下室顶板施工荷载不得大于5.0kN/m²；标高8.90m屋面施工荷载不得大于4.0kN/m²。

2.8 混凝土结构的环境类别

根据《混凝土结构设计规范》GB50010-2010，地下部分的外墙、防水底板、屋面女儿墙、雨篷等外露构件为二b类环境；集水坑及消防水池为二a类环境；其余结构构件为一类环境。混凝土耐久性要求见表1。

2.9 最外层钢筋的保护层厚度见表2。垫层厚为50mm。

2.10 XXXX建筑工程有限责任公司综合楼上部结构计算嵌固端在0.00m结构板顶。

3 结构选型

XXXX建筑工程有限责任公司综合楼上部结构采用现浇钢筋混凝土框架－剪力墙结构，框架抗震等级为三级，剪力墙抗震等级为二级。基础型式：基础采用人工成孔灌注桩基础。

4 材料

4.1 混凝土：

人工成孔灌注桩基础为C35，地梁为C35；基础顶面~标高32.10m墙、柱、梁、板混凝土强度等级为C35；标高32.10m以上墙、柱、梁板及楼梯混凝土强度等级为C30圈梁、构造柱C20，栏板为C30。

4.2 钢筋：HPB300级钢(ф示)，HRB335级钢(ф示)。抗震等级为一、二、三级的框架和斜撑构件(含梯段)，其纵向受力钢筋采用普通钢筋时钢筋的抗拉强度实测值与屈服强度实测值的比值不应小于1.25；钢筋的屈服强度实测值与屈服强度标准值的比值不应大于1.3，且钢筋在最大拉力下的总伸长率实测值不应小于9%，钢筋的强度标准值应具有不小于95%的保证率。当进行钢筋代换时，除应符合设计要求的构件承载力、最大力下的总伸长率、裂缝宽度验算以及抗震规定以外，尚应满足最小配筋率、钢筋间距、保护层厚度、钢筋锚固长度、接头面积百分率及搭接长度等构造要求，图中钢筋不得代换，如需代换须经设计确认。

4.3 埋件用钢板：Q235钢。

4.4 焊接接头：对接焊和搭接焊的材料及构造应符合《钢筋焊接及验收规范》(JGJ18-2012)的有关要求。

4.5 机械连接接头：均为等强度直螺纹接头(I级)，应符合《机械连接技术规程》(JGJ107-2010)的有关要求。

4.6 填充墙：采用轻集料微孔混凝土复合砌块砌筑，M7.5混合砂浆砌筑，±0.000以下墙体采用M7.5水泥砂浆砌筑，砌体施工质量控制等级为B级。

4.7 所有外加剂的有关要求应遵守《混凝土外加剂应用技术规范》GB50119-2003的规定。

5 施工注意事项

5.1 制图方法：1)《建筑结构制图标准》GB/T50105-2010；

2)《混凝土结构施工图平面整体表示方法制图规则和构造详图》16G101-1、16G101-3。

5.2 柱、梁构造详图按抗震等级二级选用《16G101-1》图集的相应页次。该图集中：

1) 钢筋接头选用要求：焊接接头 框架柱内为电渣压力焊；框架梁内为单面搭接焊，搭接焊缝长度不小于10d。

2) 第79和80页框架梁及第81和82页非框架梁上部贯通筋在跨中1/3区间设置接头。跨内每根钢筋在每跨内只许设置一个接头。同一连接区段(35d且不小于500)接头面积百分比不得大于50%。

3) 框架梁采用四肢箍时，如在中部仅有2根角筋贯通，则另设2ф14架立筋，架立筋与受力筋搭接长度由图集中的150改为l_{lE}(搭接长度)。

4) 第81页非框架梁上部支座钢筋和跨中架力筋的搭接长度由150改为L1(搭接长度)。第28页梁侧构造钢筋锚固长度均按受扭钢筋取值。

5) 第87页主次梁相交处附加箍筋直径及肢数同主梁中箍筋，根数见平面图所示，图中未标注数量者为每侧3根。另外边支座处的次梁端头也应设置加密箍筋(图2)。

6) 框架柱纵筋在楼面处变化时，如直径下大上小，则下层大直径钢筋伸入上层接头；如下小上大，则上层钢筋室新插筋；如钢筋根数下少上多，则除下层钢筋尽量伸入上层接头外，不足部分另外插筋。具体详第57页。

7) 悬挑梁构造见本图7。悬挑梁及大跨度梁须待混凝土强度等级达到100%后方可拆模，且悬挑梁及大跨度梁不得单独作为模板支撑。

8) 钢筋锚固和搭接长度按53页和55页选用。

9) 当梁的上部或下部钢筋为2层时，各层钢筋之间的净距为25和纵筋直径d的较大值。

10) 梁、柱节点核心区范围见本图3。

11) 梁上部原位标注钢筋后加注"(贯通)"时，表示此钢筋在该跨上部全部贯通。

12) 梁纵向构造钢筋设置要求见图集《16G101-1》。

13) 框架柱纵筋在楼面处变化时，如直径下大上小，则下层大直径钢筋伸入上层接头；如钢筋根数下少上多，则除下层钢筋尽量伸入上层接头外，不足部分另外插筋，具体详第60页。KZ边柱、角柱柱顶构造选用59页详图B、C，中柱柱顶构造选用60页详图B。梁上柱(LZ)选用61页相应构造。

5.3 楼层现浇板构造：

1) 板上部钢筋锚入边支座l_a，下部筋伸至梁中心线且伸入梁内不小于5d(HPB300级钢)和10d(HRB335级钢)。

2) 板中通长钢筋除特别注明外，其余均采用搭接接头，接头位置：上部钢筋在跨中1/3区间，下部在支座内(且伸入边支座l_a)。

3) 对板中双层双向钢筋网片，除特别注明外，其余短向钢筋在外侧，长向在内侧。

4) 板中上部钢筋下所注尺寸为钢筋从梁(墙)边算起的水平长度，在柱角处应从柱边算起。

5) 板中的分布钢筋未画出，其值为ф6@200(≤110厚板)和ф8@200(≥120厚板)。

6) 施工中应采取措施保证楼板底面拆模后平整，无需再做板底抹灰砂浆。

7) 对跨度不小于4m的现浇混凝土梁、板，模板应起拱，拱高为跨度的2/1000~3/1000。

8) 屋面女儿墙等外露挑檐、栏板应每隔12m设置20mm宽伸缩缝一道，内填沥青麻丝。

5.4 设备留洞及埋件事项：

1) 对板内小于300，剪力墙上小于250的洞，钢筋均从洞边绕过，不得截断，洞宽超过此值时，洞口设置加筋另详留洞图，剪力墙边缘构件范围内不得留洞；卫生间通风道留洞详建施图，洞每边加筋2ф12并伸入支座l_a。

2) 对板内小于200、剪力墙上小于150的洞分洞未在图中表示，施工时应与相关专业图纸配合预留。

3) 对未留洞的设备井楼板，可先不浇混凝土，钢筋预留，待管道安装完成后再用补偿收缩混凝土浇筑。

4) 现浇楼板内埋设的机电管线的外径不得大于楼板厚度的1/3，且在同一位置处不得有多于2根的管线交错重叠布置。

5) 剪力墙和梁上所留圆洞均为预埋钢套管，地下部分防水套管作法详见设备图。

6) 预埋件、预留孔洞应对照设备施工图，由土建施工人员和设备安装人员共同校对施工。

7) 当梁上留洞直径小于70及梁高的1/10时，洞边可不设置加强筋，当大于此值时，应按图1设置洞边加强筋，双洞净距应不小于200。未经设计方认可，不得擅自在梁上留洞。

5.5 砌体填充墙构造

1) 框架柱、构造柱与砌体相接处沿墙高通长设置拉筋，做法见《02G02》第42和44页详图。

2) 墙高超过4m时，墙体半高处(或门洞上皮)应设置与柱连接且沿墙体贯通的钢筋混凝土水平系梁，系梁纵筋4ф12，箍筋ф6@200，做法见《02G02》第45页详图。

3) 墙顶和梁间施工要求见《02G02》第46页详图3。墙长超过5m且无垂直方向填充墙支撑时，墙顶与梁板应有拉接，做法见《02G02》第46页详图1。

4) 砌体填充墙洞口过梁选用《02G05》图集，荷载等级2级，洞口大于2.4m处过梁做法如下，截面：墙宽X300mm，纵向钢筋为上下各4ф16，箍筋为ф8@150。

5) 填充墙转角处，墙体端部，阴阳台挑梁端部及墙长大于2倍层高墙体中部设置构造柱，详图见本图4；

6) 框架梁上设构造柱时，构造柱钢筋与上下梁采用锚接连接，锚入梁内450mm；浇筑时，构造柱顶预留20mm空隙，内填沥青麻丝或聚苯板。

7) 当填充墙厚度大于梁宽时，构造详本图5。

8) 楼梯间和人行通道的填充墙，应采用热镀锌钢丝网砂浆面层加强。钢丝材质性能不低于Q235-B，直径不小于2mm，网孔不大于20x20。钢丝网与墙体之间应设不锈钢钢钉连接，锚入基层40~50并固定，钢钉应按照梅花形布置，间距不大于400x400。钢丝网需连接接长时，搭接长度不少于300，并加密钢钉。

5.6 其他事项

1) 基坑回填土采用素土回填夯实，压实系数不小于0.95。

2) 结施图±0.00以上所注板面标高为建筑面层标高，施工时应注意结构标高相对建筑标高降低80mm。

3) 本工程未注单位的尺寸除标高为"米(m)"外，其余均为"毫米(mm)"。±0.000相当于绝对高程详见建筑总平面图。

6 构件编号

XBxx: 现浇板；GZx: 构造柱；QL：圈梁；d：纵筋直径；其余同图标《16G101-1》。

7 结施图中所用标准图：

1)《混凝土结构施工图平面整体表示方法制图规则和构造详图》16G101-1、16G101-3；

2)《02系列结构标准设计图集》DBJT25-98-2002，《02G01~02G09》。

9. 本工程结构施工时，应与各专业施工图密切配合。所有穿楼板的管洞与其他专业核对无误后方可施工，不得后凿。设备、机电的管道间，楼板混凝土须后浇时，请将钢筋予留，待管道安装后再浇筑混凝土。管道安装时不得切断钢筋，后浇板边应上下附加加强钢筋，用高一级的微膨胀混凝土填实孔洞缝隙。其他专业图纸或设计修改通知与本条说明有矛盾时应征得结构设计人员同意并采取有效的技术措施后方可施工。

10. 楼层房间应按照建筑图中注明内容使用，未经设计单位同意，不得任意更改使用用途，不得在楼层梁和板上增设建筑图中未标注的隔墙。

11. 防雷接地要求：沿外墙四周柱上下各竖向钢筋需焊接连通，并与基础及顶层圈梁的交叉点钢筋相互焊接，形成环路，具体柱内防雷接地引下线，见电施图。

12. 在使用期间，对建筑物和管道应经常进行维护和检修，并应确保所有防水措施发挥有效作用，防止建筑物和管道的地基浸水湿陷。

13. 本工程电梯设计时采用参考样本，施工前应明确电梯型号并与设计图纸进行校对，如有出入应及时联系设计单位，施工时应配合电梯厂家，做好埋件的预埋及井道的校对工作，未经电梯厂家确认不得施工电梯井道部分。

14. 本工程应进行沉降观测，施工±0.000时应在建筑物周边设沉降观测点，平面位置、做法、观测周期及时间见《建筑物变形测量规程》(JGJ8-2007)，观测点应做好闭金保护。变形测量级别为二级。观测点做法见图6。

15. 基坑及房心回填土采用无腐蚀性素土，压实系数不小于0.95。

16. 地下室底板与隔墙及周边外墙应一次整体浇筑至底板面300以上(此部分墙体混凝土强度等级可同基础部分混凝土强度等级)，周边外墙壁按图8设置水平施工缝。

表1 混凝土耐久性要求

环境类别		最大水胶比	最低混凝土强度等级	最大氯离子含量(%)	最大碱含量(kG/m³)
一		0.60	C20	0.30	不限制
二	a	0.55	C25	0.20	3.0
	b	0.50	C30	0.15	3.0

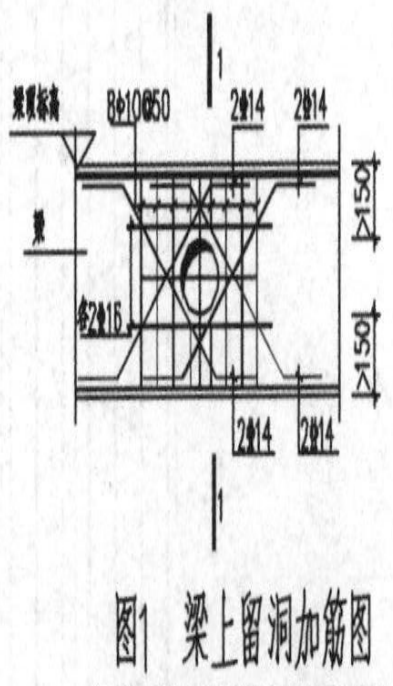

图1 梁上留洞加筋图

直径大于等于100消防管不留洞

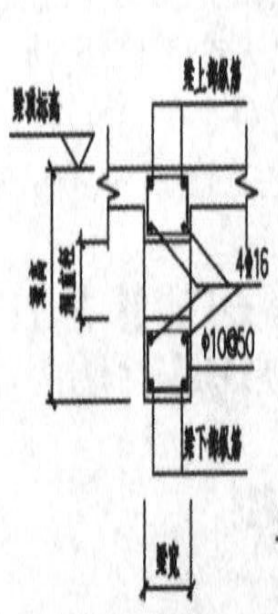

1-1

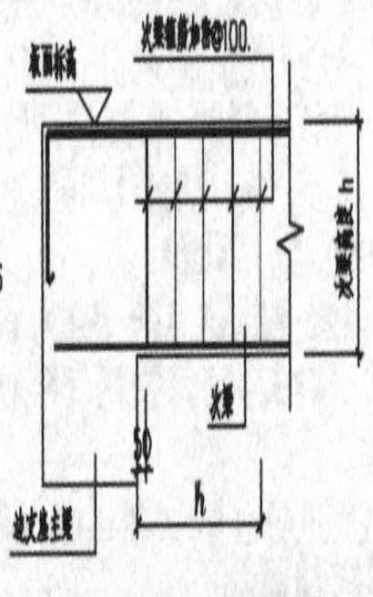

图2

边支座处次梁端头箍筋加密构造

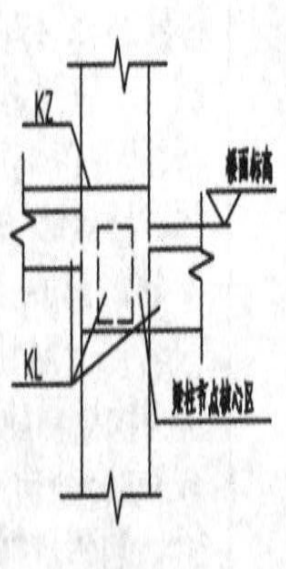

图3

梁柱节点核心区范围

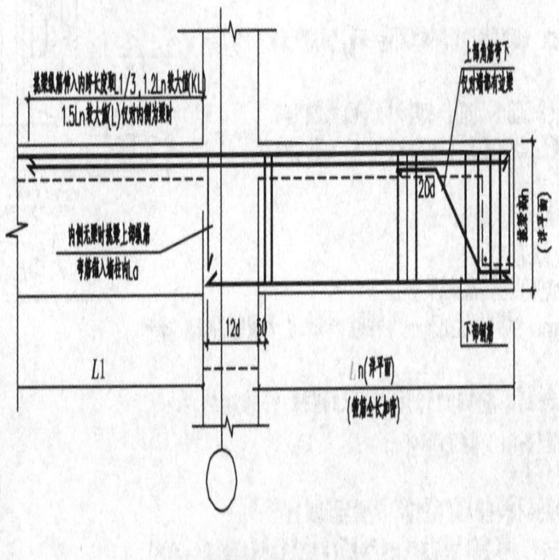

图7 悬臂梁构造

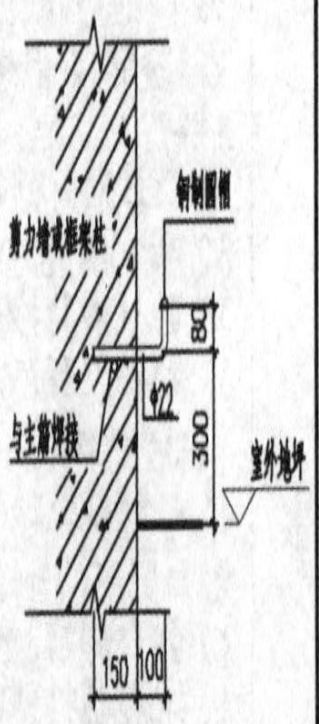

图6

表2 受力钢筋的混凝土保护层厚度

结构部位		保护层厚度
地下	墙	与土或水相邻面25mm 其余15mm
	柱	与土或水相邻面35mm 其余20mm
	防水底板	与土或水相邻面50mm 其余20mm
地上	墙、板	外露构件25mm 卫生间等潮湿环境构件20mm 其余15mm
	梁	外露构件35mm 卫生间等潮湿环境构件25mm 其余20mm
	柱	外露构件35mm 卫生间等潮湿环境构件25mm 其余20mm

备注：1. 受力钢筋的混凝土保护层厚度(从最外层钢筋外皮起)还不应小于受力钢筋的公称直径。

2. 梁柱中箍筋和构造钢筋的保护层厚度不得小于15mm。

3. 墙板中分布钢筋的保护层厚度不应小于表中相应数值减10mm，且不应小于10mm。

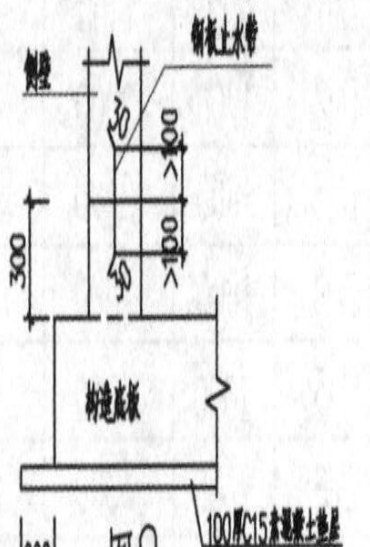

图8

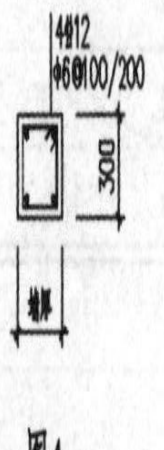

图4

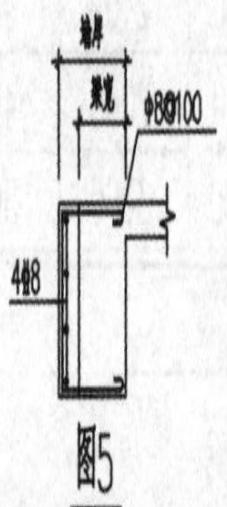

图5

XXX建筑设计有限公司							
职 责	签 字	专业名称	结 构	建设单位	XXX建筑工程有限责任公司		
设 计		结构设计总说明		项目名称			
校 核				设计阶段			
专业负责				结施-01			工程号
项目负责							
审 核		比 例	:	日 期	2017.8	共 39 张	第 01 张

基础设计说明

1. 本工程基础设计根据XXXX地质勘察工程公司提供的《岩土工程勘察报告》进行.
2. 地层岩性概况:

2.1 地层描述

拟建场地行政区划隶属于XX市XX县管辖，交通便利，地形平坦，地面标高1887.60~1887.86m，最大高差0.26m．地形平坦.

场地地层结构主要为在勘察深度内沉积地层主要为第四系全新统松散沉积物，所揭露的地层主要有四层，分别为① 杂填土层、② 粉质粘土层、③ 卵石层 ④ 泥岩层，现分述如下:

① 杂填土层：黄褐色，成分以粉土为主，含卵石、砾砂、混凝土块、砖块、灰渣和植物根茎等，稍湿，松散，为现代人工活动堆积．场区普遍分布，厚度2.60-3.40m，平均2.97m；层底标高1884.20-1885.24m，平均1884.81m；层底埋深2.60-3.40m，平均2.97m．

② 粉土层 黄褐色-灰褐色，含砾砂、钙质结核碎粒，具层理，断口不规则，干强度高，局部为古代人类开挖壕沟或古城建筑活动层，粘粒含量较高．场区南侧下部夹灰绿色和灰褐色淤泥质粉土，冰含粘土包裹体，可塑-软塑，湿，稍密-中密．场区普遍分布，厚度3.80-4.30m，平均4.15m；层底标高1880.28-1881.14m，平均1880.66m；层底埋深6.70-7.40m，平均7.12m.

③ 卵石层 杂色，洪积成因，接触充填式结构，骨架颗粒为卵石，一般粒径20-190mm，含量占65%，向下粒径逐渐变粗，含漂石，最大粒径为350mm，磨圆度好，呈亚圆形，分选性一般，级配较好，砂砾充填，含水，密实．顶部含少量泥质，且颗粒偏小．场区普遍分布，厚度7.40-8.40m，平均7.79m；层底标高1872.00~1873.64m，平均1872.88m；层底埋深14.20-15.60m，平均14.90m．层面基本上呈东高西低，高差约1.40m，层面较平缓.

④ 泥岩层 浅紫红色，层状构造，泥质状结构，具层理，钙质胶结，岩芯遇水易变软．膨胀．破碎．上部1.50-2.80m为强风化层，下部坚硬，属软岩．该层未穿透．据区域地质资料该层厚度达百米以上.

2.2 场地的水文地质条件

场地下水稳定水位埋深10.25~10.49m．地下水对混凝土结构具有弱腐蚀性.
地下水对钢筋混凝土中钢筋具有微腐蚀性.

2.3 墩基极限端阻力标准值 卵石层桩基极限端阻力标准值qpk =3800kPa，
墩基端支承于卵石层，地基承载力特征值650kPa．

2.4 地基土的腐蚀性

场地土对混凝土结构具有微腐蚀性，对钢筋混凝土中钢筋具有微腐蚀性．场地土为非湿陷性场地.

2.5 场地地震效应

根据《建筑抗震设计规范》(GBJ50011-2010)，拟建场地所处地段为对抗震有利地段.
建筑场地类别属Ⅱ类．场地地震设防烈度为7度，设计基本地震加速度为0.15g，地震分组为第三组.

3. 材料:

3.1 混凝土强度等级：墩基础为C35、地梁为C35.

3.2 钢筋为：ф为HPB300；ф为HRB400.

3.3 混凝土结构的环境类别±0.000以下墩基础、地梁为二类b.

3.4 墩基础保护层厚度为50mm．地梁保护层厚度为35mm．墩身裂缝控制等级为三级，最大裂缝宽度限值为0.2mm.

4. 基础类型及注意事项:

4.1 本工程基础采用人工成孔灌注墩基础，地基基础设计等级甲级，建筑桩基设计等级甲级，卵石层作为持力层.
墩基进入持力层不得小于1米．建筑物±0.000标高为1888.20m.

4.2 墩端下有细砂夹层时应穿透该层.

4.3 如在开挖过程中与地质勘察报告不符、有出入或发现异常情况，请及时与设计院联系解决.

4.4 除注明者外，所有墩基础中心均与柱中心重合．墩基础施工时必须严格执行《建筑桩基技术规范》(JGJ94-2008)中第6.6节有关要求以保证施工安全.

4.5 井墩施工前应先进行试成孔，以检验人工成孔的可行性，且施工时须间隔开挖及时浇注.

4.6 当墩基础间中心距L<2.5d时，墩基础要间隔施工.

5. 墩的检测

5.1 本工程全部墩基础都必须进行检测

5.2 采用低应变动测法对墩身完整性进行检测 检测数量为全部墩

5.3 桩身竖向荷载检测选用静载法并宜在成桩28d后按规范要求进行单桩竖向静载荷试验．试桩数量不宜少于总桩数的1%，且不应少于3根．(静载试桩最终加荷值取端桩极限承载力特征值的2倍)

5.4 检测单位必须具有建设部或甘肃省建设厅颁发的检测资质证书

6. 建筑室内及框架柱、地梁侧回填土应采用无腐蚀性素土夯实，压实系数不得小于0.94.
7. 防雷接地做法见电施图.
8. 未尽事宜应严格遵守有关设计施工验收规范及相关规程.
9. 在建筑物使用阶段，业主应定期检查和维护室内外管沟，以防管沟渗漏，影响建筑物使用安全.

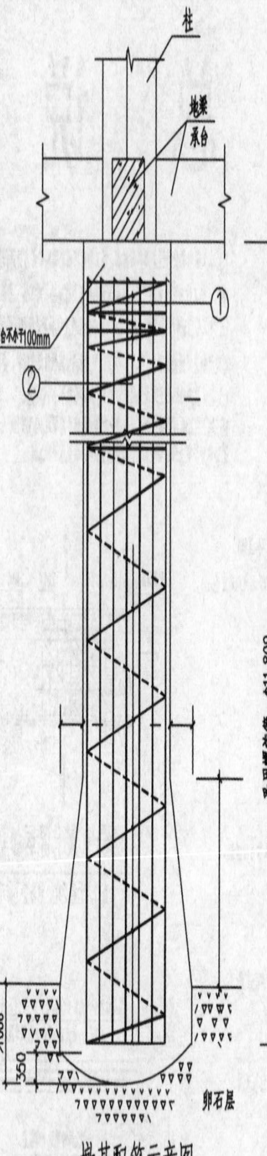

墩基配筋示意图

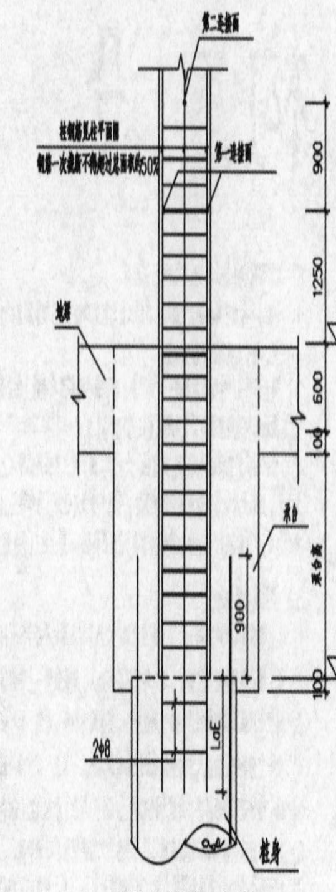

墩与柱连接插筋图

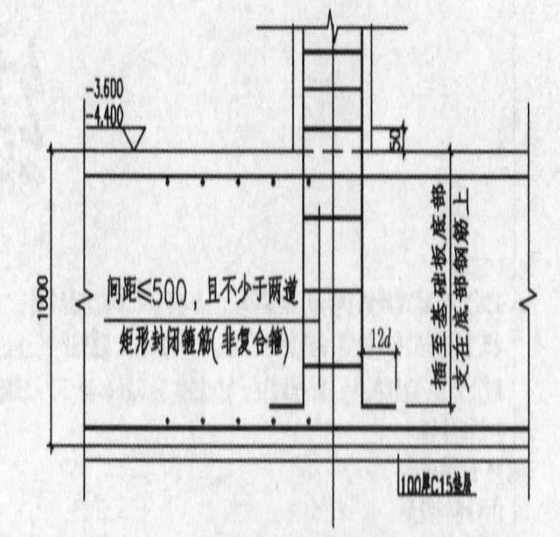

承台上柱插筋构造图

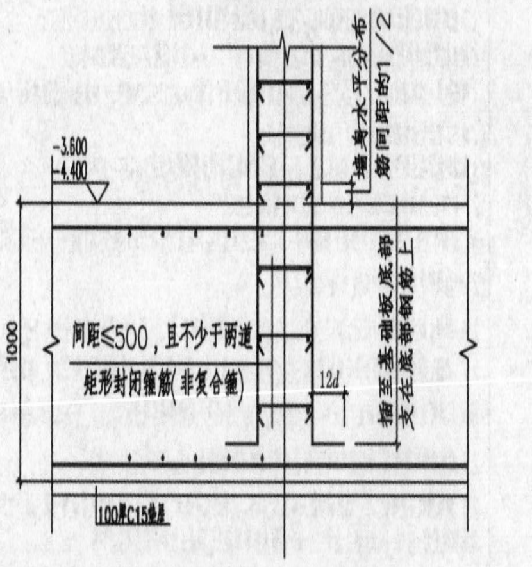

承台上剪力墙插筋构造图

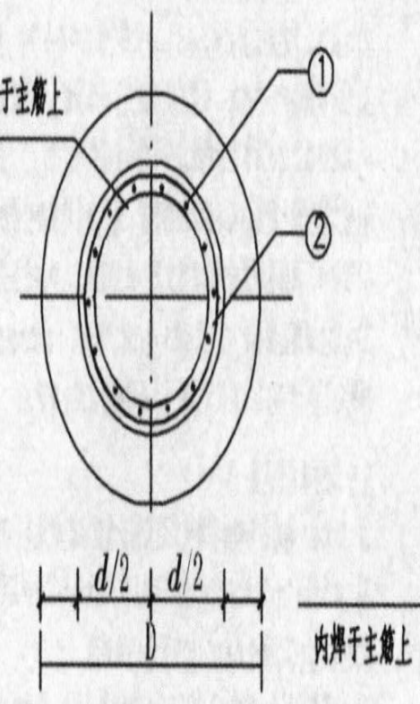

圆形墩

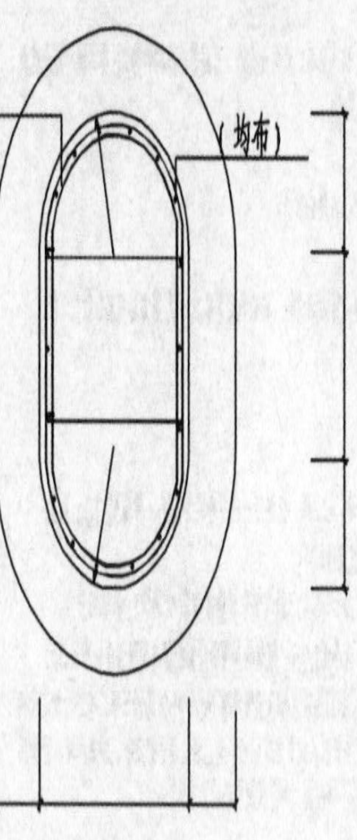

椭圆形桩

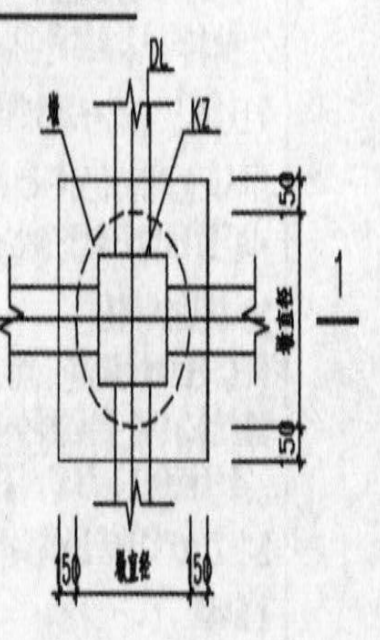

CT1、2、4、6、7、8、9、11详图

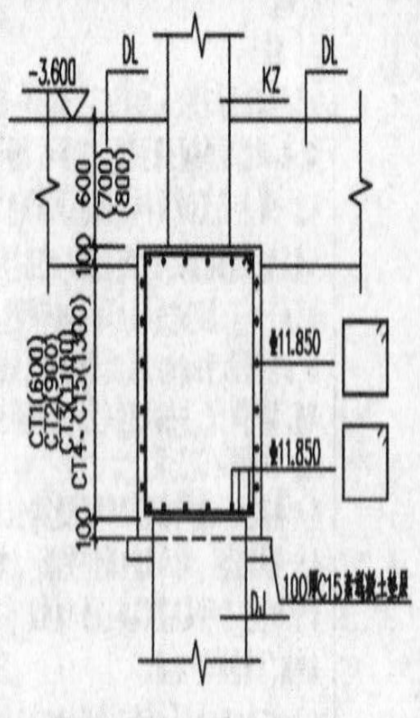

1-1

墩 基 明 细 表

墩基编号	墩径 d(mm)	扩大头直径 D(mm)	每边扩出宽度 b(mm)	水平段长度 a(mm)	墩长 L(m)	墩身配筋 ① 纵筋	⑦箍筋(螺旋箍筋)	④	单桩竖向承载力特征值(kN)
DJ1	900	1400	250	0	长约4m	13ф14	ф12@100	ф12@2000	2426
DJ2	1200	2000	400	0	长约4m	17ф16	ф12@100	ф12@2000	4397
DJ3	1600	2400	400	0	长约4m	30ф16	ф12@100	ф12@2000	5958
DJ4	1800	2800	500	0	长约4m	31ф18	ф12@100	ф12@2000	7704
DJ5	2000	3000	500	0	长约4m	38ф18	ф12@100	ф12@2000	8643
DJ6	2300	3300	500	0	长约4m	40ф20	ф12@100	ф12@2000	10131
DJ7	2800	3800	500	0	长约4m	59ф20	ф12@100	ф12@2000	12817
DJ8	3000	4000	500	0	长约4m	68ф20	ф12@100	ф12@2000	13960
DJ9	1800	2800	500	1950	长约4m	58ф20	ф12@100	ф12@2000	
DJ10	1600	2400	400	1700	长约4m	46ф20	ф12@100	ф12@2000	
DJ11	1200	2000	400	1900	长约4m	41ф18	ф12@100	ф12@2000	
DJ12	2000	3000	500	1050	长约4m	51ф20	ф12@100	ф12@2000	

XXX建筑设计有限公司							
职责	签字	专业名称	结构	建设单位	XXX建筑工程有限责任公司		
设计		基础设计说明		项目名称			
校核				设计阶段			
专业负责				结施-03			工程号
项目负责							
审核		比例	:	日期	2017.8	共39张	第03张

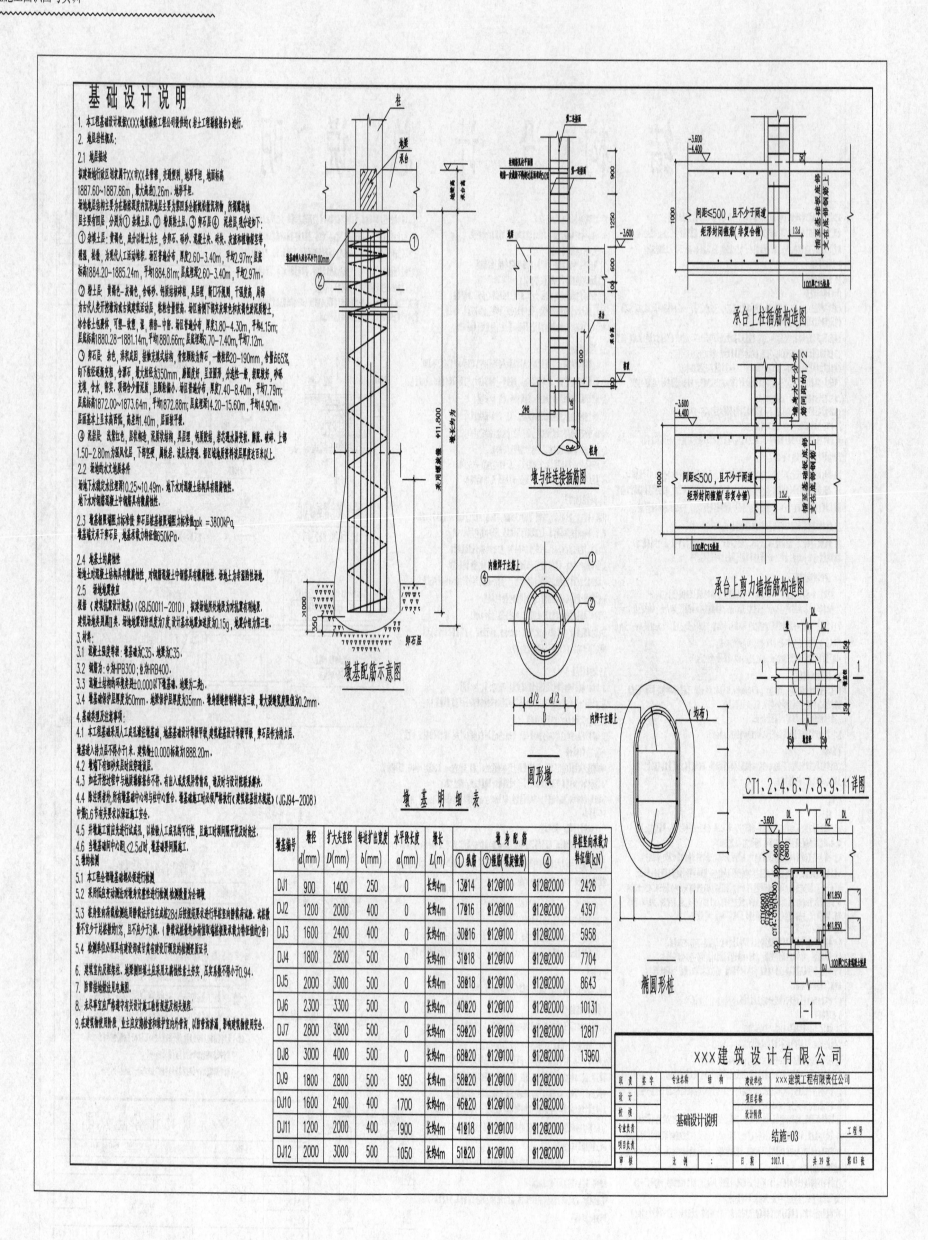

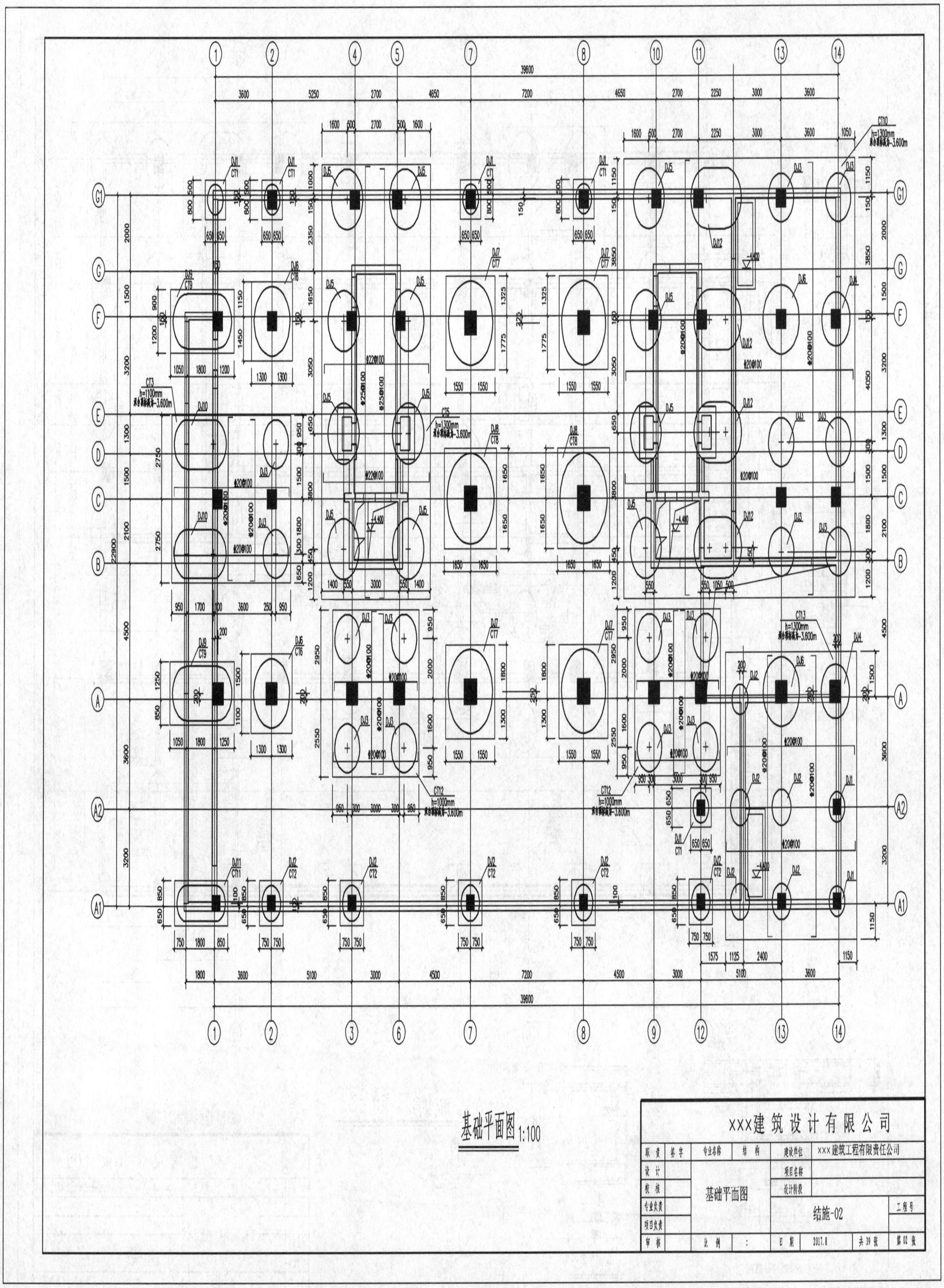
基础平面图 1:100
xxx建筑设计有限公司
职责
签字
专业名称
结构
建设单位
xxx建筑工程有限责任公司
设计
项目名称
校核
设计阶段
基础平面图
专业负责
结施-02
工程号
项目负责
审核
比例
:
日期
2017.8
共 39 张
第 02 张
1 2 4 5 7 8 10 11 13 14
1 2 3 6 7 8 9 12 13 14
G1 G F E D C B A A2 A1
39600

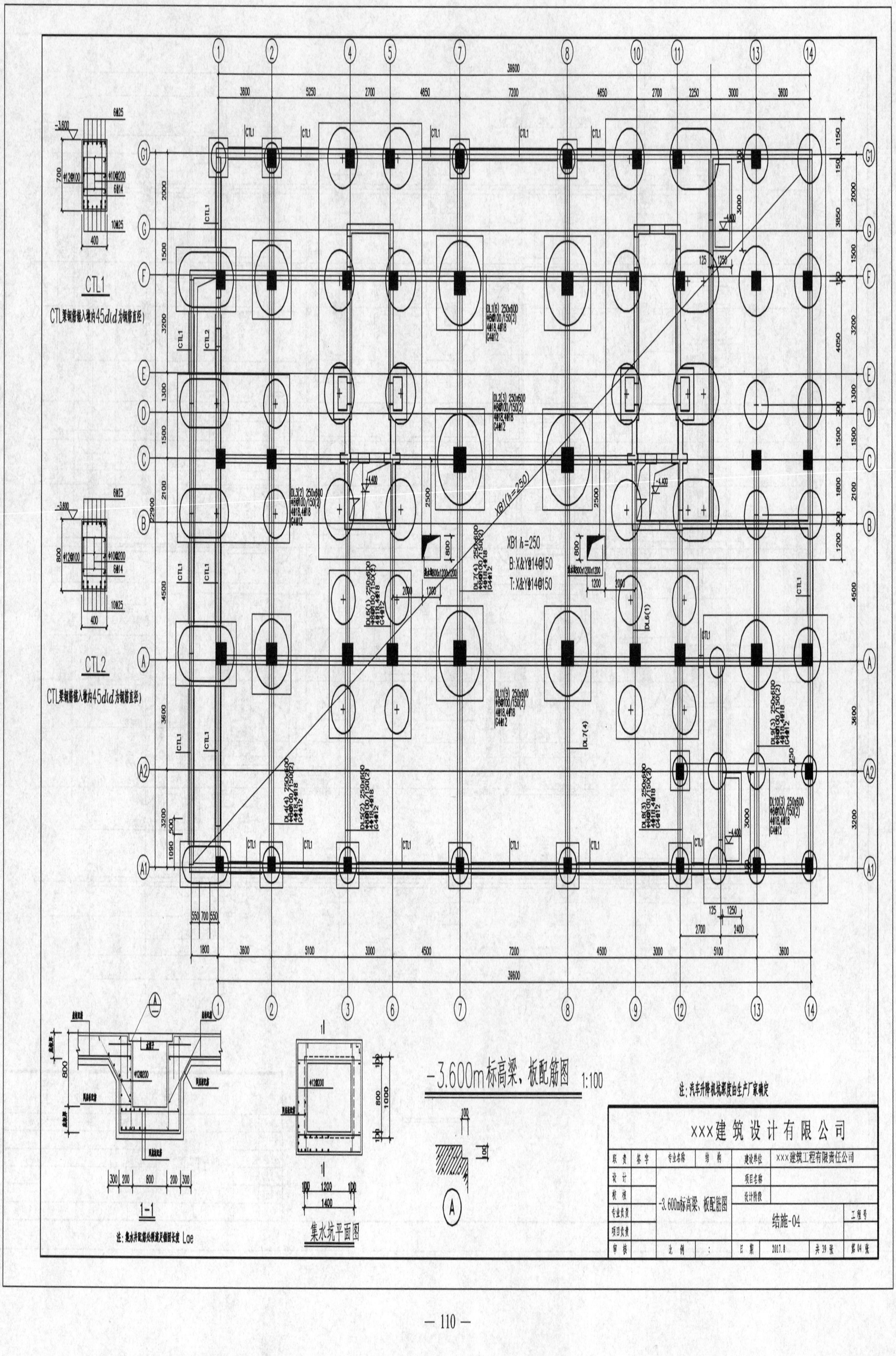
-3.600m标高梁、板配筋图 1:100
CTL1
CTL1梁钢筋锚入墩内45d(d为钢筋直径)
CTL2
CTL1梁钢筋锚入墩内45d(d为钢筋直径)
XB1 h=250
B:X&Y⌀14@150
T:X&Y⌀14@150
1-1
注：集水井底部纵筋应锚固长度 Lae
集水坑平面图
注：汽车升降机坑做法由生产厂家确定
xxx建筑设计有限公司
xxx建筑工程有限责任公司
-3.600m标高梁、板配筋图
结施-04
2017.8
共39张
第04张

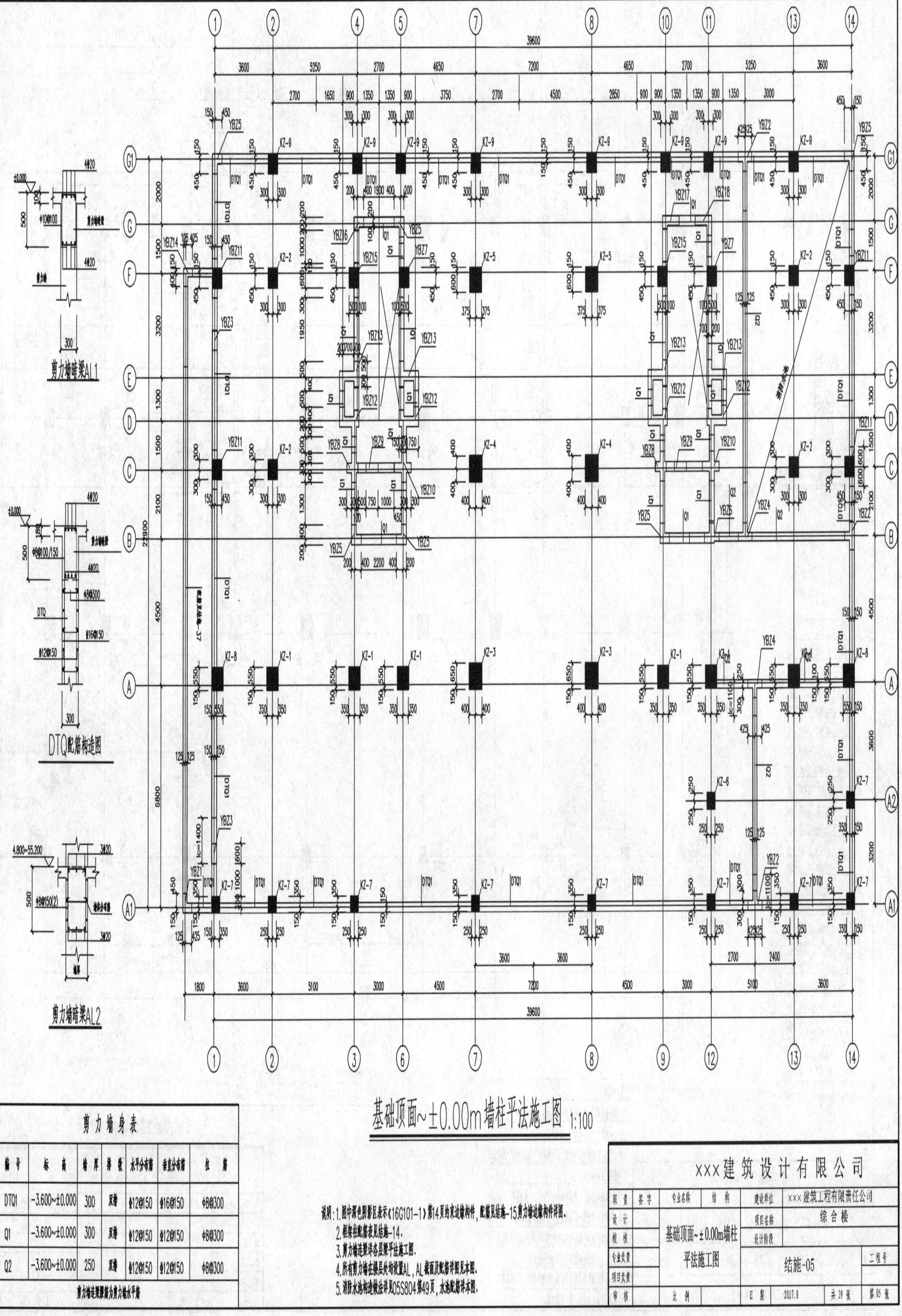

基础顶面~±0.00m墙柱平法施工图 1:100

剪力墙身表

编号	标高	墙厚	排数	水平分布筋	垂直分布筋	拉筋
DTQ1	−3.600~±0.000	300	双排	⌀12@150	⌀16@150	ϕ8@300
Q1	−3.600~±0.000	300	双排	⌀12@150	⌀12@150	ϕ8@300
Q2	−3.600~±0.000	250	双排	⌀12@150	⌀12@150	ϕ8@300
剪力墙连梁腰筋为剪力墙水平筋						

说明：1. 图中深色阴影区表示《16G101−1》第14页约束边缘构件，配筋见结施−15剪力墙边缘构件详图。
2. 框架柱配筋表见结施−14。
3. 剪力墙连梁详各层梁平法施工图。
4. 所有剪力墙在楼层处均设置AL，AL截面及配筋详图见本图。
5. 消防水池构造做法详见05S804第49页，水池配筋详本图。

×××建筑设计有限公司

职责	签字	专业名称	结构	建设单位	×××建筑工程有限责任公司	
设计		基础顶面~±0.00m墙柱平法施工图		项目名称	综合楼	
校核				设计阶段		
专业负责				结施−05		工程号
项目负责						
审核		比例		日期	2017.8	共39张 第05张

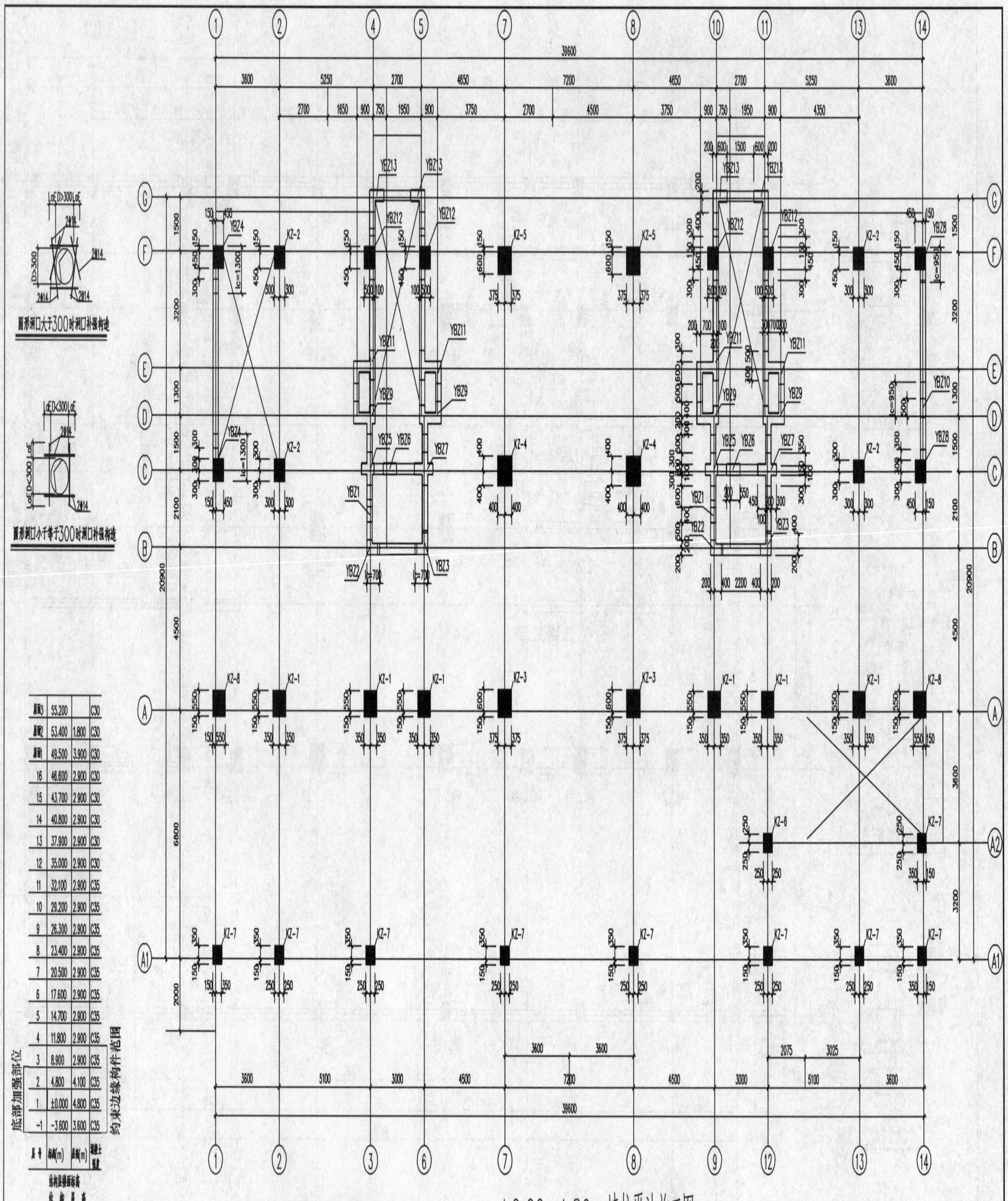

层号	标高(m)	层高(m)	混凝土强度
屋面3	55.200		C30
屋面2	53.400	1.800	C30
屋面1	49.500	3.900	C30
16	46.600	2.900	C30
15	43.700	2.900	C30
14	40.800	2.900	C30
13	37.900	2.900	C30
12	35.000	2.900	C30
11	32.100	2.900	C35
10	29.200	2.900	C35
9	26.300	2.900	C35
8	23.400	2.900	C35
7	20.500	2.900	C35
6	17.600	2.900	C35
5	14.700	2.900	C35
4	11.800	2.900	C35
3	8.900	2.900	C35
2	4.800	4.100	C35
1	±0.000	4.800	C35
−1	−3.600	3.600	C35

结构层楼面标高
结构层高

±0.00~4.80m墙柱平法施工图 1:100

注：图中未标注的剪力墙均为Q1。

剪力墙身表

编号	标高	墙厚	排数	水平分布筋	垂直分布筋	拉筋
Q1	±0.000~4.800	300	双排	⏀12@150	⏀12@150	Φ8@300

剪力墙连梁腰筋为剪力墙水平筋

剪力墙说明

1. 剪力墙边缘构件平面整体表示方法及构造详《16G101-1》相关规定。
2. 图中未注明剪力墙墙身偏轴者，均为轴线居中。
3. 墙体水平筋、竖向筋均沿墙通配，层间接头及与边缘构件中钢筋连接等构造做法见《16G101-1》。
4. 边缘构件纵筋搭接范围内箍筋间距不大于100，拉筋直径及间距均同箍筋。剪力墙顶部增设一道暗梁宽度同墙宽高度为500mm
5. 剪力墙构造除注明外，其余均按《11G329-1》第33~50页二级剪力墙施工，剪力墙暗柱配筋详见剪力墙墙柱配筋表。
6. 施工墙体时应注意配合建施及设备图，作好孔洞预留及铁件的预埋。未注明洞口定位尺寸见水、暖、电施工图。

×××建筑设计有限公司							
职责	签字	专业名称	结构	建设单位	×××建筑工程有限责任公司		
设计		±0.00~4.80m墙柱平法施工图		项目名称	综合楼		
校核				设计阶段			
专业负责				结施-06			工程号
项目负责							
审核		比例	：	日期	2017.8	共39张	第06张

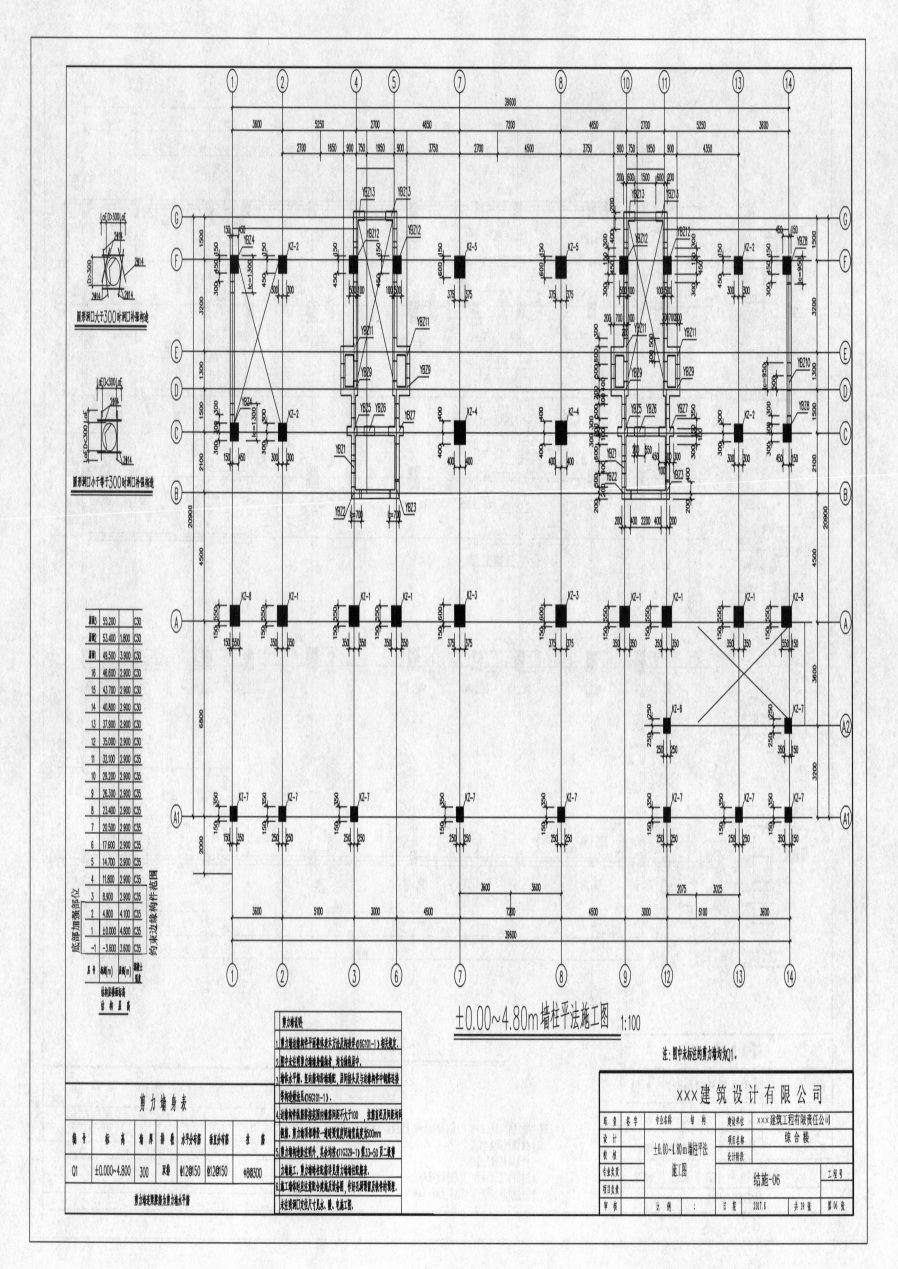

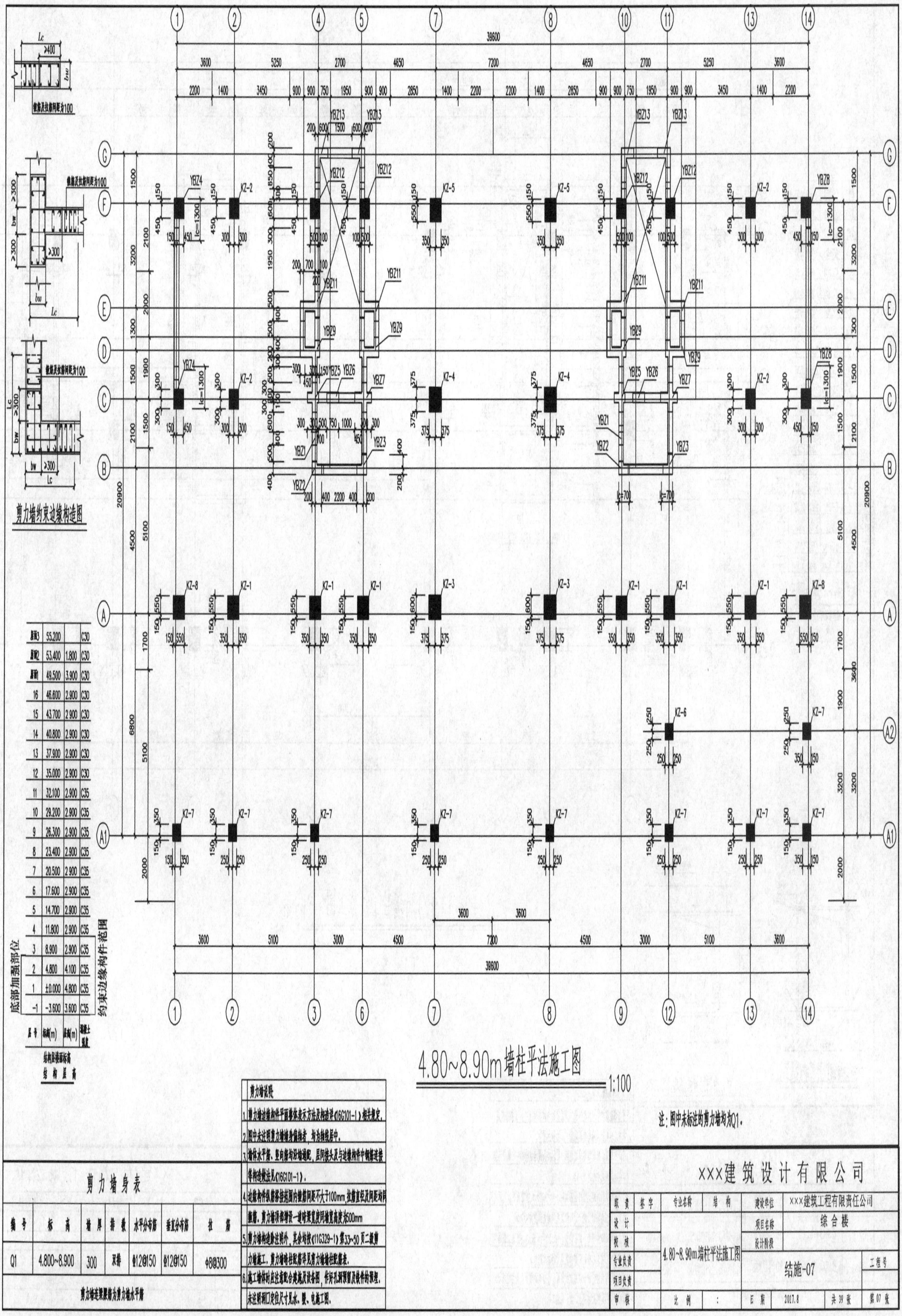

剪力墙约束边缘构造图

层号	标高(m)	层高(m)	混凝土强度
屋面3	55.200		C30
屋面2	53.400	1.800	C30
屋面1	49.500	3.900	C30
16	46.600	2.900	C30
15	43.700	2.900	C30
14	40.800	2.900	C30
13	37.900	2.900	C30
12	35.000	2.900	C30
11	32.100	2.900	C35
10	29.200	2.900	C35
9	26.300	2.900	C35
8	23.400	2.900	C35
7	20.500	2.900	C35
6	17.600	2.900	C35
5	14.700	2.900	C35
4	11.800	2.900	C35
3	8.900	2.900	C35
2	4.800	4.100	C35
1	±0.000	4.800	C35
-1	-3.600	3.600	C35

底部加强部位

约束边缘构件范围

结构层楼面标高

结构层高

4.80~8.90m墙柱平法施工图 1:100

注：图中未标注的剪力墙均为Q1。

剪力墙身表

编号	标高	墙厚	排数	水平分布筋	垂直分布筋	拉筋
Q1	4.800~8.900	300	双排	Φ12@150	Φ12@150	Φ8@300

剪力墙连梁腰筋为剪力墙水平筋

剪力墙说明

1. 剪力墙边缘构件平面整体表示方法及构造详《16G101-1》相关规定。
2. 图中未注明剪力墙墙身偏轴者，均为轴线居中。
3. 墙体水平筋、竖向筋均沿墙通配，层间接头及与边缘构件中钢筋连接等构造做法见《16G101-1》。
4. 边缘构件纵筋搭接范围内箍筋间距不大于100mm，拉筋直径及间距均同箍筋。剪力墙顶部增设一道暗梁宽度同墙宽高度为500mm
5. 剪力墙构造除注明外，其余均按《11G329-1》第33~50页二级剪力墙施工。剪力墙暗柱配筋详见剪力墙墙柱配筋表。
6. 施工墙体时应注意配合建施及设备图，作好孔洞预留及铁件的预埋。未注明洞口定位尺寸见水、暖、电施工图。

xxx建筑设计有限公司							
职责	签字	专业名称	结构	建设单位	xxx建筑工程有限责任公司		
设计		4.80~8.90m墙柱平法施工图		项目名称	综合楼		
校核				设计阶段			
专业负责				结施-07			工程号
项目负责							
审核		比例	:	日期	2017.8	共39张	第07张

层号	标高(m)	层高(m)	混凝土强度
屋面3	55.200		C30
屋面2	53.400	1.800	C30
屋面1	49.500	3.900	C30
16	46.600	2.900	C30
15	43.700	2.900	C30
14	40.800	2.900	C30
13	37.900	2.900	C30
12	35.000	2.900	C30
11	32.100	2.900	C35
10	29.200	2.900	C35
9	26.300	2.900	C35
8	23.400	2.900	C35
7	20.500	2.900	C35
6	17.600	2.900	C35
5	14.700	2.900	C35
4	11.800	2.900	C35
3	8.900	2.900	C35
2	4.800	4.100	C35
1	±0.000	4.800	C35
-1	-3.600	3.600	C35

底部加强部位

约束边缘构件范围

结构层楼面标高

结构层高

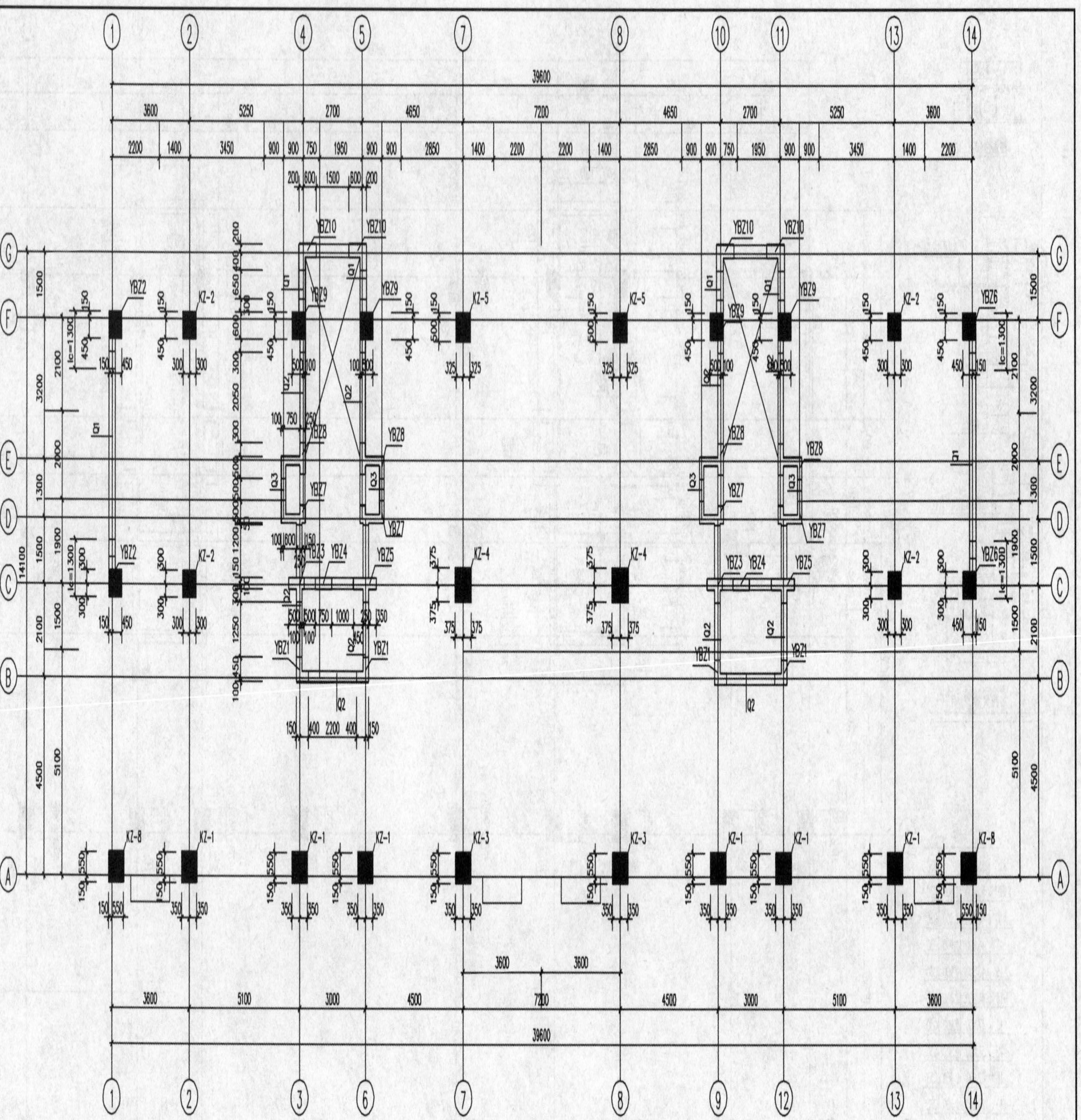

8.90~11.80m墙柱平法施工图 1:100

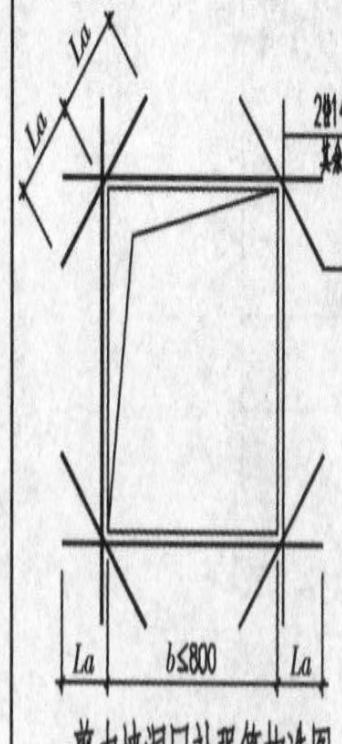

剪力墙洞口补强筋构造图

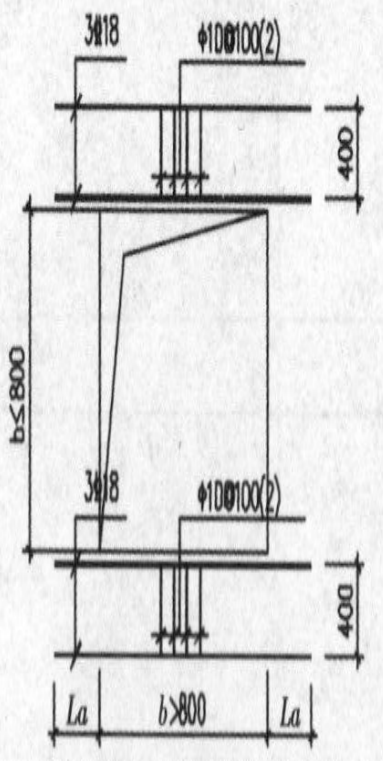

剪力墙洞口补强筋构造图二

剪力墙身表

编号	标高	墙厚	排数	水平分布筋	垂直分布筋	拉筋
Q1	8.900~11.800	300	双排	Φ12@150	Φ12@150	φ8@300
Q2	8.900~11.800	250	双排	φ10@150	φ10@150	φ8@300
Q3	8.900~11.800	200	双排	φ10@200	φ10@200	φ8@400

剪力墙连梁腰筋为剪力墙水平筋

剪力墙说明

1. 剪力墙边缘构件平面整体表示方法及构造详《16G101-1》相关规定。
2. 图中未注明剪力墙墙身偏轴者，均为轴线居中。
3. 墙体水平筋、竖向筋均沿墙通配，层间接头及与边缘构件中钢筋连接等构造做法见《16G101-1》。
4. 边缘构件纵筋搭接范围内箍筋间距不大于100mm，拉筋直径及间距均同箍筋。剪力墙顶部增设一道暗梁宽度同墙宽高度为500mm
5. 剪力墙构造除注明外，其余均按《11G329-1》第33~50页二级剪力墙施工。剪力墙暗柱配筋详见剪力墙墙柱配筋表。
6. 施工墙体时应注意配合建施及设备图，作好孔洞预留及铁件的预埋。未注明洞口定位尺寸见水、暖、电施工图。

xxx建筑设计有限公司							
职责	签字	专业名称	结构	建设单位	xxx建筑工程有限责任公司		
设计		8.90~11.80m墙柱平法施工图		项目名称	综合楼		
校核				设计阶段			
专业负责				结施-08			工程号
项目负责							
审核		比例	:	日期	2017.8	共39张	第08张

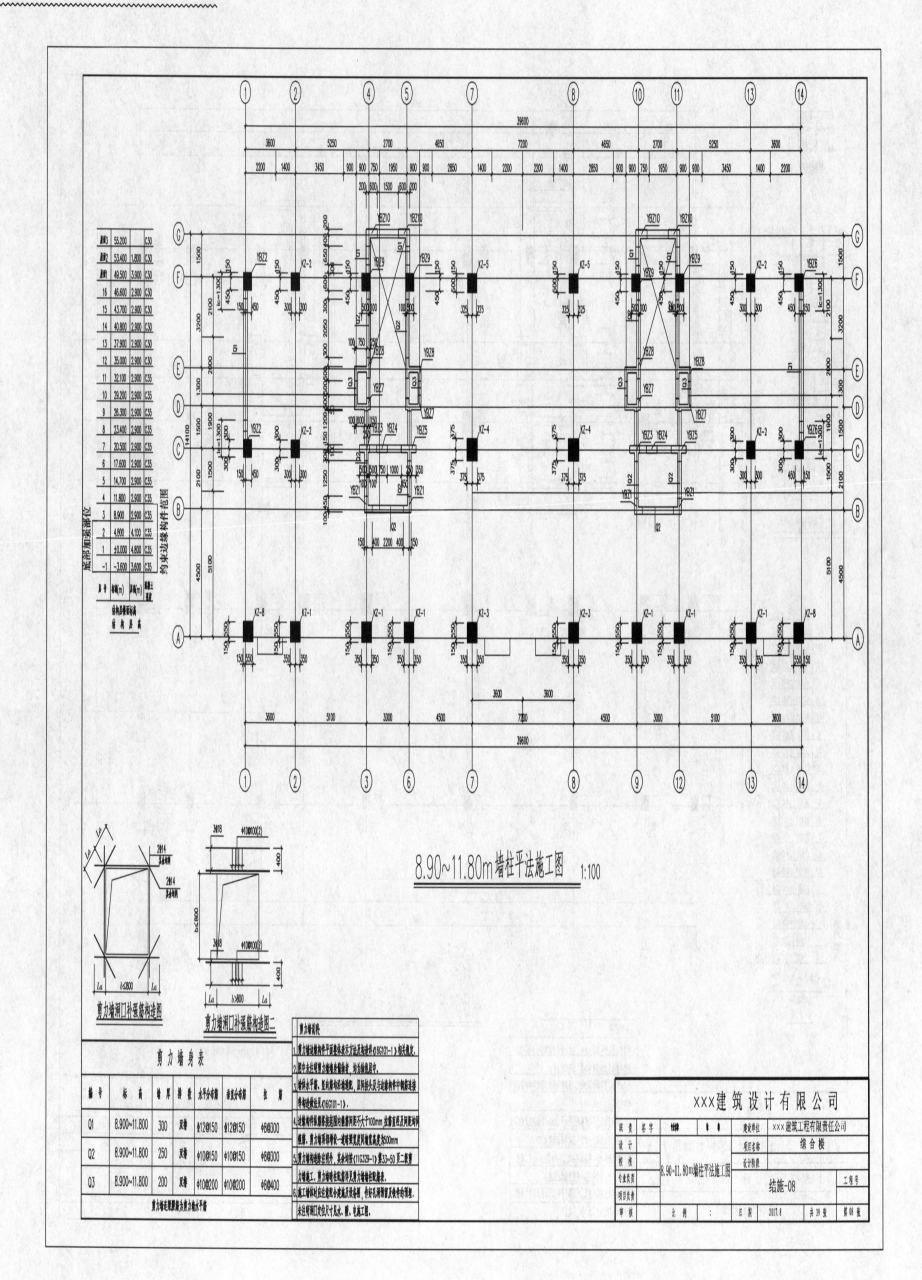

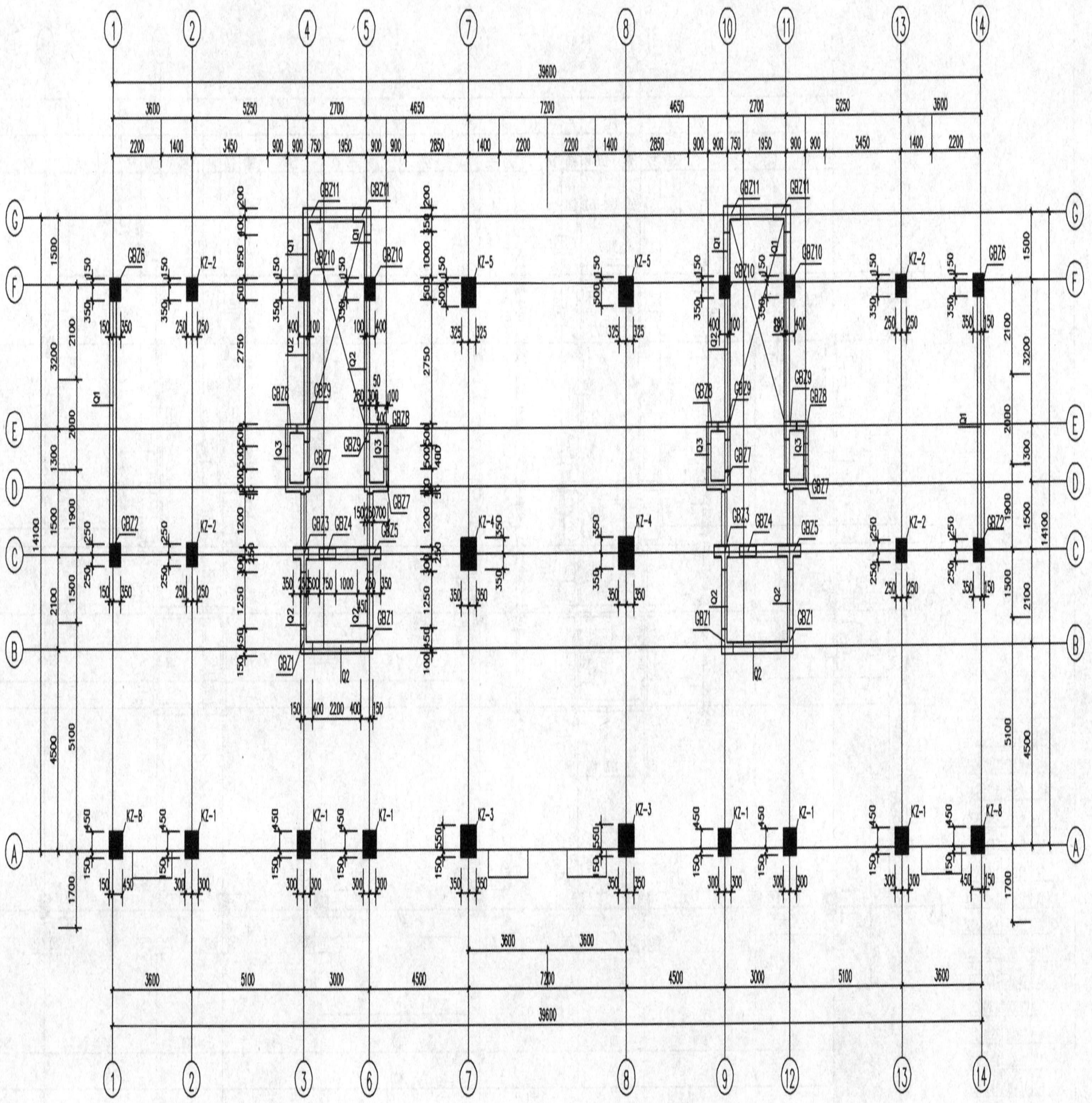

11.80~32.10m墙柱平法施工图 1:100

层号	标高/m	层高/m	混凝土强度
屋面3	55.200		C30
屋面2	53.400	1.800	C30
屋面1	49.500	3.900	C30
16	46.600	2.900	C30
15	43.700	2.900	C30
14	40.800	2.900	C30
13	37.900	2.900	C30
12	35.000	2.900	C30
11	32.100	2.900	C35
10	29.200	2.900	C35
9	26.300	2.900	C35
8	23.400	2.900	C35
7	20.500	2.900	C35
6	17.600	2.900	C35
5	14.700	2.900	C35
4	11.800	2.900	C35
3	8.900	2.900	C35
2	4.800	4.100	C35
1	±0.000	4.800	C35
−1	−3.600	3.600	C35

底部加强部位

约束边缘构件范围

结构层楼面标高

结 构 层 高

剪力墙身表

编号	标高	墙厚	排数	水平分布筋	垂直分布筋	拉筋
Q1	11.80~32.10	300	双排	ф12@150	ф12@150	ф8@300
Q2	11.80~32.10	250	双排	ф10@150	ф10@150	ф8@300
Q3	11.80~32.10	200	双排	ф10@200	ф10@200	ф8@400

剪力墙连梁腰筋为剪力墙水平筋

剪力墙说明

1. 剪力墙边缘构件平面整体表示方法及构造详《16G101-1》相关规定。
2. 图中未注明剪力墙墙身偏轴者，均为轴线居中。
3. 墙体水平筋、竖向筋均沿墙通配，层间接头及与边缘构件中钢筋连接等构造做法见《16G101-1》。
4. 边缘构件纵筋搭接范围内箍筋间距不大于100 ，拉筋直径及间距均同箍筋。剪力墙顶部增设一道暗梁宽度同墙宽高度为500mm
5. 剪力墙构造除注明外，其余均按《11G329-1》第33~50页二级剪力墙施工。剪力墙墙柱配筋详见剪力墙墙柱配筋表。
6. 施工墙体时应注意配合建施及设备图，作好孔洞预留及铁件的预埋。未注明洞口定位尺寸见水、暖、电施工图。

×××建筑设计有限公司							
职 责	签 字	专业名称	结 构	建设单位	×××建筑工程有限责任公司		
设 计		11.80~32.10m墙柱平法施工图		项目名称	综 合 楼		
校 核				设计阶段			
专业负责				结施-09			工程号
项目负责							
审 核		比 例	:	日 期	2017.8	共 39 张	第 09 张

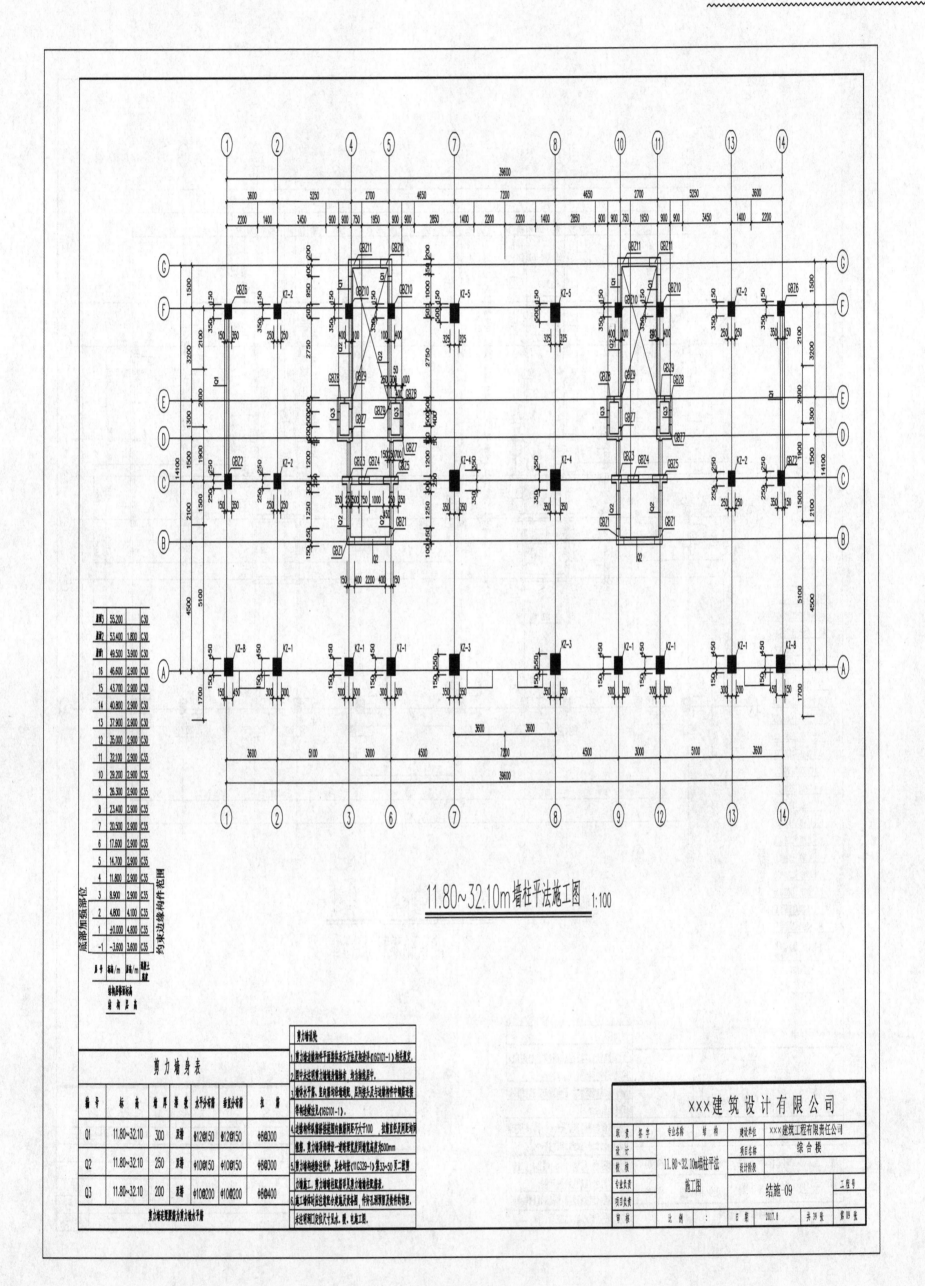

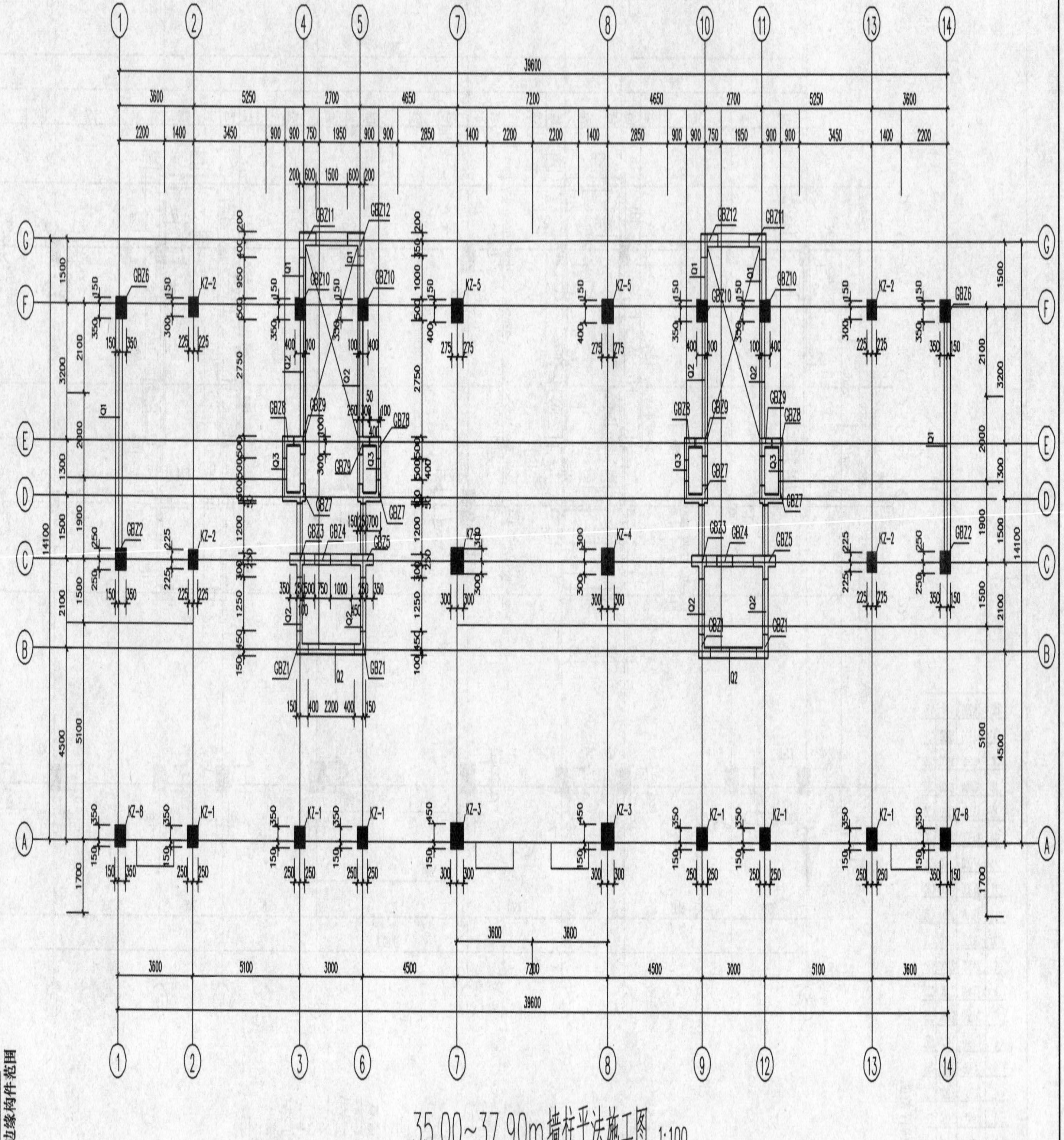

35.00~37.90m墙柱平法施工图 1:100

43.70~46.60m墙柱平法施工图

屋号	标高/m	层高/m	混凝土强度
屋面3	55.200		C30
屋面2	53.400	1.800	C30
屋面1	49.500	3.900	C30
16	46.600	2.900	C30
15	43.700	2.900	C30
14	40.800	2.900	C30
13	37.900	2.900	C30
12	35.000	2.900	C30
11	32.100	2.900	C35
10	29.200	2.900	C35
9	26.300	2.900	C35
8	23.400	2.900	C35
7	20.500	2.900	C35
6	17.600	2.900	C35
5	14.700	2.900	C35
4	11.800	2.900	C35
3	8.900	2.900	C35
2	4.800	4.100	C35
1	±0.000	4.800	C35
-1	-3.600	3.600	C35

底部加强部位

约束边缘构件范围

结构层楼面标高

结构层高

剪力墙身表

编号	标高	墙厚	排数	水平分布筋	垂直分布筋	拉筋
Q1	32.10~46.60	300	双排	Φ12@150	Φ12@150	Φ8@300
Q2	32.10~46.60	250	双排	Φ10@150	Φ10@150	Φ8@300
Q3	32.10~46.60	200	双排	Φ10@200	Φ10@200	Φ8@400

剪力墙连梁腰筋为剪力墙水平筋

剪力墙说明

1. 剪力墙边缘构件平面整体表示方法及构造详《16G101-1》相关规定。
2. 图中未注明剪力墙墙身偏轴者，均为轴线居中。
3. 墙体水平筋、竖向筋均沿墙通配，层间接头及与边缘构件中钢筋连接等构造做法见《16G101-1》。
4. 边缘构件纵筋搭接范围内箍筋间距不大于100，拉筋直径及间距均同箍筋。剪力墙顶部增设一道暗梁宽度同墙宽高度为500mm
5. 剪力墙构造除注明外，其余均按《11G329-1》第33~50页二级剪力墙施工，剪力墙暗柱配筋详见剪力墙墙柱配筋表。
6. 施工墙体时应注意配合建施及设备图，作好孔洞预留及铁件的预埋。未注明洞口定位尺寸见水、暖、电施工图。

xxx建筑设计有限公司							
职责	签字	专业名称	结构	建设单位	xxx建筑工程有限责任公司		
设计		35.00~37.90m墙柱平法施工图 43.70~46.60m墙柱平法施工图		项目名称	综合楼		
校核				设计阶段			
专业负责				结施-10			工程号
项目负责							
审核		比例	:	日期	2017.8	共39张	第10张

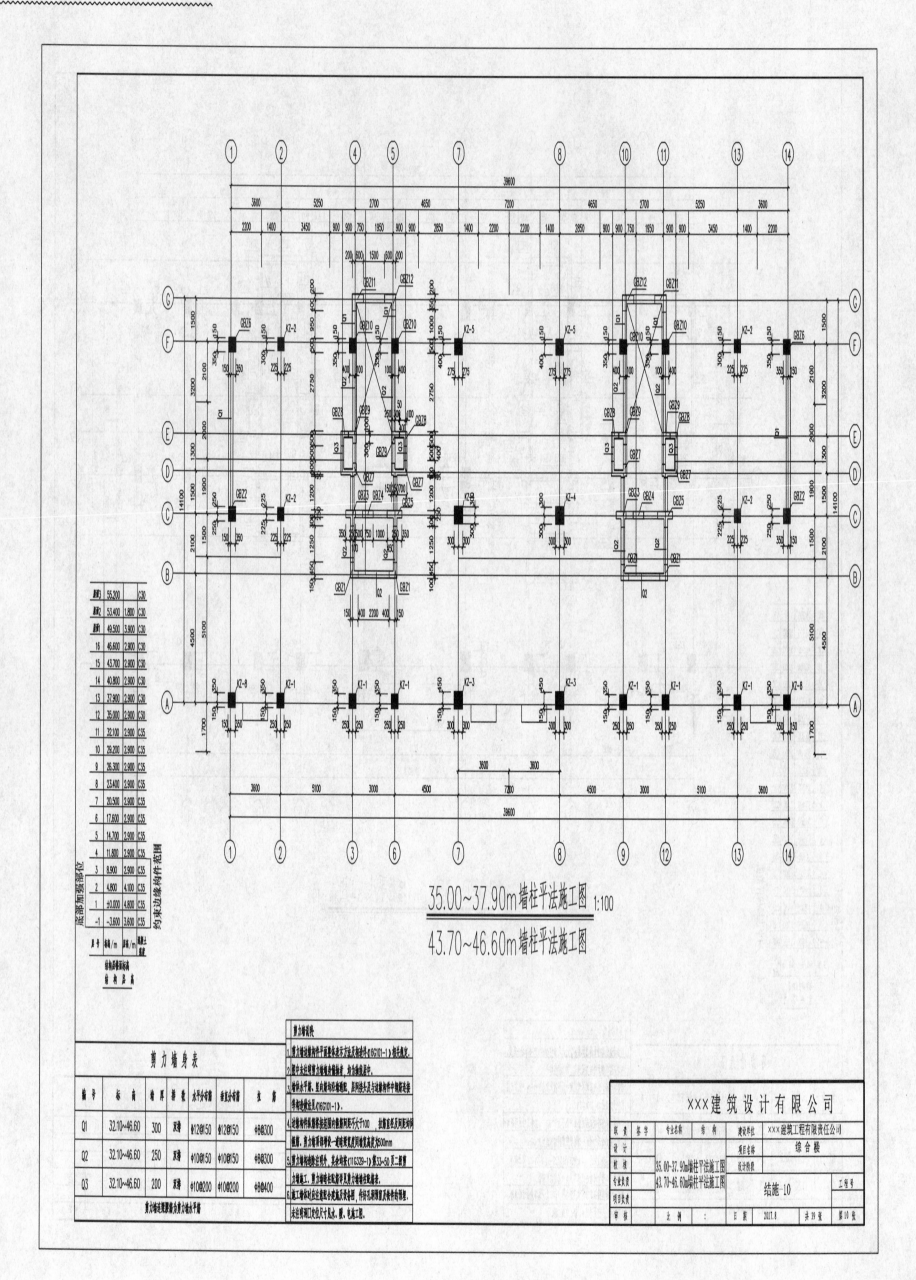

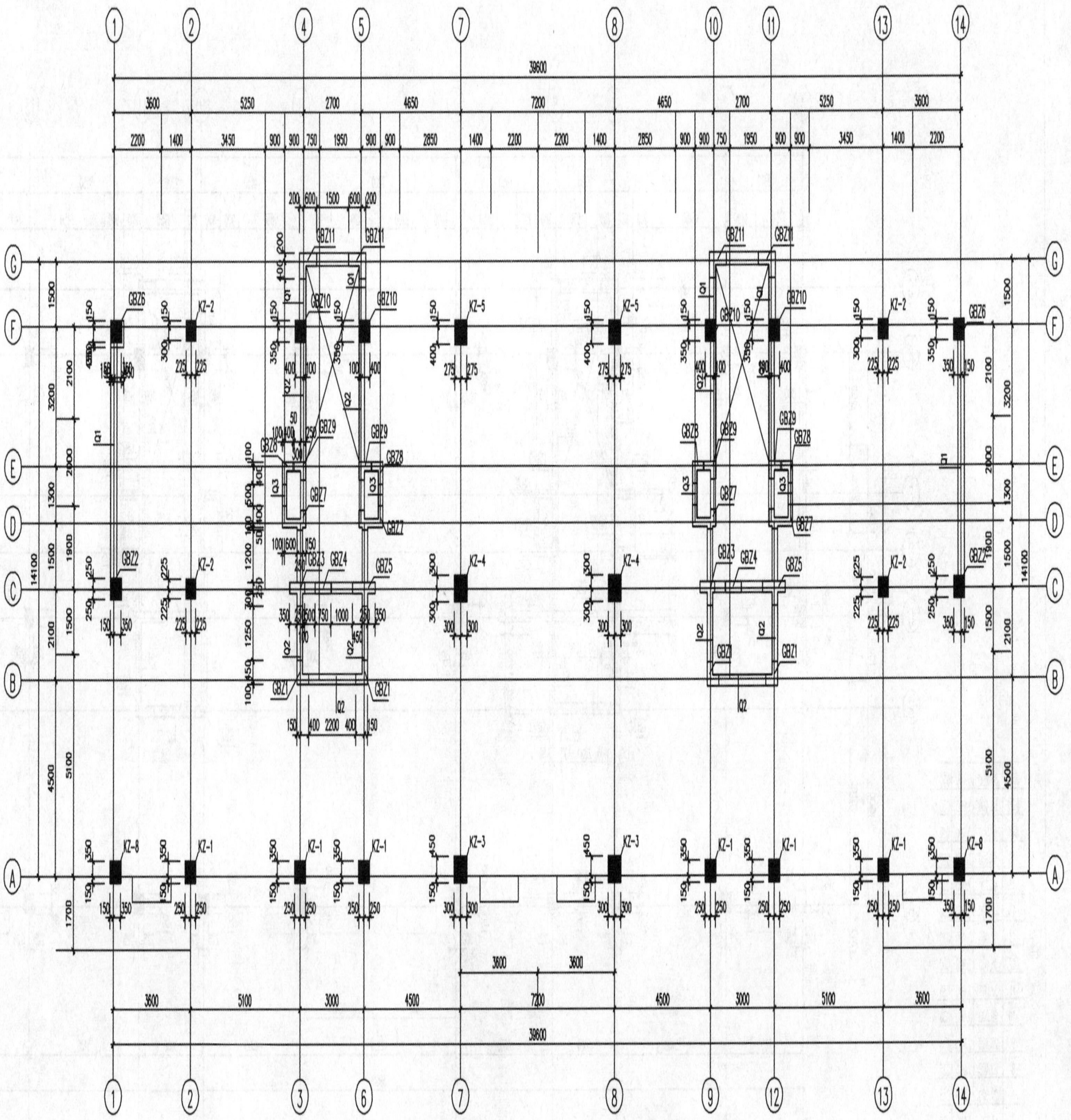

32.10~46.60m墙柱平法施工图 1:100

(不包括35.00~37.90m楼层)

(不包括43.70~46.60m楼层)

层号	标高(m)	层高(m)	混凝土强度
屋面3	55.200		C30
屋面2	53.400	1.800	C30
屋面1	49.500	3.900	C30
16	46.600	2.900	C30
15	43.700	2.900	C30
14	40.800	2.900	C30
13	37.900	2.900	C30
12	35.000	2.900	C30
11	32.100	2.900	C35
10	29.200	2.900	C35
9	26.300	2.900	C35
8	23.400	2.900	C35
7	20.500	2.900	C35
6	17.600	2.900	C35
5	14.700	2.900	C35
4	11.800	2.900	C35
3	8.900	2.900	C35
2	4.800	4.100	C35
1	±0.000	4.800	C35
-1	-3.600	3.600	C35

底部加强部位

约束边缘构件范围

结构层楼面标高

结构层高

剪力墙身表

编号	标高	墙厚	排数	水平分布筋	垂直分布筋	拉筋
Q1	32.10~46.60	300	双排	⌀12@150	⌀12@150	⌀8@300
Q2	32.10~46.60	250	双排	⌀10@150	⌀10@150	⌀8@300
Q3	32.10~46.60	200	双排	⌀10@200	⌀10@200	⌀8@400

剪力墙连梁腰筋为剪力墙水平筋

剪力墙说明

1. 剪力墙边缘构件平面整体表示方法及构造详《16G101-1》相关规定。
2. 图中未注明剪力墙墙身偏轴者，均为轴线居中。
3. 墙体水平筋、竖向筋均沿墙通配，层间接头及与边缘构件中钢筋连接等构造做法见《16G101-1》。
4. 边缘构件纵筋搭接范围内箍筋间距不大于100，拉筋直径及间距均同箍筋。剪力墙顶部增设一道暗梁宽度同墙宽高度为500mm
5. 剪力墙构造除注明外，其余均按《11G329-1》第33~50页二级剪力墙施工，剪力墙暗柱配筋详见剪力墙墙柱配筋表。
6. 施工墙体时应注意配合建施及设备图，作好孔洞预留及铁件的预埋。未注明洞口定位尺寸见水、暖、电施工图。

xxx建筑设计有限公司							
职责	签字	专业名称	结构	建设单位	xxx建筑工程有限责任公司		
设计		32.10~46.60m墙柱平法施工图		项目名称	综合楼		
校核				设计阶段			
专业负责				结施-11			工程号
项目负责							
审核		比例	:	日期	2017.8	共39张	第11张

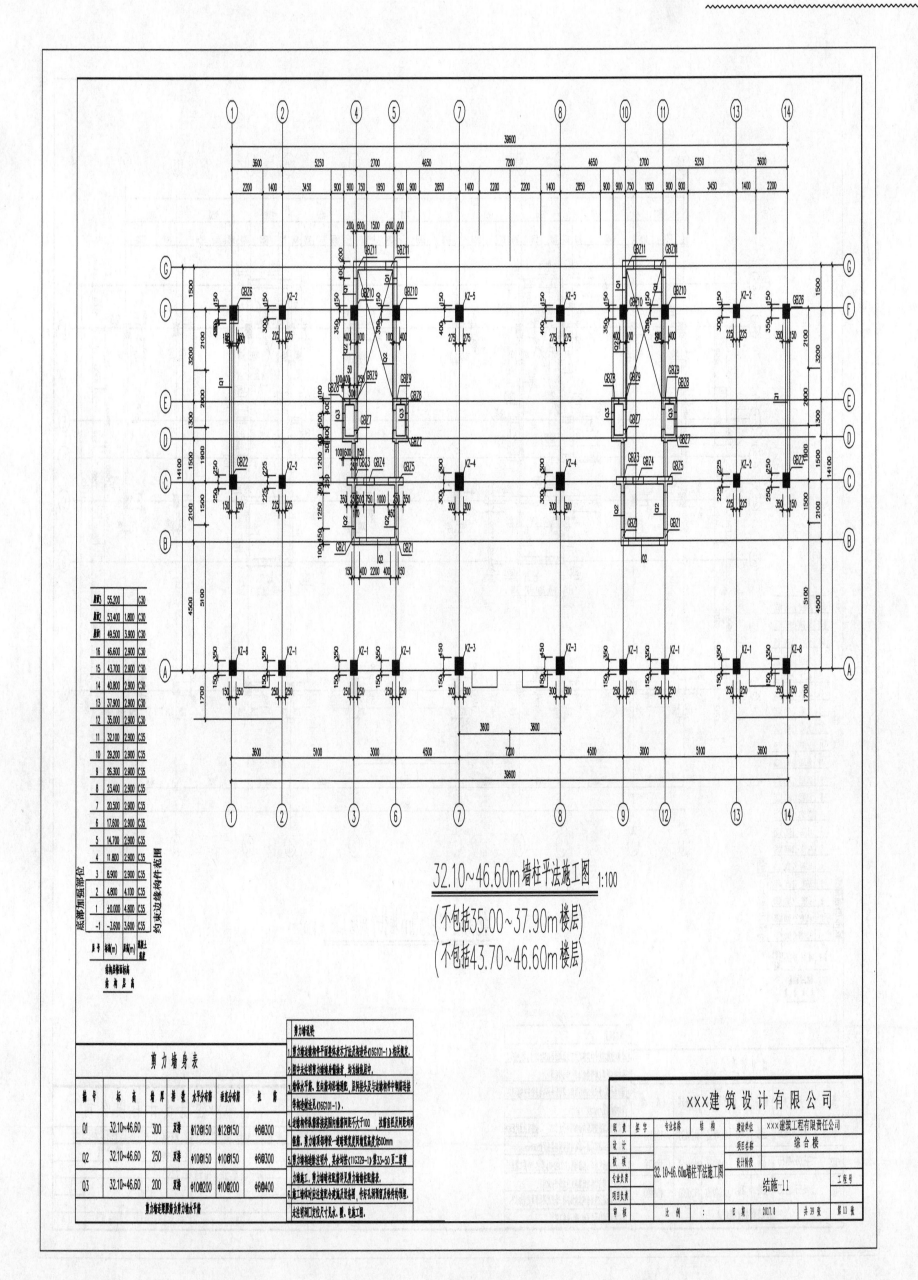

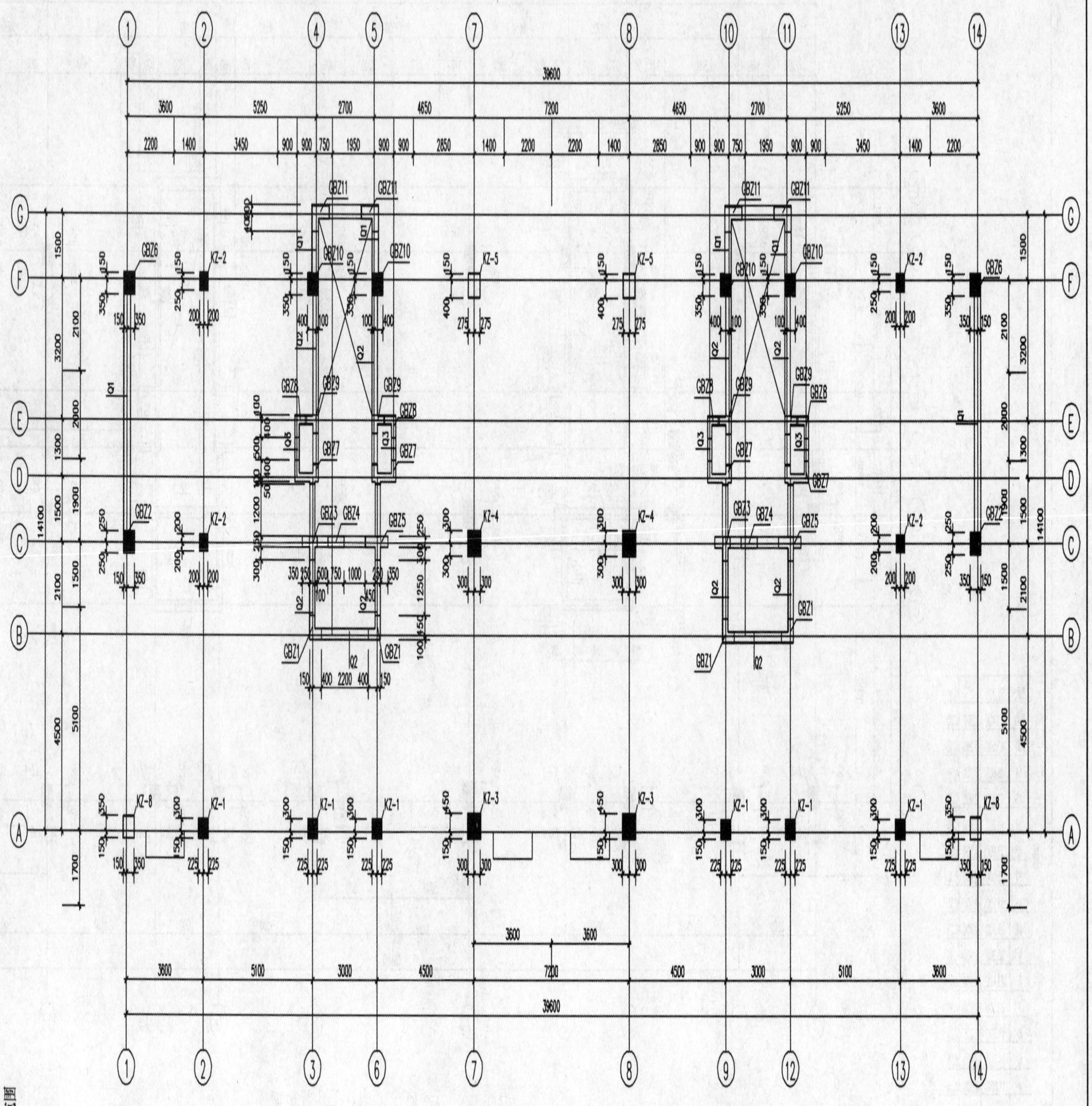

46.60~49.50m墙柱平法施工图 1:100

层号	标高/m	层高/m	混凝土强度
屋面3	55.200		C30
屋面2	53.400	1.800	C30
屋面1	49.500	3.900	C30
16	46.600	2.900	C30
15	43.700	2.900	C30
14	40.800	2.900	C30
13	37.900	2.900	C30
12	35.000	2.900	C30
11	32.100	2.900	C35
10	29.200	2.900	C35
9	26.300	2.900	C35
8	23.400	2.900	C35
7	20.500	2.900	C35
6	17.600	2.900	C35
5	14.700	2.900	C35
4	11.800	2.900	C35
3	8.900	2.900	C35
2	4.800	4.100	C35
1	±0.000	4.800	C35
-1	-3.600	3.600	C35

底部加强部位

约束边缘构件范围

结构层楼面标高

结构层高

剪力墙身表

编号	标高	墙厚	排数	水平分布筋	垂直分布筋	拉筋
Q1	46.60~49.50	300	双排	ф12@150	ф12@150	ф8@300
Q2	46.60~49.50	250	双排	ф10@150	ф10@150	ф8@300
Q3	46.60~49.50	200	双排	ф10@200	ф10@200	ф8@400

剪力墙连梁腰筋为剪力墙水平筋

剪力墙说明

1. 剪力墙边缘构件平面整体表示方法及构造详《16G101-1》相关规定。
2. 图中未注明剪力墙墙身偏轴者，均为轴线居中。
3. 墙体水平筋、竖向筋均沿墙通贮，层间接头及与边缘构件中钢筋连接等构造做法见《16G101-1》。
4. 边缘构件纵筋搭接范围内箍筋间距不大于100，拉筋直径及间距均同箍筋。剪力墙顶部增设一道暗梁宽度同墙宽高度为500mm
5. 剪力墙构造除注明外，其余均按《11G329-1》第33~50页二级剪力墙施工。剪力墙暗柱配筋详见剪力墙墙柱配筋表。
6. 施工墙体时应注意配合建施及设备图，作好孔洞预留及铁件的预埋。未注明洞口定位尺寸见水、暖、电施工图。

xxx建筑设计有限公司							
职责	签字	专业名称	结构	建设单位	xxx建筑工程有限责任公司		
设计		46.60~49.50m墙柱平法施工图		项目名称	综合楼		
校核				设计阶段			
专业负责				结施-12			工程号
项目负责							
审核		比例	:	日期	2017.8	共39张	第12张

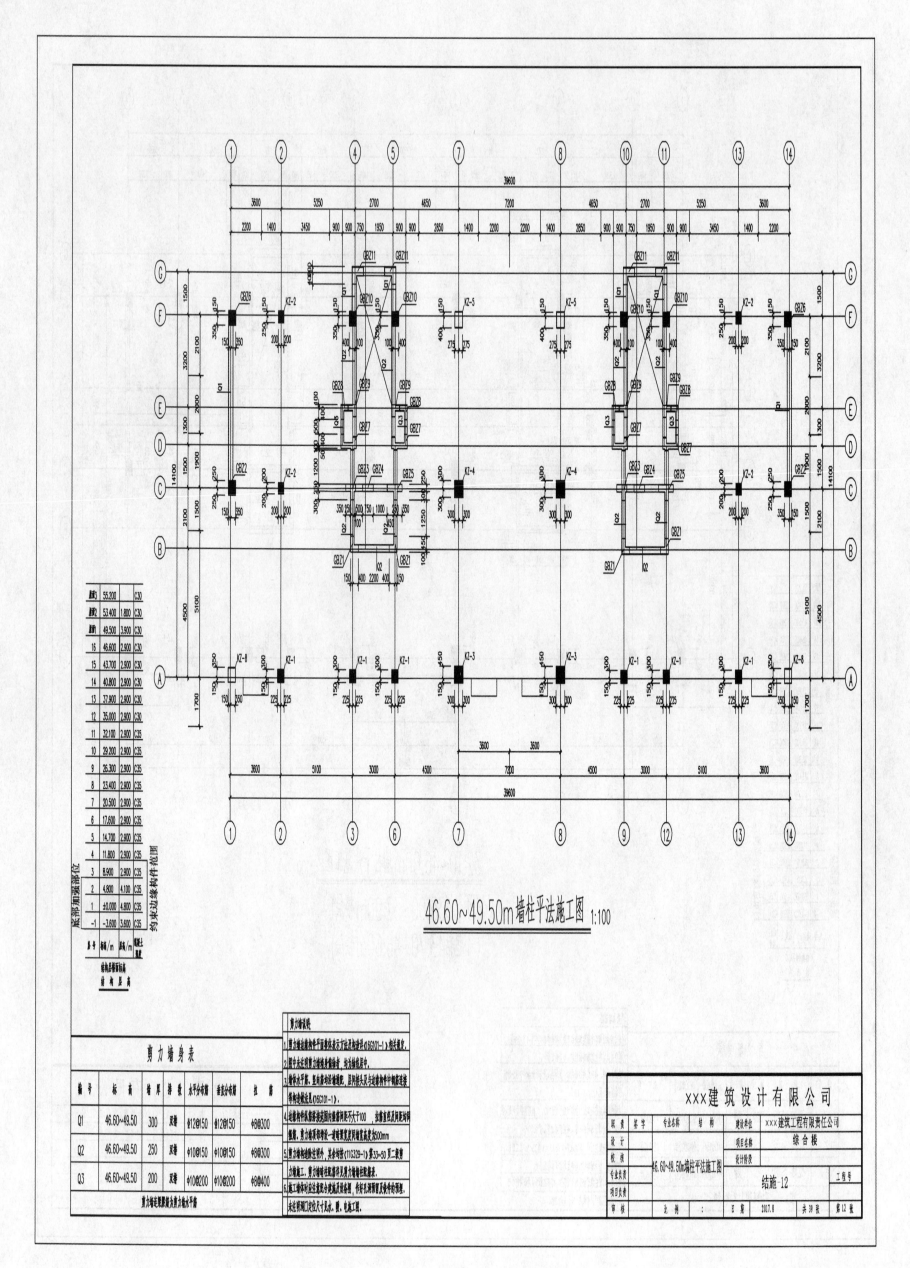

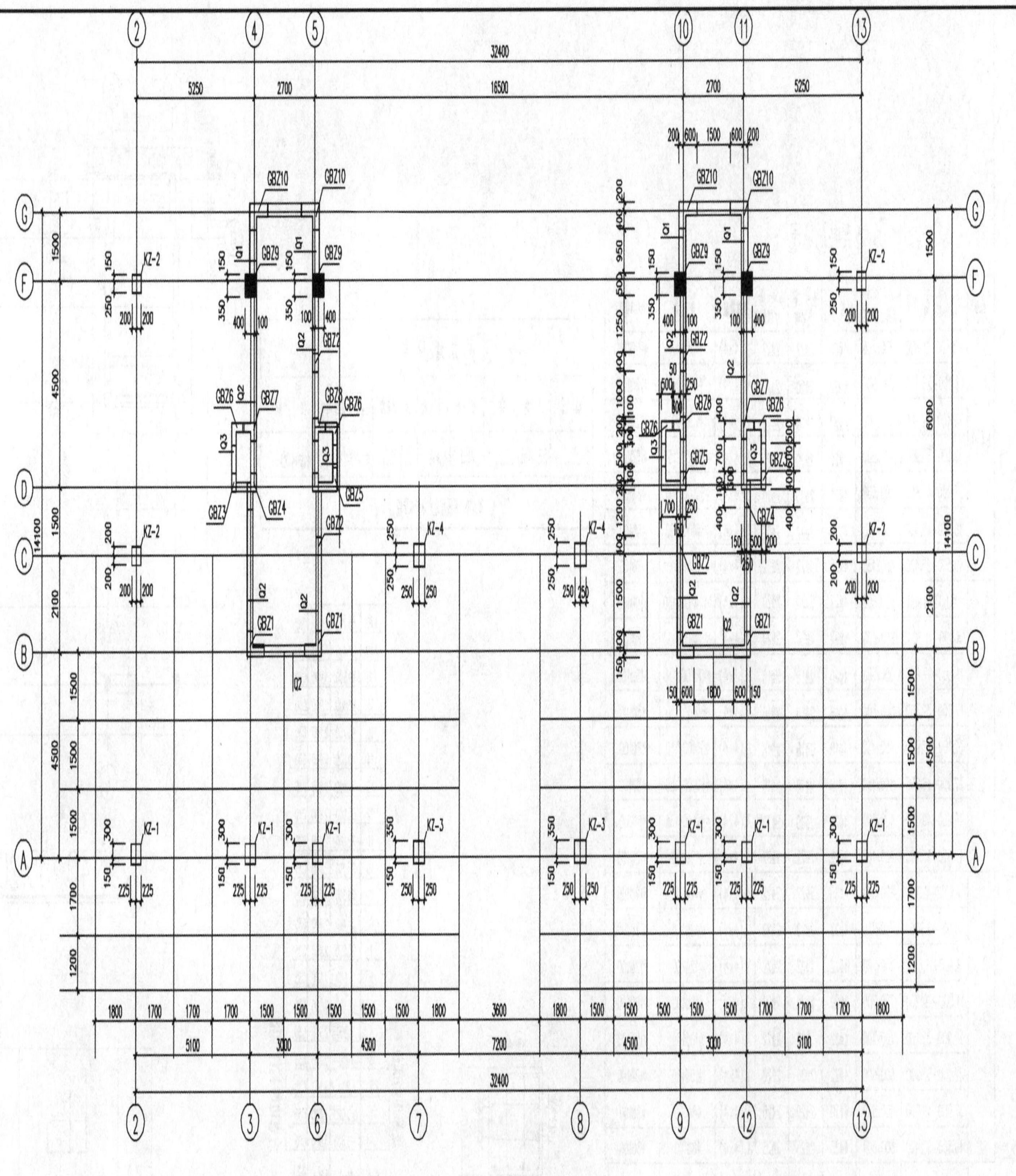

49.50~53.40m墙柱平法施工图 1:100

层号	标高/m	层高/m	混凝土强度
屋面3	55.200		C30
屋面2	53.400	1.800	C30
屋面1	49.500	3.900	C30
16	46.600	2.900	C30
15	43.700	2.900	C30
14	40.800	2.900	C30
13	37.900	2.900	C30
12	35.000	2.900	C30
11	32.100	2.900	C35
10	29.200	2.900	C35
9	26.300	2.900	C35
8	23.400	2.900	C35
7	20.500	2.900	C35
6	17.600	2.900	C35
5	14.700	2.900	C35
4	11.800	2.900	C35
3	8.900	2.900	C35
2	4.800	4.100	C35
1	±0.000	4.800	C35
-1	-3.600	3.600	C35

底部加强部位

约束边缘构件范围

结构层楼面标高
结构层高

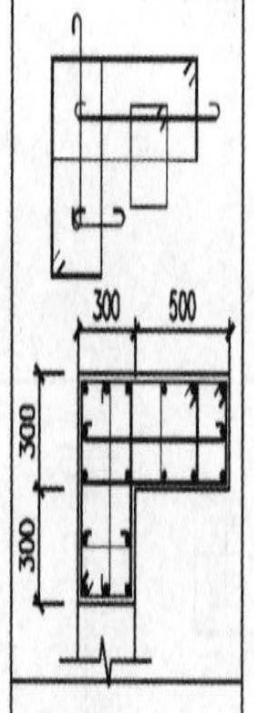

编号	GBZ10
标高	49.500~53.400
纵筋	18⌀14
箍筋	⌀12@200

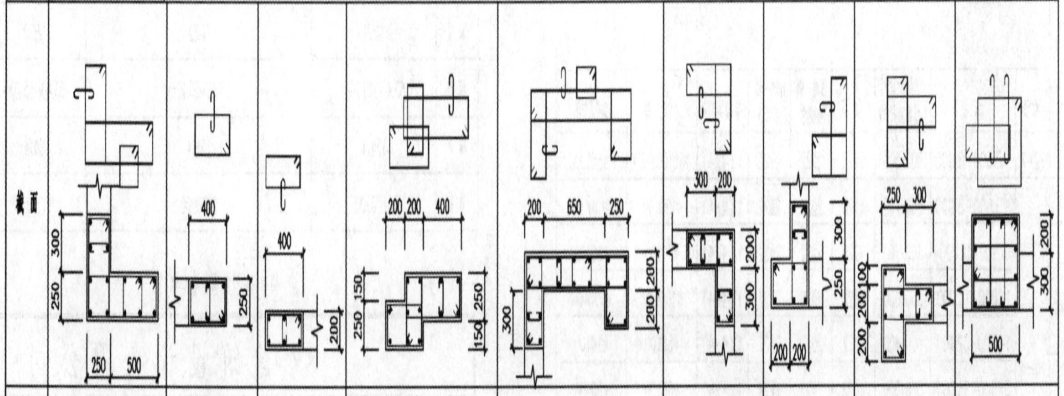

截面									
编号	GBZ1	GBZ2	GBZ3	GBZ4	GBZ5	GBZ6	GBZ7	GBZ8	GBZ9
标高	49.500~53.400	49.500~53.400	49.500~53.400	49.500~53.400	49.500~53.400	49.500~53.400	49.500~53.400	49.500~53.400	49.500~53.400
纵筋	14⌀14	6⌀14	6⌀16	12⌀14	20⌀14	12⌀14	10⌀14	12⌀14	12⌀16
箍筋	⌀12@200	⌀12@200	⌀12@200	⌀12@200	⌀12@200	⌀12@200	⌀12@200	⌀12@200	⌀12@200

剪力墙身表

编号	标高	墙厚	排数	水平分布筋	垂直分布筋	拉筋
Q1	49.50~53.40	300	双排	⌀12@150	⌀12@150	ϕ8@300
Q2	49.50~53.40	250	双排	ϕ10@150	ϕ10@150	ϕ8@300
Q3	49.50~53.40	200	双排	ϕ10@200	ϕ10@200	ϕ8@400
剪力墙连梁腰筋为剪力墙水平筋						

×××建筑设计有限公司

职责	签字	专业名称	结构	建设单位		
设计		49.50~53.40m墙柱平法施工图		项目名称		
校核				设计阶段		
专业负责				结施-13		工程号
项目负责						
审核		比例	:	日期	2017.8	共39张 第13张

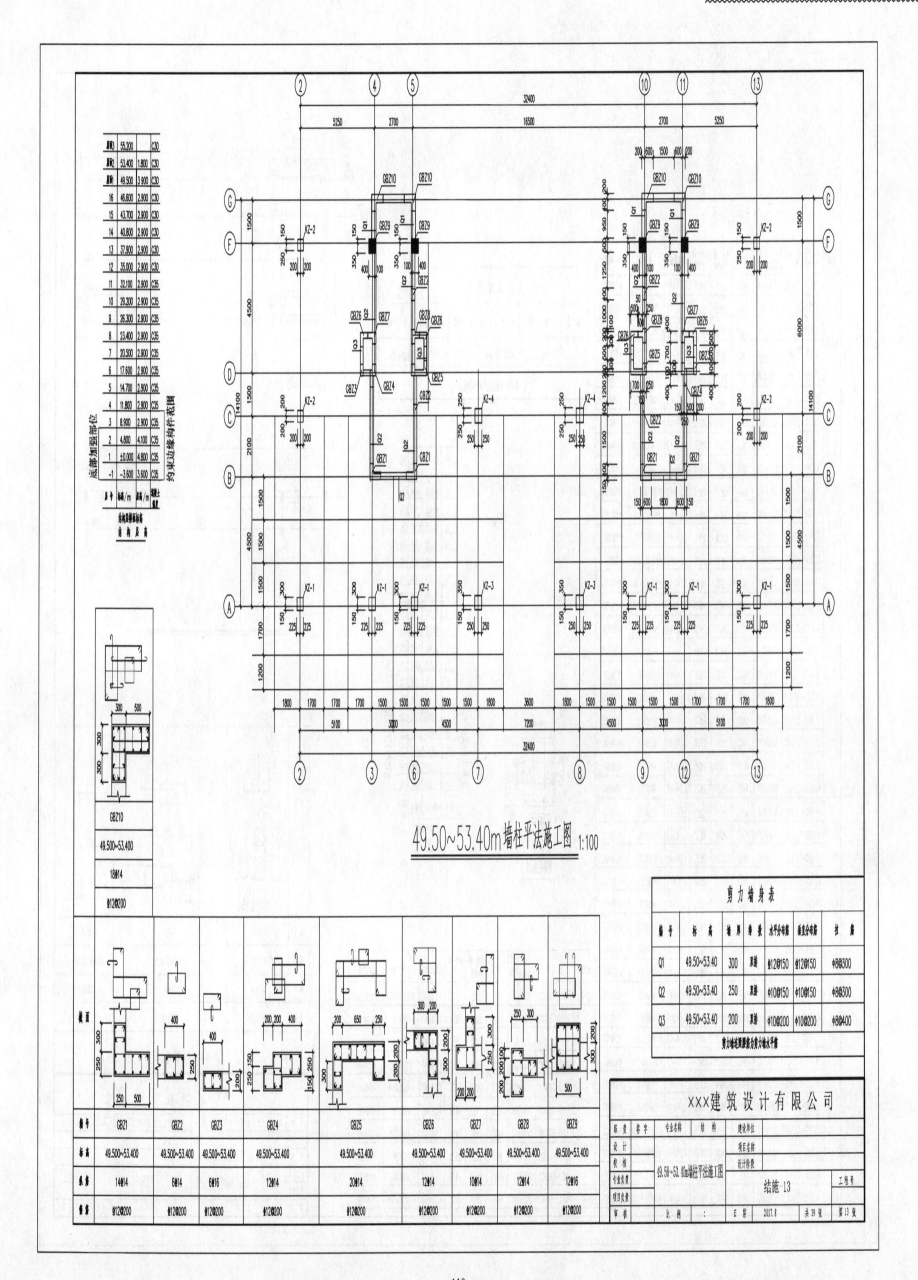

框架柱配筋表

柱号	标高	bxh(bixhi)(圆柱直径D)	角筋	b边一侧中部筋	h边一侧中部筋	箍筋类型号	箍筋	核心区箍筋
KZ-1	-3.600~11.800	700x700	4Φ22	2Φ22	2Φ22	1.(4x4)	Φ10@100	Φ10@100
	11.800~23.400	600x600	4Φ22	2Φ20	2Φ20	1.(4x4)	Φ10@100	Φ12@100
	23.400~32.100	600x600	4Φ22	2Φ20	2Φ20	1.(4x4)	Φ10@100	Φ12@100
	32.100~37.900	500x500	4Φ22	2Φ20	2Φ20	1.(4x4)	Φ10@100/150	Φ10@100
	37.900~46.600	500x500	4Φ22	2Φ20	2Φ20	1.(4x4)	Φ8@100/150	Φ8@100
	46.600~49.500	450x450	4Φ22	2Φ22	2Φ22	1.(4x4)	Φ8@100/150	Φ8@100
	49.500~53.400	450x450	4Φ25	2Φ22	2Φ22	1.(4x4)	Φ8@100	Φ8@100
KZ-2	-3.600~8.900	600x600	4Φ22	2Φ20	2Φ20	1.(4x4)	Φ10@100/150	Φ10@100
	8.900~11.800	600x600	4Φ22	2Φ20	2Φ20	1.(4x4)	Φ10@100/150	Φ8@100
	11.800~17.600	500x500	4Φ20	2Φ18	2Φ18	1.(4x4)	Φ10@100/150	Φ10@100
	17.600~32.100	500x500	4Φ18	2Φ18	2Φ18	1.(4x4)	Φ8@100/150	Φ8@100
	32.100~37.900	450x450	4Φ18	2Φ18	2Φ18	1.(4x4)	Φ8@100/150	Φ8@100
	37.900~46.600	450x450	4Φ18	2Φ18	2Φ18	1.(4x4)	Φ8@100/150	Φ8@100
	46.600~49.500	400x400	4Φ20	2Φ20	2Φ20	1.(4x4)	Φ8@100/150	Φ8@100
	49.500~53.400	400x400	4Φ22	2Φ22	2Φ22	1.(4x4)	Φ10@100	Φ10@100
KZ-3	-3.600~0.000	800x800	4Φ25	2Φ22	2Φ22	1.(4x4)	Φ12@100	Φ12@100
	0.000~8.900	750x750	4Φ22	2Φ22	2Φ22	1.(4x4)	Φ12@100	Φ12@100
	8.900~11.800	700x700	4Φ22	2Φ22	2Φ22	1.(4x4)	Φ12@100	Φ12@100
	11.800~29.200	700x700	4Φ22	2Φ22	2Φ22	1.(4x4)	Φ10@100	Φ10@100
	29.200~32.100	700x700	4Φ22	2Φ22	2Φ22	1.(4x4)	Φ10@100	Φ10@100
	32.100~37.900	600x600	4Φ22	2Φ20	2Φ20	1.(4x4)	Φ10@100	Φ10@100
	37.900~49.500	600x600	4Φ20	2Φ20	2Φ20	1.(4x4)	Φ8@100	Φ8@100
	49.500~53.400	500x500	4Φ25	2Φ25	2Φ25	1.(4x4)	Φ8@100	Φ8@100
KZ-4	-3.600~4.800	800x800	4Φ25	2Φ25	2Φ25	1.(4x4)	Φ12@100	Φ12@100
	4.800~11.800	750x750	4Φ22	2Φ22	2Φ22	1.(4x4)	Φ12@100	Φ12@100
	11.800~14.700	700x700	4Φ22	2Φ22	2Φ22	1.(4x4)	Φ12@100	Φ12@100
	14.700~29.200	700x700	4Φ22	2Φ22	2Φ22	1.(4x4)	Φ10@100	Φ12@100
	29.200~32.100	700x700	4Φ22	2Φ22	2Φ22	1.(4x4)	Φ8@100	Φ12@100
	32.100~37.900	600x600	4Φ22	2Φ22	2Φ22	1.(4x4)	Φ10@100	Φ12@100
	37.900~43.700	600x600	4Φ22	2Φ22	2Φ22	1.(4x4)	Φ8@100	Φ12@100
	43.700~46.600	600x600	4Φ22	2Φ22	2Φ22	1.(4x4)	Φ8@100	Φ12@100
	46.600~49.500	600x600	4Φ25	2Φ25	2Φ25	1.(4x4)	Φ8@100	Φ12@100
	49.500~53.400	500x500	4Φ25	2Φ25	2Φ25	1.(4x4)	Φ8@100	Φ8@100
KZ-5	-3.600~4.800	750x750	4Φ25	2Φ22	2Φ22	1.(4x4)	Φ12@100/150	Φ12@100
	4.800~8.900	700x700	4Φ22	2Φ22	2Φ22	1.(4x4)	Φ10@100/150	Φ10@100
	8.900~23.400	650x650	4Φ22	2Φ20	2Φ20	1.(4x4)	Φ10@100	Φ10@100
	23.400~32.100	650x650	4Φ22	2Φ20	2Φ20	1.(4x4)	Φ10@100	Φ10@100
	32.100~35.000	550x550	4Φ20	2Φ20	2Φ20	1.(4x4)	Φ10@100/150	Φ10@100
	35.000~46.600	550x550	4Φ20	2Φ20	2Φ20	1.(4x4)	Φ8@100/150	Φ10@100
	46.600~49.500	550x550	4Φ25	2Φ25	2Φ25	1.(4x4)	Φ8@100/150	Φ8@100
KZ-6	-3.600~8.900	500x500	4Φ22	2Φ22	2Φ22	1.(4x4)	Φ8@100/150	Φ8@100

柱号	标高	bxh(bixhi)(圆柱直径D)	角筋	b边一侧中部筋	h边一侧中部筋	箍筋类型号	箍筋	核心区箍筋
KZ-7	-3.600~8.900	500x500	4Φ22	2Φ22	2Φ22	1.(4x4)	Φ8@100/150	Φ8@100
KZ-8	-3.600~8.900	700x700	4Φ25	2Φ22	2Φ22	1.(4x4)	Φ10@100	Φ10@100
	8.900~11.800	700x700	4Φ25	2Φ22	2Φ22	1.(4x4)	Φ8@100	Φ8@100
	11.800~14.700	600x600	4Φ22	2Φ22	2Φ22	1.(4x4)	Φ10@100	Φ10@100
	14.700~32.100	600x600	4Φ22	2Φ22	2Φ22	1.(4x4)	Φ8@100	Φ8@100
	32.100~35.000	500x500	4Φ22	2Φ22	2Φ22	1.(4x4)	Φ8@100	Φ8@100
	35.000~37.900	500x500	4Φ22	2Φ22	2Φ22	1.(4x4)	Φ8@100	Φ8@100
	37.900~46.600	500x500	4Φ22	2Φ22	2Φ22	1.(4x4)	Φ8@100	Φ8@100
	46.600~49.500	500x500	4Φ25	2Φ25	2Φ25	1.(4x4)	Φ8@100	Φ8@100
KZ-9	-3.600~ -0.450	500x500	4Φ20	2Φ20	2Φ20	1.(4x4)	Φ8@100/150	Φ8@100

剪力墙身表

编号	标高	墙厚	排数	水平分布筋	垂直分布筋	拉筋
Q1	53.400~55.200	250	双排	Φ12@200	Φ12@200	Φ8@400
剪力墙连梁腰筋为剪力墙水平筋						

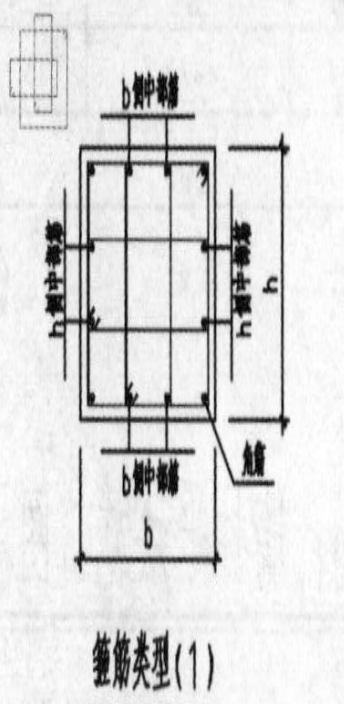

箍筋类型(1)

(4x4)

层号	标高(m)	层高(m)	混凝土强度
屋面3	55.200		C30
屋面2	53.400	1.800	C30
屋面1	49.500	3.900	C30
16	46.600	2.900	C30
15	43.700	2.900	C30
14	40.800	2.900	C30
13	37.900	2.900	C30
12	35.000	2.900	C30
11	32.100	2.900	C35
10	29.200	2.900	C35
9	26.300	2.900	C35
8	23.400	2.900	C35
7	20.500	2.900	C35
6	17.600	2.900	C35
5	14.700	2.900	C35
4	11.800	2.900	C35
3	8.900	2.900	C35
2	4.800	4.100	C35
1	±0.000	4.800	C35
-1	-3.600	3.600	C35

底部加强部位

约束边缘构件范围

结构层楼面标高
结构层高

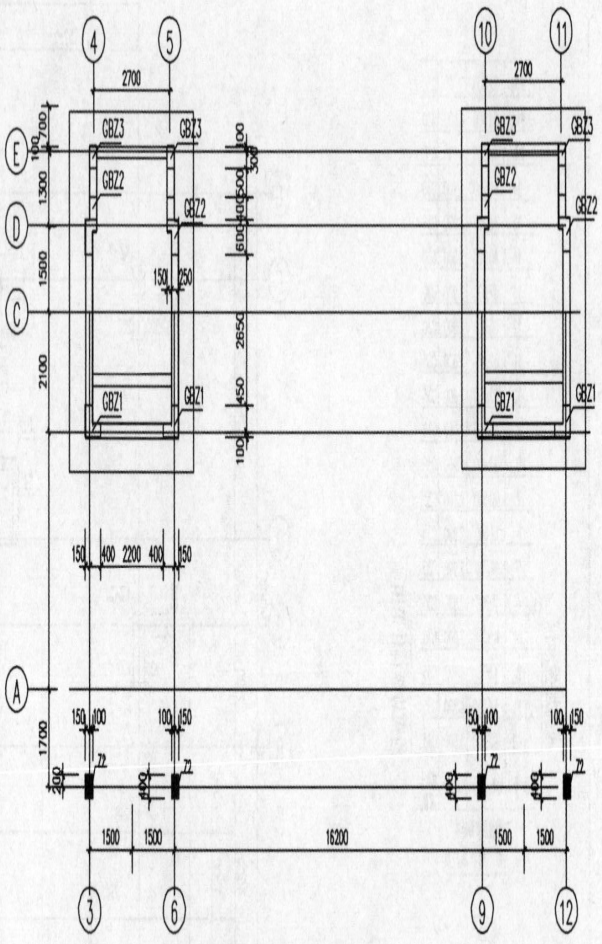

53.40~55.20m墙柱平法施工图 1:100

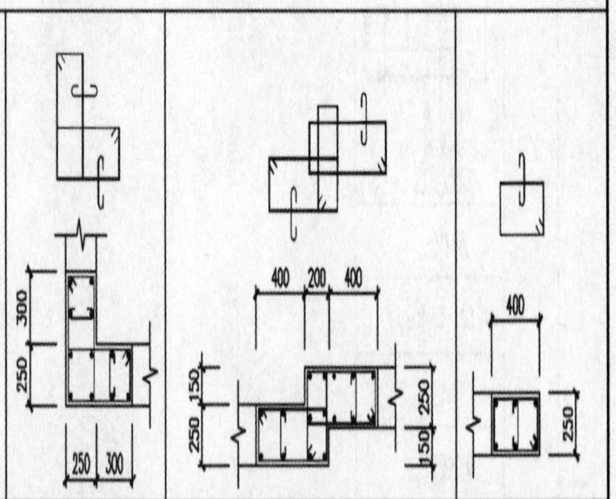

截面			
编号	GBZ1	GBZ2	GBZ3
标高	53.40~55.20m	53.40~55.20m	53.40~55.20m
纵筋	12Φ14	20Φ14	6Φ14
箍筋	Φ12@200	Φ12@200	Φ12@200

注：图中未标注的剪力墙均为Q1。

XXX建筑设计有限公司							
职责	签字	专业名称	结构	建设单位	XXX建筑工程有限责任公司		
设计		框架柱配筋图 53.40~55.20m墙柱平法施工图		项目名称			
校核				设计阶段			
专业负责				结施-14			工程号
项目负责							
审核		比例	:	日期	2017.8	共39张	第14张

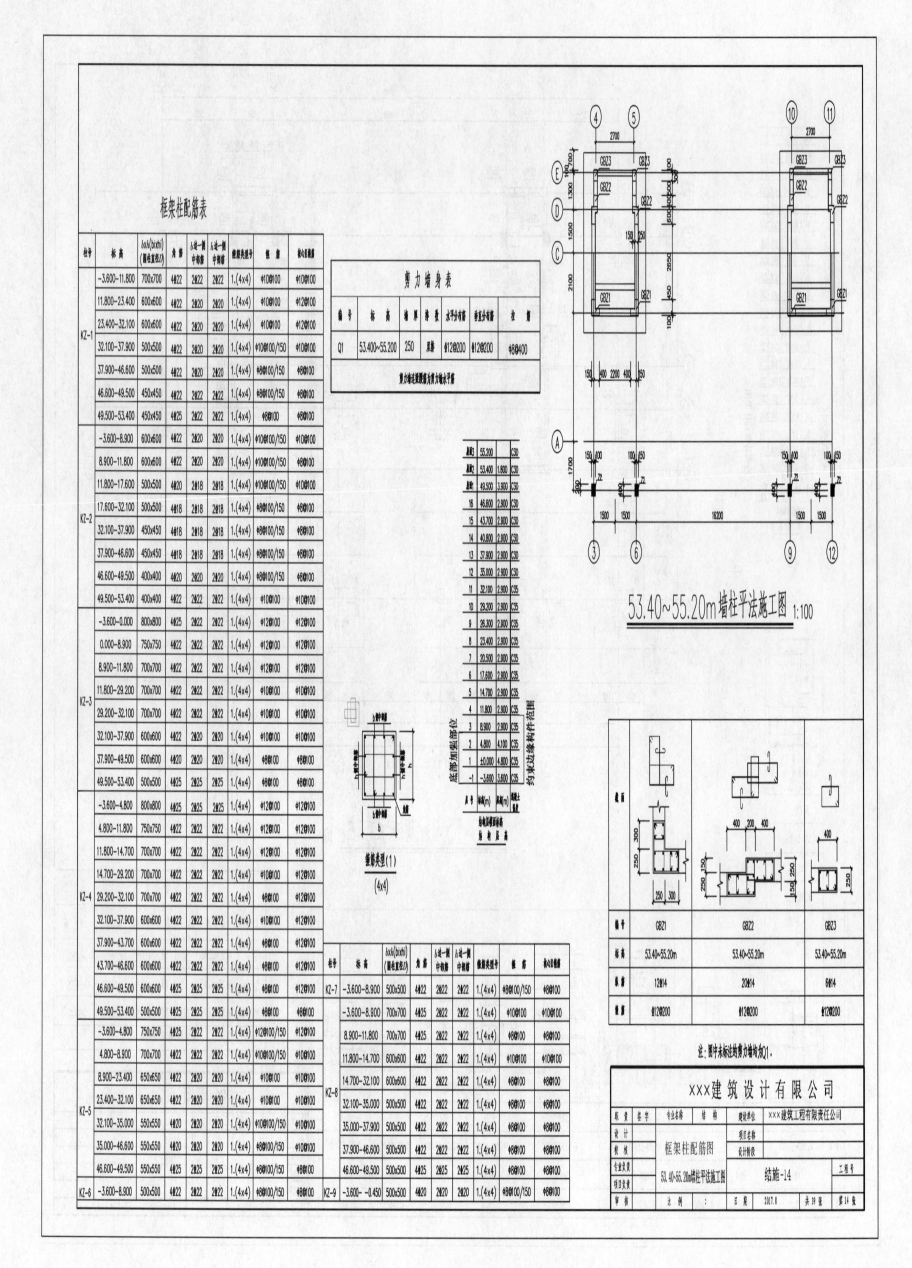

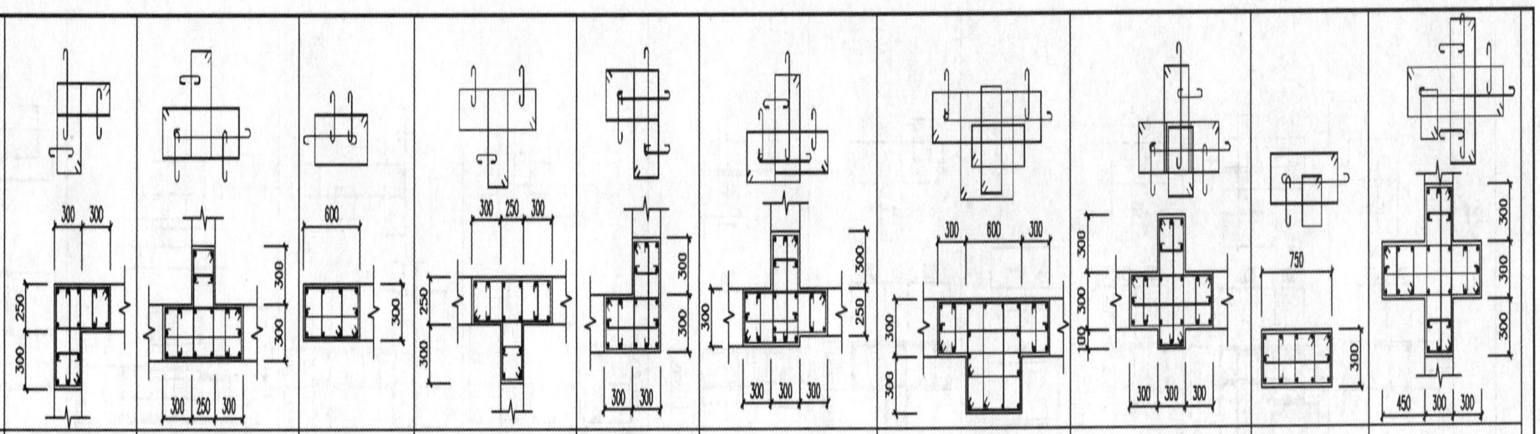

截面									
编号	YBZ1	YBZ2	YBZ3	YBZ4	YBZ5	YBZ6	YBZ7	YBZ8	YBZ9	YBZ10
标高	-3.600~0.000	-3.600~0.000 (-3.600~-0.450)	-3.600~0.000	-3.600~0.000	-3.600~0.000 (-3.600~-0.450)	-3.600~0.000	-3.600~0.000	-3.600~0.000	-3.600~0.000	-3.600~0.000
纵筋	14Φ16	18Φ16	10Φ16	16Φ16	16Φ20	21Φ16	24Φ20	22Φ16	12Φ18	26Φ16
箍筋	Φ12@150	Φ12@150	Φ12@150	Φ12@150	Φ12@150	Φ12@150	Φ12@150	Φ12@150	Φ12@150	Φ12@150

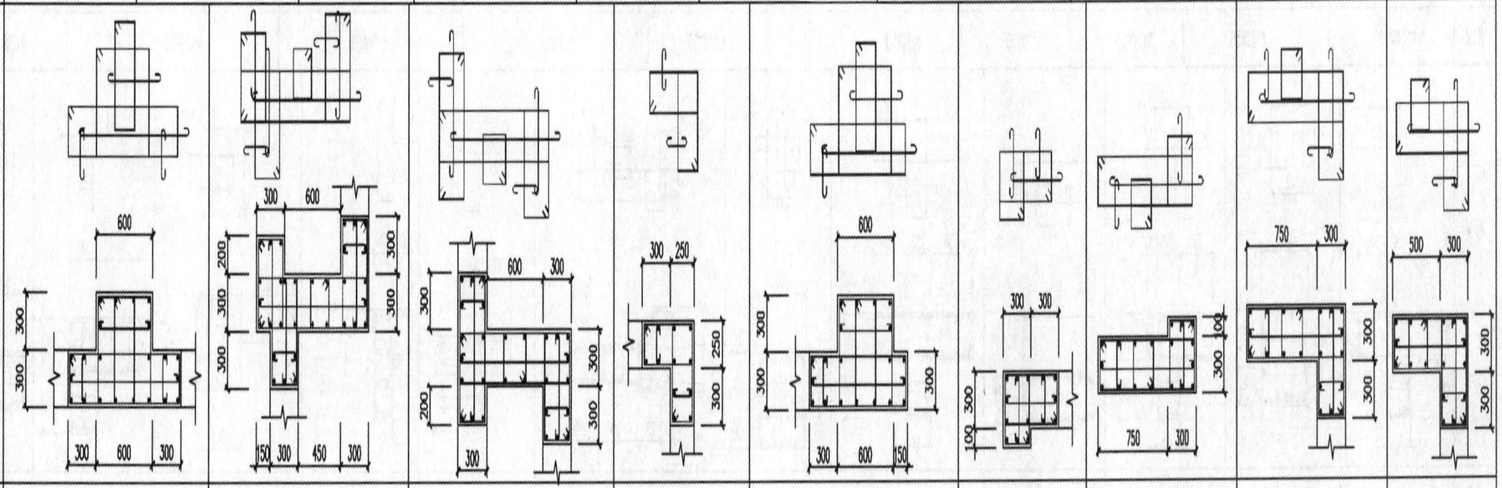

截面									
编号	YBZ11	YBZ12	YBZ13	YBZ14	YBZ15	YBZ16	YBZ17	YBZ18	YBZ13
标高	-3.600~0.000	-3.600~0.000	-3.600~0.000	-3.600~0.000	-3.600~0.000	-3.600~0.000 (-3.600~-0.450)	-3.600~0.000 (-3.600~-0.450)	-3.600~0.000 (-3.600~-0.450)	0.000~8.900
纵筋	22Φ18	32Φ16	28Φ16	12Φ16	20Φ20	14Φ22	18Φ22	20Φ22	18Φ25
箍筋	Φ12@150	Φ12@150	Φ12@150	Φ12@150	Φ12@150	Φ12@150	Φ12@150	Φ12@150	Φ14@150

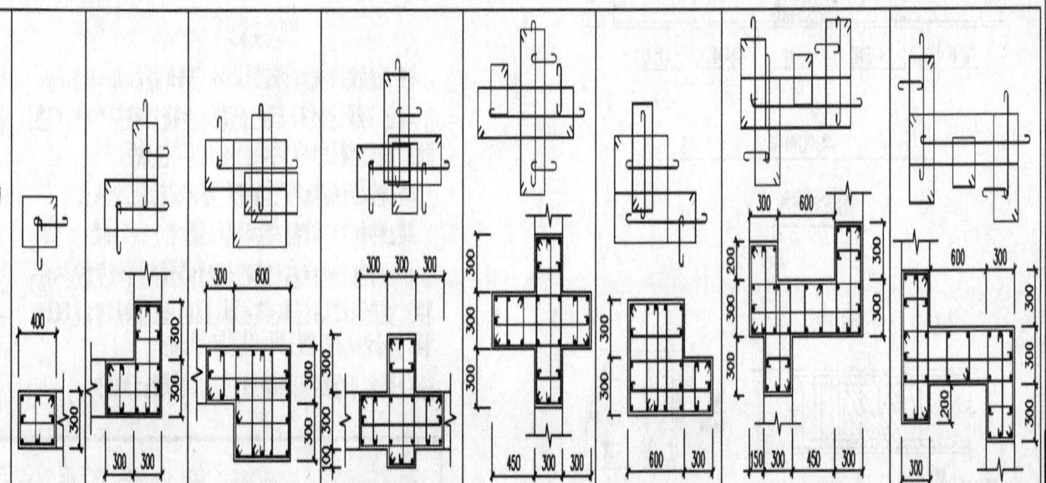

截面								
编号	YBZ1	YBZ3	YBZ4	YBZ5	YBZ7	YBZ8	YBZ9	YBZ11
标高	0.000~8.900	0.000~8.900	0.000~8.900	0.000~8.900	0.000~8.900	0.000~8.900	0.000~8.900	0.000~8.900
纵筋	8Φ18	16Φ25	22Φ22	22Φ16	26Φ16	21Φ20	32Φ16	28Φ16
箍筋	Φ12@150	Φ14@150	Φ12@150	Φ12@150	Φ12@150	Φ12@150	Φ12@150	Φ12@150

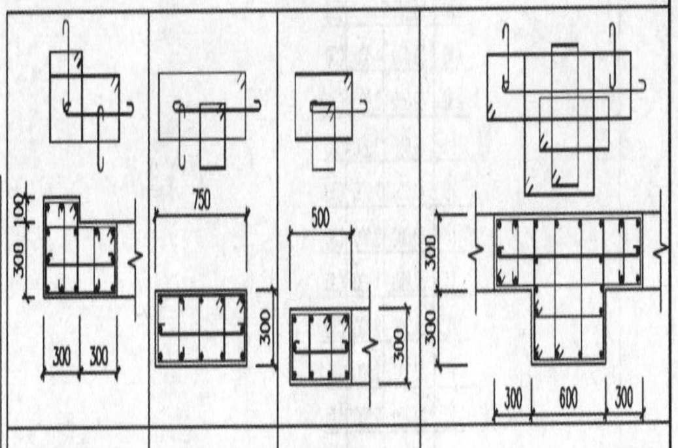

YBZ2	YBZ6	YBZ10	YBZ12
0.000~8.900	0.000~8.900	0.000~4.800	0.000~8.900
14Φ25	12Φ18	10Φ16	24Φ22
Φ14@150	Φ12@150	Φ12@150	Φ12@150

XXX建筑设计有限公司

职 责	签 字			建设单位	XXX建筑工程有限责任公司	
设 计		墙柱配筋图1		项目名称		
校 核				设计阶段		
专业负责				结施-15		工程号
项目负责						
审 核		比 例	:	日 期	2017.8	共 39 张	第 15 张

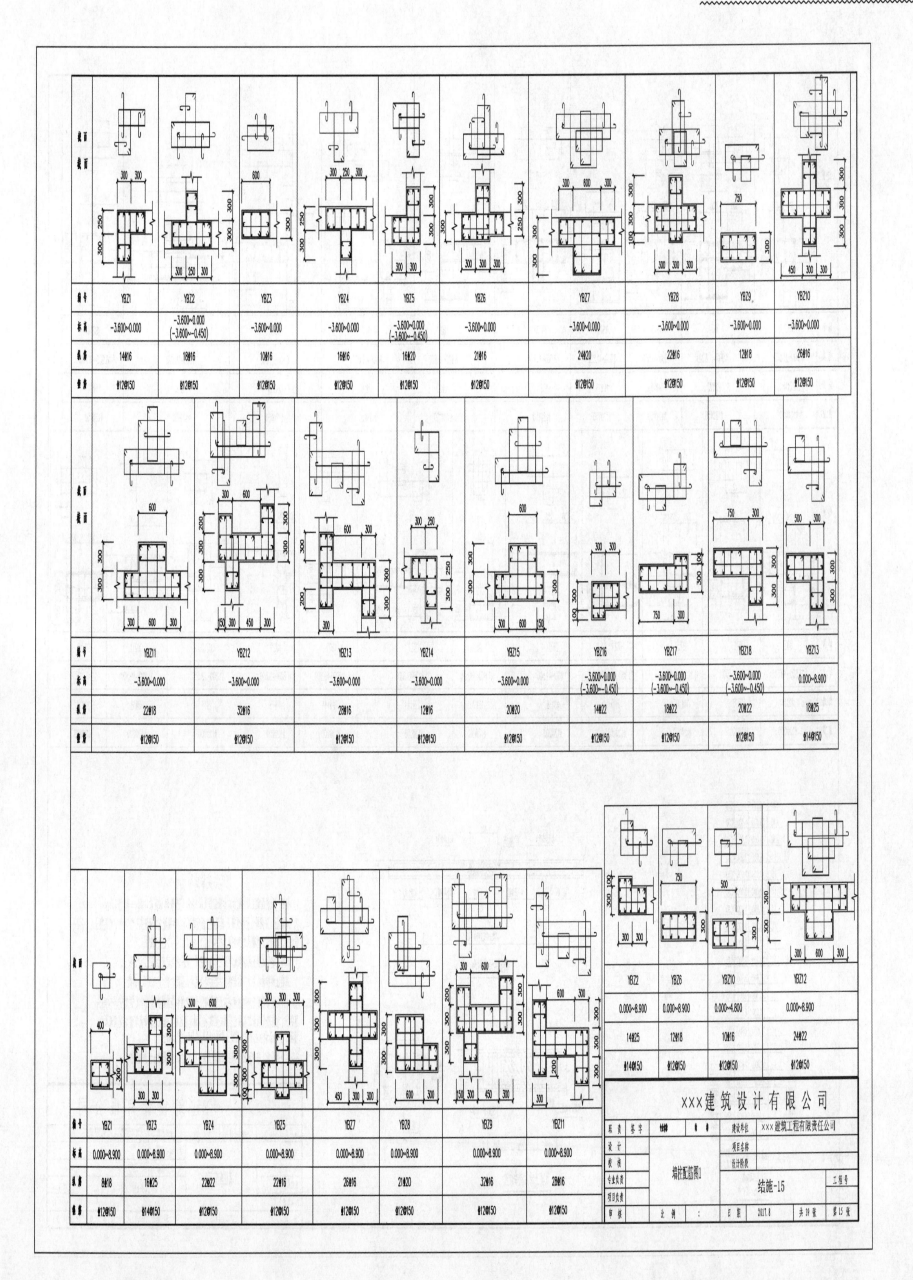

截面

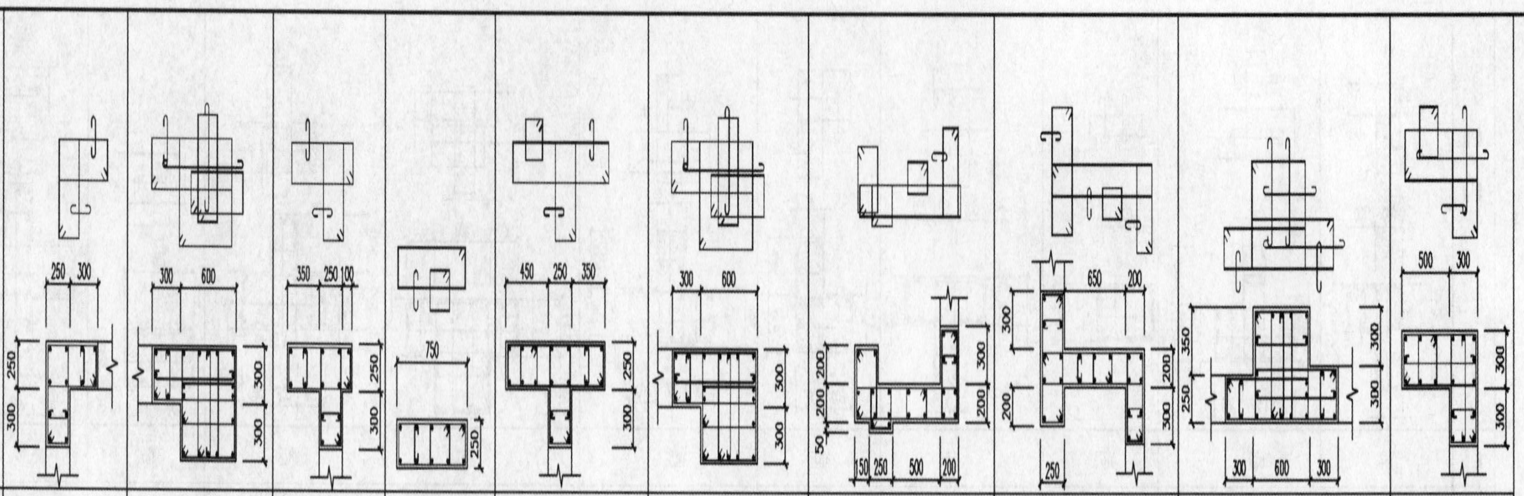

截面	(见上图)									
编号	YBZ1	YBZ2	YBZ3	YBZ4	YBZ5	YBZ6	YBZ7	YBZ8	YBZ9	YBZ10
标高	8.900~11.800	8.900~11.800	8.900~11.800	8.900~11.800	8.900~11.800	8.900~11.800	8.900~11.800	8.900~11.800	8.900~11.800	8.900~11.800
纵筋	12Φ16	22Φ22	14Φ18	10Φ18	18Φ16	22Φ22	22Φ16	24Φ16	25Φ20	18Φ20
箍筋	Φ12@150	Φ12@150	Φ12@150	Φ12@150	Φ12@150	Φ12@150	Φ12@150	Φ12@150	Φ12@150	Φ12@150

截面

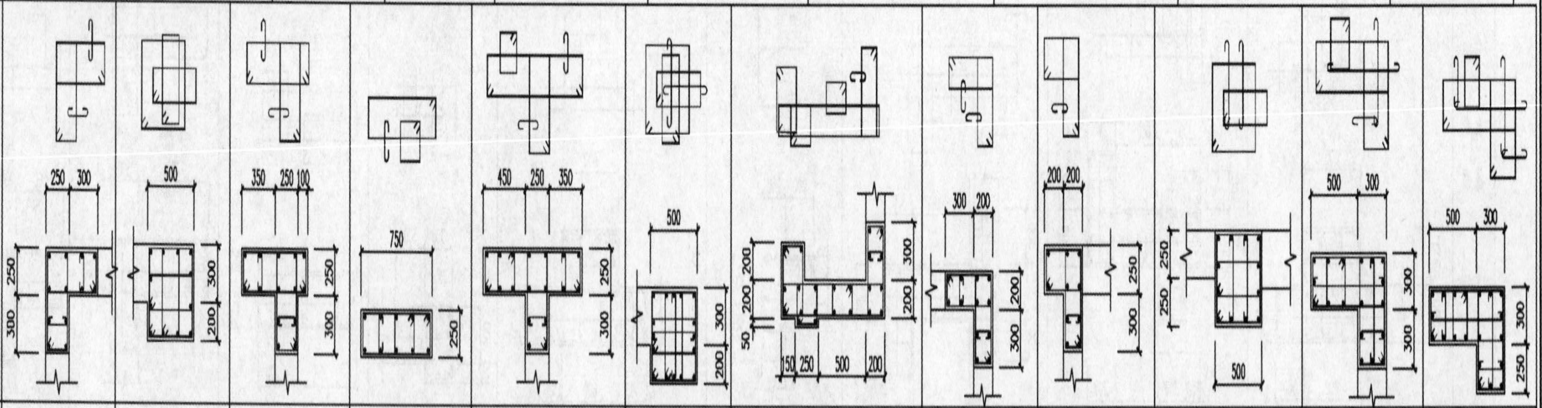

截面	(见上图)											
编号	GBZ1	GBZ2	GBZ3	GBZ4	GBZ5	GBZ6	GBZ7	GBZ8	GBZ9	GBZ10	GBZ11	GBZ12
标高	11.800~49.500	11.800~49.500	11.800~49.500	11.800~49.500	11.800~49.500	11.800~49.500	11.800~49.500	11.800~49.500	11.800~49.500	11.800~49.500	11.800~49.500	36.45~39.35 45.15~48.05
纵筋	12Φ16	12Φ16	14Φ20	10Φ16	18Φ18	16Φ20	22Φ14	12Φ14	10Φ14	12Φ16	18Φ18	20Φ14
箍筋	Φ12@200	Φ12@200	Φ12@200	Φ12@200	Φ12@200	Φ12@200	Φ12@200	Φ12@200	Φ12@200	Φ12@200	Φ12@200	Φ12@200

层号	标高/m	层高/m	混凝土强度
屋面3	55.200		C30
屋面2	53.400	1.800	C30
屋面1	49.500	3.900	C30
16	46.600	2.900	C30
15	43.700	2.900	C30
14	40.800	2.900	C30
13	37.900	2.900	C30
12	35.000	2.900	C30
11	32.100	2.900	C35
10	29.200	2.900	C35
9	26.300	2.900	C35
8	23.400	2.900	C35
7	20.500	2.900	C35
6	17.600	2.900	C35
5	14.700	2.900	C35
4	11.800	2.900	C35
3	8.900	2.900	C35
2	4.800	4.100	C35
1	±0.000	4.800	C35
−1	−3.600	3.600	C35

底部加强部位

约束边缘构件范围

结构层楼面标高

结构层高

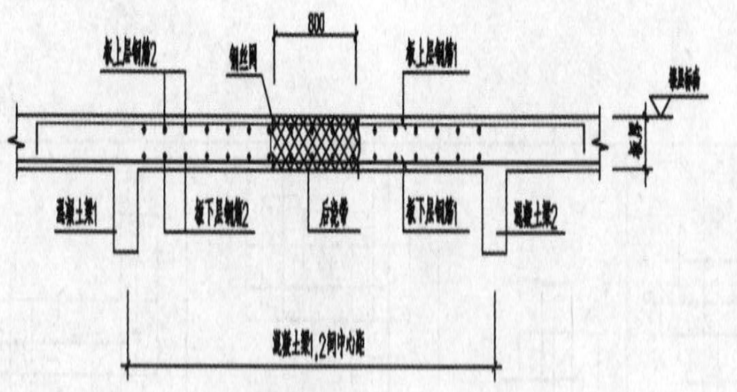

楼板后浇带做法

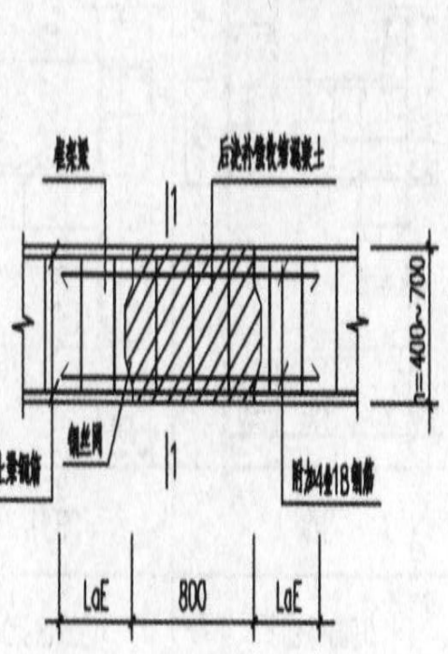

混凝土梁后浇带做法

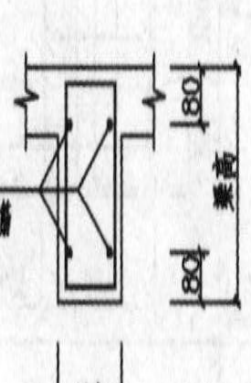

1-1

施工后浇带说明

1. 钢筋：现浇混凝土梁内附加的加强钢筋采用HRB335级钢，强度设计值fy=300N/mm²。
2. 混凝土：采用补偿收缩混凝土，其混凝土强度等级比构件混凝土等级提高一级，补偿收缩混凝土做法须严格按照《混凝土外加剂应用技术规范》GB50119—2003执行。
3. 沉降后浇带混凝土的浇筑时间从主体施工完毕，沉降观测稳定后进行后浇混凝土。
4. 混凝土梁和楼板后浇带两侧模板须待后浇带混凝土强度达到100%后方可拆模
5. 水平后浇带混凝土浇筑前须将其两侧混凝土表面浮浆和杂物清除，先铺净浆，再铺30~50mm厚的1:1水泥砂浆或涂刷混凝土界面处理剂，并及时浇灌混凝土，垂直后浇带浇筑前，应将其表面清理干净，并涂刷水泥净浆或混凝土界面处理剂，并及时浇灌混凝土。
6. 后浇带混凝土应细致捣实，使新旧混凝土紧密结合，对后浇带混凝土应加强养护。

xxx建筑设计有限公司							
职责	签字	专业名称	结构	建设单位	xxx建筑工程有限责任公司		
设计		墙柱配筋图2		项目名称			
校核				设计阶段			
专业负责				结施-16			工程号
项目负责							
审核		比例	:	日期	2017.8	共39张	第16张

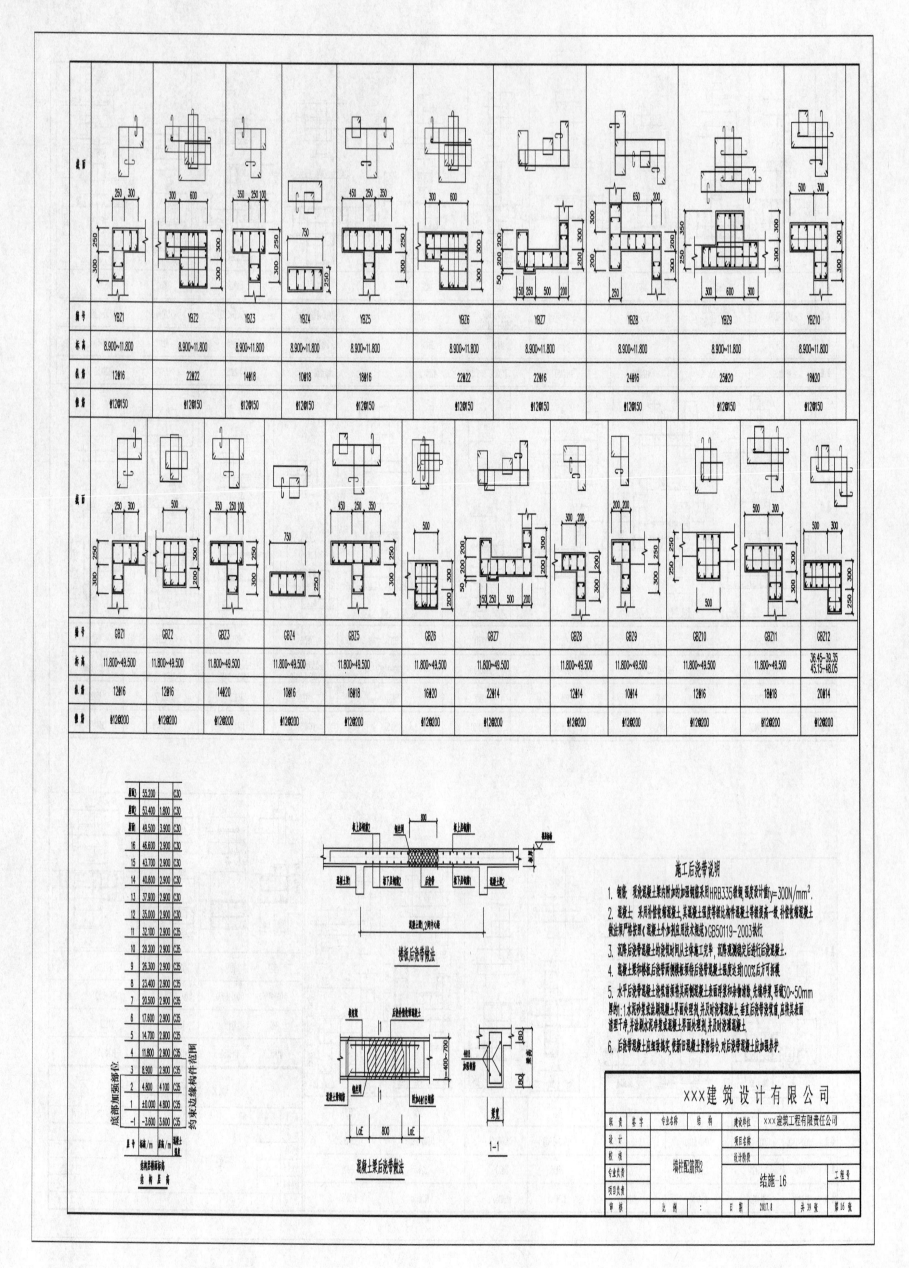

层号	标高/m	层高/m	混凝土强度
屋面3	55.200		C30
屋面2	53.400	1.800	C30
屋面1	49.500	3.900	C30
16	46.600	2.900	C30
15	43.700	2.900	C30
14	40.800	2.900	C30
13	37.900	2.900	C30
12	35.000	2.900	C30
11	32.100	2.900	C35
10	29.200	2.900	C35
9	26.300	2.900	C35
8	23.400	2.900	C35
7	20.500	2.900	C35
6	17.600	2.900	C35
5	14.700	2.900	C35
4	11.800	2.900	C35
3	8.900	2.900	C35
2	4.800	4.100	C35
1	0.000	4.800	C35
-1	-3.600	3.600	C35

底部加强部位

约束边缘构件范围

结构层楼面标高
结构层高

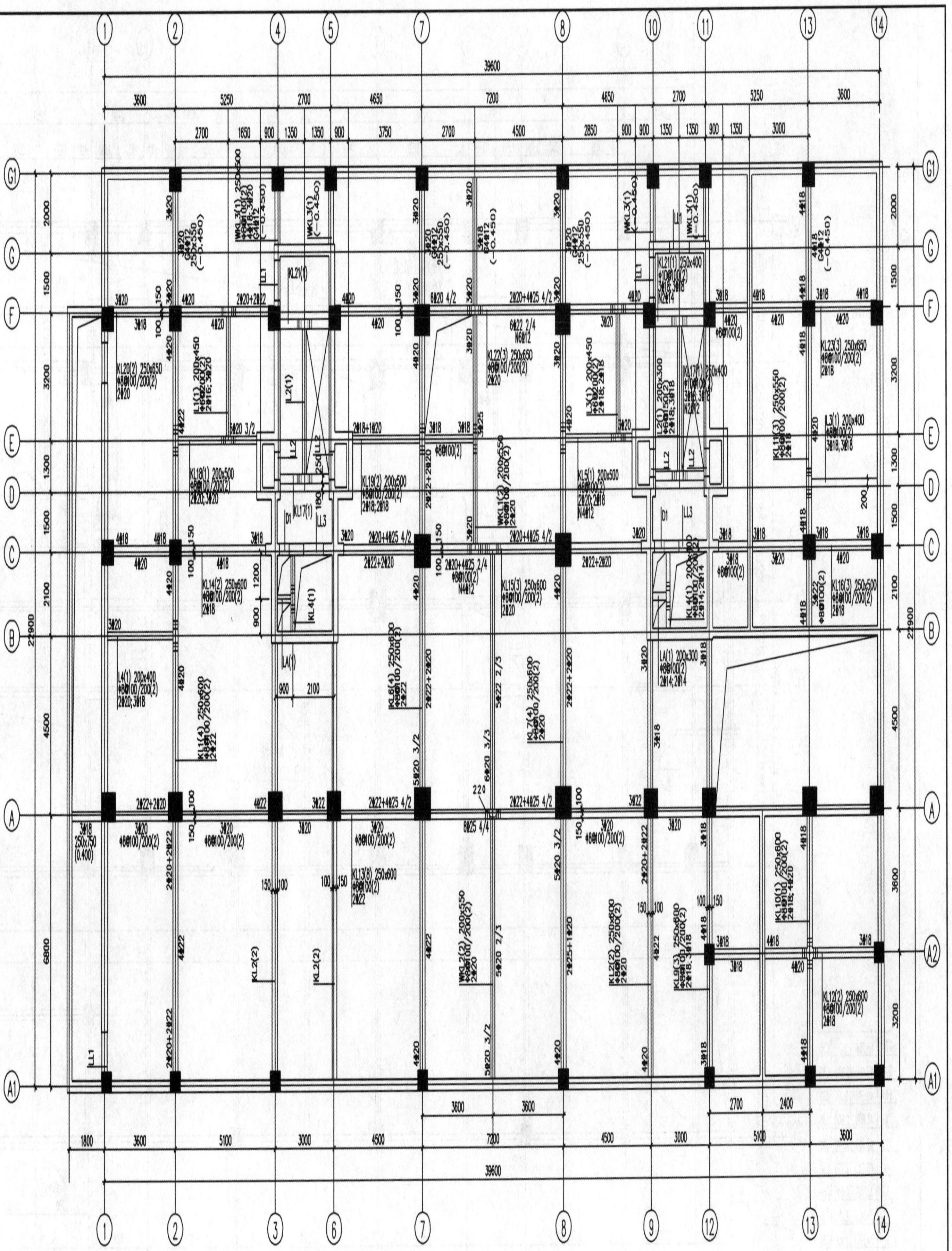

说明：未定位梁均为轴线居中或与柱平。

±0.000m梁平法施工图 1:100

连梁表						
编号	相对结构标高高差	梁截面(bxh)	上部纵筋	下部纵筋	箍筋	连梁腰筋
LL1		300x1500	5⌀20	5⌀20	Φ8@100(2)	16⌀12
LL2		300x1800	5⌀20	5⌀20	Φ8@100(2)	18⌀12
LL3		300x1200	4⌀20	4⌀20	Φ8@100(2)	12⌀12

xxx建筑设计有限公司						
职责	签字	专业名称	结构	建设单位	xxx建筑工程有限责任公司	
设计		±0.000m梁平法施工图		项目名称		
校核				设计阶段		
专业负责				结施-17		工程号
项目负责						
审核		比例	:	日期	2017.8	共39张 第17张

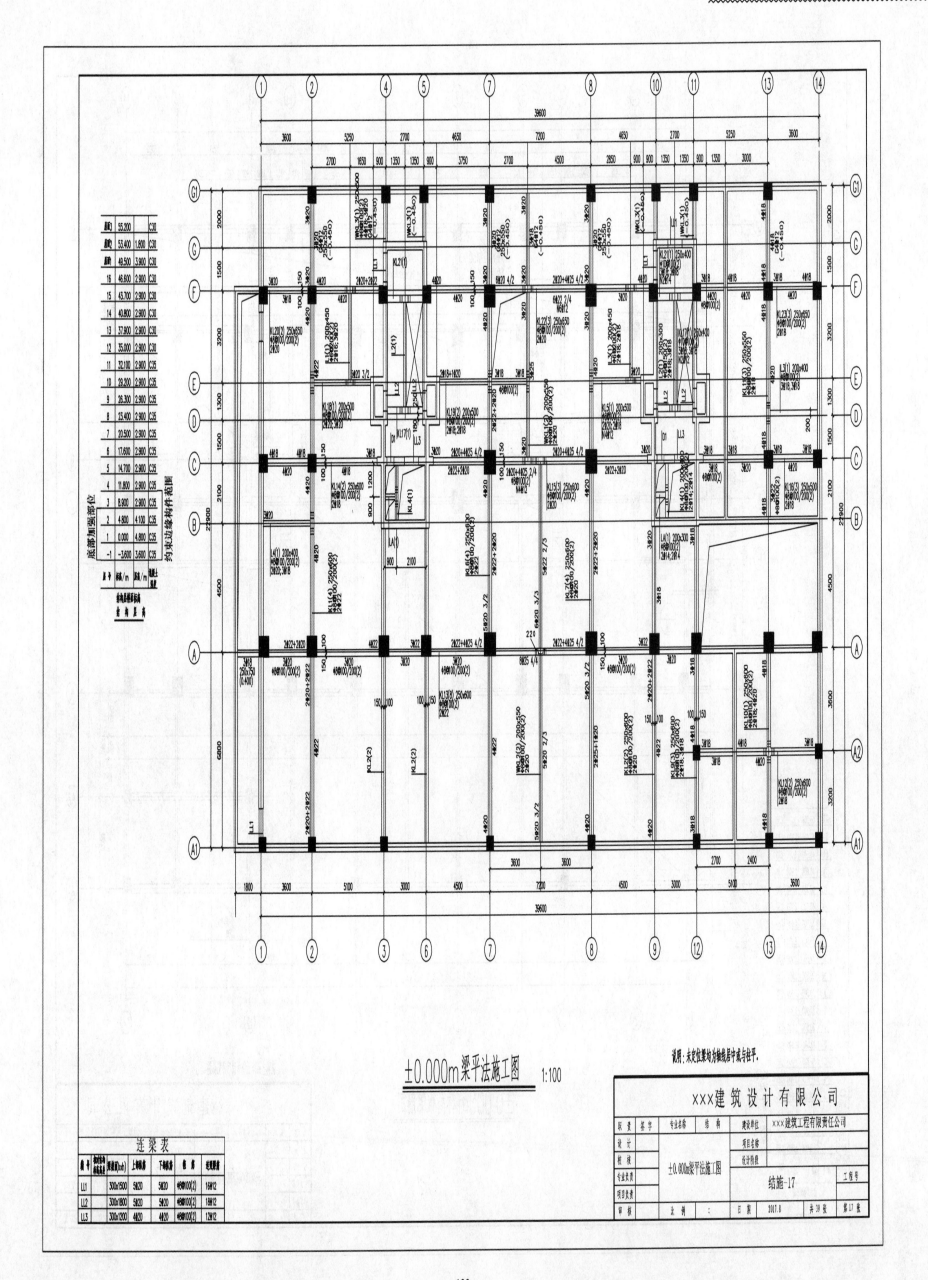

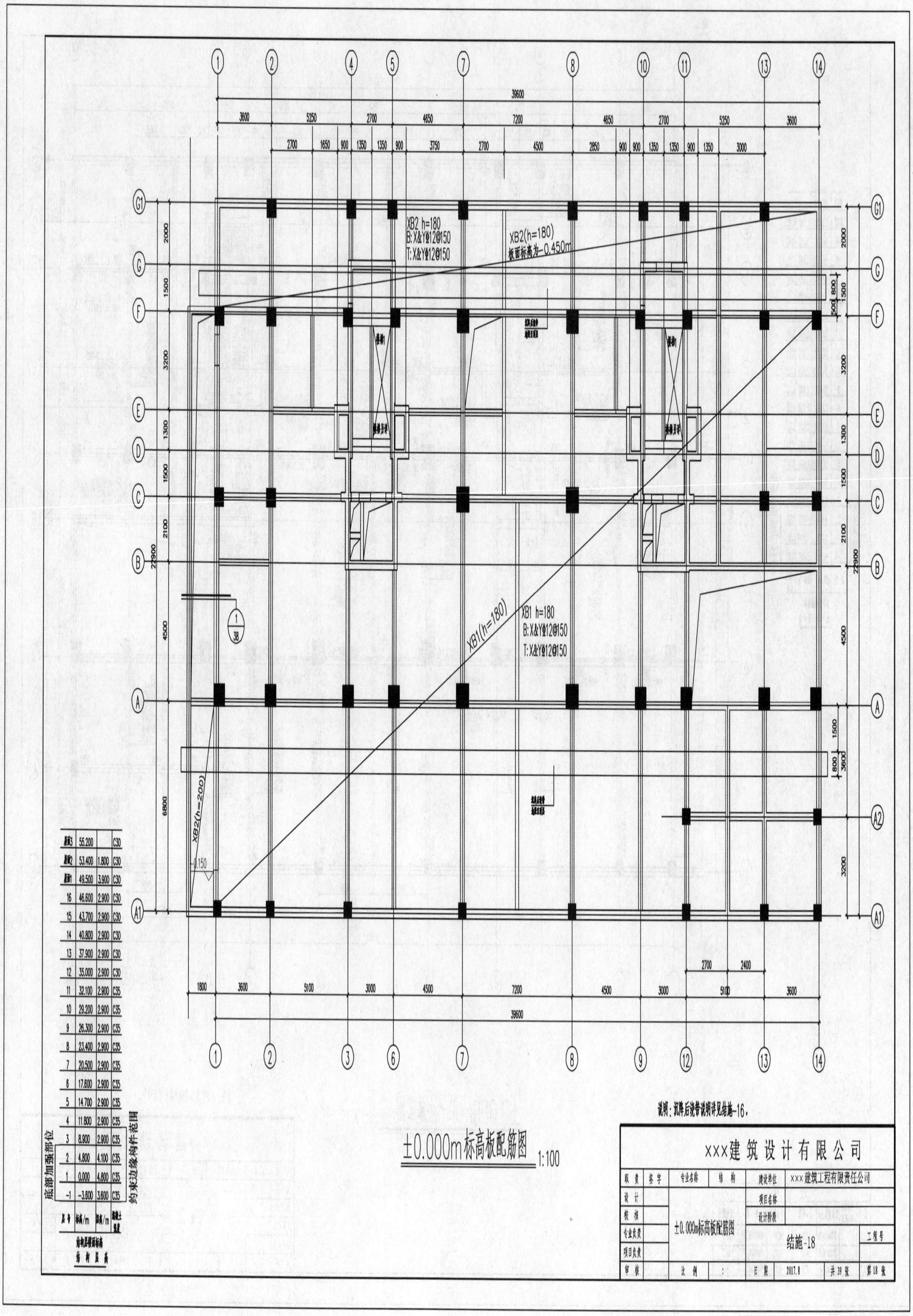
XB2 h=180
B: X&Y⌀12@150
T: X&Y⌀12@150
XB2(h=180)
板面标高为-0.450m
XB1(h=180)
XB1 h=180
B: X&Y⌀12@150
T: X&Y⌀12@150
XB2(h=200)
39600
22900
屋面3 55.200 C30
屋面2 53.400 1.800 C30
屋面1 49.500 3.900 C30
16 46.600 2.900 C30
15 43.700 2.900 C30
14 40.800 2.900 C30
13 37.900 2.900 C30
12 35.000 2.900 C30
11 32.100 2.900 C35
10 29.200 2.900 C35
9 26.300 2.900 C35
8 23.400 2.900 C35
7 20.500 2.900 C35
6 17.600 2.900 C35
5 14.700 2.900 C35
4 11.800 2.900 C35
3 8.900 2.900 C35
2 4.800 4.100 C35
1 0.000 4.800 C35
-1 -3.600 3.600 C35
层号 标高/m 层高/m 混凝土强度
结构层楼面标高
结构层高
底部加强部位
约束边缘构件范围
±0.000m标高板配筋图 1:100
说明：沉降后浇带说明详见结施-16。
xxx建筑设计有限公司
职责 签字 专业名称 结构 建设单位 xxx建筑工程有限责任公司
设计 项目名称
校核 设计阶段
专业负责 ±0.000m标高板配筋图
项目负责 结施-18 工程号
审核 比例 : 日期 2017.8 共39张 第18张

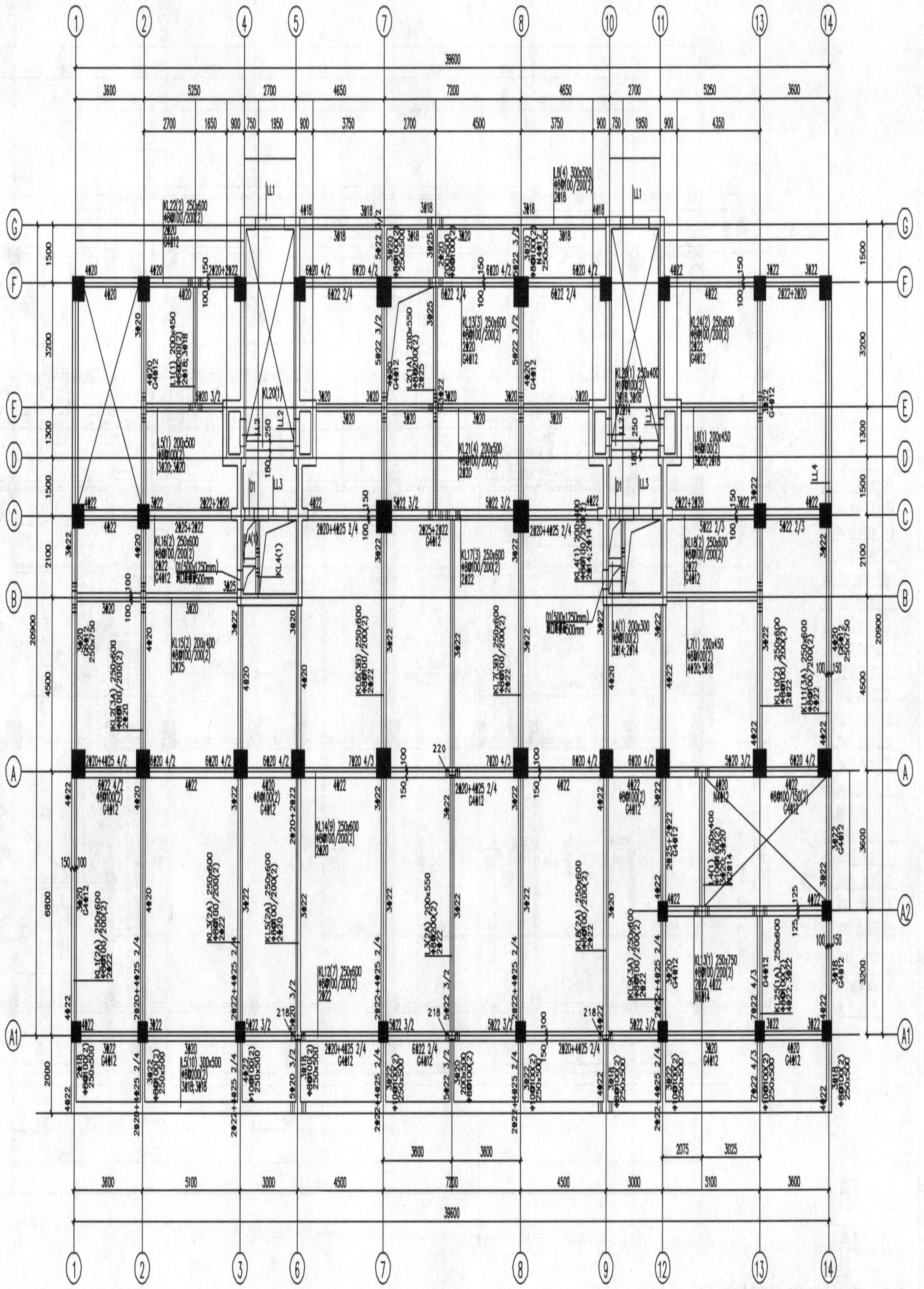

屋面3	55.200		C30
屋面2	53.400	1.800	C30
屋面1	49.500	3.900	C30
16	46.600	2.900	C30
15	43.700	2.900	C30
14	40.800	2.900	C30
13	37.900	2.900	C30
12	35.000	2.900	C30
11	32.100	2.900	C35
10	29.200	2.900	C35
9	26.300	2.900	C35
8	23.400	2.900	C35
7	20.500	2.900	C35
6	17.600	2.900	C35
5	14.700	2.900	C35
4	11.800	2.900	C35
3	8.900	2.900	C35
2	4.800	4.100	C35
1	0.000	4.800	C35
-1	-3.600	3.600	C35
层号	标高/m	层高/m	混凝土强度

底部加强部位

约束边缘构件范围

结构层楼面标高
结构层高

说明：未定位梁均为轴线居中或与柱平。

连梁表

编号	相对结构标高高差	梁截面(b×h)	上部纵筋	下部纵筋	箍筋	连梁腰筋
LL1		300×2700	5Φ25	5Φ25	φ8@100(2)	28Φ12
LL2		300×2700	6Φ22 4/2	6Φ22 2/4	φ8@100(2)	28Φ12
LL3		300×2400	5Φ22	5Φ22	φ10@100(2)	24Φ12
LL4		300×2700	6Φ22 4/2	6Φ22 4/2	φ10@100(2)	28Φ12

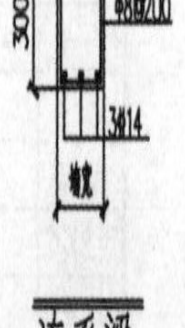

连系梁

4.800m梁平法施工图 1:100

xxx建筑设计有限公司							
职责	签字	专业名称	结构	建设单位	xxx建筑工程有限责任公司		
设计		4.800m梁平法施工图		项目名称			
校核				设计阶段			
专业负责				结施-19			工程号
项目负责							
审核		比例	：	日期	2017.8	共39张	第19张

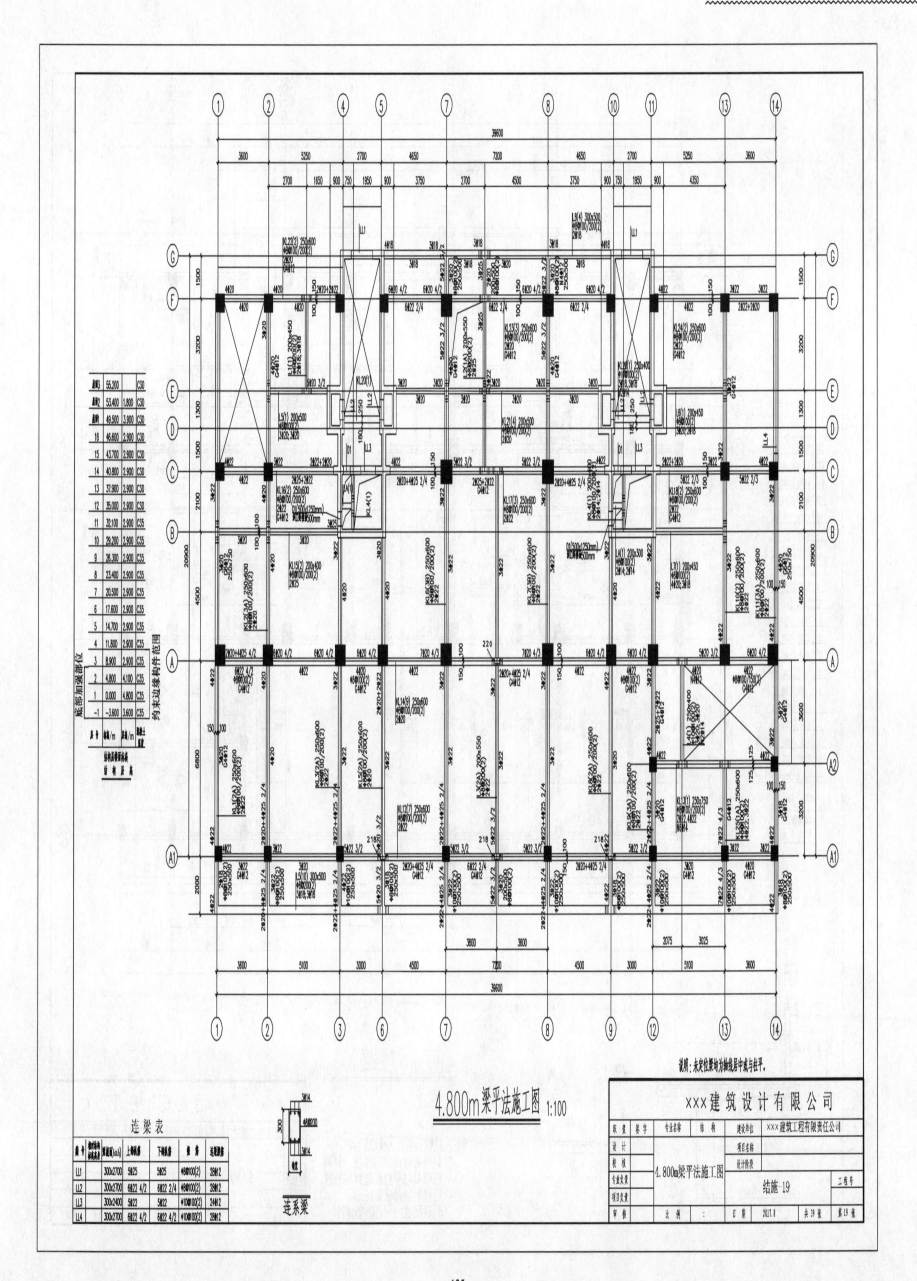

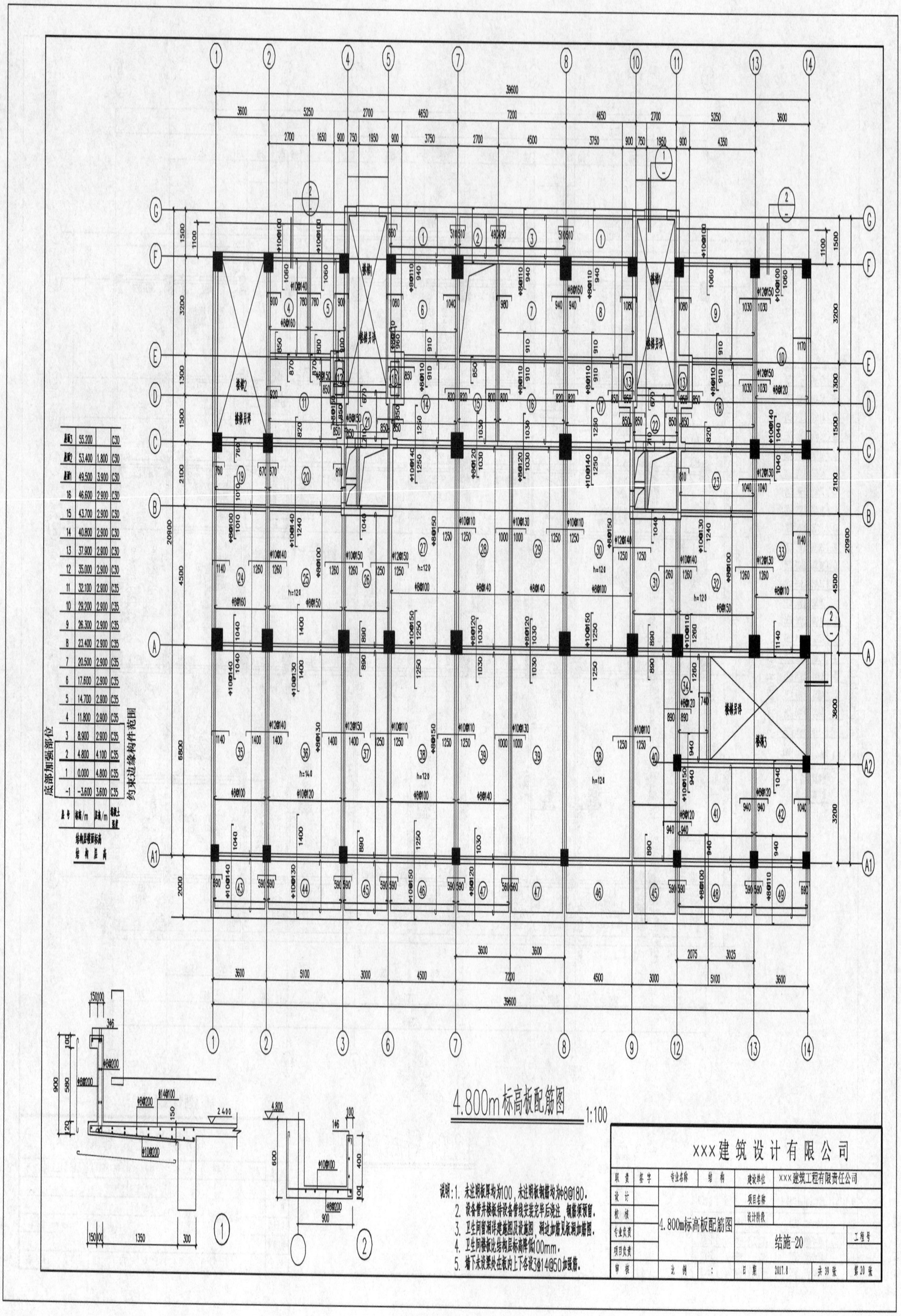
4.800m标高板配筋图
1:100
说明：1. 未注明板厚均为100，未注明板钢筋均为Φ8@180。
2. 设备管井楼板待设备管线安装完毕后浇注，钢筋须预留。
3. 卫生间留洞详建施图及设施图，洞边加筋见板洞加筋图。
4. 卫生间楼板比结构层标高降低100mm。
5. 墙下未设梁处在板内上下各设3Φ14@50加强筋。
×××建筑设计有限公司
职责
签字
专业名称
结构
建设单位
×××建筑工程有限责任公司
设计
项目名称
校核
设计阶段
专业负责
4.800m标高板配筋图
结施-20
工程号
项目负责
审核
比例
日期
2017.8
共39张
第20张
底部加强部位
约束边缘构件范围

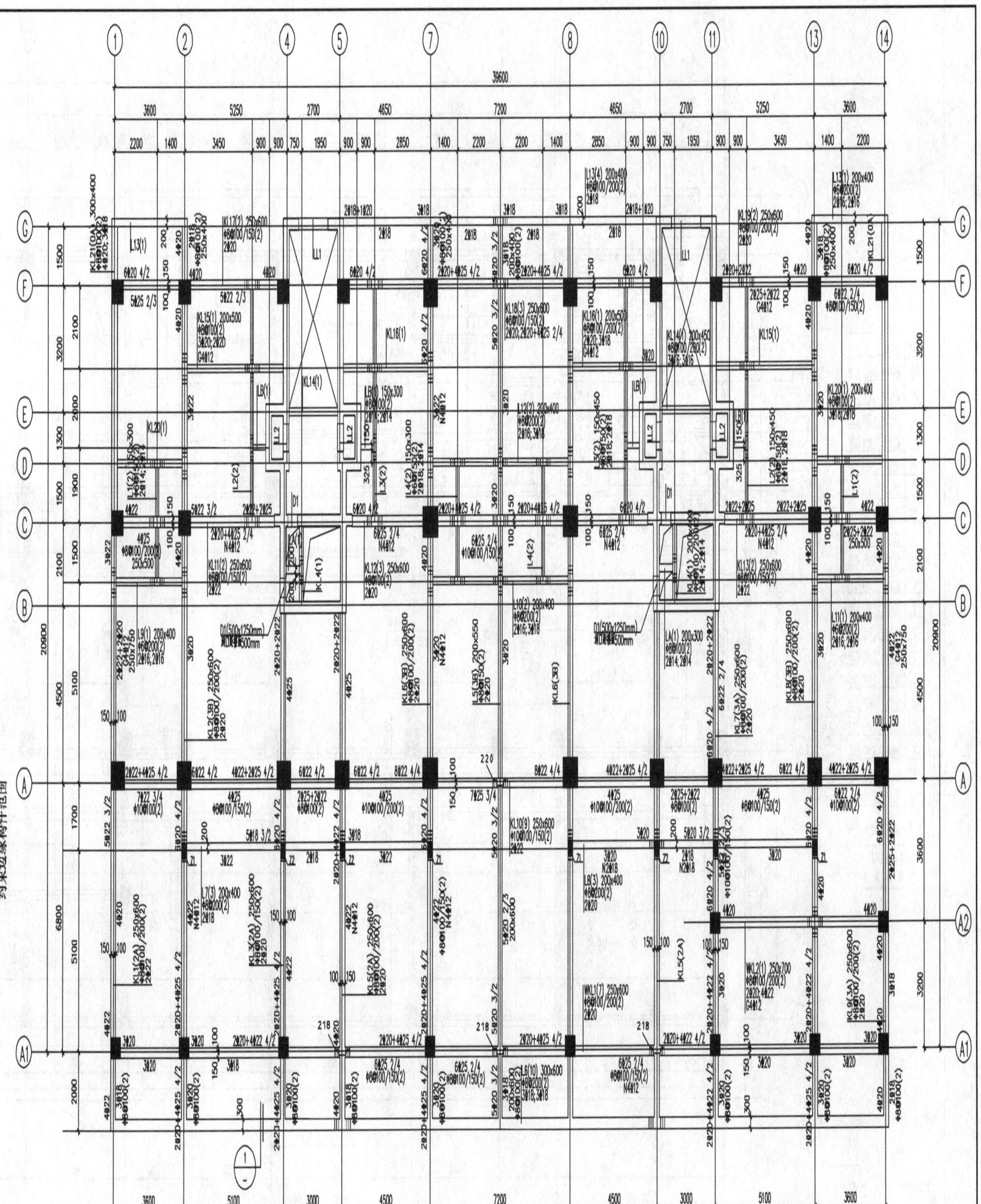

屋面3	55.200		C30
屋面2	53.400	1.800	C30
屋面1	49.500	3.900	C30
16	46.600	2.900	C30
15	43.700	2.900	C30
14	40.800	2.900	C30
13	37.900	2.900	C30
12	35.000	2.900	C30
11	32.100	2.900	C35
10	29.200	2.900	C35
9	26.300	2.900	C35
8	23.400	2.900	C35
7	20.500	2.900	C35
6	17.600	2.900	C35
5	14.700	2.900	C35
4	11.800	2.900	C35
3	8.900	2.900	C35
2	4.800	4.100	C35
1	0.000	4.800	C35
−1	−3.600	3.600	C35
层号	标高/m	层高/m	混凝土强度

底部加强部位

约束边缘构件范围

结构层楼面标高
结构层高

说明：1.未定位梁均为轴线居中或与柱平。
2.TL配筋详楼梯详图。

8.900m梁平法施工图 1:100

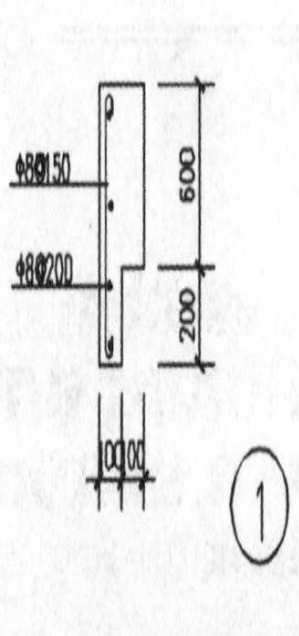

连梁表

编号	相对结构标高高差	梁截面(b×h)	上部纵筋	下部纵筋	箍筋	连梁腰筋
LL1		300x2000	6⌀25 4/2	6⌀25 4/2	Φ8@100(2)	20⌀12
LL2		300x2000	6⌀22 4/2	6⌀22 2/4	Φ8@100(2)	20⌀12

×××建筑设计有限公司							
职责	签字	专业名称	结构	建设单位	×××建筑工程有限责任公司		
设计		8.900m梁平法施工图		项目名称			
校核				设计阶段			
专业负责				结施-21			工程号
项目负责							
审核		比例	:	日期	2017.8	共39张	第21张

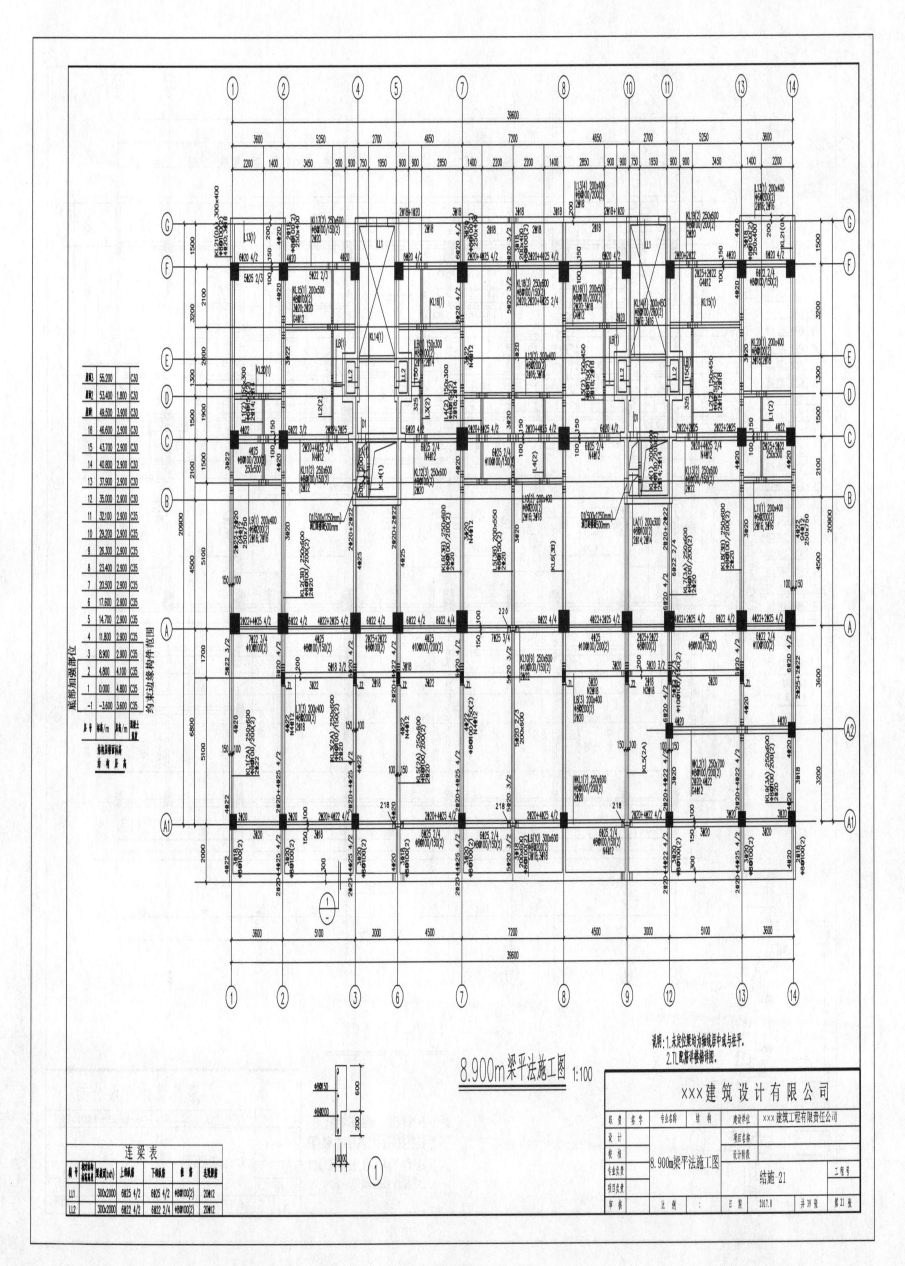

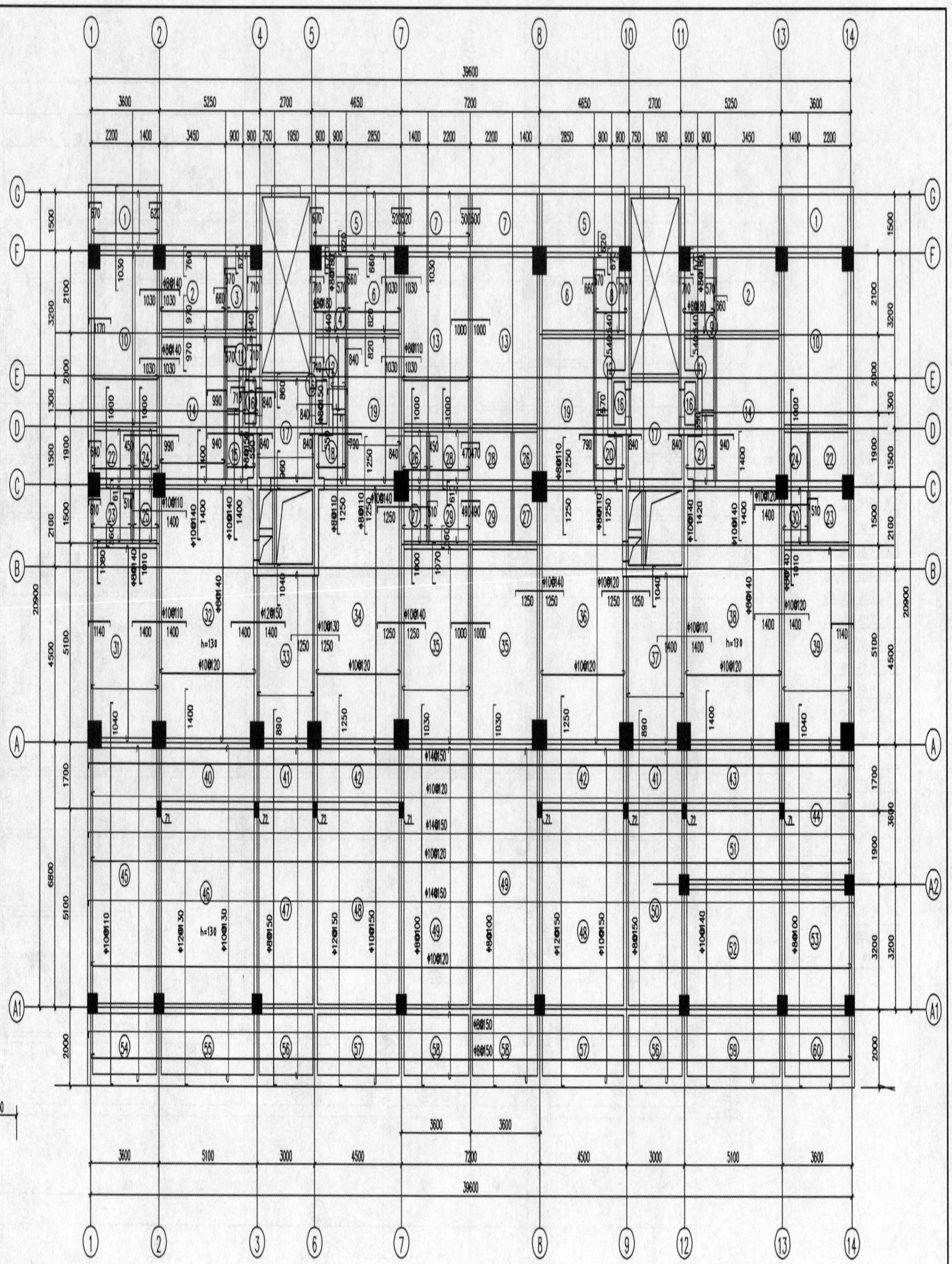

层号	标高(m)	层高(m)	混凝土强度
屋面3	55.200		C30
屋面2	53.400	1.800	C30
屋面1	49.500	3.900	C30
16	46.600	2.900	C30
15	43.700	2.900	C30
14	40.800	2.900	C30
13	37.900	2.900	C30
12	35.000	2.900	C30
11	32.100	2.900	C35
10	29.200	2.900	C35
9	26.300	2.900	C35
8	23.400	2.900	C35
7	20.500	2.900	C35
6	17.600	2.900	C35
5	14.700	2.900	C35
4	11.800	2.900	C35
3	8.900	2.900	C35
2	4.800	4.100	C35
1	0.000	4.800	C35
-1	-3.600	3.600	C35

底部加强部位

约束边缘构件范围

结构层楼面标高
结构层高

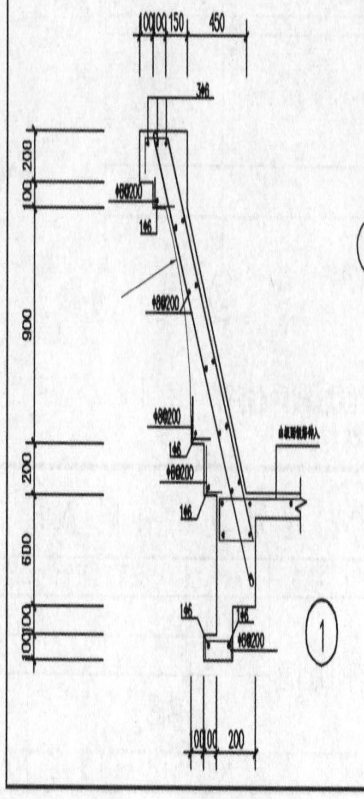

8.900m标高板配筋图 1:100

说明：1. 未注明板厚均为120，未注明板钢筋均为Φ8@150。
2. 设备管井楼板待设备管线安装完毕后浇注，钢筋须预留。
3. 卫生间留洞详建施图及设施图，洞边加筋见板洞加筋图。
4. 卫生间楼板比结构层标高降低100mm。

xxx建筑设计有限公司

职责	签字	专业名称	结构	建设单位	xxx建筑工程有限责任公司		
设计		8.900m标高板配筋图		项目名称			
校核				设计阶段			
专业负责				结施-22			工程号
项目负责							
审核		[illegible]	[illegible]	日期	2017.8	共39张	第22张

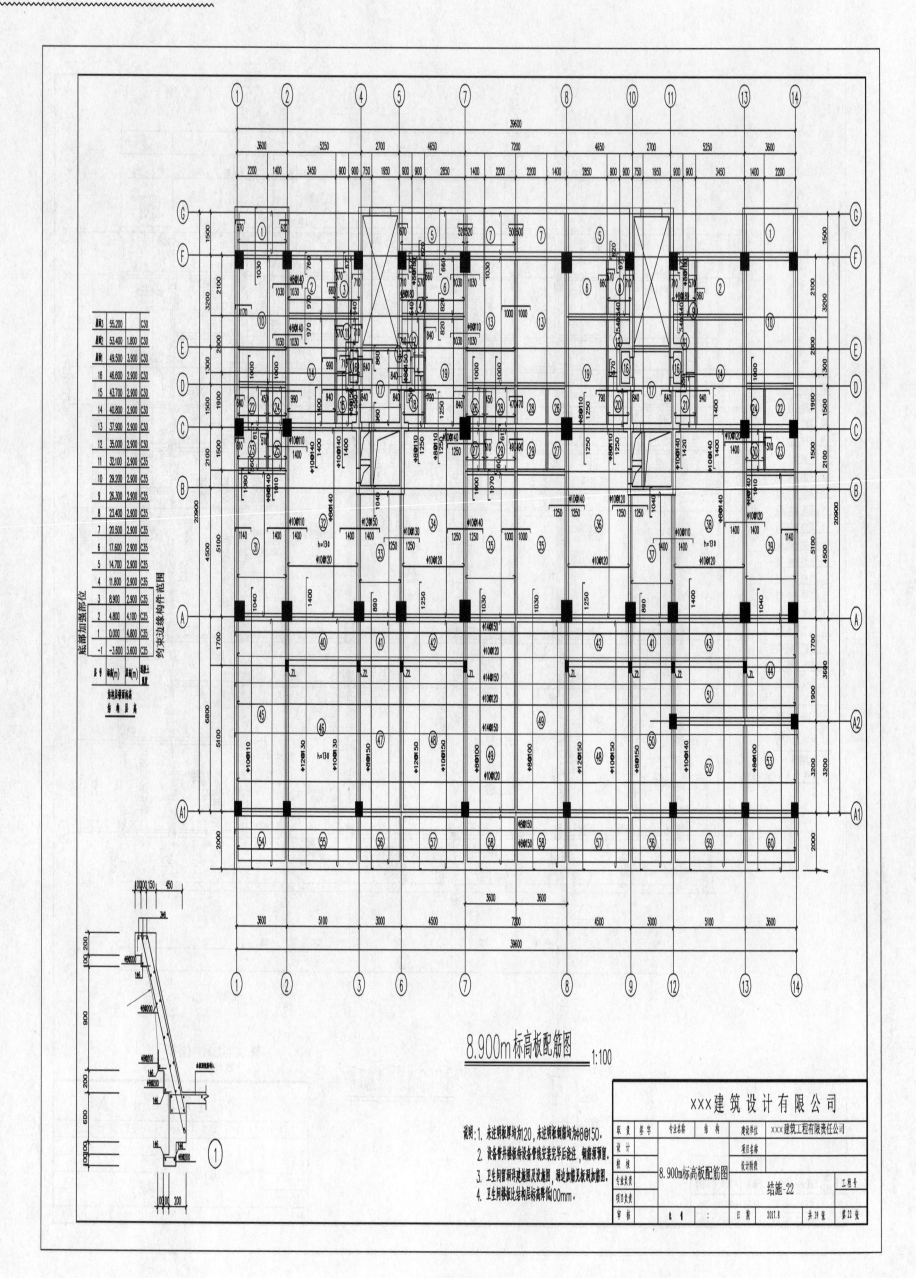

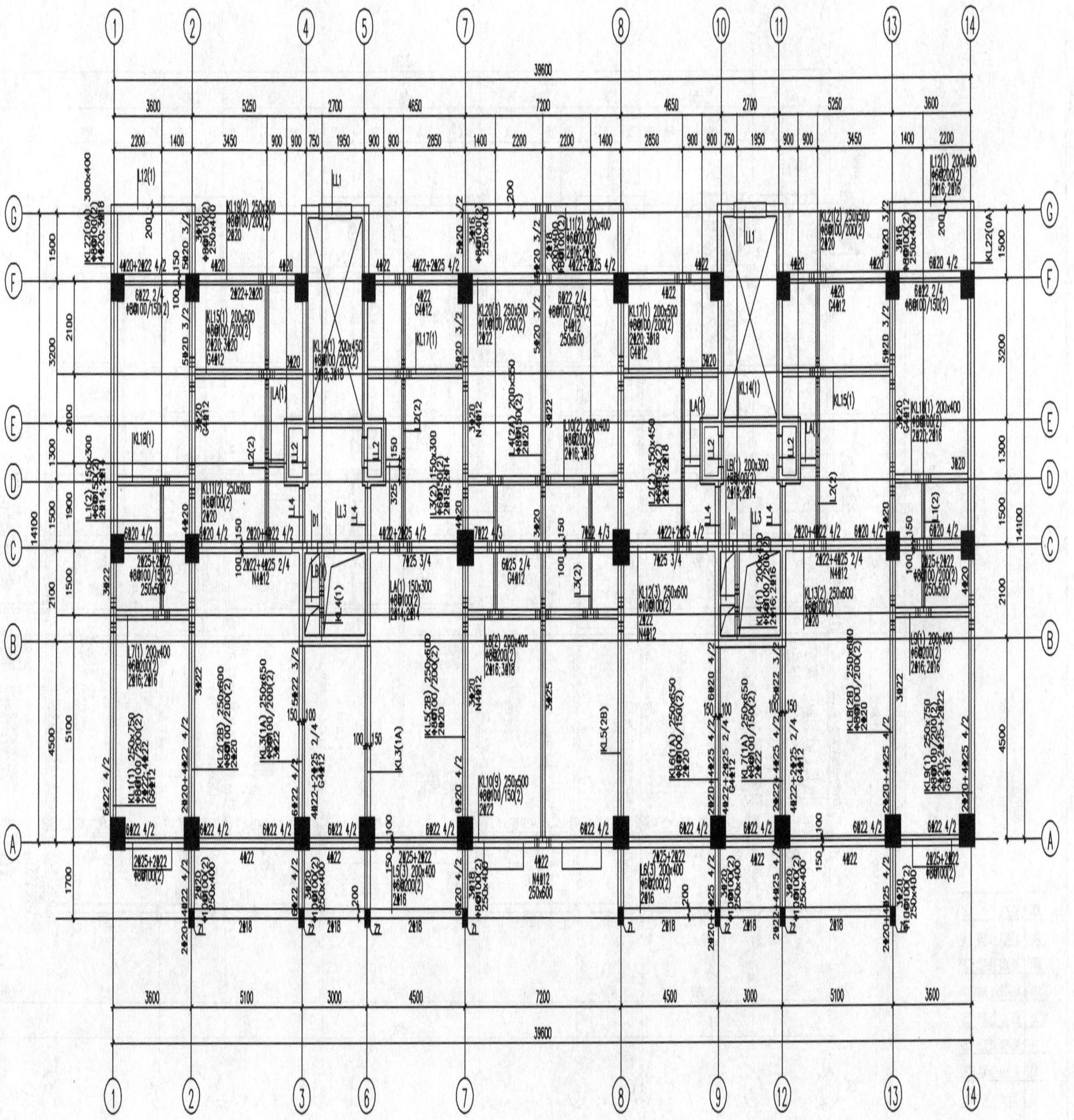

11.800m梁平法施工图 1:100

层号	标高/m	层高/m	混凝土强度
屋面3	55.200		C30
屋面2	53.400	1.800	C30
屋面1	49.500	3.900	C30
16	46.600	2.900	C30
15	43.700	2.900	C30
14	40.800	2.900	C30
13	37.900	2.900	C30
12	35.000	2.900	C30
11	32.100	2.900	C35
10	29.200	2.900	C35
9	26.300	2.900	C35
8	23.400	2.900	C35
7	20.500	2.900	C35
6	17.600	2.900	C35
5	14.700	2.900	C35
4	11.800	2.900	C35
3	8.900	2.900	C35
2	4.800	4.100	C35
1	0.000	4.800	C35
−1	−3.600	3.600	C35

底部加强部位

约束边缘构件范围

结构层楼面标高

结 构 层 高

连梁表

编号	相对结构标高高差	梁截面(b×h)	上部纵筋	下部纵筋	箍筋	连梁腰筋
LL1		300x1700	4⌀22	4⌀22	Φ10@100(2)	18⌀12
LL2		250x800	4⌀20	4⌀20	Φ8@100(2)	8⌀12
LL3		250x500	4⌀18	4⌀18	Φ8@100(2)	6⌀12
LL4		250x800	4⌀20	4⌀20	Φ10@100(2)	8⌀12

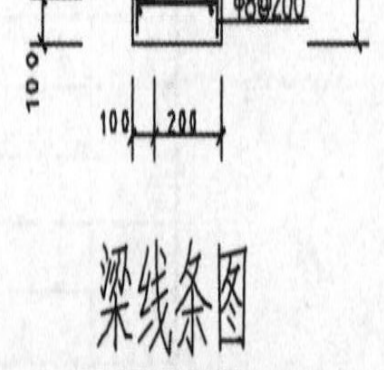

梁续条图

说明：1.未定位梁均为轴线居中或与柱平.

2.D1(500mm×1250mm)洞口距楼面500mm,以下各梁图同.

×××建筑设计有限公司						
职责	签字	专业名称	结构	建设单位	×××建筑工程有限责任公司	
设计		11.800m梁平法施工图		项目名称		
校核				设计阶段		
专业负责				结施-23		工程号
项目负责						
审核		比例	:	日期 2017.8	共39张	第23张

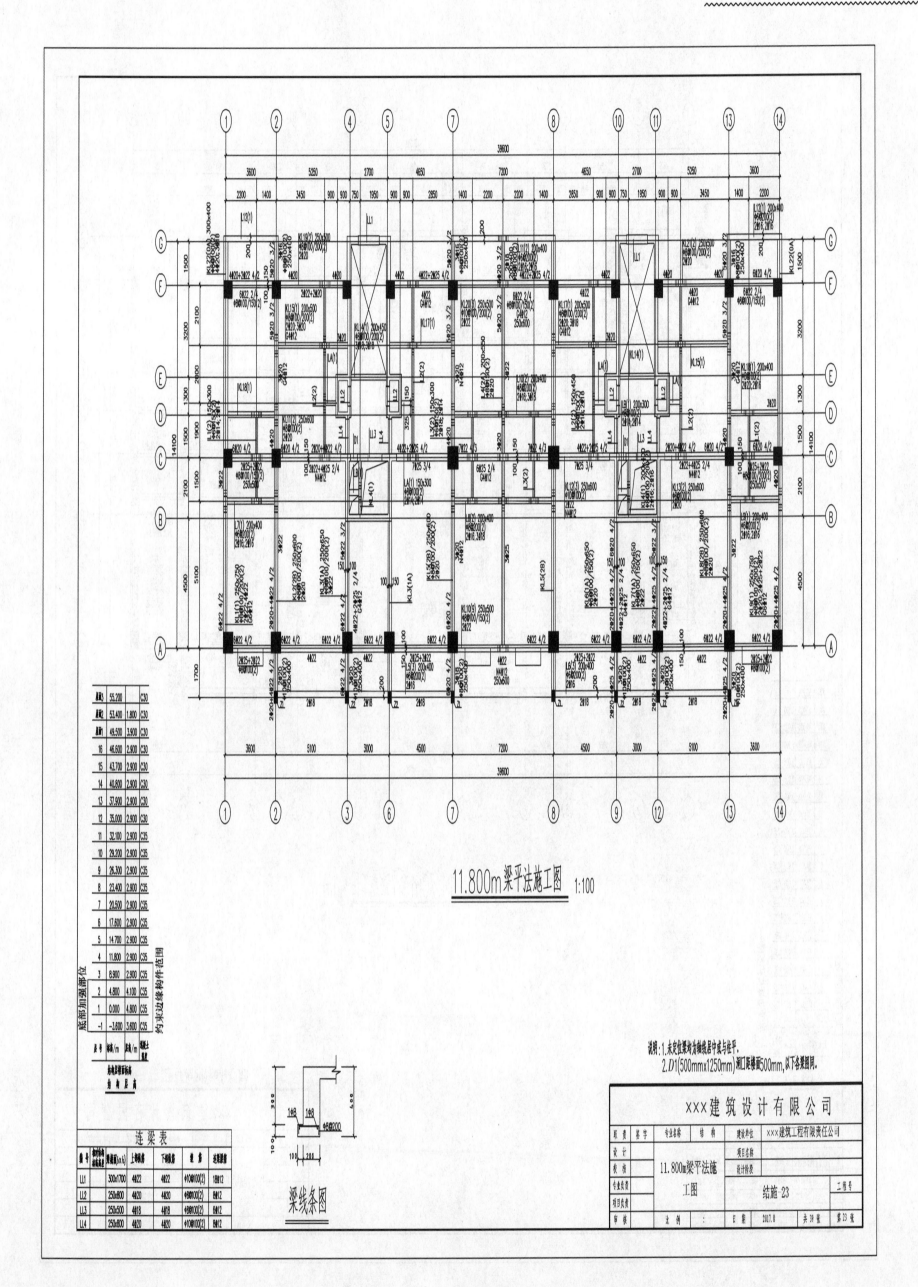

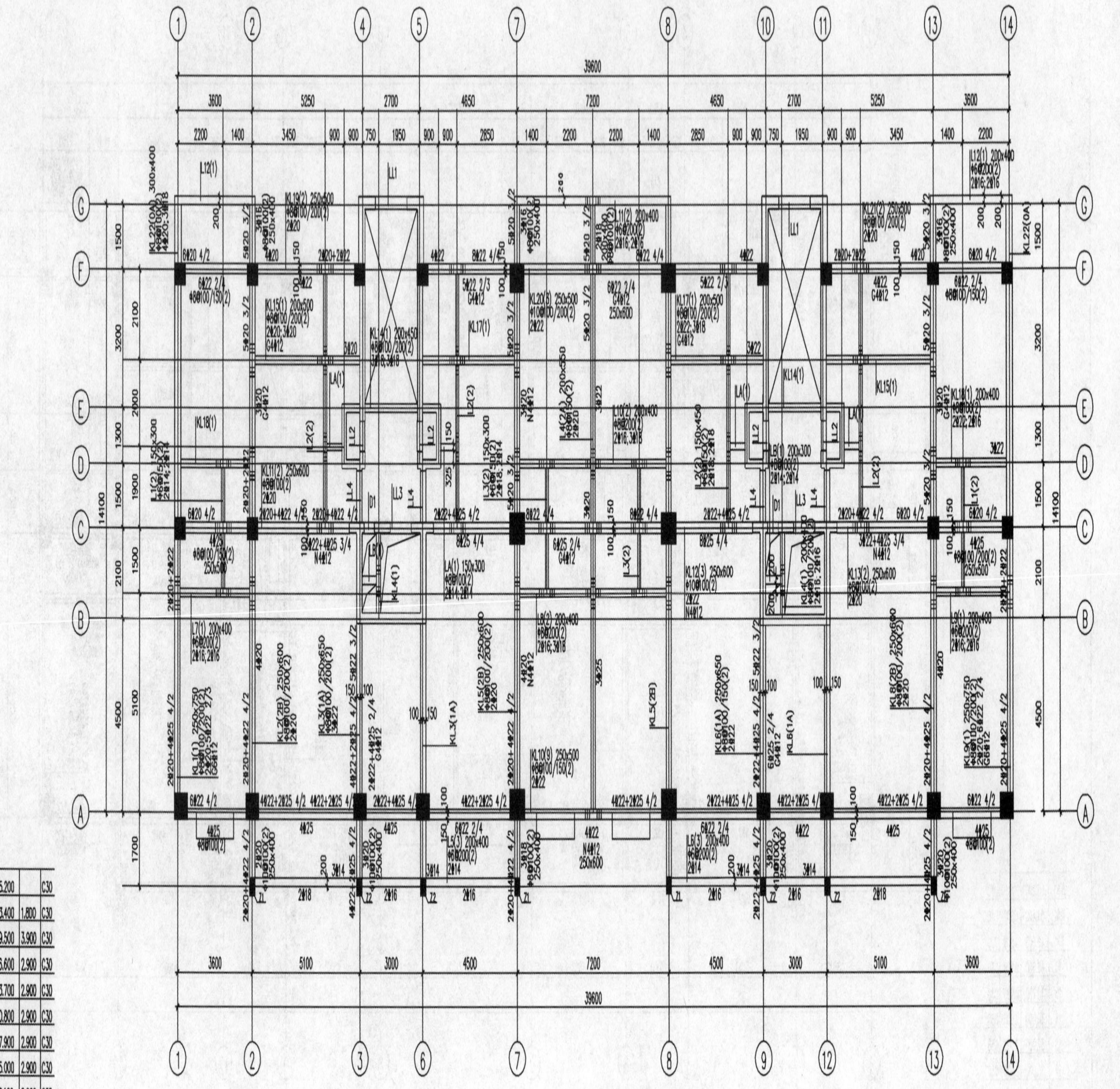

14.70m梁平法施工图 1:100

层号	标高/m	层高/m	混凝土强度
屋面3	55.200		C30
屋面2	53.400	1.800	C30
屋面1	49.500	3.900	C30
16	46.600	2.900	C30
15	43.700	2.900	C30
14	40.800	2.900	C30
13	37.900	2.900	C30
12	35.000	2.900	C30
11	32.100	2.900	C35
10	29.200	2.900	C35
9	26.300	2.900	C35
8	23.400	2.900	C35
7	20.500	2.900	C35
6	17.600	2.900	C35
5	14.700	2.900	C35
4	11.800	2.900	C35
3	8.900	2.900	C35
2	4.800	4.100	C35
1	0.000	4.800	C35
−1	−3.600	3.600	C35

底部加强部位

约束边缘构件范围

结构层楼面标高
结构层高

连梁表

编号	相对结构标高高差	梁截面(b×h)	上部纵筋	下部纵筋	箍筋	连梁腰筋
LL1		300x1700	4⌀20	4⌀20	Φ8@100(2)	18⌀12
LL2		250x800	4⌀18	4⌀18	Φ8@100(2)	8⌀12
LL3		250x500	3⌀18	3⌀18	Φ8@100(2)	6⌀12
LL4		250x800	4⌀20	4⌀20	Φ10@100(2)	8⌀12

说明：未定位梁均为轴线居中或与柱平。

×××建筑设计有限公司						
职责	签字	专业名称	结构	建设单位	×××建筑工程有限责任公司	
设计		14.70m梁平法施工图		项目名称		
校核				设计阶段		
专业负责				结施-24		工程号
项目负责						
审核		比例	:	日期	2017.8	共39张	第24张

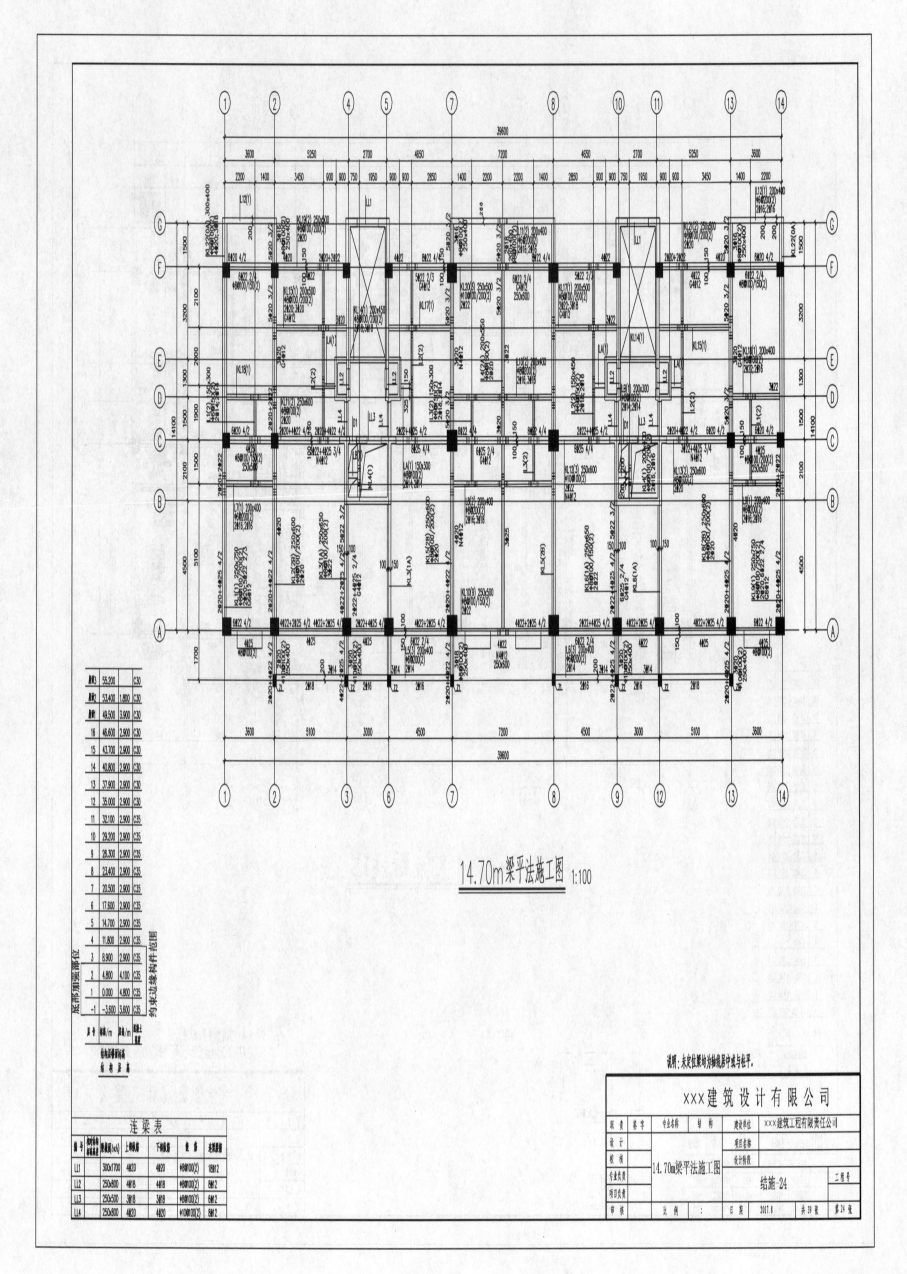

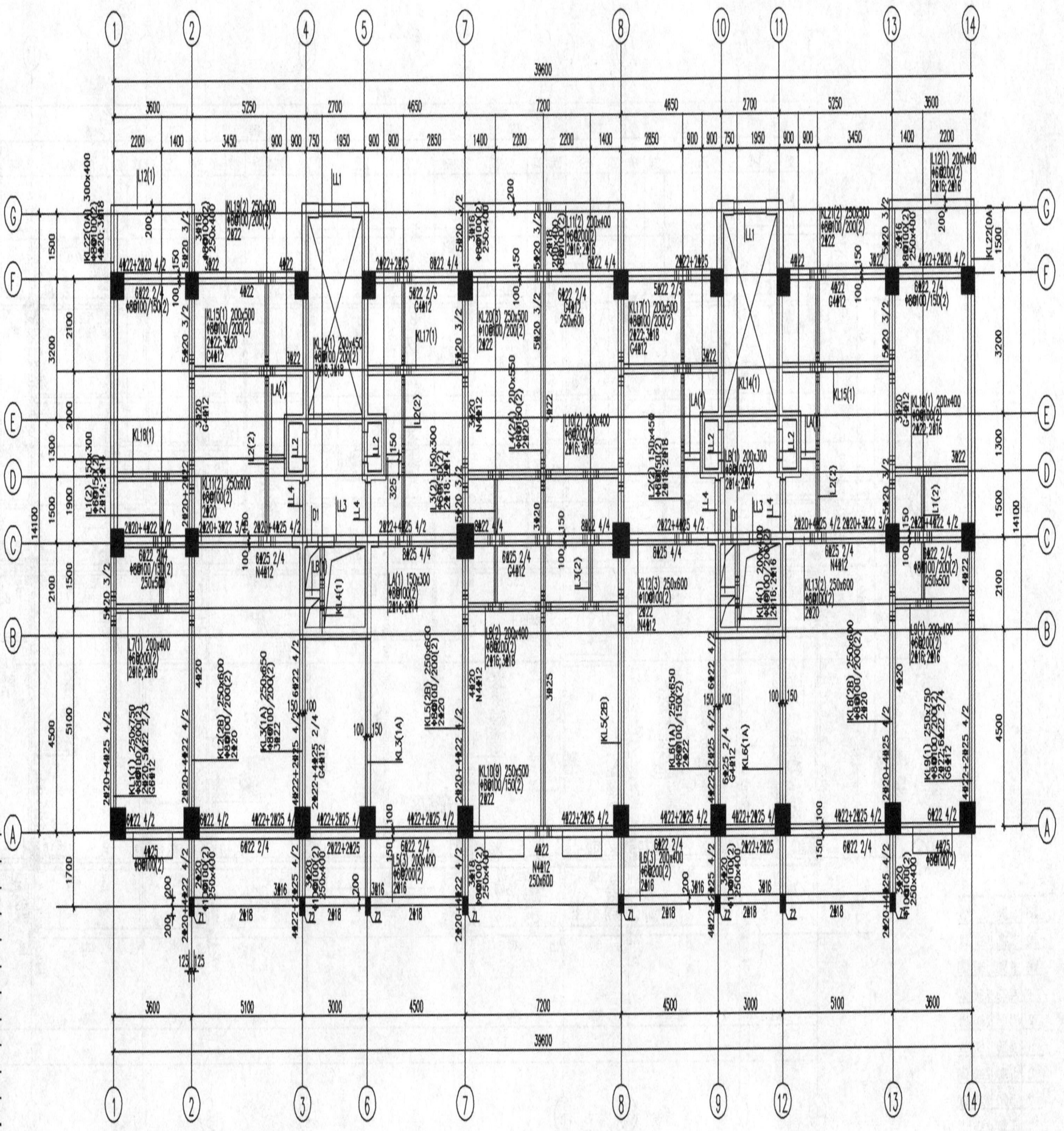

17.60~29.20m梁平法施工图 1:100

层号	标高/m	层高/m	混凝土强度
屋面3	55.200		C30
屋面2	53.400	1.800	C30
屋面1	49.500	3.900	C30
16	46.600	2.900	C30
15	43.700	2.900	C30
14	40.800	2.900	C30
13	37.900	2.900	C30
12	35.000	2.900	C30
11	32.100	2.900	C35
10	29.200	2.900	C35
9	26.300	2.900	C35
8	23.400	2.900	C35
7	20.500	2.900	C35
6	17.600	2.900	C35
5	14.700	2.900	C35
4	11.800	2.900	C35
3	8.900	2.900	C35
2	4.800	4.100	C35
1	0.000	4.800	C35
−1	−3.600	3.600	C35

底部加强部位

约束边缘构件范围

结构层楼面标高
结构层高

说明：未定位梁均为轴线居中或与柱平。

连梁表

编号	相对结构标高高差	梁截面(b×h)	上部纵筋	下部纵筋	箍筋	连梁腰筋
LL1		300x1700	4⌀20	4⌀20	Φ8@100(2)	18⌀12
LL2		250x800	4⌀18	4⌀18	Φ8@100(2)	8⌀12
LL3		250x500	3⌀18	3⌀18	Φ8@100(2)	6⌀12
LL4		250x800	4⌀20	4⌀20	Φ10@100(2)	8⌀12

×××建筑设计有限公司							
职责	签字	专业名称	结构	建设单位	×××建筑工程有限责任公司		
设计		17.60~29.20m梁平法施工图		项目名称			
校核				设计阶段			
专业负责				结施-25			工程号
项目负责							
审核		比例	:	日期	2017.8	共39张	第25张

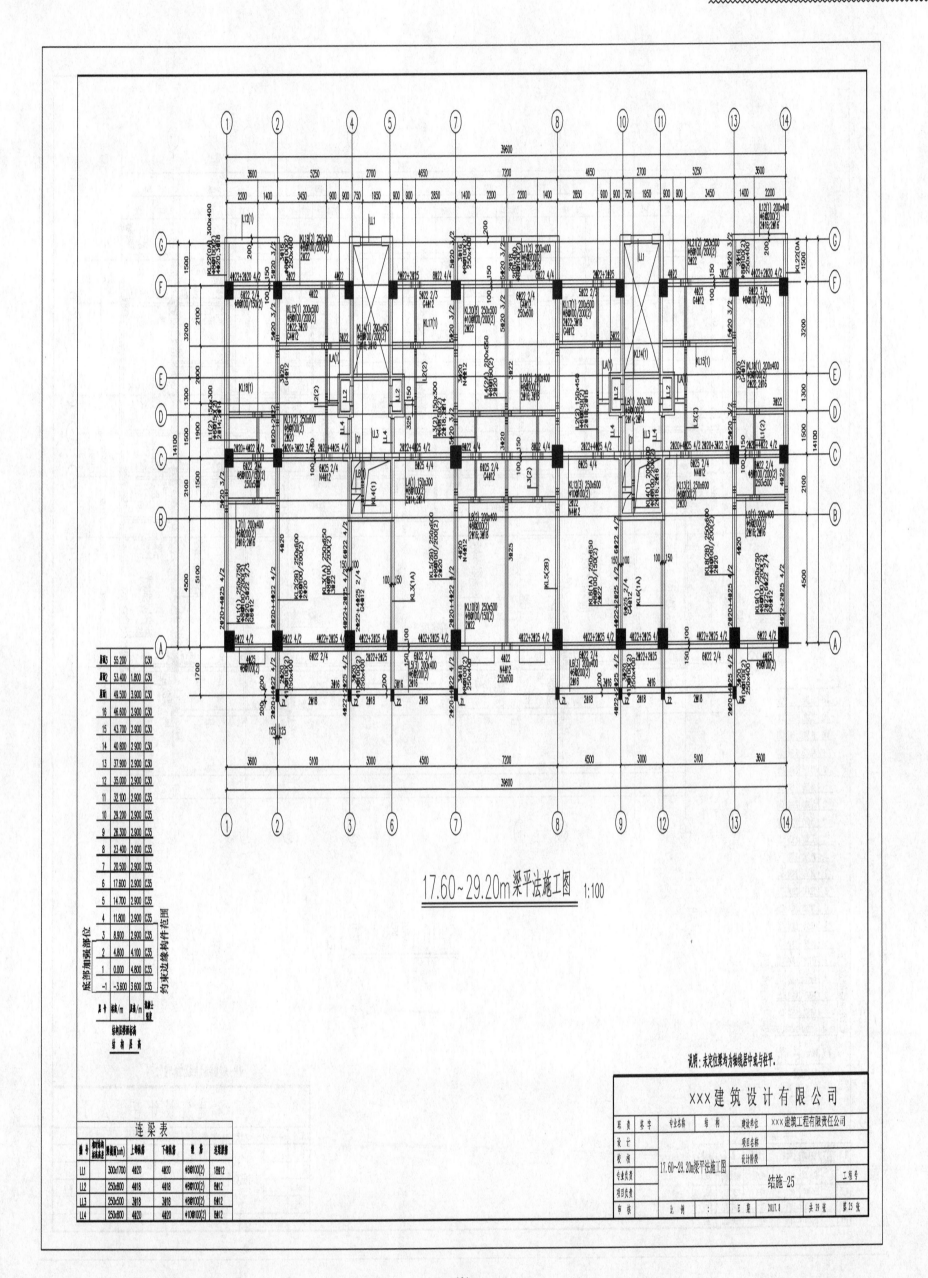

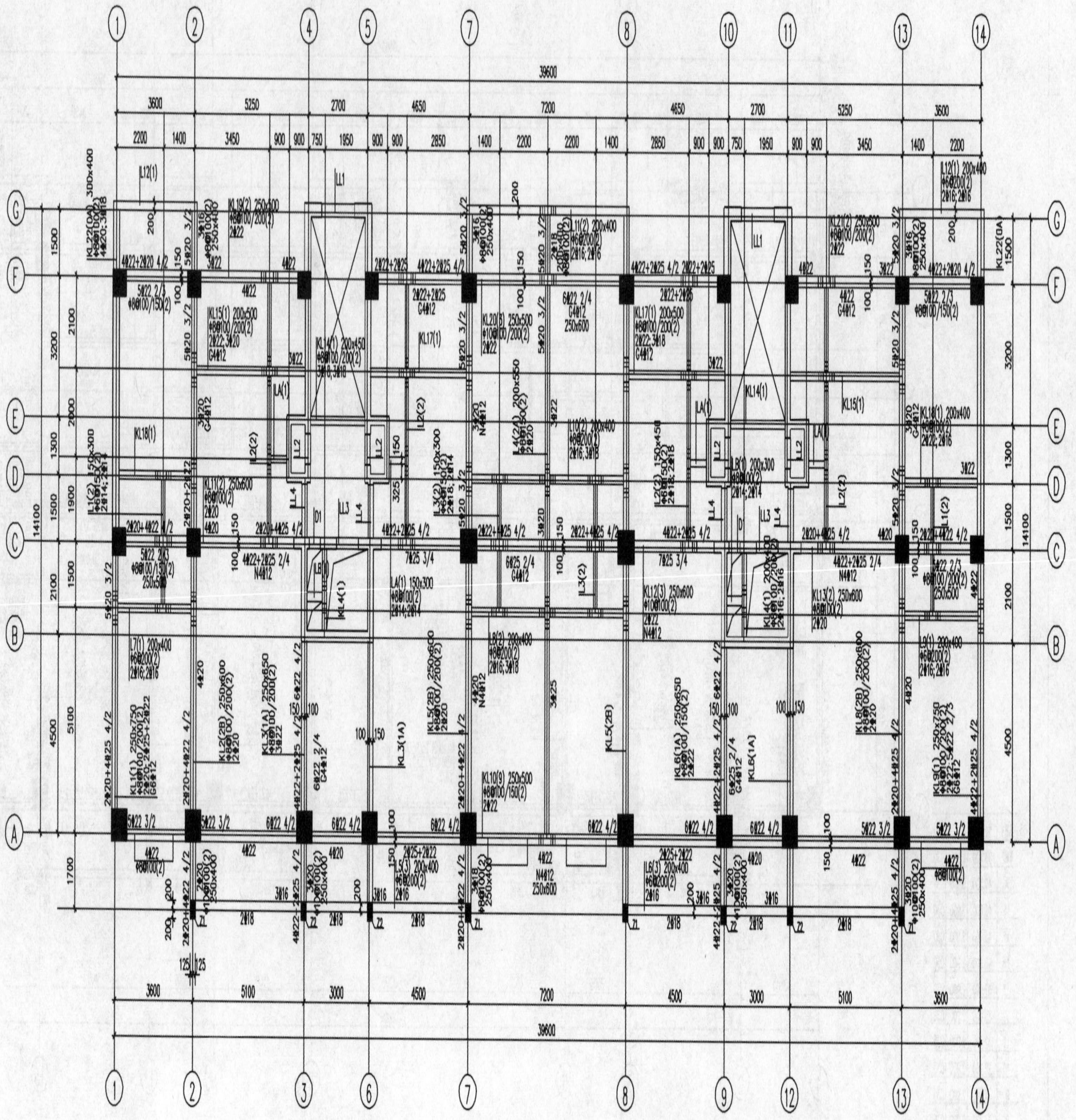

32.10m梁平法施工图 1:100

层号	标高/m	层高/m	混凝土强度
屋面3	55.200		C30
屋面2	53.400	1.800	C30
屋面1	49.500	3.900	C30
16	46.600	2.900	C30
15	43.700	2.900	C30
14	40.800	2.900	C30
13	37.900	2.900	C30
12	35.000	2.900	C30
11	32.100	2.900	C35
10	29.200	2.900	C35
9	26.300	2.900	C35
8	23.400	2.900	C35
7	20.500	2.900	C35
6	17.600	2.900	C35
5	14.700	2.900	C35
4	11.800	2.900	C35
3	8.900	2.900	C35
2	4.800	4.100	C35
1	0.000	4.800	C35
-1	-3.600	3.600	C35

底部加强部位

约束边缘构件范围

结构层楼面标高
结构层高

说明：未定位梁均为轴线居中或与柱平。

连梁表

编号	相对结构标高高差	梁截面(b×h)	上部纵筋	下部纵筋	箍筋	连梁腰筋
LL1		300x1700	4⌀20	4⌀20	φ8@100(2)	18⌀12
LL2		250x800	4⌀18	4⌀18	φ8@100(2)	8⌀12
LL3		250x500	3⌀18	3⌀18	φ8@100(2)	6⌀12
LL4		250x800	4⌀20	4⌀20	φ10@100(2)	8⌀12

XXX建筑设计有限公司

职责	签字	专业名称	结构	建设单位	XXXX建筑工程有限责任公司	
设计		32.10m梁平法施工图		项目名称		
校核				设计阶段		
专业负责				结施-26		工程号
项目负责						
审核		比例	:	日期	2017.8 共39张	第26张

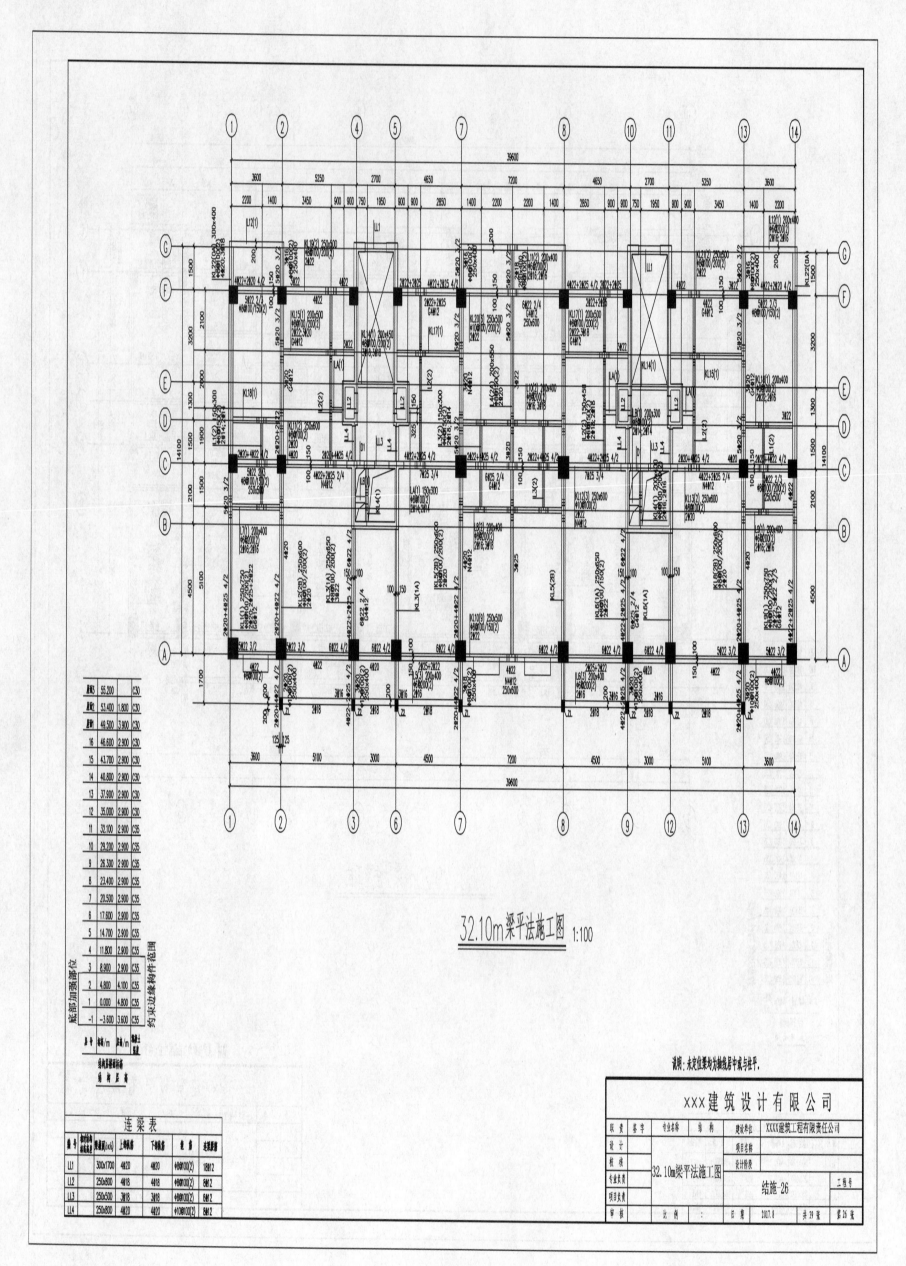

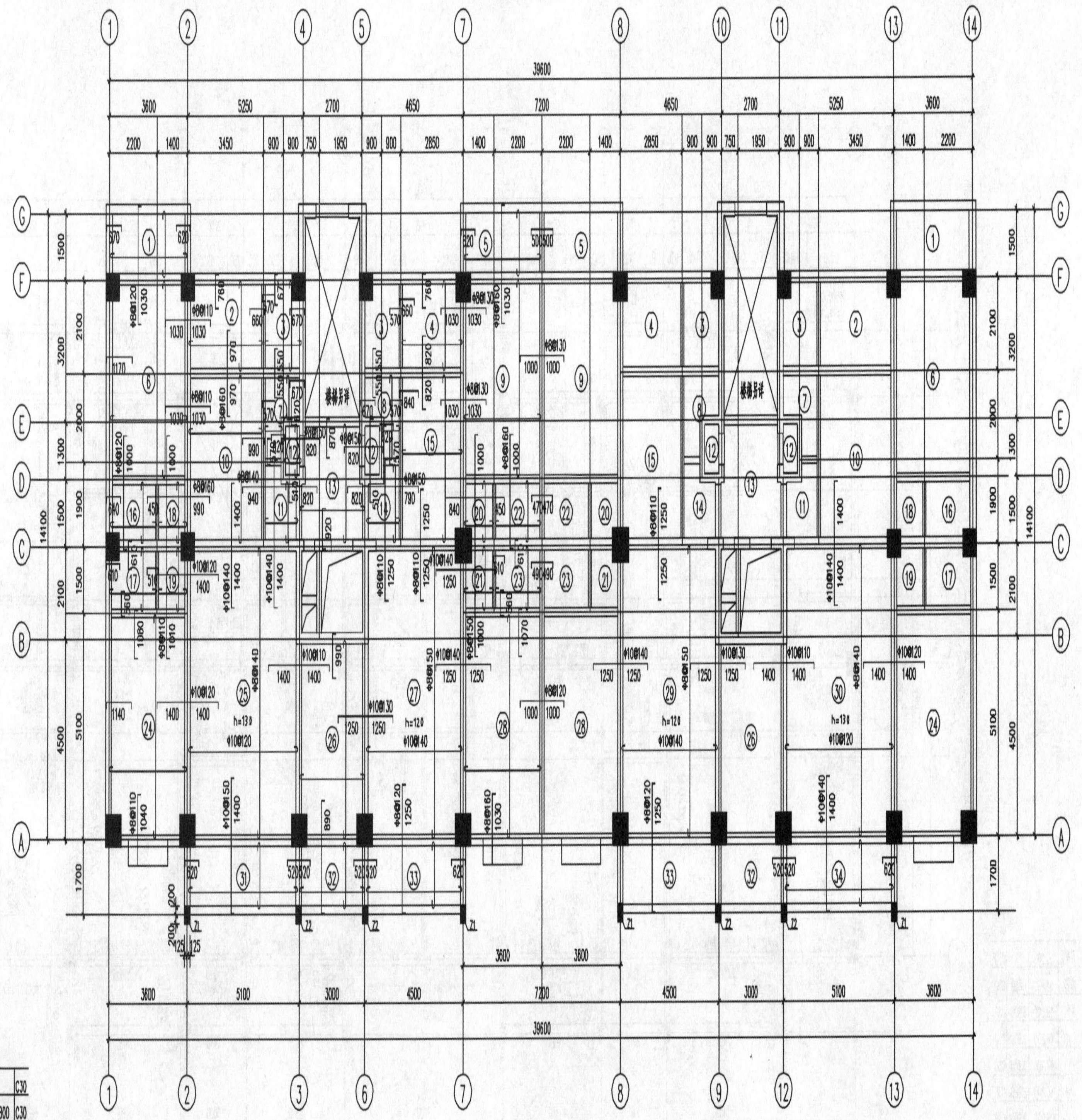

11.80~32.10m标高板配筋图 1:100

层号	标高/m	层高/m	混凝土强度
屋面3	55.200		C30
屋面2	53.400	1.800	C30
屋面1	49.500	3.900	C30
16	46.600	2.900	C30
15	43.700	2.900	C30
14	40.800	2.900	C30
13	37.900	2.900	C30
12	35.000	2.900	C30
11	32.100	2.900	C35
10	29.200	2.900	C35
9	26.300	2.900	C35
8	23.400	2.900	C35
7	20.500	2.900	C35
6	17.600	2.900	C35
5	14.700	2.900	C35
4	11.800	2.900	C35
3	8.900	2.900	C35
2	4.800	4.100	C35
1	0.000	4.800	C35
−1	−3.600	3.600	C35

底部加强部位　约束边缘构件范围

结构层楼面标高
结构层高

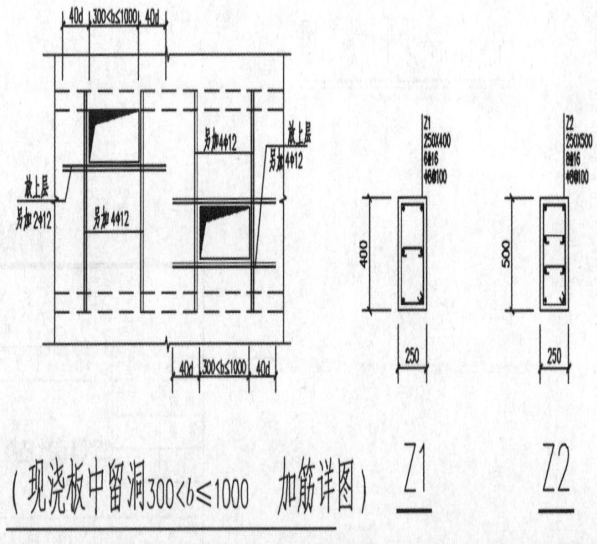

（现浇板中留洞300<b≤1000　加筋详图）　Z1　Z2

说明：1. 未注明板厚均为100，未注明板钢筋均为φ8@180。
2. 设备管井楼板待设备管线安装完毕后浇注，钢筋须预留。
3. 卫生间留洞详建施图及设施图，洞边加筋见板洞加筋图。
4. 卫生间楼板比结构层标高降低100mm。

×××建筑设计有限公司					
职责	签字	专业名称	结构	建设单位	×××建筑工程有限责任公司
设计		11.80~32.10m标高板配筋图		项目名称	
校核				设计阶段	
专业负责				结施-27	
项目负责					
审核		比例	:	日期 2017.8	共39张　第27张

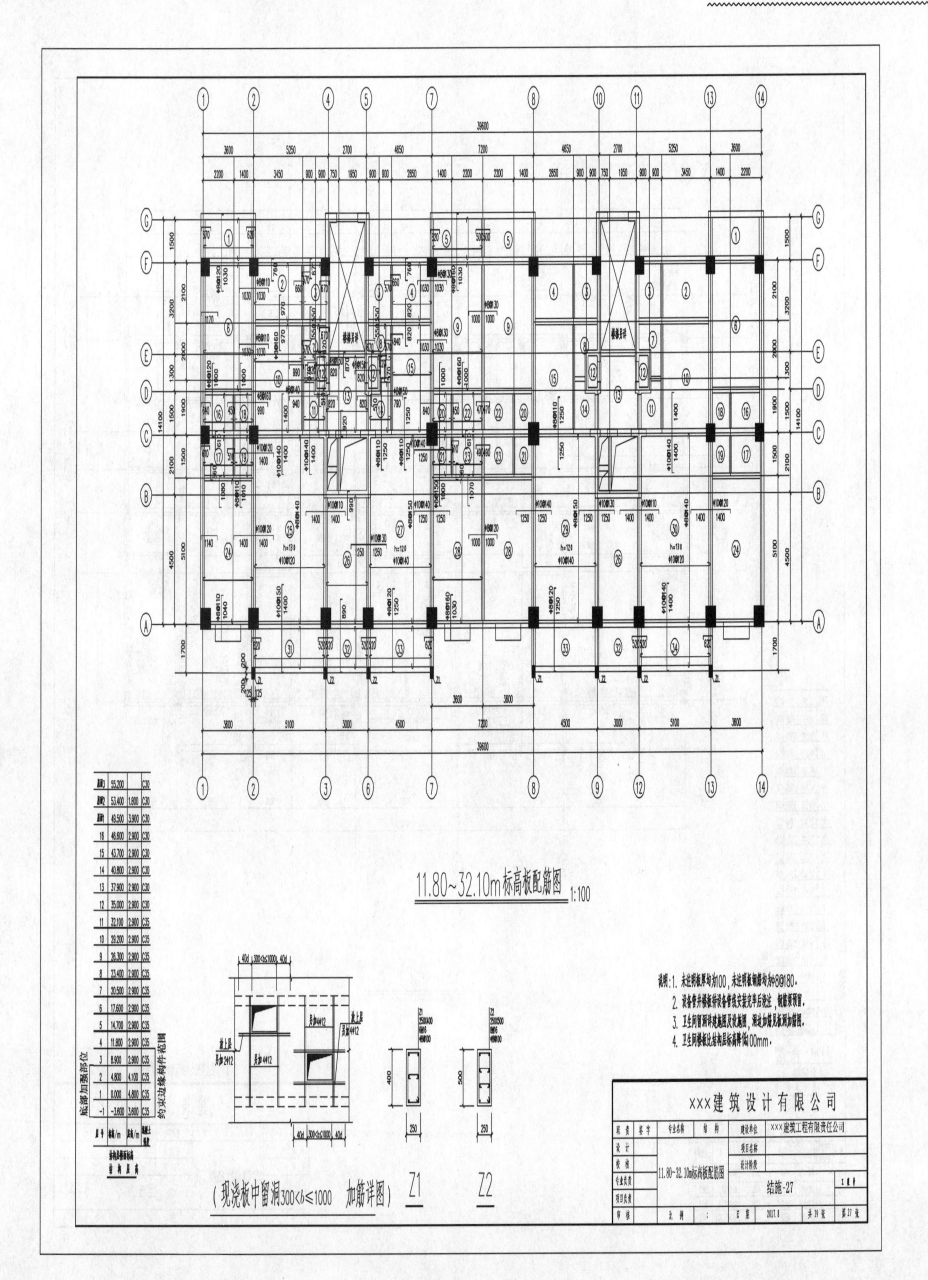

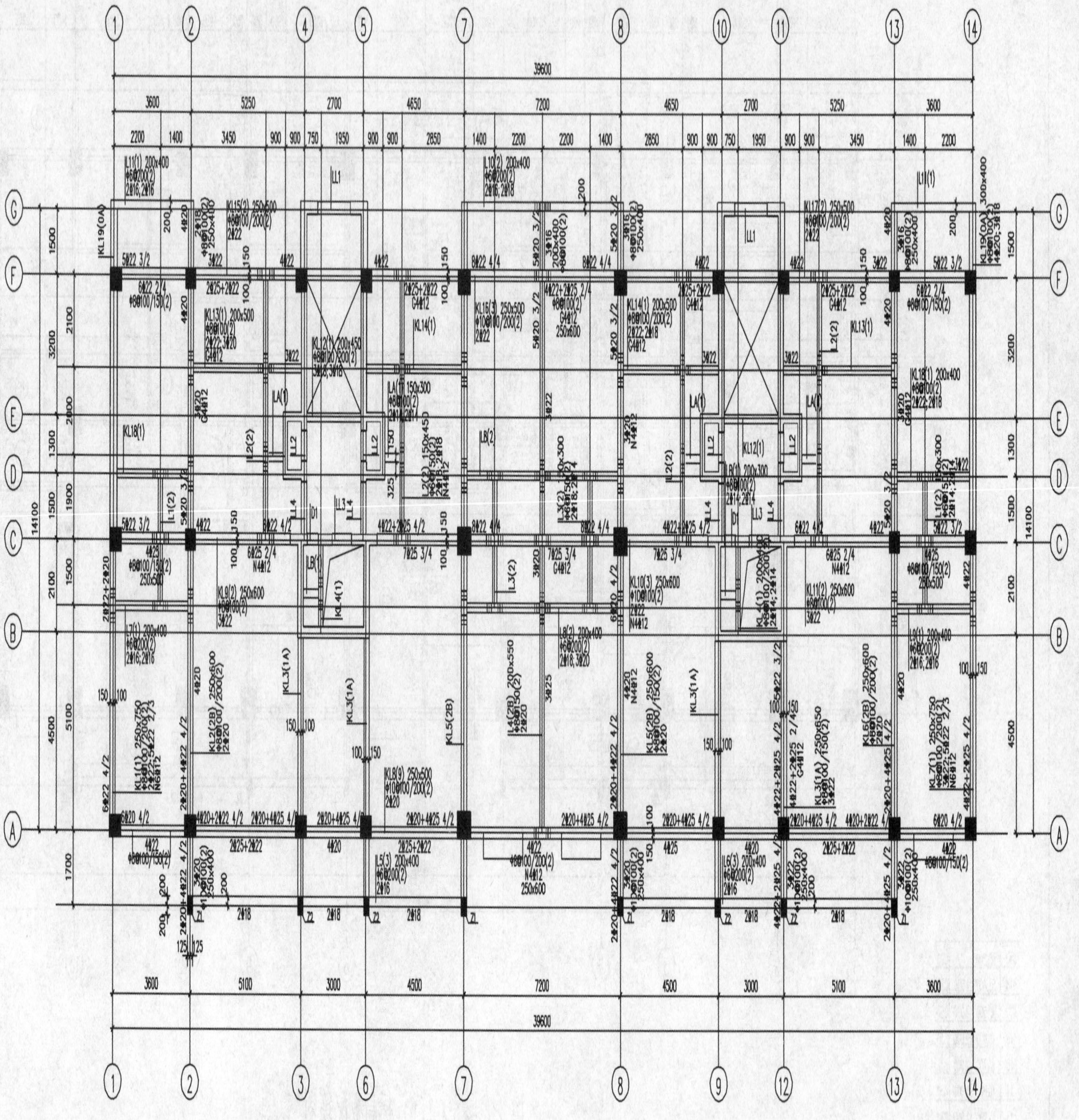

35.00m梁平法施工图 1:100

层号	标高/m	层高/m	混凝土强度
屋面3	55.200		C30
屋面2	53.400	1.800	C30
屋面1	49.500	3.900	C30
16	46.600	2.900	C30
15	43.700	2.900	C30
14	40.800	2.900	C30
13	37.900	2.900	C30
12	35.000	2.900	C30
11	32.100	2.900	C35
10	29.200	2.900	C35
9	26.300	2.900	C35
8	23.400	2.900	C35
7	20.500	2.900	C35
6	17.600	2.900	C35
5	14.700	2.900	C35
4	11.800	2.900	C35
3	8.900	2.900	C35
2	4.800	4.100	C35
1	0.000	4.800	C35
-1	-3.600	3.600	C35

底部加强部位

约束边缘构件范围

结构层楼面标高
结构层高

说明：未定位梁均为轴线居中或与柱平。

连梁表

编号	相对结构标高高差	梁截面(b×h)	上部纵筋	下部纵筋	箍筋	连梁腰筋
LL1		300x1700	4⌀20	4⌀20	Φ8@100(2)	18⌀12
LL2		250x800	4⌀18	4⌀18	Φ8@100(2)	8⌀12
LL3		250x500	3⌀18	3⌀18	Φ8@100(2)	6⌀12
LL4		250x800	4⌀20	4⌀20	Φ10@100(2)	8⌀12

XXX建筑设计有限公司

职责	签字	[illegible]	[illegible]	建设单位	XXX建筑工程有限责任公司		
设计		35.00m梁平法施工图		项目名称			
校核				设计阶段			
专业负责				结施-28			工程号
项目负责							
审核		比例	:	日期	2017.8	共39张	第28张

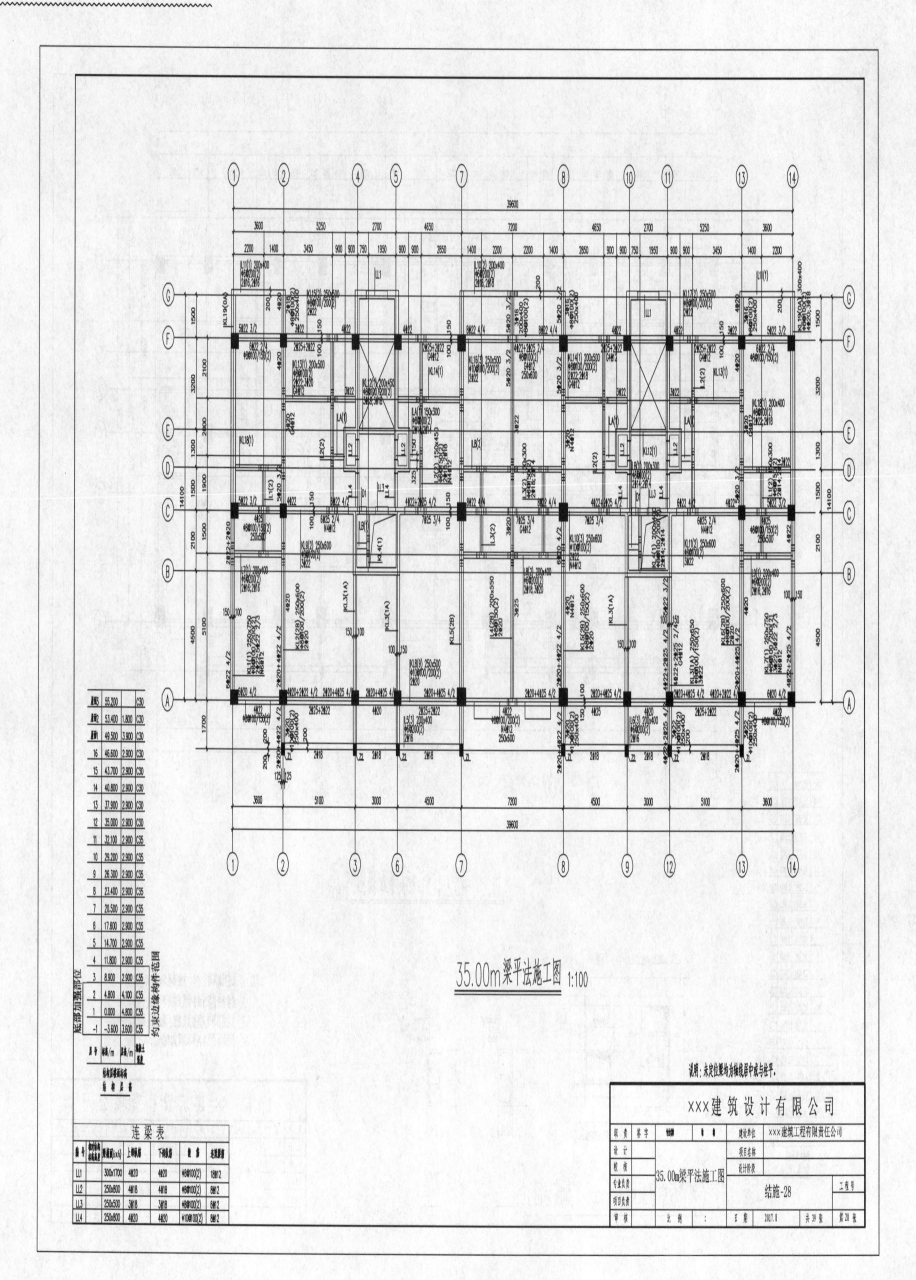

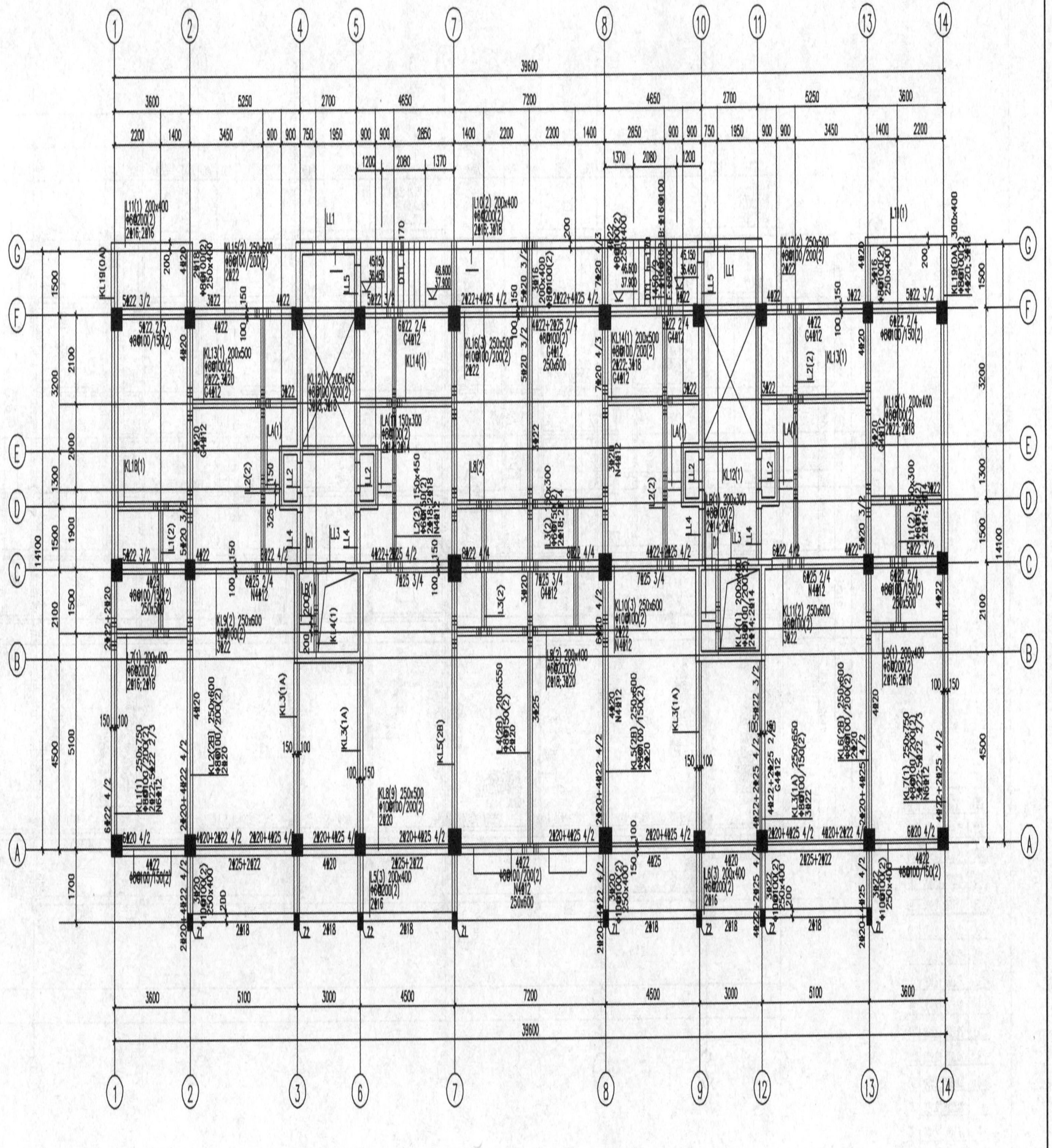

37.90、46.60m梁平法施工图 1:100

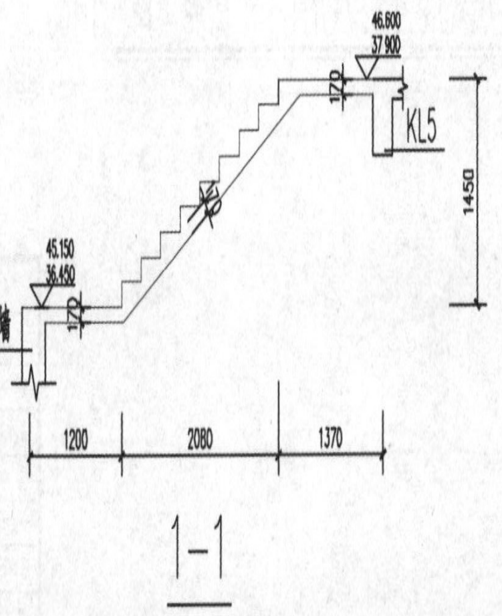

1-1

层号	标高/m	层高/m	混凝土强度
屋面3	55.200		C30
屋面2	53.400	1.800	C30
屋面1	49.500	3.900	C30
16	46.600	2.900	C30
15	43.700	2.900	C30
14	40.800	2.900	C30
13	37.900	2.900	C30
12	35.000	2.900	C30
11	32.100	2.900	C35
10	29.200	2.900	C35
9	26.300	2.900	C35
8	23.400	2.900	C35
7	20.500	2.900	C35
6	17.600	2.900	C35
5	14.700	2.900	C35
4	11.800	2.900	C35
3	8.900	2.900	C35
2	4.800	4.100	C35
1	0.000	4.800	C35
-1	-3.600	3.600	C35

底部加强部位

约束边缘构件范围

结构层楼面标高
结 构 层 高

连 梁 表

编 号	相对结构标高高差	梁截面(b×h)	上部纵筋	下部纵筋	箍 筋	连梁腰筋
LL1		300x1700	4⌀20	4⌀20	Φ8@100(2)	18⌀12
LL2		250x800	4⌀18	4⌀18	Φ8@100(2)	8⌀12
LL3		250x500	3⌀18	3⌀18	Φ8@100(2)	6⌀12
LL4		250x800	4⌀20	4⌀20	Φ10@100(2)	8⌀12
LL5		300x800	4⌀18	4⌀18	Φ8@100(2)	8⌀12

说明：1. 楼梯采用平法制图，制图规则及相关构造详《16G101-2》图集。
2. 本图中楼梯板及平台板标高均为建筑标高，施工时应降低30mm，楼梯板及平台板厚度不变。
3. 楼梯板上部钢筋贯通设置。
4. 梯级大样、扶手、预埋件详见建施图。
5. 未定位梁均为轴线居中或与柱平。

xxx建筑设计有限公司							
职 责	签 字	专业名称	结 构	建设单位	xxx建筑工程有限责任公司		
设 计		37.90、46.60m梁平法施工图		项目名称			
校 核				设计阶段			
专业负责				结施-29			工程号
项目负责							
审 核		比 例	:	日 期	2017.8	共 39 张	第 29 张

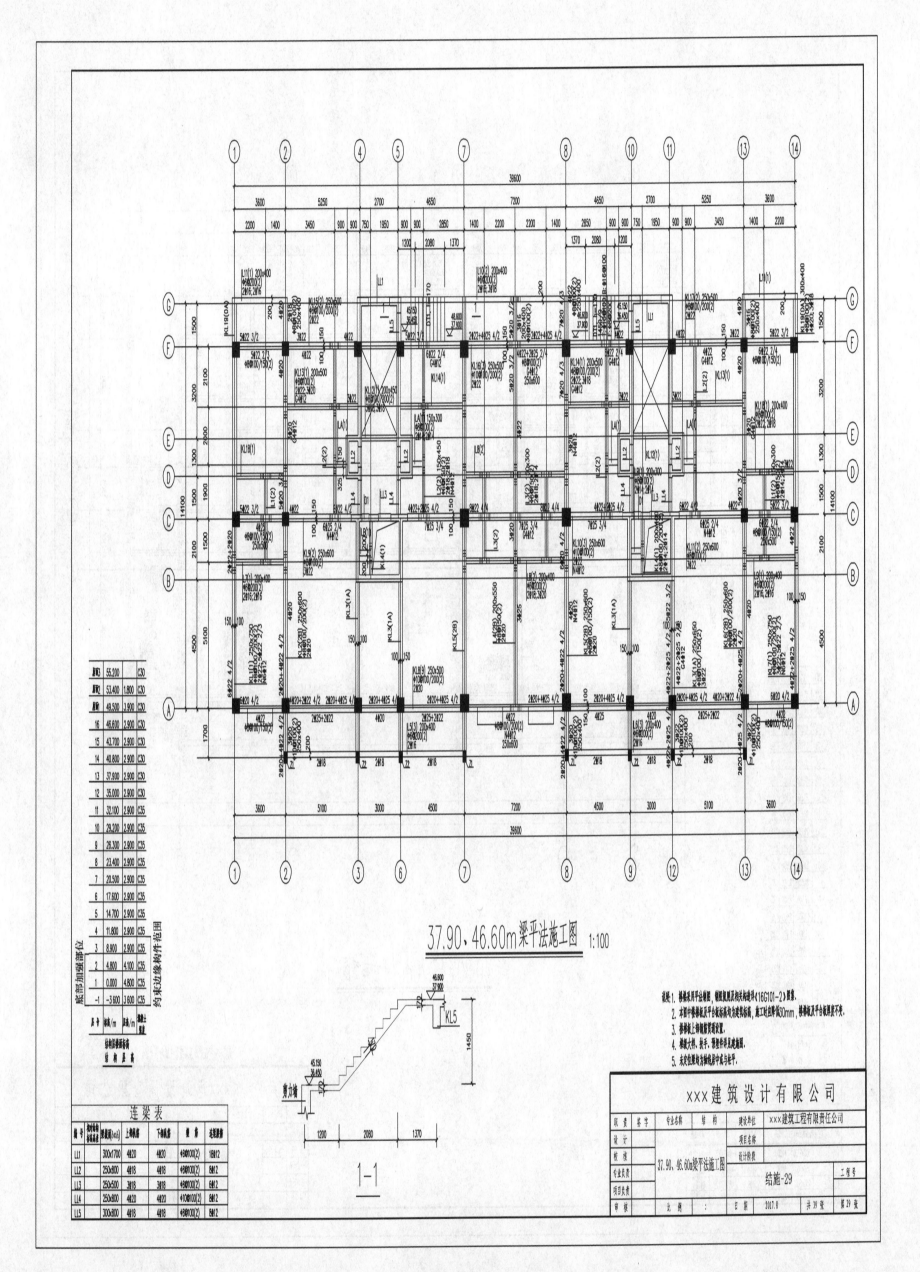

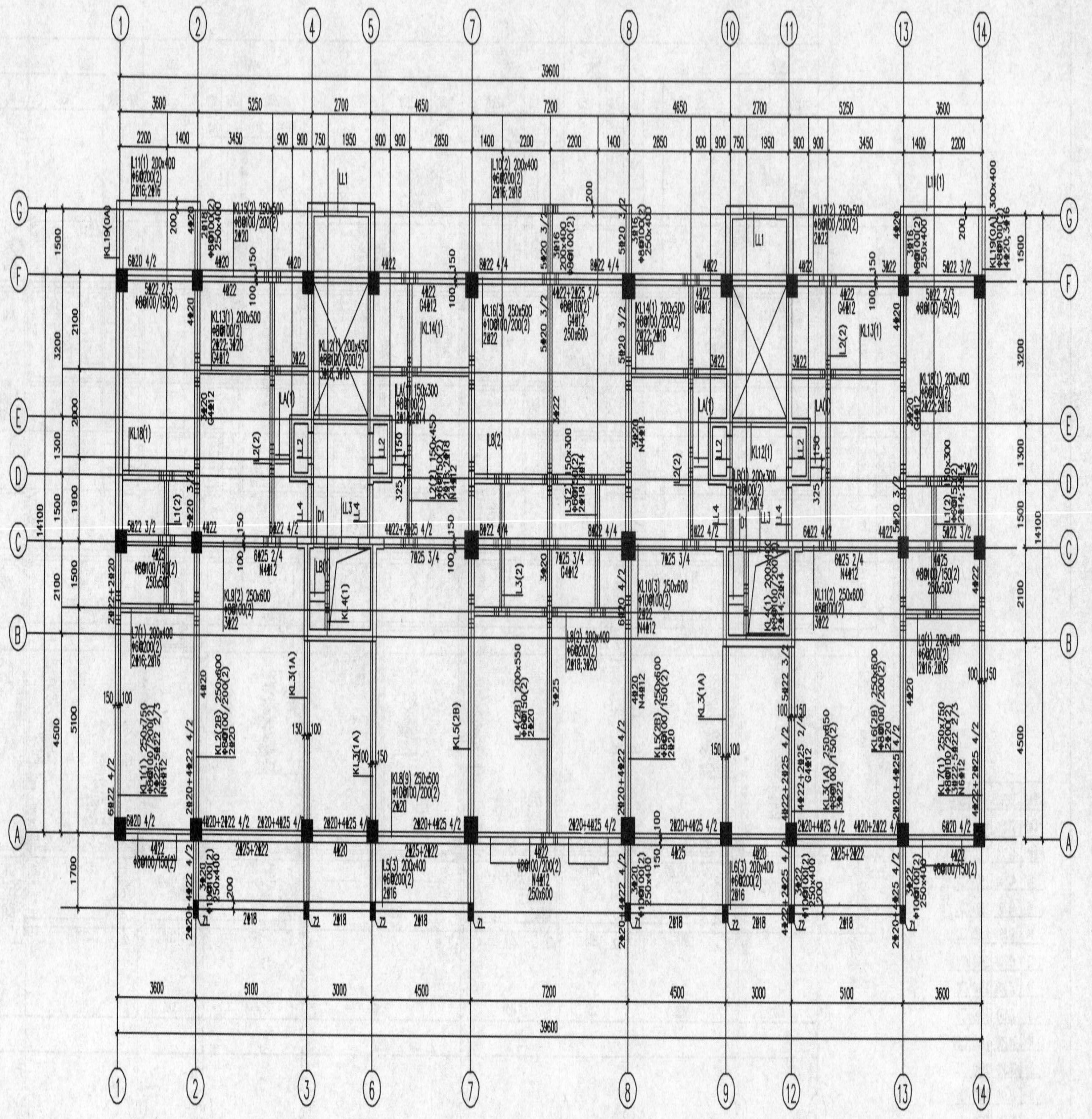

40.80、43.70m梁平法施工图 1:100

层号	标高(m)	层高(m)	混凝土强度
屋面3	55.200		C30
屋面2	53.400	1.800	C30
屋面1	49.500	3.900	C30
16	46.600	2.900	C30
15	43.700	2.900	C30
14	40.800	2.900	C30
13	37.900	2.900	C30
12	35.000	2.900	C30
11	32.100	2.900	C35
10	29.200	2.900	C35
9	26.300	2.900	C35
8	23.400	2.900	C35
7	20.500	2.900	C35
6	17.600	2.900	C35
5	14.700	2.900	C35
4	11.800	2.900	C35
3	8.900	2.900	C35
2	4.800	4.100	C35
1	0.000	4.800	C35
-1	-3.600	3.600	C35

底部加强部位

约束边缘构件范围

结构层楼面标高

结构层高

连梁表

编号	相对结构标高高差	梁截面(bxh)	上部纵筋	下部纵筋	箍筋	连梁腰筋
LL1		300x1700	4⌀20	4⌀20	Φ8@100(2)	18⌀12
LL2		250x800	4⌀18	4⌀18	Φ8@100(2)	8⌀12
LL3		250x500	3⌀18	3⌀18	Φ8@100(2)	6⌀12
LL4		250x800	4⌀20	4⌀20	Φ10@100(2)	8⌀12

说明：未定位梁均为轴线居中或与柱平。

×××建筑设计有限公司							
职责	签字	专业名称	结构	建设单位	×××建筑工程有限责任公司		
设计		40.80、43.70m梁平法施工图		项目名称			
校核				设计阶段			
专业负责				结施-30			工程号
项目负责							
审核		比例	:	日期	2017.8	共39张	第30张

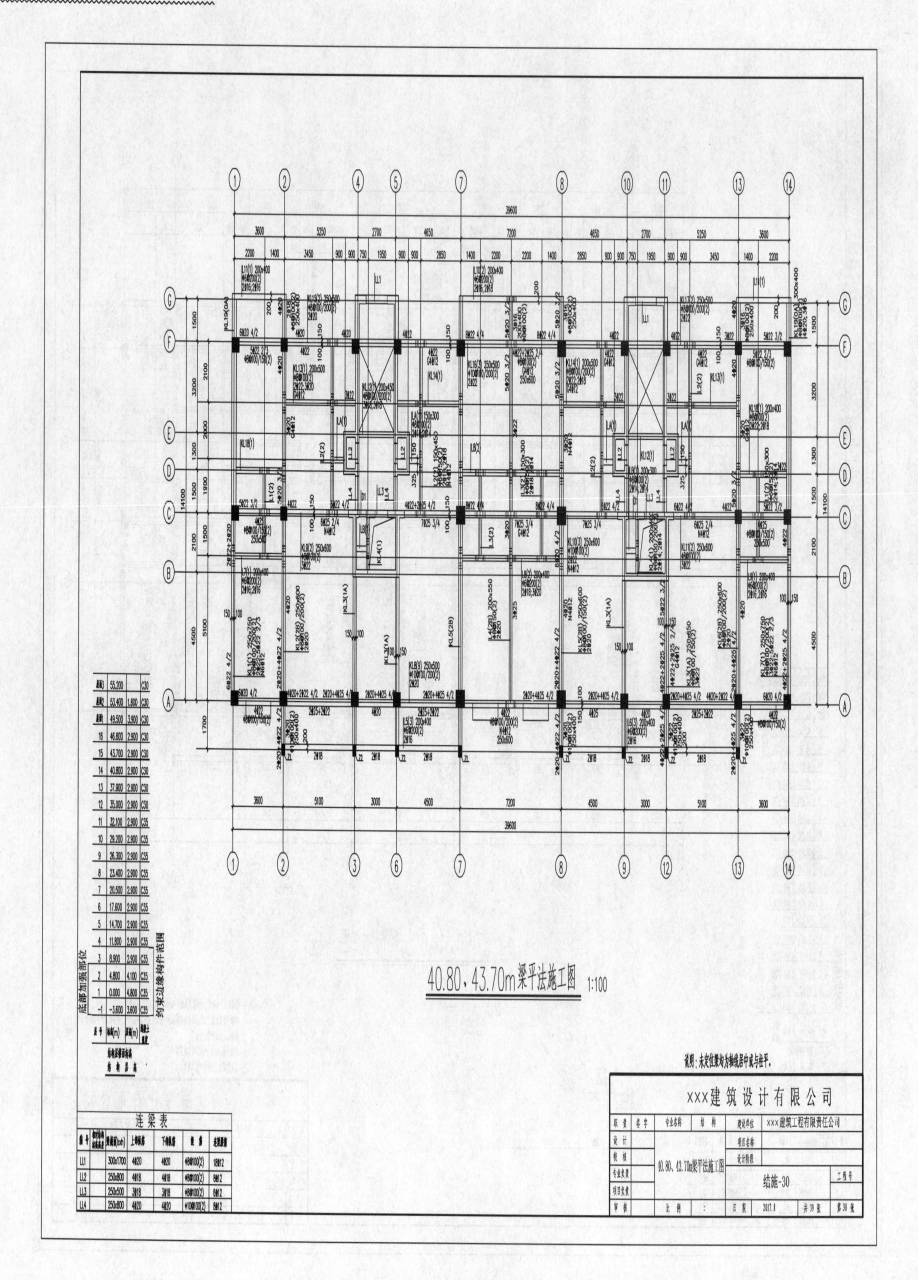

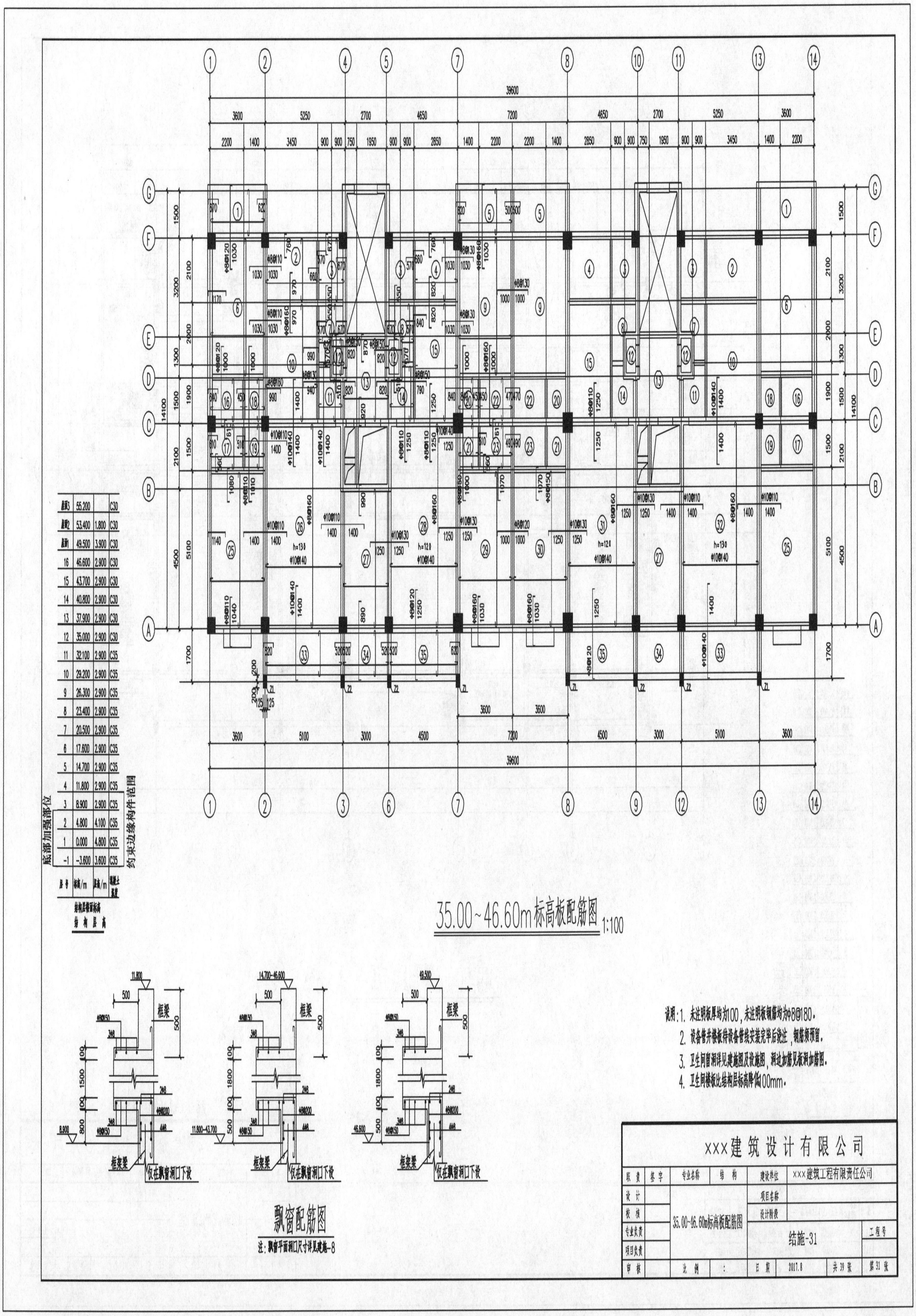
35.00~46.60m标高板配筋图 1:100
飘窗配筋图
注：飘窗平面洞口尺寸详见建施-8
说明：1. 未注明板厚均为100，未注明板钢筋均为Φ8@180。
2. 设备管井楼板待设备管线安装完毕后浇注，钢筋须预留。
3. 卫生间留洞详见建施图及设施图，洞边加筋见板洞加筋图。
4. 卫生间楼板比结构层标高降低100mm。
xxx建筑设计有限公司
xxx建筑工程有限责任公司
35.00~46.60m标高板配筋图
结施-31
底部加强部位
约束边缘构件范围

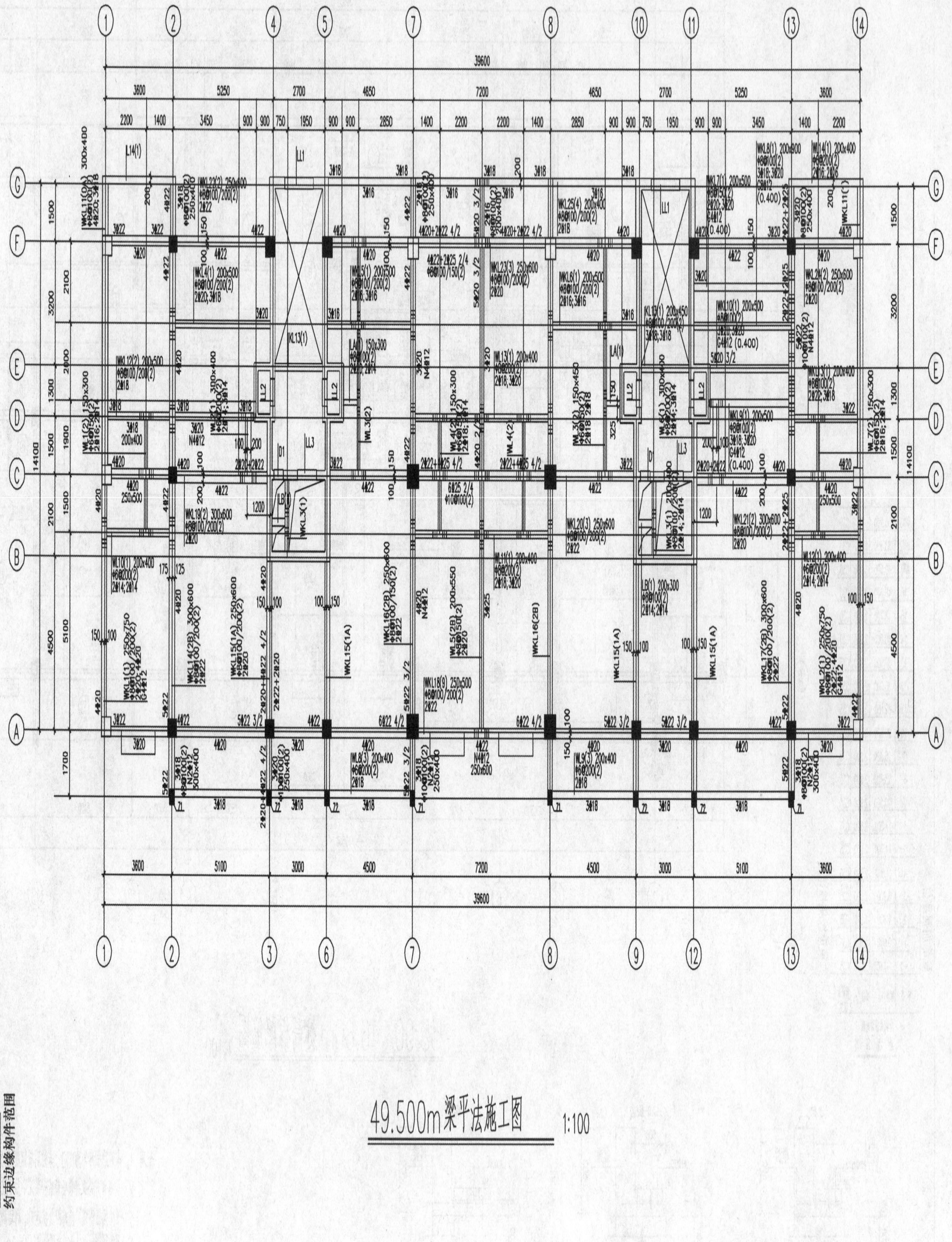

49.500m梁平法施工图 1:100

层号	标高/m	层高/m	混凝土强度
屋面3	55.200		C30
屋面2	53.400	1.800	C30
屋面1	49.500	3.900	C30
16	46.600	2.900	C30
15	43.700	2.900	C30
14	40.800	2.900	C30
13	37.900	2.900	C30
12	35.000	2.900	C30
11	32.100	2.900	C35
10	29.200	2.900	C35
9	26.300	2.900	C35
8	23.400	2.900	C35
7	20.500	2.900	C35
6	17.600	2.900	C35
5	14.700	2.900	C35
4	11.800	2.900	C35
3	8.900	2.900	C35
2	4.800	4.100	C35
1	0.000	4.800	C35
−1	−3.600	3.600	C35

底部加强部位

约束边缘构件范围

结构层楼面标高

结构层高

连梁表

编号	相对结构标高高差	梁截面(b×h)	上部纵筋	下部纵筋	箍筋	连梁腰筋
LL1		300x1700	4⌀20	4⌀20	Φ8@100(2)	18⌀12
LL2		250x800	4⌀18	4⌀18	Φ8@100(2)	8⌀12
LL3		250x500	3⌀18	3⌀18	Φ8@100(2)	6⌀12

说明：未定位梁均为轴线居中或与柱平。

XXX建筑设计有限公司							
职责	签字	专业名称	结构	建设单位	XXX建筑工程有限责任公司		
设计		49.500m梁平法施工图		项目名称			
校核				设计阶段			
专业负责				结施-32			工程号
项目负责							
审核		比例	:	日期	2017.8	共39张	第32张

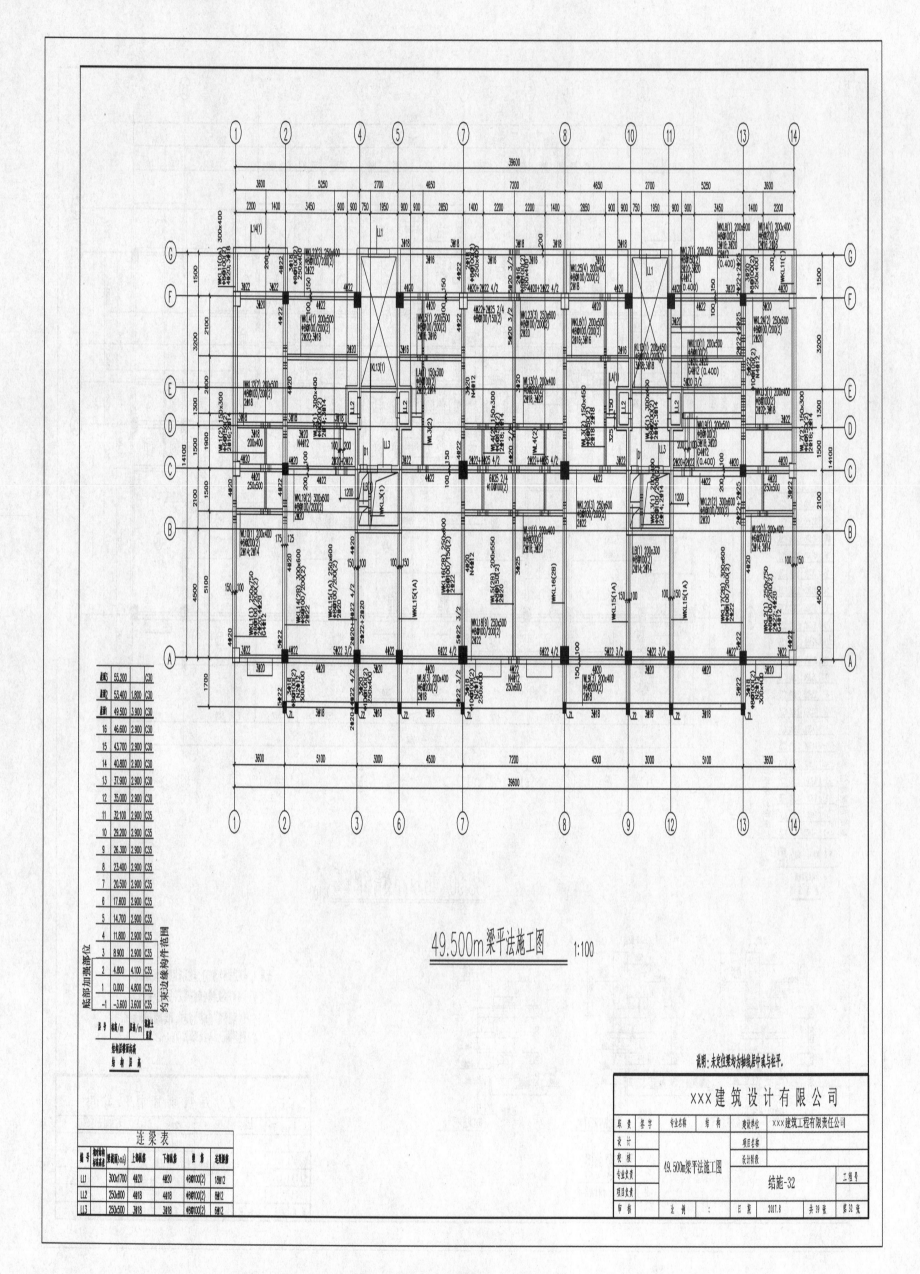

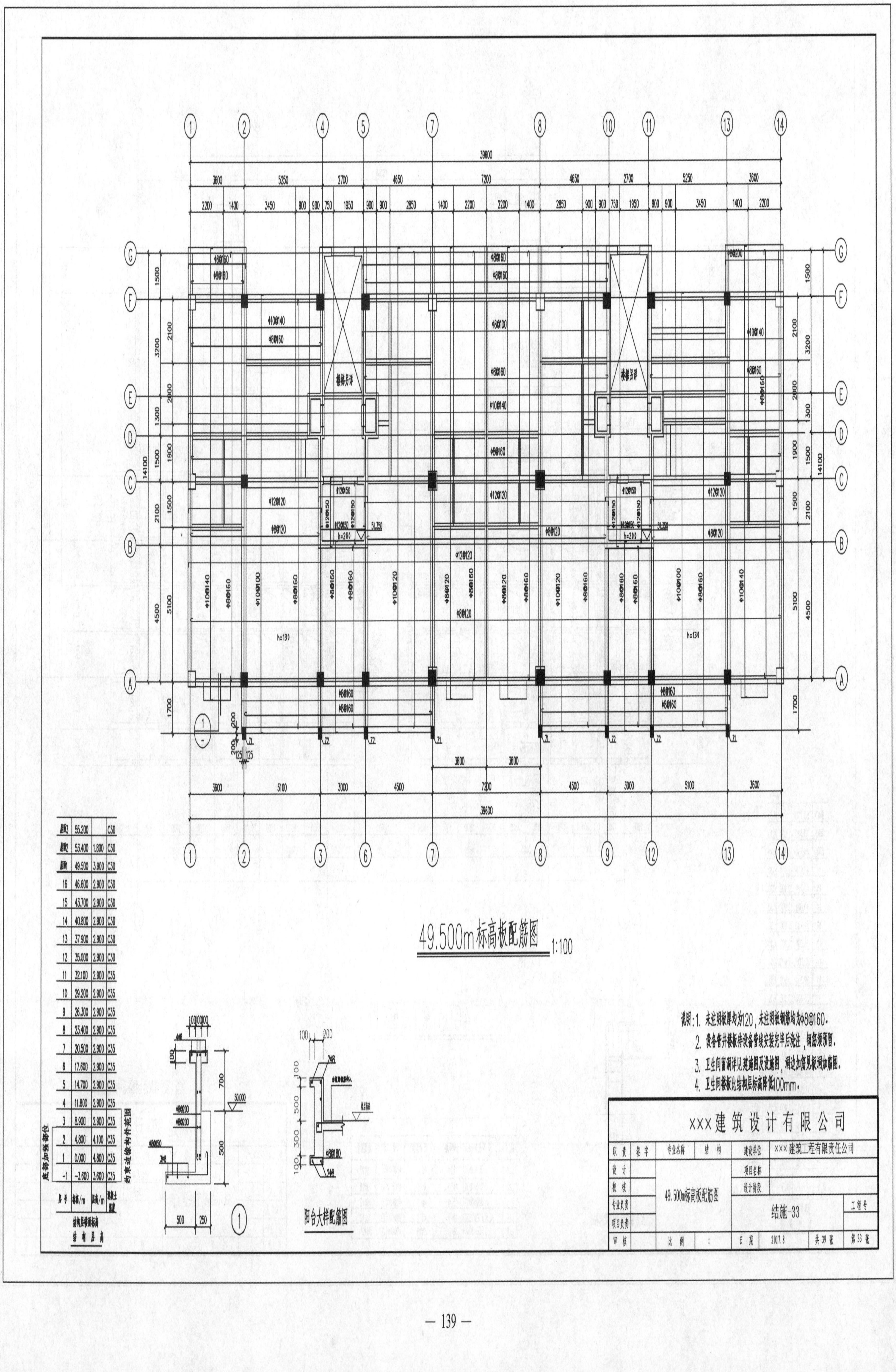
49.500m标高板配筋图 1:100
说明：1. 未注明板厚均为120，未注明板钢筋均为φ8@160。
2. 设备管井楼板待设备管线安装完毕后浇注，钢筋须预留。
3. 卫生间留洞详见建施图及设施图，洞边加筋见板洞加筋图。
4. 卫生间楼板比结构层标高降低100mm。
层顶3 55.200 C30
层顶2 53.400 1.800 C30
层顶1 49.500 3.900 C30
16 46.600 2.900 C30
15 43.700 2.900 C30
14 40.800 2.900 C30
13 37.900 2.900 C30
12 35.000 2.900 C30
11 32.100 2.900 C35
10 29.200 2.900 C35
9 26.300 2.900 C35
8 23.400 2.900 C35
7 20.500 2.900 C35
6 17.600 2.900 C35
5 14.700 2.900 C35
4 11.800 2.900 C35
3 8.900 2.900 C35
2 4.800 4.100 C35
1 0.000 4.800 C35
-1 -3.600 3.600 C35
层号 标高/m 层高/m 混凝土强度
结构层楼面标高
结构层高
底部加强部位
约束边缘构件范围
阳台大样配筋图
xxx建筑设计有限公司
职责 签字 专业名称 结构 建设单位 xxx建筑工程有限责任公司
设计 项目名称
校核 49.500m标高板配筋图 设计阶段
专业负责 结施-33 工程号
项目负责
审核 比例 : 日期 2017.8 共39张 第33张

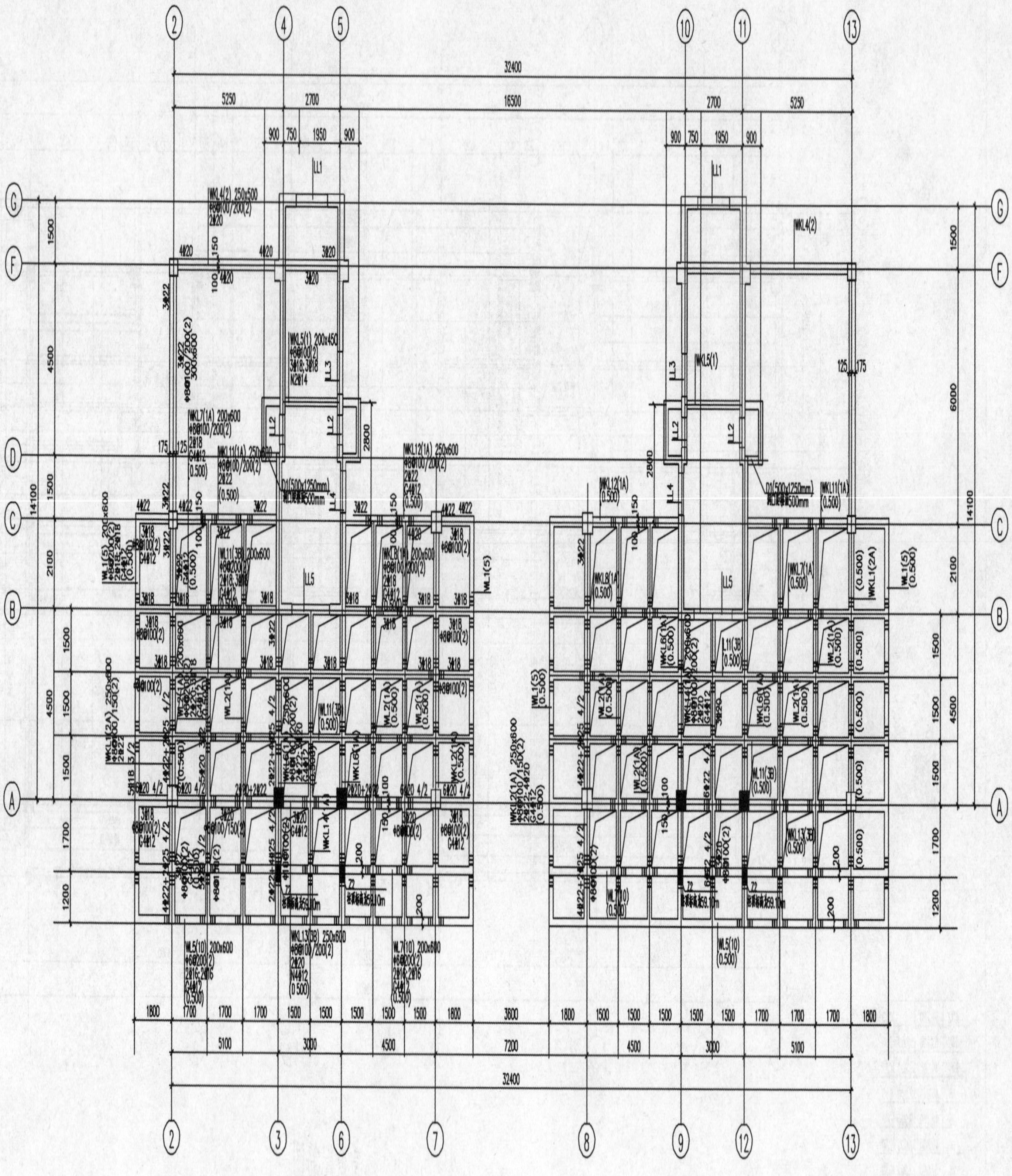

53.400m梁平法施工图 1:100

层号	标高/m	层高/m	混凝土强度
屋面3	55.200		C30
屋面2	53.400	1.800	C30
屋面1	49.500	3.900	C30
16	46.600	2.900	C30
15	43.700	2.900	C30
14	40.800	2.900	C30
13	37.900	2.900	C30
12	35.000	2.900	C30
11	32.100	2.900	C35
10	29.200	2.900	C35
9	26.300	2.900	C35
8	23.400	2.900	C35
7	20.500	2.900	C35
6	17.600	2.900	C35
5	14.700	2.900	C35
4	11.800	2.900	C35
3	8.900	2.900	C35
2	4.800	4.100	C35
1	0.000	4.800	C35
−1	−3.600	3.600	C35

底部加强部位

约束边缘构件范围

结构层楼面标高
结构层高

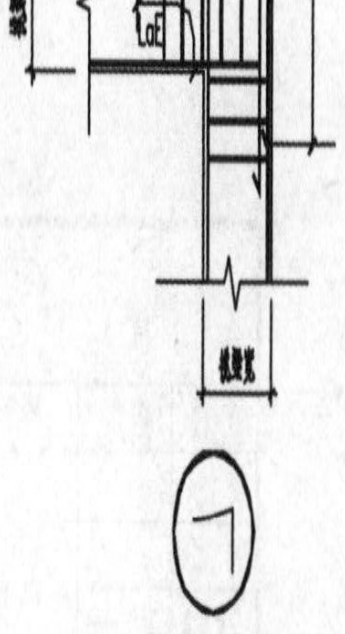

1

互为悬挑时悬挑梁端构造

连梁表						
编号	相对结构标高高差	梁截面(bxh)	上部纵筋	下部纵筋	箍筋	连梁腰筋
LL1		300x1800	4⌀20	4⌀20	φ8@100(2)	18⌀12
LL2		250x1800	4⌀20	4⌀20	φ8@100(2)	18⌀12
LL3		250x1800	4⌀20	4⌀20	φ8@100(2)	18⌀12
LL4		250x1800	4⌀20	4⌀20	φ8@100(2)	18⌀12
LL5		250x300	3⌀18	3⌀18	φ8@100(2)	8⌀12

说明：未定位梁均为轴线居中或与柱平.

×××建筑设计有限公司							
职责	签字	专业名称	结构	建设单位	×××建筑工程有限责任公司		
设计		53.400m梁平法施工图		项目名称			
校核				设计阶段			
专业负责				结施-34			工程号
项目负责							
审核		比例	:	日期	2017.8	共39张	第34张

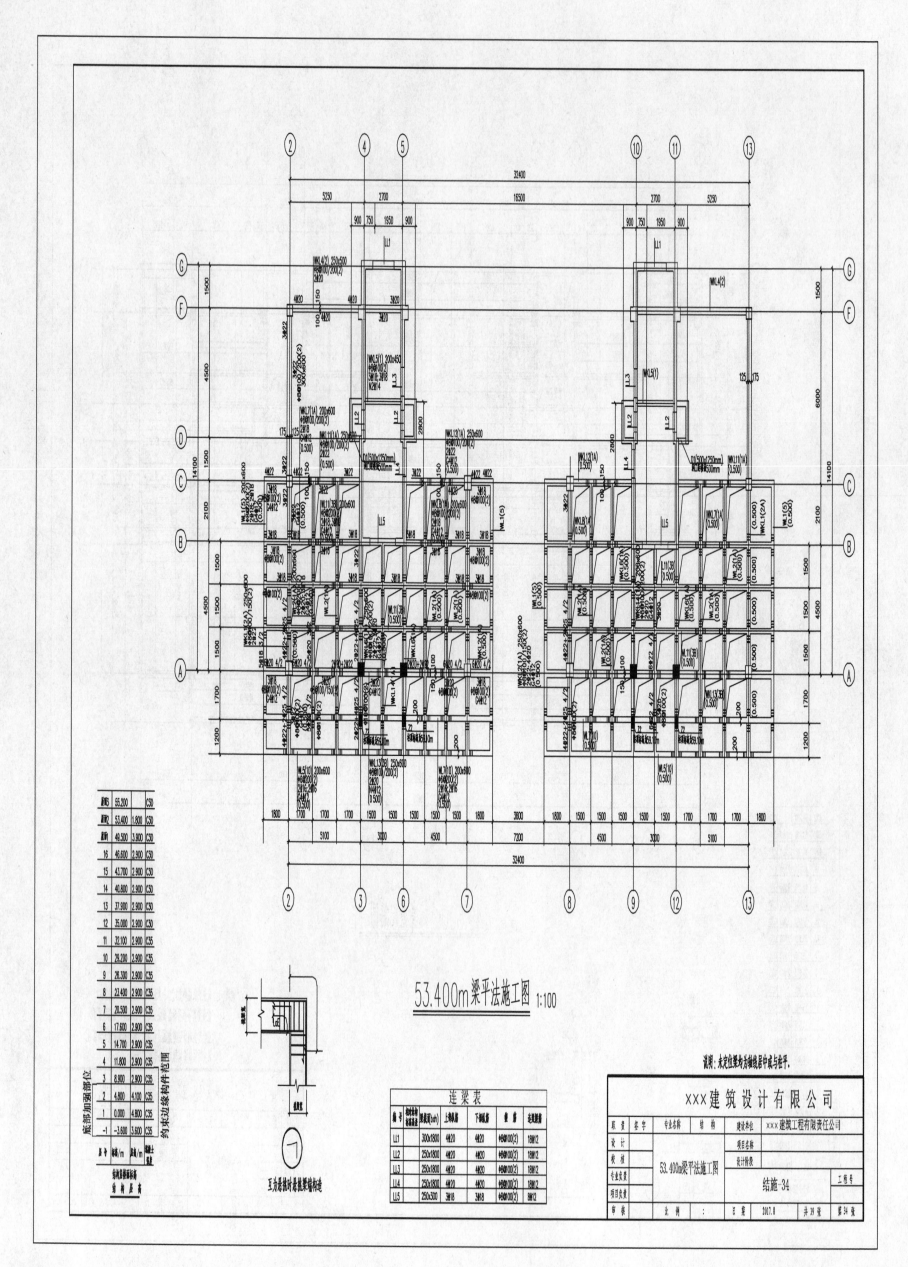

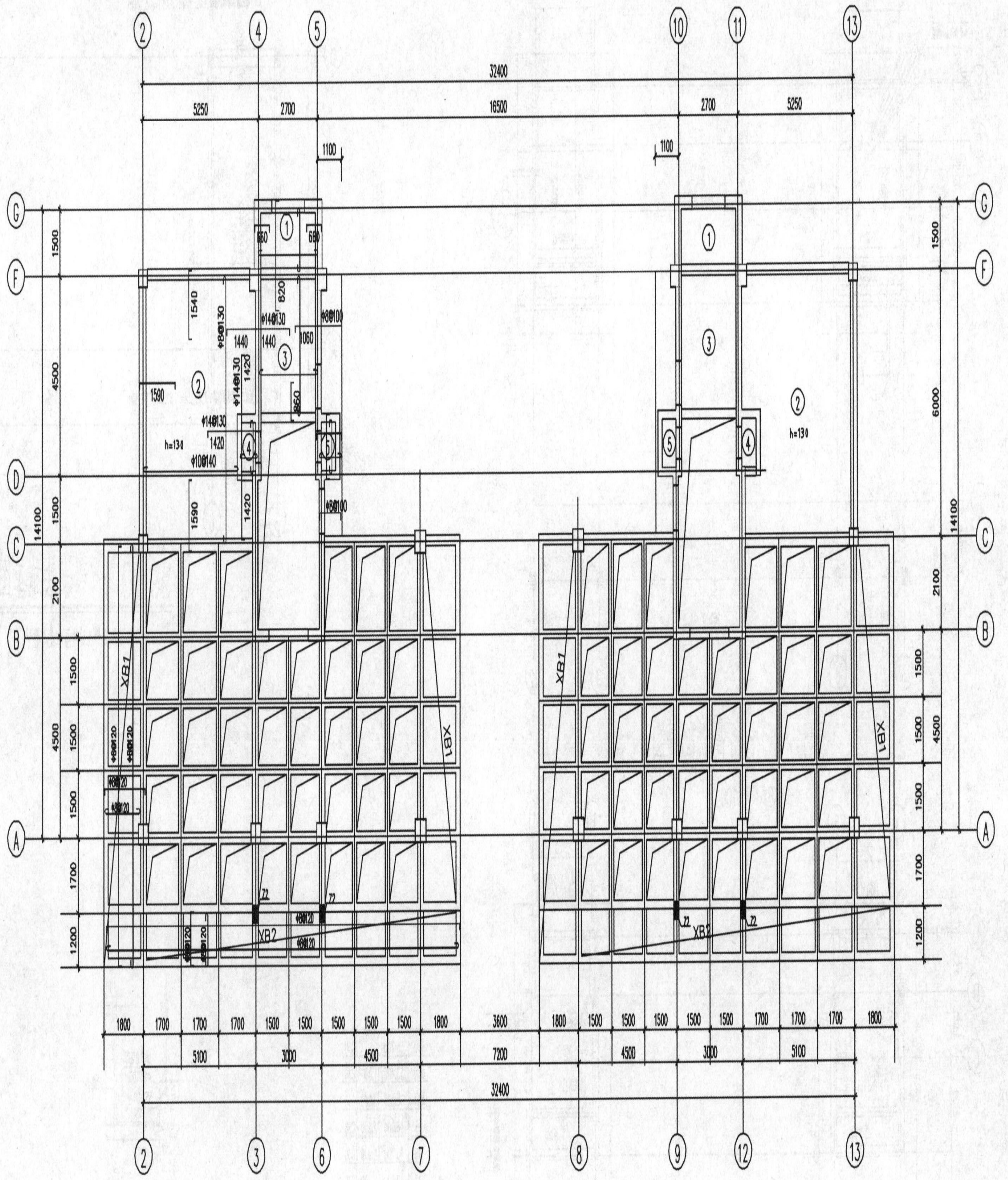

53.400m标高板配筋图 1:100

层号	标高/m	层高/m	混凝土强度
屋面3	55.200		C30
屋面2	53.400	1.800	C30
屋面1	49.500	3.900	C30
16	46.600	2.900	C30
15	43.700	2.900	C30
14	40.800	2.900	C30
13	37.900	2.900	C30
12	35.000	2.900	C30
11	32.100	2.900	C35
10	29.200	2.900	C35
9	26.300	2.900	C35
8	23.400	2.900	C35
7	20.500	2.900	C35
6	17.600	2.900	C35
5	14.700	2.900	C35
4	11.800	2.900	C35
3	8.900	2.900	C35
2	4.800	4.100	C35
1	0.000	4.800	C35
-1	-3.600	3.600	C35

底部加强部位

约束边缘构件范围

结构层楼面标高
结构层高

说明：
1.未注明板厚均为120，未注明板钢筋均为φ8@160。
2.XB1、XB2板厚为100mm，配筋为双层双向φ8@150。

xxx建筑设计有限公司							
职责	签字	专业名称	结构	建设单位	xxx建筑工程有限责任公司		
设计		53.400m标高板配筋图		项目名称			
校核				设计阶段			
专业负责				结施-35			工程号
项目负责							
审核		比例		日期	2017.8	共39张	第35张

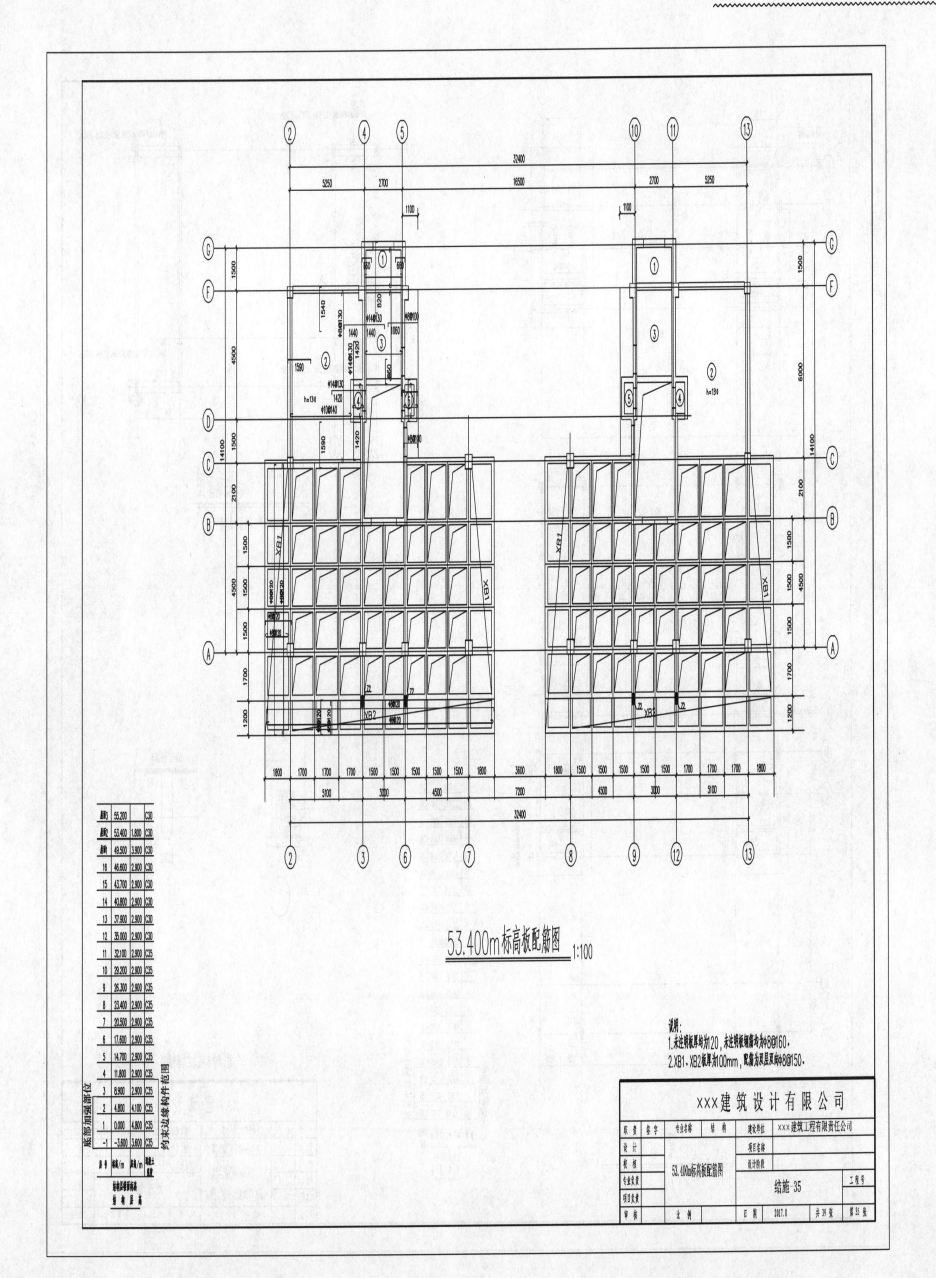

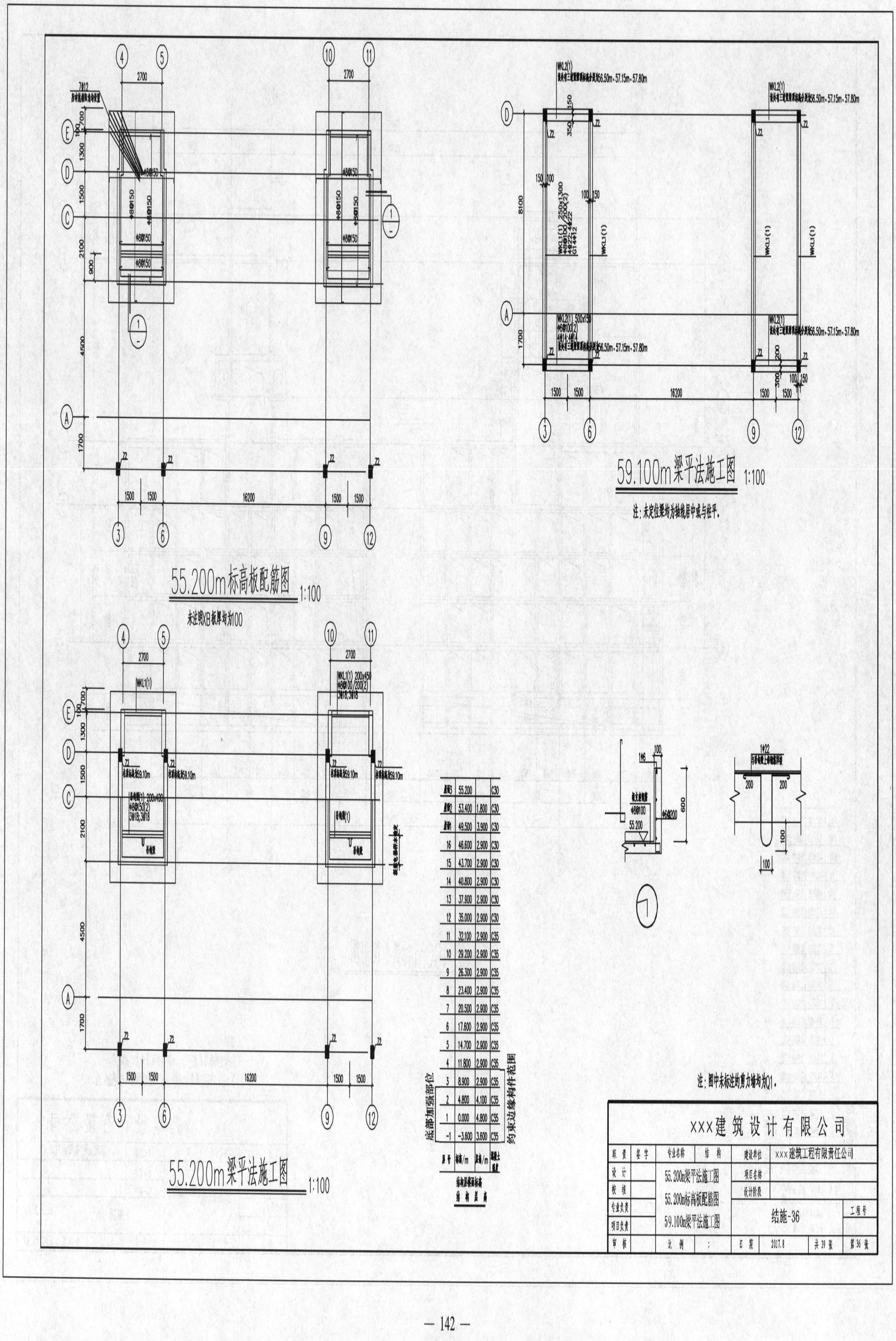

层号	标高/m	层高/m	混凝土强度
屋面3	55.200		C30
屋面2	53.400	1.800	C30
屋面1	49.500	3.900	C30
16	46.600	2.900	C30
15	43.700	2.900	C30
14	40.800	2.900	C30
13	37.900	2.900	C30
12	35.000	2.900	C30
11	32.100	2.900	C35
10	29.200	2.900	C35
9	26.300	2.900	C35
8	23.400	2.900	C35
7	20.500	2.900	C35
6	17.600	2.900	C35
5	14.700	2.900	C35
4	11.800	2.900	C35
3	8.900	2.900	C35
2	4.800	4.100	C35
1	0.000	4.800	C35
-1	-3.600	3.600	C35

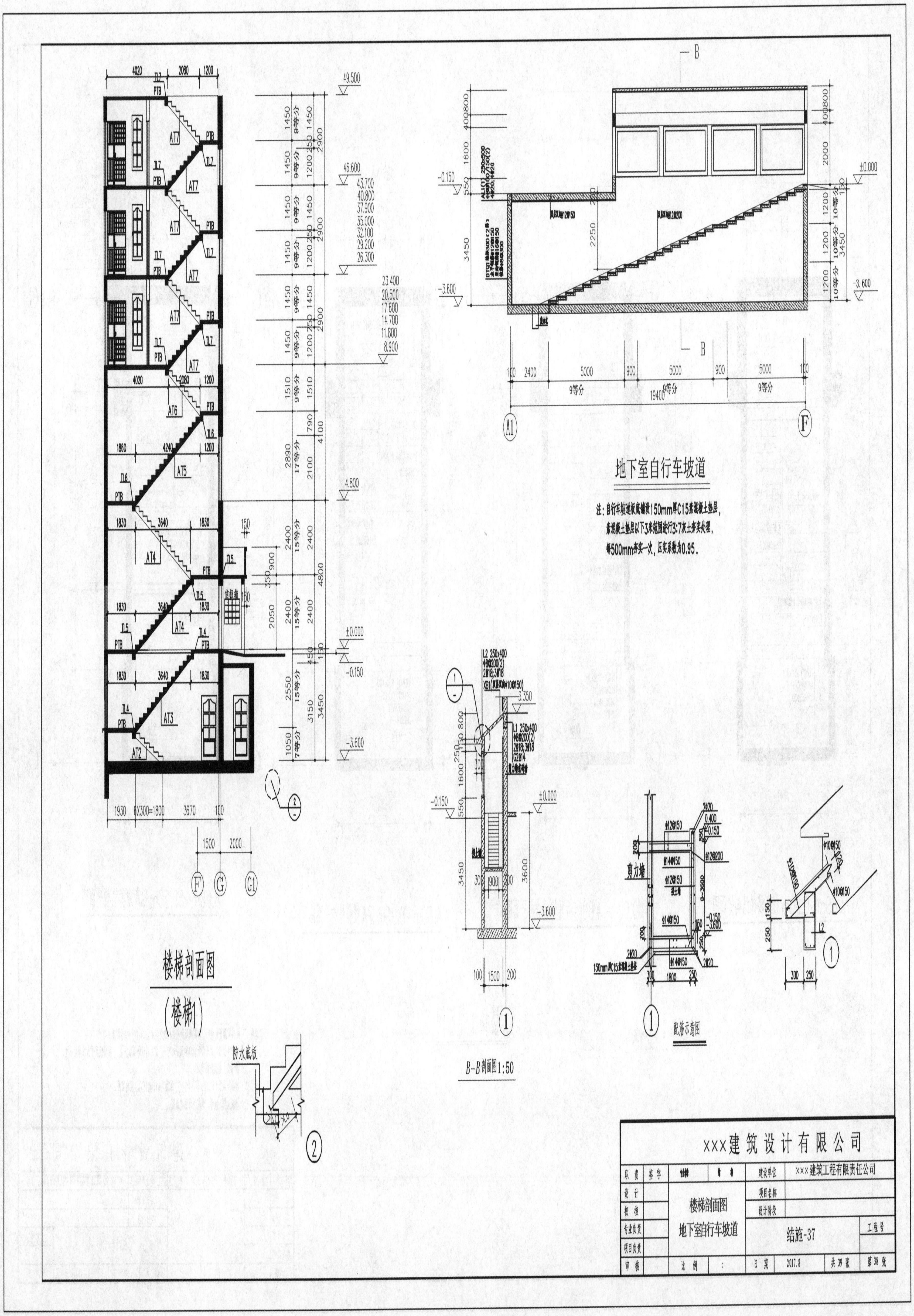
楼梯剖面图
(楼梯1)
防水底板
地下室自行车坡道
注：自行车坡道板底铺设150mm厚C15素混凝土垫层，素混凝土垫层以下3米范围进行3:7灰土夯实处理，每500mm夯实一次，压实系数为0.95.
B-B剖面图1:50
配筋示意图
剪力墙
xxx建筑设计有限公司
xxx建筑工程有限责任公司
楼梯剖面图
地下室自行车坡道
结施-37

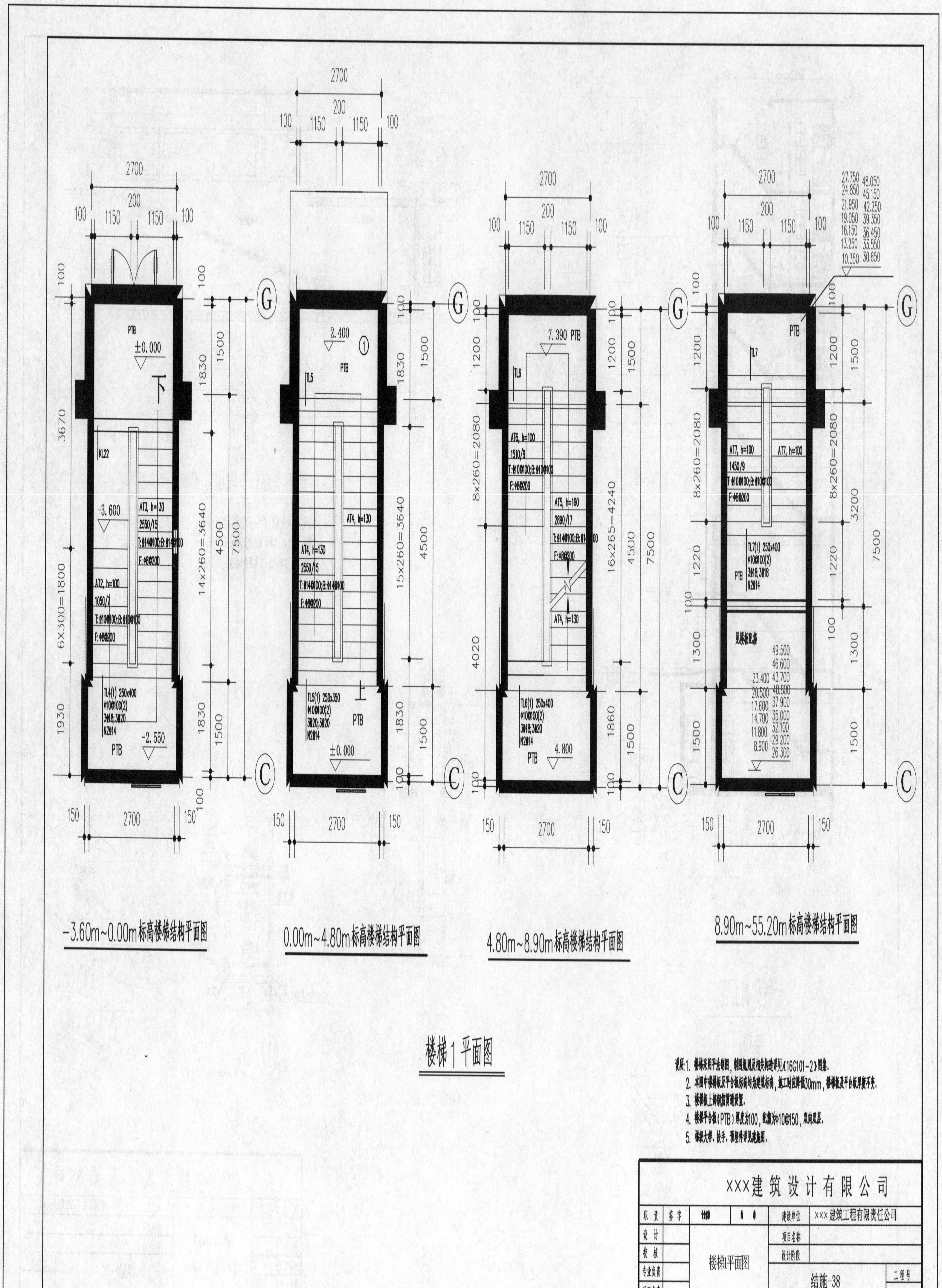
-3.60m~0.00m标高楼梯结构平面图
0.00m~4.80m标高楼梯结构平面图
4.80m~8.90m标高楼梯结构平面图
8.90m~55.20m标高楼梯结构平面图
楼梯1平面图
说明：1. 楼梯采用平法制图，制图规则及相关构造详见《16G101-2》图集.
2. 本图中楼梯板及平台板标高均为建筑标高，施工时应降低30mm，楼梯板及平台板厚度不变.
3. 楼梯板上部钢筋贯通设置.
4. 楼梯平台板（PTB）厚度为100，配筋为ф10@150，双向双层.
5. 梯级大样、扶手、预埋件详见建施图.
XXX建筑设计有限公司
建设单位
XXX建筑工程有限责任公司
项目名称
设计阶段
楼梯1平面图
结施-38
工程号
2017.8
共39张
第38张

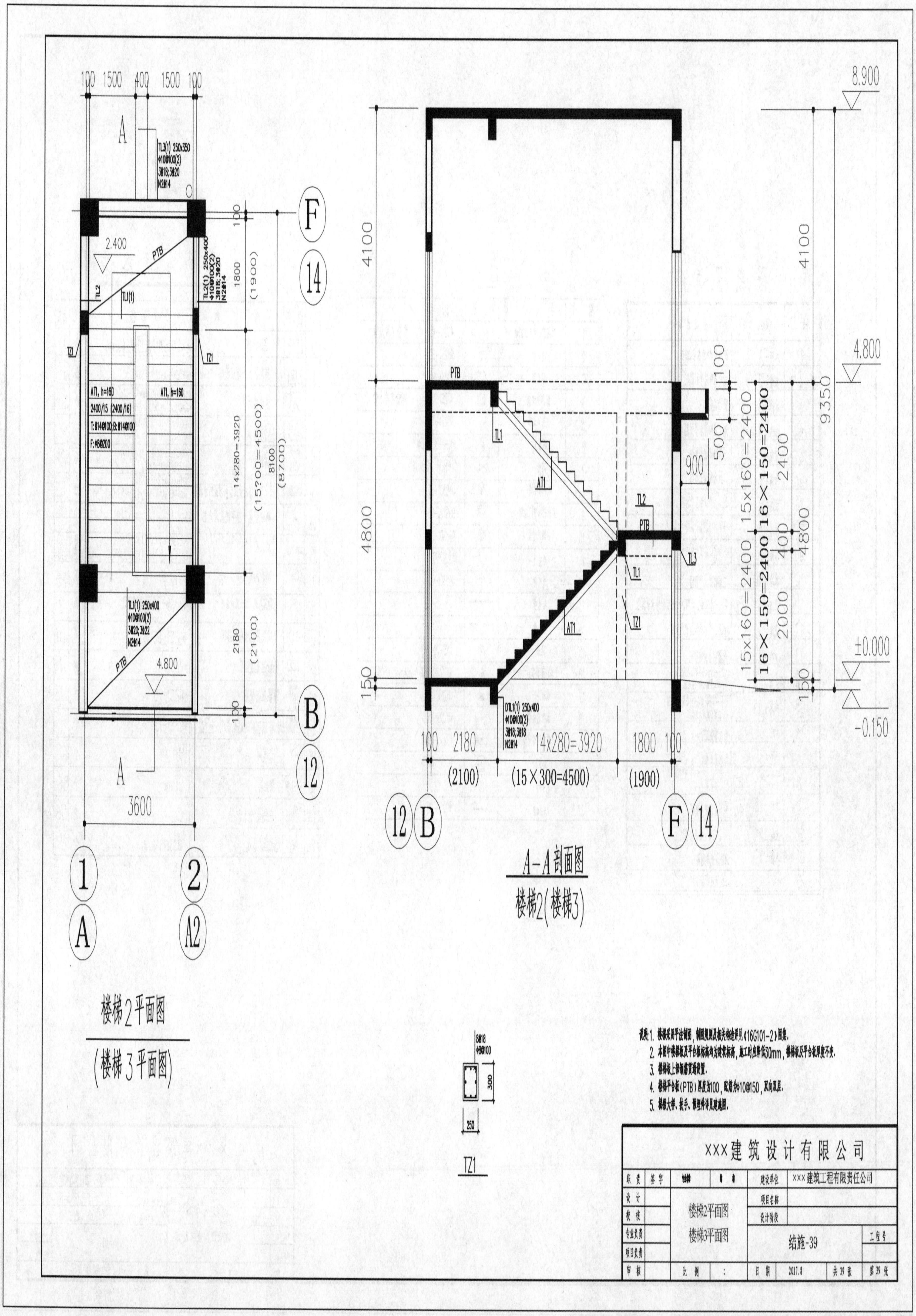
楼梯2平面图
(楼梯3平面图)
A-A剖面图
楼梯2(楼梯3)
TZ1
8.900
4.800
±0.000
-0.150
2.400
AT1, h=160
2400/15 (2400/16)
TL1(1) 250x400
TL2(1) 250x400
TL3(1) 250x350
DTL1(1) 250x400
PTB
3600
14x280=3920
(15×300=4500)
15x160=2400
16×150=2400
9350
说明: 1. 楼梯采用平法制图，制图规则及相关构造详见《16G101-2》图集。
2. 本图中楼梯板及平台板标高均为建筑标高，施工时应降低30mm，楼梯板及平台板厚度不变。
3. 楼梯板上部钢筋贯通设置。
4. 楼梯平台板(PTB)厚度为100，配筋为Φ10@150，双向双层。
5. 梯级大样、扶手、预埋件详见建施图。
XXX建筑设计有限公司
建设单位
XXX建筑工程有限责任公司
项目名称
设计阶段
楼梯2平面图
楼梯3平面图
结施-39
工程号
2017.8
共39张
第39张

图纸目录

序号	图纸编号	图纸名称
1	水施-1	图纸目录、设备表、图例
2	水施-2	室外消防总平面图
3	水施-3	设计说明
4	水施-4	地下室给排水平面图
5	水施-5	一层给排水平面图
6	水施-6	二层给排水平面图
7	水施-7	地下室消防给水平面图
8	水施-8	一层消防给水平面图
9	水施-9	二层消防给水平面图
10	水施-10	三层给排水平面图
11	水施-11	四—十二层、十四、十五层给排水平面图
12	水施-12	十三、十六层给排水平面图
13	水施-13	水箱间平面布置图
14	水施-14	三—十六层住宅给水系统图 一、二层商铺给水系统图
15	水施-15	3F-16F住宅户内给排水系统图 一、二层公建给水系统图
16	水施-16	排水系统图(一)
17	水施-17	排水系统图(二)
18	水施-18	消防系统图
19	水施-19	地下室自喷系统图
20	水施-20	一、二层自喷系统图
21	水施-21	消防水池剖面图
22	水施-22	卫生间及厨房详图

图例

编号	名称	图例	标准图目录
1	单把混合龙头洗脸盆		#02S1-41　陶瓷芯片水嘴
2	坐便器		#02S1-89
3	蹲便器		#02S1-93
4	厨房洗涤盆		#02S1-09　陶瓷芯片水嘴
5	成品淋浴器		#02S1-76
6	截止阀		J11H-10C截止阀
7	闸阀		KL-RGH-10Q闸阀
8	高水封地漏		04S301-30
9	带洗衣机插口地漏		99S220-38
10	密闭式地漏		04S301-34
11	检查口		排水管安装
12	通气帽		04S301-72
13	给水管		
14	排水管		
15	水表		LXS-20 /25
16	手提式磷酸铵盐干粉灭火器		MF/ABC3 MF/ABC4 MF/ABC5
17	水表井		#02S2-15
18	试验消火栓		#02S6-15
19	单出口消火栓		#02S6-09甲型
20	拖布池		#02S1-08甲型
21	IC卡水表		
22	水泵接合器		#02S6-25

主要设备规格表

序号	图例	名称	型号及规格	单位	数量
01		消防水箱	LXBXH=3112X2109X2602mm	个	1
02		屋顶消火栓增压设备	ZP(L)-I-X-10(P=1.5KP)	套	1
03		消火栓泵	XBD8.4/20-100L型消防泵 Q=20L/S,H=84M,N=22KW　一用一备	台	2
04		消火栓泵	XBD7/30-100-250A型消防泵 Q=30L/S,H=70M,N=30KW　一用一备	台	2
05		潜污泵	50QW20-15-1.5型　Q=20M³/h H=150KPa,N=1.5KW	台	2
06		XMPⅡ变频无负压自动增压给水设备	XMBZ(B)-3-8-0.80 所配水泵型号为AAB50-234(H=80m,Q=8m³/h)	台	1
07		磷酸胺盐干粉手提式灭火器	(MF/ABC3)　3F-16F (MF/ABC4)　-1F-2F	个 个	28 26
08		消火栓	#02S6-9(乙型)住宅部分 #02S6-12(丙型)商店及地下室	套 套	68 15
09		对夹式蝶阀	D71J-10	个	20
10		SQXA地下式水泵结合器	#02S6-26　DN100	套	2
11		坐式便器低水箱安装图	#02S1-85	套	116
12		洗脸盆安装图	#02S1-41	套	116
13		淋浴器安装图	#02S1-76	套	112
14		地漏 新型防返溢地漏H-12型	#02S1-154	个	
15		止回阀	HH47X型	个	6
16		截止阀	J41H型	个	56
17		户用IC卡水表	LXS-20	个	56
18		水平式水表	01SS105-8(丙)	个	2

×××建筑设计有限公司							
职责	签字	专业名称	给排水	建设单位	×××建筑工程有限责任公司		
设计		图纸目录　图例 主要设备规格表		项目名称	综合楼		
校核				设计阶段	施工图		
专业负责				水施-01			工程号
项目负责							2017-09-23
审核		比例	:	日期	2017.08	共22张	第1张

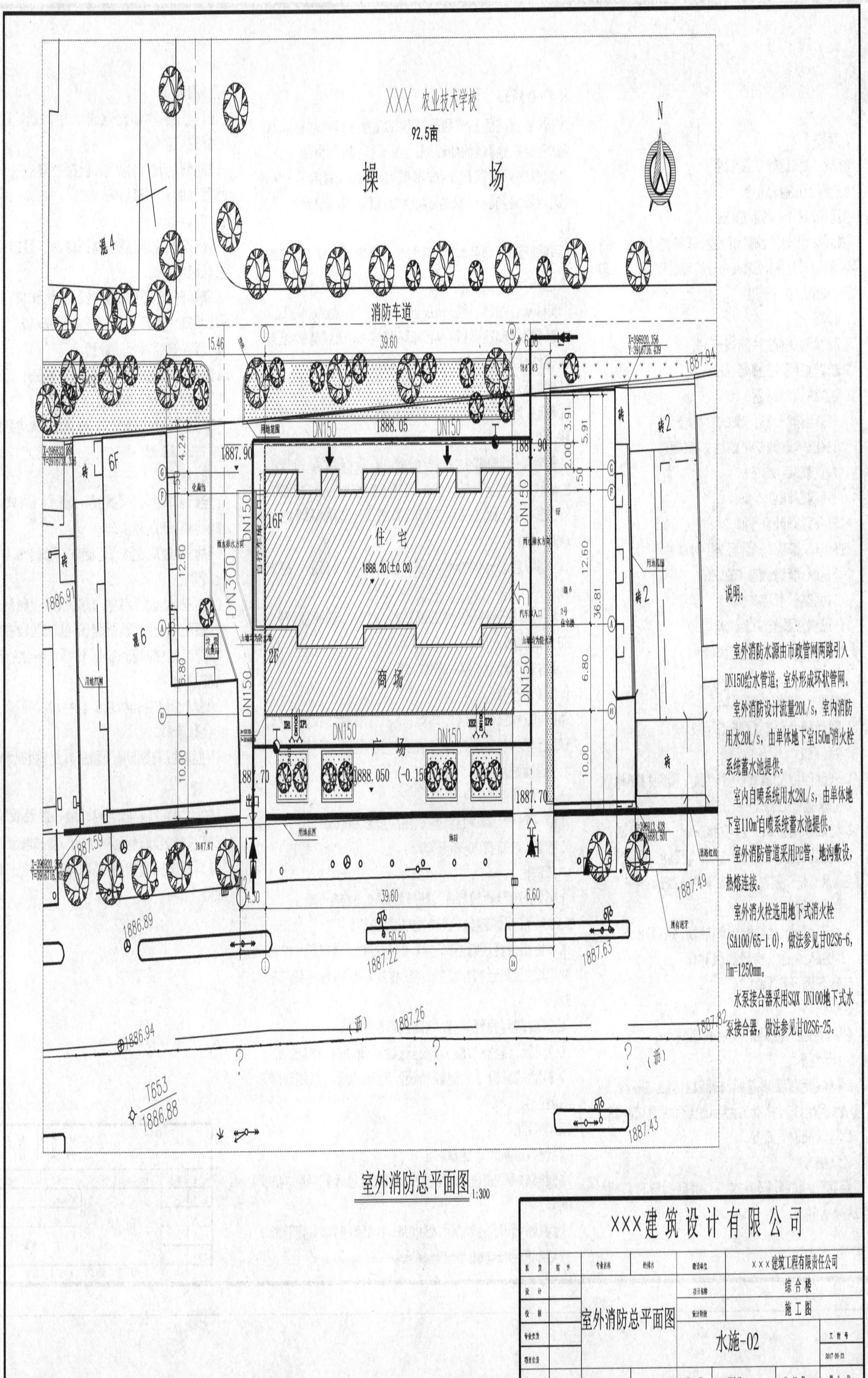
XXX 农业技术学校
92.5亩
操 场
消防车道
住 宅
商 场
广 场
DN150
DN300
16F
2F
6F
1888.20(±0.00)
1887.90
1887.70
1886.91
1887.94
1887.49
1887.22
1887.63
1887.26
1887.82
1887.43
1886.89
1886.94
T653
1886.88
39.60
15.46
6.60
12.60
36.81
10.00
6.80
说明:
室外消防水源由市政管网两路引入DN150给水管道；室外形成环状管网。
室外消防设计流量20L/s，室内消防用水20L/s，由单体地下室150m³消火栓系统蓄水池提供。
室内自喷系统用水28L/s，由单体地下室110m³自喷系统蓄水池提供。
室外消防管道采用PE管，地沟敷设，热熔连接。
室外消火栓选用地下式消火栓(SA100/65-1.0)，做法参见甘02S6-6，Hm=1250mm。
水泵接合器采用SQX DN100地下式水泵接合器，做法参见甘02S6-25。
室外消防总平面图 1:300
XXX建筑设计有限公司
×××建筑工程有限责任公司
综合楼
施工图
室外消防总平面图
水施-02

设 计 说 明

一、工程概况

项目名称：XXX建筑工程有限责任公司综合楼。

建设地点：位于XXX县洮阳镇东大街。

总建筑面积：9987.35m^2；建筑总高度49.55m。

层数及层高：地下一层；地上16层。地下一层为设备间及停车库，层高3.6m；一层为商店，层高4.2m；二层为商店，层高3.9m；三一十六层为住宅，层高2.95m。一、二层商铺建筑面积1150m^2，一层车库停车位9个。

二、设计依据

1. 建设单位所提供的本建筑有关资料和设计任务书。
2. 建筑和有关工种提供的作业图和有关资料。
3. 现行国家有关设计规范及规程：

1.1《建筑给水排水设计规范》 GB50015-2003 2009年版

1.2《高层民用建筑设计防火规范》GB50045-95（2005年版）

1.3《住宅建筑规范》 GB50368-2005

1.4《商店建筑设计规范》JGJ 48－88

1.5《汽车库建筑设计规范》 JGJ100-98

1.6《汽车库、修车库、停车场设计防火规范》GB 50067-97

1.7《建筑灭火器配置设计规范》 GB50140-2005

1.8《办公建筑设计规范》JGJ67-2006

1.9《给水排水制图标准》 GB/T50106-2001

1.10《建筑工程设计文件编制深度规定》2008年版

三、设计范围

1. 室外消防给水系统管网、室外消火栓等。
2. 室内给水系统、污水系统、废水系统、消火栓系统。

四、生活给水系统

1. 市政给水管网供水压力为0.30MPa（建设单位提供）。不能满足本建筑给水所需水压，故采用变频加压给水系统。
2. 本建筑最高日用水量：62m^3/d；最大小时用水量：73m^3/h，设计压力为0.30MPa。
3. 本建筑设计用水量及压力：商铺部分：1.98L/s，设计压力为0.15MPa；二-六层住宅：1.78L/s，七-十六层住宅：2.97L/S，设计压力为：0.72MPa；
4. 给水系统分两个区：

1）一层至六层为低区，由室外城市给水管网直接供水，管网采用下行上给。

2）七层及以上为高区，由变频调速泵组直接压供水。

5. 在地下一层设一座箱式泵站加压供水。

五、热水系统

住宅用热水采用电加热器制备热水，预留N=2kW的电源插座。

六、生活污水系统

1. 本建筑采用污废水合流体制；室内地上部分污废水重力自流排入室外污水管，地下室污废水采用潜污泵提升至室外污水管。生活污水经化粪池处理后，排入市政污水管。
2. 本建筑最高日排水量：41.47m^3/d。

七、雨水系统

采用有组织的内排水系统，屋面雨水由87型雨水斗收集后经雨水管道下排至室外散水或室外雨水检查井。

八、消火栓给水系统

1.本建筑为住宅楼，室内消火栓消防系统设计秒流量为：20L/s；地下室设150m^3消火栓蓄水池，火灾延续时间按2h计算；室外消火栓消防系统设计秒流量为：20L/s，所需水量由室外管网供给。

2.消火栓系统由屋顶12m^2 消防水箱（内存12m^3 消防初期用水）及消防稳压设备维持管网压力。消防时开启消火栓系统加压泵自地下一层 200m^3的消防水池抽水加压供给消火栓系统。加压水泵两台，一用一备。

系统室外设两组地下式水泵接合器，屋顶水箱选用甘02S2-36-12#热镀锌装配式水箱（3112X2109X2602）。

3.为保证消火栓栓口出水压力不超过0.50MPa，地下一层至八层消火栓采用减压稳压消火栓。

4.商铺部分及地下室的室内消火栓箱均采用铝合金箱体(带消防软管卷盘)，内配25m长麻质衬胶水带，住宅部分室内消火栓箱均采用铝合金箱体，内配20m长麻质衬胶水带，19mm水枪及消防泵启动按钮，消防水枪充实水柱长度10m消火栓口径为DN65。室外消火栓均采用地下式消火栓。

九、自动喷水灭火系统

1.设置范围：地下室及一二层室内除卫生间、配电间等不易用水扑救的部位外，均设有自动喷水灭火系统。

2.设计参数 ：一二层按中危险级（I级）确定，喷水强度6L/(min.m^2)，作用面积160m^2 ，设计流量21L/s，火灾延续时间1h，地下室车库按中危险级（II级）确定，喷水强度8L/(min.m^2)，作用面积160m^2，设计流量28L/s，火灾延续时间1h，最不利点喷头工作压力0.1MPa，地下室设110m^3自喷系统蓄水池，火灾延续时间按1h 。

3.湿式报警阀置于地下一层自喷水泵房内，选用ZSZ150型报警阀1套，ZSJY-10型压力开关，ZSJZ150水流指示器。

4.喷头布置：地下室无吊顶的场所采用ZSTZ15/68直立型喷头；地上一～二层设有吊顶的场所采用ZSTD15A/68吊顶型喷头。

5.系统末端设压力表及放水阀，最不利点设末端试水装置。

十、建筑灭火器配置设计

根据《建筑灭火器配置设计规范》要求，本建筑地下一层～十六层均需设置手提式磷酸铵盐灭火器。灭火器配置场所危险等级为：商铺部分、地下室为中危险级，住宅为轻危险级；火灾种类为： A类火灾、灭火器布置见平面图。

十一、气体灭火系统设计

1.地下一层配电室设有AS600S型气溶胶无管网灭火系统。二台落地式AS600/25kg。

2.设计参数：灭火设计密度130g/m浸渍时间10min 。

十二、管道管材

1.生活供水管采用铝合金衬塑复合管(内层为无规共聚聚丙烯PP-R)，热熔连接；公称压力：PN=1.25MPa，埋设在地面构造层给水管采用无接头的RPAP5铝塑复合管。

2. 3F-16F雨污水排水管采用螺旋消音PVC-U排水管，螺母挤压密封圈接口，横支管采用PVC-U管，粘合剂粘结，管道按规范要求设置伸缩节；地下室及1F，2F雨污水排水管采用离心铸造无承口排水管，管箍连接。

3. 给排水立管穿越楼板处设置防水套管，排水管道设置阻火圈（DN>100）。

4. 给水管及地下室压力排水管穿越地下室外墙处应设置柔性防水套管，做法见标准图集02S2-31。

5. 消火栓给水管道和地下一层压力排水管采用焊接钢管，焊接连接；与水泵、设备及阀门连接的管道均采用法兰连接。

十三、防腐及保温

1.明设消防管道刷樟丹漆二道，红色调和漆二道。

2.管道刷漆前必须严格按有关施工规程要求进行管道表面除锈等清理工作，此道工序合格后方可进行刷漆作业。

3.水箱间给排水管道及消防管道均需保温，保温材料为50mm厚岩棉管壳外缠玻璃丝布，再刷调和漆。

4.水箱间水箱采用80mm厚岩棉板，外包玻璃丝布两道保温。

十四、阀门及附件

1.给水系统采用闸阀（DN>50）或全铜截止阀（DN<50），消火栓阀门采用蝶阀。所有水泵、设备进出水管均采用闸阀。

2.洗衣机地漏采用带洗衣机排水插口地漏，住宅其余卫生间地漏采用密闭地漏。公共卫生间的地漏采用高水封地漏，水封高度大于50mm。

十五、管道安装

1.管道支架：管道支架或管卡应固定在楼板上或承重结构上。设置安装参见标准图集《室内管道支架及吊架》（03S402）。

2.铝塑复合管安装按《建筑给水铝塑复合管管道工程技术规程》（CECS 105：2000）及《铝塑复合给水管安装》（02SS405-3）执行。暗敷管道不得采用接头连接。

3.管道穿墙、穿梁及剪力墙处，应预留钢套管。

4.管道坡度：各种管道应根据图中所注标高进行施工，当未注明时，按下列坡度施工：

1） 给水管、消防管按i=0.002坡度施工，坡向泄水装置。

2） 排水管标准坡度：管径(mm)50、75、100、125、150、200，坡度分别 0.0350、0.0250、0.020、0.015、0.010、008。

十六、管道试压

1.生活给水系统安装完毕必须进行系统的试压。试验压力为：低区0.60Mpa；高区1.2Mpa；

2.消火栓消防系统的试验压力为1.20Mpa；

3.压力排水管道按0.30Mpa进行水压试验，保持30min，无渗漏为合格。

十七、管道冲洗

1.给水管道在系统运行前必须用水冲洗。要求以系统最大设计流量或不小于1.5m/s的流速进行冲洗，直至出水口的水色和透明度与进水目测一致，经检验部门检验合格方可进行生活供水。

2.雨水管和排水管冲洗以管道通畅为合格；排水管和雨水管还应按相关规范进行灌水试验。

3.消防管道冲洗：

1）室内消火栓系统与室外给水管连接前，必须将室外给水管冲洗干净，其冲洗强度应达到消防时的最大设计流量。

2）室内消火栓系统在交付使用前，必须冲洗干净，其冲洗强度应达到消防时的最大设计流量。

十八、其他

1.图中尺寸除标高以米计外，其余均以毫米计。所有卫生给水设备及配件均应采用节水型产品。

2.排水立管检查口距地面或楼板面1.00m。消火栓栓口距地面或楼板面1.10m。

3.其余未叙及部分参照《建筑给水排水及采暖工程施工质量验收规范》（GB50242-2002）有关条款执行。

×××建筑设计有限公司

职责	签字	专业名称	给排水	建设单位	×××建筑工程有限责任公司		
设计		设计说明		项目名称	综合楼		
校核				设计阶段	施工图		
专业负责				水施-03			工程号
项目负责							2017-03-23
审核		比例	:	日期	2017.08	共22张	第2张

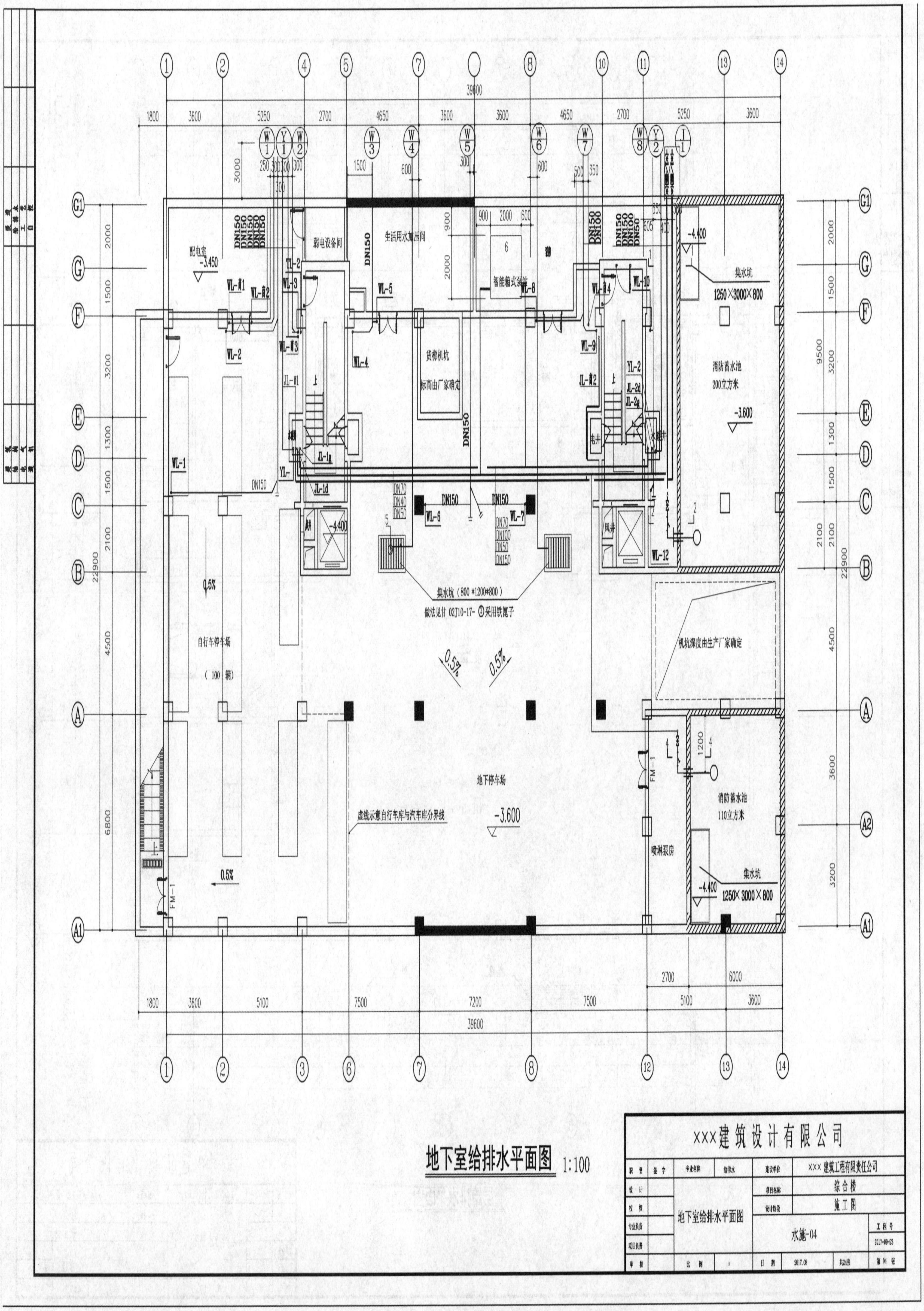
配电室
弱电设备间
生活用水加压间
智能箱式泵站
货梯机坑
标高由厂家确定
集水坑
1250×3000×800
消防蓄水池
200立方米
集水坑（800*1200*800）
做法见详 02J10-17- ⑤ 采用铁篦子
机坑深度由生产厂家确定
自行车停车场
（100辆）
地下停车场
虚线示意自行车库与汽车库分界线
喷淋泵房
消防蓄水池
110立方米
-3.600
-4.400
-3.450
0.5%
39600
地下室给排水平面图 1:100
×××建筑设计有限公司
×××建筑工程有限责任公司
综合楼
施工图
地下室给排水平面图
水施-04

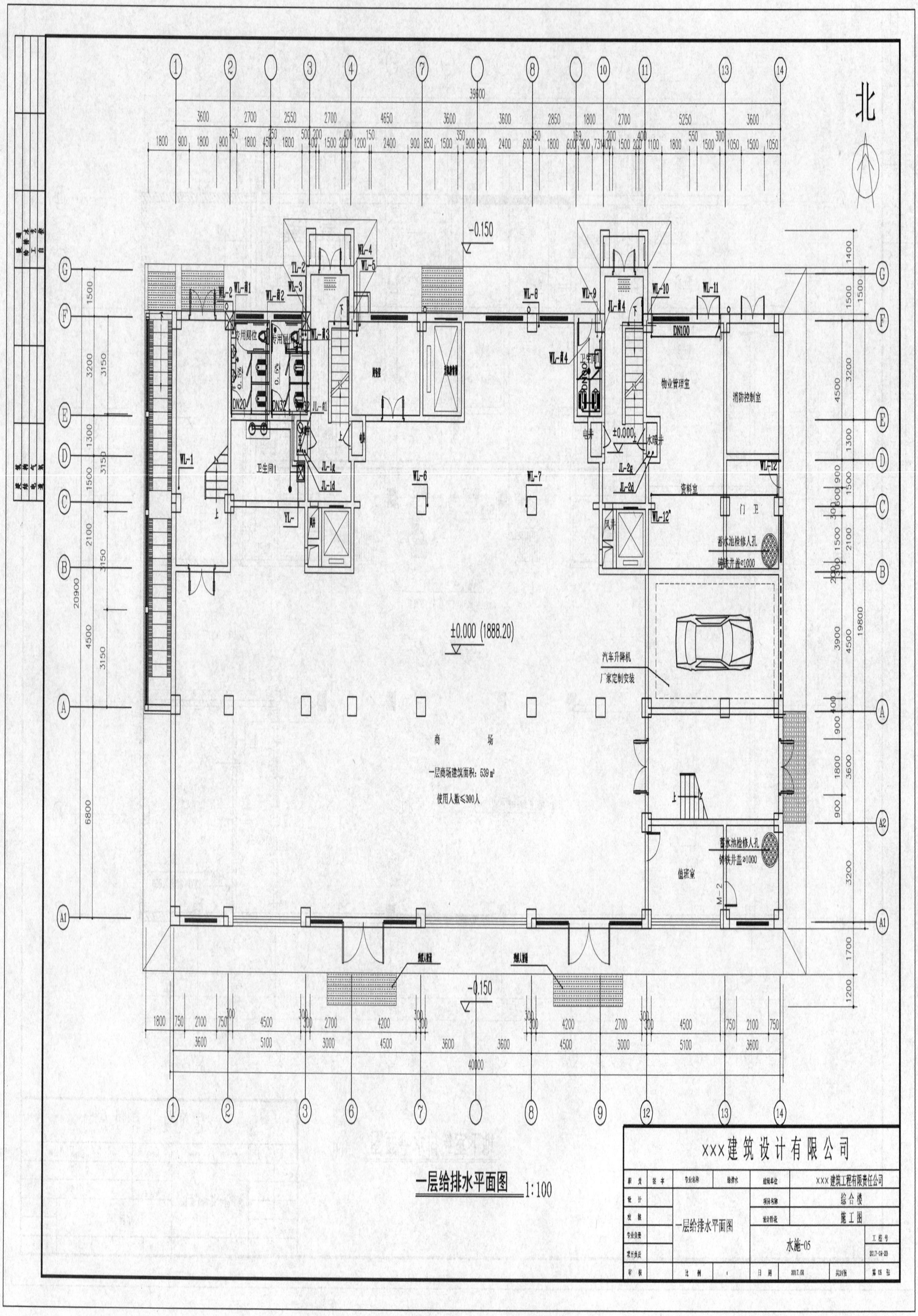
北
-0.150
±0.000 (1888.20)
物业管理室
消防控制室
资料室
门卫
卫生间1
汽车升降机
厂家定制安装
商场
一层商场建筑面积：639 m²
使用人数≤300人
值班室
蓄水池检修人孔
铸铁井盖Φ1000
×××建筑设计有限公司
一层给排水平面图
×××建筑工程有限责任公司
综合楼
施工图
水施-05
一层给排水平面图 1:100

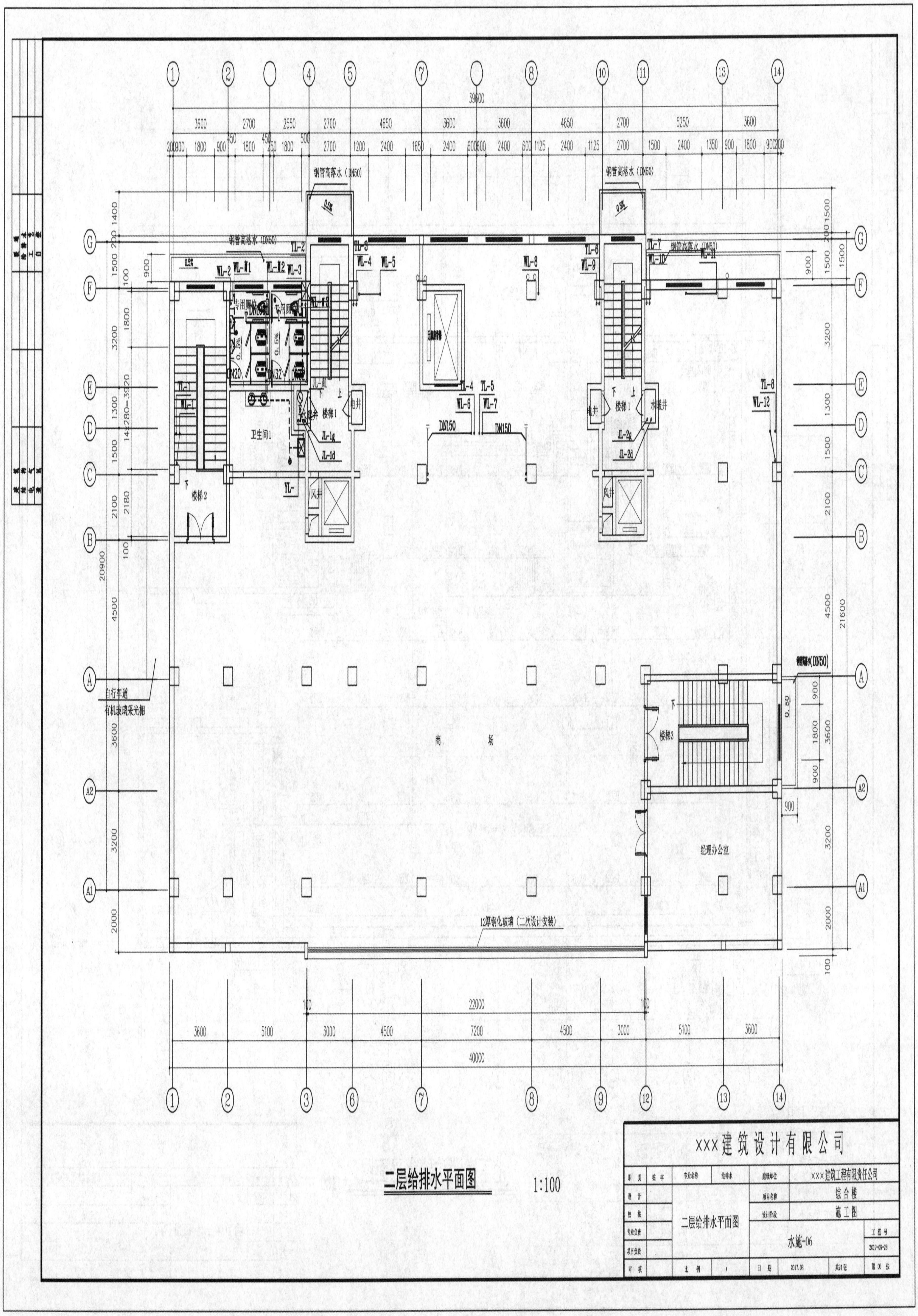

二层给排水平面图
1:100
×××建筑设计有限公司
×××建筑工程有限责任公司
综合楼
施工图
二层给排水平面图
水施-06
商 场
经理办公室
卫生间1
楼梯1
楼梯2
楼梯3
12厚钢化玻璃（二次设计安装）
自行车道
有机玻璃采光棚

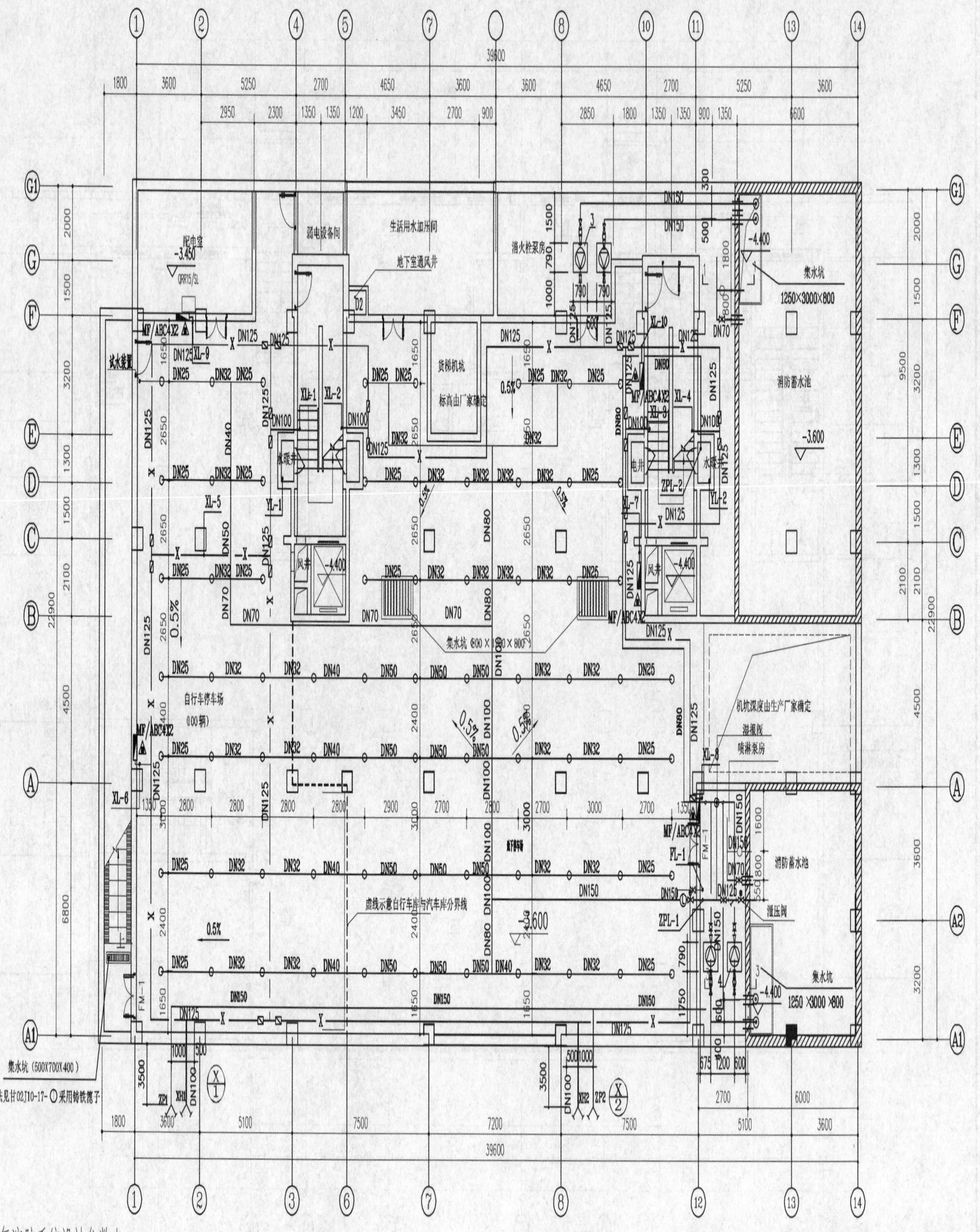

气溶胶系统设计参数表：

序号	防护区名称	灭火设计密度/(kg·m^{-3})	容积/m^3	灭火剂实际用量/kg	台数	喷射时间/s	浸渍时间/min
1	低压配电室	0.13	179.17	23.29	2	≤90	e10

地下室消防给水平面图 1:100

×××建筑设计有限公司

建设单位	×××建筑工程有限责任公司
项目名称	综合楼
设计阶段	施工图
图名	地下室消防给水平面图
图号	水施-07

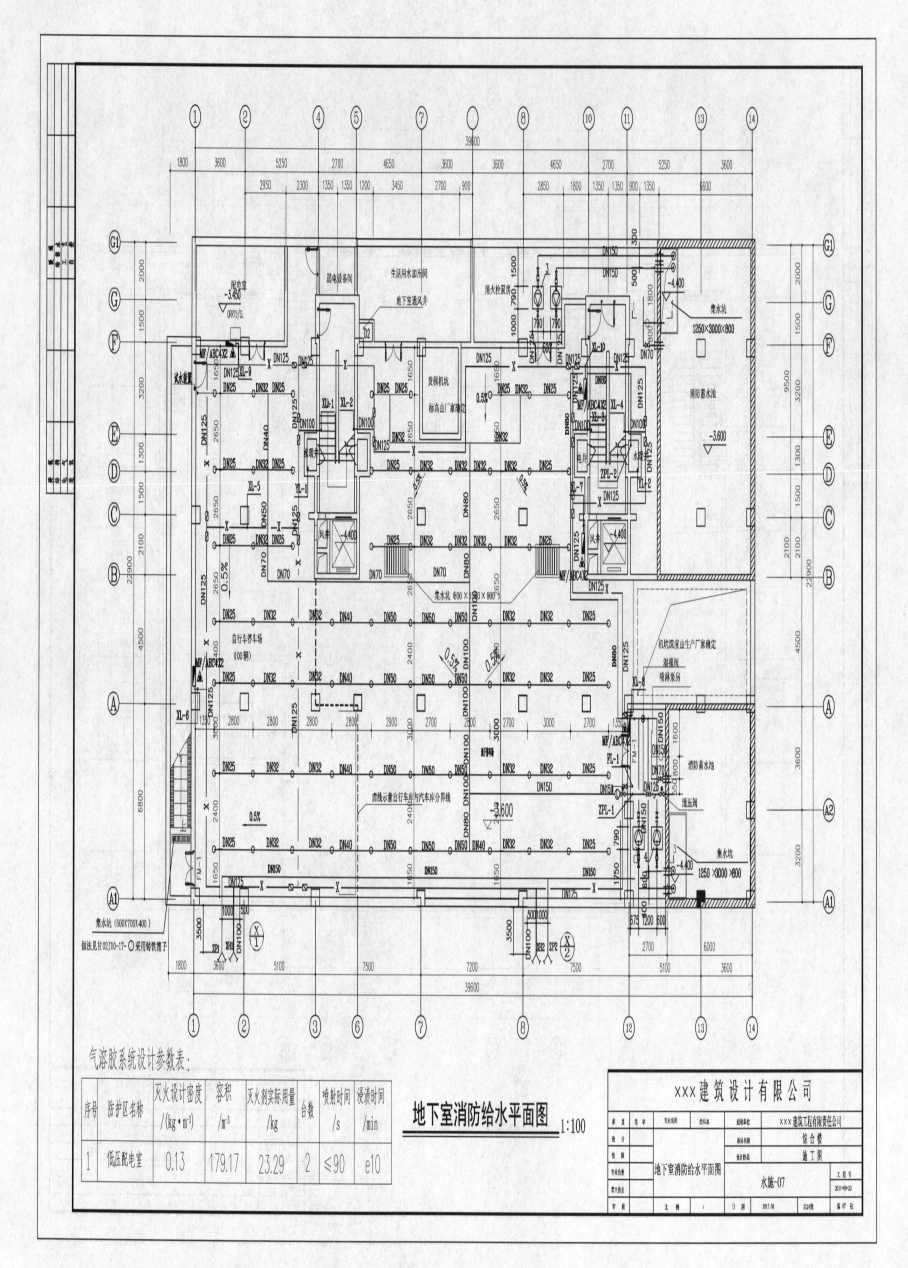

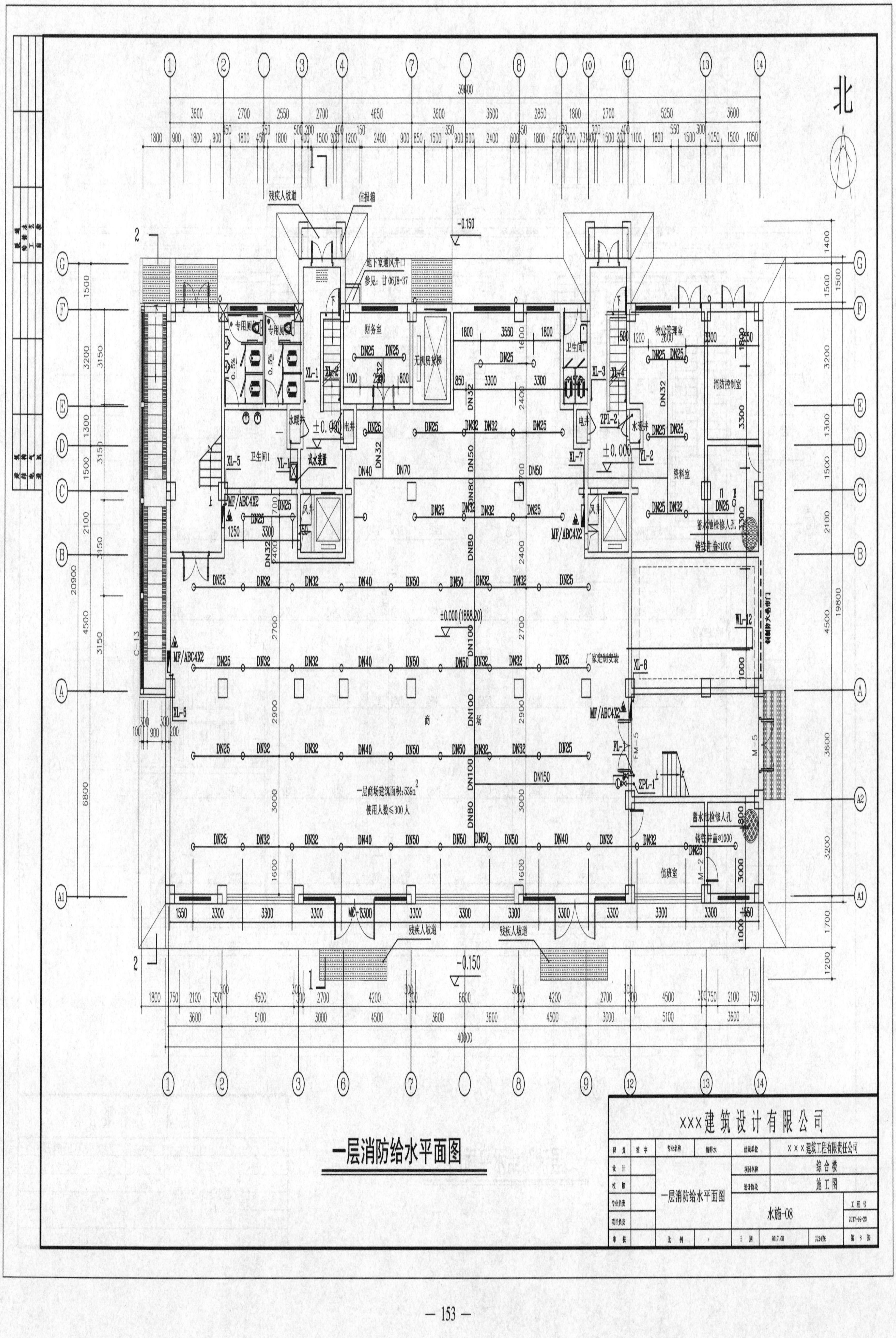
北
残疾人坡道
信报箱
地下室通风井口
参见：甘06J8-37
财务室
无机房货梯
卫生间
物业管理室
消防控制室
资料室
卫生间1
试水装置
水暖井
电井
风井
蓄水池检修人孔
铸铁井盖∅1000
商
场
厂家定制安装
一层商场建筑面积：539m²
使用人数≤300人
值班室
残疾人坡道
一层消防给水平面图
×××建筑设计有限公司
×××建筑工程有限责任公司
综合楼
施工图
一层消防给水平面图
水施-08

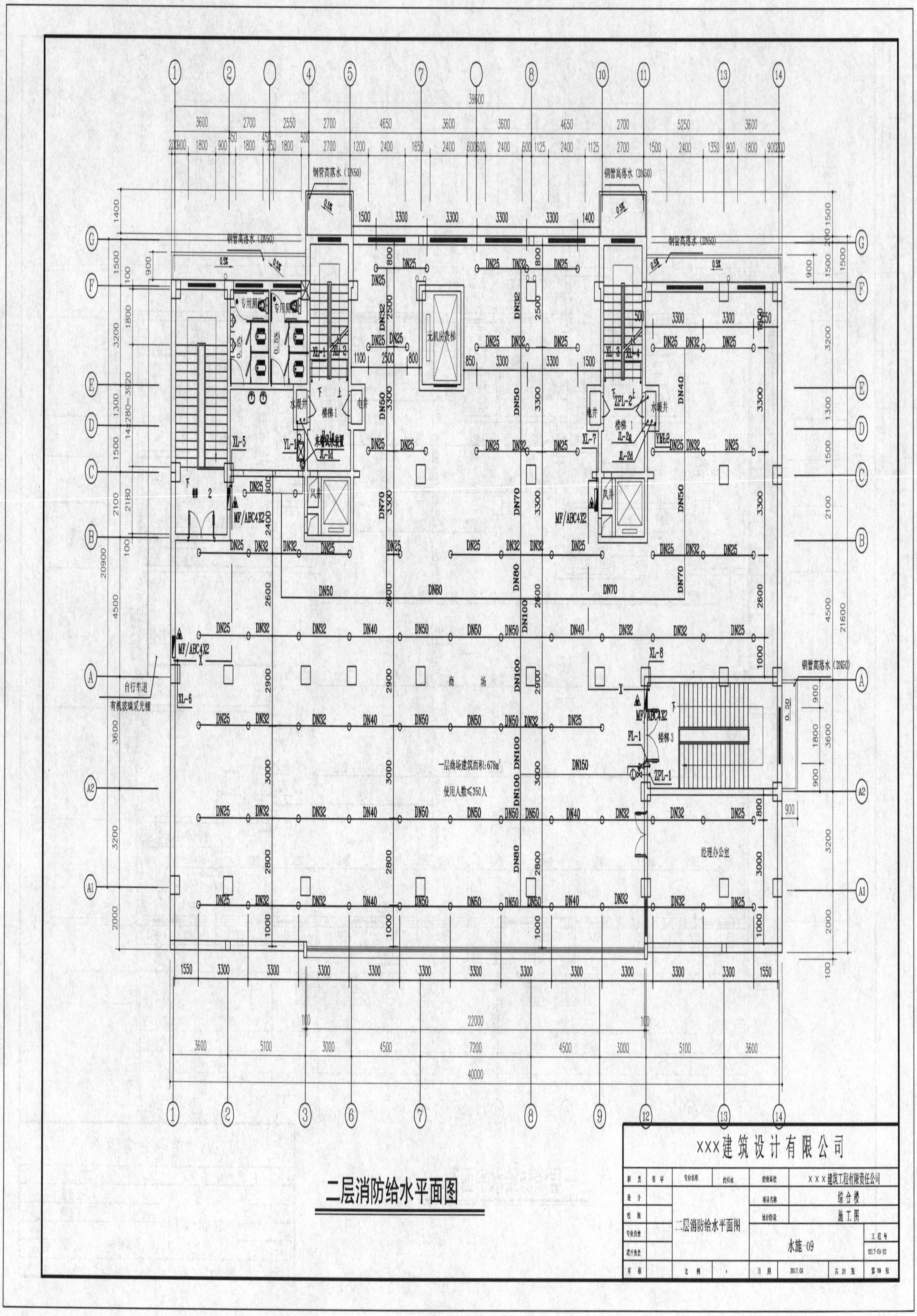
二层消防给水平面图
×××建筑设计有限公司
×××建筑工程有限责任公司
综合楼
施工图
二层消防给水平面图
水施 09
一层商场建筑面积：678m²
使用人数≤350人
商场
经理办公室
楼梯 1
楼梯 2
楼梯 3
无机房电梯
钢管高落水（DN50）
自行车道
有机玻璃采光棚

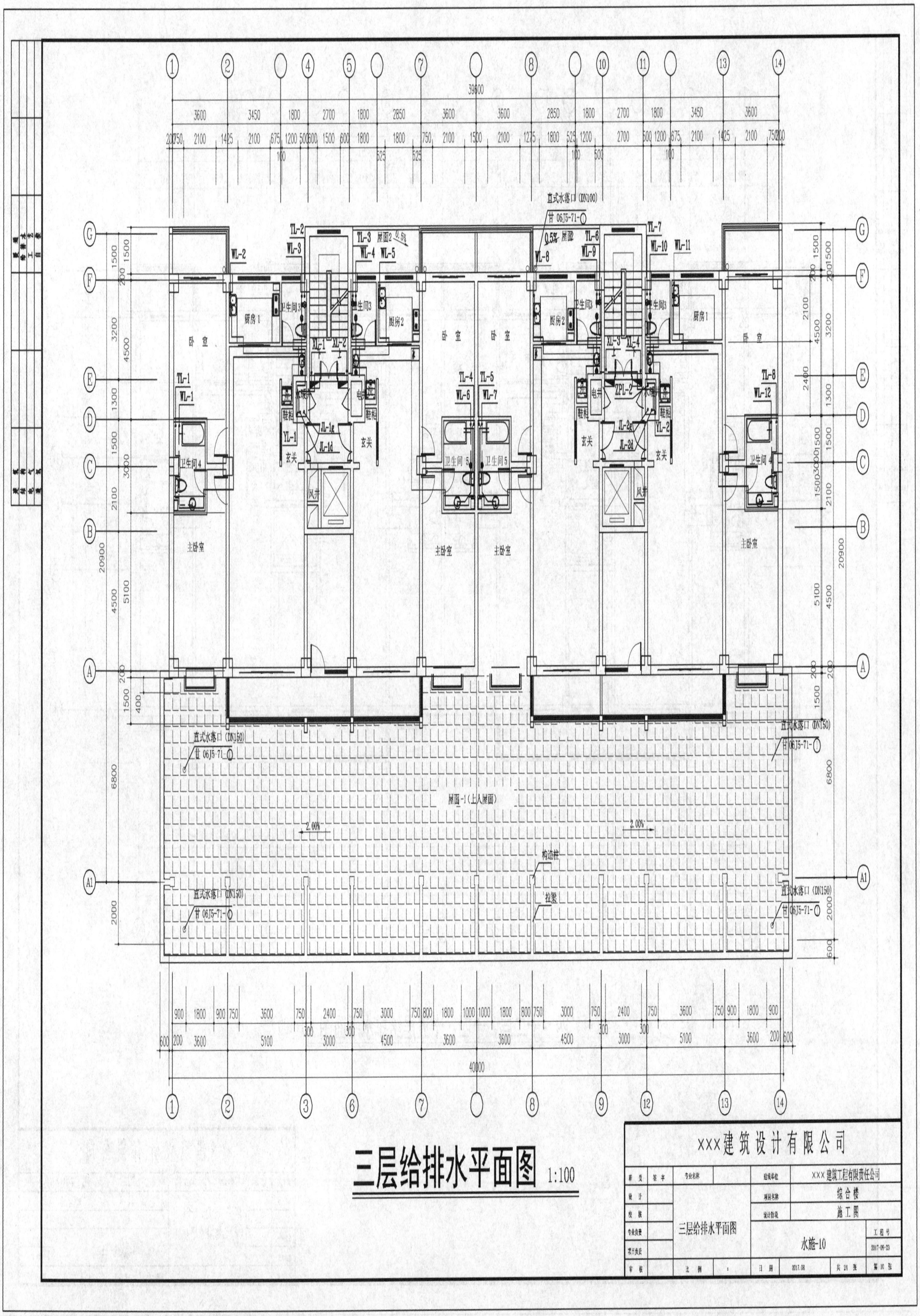

三层给排水平面图 1:100
XXX建筑设计有限公司
三层给排水平面图
XXX建筑工程有限责任公司
综合楼
施工图
水施-10
卧室
主卧室
厨房1
厨房2
卫生间3
卫生间4
卫生间5
玄关
电井
风井
屋面-1（上人屋面）
构造柱
拉梁
直式水落口（DN150）
直式水落口（DN100）

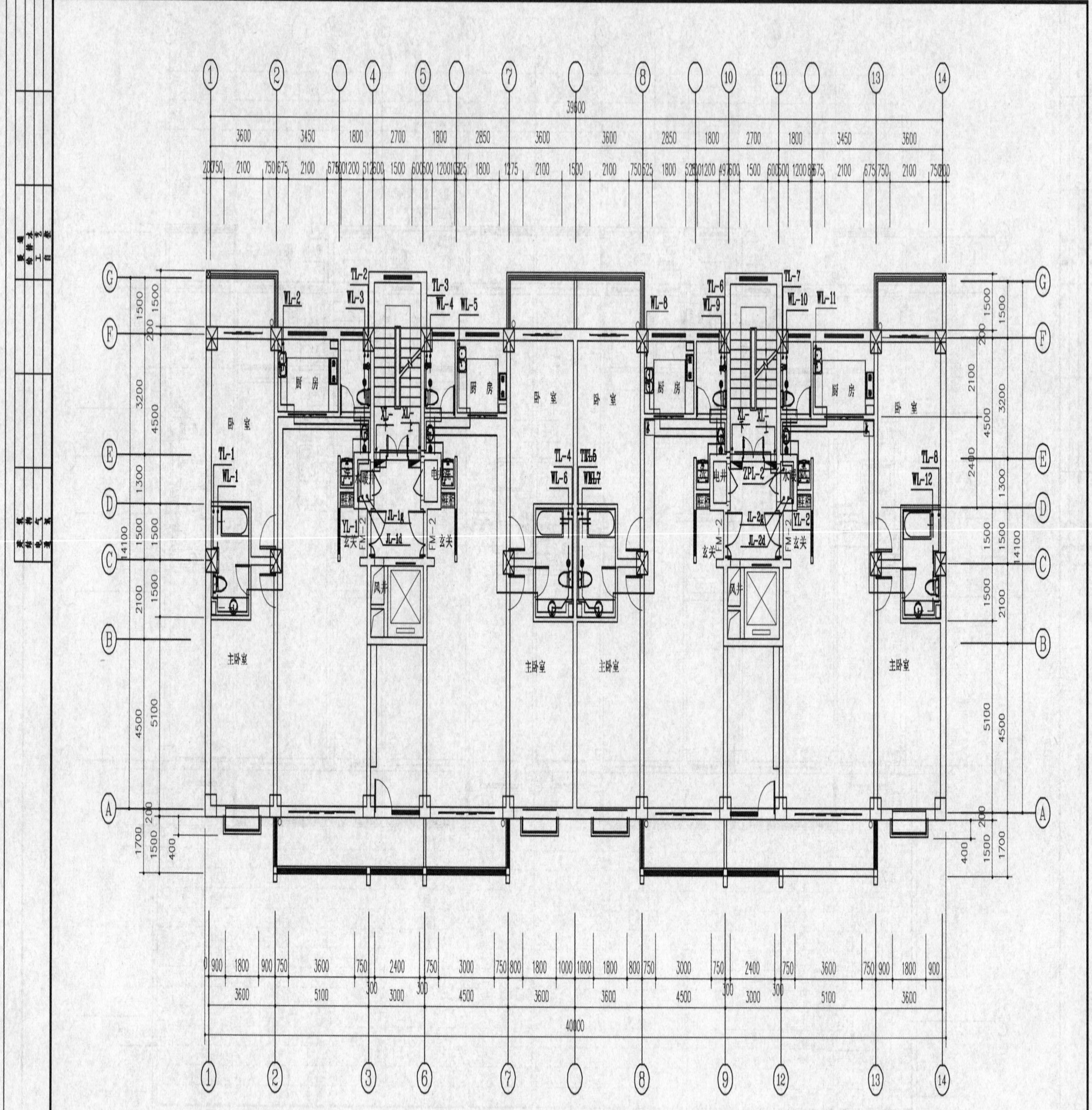

四～十二层、十四、十五层给排水平面图 1:100

XXX建筑设计有限公司					
审定	签章	专业名称	给排水	建设单位	XXX建筑工程有限责任公司
设计		四~十二层、十四、十五层给排水平面图		项目名称	综合楼
校核				设计阶段	施工图
专业负责				水施-11	
审核		比例		日期 2017.08	共 张 第 11 张

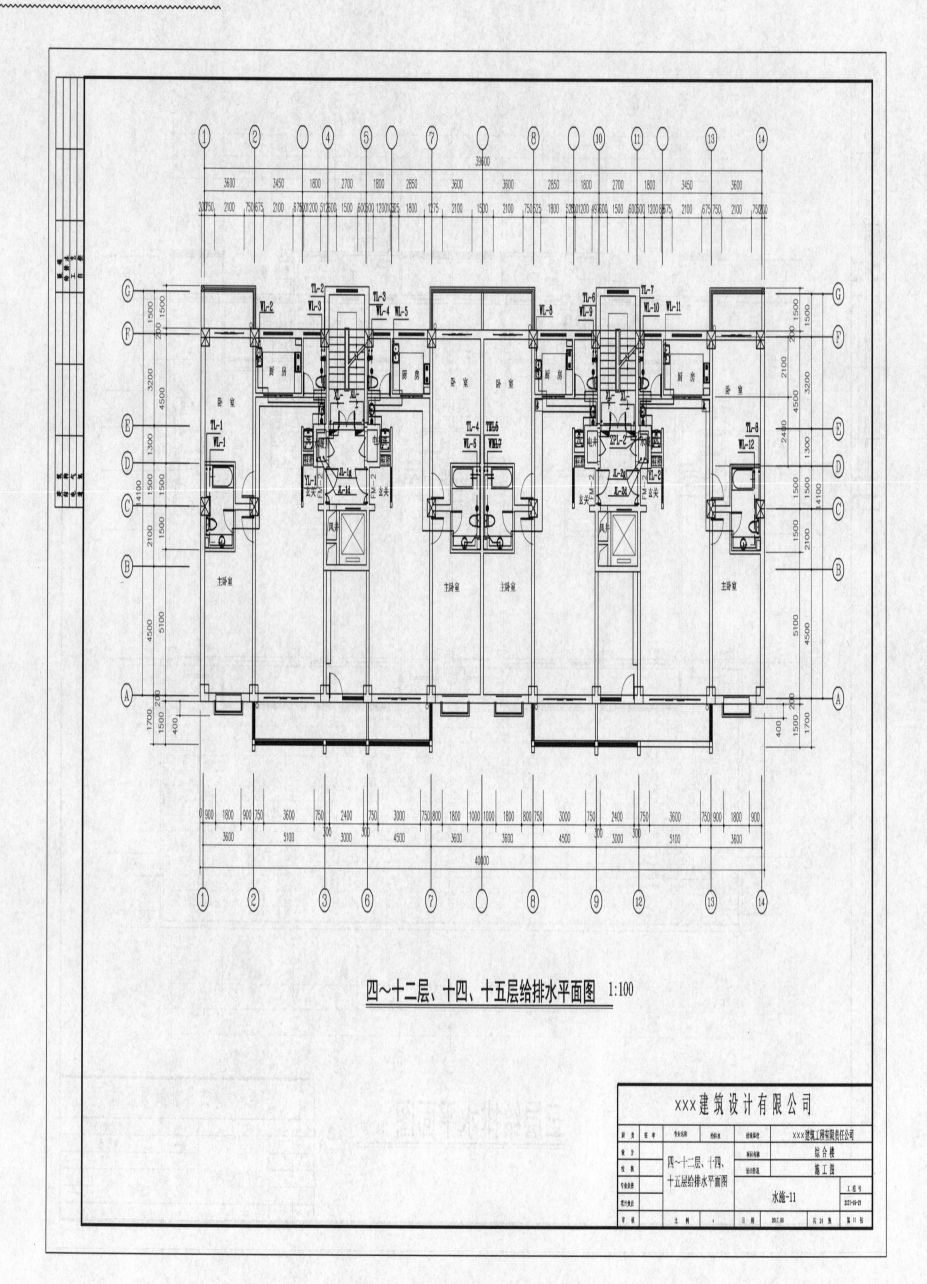

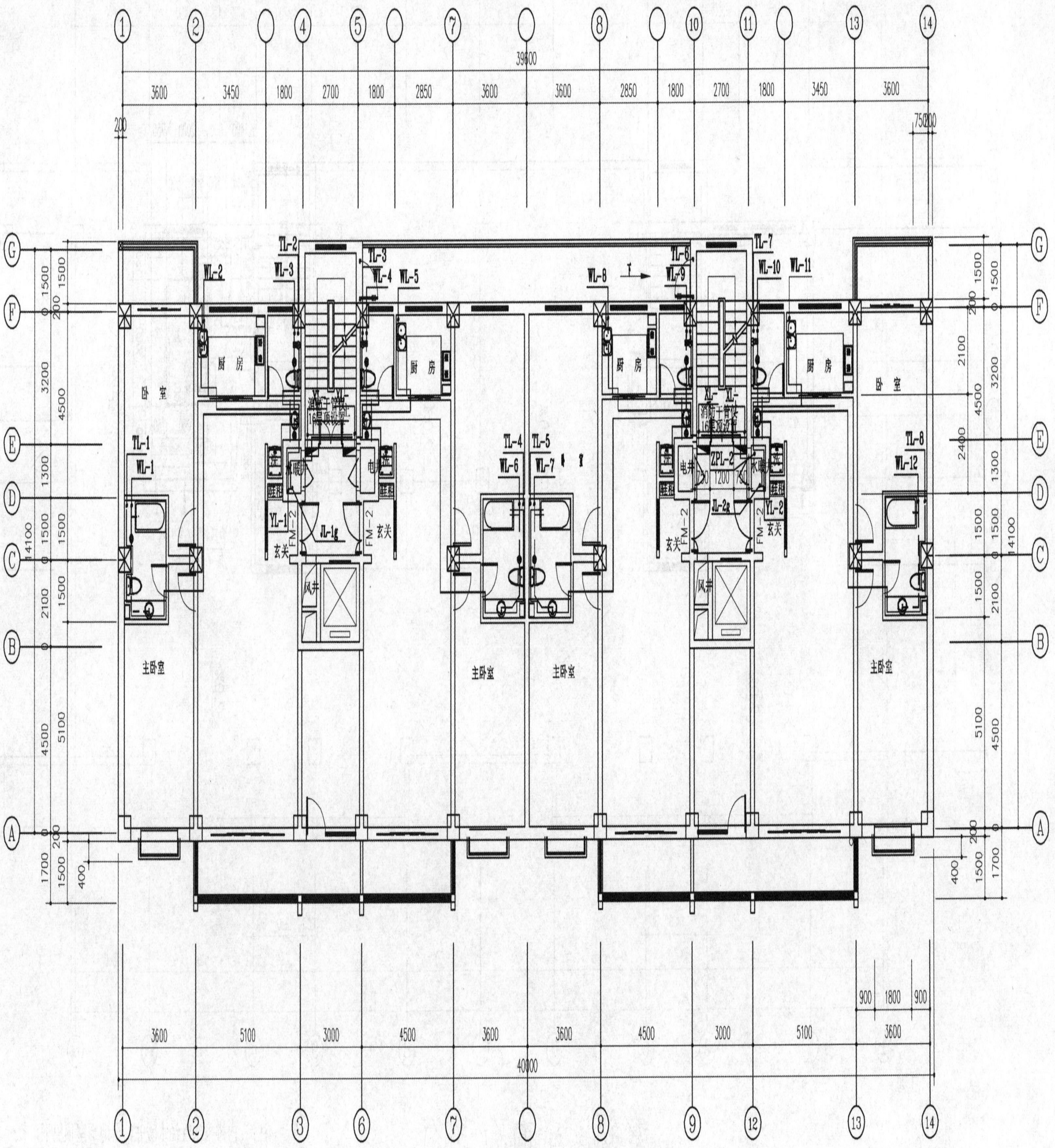

十三、十六层给排水平面图 1:100

xxx建筑设计有限公司							
职责	签字	专业名称	给排水	建设单位	xxx建筑工程有限责任公司		
设计		十三、十六层给排水平面图		项目名称	综合楼		
校核				设计阶段	施工图		
专业负责				水施-12			工程号
项目负责							2017-09-23
审核		比例	:	日期	2017.08	共 24 张	第 12 张

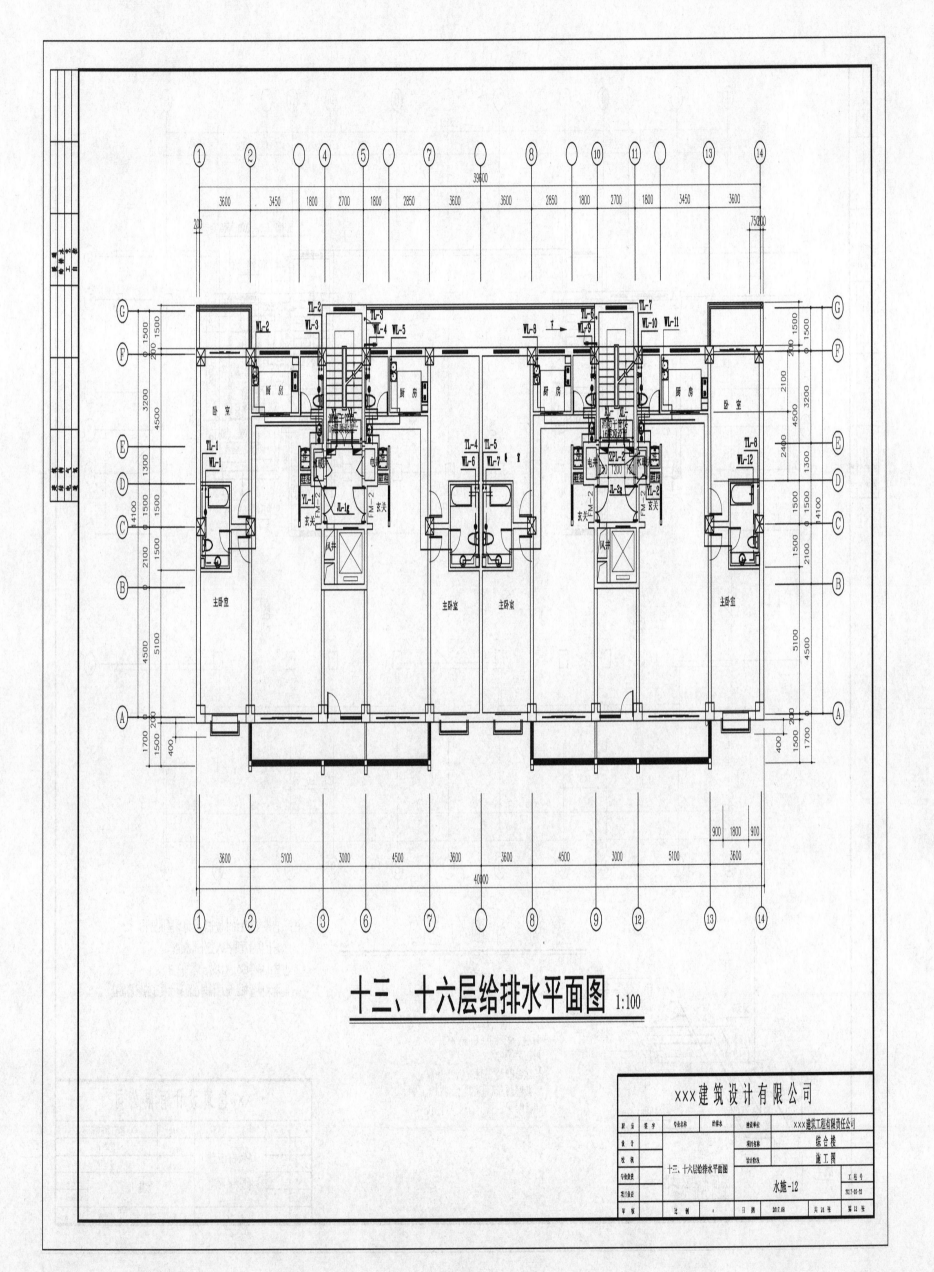

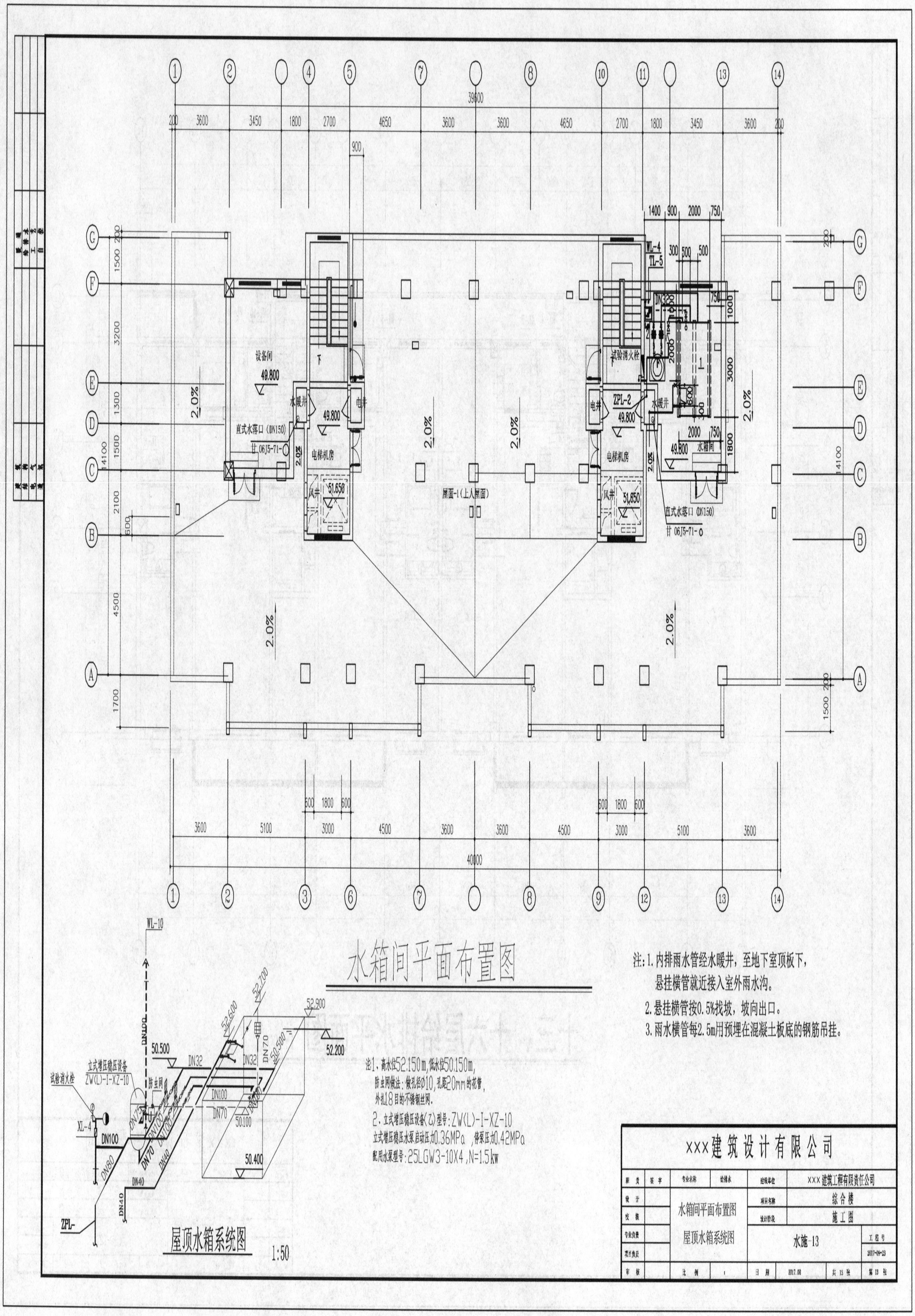
水箱间平面布置图
设备间
49.800
水暖井
电井
直式水落口（DN150）
电梯机房
风井
51.650
屋面-1（上人屋面）
2.0%
试验消火栓
ZPL-2
水箱间
51.850
直式水落口（DN150）
39600
40000
注：1. 内排雨水管经水暖井，至地下室顶板下，
悬挂横管就近接入室外雨水沟。
2. 悬挂横管按0.5%找坡，坡向出口。
3. 雨水横管每2.5m用预埋在混凝土板底的钢筋吊挂。
屋顶水箱系统图
1:50
试验消火栓
立式增压稳压设备
ZW(L)-I-XZ-10
WL-10
XL-4
ZPL-
DN100
DN70
DN32
DN40
DN80
52.900
52.200
50.500
50.400
50.100
注1、高水位52.150m，低水位50.150m，
防虫网做法：做孔径Ø10，孔距20mm的花管，
外扎18目的不锈钢丝网。
2、立式增压稳压设备（乙）型号：ZW(L)-I-XZ-10
立式增压稳压水泵启动压力0.36MPa，停泵压力0.42MPa
配用水泵型号：25LGW3-10X4，N=1.5kw
×××建筑设计有限公司
职责
签字
专业名称
给排水
建设单位
×××建筑工程有限责任公司
设计
校核
专业负责
项目负责
审核
水箱间平面布置图
屋顶水箱系统图
项目名称
综合楼
设计阶段
施工图
水施-13
工程号
2017-09-23
比例
日期
2017.08
共13张
第13张

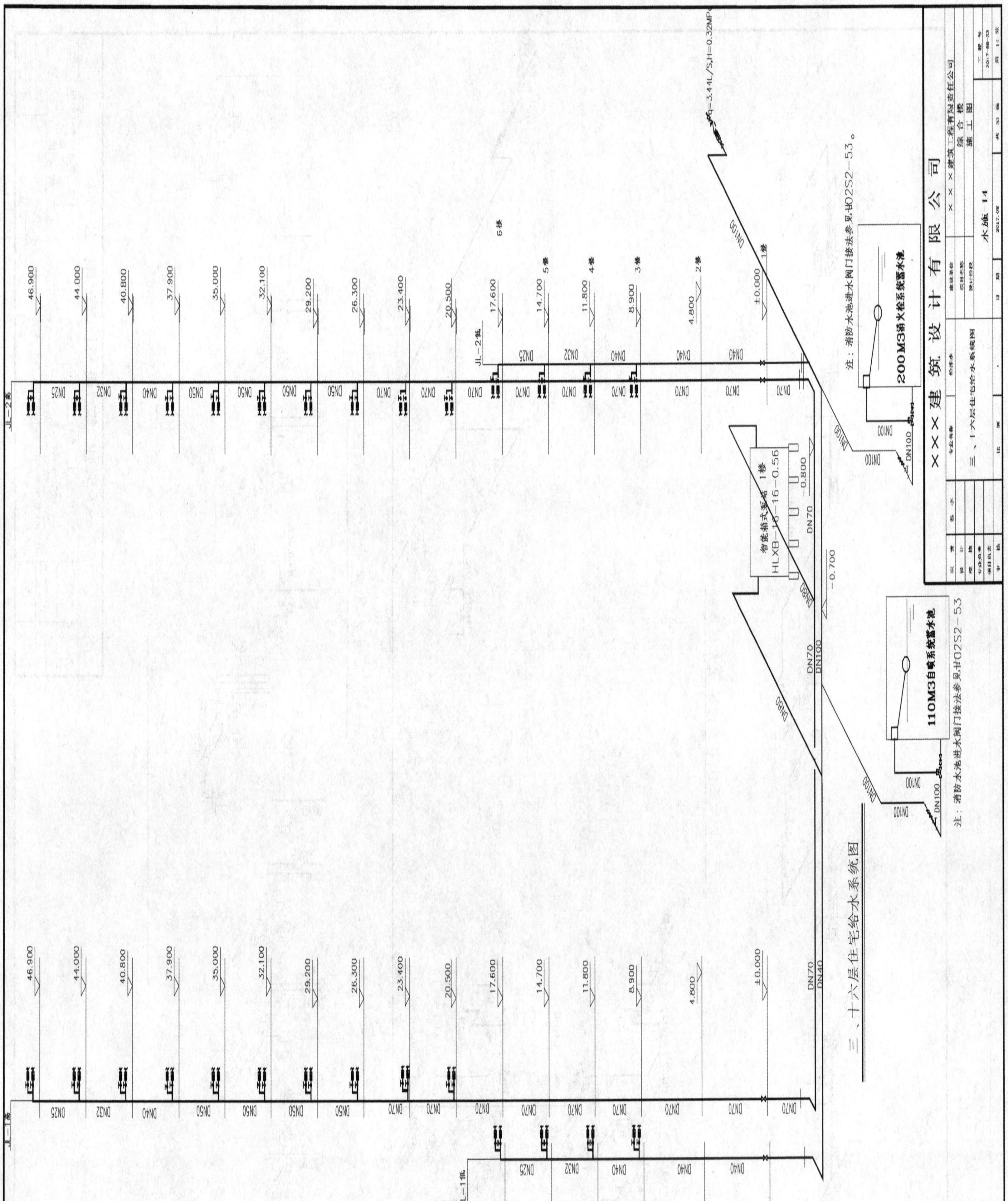
三、十六层住宅给水系统图
×××建筑设计有限公司
注：消防水池进水阀门接法参见甘02S2-53。
200M3消火栓系统蓄水池
110M3自喷系统蓄水池
注：消防水池进水阀门接法参见甘02S2-53
智能箱式泵站 1套
HLXB-15-16-0.56
JL-1高
JL-1低
JL-2高
JL-2低
水施-14

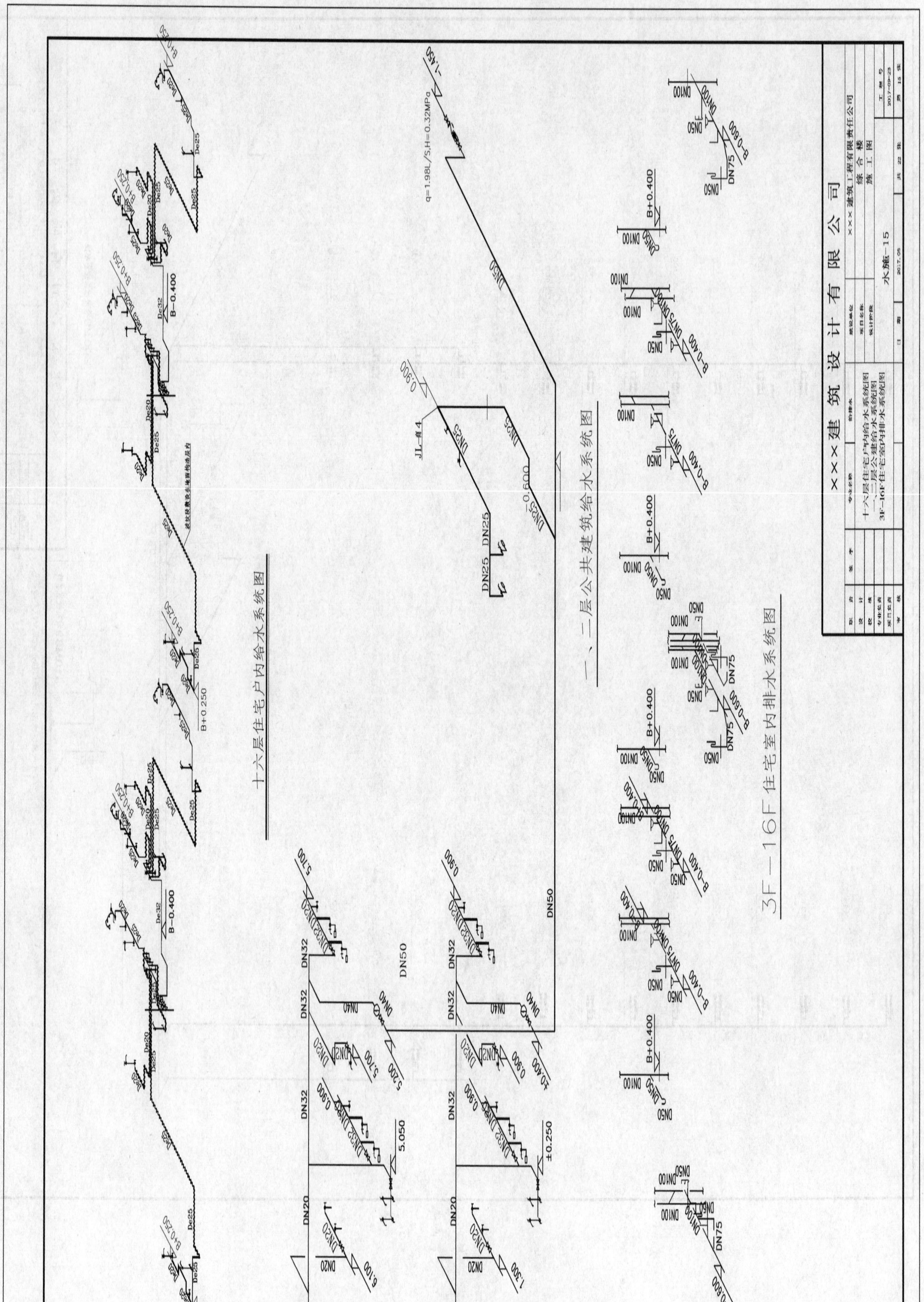
十六层住宅户内给水系统图
一、二层公共建筑给水系统图
3F—16F住宅室内排水系统图
×××建筑设计有限公司
水施-15
q=1.98L/S,H=0.32MPa

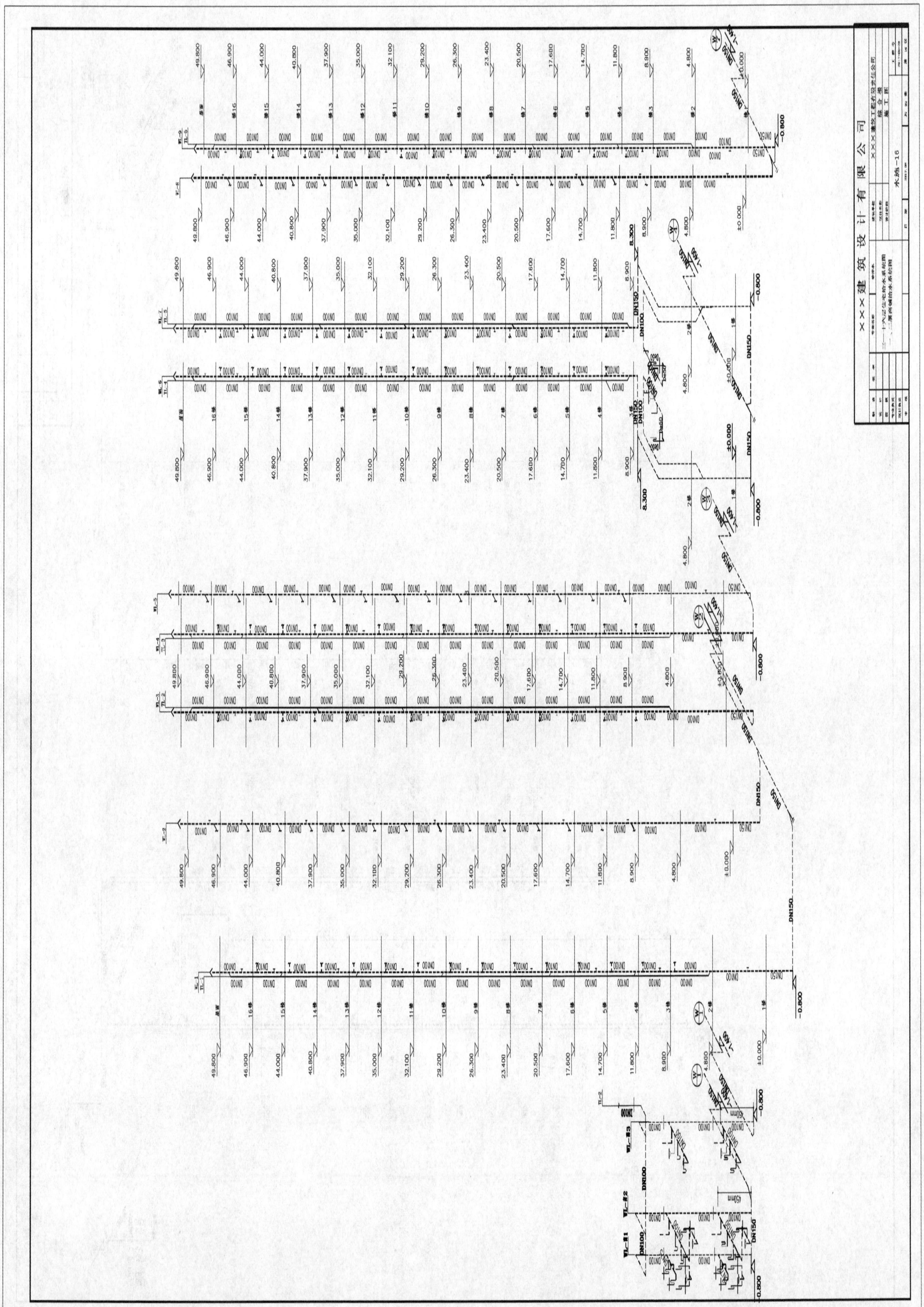
×××建筑设计有限公司
水施-16

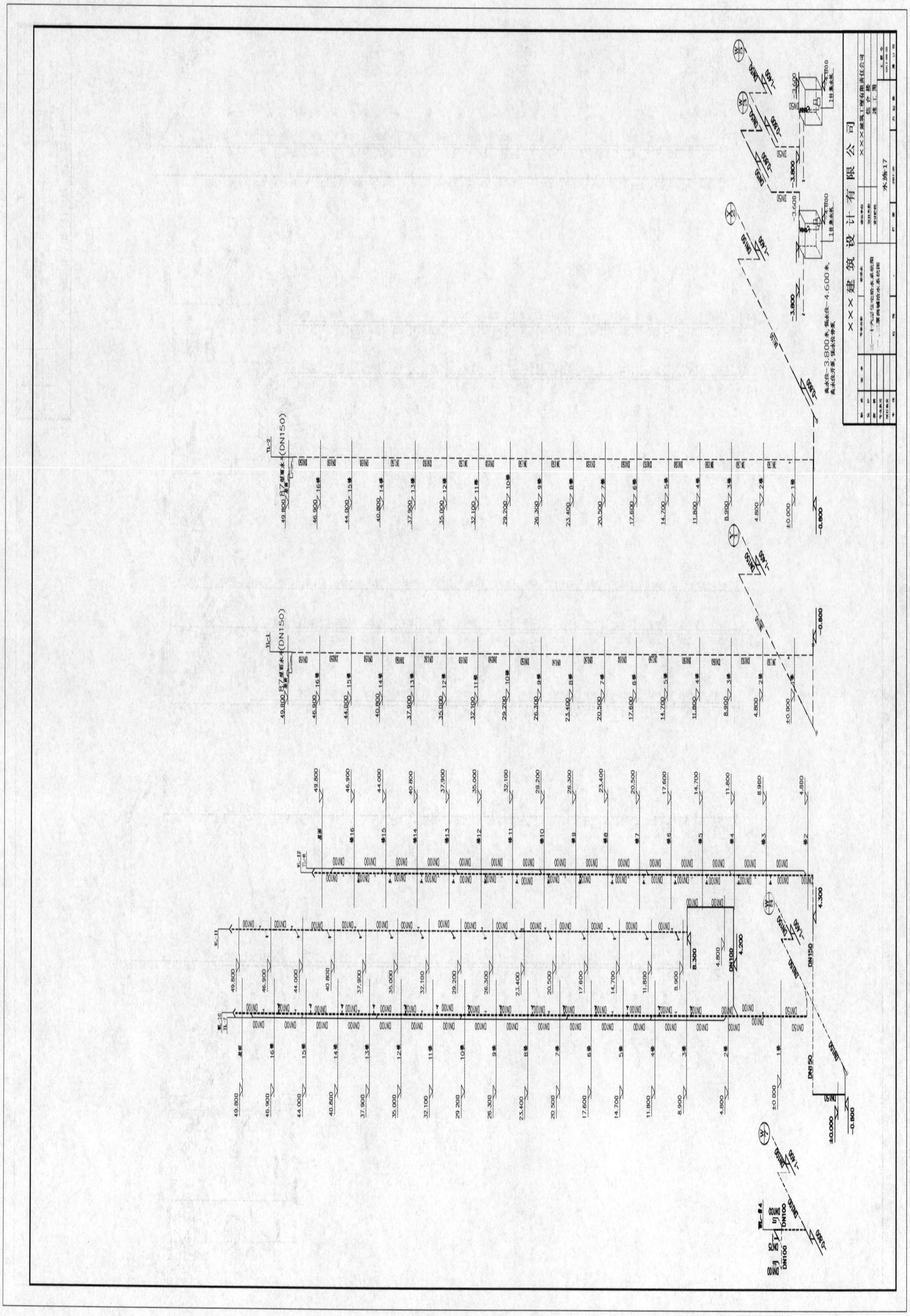
×××建筑设计有限公司

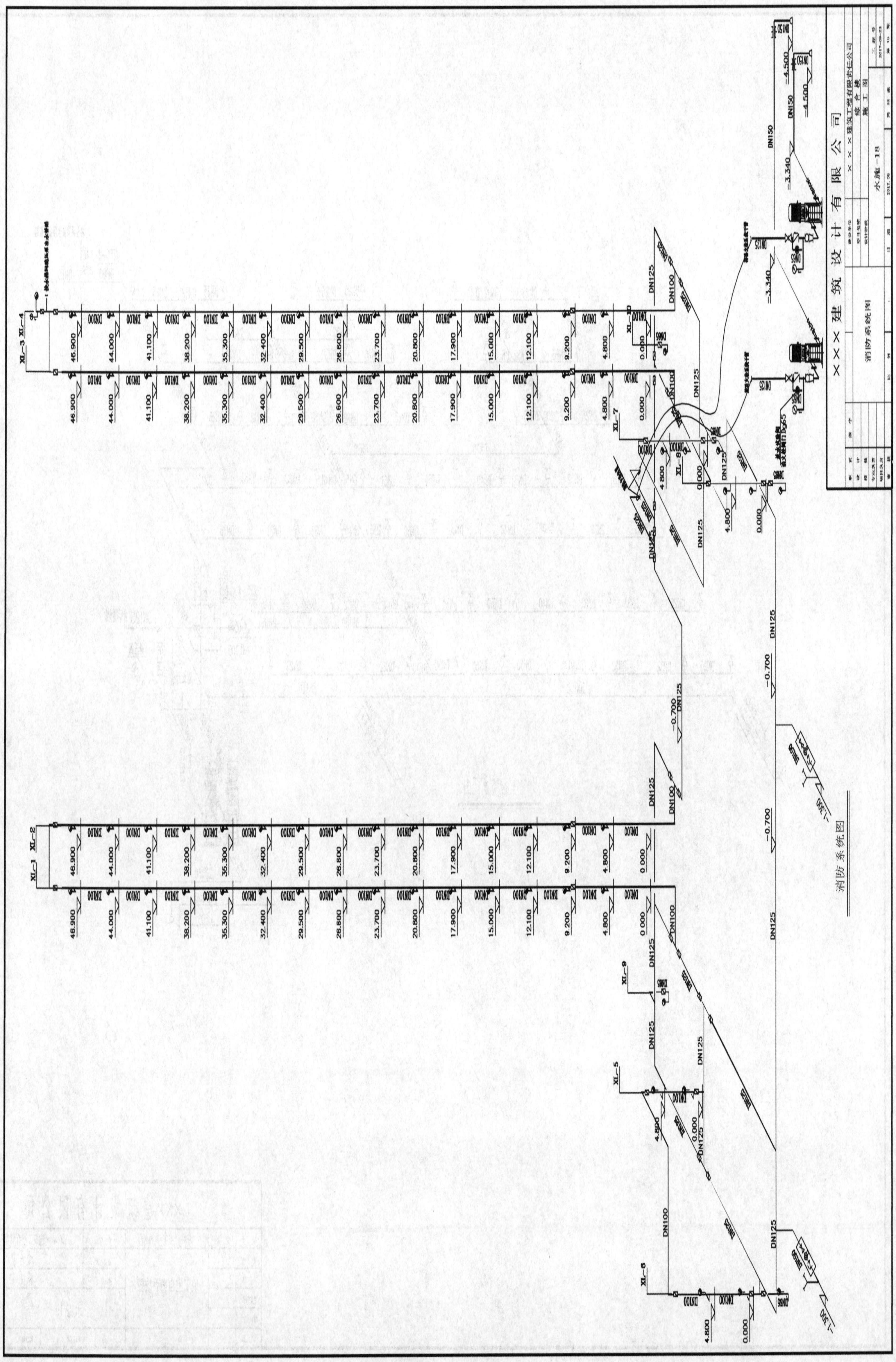
×××建筑设计有限公司
消防系统图
水施-18

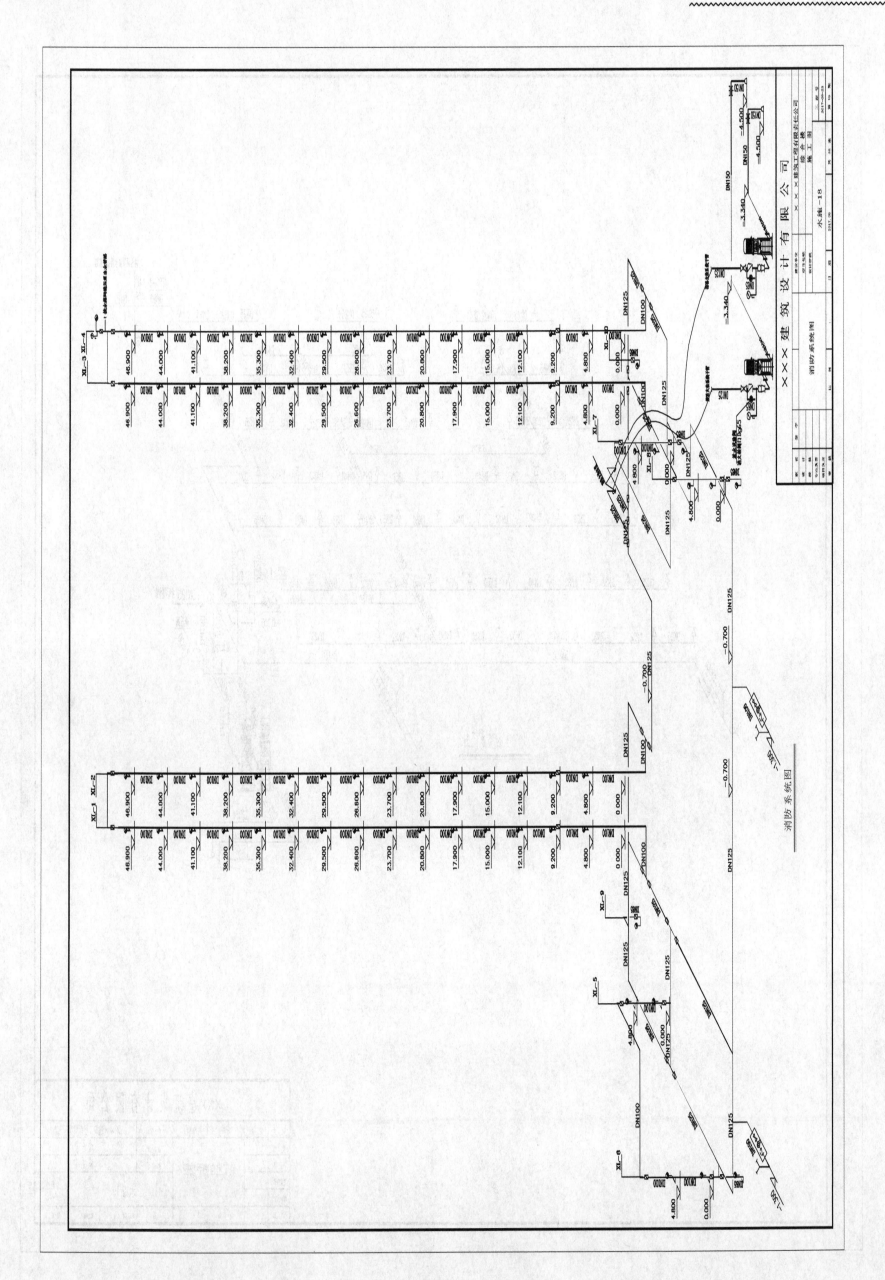

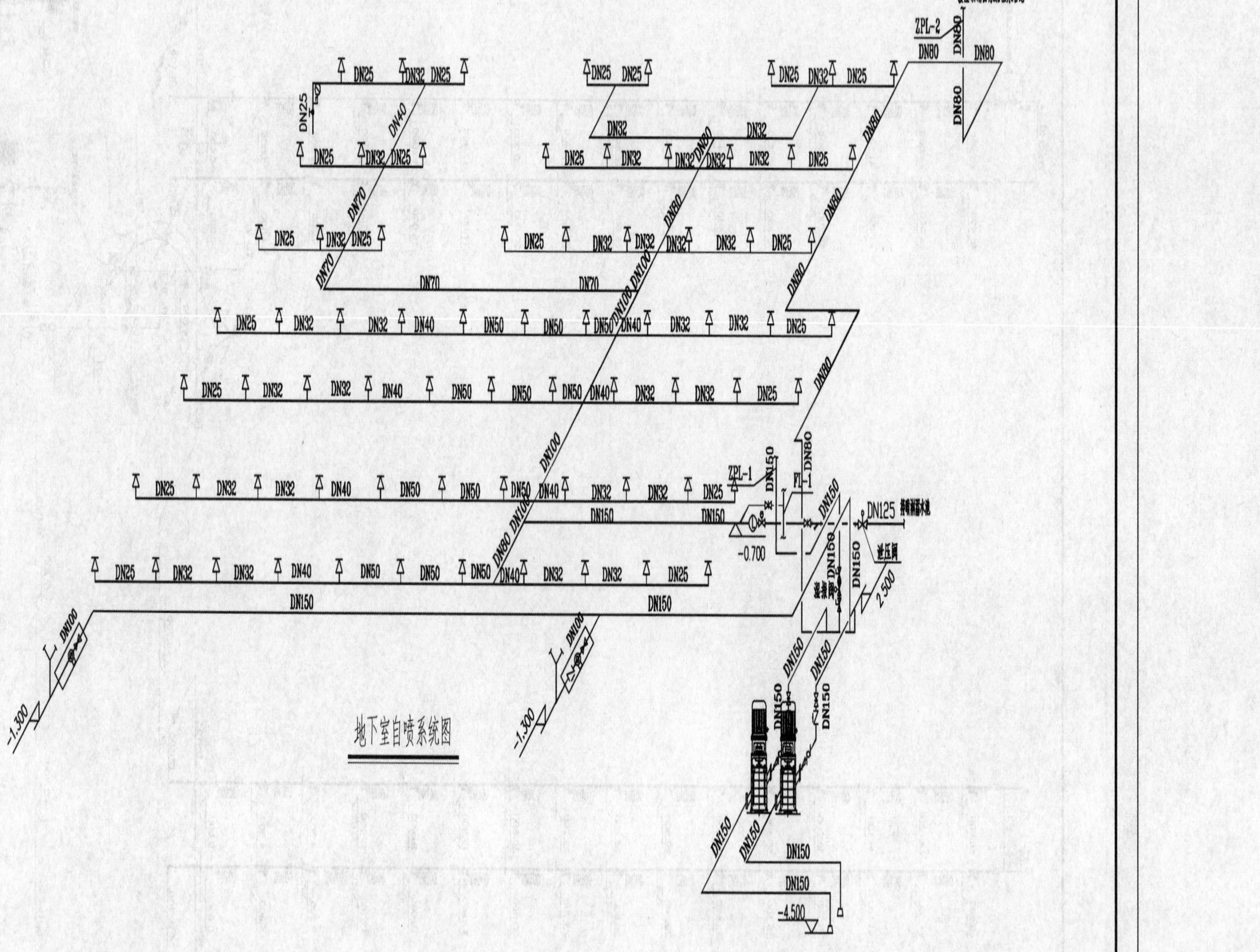

地下室自喷系统图

×××建筑设计有限公司					
职 责	签 字	专业名称	给排水	建设单位	×××建筑工程有限责任公司
设 计		地下室自喷系统图		项目名称	综合楼
校 核				设计阶段	施工图
专业负责				水施-19	工程号
项目负责					2017-09-23
审 核		比 例	1	日 期 2017.08	共24张 第19张

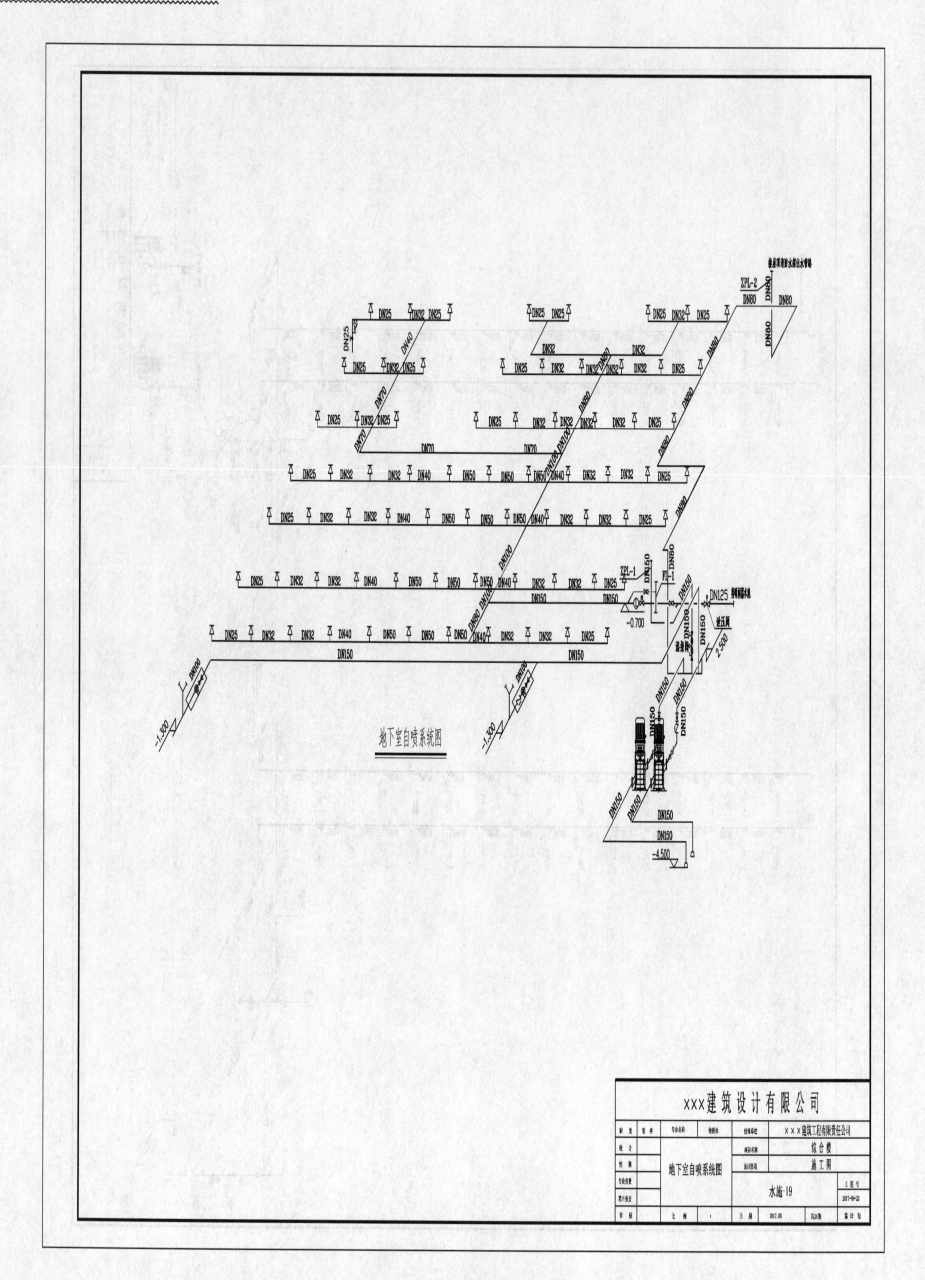

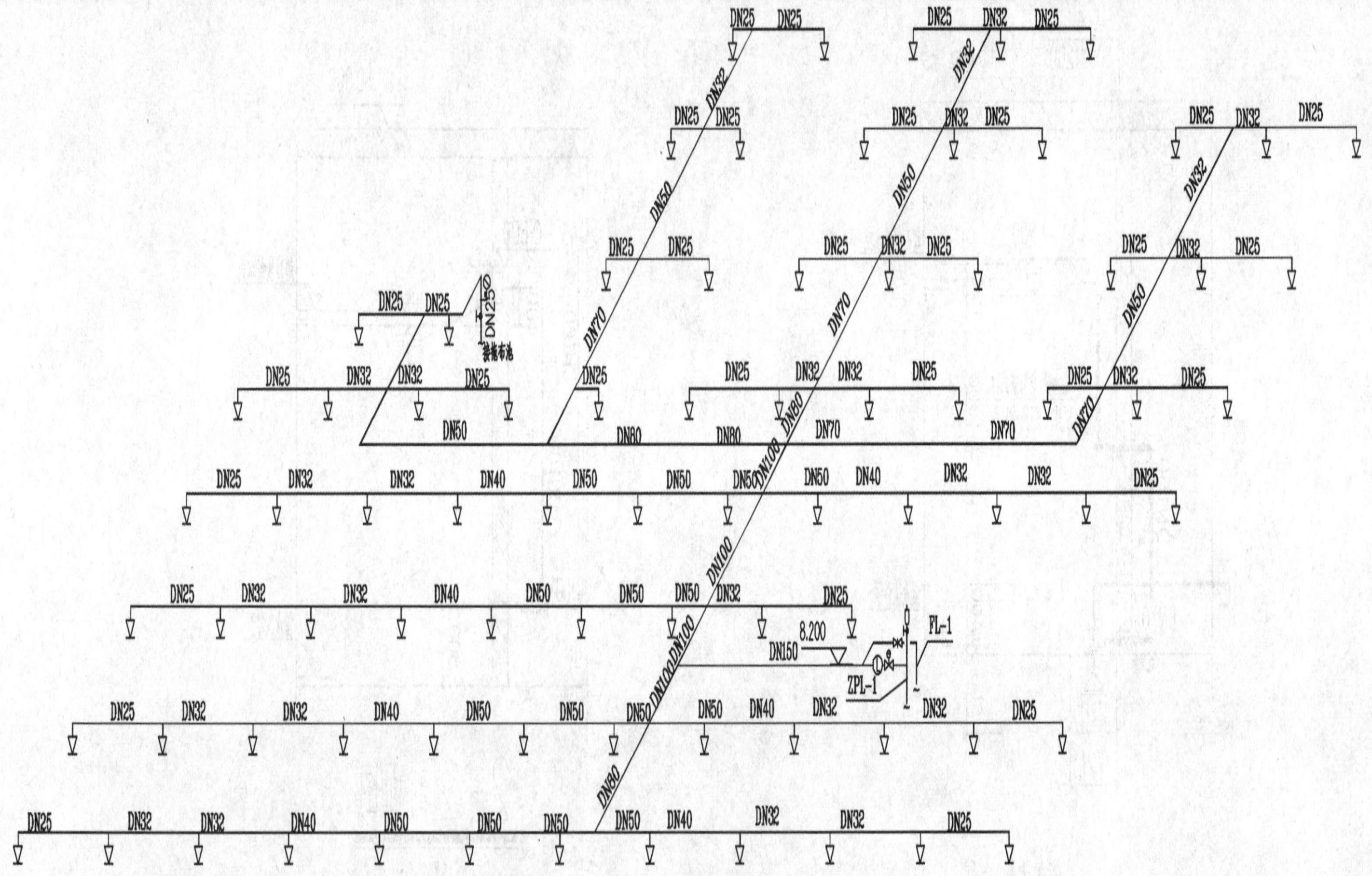

二层自喷系统图

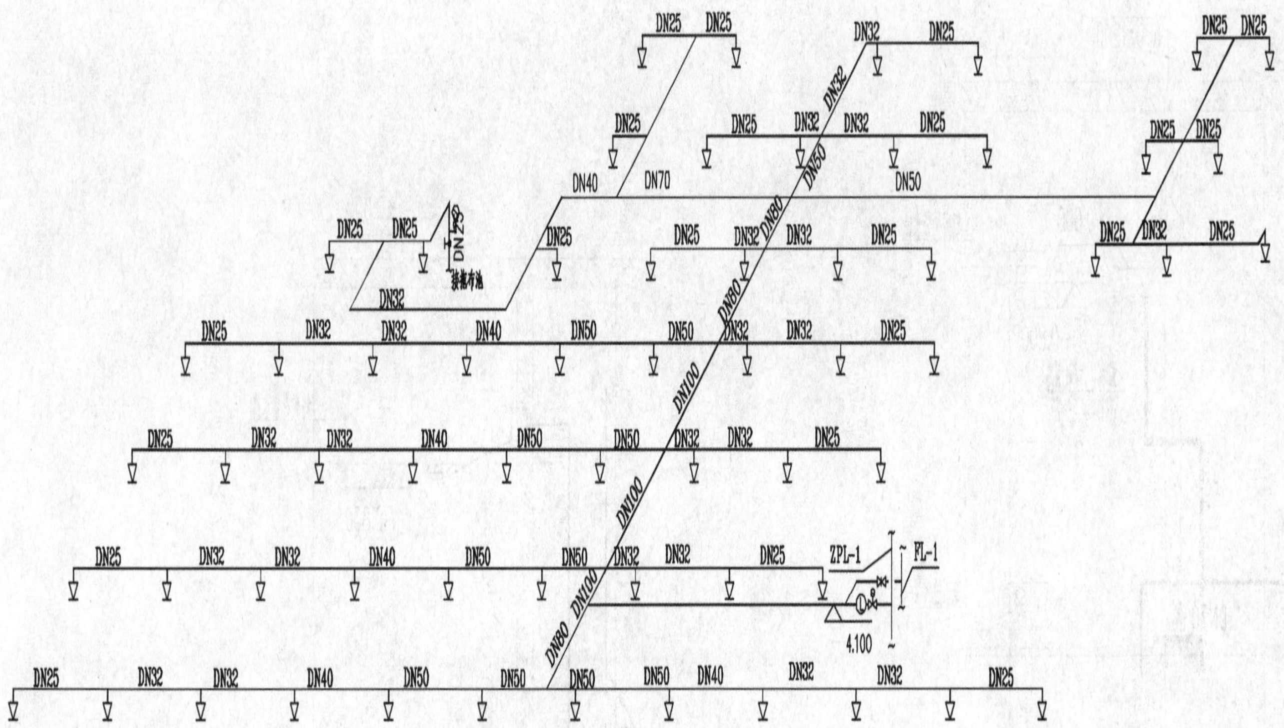

一层自喷系统图

XXX建筑设计有限公司

职 责	签 字		给排水	建设单位	×××建筑工程有限责任公司		
设 计		一、二层自喷系统图		项目名称	综合楼		
校 核				设计阶段	施工图		
专业负责				水施-20			工程号
项目负责							2017-09-23
审 核		比 例	:	日 期	2017.08	共24张	第20张

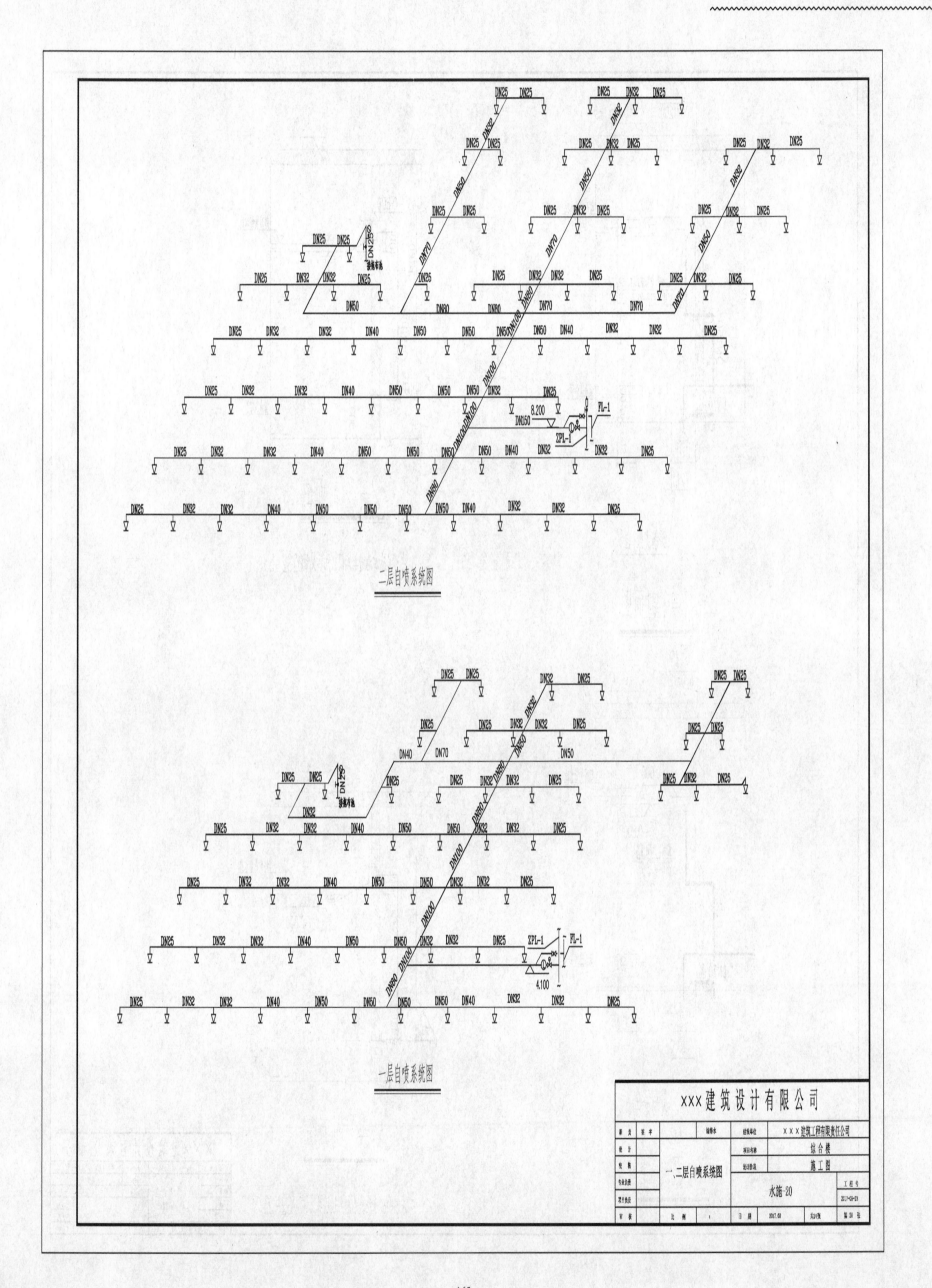

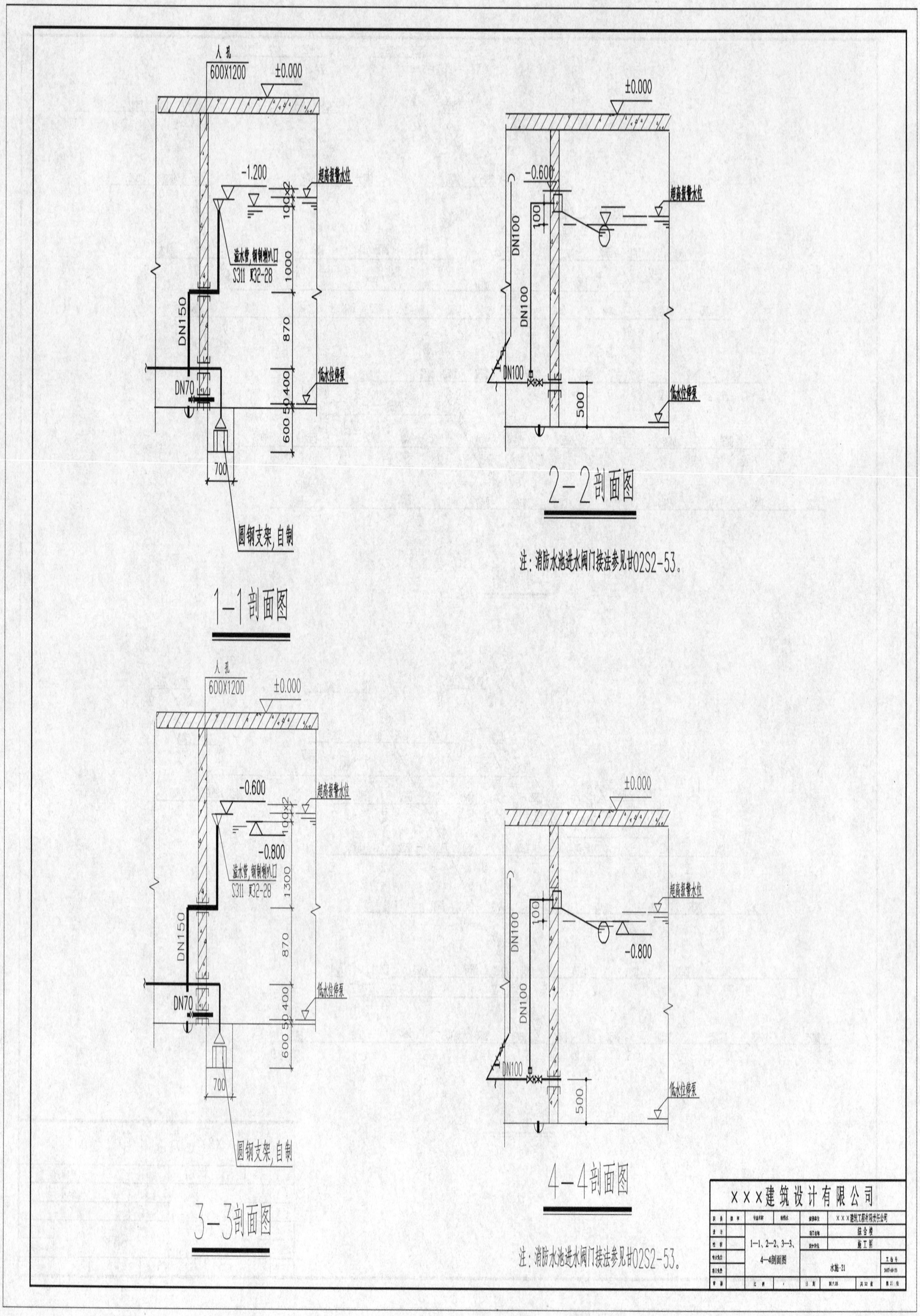
人孔
600X1200
±0.000
-1.200
超高报警水位
溢水管,钢制喇叭口
S311 ЖЗ2-28
DN150
DN70
低水位停泵
700
圆钢支架,自制
1-1剖面图
±0.000
-0.600
DN100
DN100
DN100
超高报警水位
低水位停泵
500
2-2剖面图
注:消防水池进水阀门接法参见苏02S2-53。
人孔
600X1200
±0.000
-0.600
-0.800
超高报警水位
溢水管,钢制喇叭口
S311 ЖЗ2-28
DN150
DN70
低水位停泵
700
圆钢支架,自制
3-3剖面图
±0.000
DN100
DN100
DN100
-0.800
超高报警水位
低水位停泵
500
4-4剖面图
注:消防水池进水阀门接法参见苏02S2-53。
×××建筑设计有限公司
×××建筑工程有限责任公司
综合楼
施工图
1-1、2-2、3-3、
4-4剖面图
水施-21
2017.08
共22张
第21张

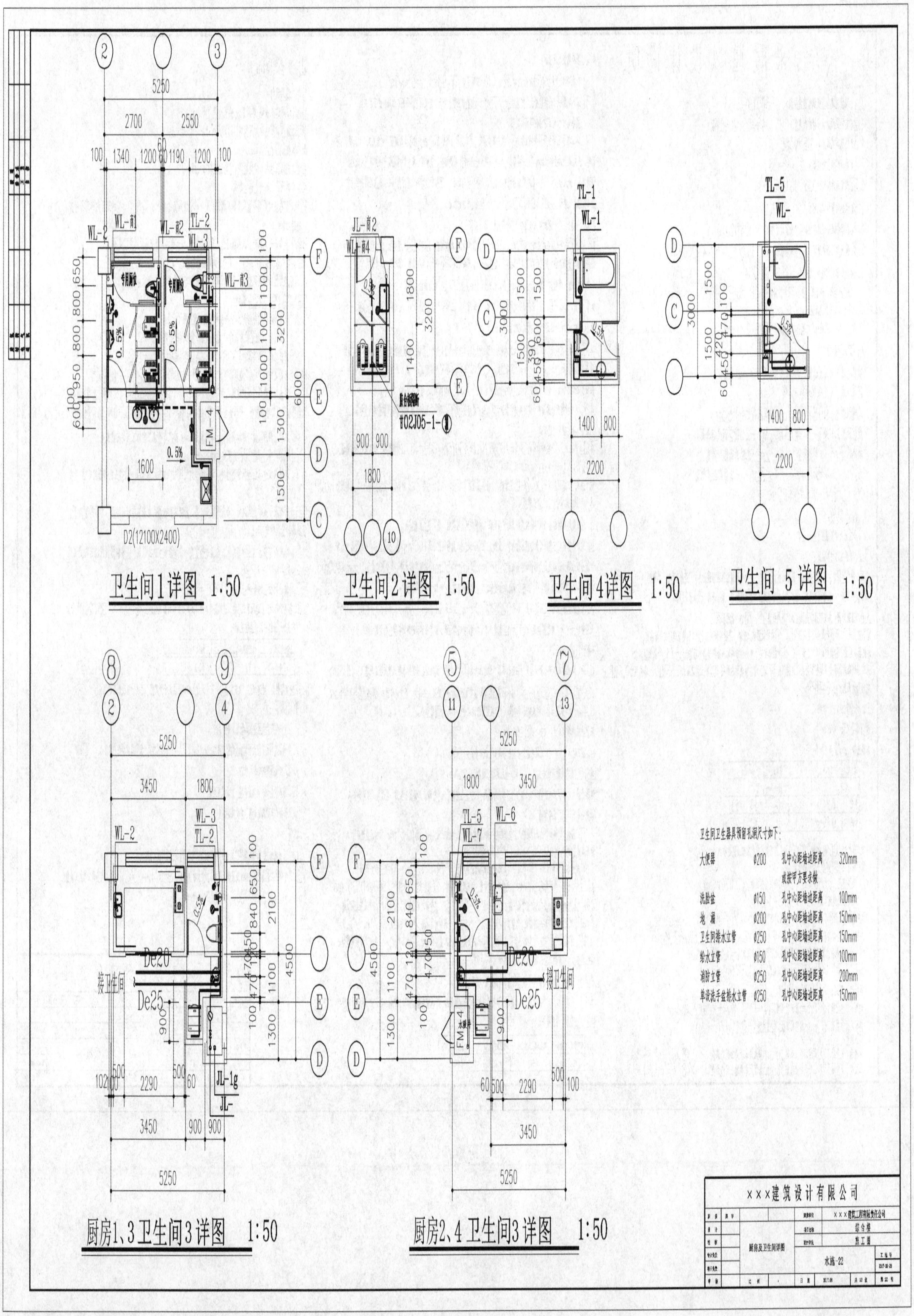
卫生间1详图 1:50
卫生间2详图 1:50
卫生间4详图 1:50
卫生间 5 详图 1:50
厨房1、3卫生间3详图 1:50
厨房2、4卫生间3详图 1:50
卫生间卫生器具预留孔洞尺寸如下：
大便器 ø200 孔中心距墙边距离 320mm
或按甲方要求做
洗脸盆 ø150 孔中心距墙边距离 100mm
地 漏 ø200 孔中心距墙边距离 150mm
卫生间排水立管 ø250 孔中心距墙边距离 150mm
给水立管 ø150 孔中心距墙边距离 100mm
消防立管 ø250 孔中心距墙边距离 200mm
单设洗手盆排水立管 ø250 孔中心距墙边距离 150mm
×××建筑设计有限公司
×××建筑工程有限责任公司
综合楼
施工图
厨房及卫生间详图
水施-22

采暖通风设计说明

1. 设计依据：

1.1《采暖通风与空气调节设计规范》GB50019-2003

1.2《高层民用建筑设计防火规范》GB50045-95（2005年版）

1.3《住宅建筑规范》GB50368-2005

1.4《商店建筑设计规范》JGJ 48-88

1.5《汽车库建筑设计规范》JGJ100-98

1.6《供热计量技术规程》JGJ173-2009

1.7《严寒和寒冷地区居住建筑节能设计标准》JGJ26-2010

1.8《民用建筑集中采暖供热计量技术规程》DB62/T25-3044-2009

1.9《地面辐射供暖技术规程》JGJ 142-2004

1.10《汽车库、修车库、停车场设计防火规范》GB 50067-97

1.11《办公建筑设计规范》JGJ67-2006

1.12《建筑工程设计文件编制深度规定》2008年版

2. 工程概况

项目名称：XXX建筑工程有限责任公司 ——综合楼；

建设地点：XX县洮阳镇东大街，

总建筑面积：9987.35m^2；建筑总高度49.55m。

层数及层高：地下一层；地上16层；地下一层为设备间及停车库，层高3.6m；一层为商店，层高4.2m；二层为商店，层高3.9m；三～十六层为住宅，层高2.95m。一二层商铺建筑面积1150m^2，一层车库停车位9个。

3. 设计参数：

3.1采暖室外计算温度：-12℃

3.2、采暖室内计算温度：

客厅、卧室20℃，卫生间20℃（洗浴温度为25℃，由卫生间辅助热源浴霸加热），厨房15℃，楼梯间16℃。商店及经理室，物业管理办公室，值班室18℃，商店卫生间16℃，地下车库，水泵房10℃

3.3、采暖热源：本工程采暖热源为城市热网提供95/70℃的低温热水

地下室及一、二层商店及办公室采用95/70℃的低温热水采暖，采暖系统采用上供下回单管顺序式采暖系统，散热器支管设三通温控阀调节室温。三－十六层采用地下室内的换热站再次隔绝换热后提供55/45℃的低温热水，采暖系统采用低温热水地板辐射采暖系统，补水、定压均在换热站内解决，地暖补水泵启压力0.55MPa，停泵压力0.6MPa.，电磁阀开启压力0.64MPa

4. 采暖设计：

4.1、热工设计参数

体形系数、窗墙比列表如下：

名称	体形系数	窗墙比/%			
		东	西	南	北
住宅	0.24	0	0	30	23
公建	0.19	0.1	0	38.	26

本工程外墙300厚，内墙200厚，均采用轻集料微孔混凝土复合砌块砌筑；隔墙用120厚粘土多孔砖砌筑

(1)砌块密度：≤550kg/m^3；(2)砌块导热系数：≤0.072W/m.k；

按《居住建筑节能构造》（甘06J3-1～3）

图集施工，外墙K≤0.35W/m^2.K内墙K≤0.55W/m^2.K

外窗：断桥合中空玻璃（6高透光Low-E+12A+6），传热系数K=2.5W/m^2.K.

住宅飘窗上下窗台板贴50厚挤塑聚苯板，传热系数K=0.49W/m^2.K.

分户门：钢质门夹芯50厚EPS保温板四防门k=1.7W/m^2.k.

楼栋门：三防门，K=1.7W/m.K.

地面：加热盘管下设40mm聚苯板保温层（λ=0.041W/m.K，密度20kg/m^3），

屋面：保温层采用60mm挤塑聚苯板，传热系数K=0.41W/(m^2.k)

传热系数K=0.3W/m.k.

采暖地下室上部120钢筋混凝土板贴30mm膨胀聚苯板地板传热系数 0.48 W/(m^2.K)

采暖地下室外墙120钢筋混凝土板贴30mm膨胀聚苯板地板传热系数 0.48 W/(m^2.K)

4.2. 采暖热负荷及指标：

住宅部分：Q=263kw，q=32w/m^2 公建部分：Q=98kw，q=55w/m^2

4.3. 地下室及一二层商店及办公室采用95/70℃的低温热水采暖，采暖系统采用上供下回单管顺序式采暖系统散热器支管设三通温控阀调节室温。

4.4. 本工程住宅部分采用共用立管的分户独立采暖系统，每单元设专用热表井，分户设热计量装置，包括热表、锁闭阀、Y型过滤器等。户内采用低温热水地板辐射采暖系统，住宅每户设一组FHF型铜质分、集水器（集水器内置带有阻力预调功能的控制阀芯），分水器前设RA-G远程遥控阀（配套TWA型热电驱动器），温控器设在每户客厅内，分、集水器的供回水部分均需带放气装置，分水器入口设SYS-25D/C型涡流多向过滤器。

4.5. -1F-2F采暖系统采用内外热镀锌钢管，螺纹连接，

3F-16F住宅采暖系统共用立管DN≤80采用内外热镀锌钢管，螺纹连接，DN>80无缝钢管，焊接连接；分、集水器至共用立管与分集水器之间明设的管道采用热镀锌钢管 户内加热盘管选用PE-RT聚乙烯管，按照设计尺寸铺设，一个分支环路一根管材，地下部分不能有接头。管道敷设间距及管径见图注，管道管径d20、壁厚2.3mm，PE-RT管使用条件等级均为四级，管系列S4，工作压力为0.8MPa，使用年限不小于50年。直管段每隔700mm设一固定管卡，弯曲部位管卡加倍。

4.6. 地面应在沿墙，过门的地方及当地板采暖面积超过30平方米或边长大于6米时，应设膨胀缝，PE-RT管穿膨胀缝及墙体以及集，分水器与PE-RT管联接处，均应设柔性套管。加热管进出地面的管段，应采用大2号的PVC管做硬质套管保护管，地板隔热层采用30mm厚聚苯板（一层为40mm厚），密度在20kg/m^3以上。

4.7. 本设计按照地面面层为瓷砖类进行散热计算，地面温度为26°C，用户在装修及使用过程中严禁在楼板上打洞或剧烈敲击，不许破坏埋设管道。

4.8. 住宅卫生间采暖均采用WYA46/80型（$B*H$=460mm*800mm，铜钢散热器，每组散热器散热量为：572W（ΔT=64.5℃），工作压力1.0MPa

地下室及一二层商店采用LXGZ-IG型散热器，散热量每片148W（Δt=64.5℃）散热面积为0.17m^2，工作压力1.0MPa.

4.9. 地板辐射管道施工注意事项：

a. 地板绝热层铺设前必须对楼板基面进行平整处理，加热盘管整管敷设，地下不允许有接头。

b. 地板采暖管在穿墙处需加套管进行保护。为防止地面局部过热，盘管间距小于100mm时，加热盘管外部设置柔性套管连接分集水器出地面处及局部管道密集处设1.0mmx50mmx50mm的防裂钢丝网，其余部位设1.0mmx150mmx150mm的防裂钢丝网，加热盘管出地面接分、集水器的明装管段，外部加装塑料套管。

c. 填充层混凝土采用豆石混凝土，标号C20，厚度50mm，豆石粒径不宜大于12mm，地板供暖面积超过30m^2或长边超过6m时，需设置间距不大于6m且宽度不小于5mm的伸缩缝。加热管穿伸缩缝设Φ25的聚氯乙烯软套管，长度不小于100mm.

d. 分、集水器及加热盘管安装完毕后进行试压，试验压力为0.8MPa，试压按《建筑给水排水及采暖工程施工质量验收规范》(GB50242-2002)8.6.1条执行试压后立即填充豆石混凝土，采用人工捣固，填充时管道内水压必须保持不低于0.4MPa。试压合格后对系统进行冲洗，冲洗直至排除出水不含泥沙、铁屑等杂质，且水色不浑浊为合格，系统冲洗完毕应冲水、加热，进行运行和调试。

e. 施工时参照标准图《低温热水地板辐射供暖系统施工安装》(03K404.)

4.10. 楼内采暖系统安装完毕后必须做水压试验，楼内系统试验压力：0.8MPa，试压合格后对采暖系统进行冲洗并清扫过滤器及除污器，冲洗直至排除出水不含泥沙、铁屑等杂质，且水色不浑浊为合格，清洗完毕方可进行管道保温。

4.11. 楼内采暖系统热力入口设在入户检查井内，包括回水水平干管装设MSV-F2静态水力平衡阀，压力表及温度计，静态水力平衡阀，R1入口口径DN100，R2入口口径DN70.

户内每组分水器前设RA-G远程遥控阀（配套TWA型热电驱动器），闸阀采用Z15T-16型，截止阀采用J11T-16型，热计量通过设在换热站内热量表集中计量，详见换热站设计，分户热量表选用UHM-1000型（DN20，额定流量L=1.5m^3/h）热力入口热量表，热力入口1采用RH-D-II热量表（热量表额定流量为15m3/h）热表准确度2级，.热力入口2采用RH-D-II热量表（热量表额定流量为3.5m3/h）热表准确度2级，做法详见甘02N1/16、17页.

4.12. 采暖系统立，支，干管的连接以及滑动支架和固定支架在墙上的安装详见甘02N4/P1～11，采暖管道穿墙、楼板或剪力墙预埋钢套管。钢套管比管道管径大两号。

4.13. 楼内采暖系统坡度：i=0.003，坡向见图中所示。

4.14. 设在管道井、不采暖房间及室外的采暖管道采用离心玻璃棉保温，外缠玻璃丝布两层，刷调和漆两道，做法详见甘02N3/12，厚度见下表：

公称管径/mm	保温层厚度/mm	公称管径/mm	保温层厚度/mm
≤DN50	50	DN70~200	60

5. 通风及排烟设计：

5.1. 通风设计

1.地下车库送风系统，排风系统，换气次数6次/h.

消防水泵房和换热站加压间按10.0次/h计，

配电室按6.0次/h计.

各送、排风机后主风管处设70℃自动关闭防火阀.

各系统通风形式均为上送上排式.

2.地下车库设计原则是通风系统只做通风不考虑排烟系统（面积小于2000m^2的地下汽车库不考虑机械排烟系统）

3.地下车库平时通风时排风系统与送风系统均工作，调节排风系统支管及排风口处阀门，使上部排风量为总风量的1/3，下部排风量为总风量的2/3.

4.风管采用镀锌钢板风管，风管钢板厚度按《通风与空调工程施工质量验收规范》GB50243-2002进行.

5.水平风管支吊架间距均为3m，垂直风管支吊架间距不大于4m.

6.每个直角弯头 均应装设导流叶片 柔性短管不能作异径接管使用

7.对开式多叶调节阀详国标T308-1，风机入口阀详国标K110--1-3

8.其余未明之处详国标《〈通风与空调工程施工及验收规范〉》GB50243-2002进行，

5.2、卫生间设通风器机械排风，由门洞自然补风，排风量按换气次数10次/小时计算，出通风器接排风竖井管均采用金属软管，吊顶内安装，做法参见94k302，电梯机房设机下排风，排风量按换气次数10次/小时计算.

5.3、风管材料采用镀锌薄钢板制作，厚度及加工详《通风与空调工程施工质量验收规范》GB50243-2002的规定执行.

5.4、送排风机进出口与风管连接处，设置200~300m的防火软接头，软接头的接口应牢固 严密，在软接头处严禁变径.

5.5、所有水平或垂直的风管，必须设置支、吊、托架其构造形式由安装在保证牢固、可靠的原则下，根现场的情况设定，详见甘02N2/105~115页.

5.6、防火阀在安装前应对其外观、质量进行鉴定，并设置独立的支吊架，安装位置及气流方向要准确，安装见甘02N2/P20.

5.7吊装通风设备均采用VH型弹簧吊架，详见甘02N2/117页

5.8、前室设机械加压送风系统，加压送风量按《高层民用建筑设计防火规范》GB50045-95（2005年版）规定选取，加压送风量选取见下表：

系统负担层数	送风部位	加压送风量/(m^3/h)
17层	前室	15000*1.5

5.9、前室每层设多叶送风口，火灾时自动开启着火层及相邻两层多叶送风口，并联动屋顶加压送风机.

6. 节能及环保

6.1. 住宅户内采用低温热水地板辐射采暖系统.

6.2、集水器内置带有阻力预调功能的控制阀芯，分水器前设RA-G远程温控阀，温控器设在每户客厅内.

6.3. 通风机均选用高效率风机.

6.4條、通风设备均选用低噪音型，并设减震装置.

6.5通风设备均选用低噪音型，并设减震装置

7. 其它：

7.1、采暖系统立，支，干管的连接以及滑动支架和固定支架在墙上的安装详见甘02N4.

7.2、未尽事宜按《建筑给水排水及采暖工程施工质量验收规范》(GB50242-2002)，《通风与空调工程施工质量验收规范》GB50243-2002，有关规定严格执行.

×××建筑设计责任公司							
职责	签字	专业名称	暖通	建设单位	×××建筑工程有限责任公司		
设计		采暖通风设计说明		项目名称	综合楼		
校核				设计阶段	施工图		
专业负责				暖施-1		工程号	
项目负责						2017-09-23	
审核		比例	:	日期	2017.08	共13张	第01张

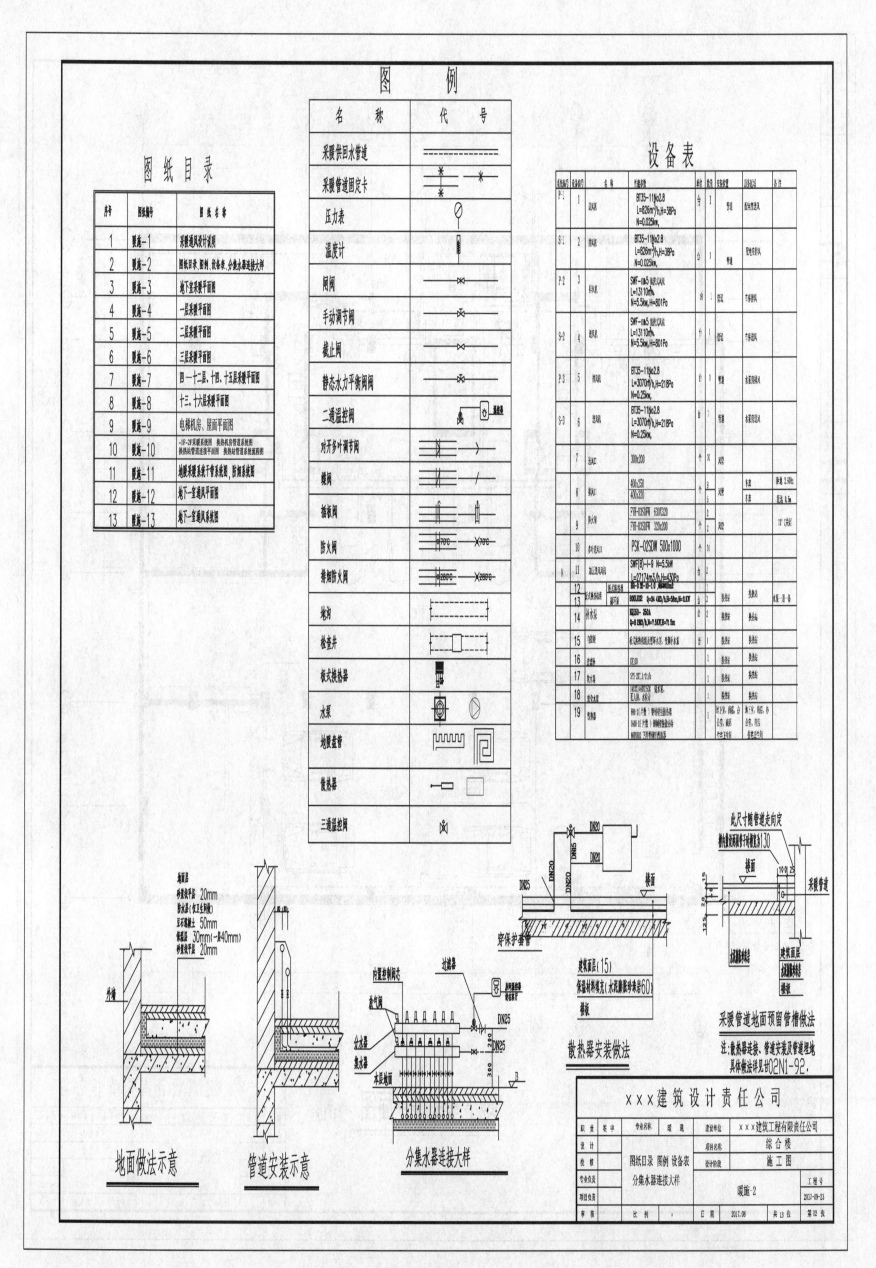

图 例

名 称	代 号
采暖供回水管道	
采暖管道固定卡	
压力表	
温度计	
闸阀	
手动调节阀	
截止阀	
静态水力平衡阀阀	
二通温控阀	
对开多叶调节阀	
蝶阀	
插板阀	
防火阀	70℃
排烟防火阀	280℃
地沟	
检查井	
板式换热器	
水泵	
地暖盘管	
散热器	
三通温控阀	

图纸目录

序号	图纸编号	图 纸 名 称
1	暖施-1	采暖通风设计说明
2	暖施-2	图纸目录、图例、设备表、分集水器连接大样
3	暖施-3	地下室采暖平面图
4	暖施-4	一层采暖平面图
5	暖施-5	二层采暖平面图
6	暖施-6	三层采暖平面图
7	暖施-7	四—十二层、十四、十五层采暖平面图
8	暖施-8	十三、十六层采暖平面图
9	暖施-9	电梯机房、屋面平面图
10	暖施-10	-1F-2F采暖系统图 换热机房管道系统图 换热站管道连接平面图 换热站管道系统流程图
11	暖施-11	地暖采暖系统干管系统图，防烟系统图
12	暖施-12	地下一室通风平面图
13	暖施-13	地下一室通风系统图

设备表

系统编号	设备编号	名 称	性能参数	单位	数量	安装位置	服务区域	备 注
P-1	1	送风机	BT35-11No2.8 L=826m³/h,H=38Pa N=0.025kw,	台	1	管道	配电室送风	
S-1	2	排风机	BT35-11No2.8 L=826m³/h,H=38Pa N=0.025kw,	台	1	管道	配电室排风	
P-2	3	排风机	SWF-I No5 混流式风机 L=13110m³/h, N=5.5kw, H=801Pa	台	1	管道	车库排风	
S-2	4	送风机	SWF-I No5 混流式风机 L=13110m³/h, N=5.5kw, H=801Pa	台	1	管道	车库送风	
P-3	5	排风机	BT35-11No2.8 L=3070m³/h,H=218Pa N=0.25kw,	台	1	管道	水泵房排风	
S-3	6	送风机	BT35-11No2.8 L=3070m³/h,H=218Pa N=0.25kw,	台	1	管道	水泵房送风	
	7	送风口	300x200	个	10	风管		
	8	排风口	400x250	个	9	风管	车库	距地 2.600m
			400x320		5		车库	距地 0.5m
	9	防火阀	FYH-03SDFW 630X320	个	2	风管		70°C关闭
			FYH-03SDFW 320x200		2			
	10	多叶送风口	PSK-02SDW 500x1000	个	34			
N	11	加压送风风机	SWF(B)-I-9 N=5.5kW L=27174m3/h,H=430Pa	台	2			
	12	板式换热机组 板式换热器	BR-0 35-10-1 0 ,[illegible]m2		1	换热站	换热站	
	13	板式换热机组 循环泵	80DLR32 Q=34.4M3/h,H=58m,N=11KW	台	2	换热站	换热站	水泵一用一备
	14	补水泵	KQL50-250A Q=8.2M3/h,N=7.5KW,H=71.5m	台	2	换热站	换热站	
	15	电控柜	板式换热机组及循环水泵，变频补水泵	台	1	换热站	换热站	
	16	过滤器	DN100		1	换热站	换热站	
	17	软水器	SYS-2KT,L=2t/h		1	换热站	换热站	
	18	软化水箱	1400X1400X1530 镀水箱, 配人梯，水位计		1	换热站	换热站	
	19	散热器	600-X(片数)钢制壁挂散热器 1500-X(片数)钢制壁挂散热器 800X600 卫浴型钢制散热器		1	地下室，商店，办公室，商店 住宅卫生间	地下室，商店，办公室，商店 住宅卫生间	

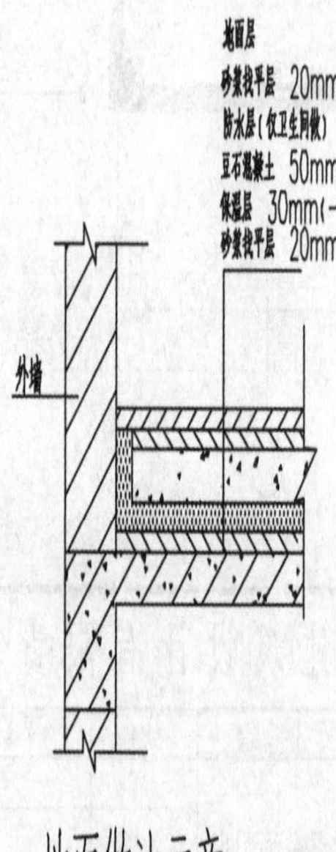

地面做法示意

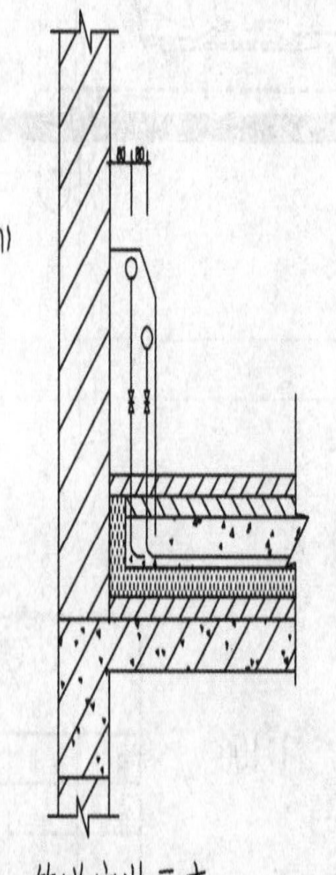

管道安装示意

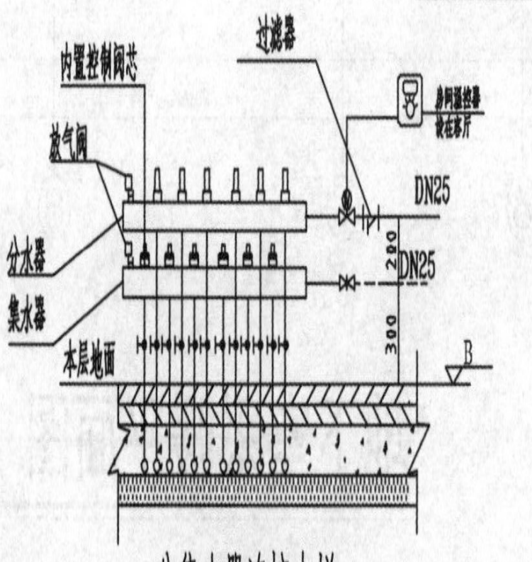

分集水器连接大样

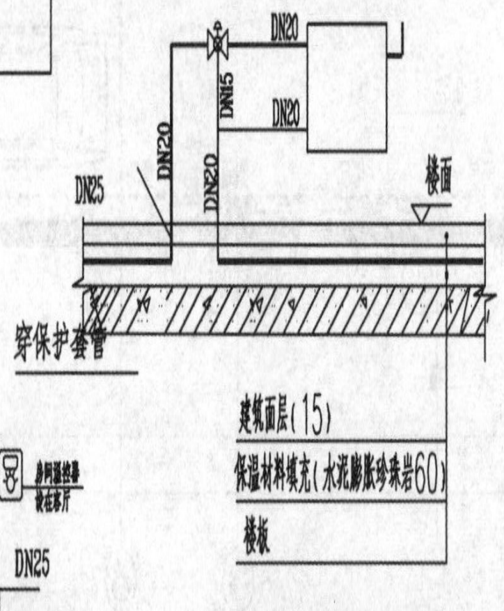

散热器安装做法

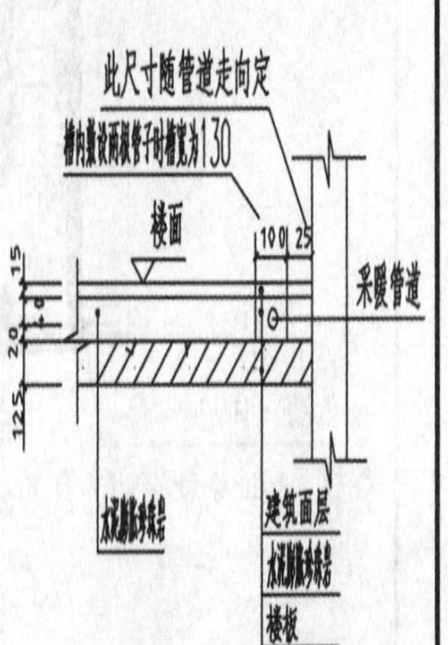

采暖管道地面预留管槽做法

注：散热器连接、管道安装及管道埋地具体做法详见㈩02N1-92.

×××建筑设计责任公司							
职 责	签 字	专业名称	暖 通	建设单位	×××建筑工程有限责任公司		
设 计		图纸目录 图例 设备表 分集水器连接大样		项目名称	综合楼		
校 核				设计阶段	施工图		
专业负责				暖施-2			工程号
项目负责							2017-09-23
审 核		比 例	,	日 期	2017.08	共 13 张	第 02 张

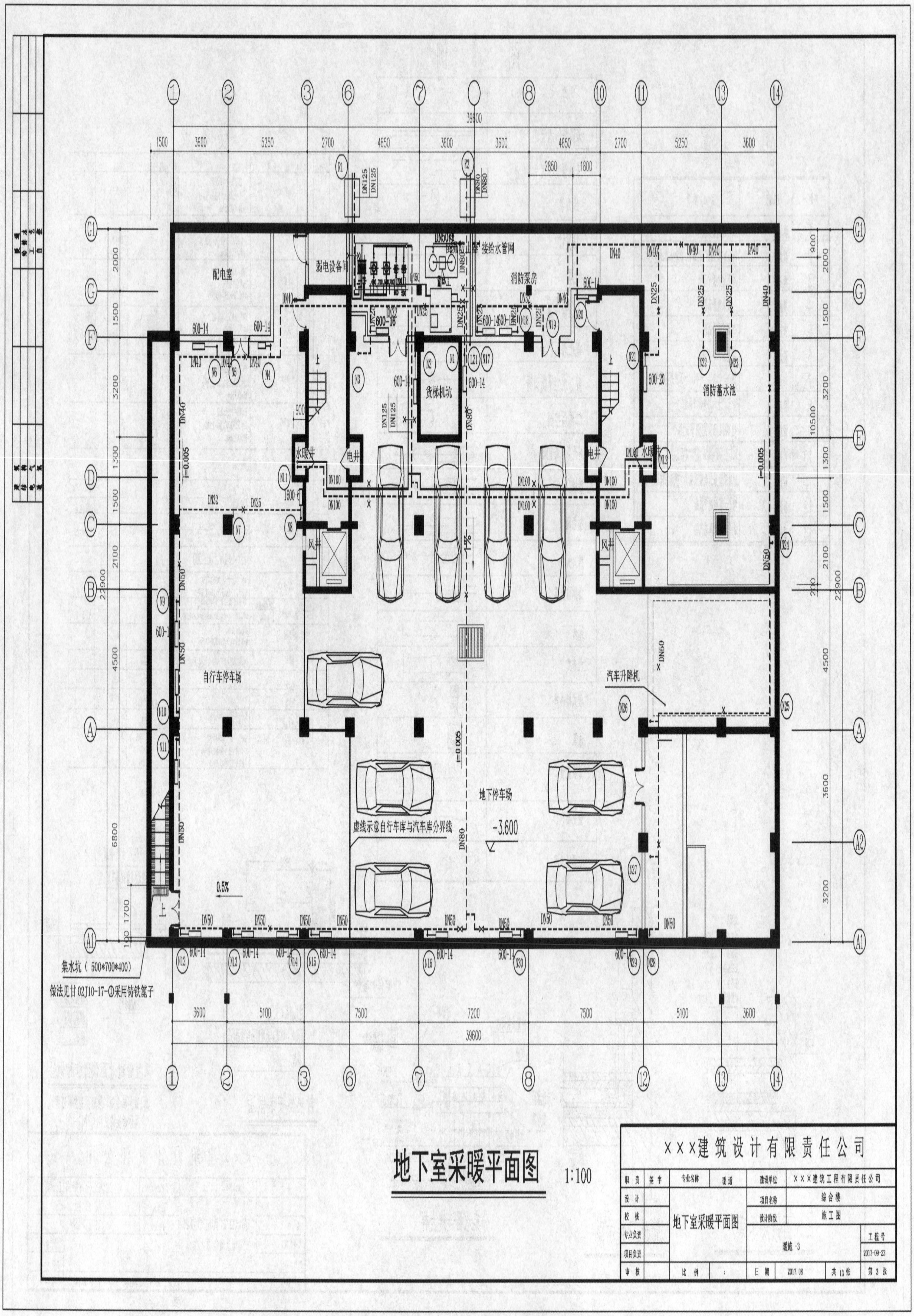
配电室
弱电设备间
消防泵房
货梯机坑
消防蓄水池
水暖井
电井
风井
自行车停车场
汽车升降机
地下停车场
-3.600
虚线示意自行车库与汽车库分界线
集水坑（500*700*400）
做法见甘02J10-17-①采用铸铁篦子
39600
地下室采暖平面图
1:100
×××建筑设计有限责任公司
×××建筑工程有限责任公司
综合楼
施工图
地下室采暖平面图
暖施-3
2017-09-23

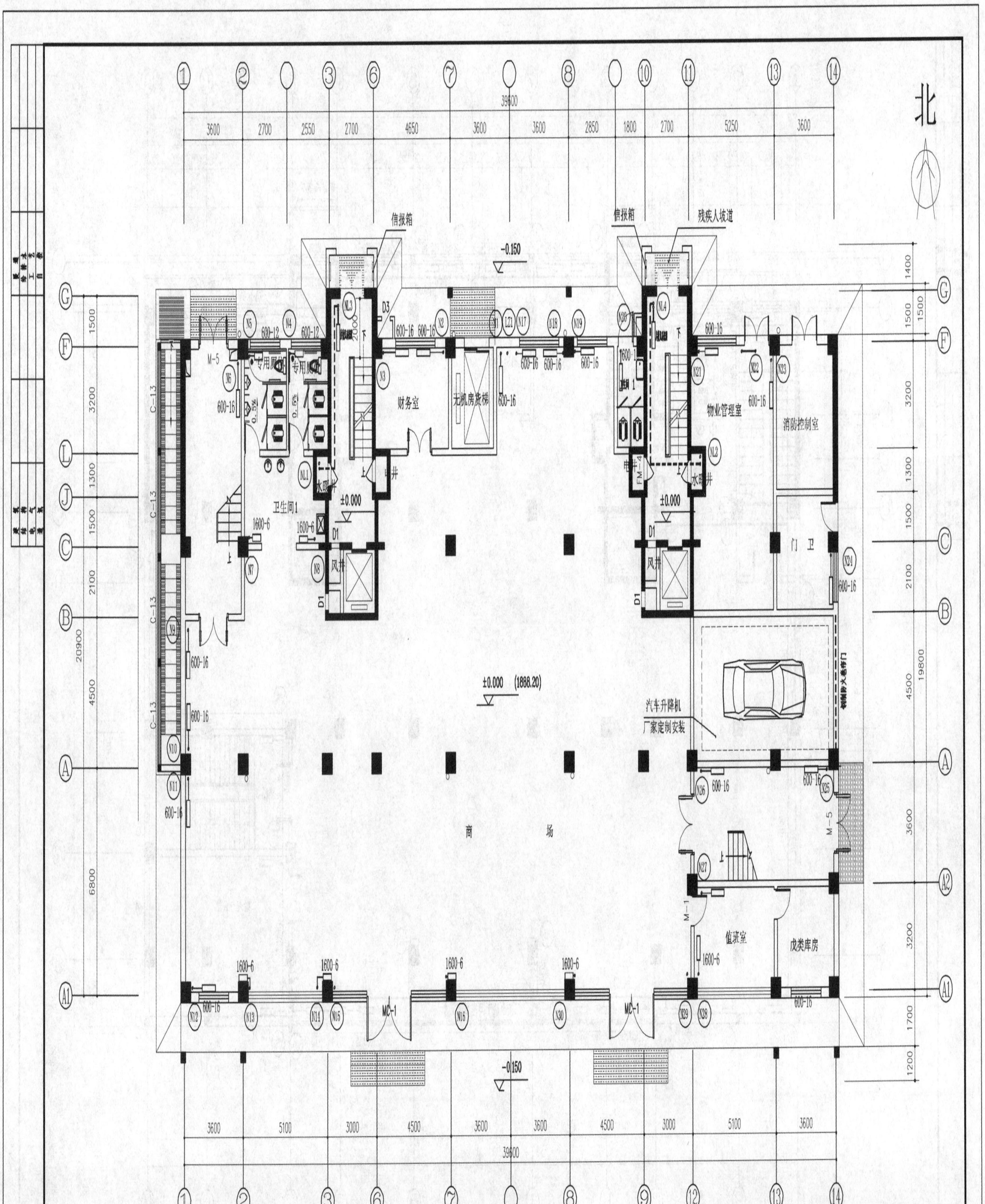

一层采暖平面图 1:100

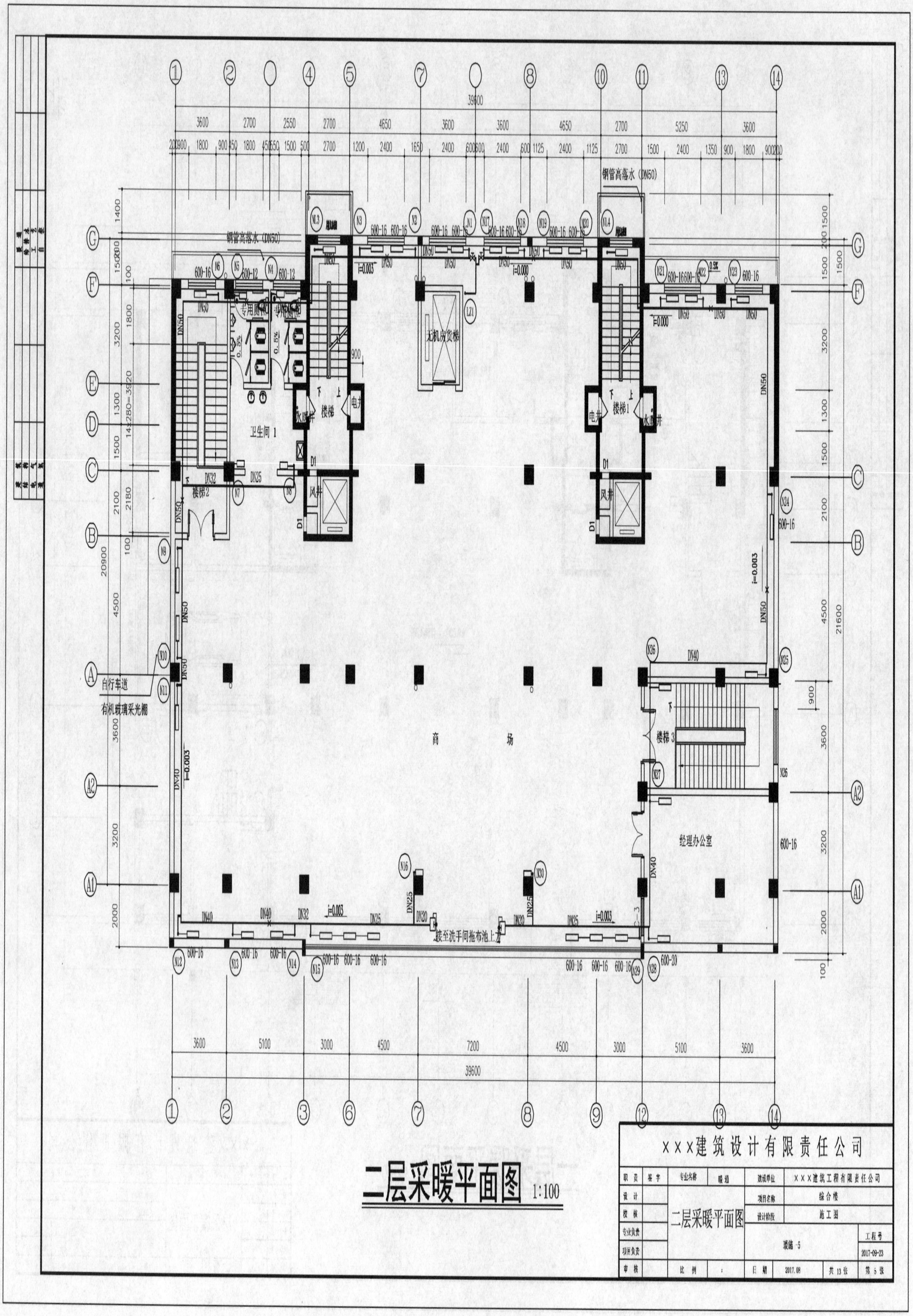
二层采暖平面图 1:100
×××建筑设计有限责任公司
×××建筑工程有限责任公司
综合楼
施工图
二层采暖平面图
暖施-5
2017-09-23
2017.08
共 13 张
第 5 张
无机房货梯
卫生间 1
楼梯 1
楼梯 2
楼梯 3
商场
经理办公室
风井
电井
水暖井
自行车道
有机玻璃采光棚
钢管高落水（DN50）
接至洗手间拖布池上方
39600
21600
20900

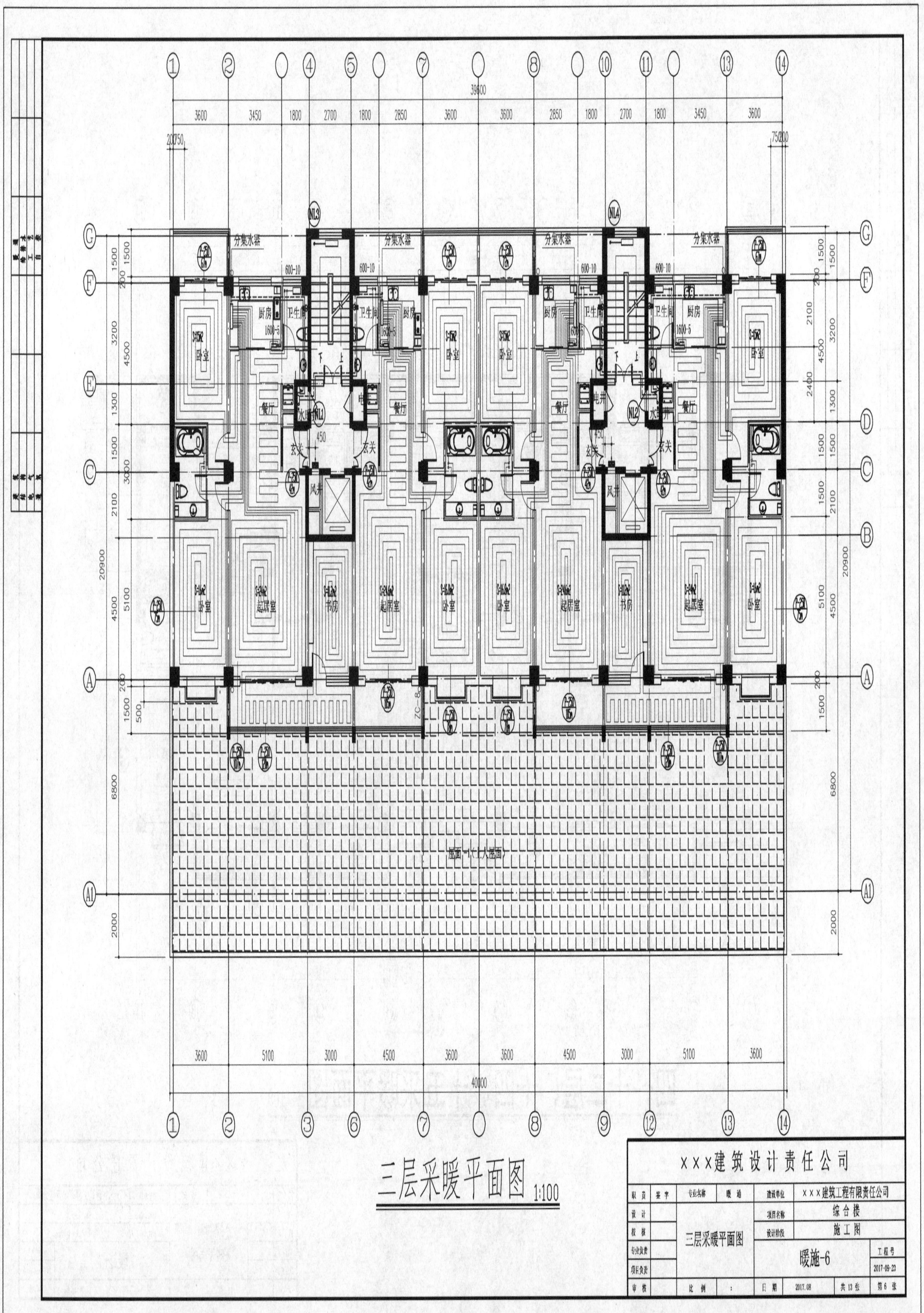
分集水器
厨房
卫生间
卧室
餐厅
玄关
风井
电井
水井
起居室
书房
屋面一（上人屋面）
三层采暖平面图 1:100
×××建筑设计责任公司
×××建筑工程有限责任公司
综合楼
施工图
三层采暖平面图
暖施-6
2017.08
共13张
第6张

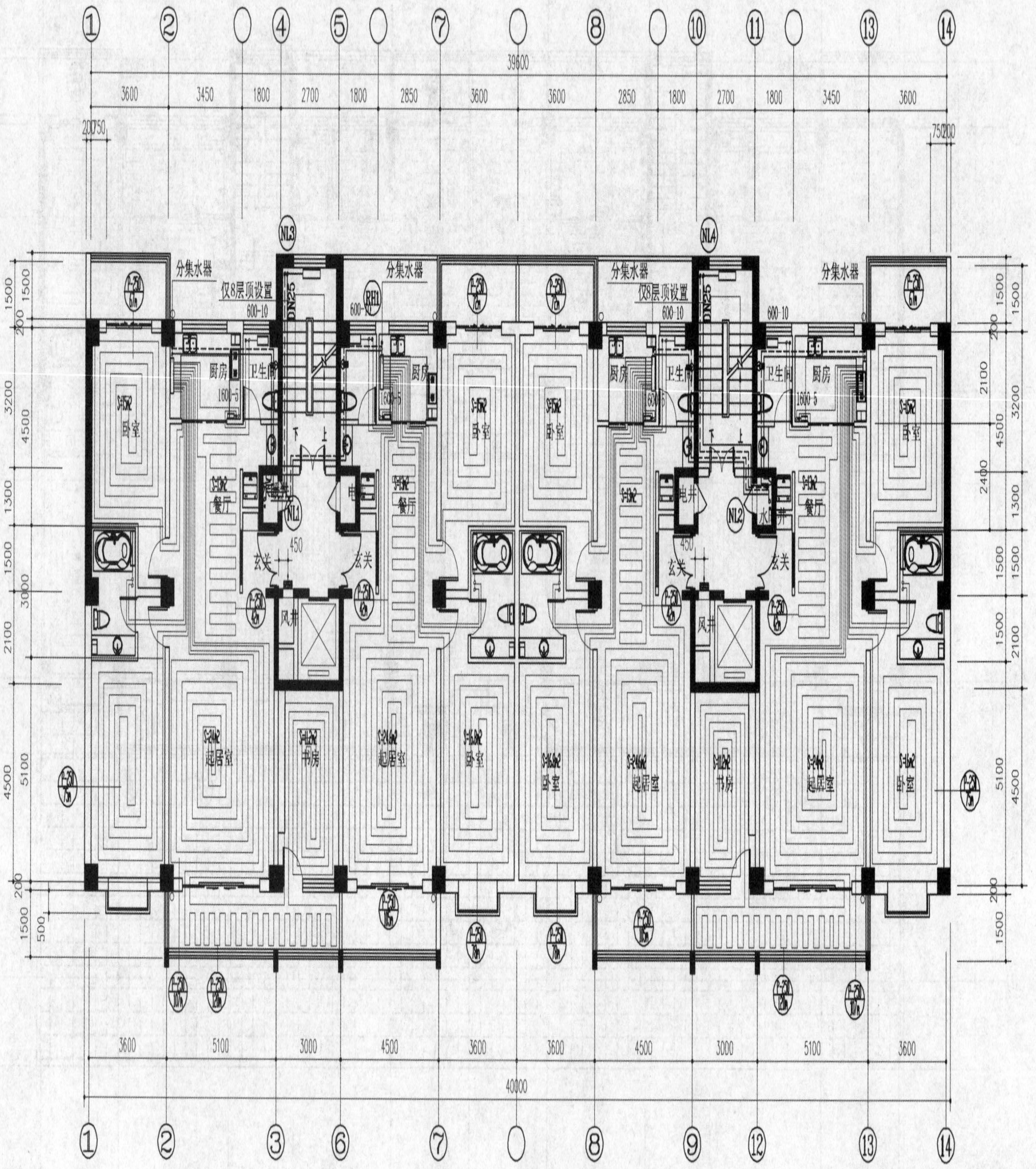

四～十二层、十四、十五采暖平面图 1:100

×××建筑设计责任公司							
职　责	签　字	专业名称	暖　通	建设单位	×××建筑工程有限责任公司		
设　计		四～十二层、十四、十五层采暖平面图		项目名称	综合楼		
校　核				设计阶段	施工图		
专业负责				暖施-7			工程号
项目负责							2017-09-23
审　核		比　例	:	日　期	2017.08	共 13 张	第 07 张

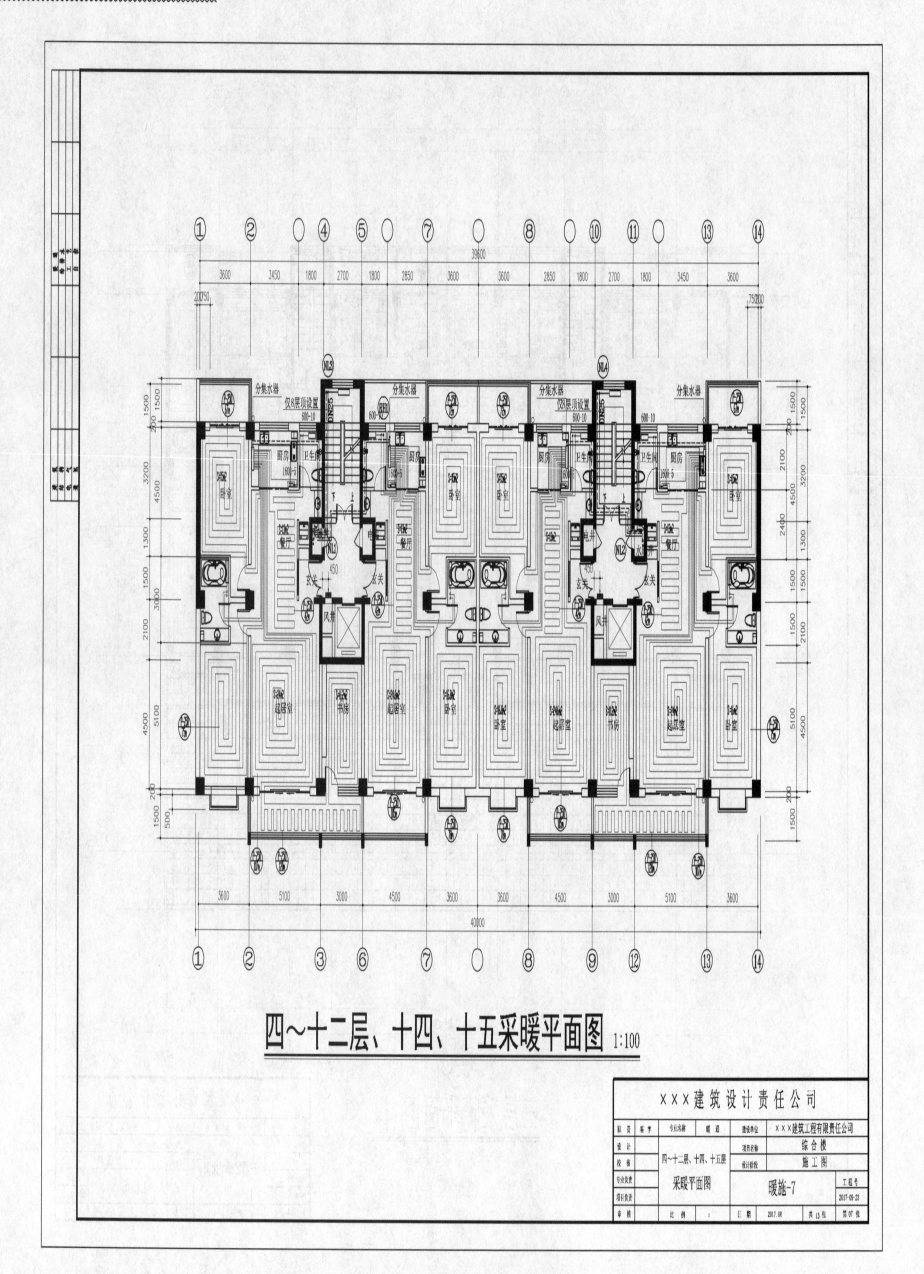

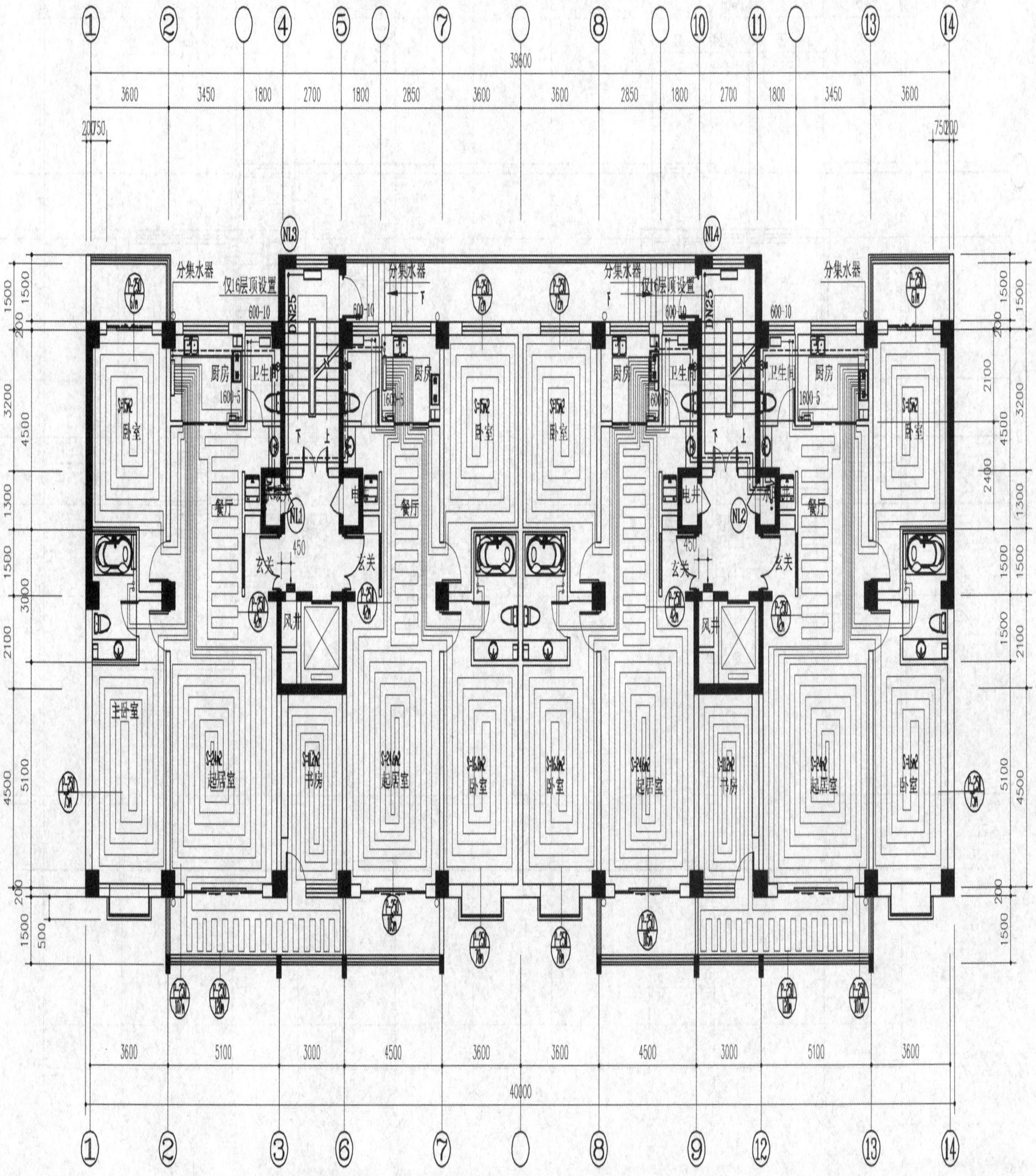

十三、十六层采暖平面图

1:100

×××建筑设计责任公司							
职 责	签 字	专业名称	暖 通	建设单位	×××建筑工程有限责任公司		
设 计		十三、十六层采暖平面图		项目名称	综合楼		
校 核				设计阶段	施工图		
专业负责				暖施-8			工程号
项目负责							2017-09-23
审 核		比 例	;	日 期	2017.08	共 13 张	第 8 张

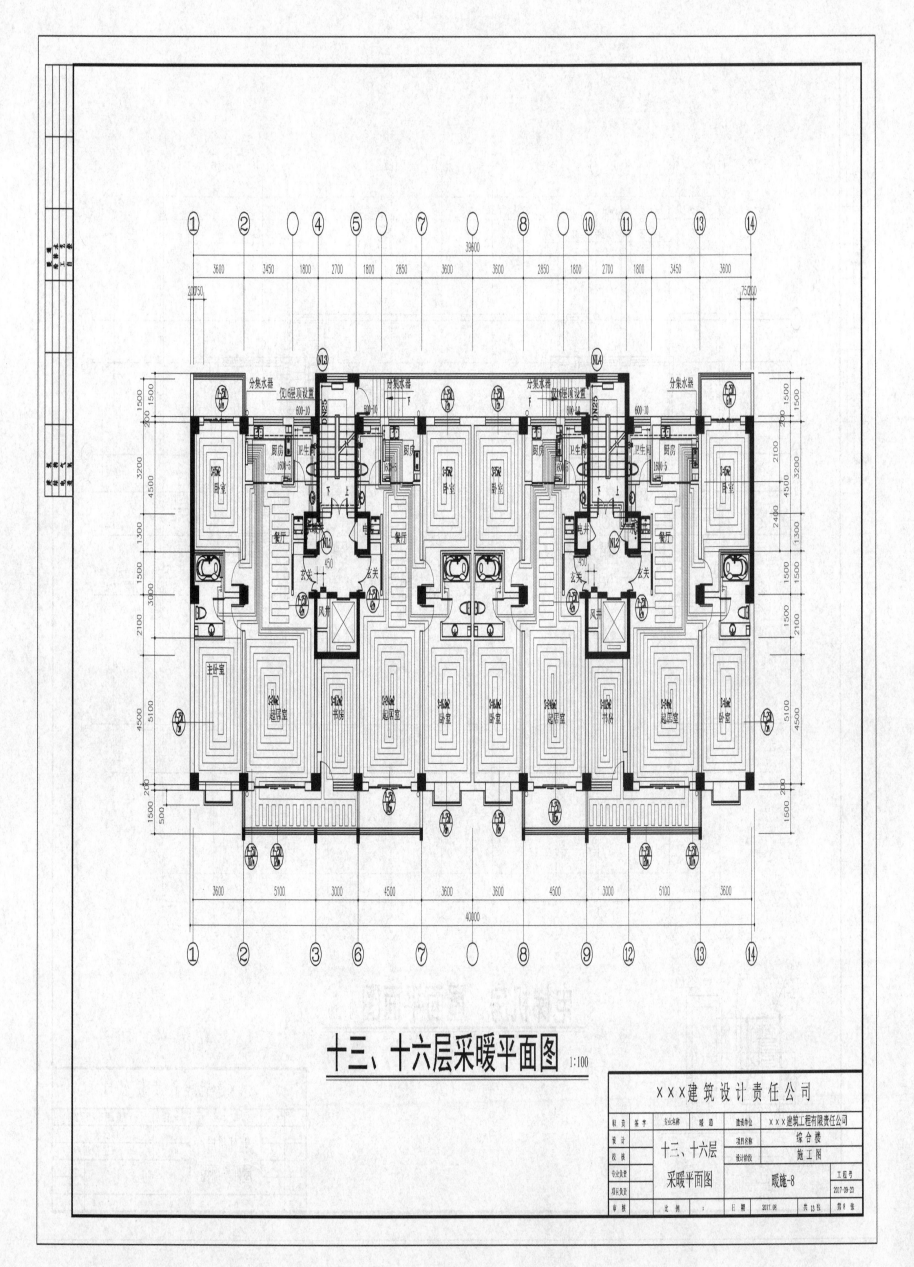

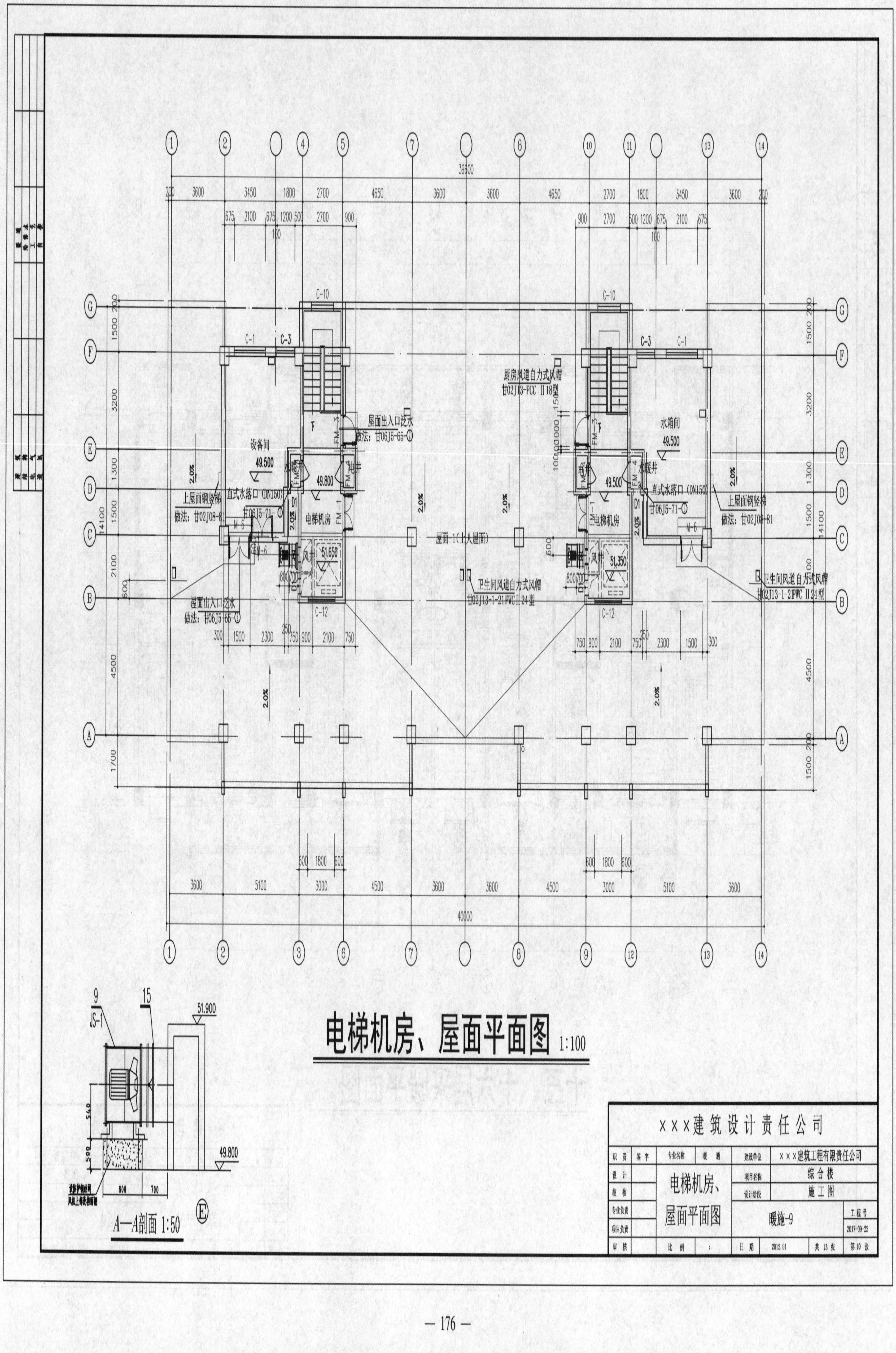
电梯机房、屋面平面图 1:100
A—A剖面 1:50
×××建筑设计责任公司
×××建筑工程有限责任公司
综合楼
施工图
电梯机房、屋面平面图
暖施-9
设备间
水箱间
电梯机房
屋面出入口泛水
上屋面钢爬梯
直式水落口（DN150）
厨房风道自力式风帽
卫生间风道自力式风帽
屋面1（上人屋面）

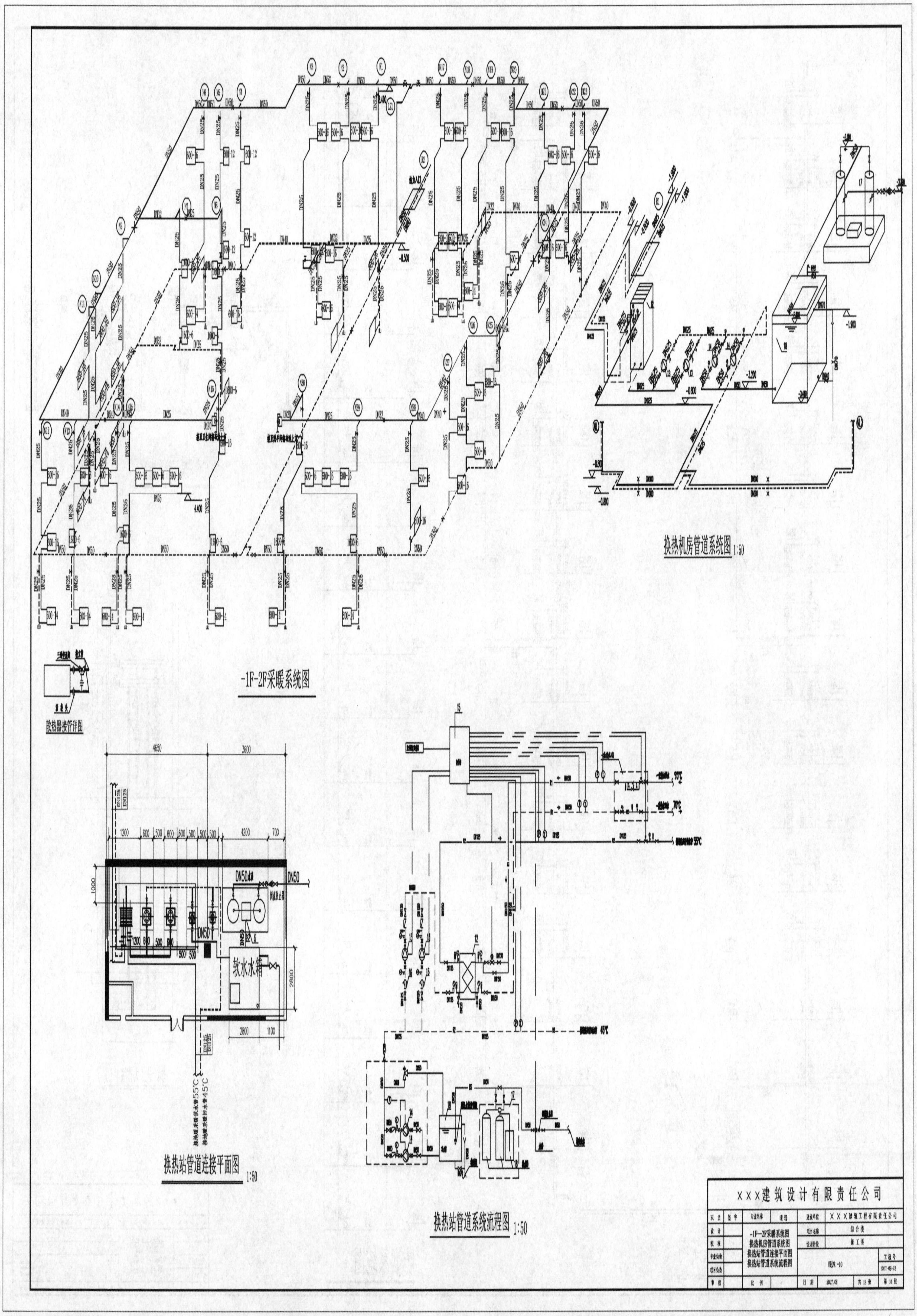
-1F-2F采暖系统图
散热器接管详图
换热机房管道系统图 1:50
换热站管道连接平面图 1:50
软水水箱
换热站管道系统流程图 1:50
×××建筑设计有限责任公司
职 责
签 字
专业名称
暖通
建设单位
×××建筑工程有限责任公司
设 计
校 核
专业负责
项目负责
审 核
-1F—2F采暖系统图
换热机房管道系统图
换热站管道连接平面图
换热站管道系统流程图
项目名称
综合楼
设计阶段
施工图
暖施-10
工程号
2017-08-23
比 例
日 期
2017.08
共 13 张
第 10 张

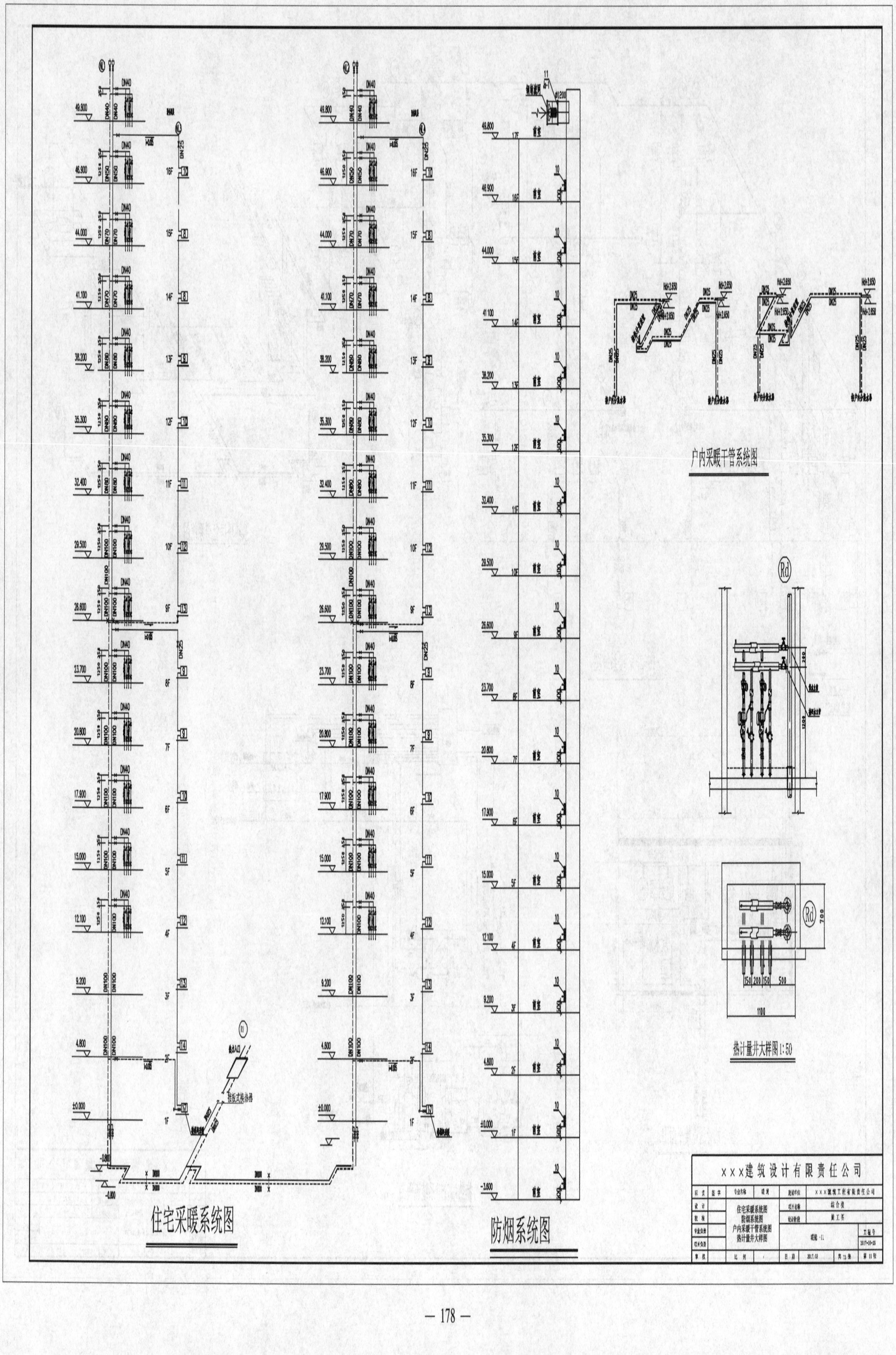
住宅采暖系统图
防烟系统图
户内采暖干管系统图
热计量井大样图1:50
×××建筑设计有限责任公司

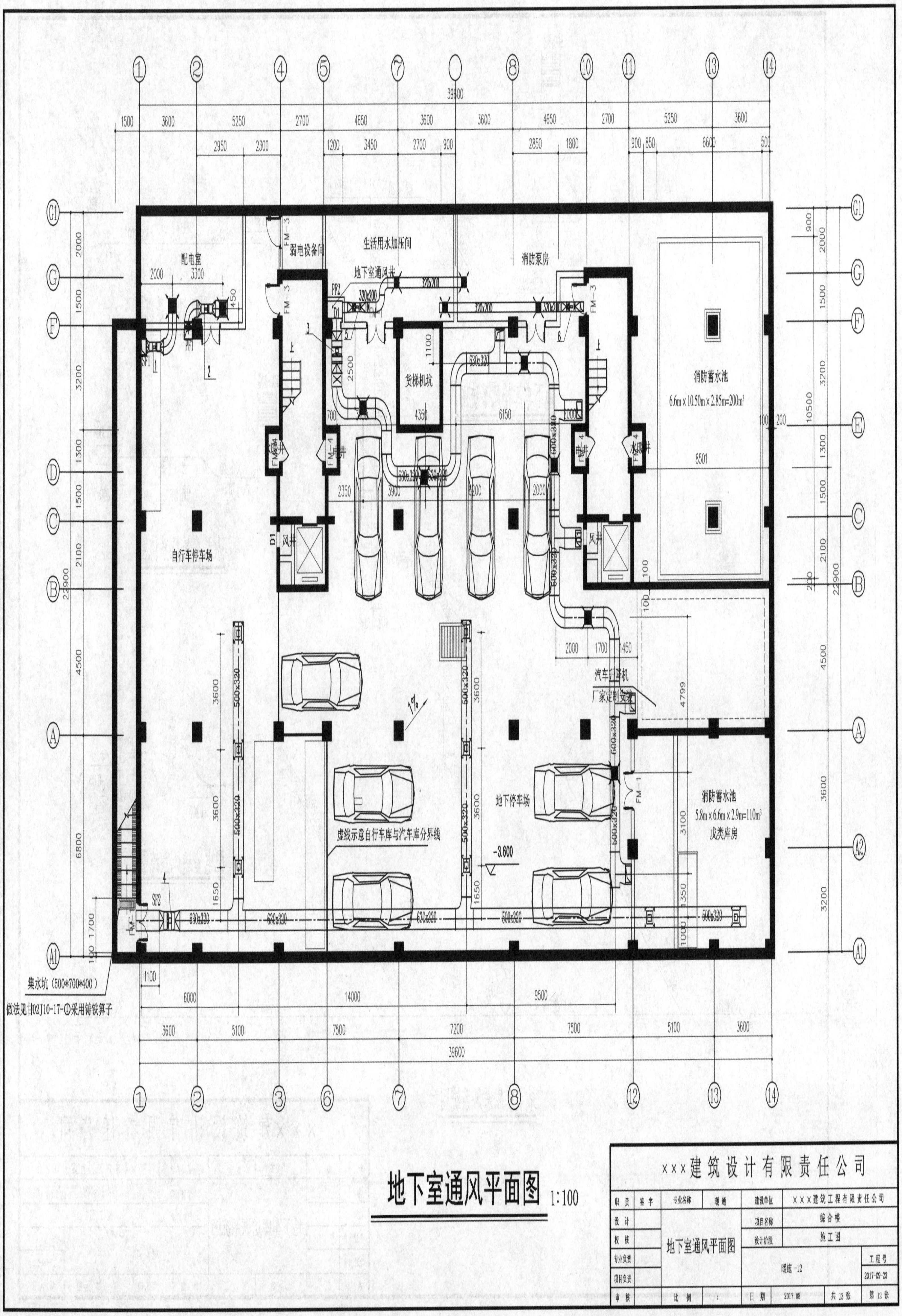
配电室
弱电设备间
生活用水加压间
地下室通风井
消防泵房
货梯机坑
消防蓄水池
6.6m×10.50m×2.85m=200m³
自行车停车场
地下停车场
虚线示意自行车库与汽车库分界线
汽车升降机
厂家定制安装
消防蓄水池
5.8m×6.6m×2.9m=110m³
戊类库房
-3.600
集水坑（500*700*400）
做法见：02J10-17-①采用铸铁箅子
39600
地下室通风平面图 1:100
×××建筑设计有限责任公司
专业名称 暖通
建设单位 ×××建筑工程有限责任公司
项目名称 综合楼
设计阶段 施工图
地下室通风平面图
暖施-12
工程号
2017-09-23
日期 2017.08
共 13 张
第 12 张

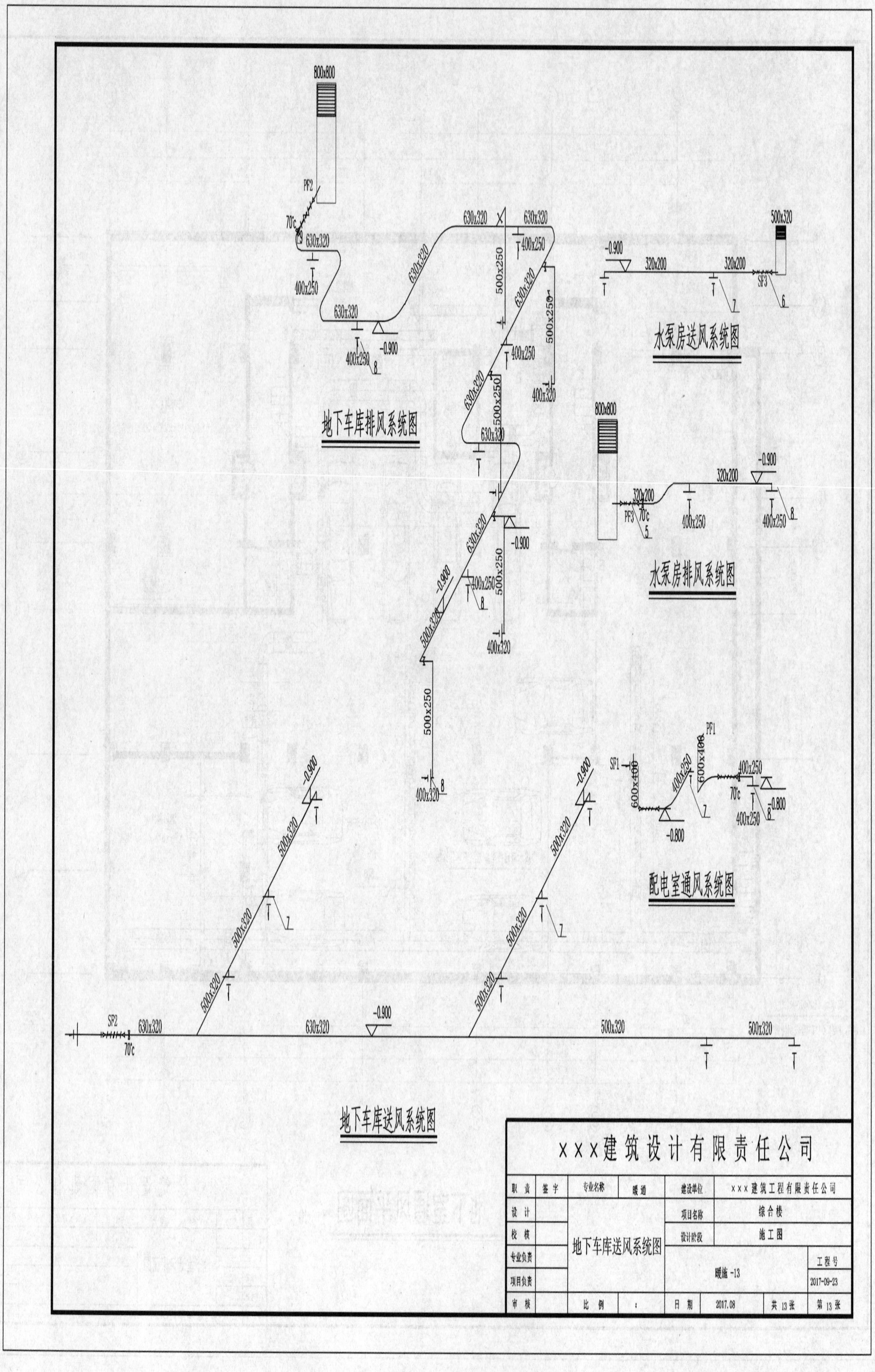
地下车库排风系统图
水泵房送风系统图
水泵房排风系统图
配电室通风系统图
地下车库送风系统图
×××建筑设计有限责任公司
职 责
签 字
专业名称
暖通
建设单位
×××建筑工程有限责任公司
设 计
项目名称
综合楼
校 核
地下车库送风系统图
设计阶段
施工图
专业负责
工程号
项目负责
暖施 -13
2017-09-23
审 核
比 例
日 期
2017.08
共 13 张
第 13 张

电 气 设 计 说 明

一、工程概况：

1.本工程为"xxx建筑工程公司综合楼"，属二类高层建筑,总建筑面积9987m²，地下一层、地上十六层，地下1层，建筑总高度49.55m。结构形式为钢筋混凝土剪力墙结构。

二、设计依据：

1．相关专业提供的工程设计资料；

2．市政主管部门对施工图的审批意见；

3．建设单位提供的设计任务书及设计要求；

4．中华人民共和国现行主要标准及法规：

《供配电系统设计规范》GB 50052—2009

《低压配电设计规范》GB 50054—95

《民用建筑电气设计规范》JGJ 16—2008

《建筑照明设计标准》GB 50034—2004

《住宅设计规范》GB 50096—1999（2003年版）

《建筑物防雷设计规范》GB 50057—（2010年版）

《高层民用建筑设计防火规范》GB 50045—95（2005版）

《火灾自动报警设计规范》GB 50116—98

《综合布线系统工程设计规范》GB 50311—2007

《有线电视系统工程技术规范》GB 50200—94

《建筑物电子信息系统防雷技术规范》GB 50343—2004

其他有关国家及地方的现行规程、规范及标准。

三、设计范围

1.低压配电系统； 2.照明系统； 3.防雷接地系统；4.有线电视系统；

5.电话系统； 5.网络布线系统；6.楼宇对讲系统； 7.火灾自动报警及联动系统。

四、低压配电系统

1.负荷分类：本工程电梯、公用照明和消防设备为二级负荷，其他均为三级负荷。

2.供电电源：电源由室外箱变引入地下低压配电室，备用电源由临近单位引入，电源电压为380V/220V。

3.供电方式：采用放射树干式相结合供电。对于二级负荷的供电采用双电源在末端自动切换，即正常电源断电时备用电源自动投入运行。

4.接地系统：本工程接地系统为TN-C-S系统，在进户处PEN线做重复地。

5.计量方式：电表箱暗装在楼梯间内，采用电子预付费电表。

四、照明设计

1.光源：有装修要求的场所视装修要求商定，一般为荧光灯、节能灯。

2.照度标准：地下车库75lx、商场300lx、楼梯间、电梯前室75lx、设备用房为150lx。

3.照明、插座分别由不同支路供电，插座均选用安全型，住宅厨、卫间插座带开关控制及防溅盖板。插座回路漏电开关漏电整定电流均为30mA。

4.灯具安装高度低于2.4m时，需增加一根PE线，平面图中不再标注。

5.凡由蓄电池供电的应急照明灯具，蓄电池供电持续时间不小于90分钟。

五、设备选型及安装

1．电源配电柜落地安装。各层照明配电箱，除竖井、结构柱上、剪力墙上明装；其它均为暗装；安装高为底边距地1.5m，住宅户内配电箱距地1.8米。

2．除图中注明者外，开关、插座分别距地1.3m、0.3m暗装。

3.插座、开关采用86系列产品，插座均为单相二、三孔安全型插座，除图中注明者外，开关、插座安装高为底边距地1.3m、0.3m暗装。

4.电缆桥架水平为封闭式，垂直为梯级式。电缆桥架水平安装时，支架间距不大于1.5m，垂直安装时，支架间距不大于2m。桥架施工时，应注意与其它专业的配合。

六、线路敷设

1.消防动力(照明)配电干线电缆选用(ZR-YJV-0.6/1kV 交联聚氯乙烯绝缘(阻燃型)电缆，普通动力(照明)配电干线电缆选用 YJV-0.6/1kV 交联聚氯乙烯绝缘电缆。电缆明敷在桥架上，普通电缆与阻燃电缆应用防火隔板分隔，出桥架应穿镀锌钢管敷设。本工程SC管均为镀锌钢管。

2.所有支线除双电源互投箱出线选用(ZR-BV-450/750V聚氯乙烯绝缘(阻燃型)导线，其余均选用聚氯乙烯绝缘导线穿镀锌钢管或聚氯乙烯半硬质电线管(FPC)敷设。

3.控制线为KVV型电缆，与消防有关的控制线为ZR-KVV阻燃电缆。

4.电缆分支处，采用IPC绝缘穿刺线夹，以达到良好的电气接触、防水、防腐的要求。

5.所有穿过建筑物伸缩缝，沉降缝的管线应按《建筑电气安装工程图集》中有关作法施工。

七、建筑物防雷、接地系统及安全措施

1.本工程防雷等级为三类。建筑物的防雷装置应满足防直击雷、防雷电感应及雷电波的侵入，并设置总等电位联结。

2.本工程在屋顶易受雷击部位用φ10镀锌圆钢作避雷带，屋顶避雷连接线网格不大于20mx20m或24mx16m。

3.引下线利用钢筋混凝土柱子或剪力墙内两根φ16以上主筋通长焊接作为引下线，间距不在于25m，引下线上端与避雷带焊接，下端与基础底板轴线上的上下两层钢筋内的两根主筋焊接。外墙引下线在室外地面下1m处引出与室外人工接地装置焊接。

4.凡突出建筑物屋面的所有金属构件均应与避雷带可靠焊接。

5.本工程接地型式采用TN-C-S系统，防雷接地与强、弱电接地共用接地极，要求接地电阻不大于1Ω。

6.从变配电室至各电气竖井内桥架上敷设一条40X4镀锌扁钢，将变配电室接地与电气竖井内接地相连。电缆桥架及支架全长应不少于两处与接地干线连接。所有电气竖井内均垂直敷设1条，水平敷设一圈40X4镀锌扁钢，水平与垂直接地扁钢间应可靠焊接。

7.所有电器设备正常不带电的金属部分均应可靠接地。

8.本工程采用总等电位联结(总等电位联结箱设置于地下室变配电室内)。总等电位联结应将建筑物内保护干线、设备进线总管、建筑物金属构件进行联结，住宅卫生间内设置局部等电位箱。具体做法参见国家标准图集02D501-2《等电位联结安装》。

9.有线电视系统引入端，电话引入端，计算机网络数据线引入端设过电压保护装置。

八、有线电视系统

1.本工程电视信号由室外有线电视网市政接口引来。

2.系统采用750MHz邻频传输，要求用户端电平值为64±4dB；图像清晰度不低于4级。

3.放大器箱及电视分支器箱在各层竖井内挂墙明装，底边距地0.5m。

4.干线电缆选用SYWV-75-9，在竖井金属线槽内敷设。支线电缆选用SYWV-75-5，穿PC20管，沿墙及楼板暗敷。每户在客厅及主卧各设一个电视插座；用户电视插座暗装，底边距地0.3m。

九、电话系统

1.本工程住宅每户按1对电话线考虑，在客厅及主卧室各设一个电话插座。

2.本工程电话采用HYV电缆由室外引入至地下一层弱电设备间总接线箱，再由总接线箱经竖井引至各层接线箱。

2.由单元分线箱到各层用户选用RVS-2X0.5导线，采用金属线槽敷沿电气竖井明敷设。由线槽引至用户弱电箱的导线穿FPC16管沿建筑物墙、板暗敷设。

十、网络布线系统

1.本工程计算机网络信息点按每户一个点考虑；每户在客厅、主卧设置一个计算机插座。

2.网络进线采用光纤引入地下室设备间总配线架，各单元一层电气竖井设分配线架。

3.由单元分配线架至住户采用六类非屏蔽双绞线，竖井内采用金属线槽敷设，由电井至住户弱电ADD箱采用FPC16管，沿建筑物墙、板暗敷设。每户在客厅及主卧各设一个信息插座；用户信息插座暗装，底边距地0.3m。

十一、楼宇对讲系统

1.本工程采用总线制多功能访客对讲系统。

2.本楼设置独立的访客对讲系统。门口主机嵌墙安装，底边距地1.4m，对讲分机挂墙安装于住户门厅内，底边距地1.4m。

3.对讲系统干线在竖井内穿SC20钢管明敷，支线穿FPC管沿墙及楼板暗敷。

十二、火灾自动报警及联动系统

1.本建筑为二级保护对象。消防控制室设在一层。

2.火灾自动报警系统由感烟探测器、可燃气体探测器、手动报警按钮、声光报警器、消火栓按钮及消防电话等构成，并将火灾信号送至消防控制室，消防控制室设火灾报警控制器及联动柜，CRT显示器。

3.消防控制室可对消火栓泵，正压风机，通过模块自动控制且可在联动控制台上手动控制。消火栓按钮可直接启动消火栓泵。

4.当火灾报警后，消防控制室得到信号，打开着火层及上下层电梯前室正压送风口，启动前室正压送风机。

5.消防控制室在确认火灾后，切断有关部位的非消防电源，并接通警报装置及火灾应急照明灯和疏散标志灯。

6.消防控制室在确认火灾后，控制电梯全部停于首层，并接收其反馈信号。

7.消防控制、通信、警报线路均选用耐火型电线或电缆。

十三、其他

1.金属线槽、电缆桥架及管线穿越楼板、墙、防火分区时应在安装完毕后，用防火材料填充堵死。

2.所有弱电设备的金属外壳、线槽、穿线钢管应与建筑内的等电位连接点作电气联接。

3.配电管线路较长或转弯时，应按施工规范要求相应加设过路盒，严格按国家规程、规范施工。

4.凡与施工有关又未说明之处，参见《建筑电气安装工程图集》、《建筑电气通用图集》施工，或与设计单位协商解决。

电气图纸目录

<table>
<tr><td colspan="9">×××建筑设计有限公司</td></tr>
<tr><td>职责</td><td>签字</td><td></td><td>电气</td><td>建设单位</td><td colspan="4">×××建筑工程有限责任公司</td></tr>
<tr><td>设计</td><td></td><td colspan="2" rowspan="5">电气设计说明
电气图纸目录</td><td>项目名称</td><td colspan="4">综合楼</td></tr>
<tr><td>校核</td><td></td><td>设计阶段</td><td colspan="4">施工图</td></tr>
<tr><td>专业负责</td><td></td><td colspan="3" rowspan="2">电施-01</td><td>工程号</td></tr>
<tr><td>项目负责</td><td></td><td>2017-9-23</td></tr>
<tr><td>审核</td><td></td><td></td><td></td><td></td><td></td></tr>
<tr><td></td><td></td><td>比例</td><td>1:100</td><td>日期</td><td>2017.08</td><td>共28张</td><td>第01张</td></tr>
</table>

配电干线系统图

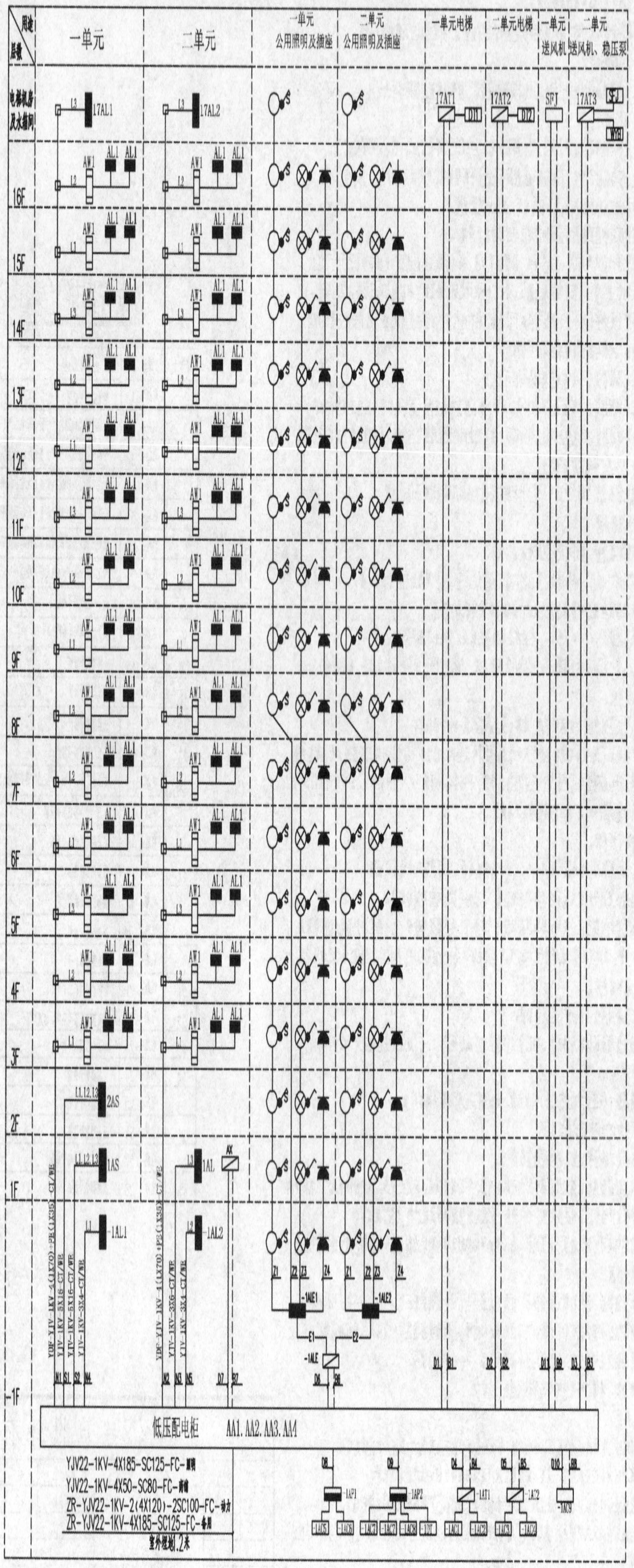

材料设备表

序号	图 列	名 称	规格型号	单位	数量	备注
1		低压配电柜				距地0.1米 落地安装
2	AT	双电源切换箱	按系统图定制			
3		照明配电箱	按系统图定制			距地1.4米
4	AL1	户内配电箱	按系统图定制			距地1.8米
5	AW1	电表箱	按系统图定制			距地1.4米 明装
6	MEB	总等电位箱	参见02D501-2			距地0.5
7	LEB	局部等电位箱	参见02D501-2			距地0.3
8	SPD	电源电涌保护器				
9		空调单相三孔插座	220V 16A			距地1.8米
10		单相三孔抽烟机插座	220V 16A			距地2.2
11		单相三孔防溅洗衣机插座	220V 16A			距地1.6米
12		单相二三孔普通插座	220V 16A			距地0.3
13		单相二三孔橱柜插座	220V 16A			距地1.6米
14		单相带开关防溅型插座	220V 16A			距地2.3米
15		防水圆球灯	220V 15W			吸顶
16		壁灯	220V 20W			距地1.8米
17		带声光控灯座吸顶灯	节能灯 220V 22W			吸顶
18		单管荧光灯	T8型 36W 电子整流器			距地2.8
19		双管荧光灯	T8型 2X36W 电子整流器			距地2.8
20		自带蓄电池应急灯	2*13W 应急时间>90分钟			距地2.2米
21	E	安全出口灯	ST-147F 3W 应急时间>45分钟			距门0.2
22		疏散指示灯	ST-147F 3W 应急时间>45分钟			距顶0.2 距地0.5
23	LX	楼层显示灯	1X8W			距地2.2
24		吸顶荧光灯	220V-32W(电子整流器)			吸顶
25		排风扇	220V 15W			
26		单联开关	220V 10A			距地1.3米
27		双联开关	220V 10A			距地1.3米
28		三联开关	220V 10A			距地1.3米
29		双管荧光灯(自带蓄电池)	2*32W 应急1X32W 应急时间>90分钟			距地2.8 吊装
30		自带蓄电池吸顶应急灯	1*20W 应急1X20W 应急时间>90分钟			吸顶
31		自带蓄电池座灯	1*13W 应急1X13W 应急时间>90分钟			距门0.2米
32	AC	电气设备控制箱(柜)				距地1.5米
33	APE	动力配电箱				距地1.5米
34		泛光灯	220V 400W			

配电系统图(一)

×××建筑设计有限公司							
职 责	签 字	专业名称	电气	建设单位	×××建筑工程有限责任公司		
设 计		配电干线系统图 材料设备表 配电系统图(一)		项目名称	综合楼		
校 核				设计阶段	施工图		
专业负责				电施-02			工程号
项目负责							2017-9-23
审 核		比 例	1:100	日 期	2017.08	共28张	第02张

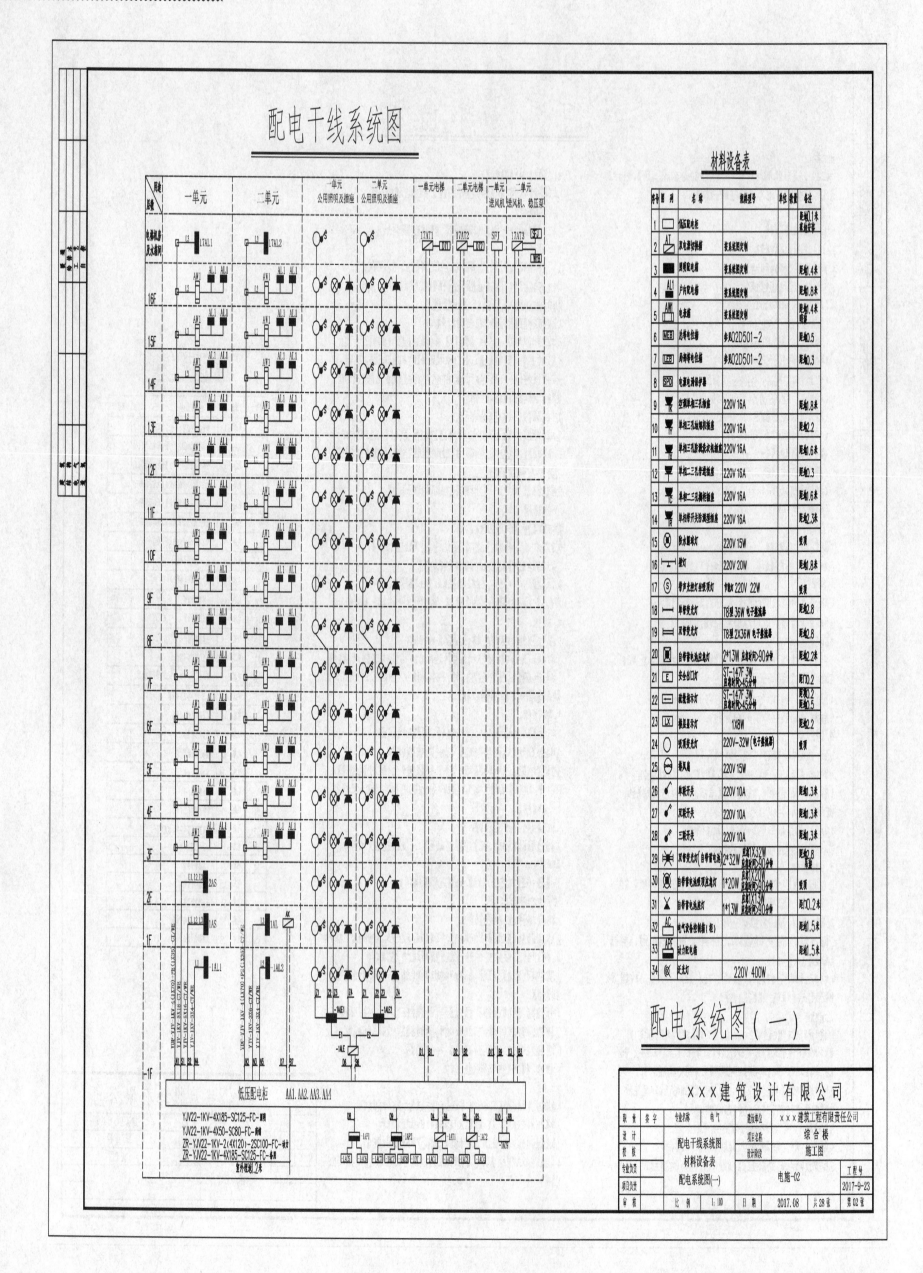

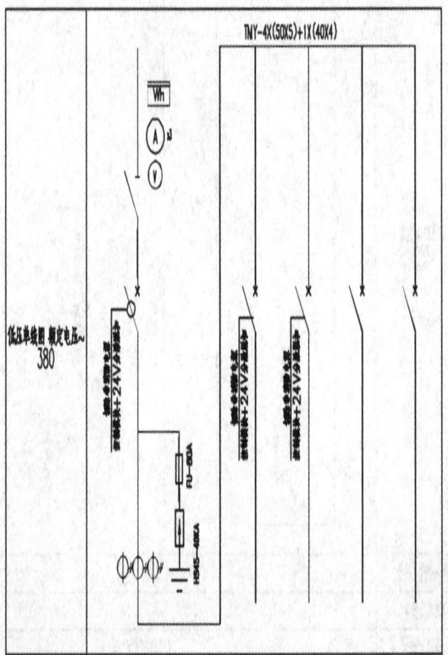

配电柜编号/型号	AA1/GGS				
主回路方案号					
外形尺寸	800mmX1800mmX600mm				
回路编号		S1	S2		S3
回路名称	商场进线	AS1 一层商场	AS2 二层商场	备用	室外广告照明
设备容量kW)	82	33	39		10
需要系数(kW)	0.95	1	1		1
功率因数(COSØ)	0.9	0.9	0.9		0.9
计算容量(kW)	78	30	39		10
计算电流(A)	132	56	66		17
隔离开关	FAGR 160A-3P				
断路器型号	FAM2L-225M	FAM2-100L	FAM2-100L	FAM2-100L	FAM2-63L
断路器电流整定值(A)	140/3300	3P-100A	3P-100A	3P-100A	3P-20A
电流互感器变比					
导线型号	YJV22-0.6/1KV	YJV-0.6/1KV	YJV-0.6/1KV		YJV-0.6/1KV
导线规格	4X50	4X25+1X16	4X25+1X16		5X4
敷设方式	SC80	CT/SC65 WC	CT/SC65 WC		CT/SC25 WC
备注					

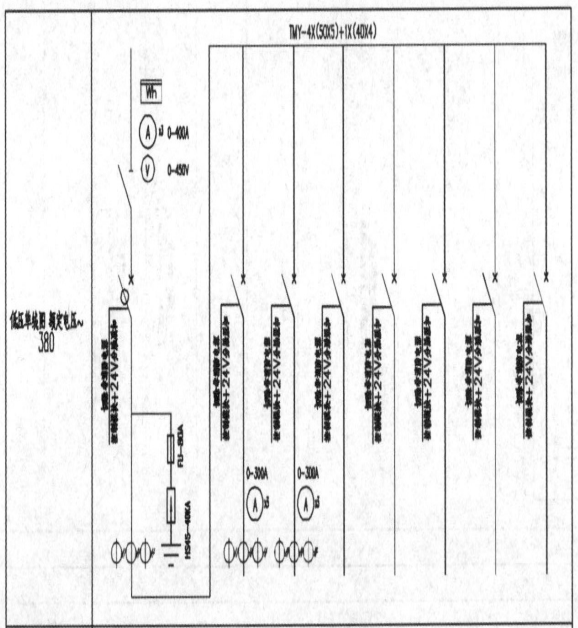

配电柜编号/型号	AA2/GGS							
主回路方案号								
外形尺寸	800mmX1800mmX600mm							
回路编号		N1	N2		N3	N4	N5	N6
回路名称	住宅进线	AW1 一单元电表箱	AW2 二单元电表箱	备用	1AL 一层照明配电箱	-1AL1 地下自行车库照明配电箱	-1AL2 地下汽车库照明配电箱	三层景观照明
设备容量kW)	375	180	180		5	3	5	5
需要系数(kW)	0.45	0.64	0.64		1	1	1	1
功率因数(COSØ)	0.9	0.9	0.9		0.9	0.9	0.9	0.9
计算容量(kW)	168	115	115		5	3	5	5
计算电流(A)	285	195	195		24	15	24	25
隔离开关	FAGR 350A-3P							
断路器型号	FAM2L-400M	FAM2-225M	FAM2-400M		FAM2-63M	FAM2-100M	FAM2-63M	FAM2-63M
断路器电流整定值(A)	315/4300	225/3300	225/3300		2P-40A	25/3300	2P-40A	2P-40A
LMZ1型电流互感器变比	400/5	300/5	300/5					
导线型号	YJV22-0.6/1KV	YFD YJV-0.6/1KV	YFD YJV-0.6/1KV		YJV-0.6/1KV	YJV-0.6/1KV	YJV-0.6/1KV	YJV-0.6/1KV
导线规格	4X185	4(1X95)+ PE(1x50)	4(1X95)+ PE(1x50)		3X10	3X4	3X10	3X10
敷设方式	SC125	CT	CT		CT/SC32 WC.CC	CT/SC25 WC.CC	CT/SC32 WC.CC	CT/SC32 WC.CC
备注								

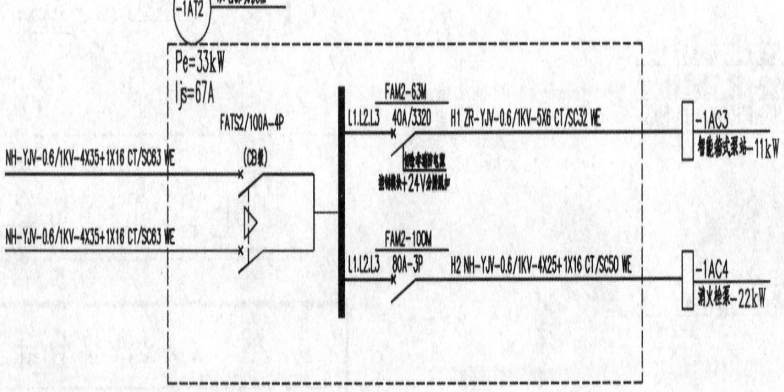

配电系统图(二)

×××建筑设计有限公司							
职 责	签 字	专业名称	电气	建设单位	×××建筑工程有限责任公司		
设 计		配电系统图(二)		项目名称	综合楼		
校 核				设计阶段	施工图		
专业负责				电-03			工程号
项目负责							2017-9-23
审 核		比 例	1:100	日 期	2017.08	共28张	第03张

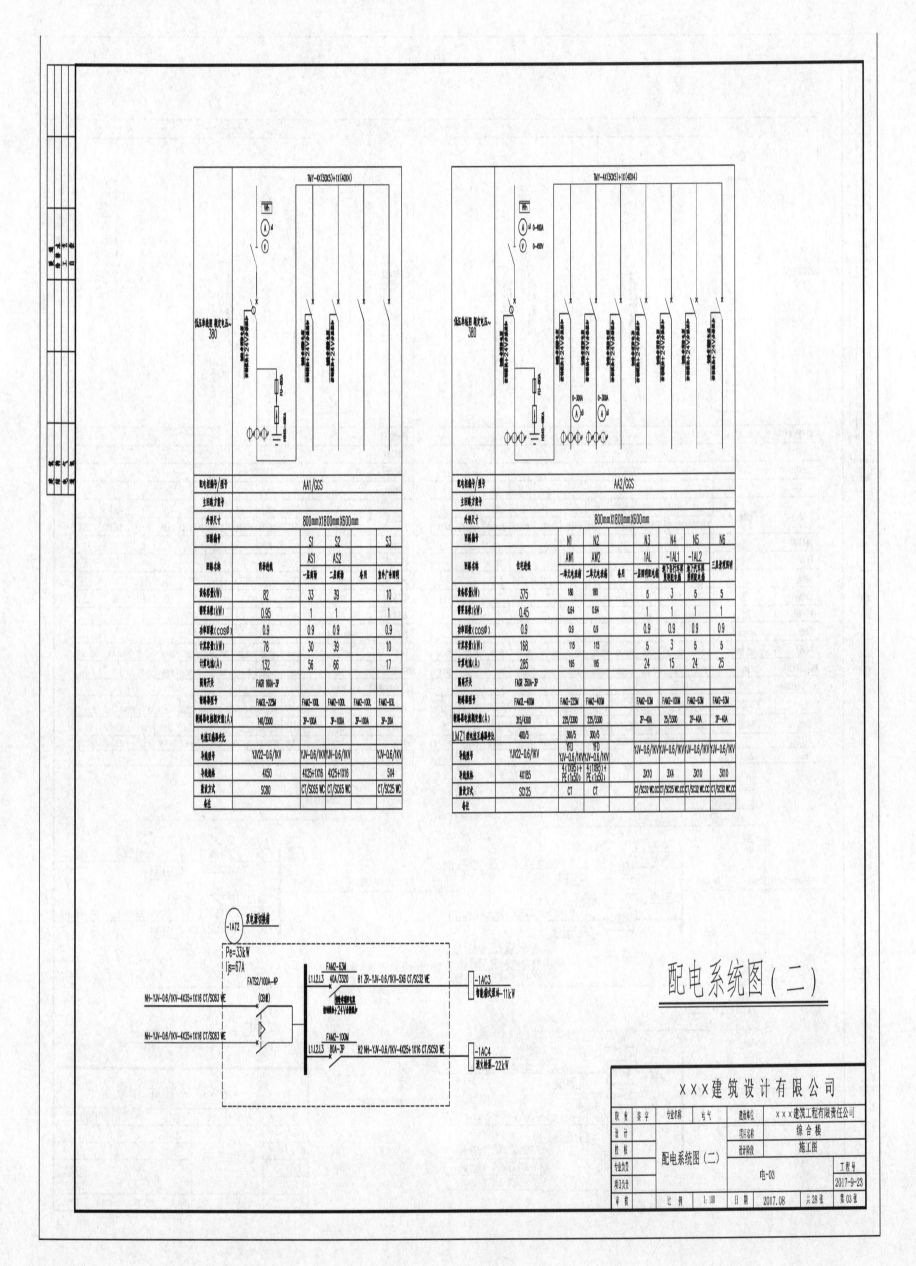

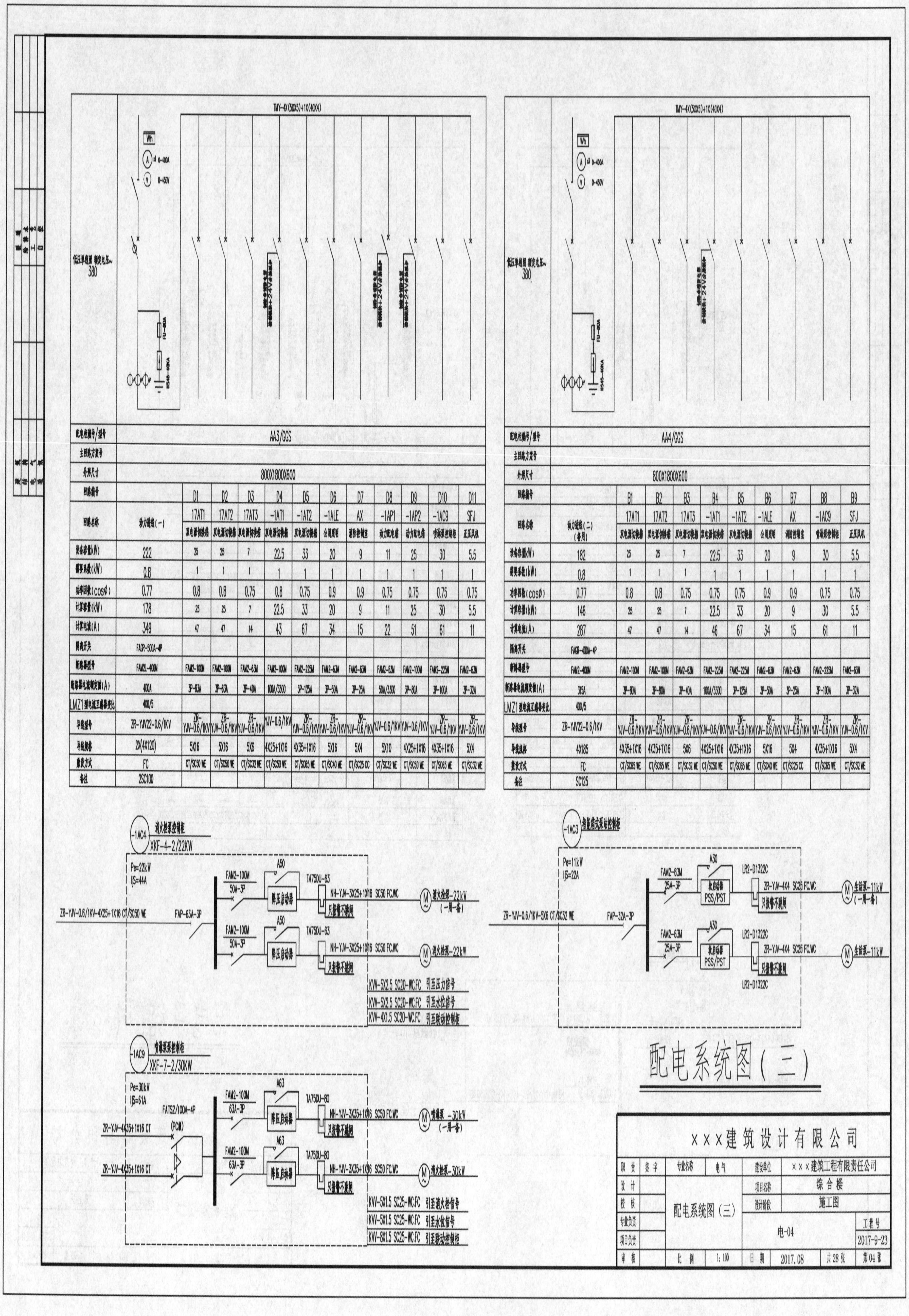
AA3/GGS
AA4/GGS
800X1800X600
配电系统图（三）
×××建筑设计有限公司
×××建筑工程有限责任公司
综合楼
施工图
配电系统图（三）
电-04
2017-9-23
1:100
2017.08
共28张
第04张

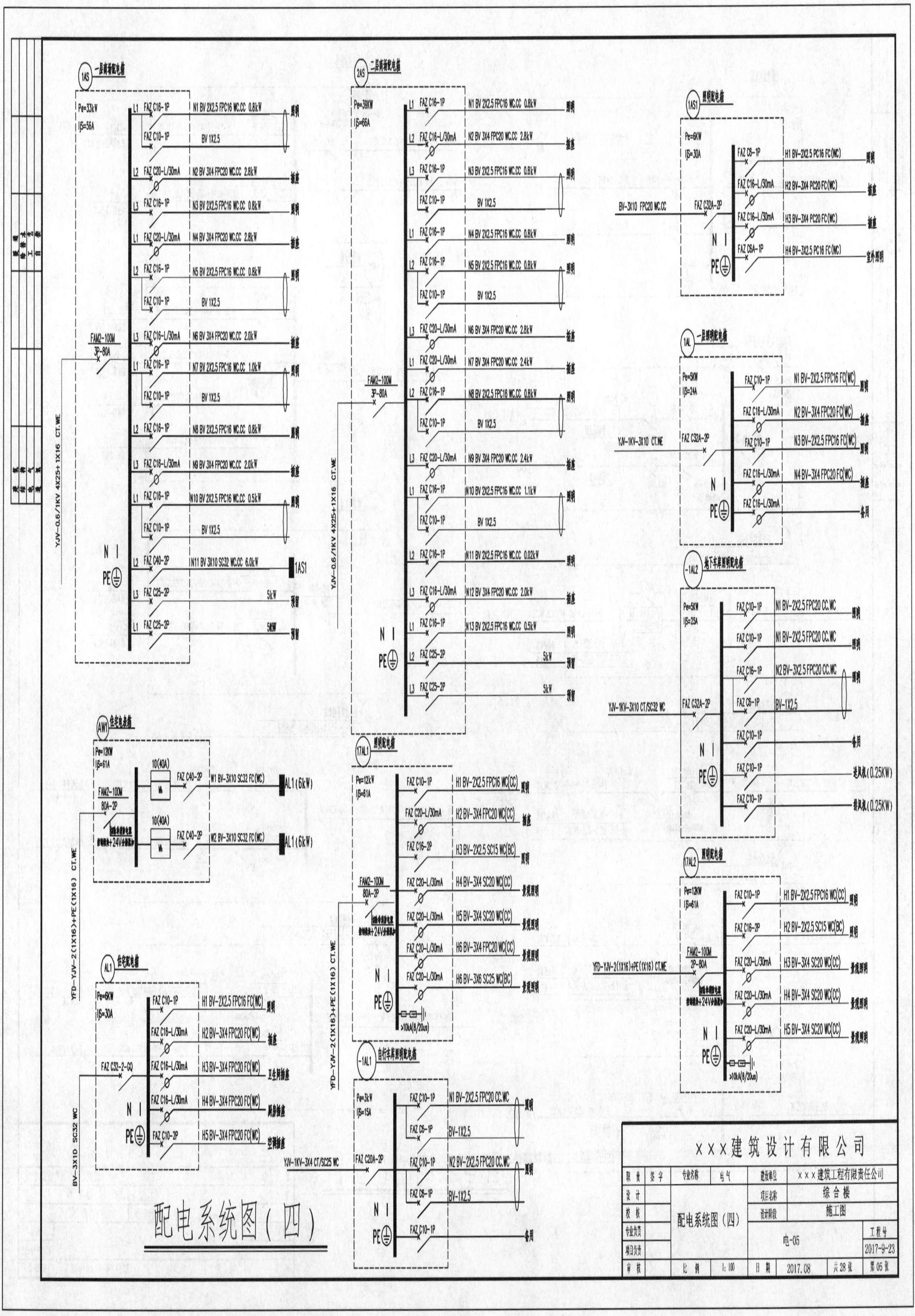

1AS 一层照明配电箱
Pe=33kW
Ijs=56A
FAM2-100M
3P-80A
YJV-0.6/1KV 4X25+1X16 CT.WE
2AS 二层照明配电箱
Pe=39KW
Ijs=66A
FAM2-100M
3P-80A
YJV-0.6/1KV 4X25+1X16 CT.WE
1AS1 照明配电箱
Pe=6KW
Ijs=30A
BV-3X10 FPC20 WC.CC
FAZ C32A-2P
1AL 一层照明配电箱
Pe=5KW
Ijs=24A
YJV-1KV-3X10 CT.WE
FAZ C32A-2P
-1AL2 地下车库照明配电箱
Pe=5KW
Ijs=25A
YJV-1KV-3X10 CT/SC32 WC
FAZ C32A-2P
AW1 住宅电表箱
Pe=12KW
Ijs=61A
FAM2-100M
80A-2P
YFD-YJV-2(1X16)+PE(1X16) CT.WE
17AL1 照明配电箱
Pe=12KW
Ijs=61A
FAM2-100M
80A-2P
YFD-YJV-2(1X16)+PE(1X16) CT.WE
AL1 住宅配电箱
Pe=6KW
Ijs=30A
FAZ C32-2-C0
BV-3X10 SC32 WC
-1AL1 自行车库照明配电箱
Pe=3kW
Ijs=15A
YJV-1KV-3X4 CT/SC25 WC
FAZ C20A-2P
17AL2 照明配电箱
Pe=12KW
Ijs=61A
FAM2-100M
2P-80A
YFD-YJV-2(1X16)+PE(1X16) CT.WE
配电系统图（四）
×××建筑设计有限公司
建设单位
×××建筑工程有限责任公司
项目名称
综合楼
设计阶段
施工图
配电系统图（四）
电-05
工程号
2017-9-23
比 例
1:100
日 期
2017.08
共 28 张
第 05 张

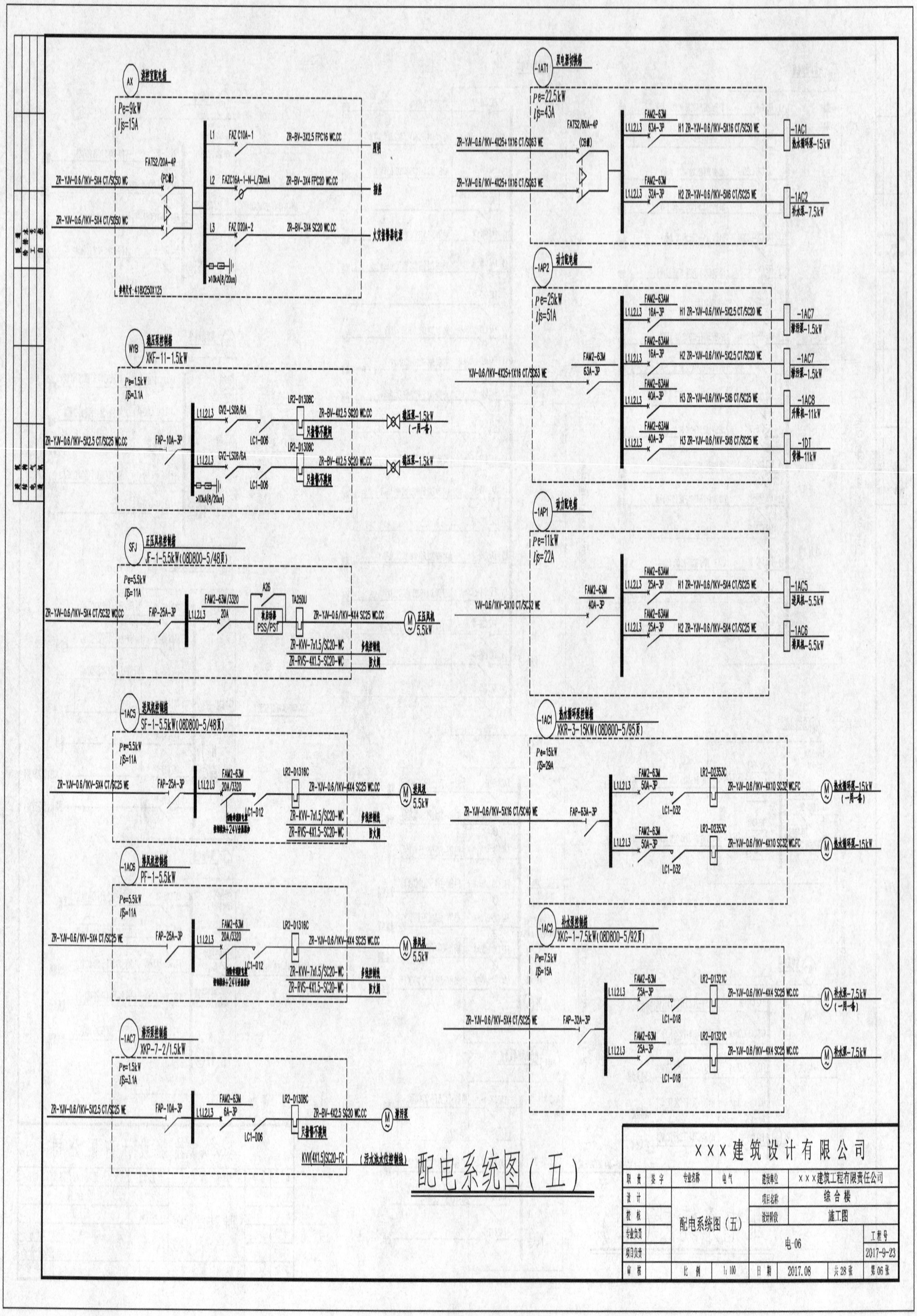

配电系统图（五）
×××建筑设计有限公司
建设单位 ×××建筑工程有限责任公司
项目名称 综合楼
设计阶段 施工图
配电系统图（五）
电-06
2017-9-23
比 例 1:100
日 期 2017.08
共28张
第06张

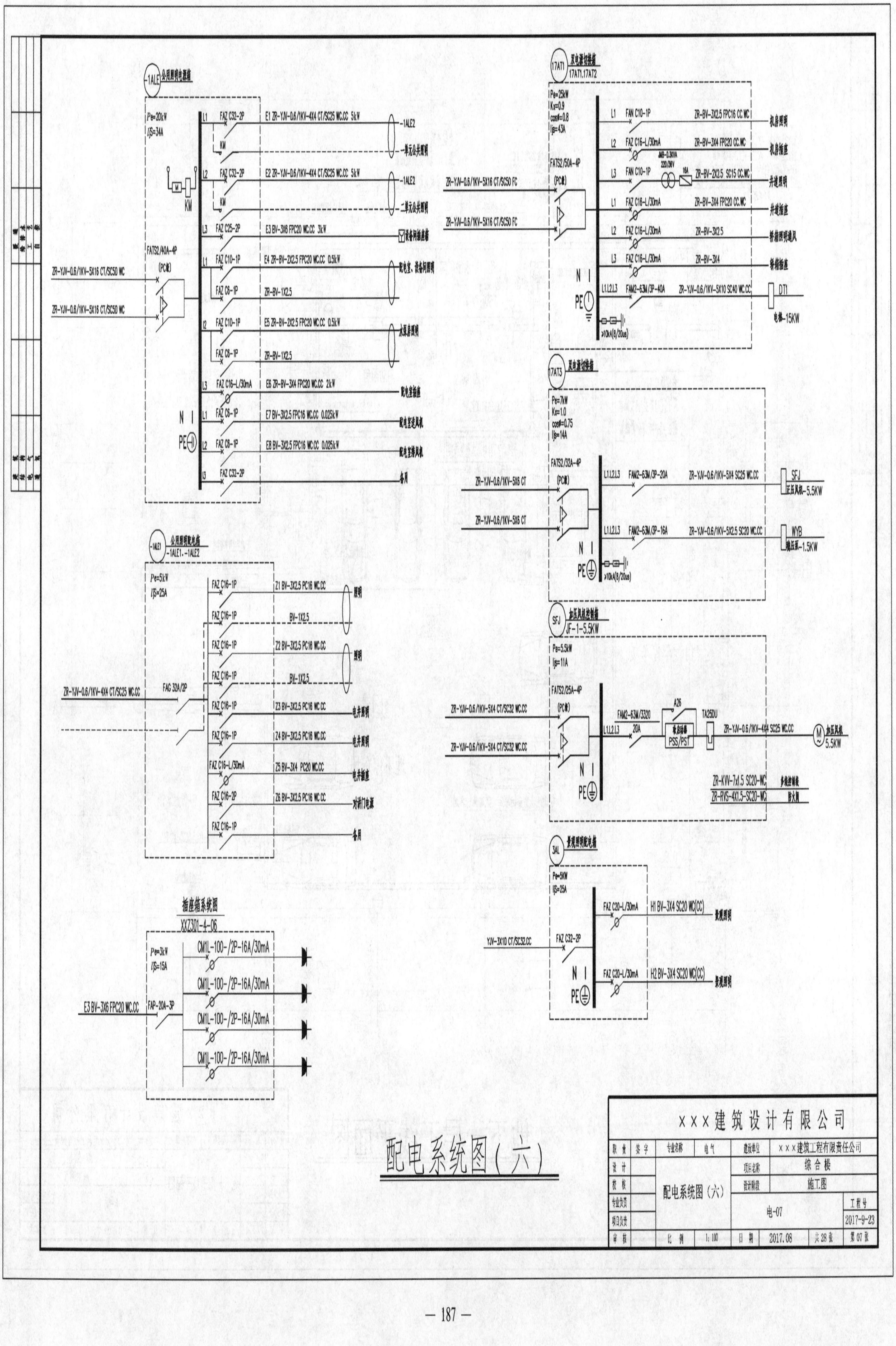

配电系统图(六)
×××建筑设计有限公司
×××建筑工程有限责任公司
综合楼
施工图
配电系统图(六)
电-07
2017-9-23
1:100
2017.08
共28张
第07张
插座箱系统图
XXZ301-4-06
Pe=3kW
IJS=15A
FAP-20A-3P
E3 BV-3X6 FPC20 WC.CC
CM1L-100-/2P-16A/30mA
CM1L-100-/2P-16A/30mA
CM1L-100-/2P-16A/30mA
CM1L-100-/2P-16A/30mA
-1AL1
-1ALE1~-1ALE2
Pe=5kW
IJS=25A
FAG 32A/2P
ZR-YJV-0.6/1KV-4X4 CT/SC25 WC.CC
-1ALE
Pe=20kW
IJS=34A
FATS2/40A-4P
ZR-YJV-0.6/1KV-5X16 CT/SC50 WC
KM
17AT1
17AT1,17AT2
Pe=25kW
Kx=0.9
cosΦ=0.8
Ijs=43A
FATS2/50A-4P
ZR-YJV-0.6/1KV-5X16 CT/SC50 FC
ZR-YJV-0.6/1KV-5X10 SC40 WC.CC
DT1
17AT3
Pe=7kW
Kx=1.0
cosΦ=0.75
Ijs=14A
FATS2/32A-4P
ZR-YJV-0.6/1KV-5X6 CT
FAM2-63M/3P-20A
ZR-YJV-0.6/1KV-5X4 SC25 WC.CC
SFJ
5.5KW
FAM2-63M/3P-16A
ZR-YJV-0.6/1KV-5X2.5 SC20 WC.CC
WYB
1.5KW
SFJ
JF-1-5.5KW
Pe=5.5kW
Ijs=11A
FATS2/25A-4P
ZR-YJV-0.6/1KV-5X4 CT/SC32 WC.CC
FAM2-63M/3320
20A
A26
PSS/PST
TA25DU
ZR-YJV-0.6/1KV-4X4 SC25 WC.CC
5.5KW
ZR-KVV-7x1.5 SC20-WC
ZR-RVS-4X1.5-SC20-WC
3AL
Pe=5KW
IJS=25A
YJV-3X10 CT/SC32.CC
FAZ C32-2P
FAZ C20-L/30mA
H1 BV-3X4 SC20 WC(CC)
H2 BV-3X4 SC20 WC(CC)

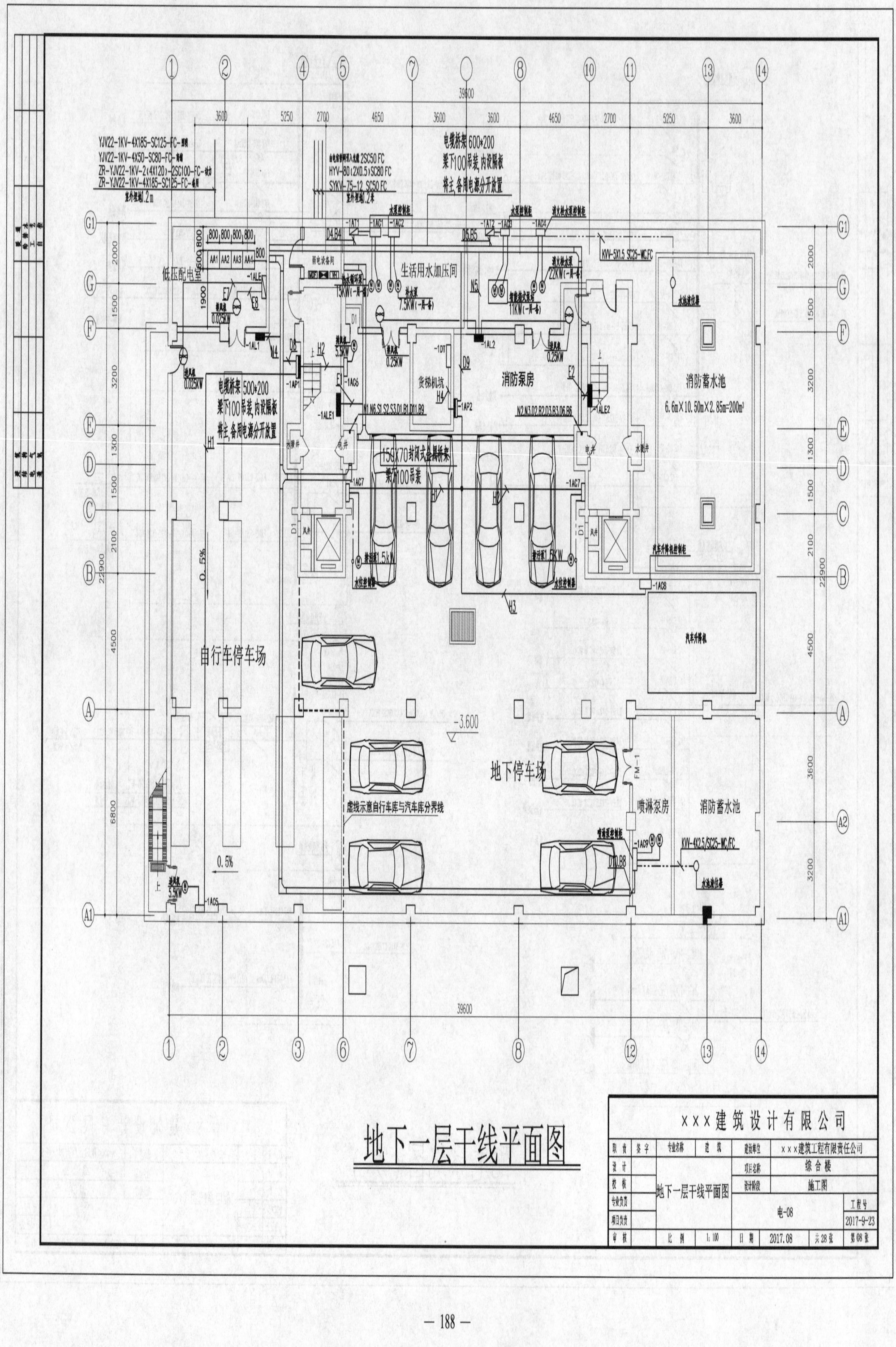
地下一层干线平面图
×××建筑设计有限公司
地下一层干线平面图
×××建筑工程有限责任公司
综合楼
施工图
电-08
2017.08
1:100
2017-9-23
低压配电室
生活用水加压间
消防泵房
货梯机坑
消防蓄水池
6.6m×10.50m×2.85m=200m³
自行车停车场
地下停车场
喷淋泵房
消防蓄水池
-3.600
0.5%
39600
电缆桥架 600*200
梁下100吊装 内设隔板
将主、备用电源分开放置
电缆桥架 500*200
梁下100吊装 内设隔板
将主、备用电源分开放置
150X70封闭式金属桥架
梁下100吊装
虚线示意自行车库与汽车库分界线
YJV22-1KV-4X185-SC125-FC
YJV22-1KV-4X50-SC80-FC
KVV-5X1.5 SC25-WC,FC
KVV-4X2.5/SC25-WC,FC

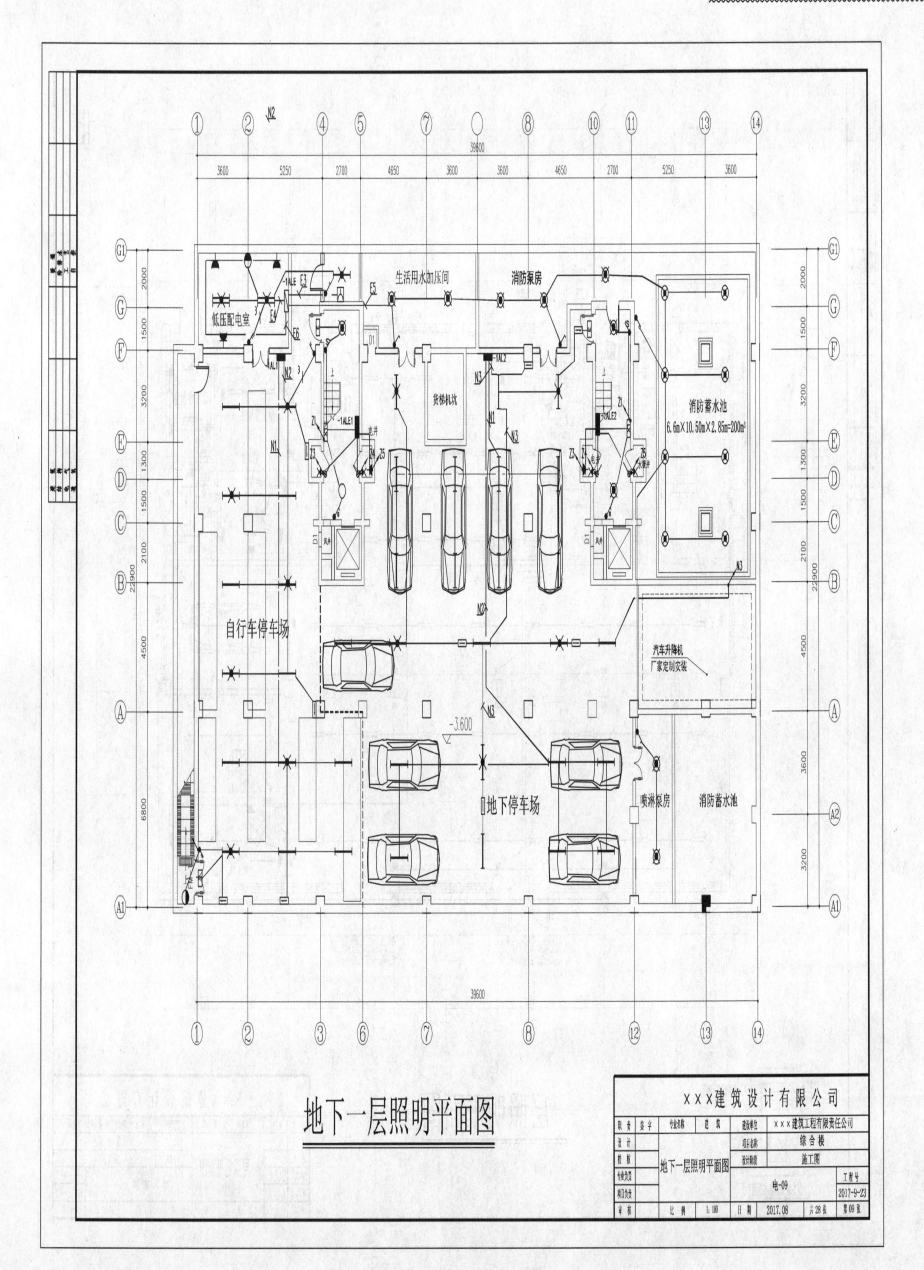

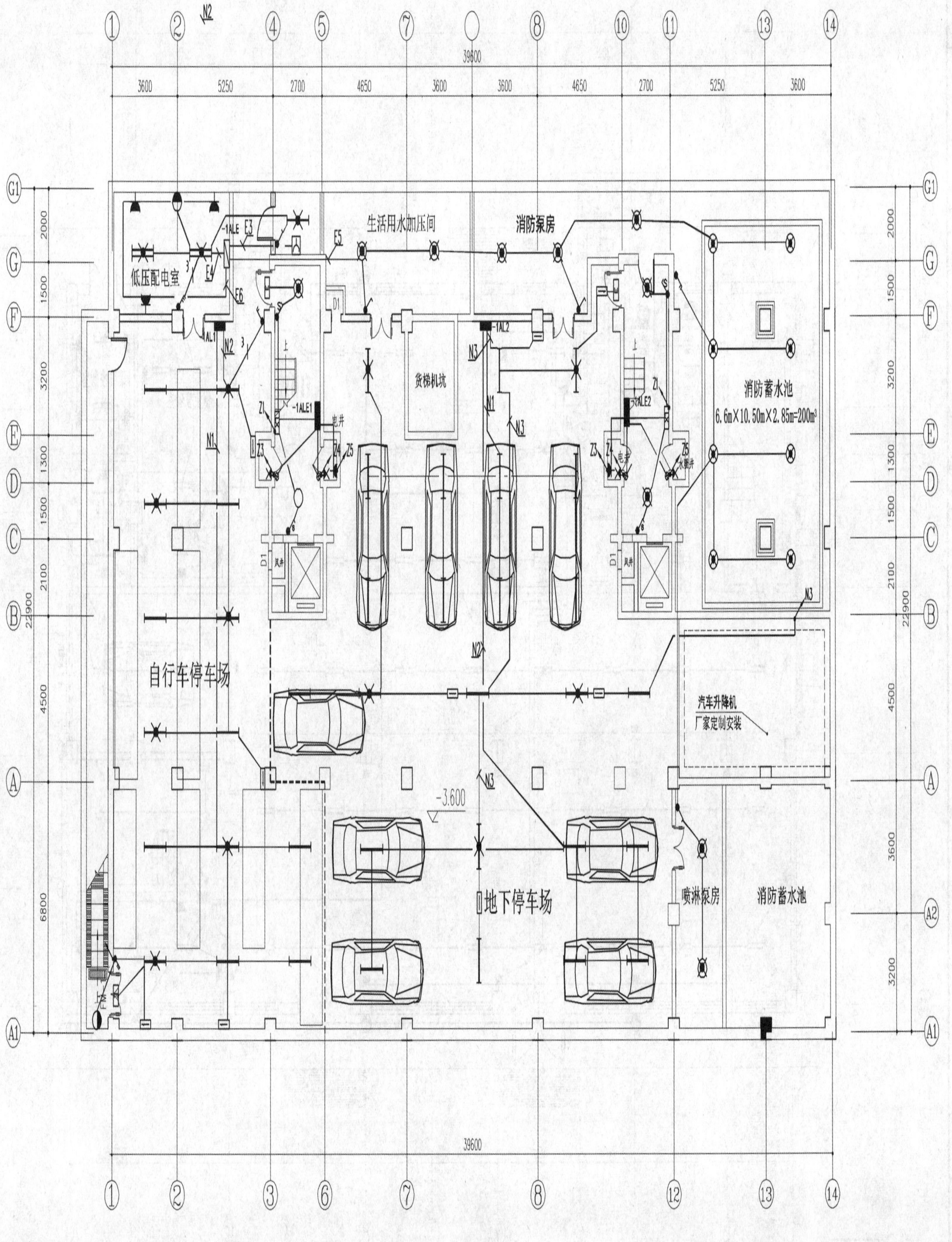

地下一层照明平面图

×××建筑设计有限公司						
院 负	签 字	专业名称	建 筑	建设单位	×××建筑工程有限责任公司	
设 计		地下一层照明平面图		项目名称	综合楼	
校 核				设计阶段	施工图	
专业负责						工程号
项目负责				电-09		2017-9-23
审 核	比 例	1:100	日 期	2017.08	共28张	第09张

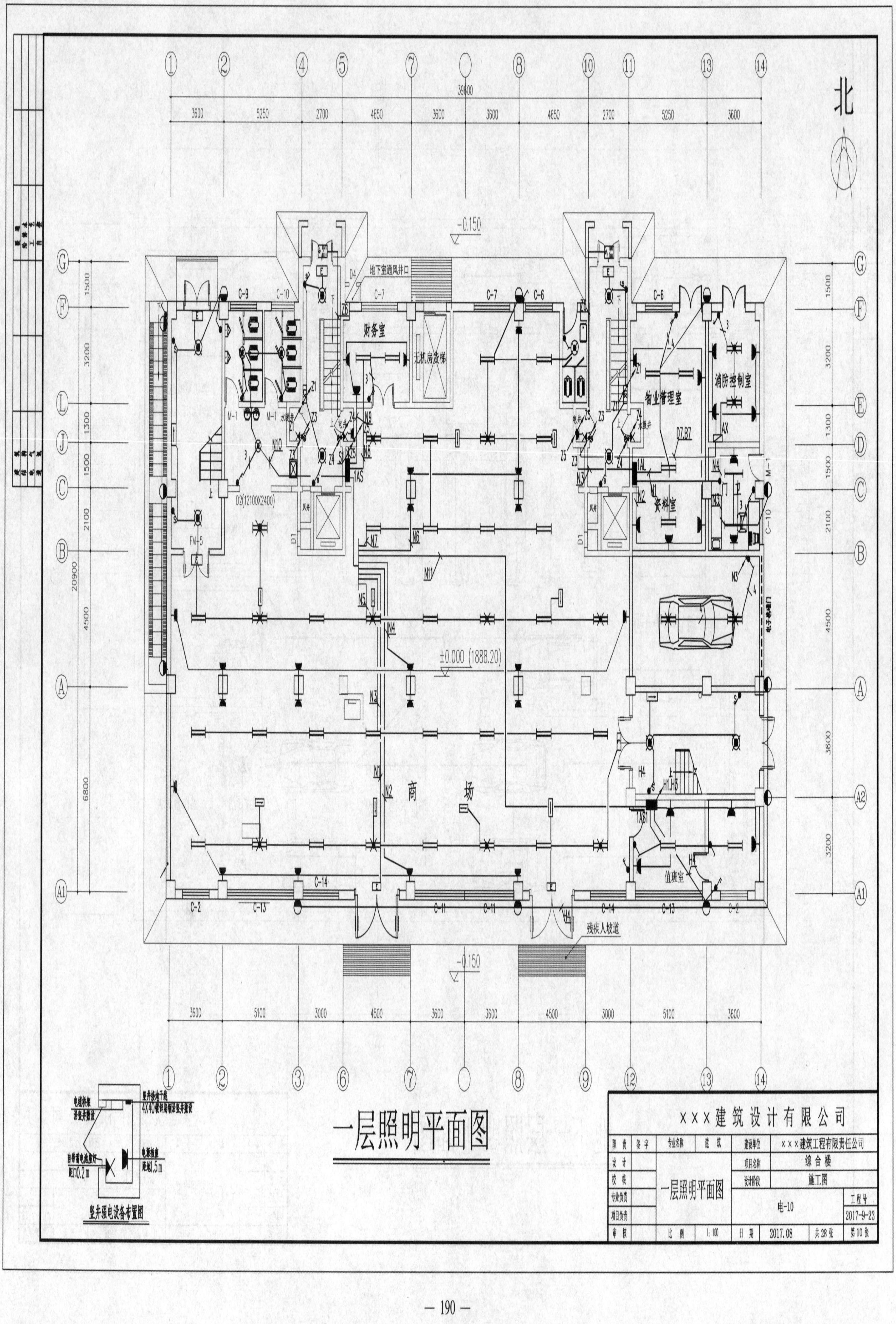
北
-0.150
±0.000 (1888.20)
财务室
无机房电梯
地下室通风井口
物业管理室
消防控制室
资料室
商 场
值班室
残疾人坡道
竖井接电设备布置图
一层照明平面图
×××建筑设计有限公司
建设单位 ×××建筑工程有限责任公司
项目名称 综合楼
设计阶段 施工图
一层照明平面图
电-10
工程号
2017-9-23
比例 1:100
日期 2017.08
共28张
第10张

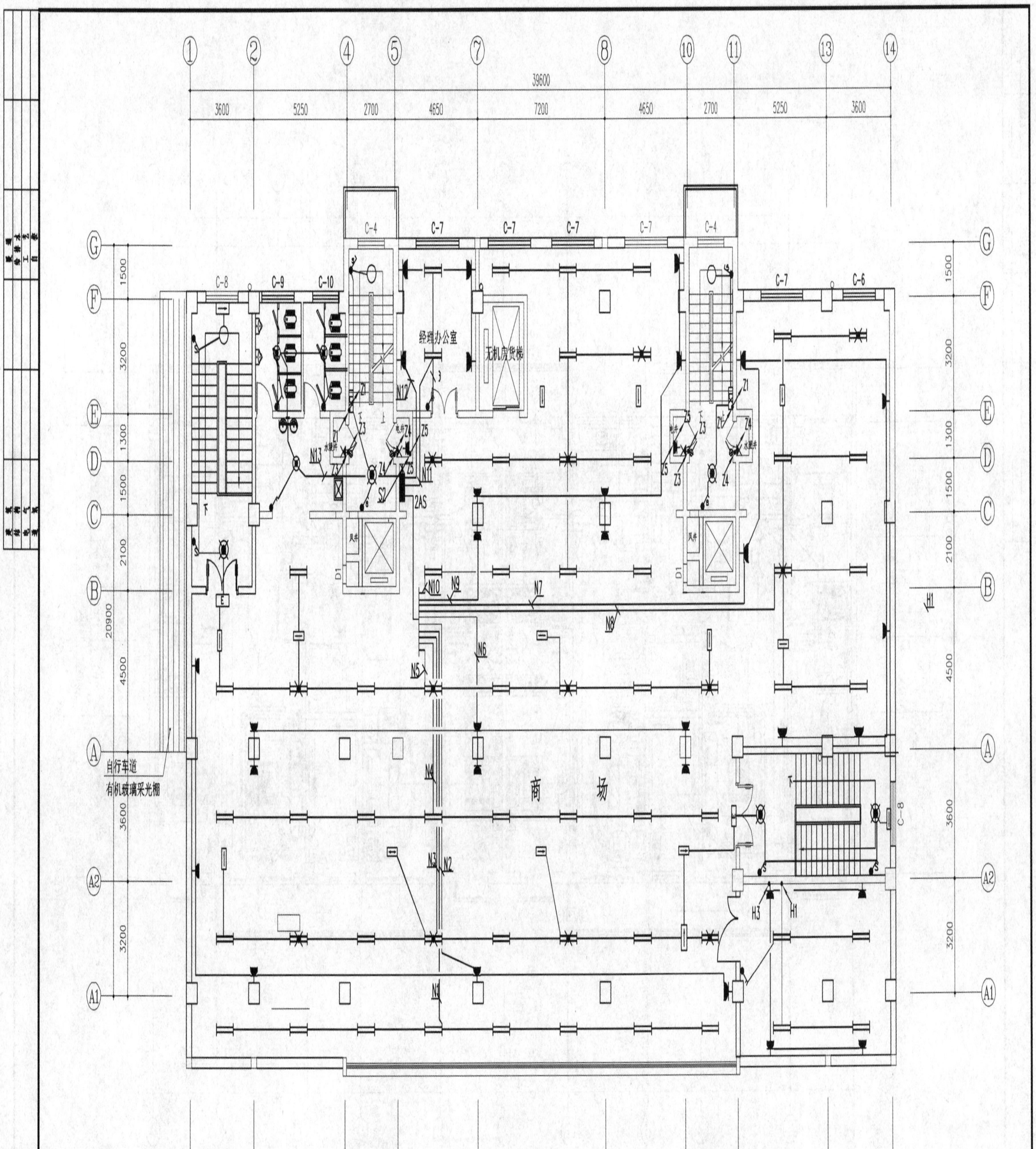

二层照明平面图

×××建筑设计有限公司						
院 审	签 字	专业名称	建 筑	建设单位	×××建筑工程有限责任公司	
设 计		二层照明平面图		项目名称	综合楼	
校 核				设计阶段	施工图	
专业负责				电-11		工程号
项目负责						2017-9-23
审 核	比 例	1:100	日 期	2017.08	共28张	第11张

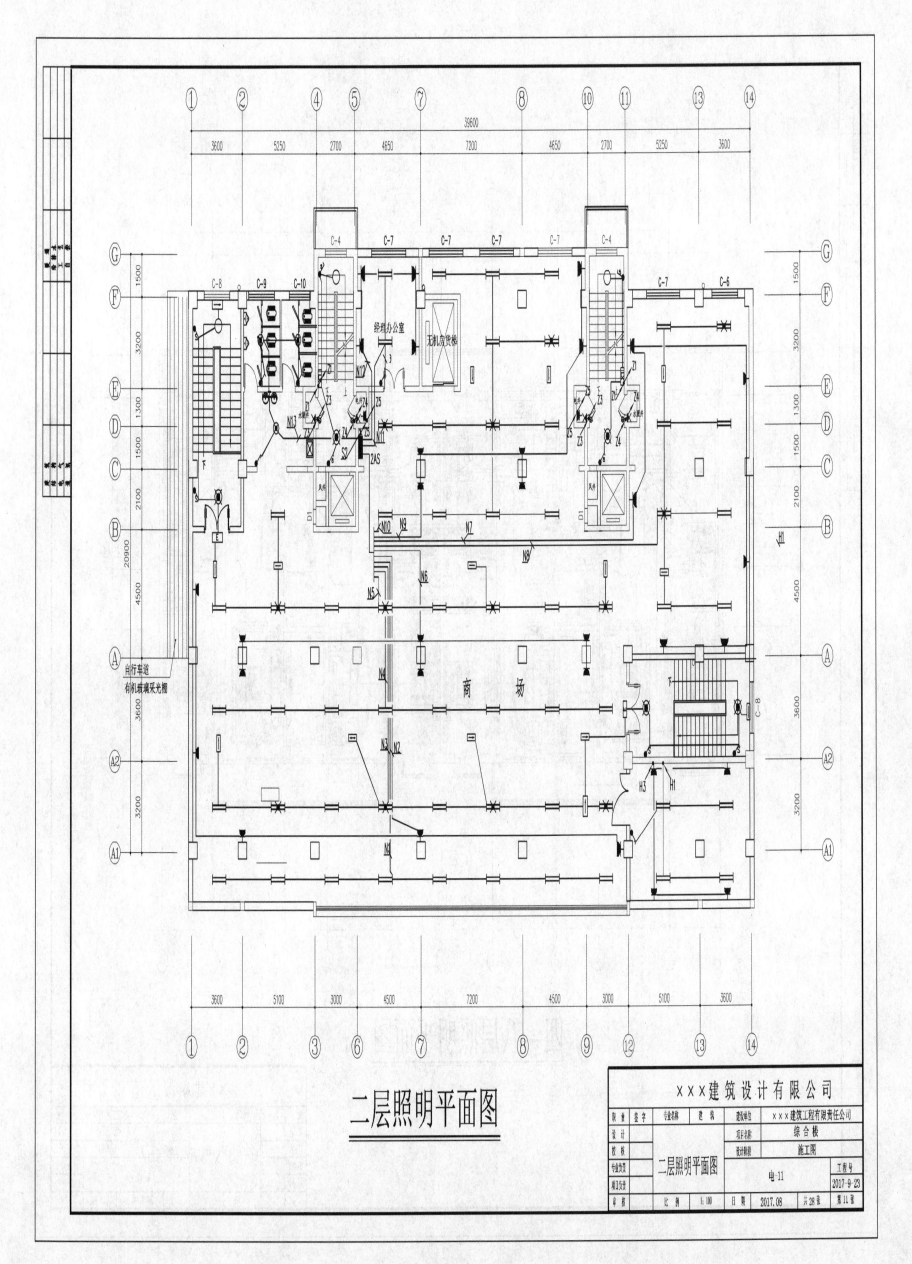

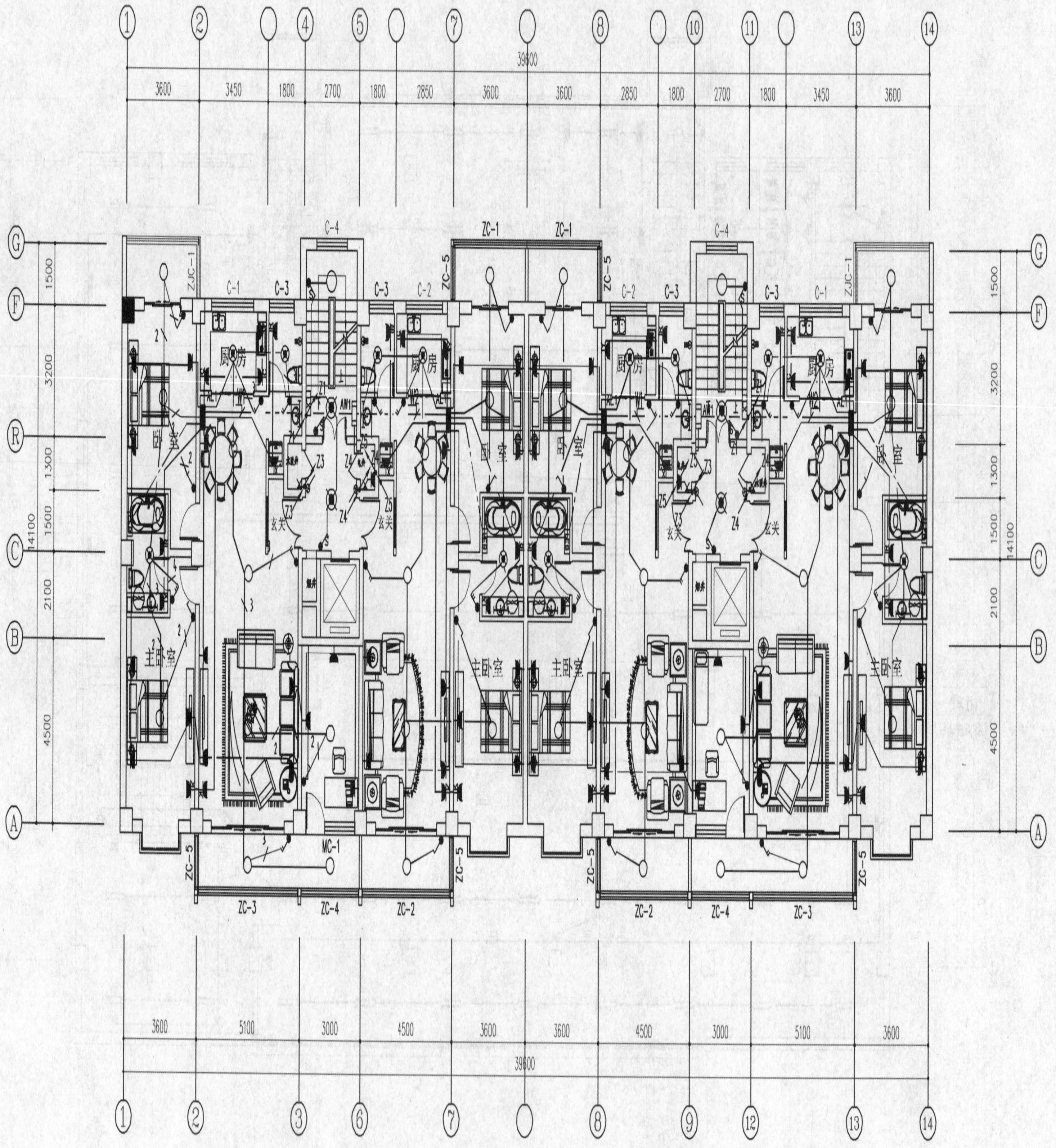

四—八层照明平面图 1:100

×××建筑设计有限公司							
职 责	签 字	专业名称	电气	建设单位	×××建筑工程有限责任公司		
设 计		四—八层照明平面图		项目名称	综合楼		
校 核				设计阶段	施工图		
专业负责				电-12			工程号
项目负责							2017-9-23
审 核		比 例	1:100	日 期	2017.08	共28张	第12张

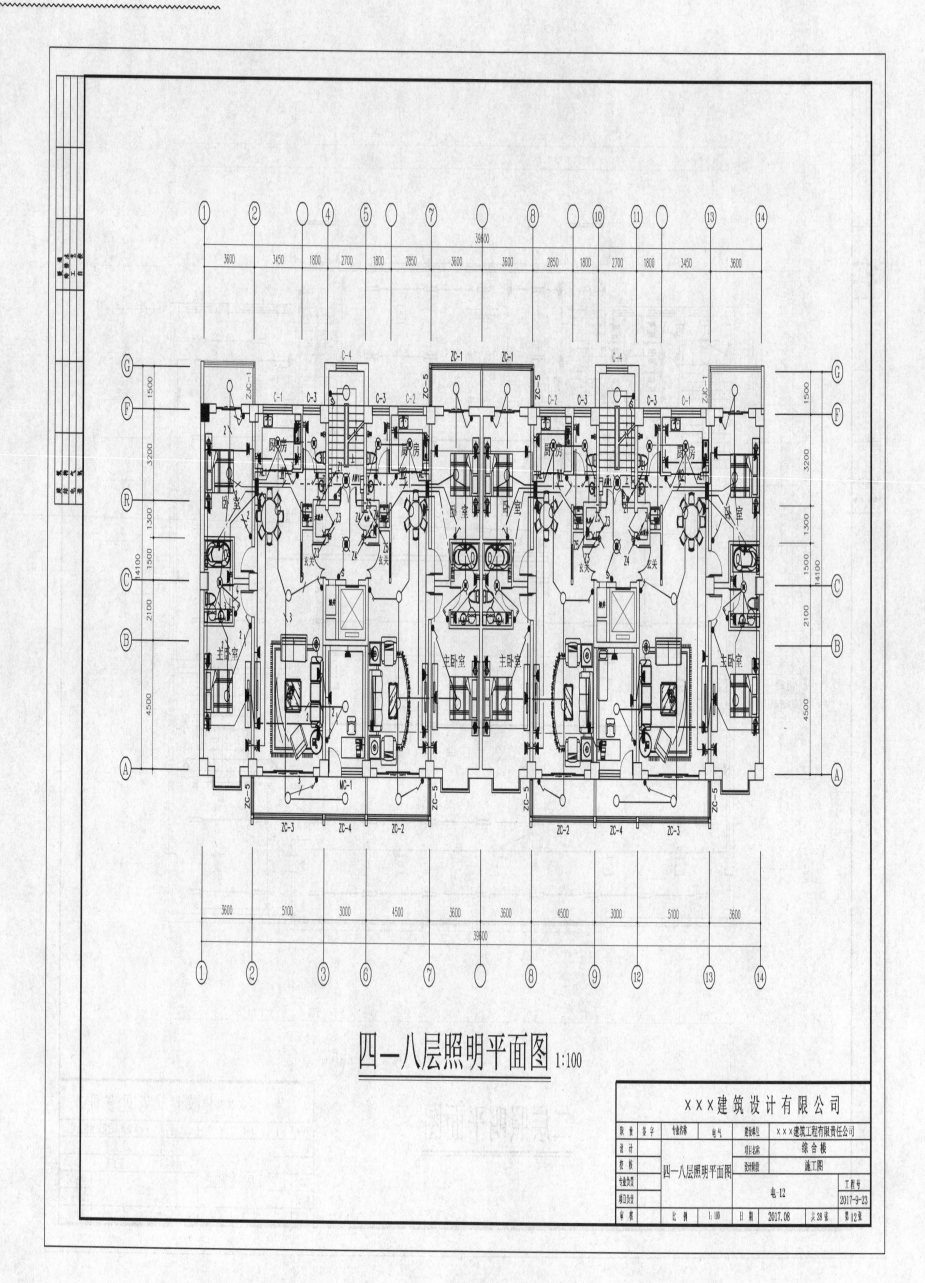

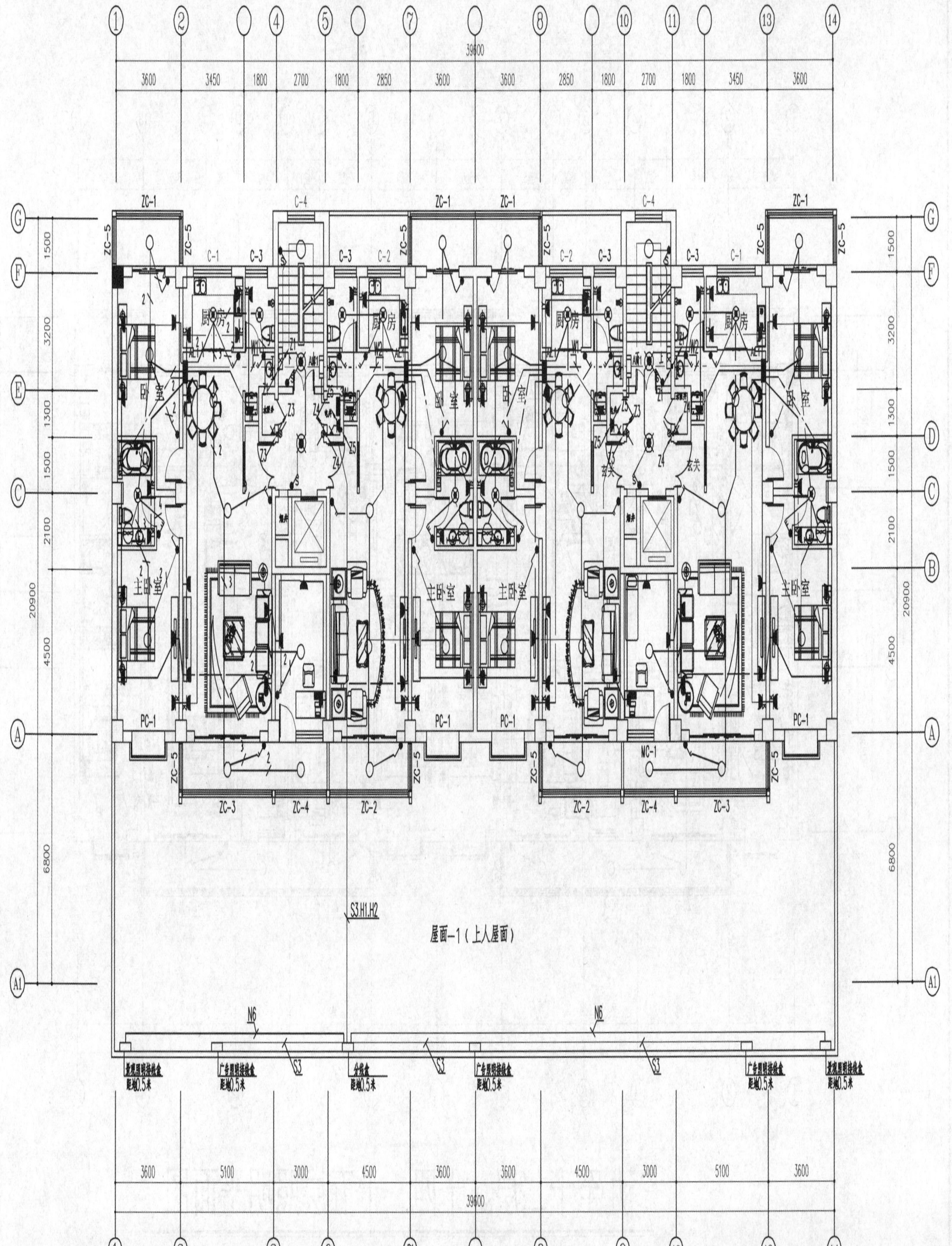

三层照明平面图

×××建筑设计有限公司							
职　责	签　字	专业名称	电气	建设单位	×××建筑工程有限责任公司		
设　计		三层照明平面图		项目名称	综合楼		
校　核				设计阶段	施工图		
专业负责				电-13			工程号
项目负责							2017-9-23
审　核		比　例	1:100	日　期	2017.08	共 28 张	第 13 张

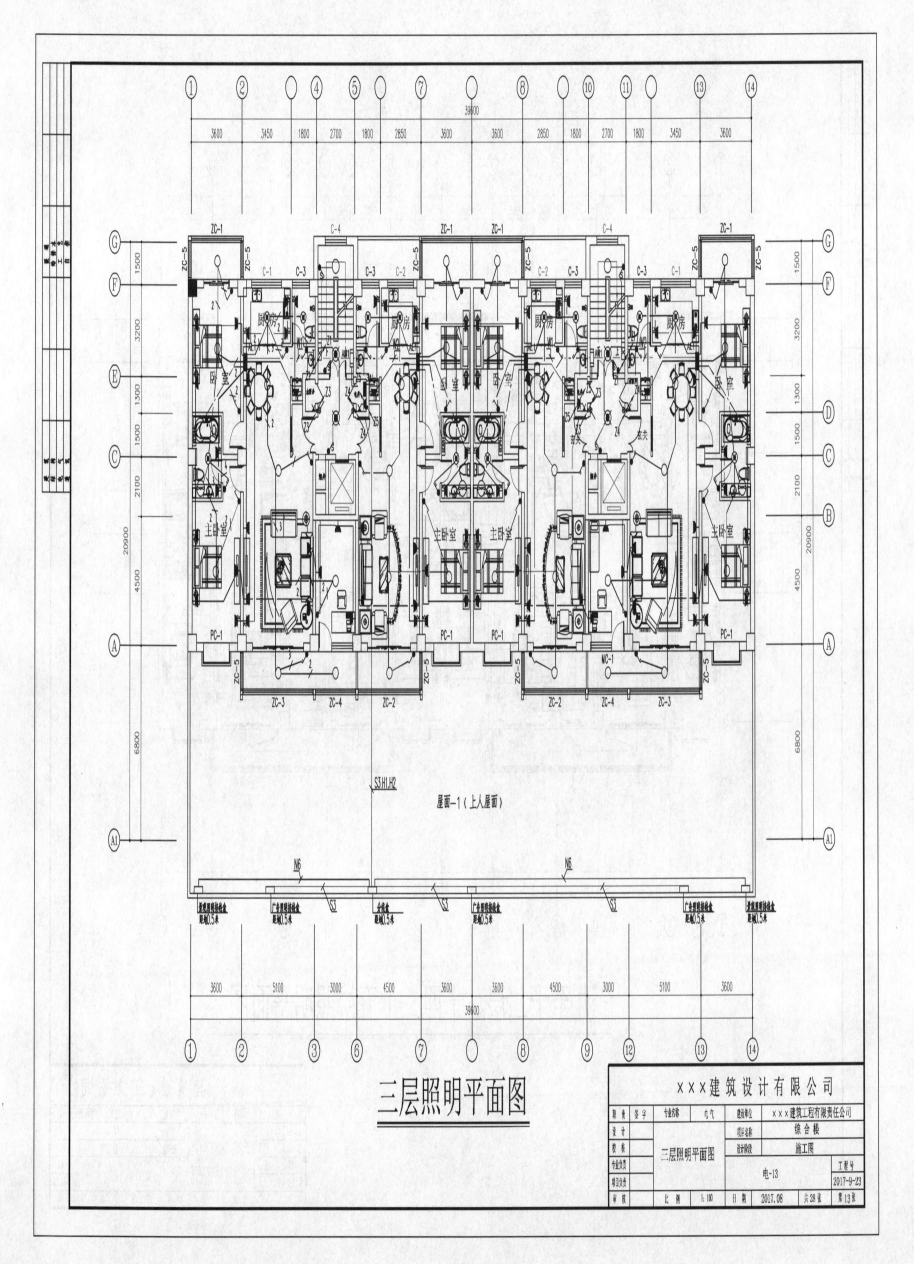

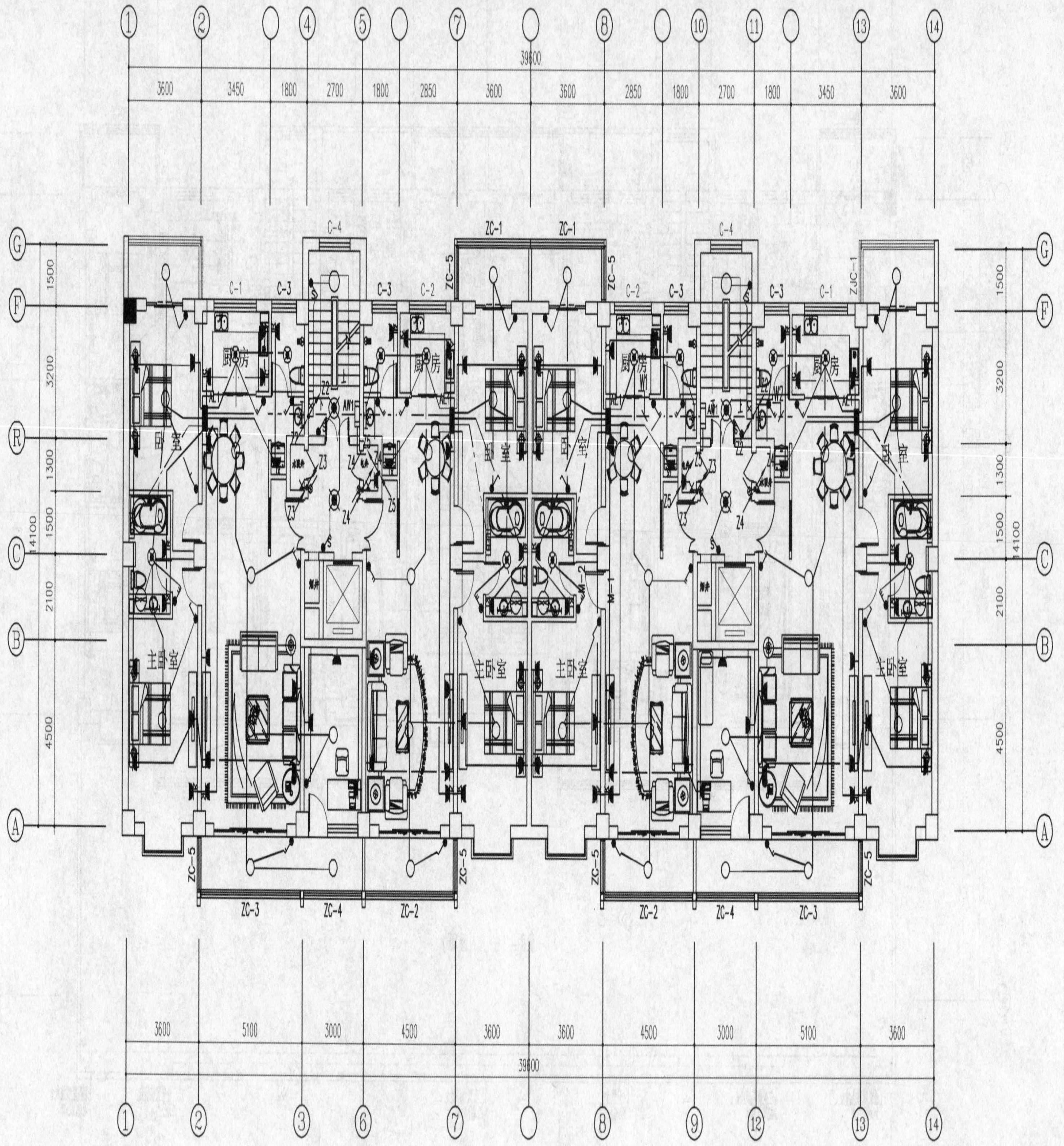

九至十二层、十四、十五层照明平面图

×××建筑设计有限公司							
职责	签字	专业名称	电气	建设单位	×××建筑工程有限责任公司		
设计		九至十二、十四、十五层照明平面图		项目名称	综合楼		
校核				设计阶段	施工图		
专业负责							工程号
项目负责				电-14			2017-9-23
审核		比例	1:100	日期	2017.08	共28张	第14张

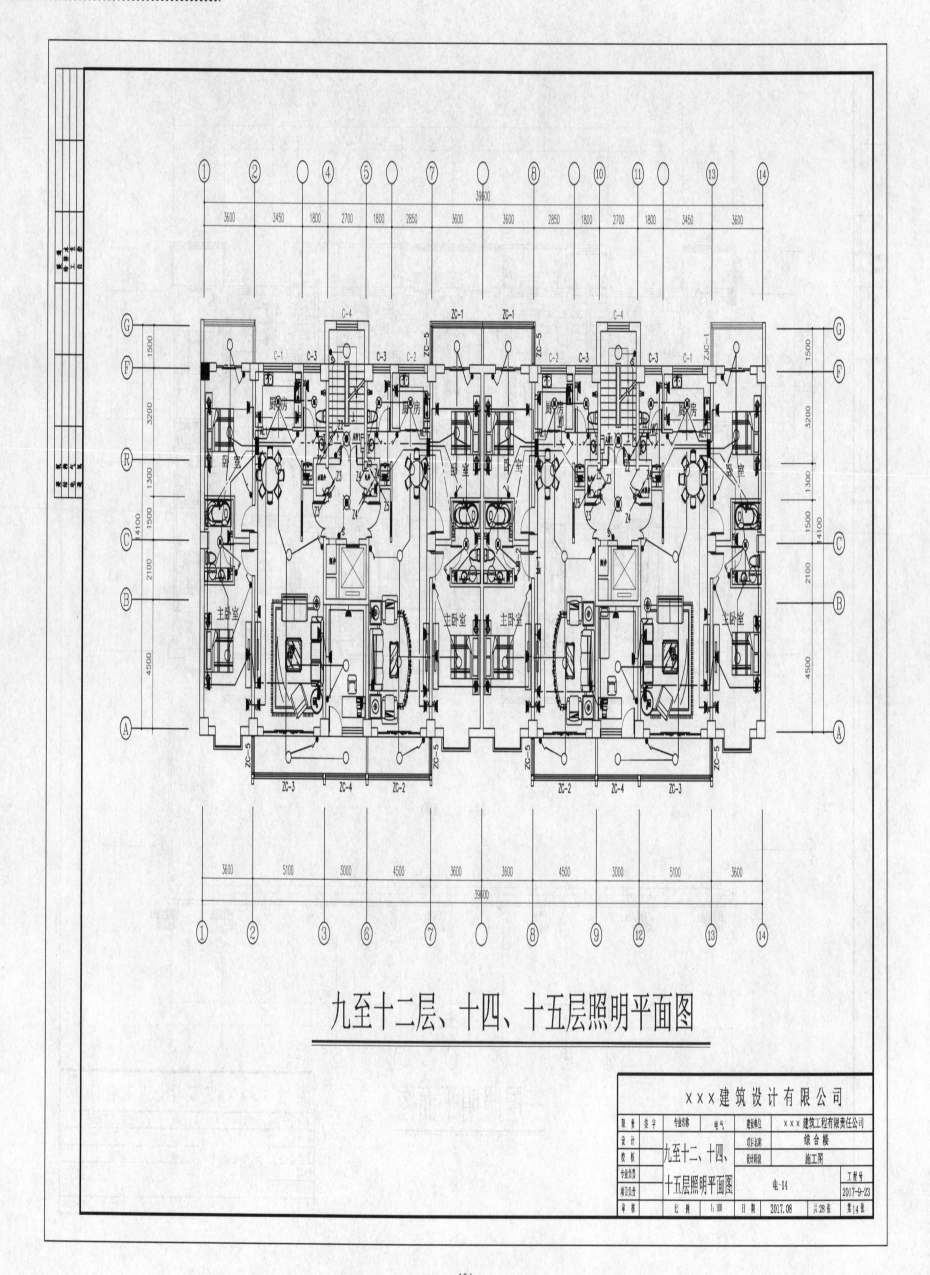

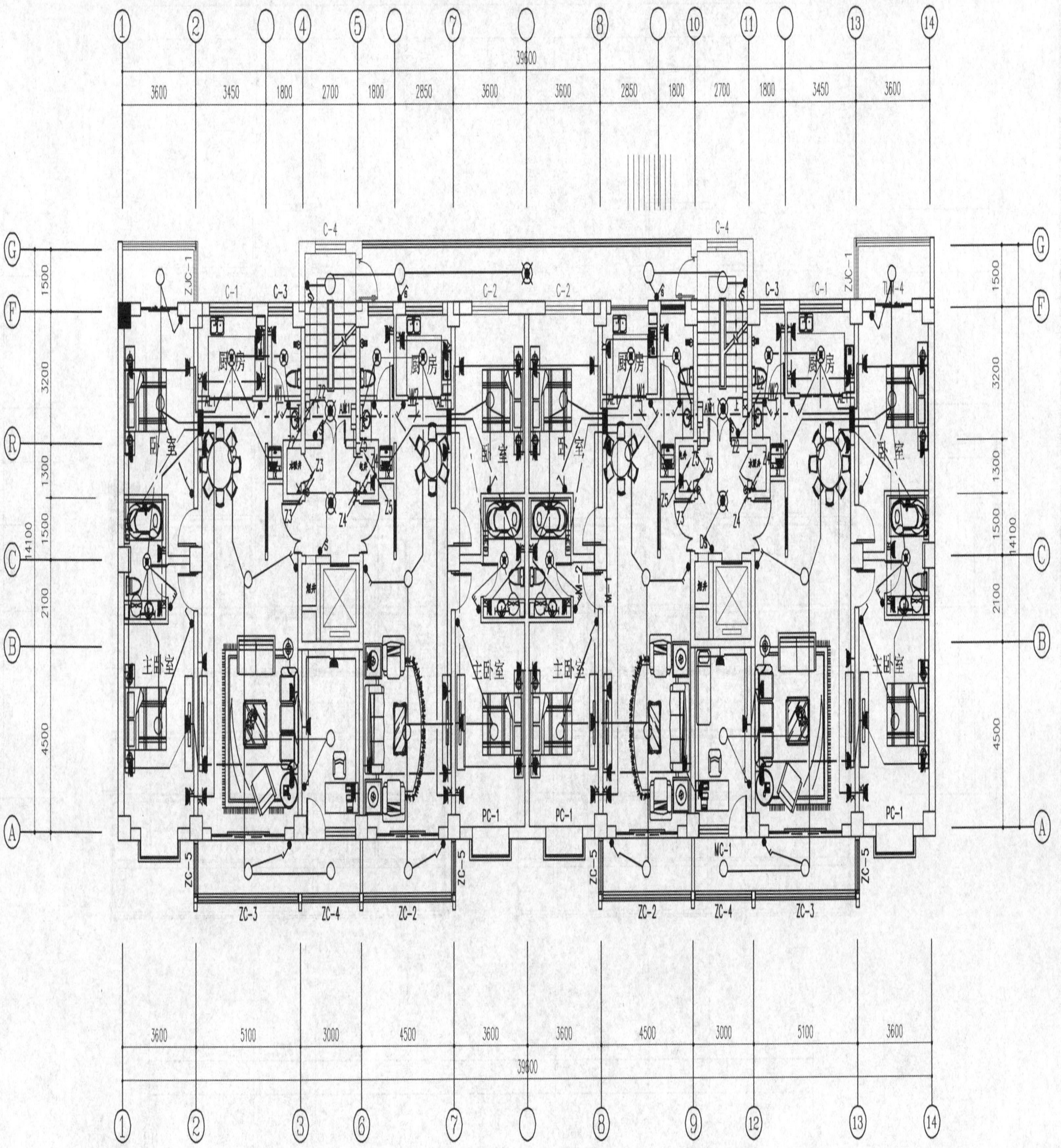

十三、十六层照明平面图 1:100

×××建筑设计有限公司							
职 责	签 字	专业名称	电气	建设单位	×××建筑工程有限责任公司		
设 计		十三、十六层照明平面图		项目名称	综 合 楼		
校 核				设计阶段	施工图		
专业负责				电-15			工程号
项目负责							2017-9-23
审 核		比 例	1:100	日 期	2017.08	共28张	第15张

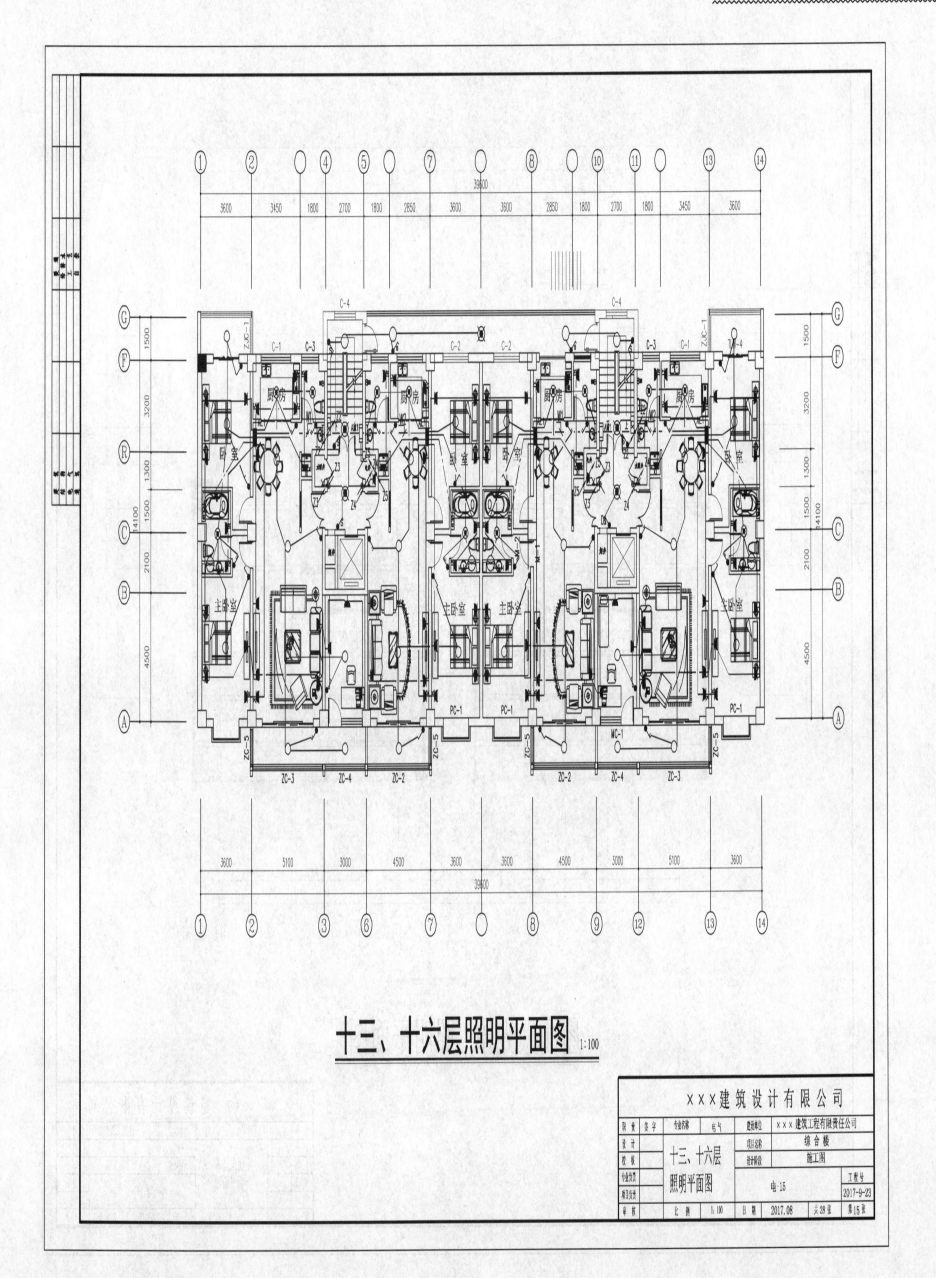

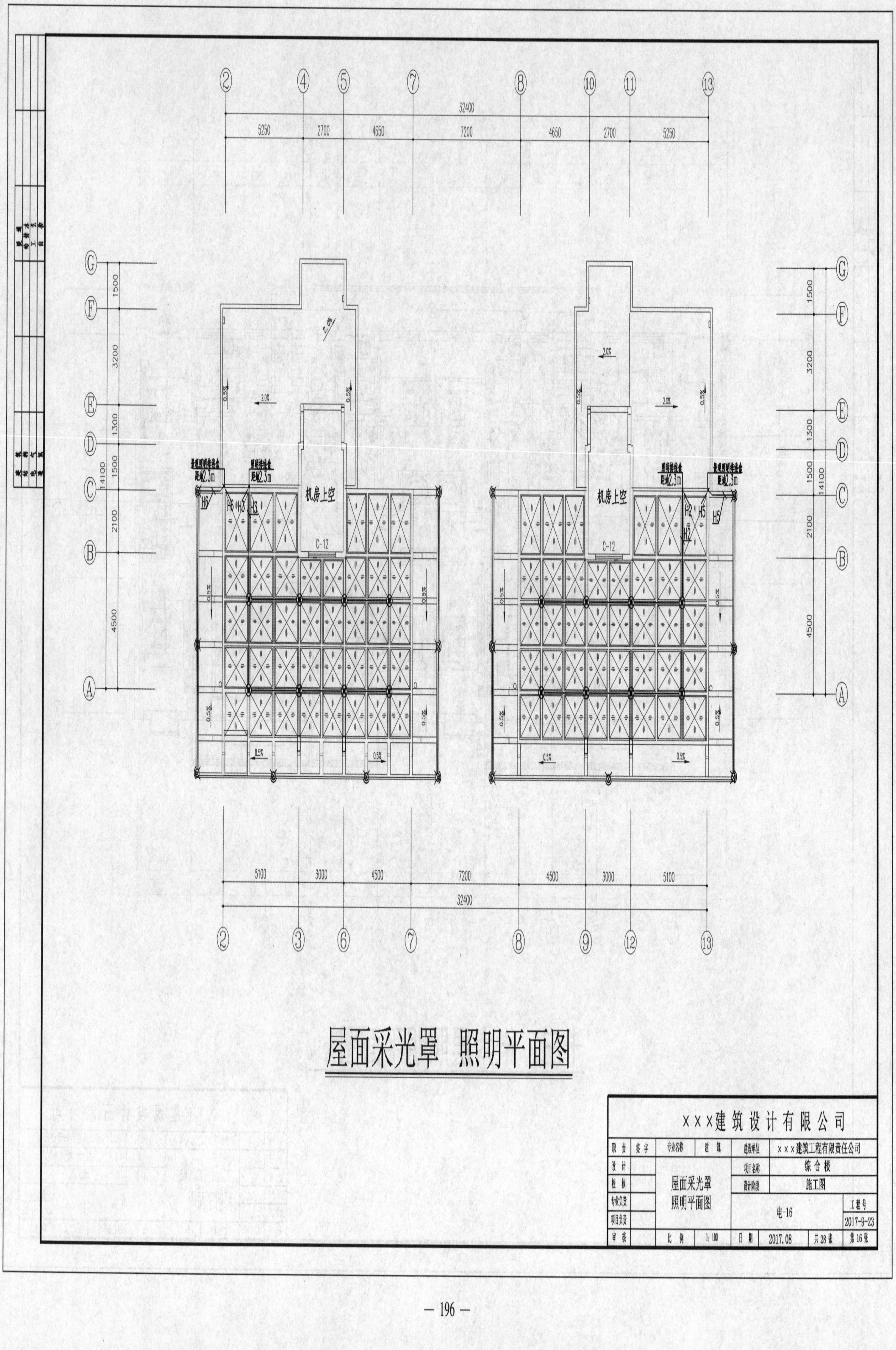
32400
5250
2700
4650
7200
4650
2700
5250
1500
3200
1300
1500
2100
4500
14100
机房上空
机房上空
C-12
C-12
2.0%
0.5%
5100
3000
4500
7200
4500
3000
5100
32400
屋面采光罩 照明平面图
×××建筑设计有限公司
专业名称
建筑
建设单位
×××建筑工程有限责任公司
项目名称
综合楼
设计阶段
施工图
屋面采光罩
照明平面图
电-16
工程号
2017-9-23
比例
1:100
日期
2017.08
共28张
第16张

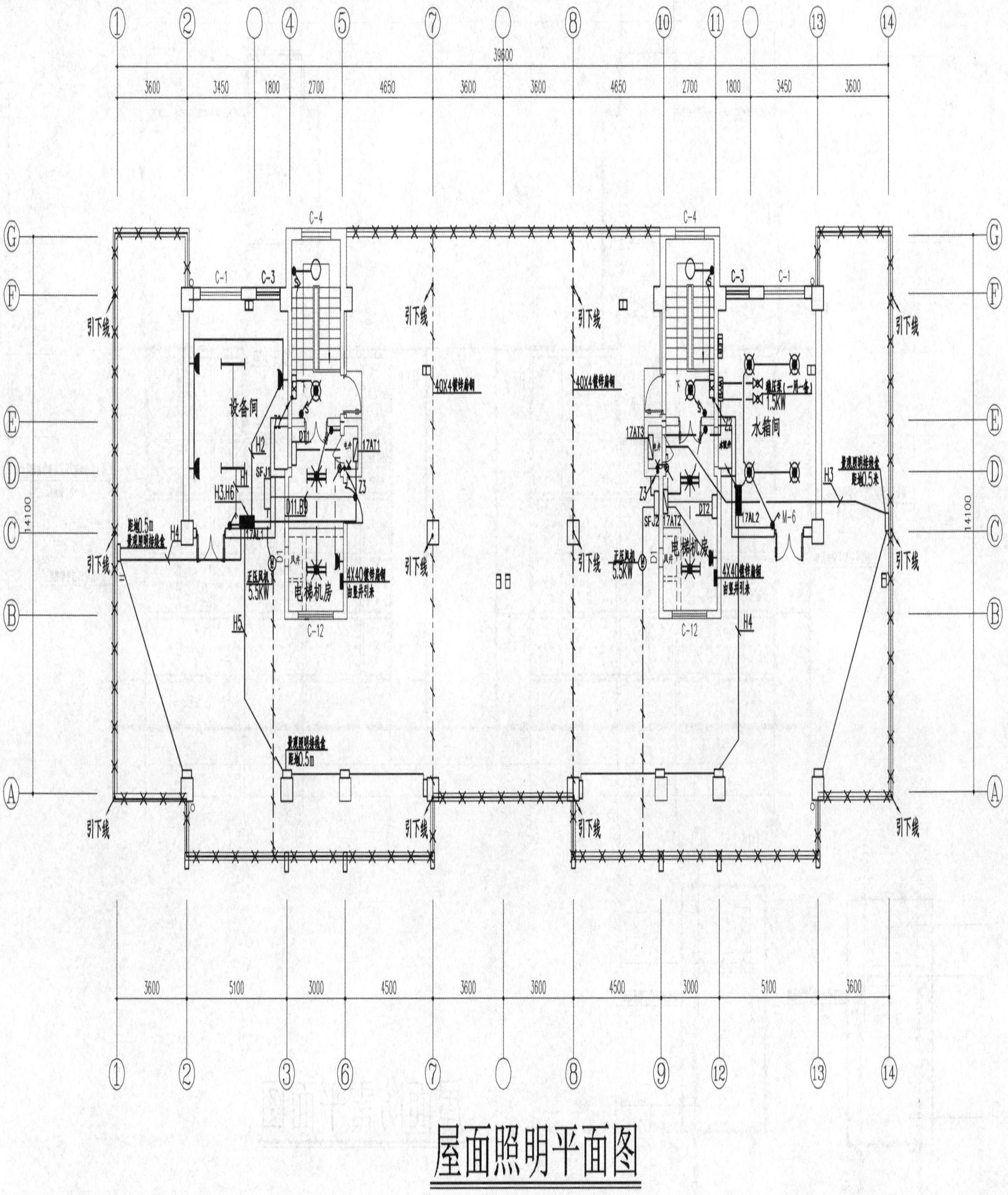

屋面照明平面图

注：电梯井道灯安装，上端距顶0.5m，下端距底0.5m，中间间距小于7m，井道插座距井底0.5m。

×××建筑设计有限公司							
职 责	签 字	专业名称	建 筑	建设单位	×××建筑工程有限责任公司		
设 计		屋面照明平面图		项目名称	综 合 楼		
校 核				设计阶段	施工图		
专业负责				电-17			工程号
项目负责							2017-9-23
审 核		比 例	1:100	日 期	2017.08	共28张	第17张

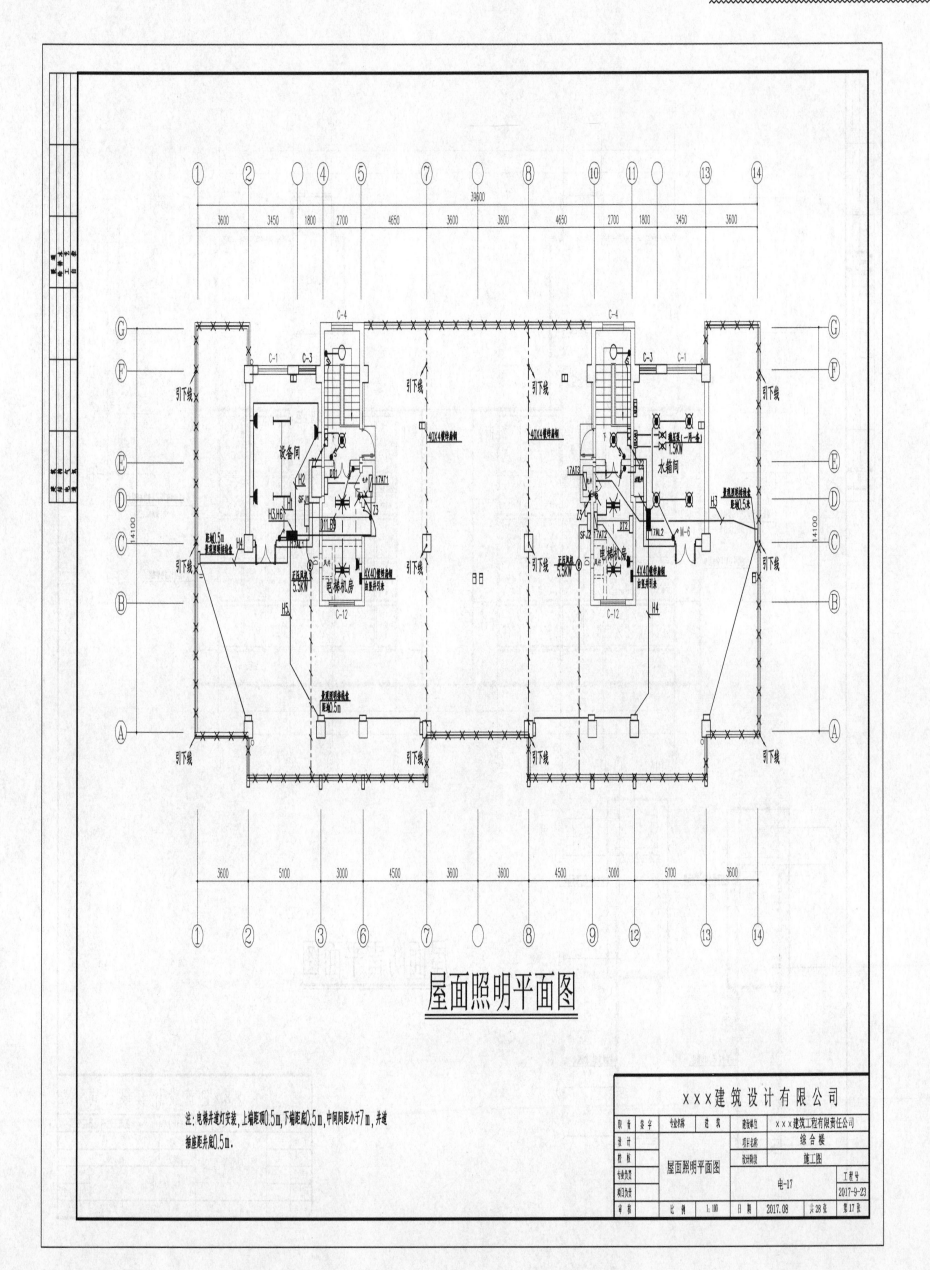

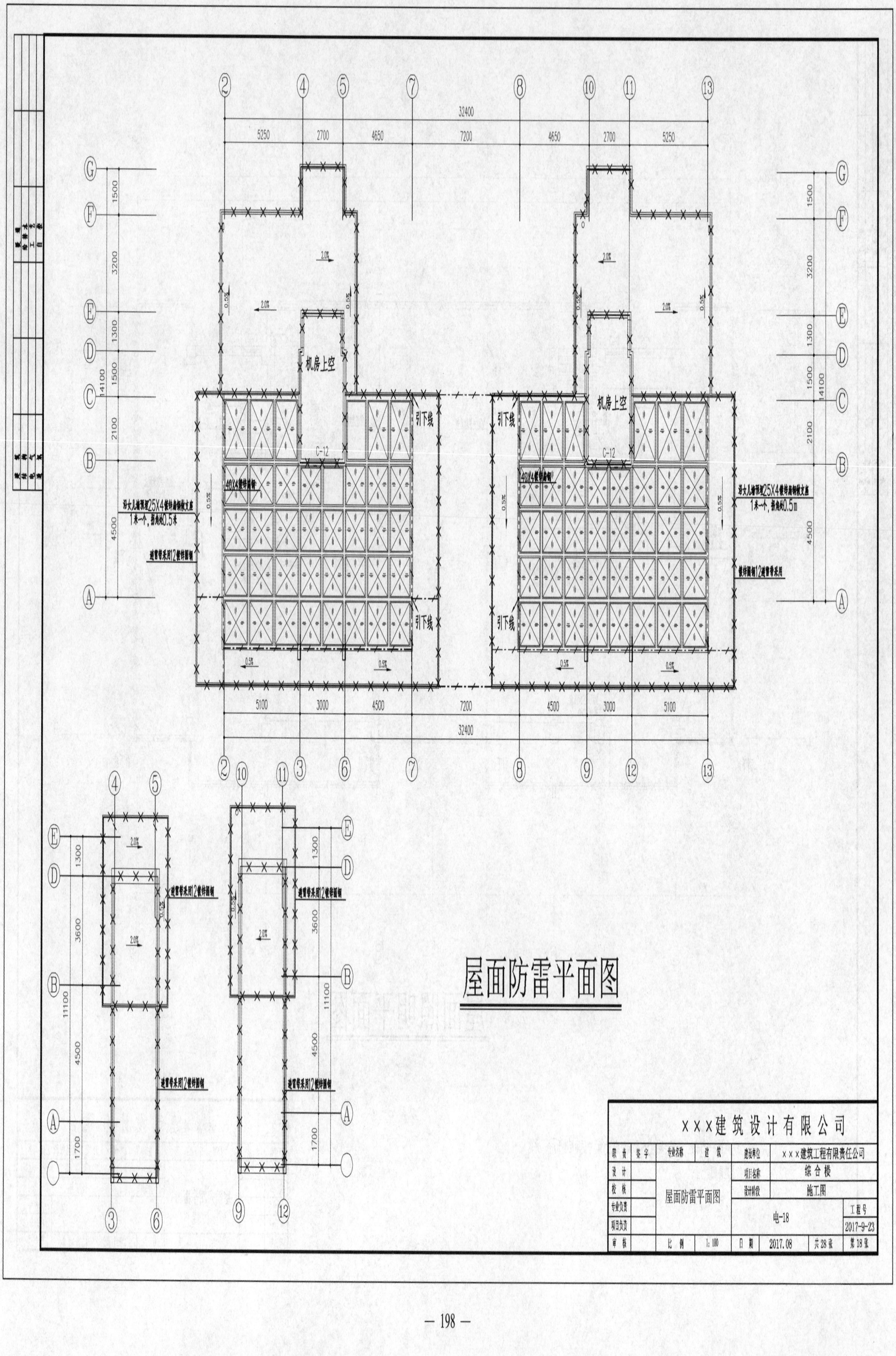
屋面防雷平面图
机房上空
引下线
C-12
32400
×××建筑设计有限公司
建设单位 ×××建筑工程有限责任公司
项目名称 综合楼
设计阶段 施工图
屋面防雷平面图
电-18
工程号
2017-9-23
比例 1:100
日期 2017.08
共28张
第18张

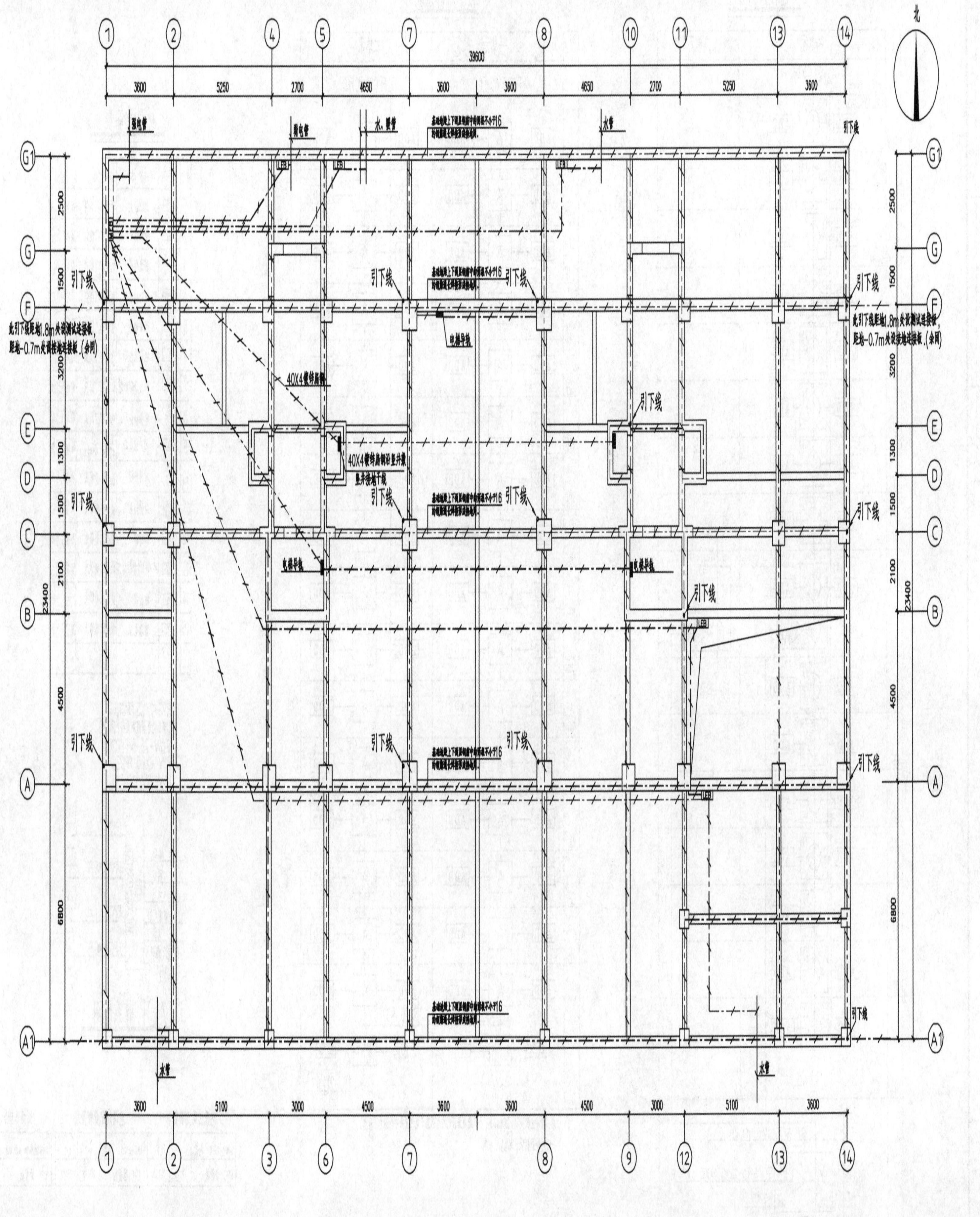

基础接地平面图

×××建筑设计有限公司					
职 责	签 字	专业名称	电气	建设单位	×××建筑工程有限责任公司
设 计		基础接地平面图		项目名称	综合楼
校 核				设计阶段	施工图
专业负责				电-19	工程号
项目负责					2017-9-23
审 核		比 例	1:100	日 期 2017.08 共28张	第19张

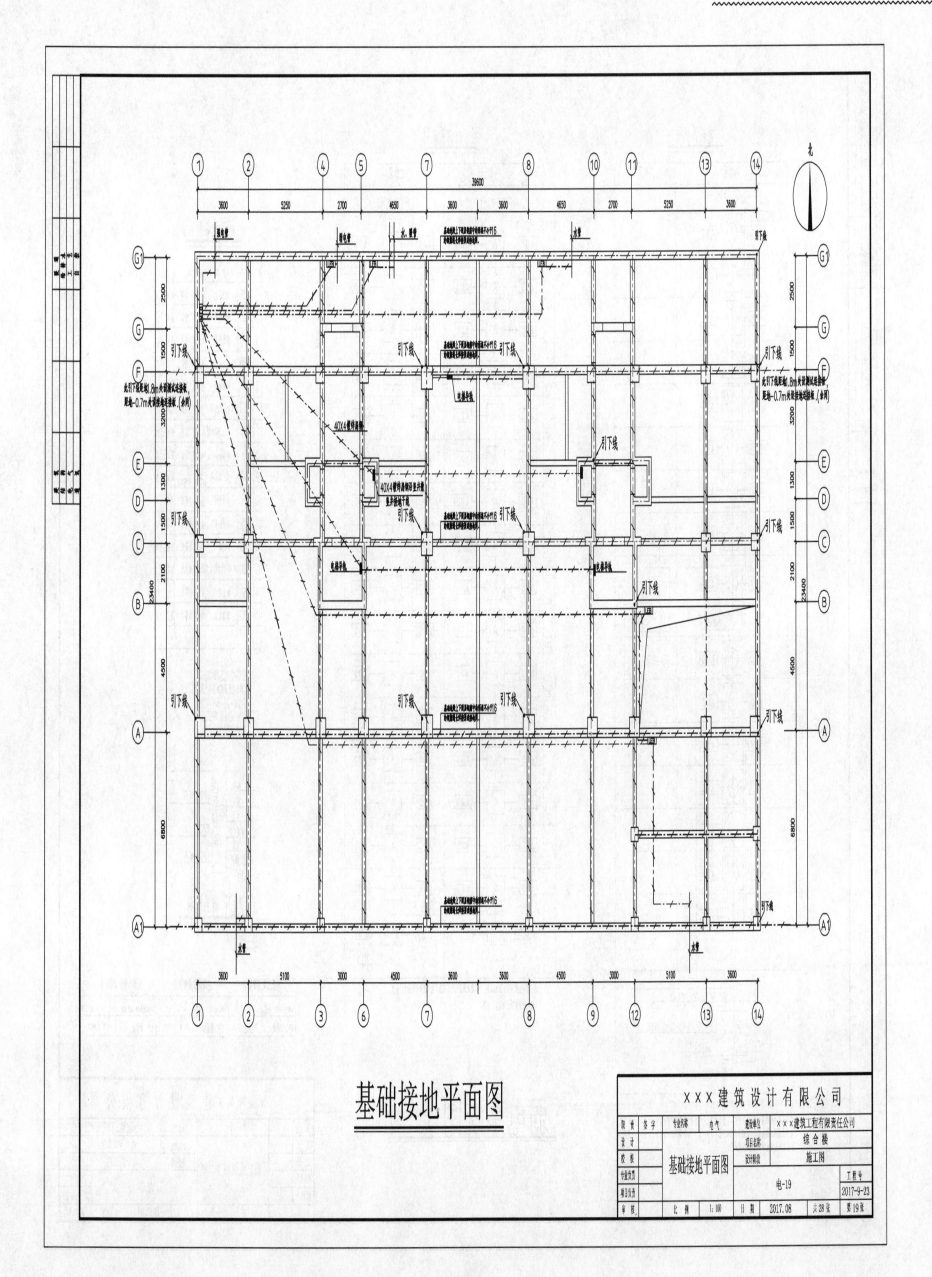

电视系统图

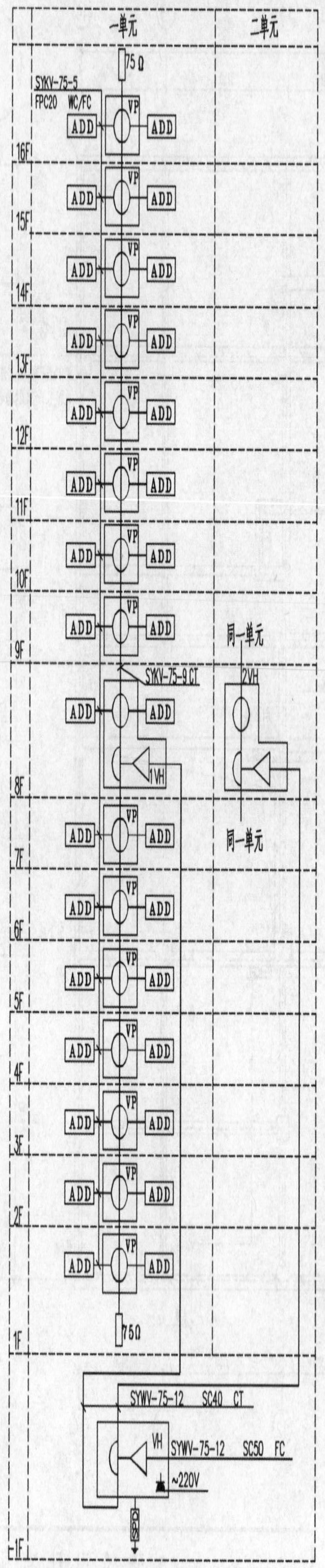

注:
有线电视进线采用SYKV-75-12电缆穿SC管敷设，干线采用SYKV-75-9电缆采用金属线槽沿竖井明敷设，由层分支分配器箱(VP)至用户的电缆采用SYKV-75-5电缆穿FPC20管沿建筑物墙、板暗敷设。

楼宇对讲系统图

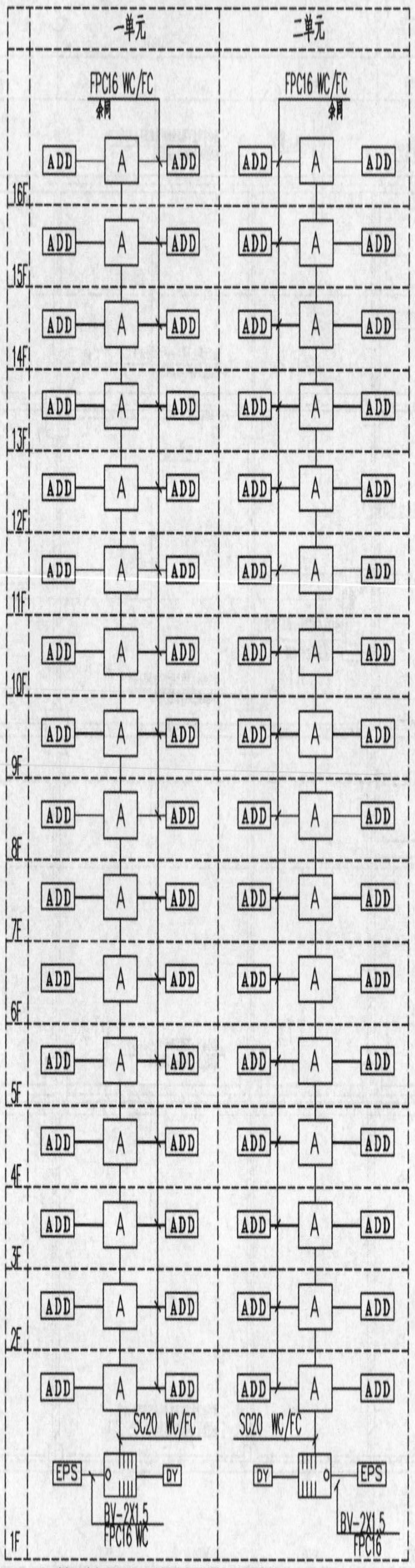

注：对讲主机安装于防盗门上，不间断电源及层控箱明装于电气竖井中距地1.8米，户内对讲分机明装距地1.4米。

材料设备表

序号	图列	名称	规格型号	备注
1	MDF	总配线架	电信部门提供	落地
2	FD	分配线架	电信部门提供	距地1.5m
3	TO	信息插座	电信部门提供	距地0.3m
4		电话组线箱	电信部门提供	距地1.5m
5	TP	电话插座	电信部门提供	距地0.3m
6	VH	电视前端箱	电视部门提供	距地1.5m
7	VP	分支分配器箱	电视部门提供	距地1.5m
8	TV	电视插座	电视部门提供	距地0.3m
9	ADD	用户信息箱	WX-J2B 420*330*140	距地0.8m
10		对讲分机	设备配套带来	距地1.4m
11		对讲门主机	设备配套带来	距地1.4m
12	A	层控箱	设备配套带来	距顶0.8m
13	DY	单元门开启接线盒	设备配套带来	距顶0.5m
14		电控锁	设备配套带来	
15	EPS	应急电源	设备配套带来	距顶0.5m

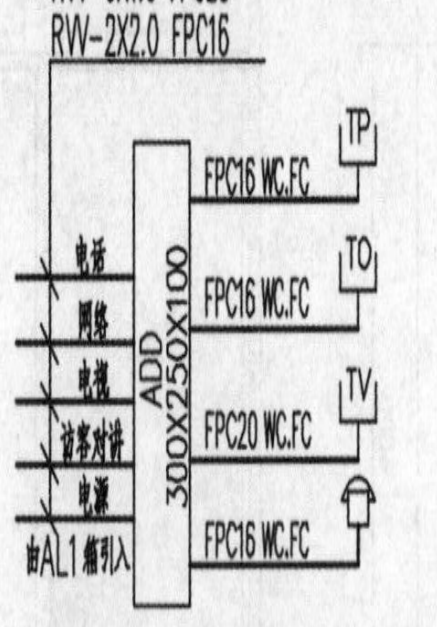

ADD箱系统图

电视线配穿管径表

SYWV-75-5 根数	1	2,3
FPC 管管径	FPC20	FPC25

电话线配穿管径表

RVB-2*0.5 对数	1~3	4~5
FPC 管管径	FPC16	FPC20

网络布线配穿管径表

五类非屏蔽双绞线 UTP 根数	1	2~3
FPC 管管径	FPC16	FPC20

弱电系统图（一）

×××建筑设计有限公司							
职　责	签　字	专业名称	电气	建设单位	×××建筑工程有限责任公司		
设　计		弱电系统图（一）		项目名称	×××综合楼		
校　核				设计阶段	施工图		
专业负责				电-20			工程号
项目负责							2017-9-23
审　核		比　例	1:100	日　期	2017.08	共28张	第20张

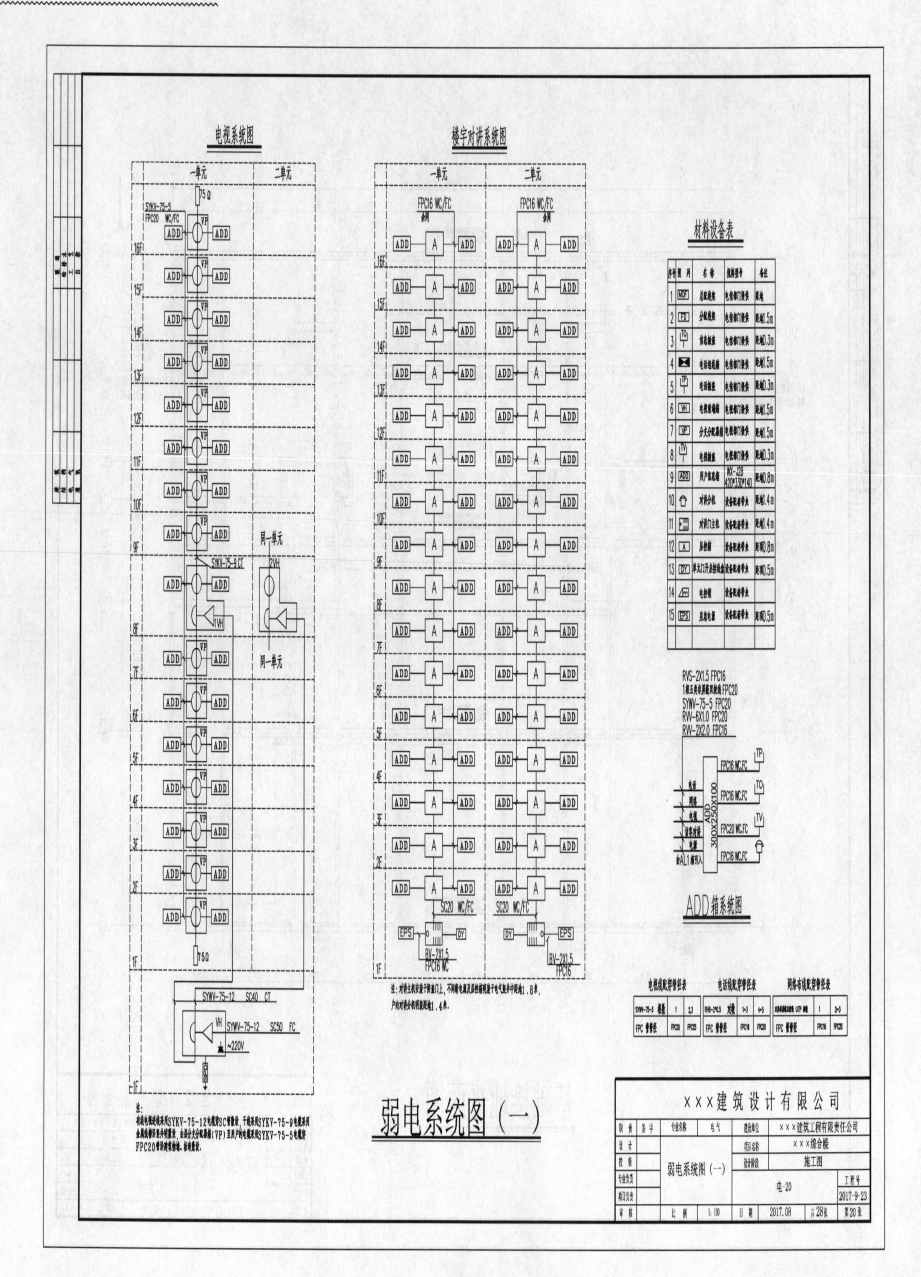

电话系统图

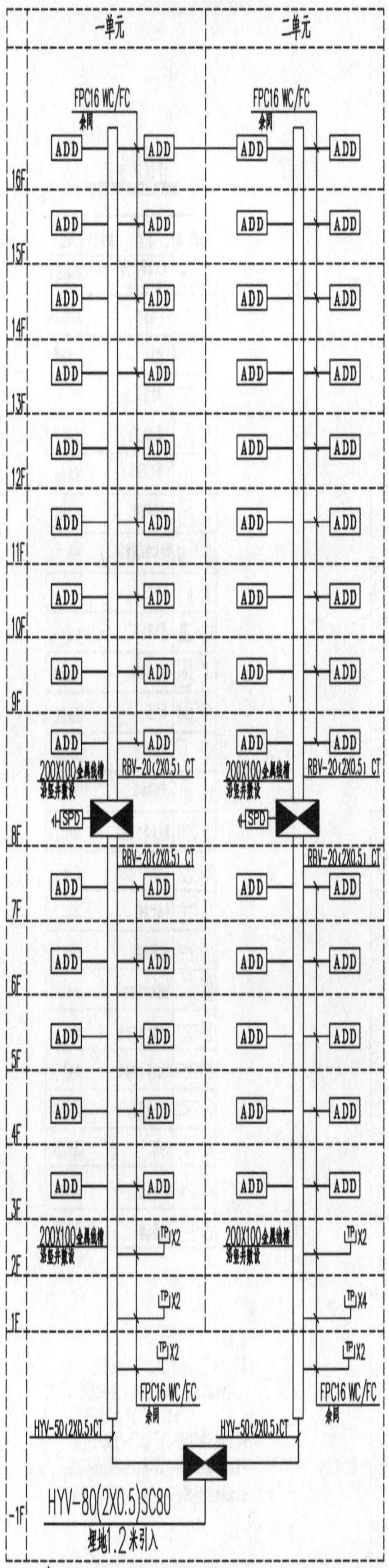

注:
1. 电话线通过各户ADD箱后至各电话插座，电话线为1*RVB(2X0.5).
2. 电话组线箱内设浪涌保护器，由设备厂家配带.

网络布线系统图

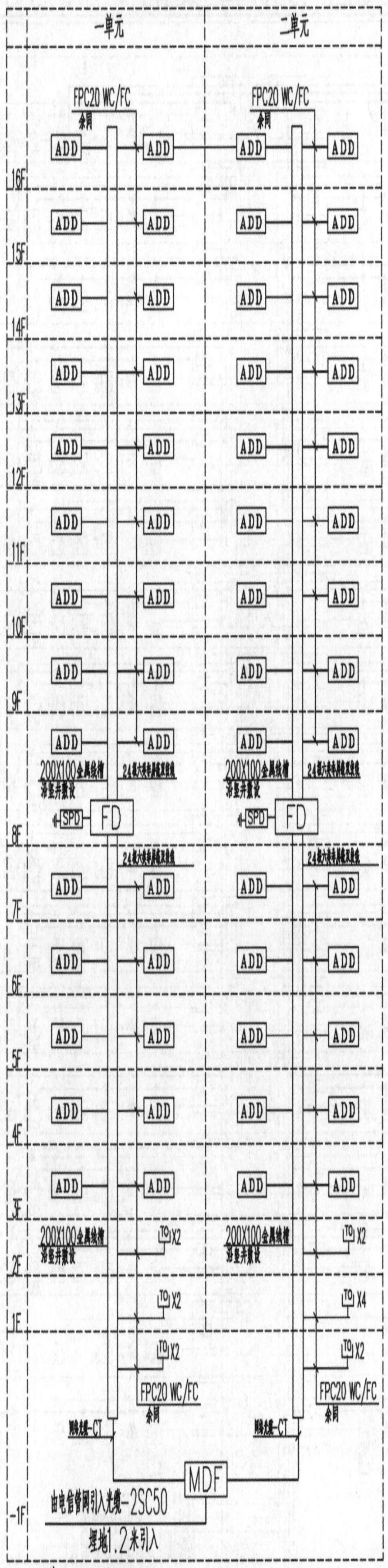

注:
1. 网络线通过各户ADD箱后至各网络终端盒，网络线采用超六类四对八芯非屏蔽电缆.
2. 网络设备箱内设浪涌保护器，由设备厂家配带.

弱电系统图（二）

×××建筑设计有限公司							
职　责	签　字	专业名称	电气	建设单位	×××建筑工程有限责任公司		
设　计		弱电系统图（二）		项目名称	×××综合楼		
校　核				设计阶段	施工图		
专业负责				电-21			工程号
项目负责							2017-9-23
审　核		比　例	1:100	日　期	2017.08	共28张	第21张

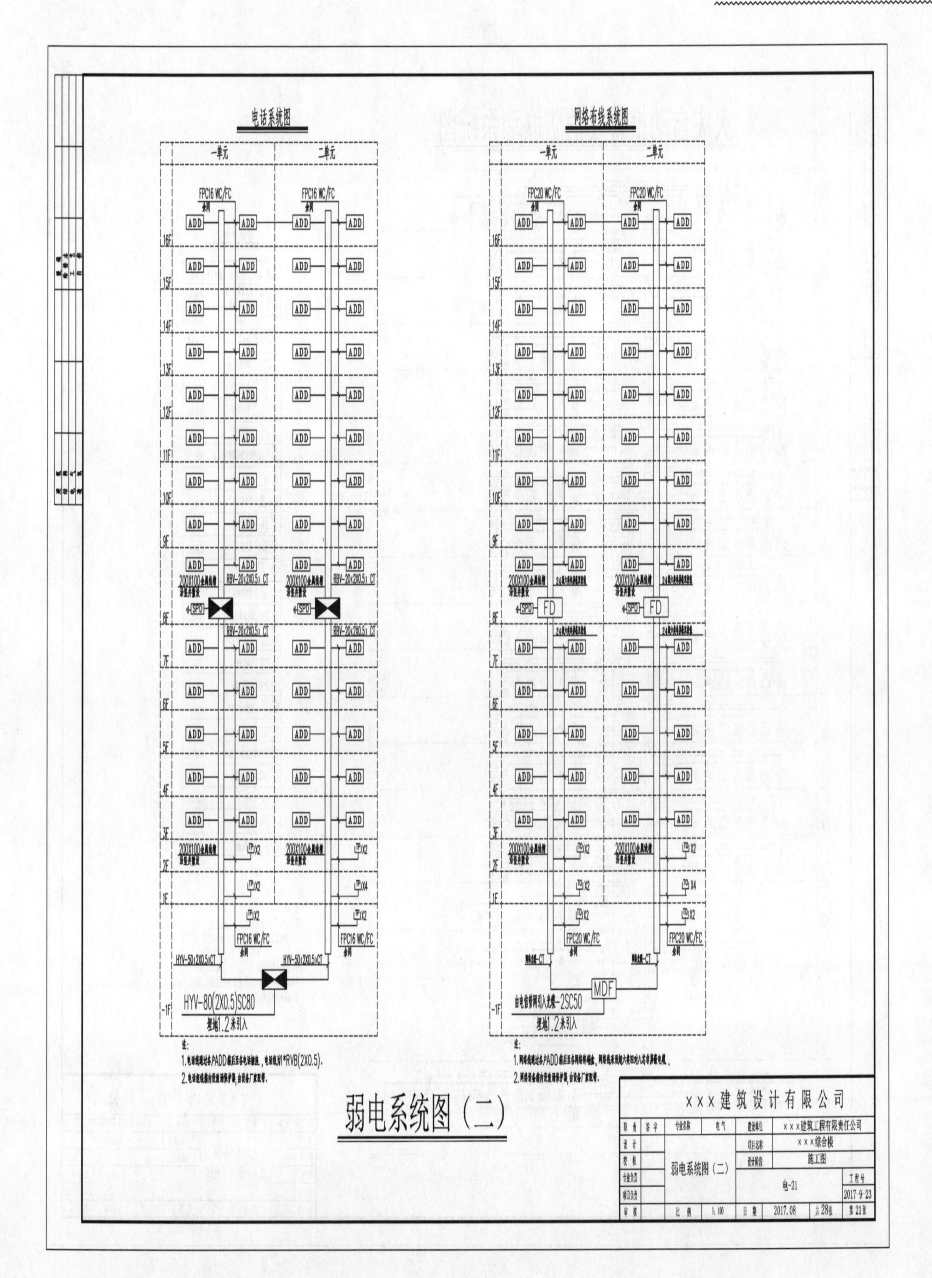

火灾自动报警及消防联动系统图

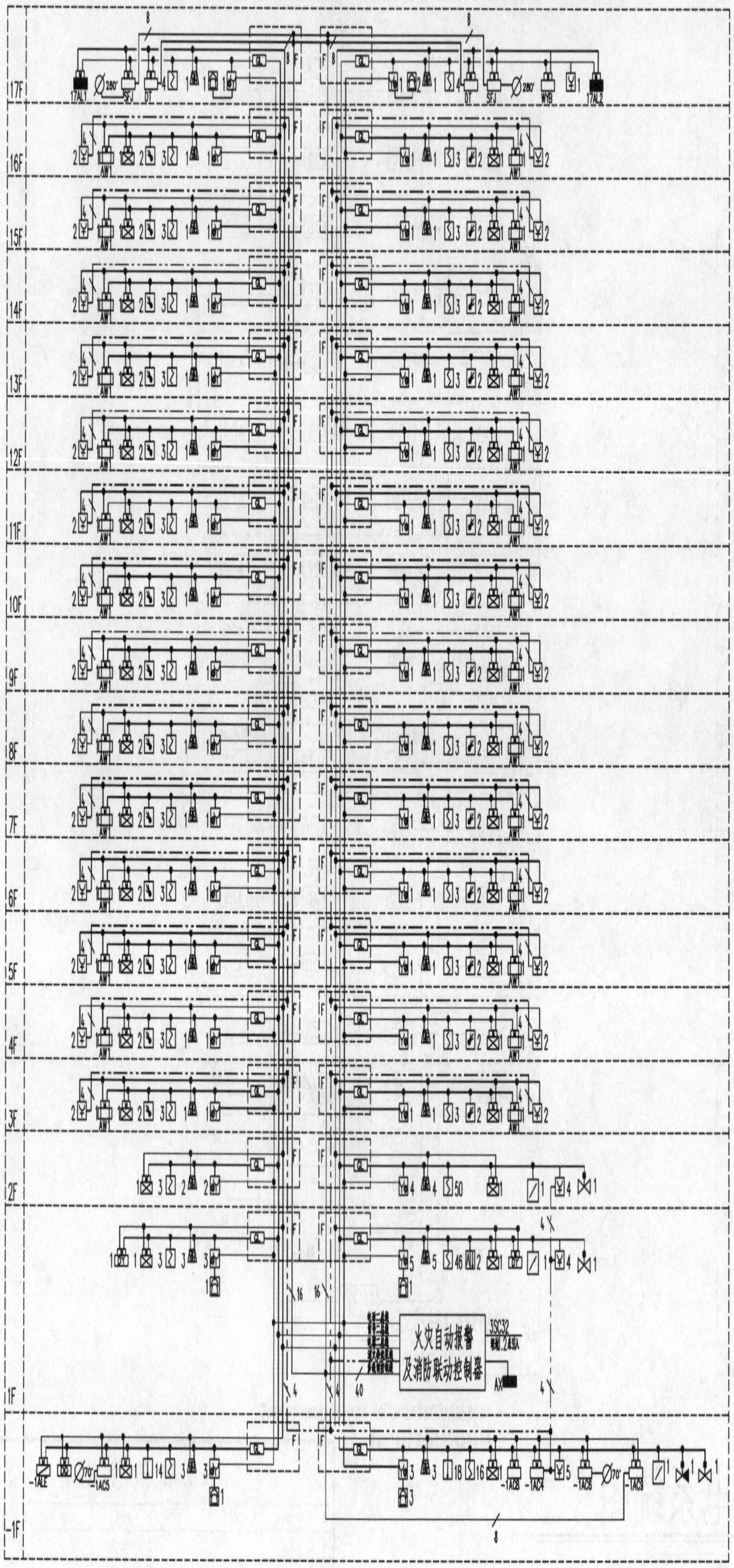

材料设备表

序号	图 列	名 称	规格型号	备注
1		火灾报警及消防联动控制柜		距地1.5米
2	F	端子箱		距顶0.8米
3	280°	防火阀		见暖施图
4	M	消防模块		
5		感烟探测器		吸顶安装
6		感温探测器		吸顶安装
7		消火栓按钮		见水施图
8		带电话插孔报警器		距地1.5m
9		119火警电话		
10		声光报警器		距地2.0m
11	P	压力继电器		见水施图
12		恒压泵		见水施图
13		液位控制器		见水施图
14	M	交流电动机		
15	XFB	消火栓泵控制柜		距地0.2m
16	SFJ	增压风机控制箱		距地1.5m
17	DT	电梯控制柜		距地0.2m
18	WYB	稳压泵控制箱		距地1.5m
19		可燃气体探测器		吸顶
20	DQ	非消防电源切换盒		距地1.5m
21	DY	单元门开启接线盒		距地1.5m
22		增压送风口		见暖施图
23		信号阀		见水施图
24		湿式报警阀		见水施图
25		水流指示器		见水施图

注：线型

信号二总线：ZR-RVS 2X1.5-SC15-CC.WC

DC24V电源二总线：竖向采用ZR-BV 2X4-SC20-CC.WC

水平采用ZR-BV 2X2.5-SC15-CC-WC

消防电话通讯线采用ZR-RVS 2X1.5-SC15-CC.WC

多线联动控制线采用ZR-KVV-8X1.5-SC20-CC.WC

消火栓按钮控制线采用ZR-KVV 4X1.5-SC20 CC.WC

×××建筑设计有限公司							
职 责	签 字	专业名称	电气	建设单位	×××建筑工程有限责任公司		
设 计		火灾自动报警及消防联动系统图		项目名称	×××综合楼		
校 核				设计阶段			
专业负责				电-22			工程号
项目负责							2017-9-23
审 核		比 例	1:100	日 期	2017.08	共28张	第22张

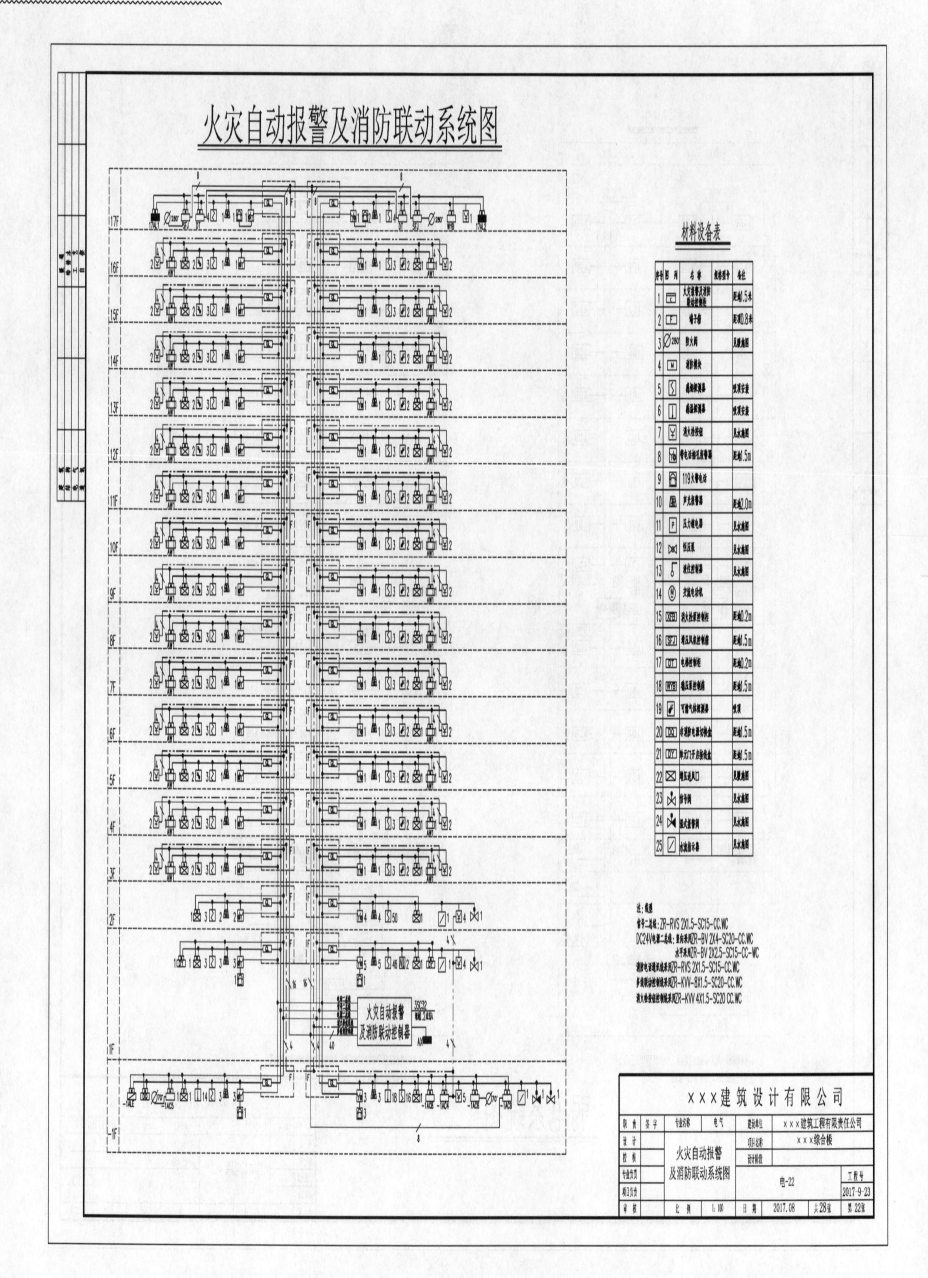

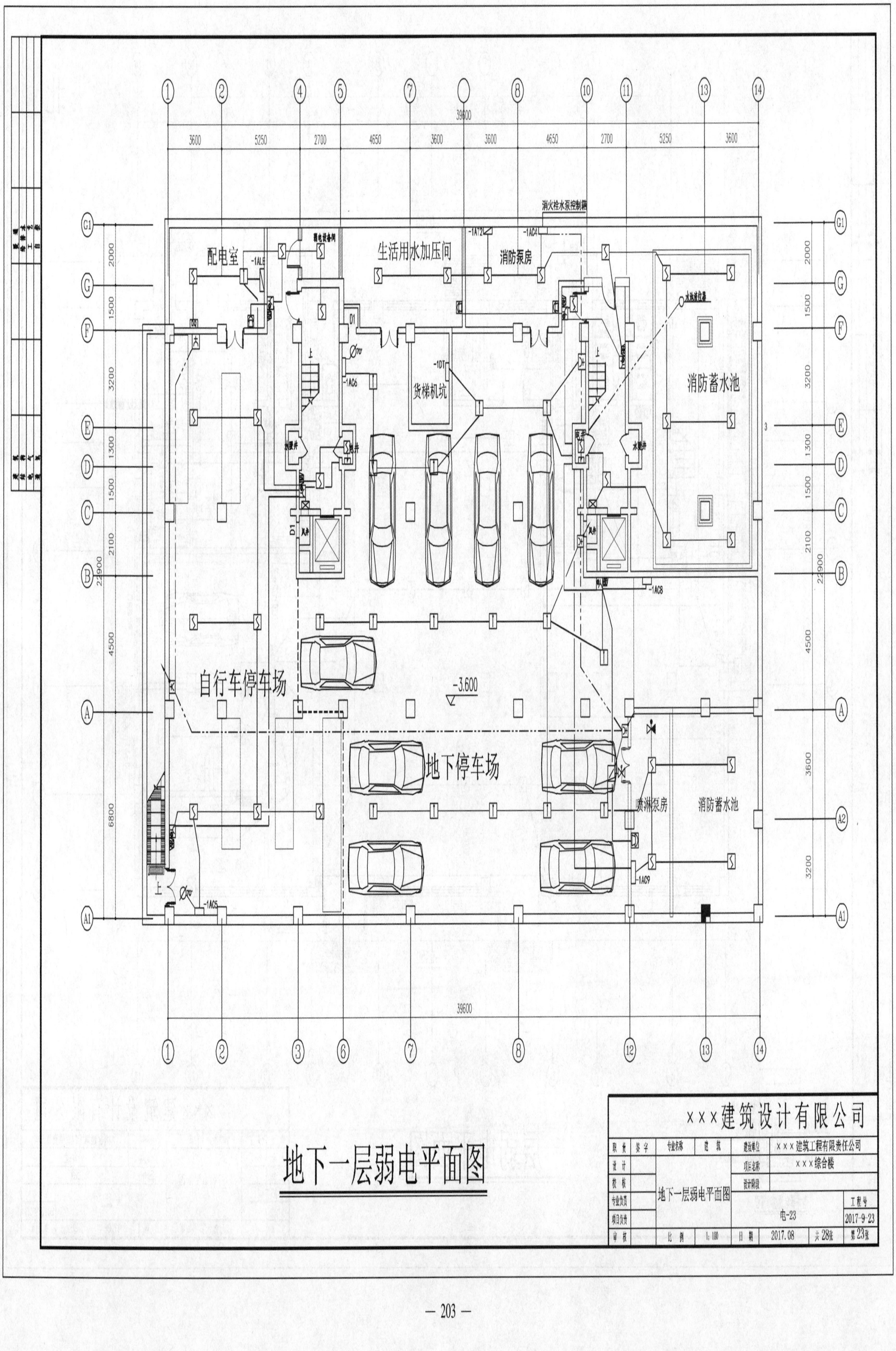
配电室
生活用水加压间
消防泵房
消火栓水泵控制柜
货梯机坑
消防蓄水池
自行车停车场
地下停车场
-3.600
喷淋泵房
消防蓄水池
39600
-1AL6
-1AT2
-1AC4
-1AC6
-1AC8
-1AC9
-1AC5
-1DT
×××建筑设计有限公司
地下一层弱电平面图
×××建筑工程有限责任公司
×××综合楼
电-23
2017-9-23
1:100
2017.08
共28张
第23张

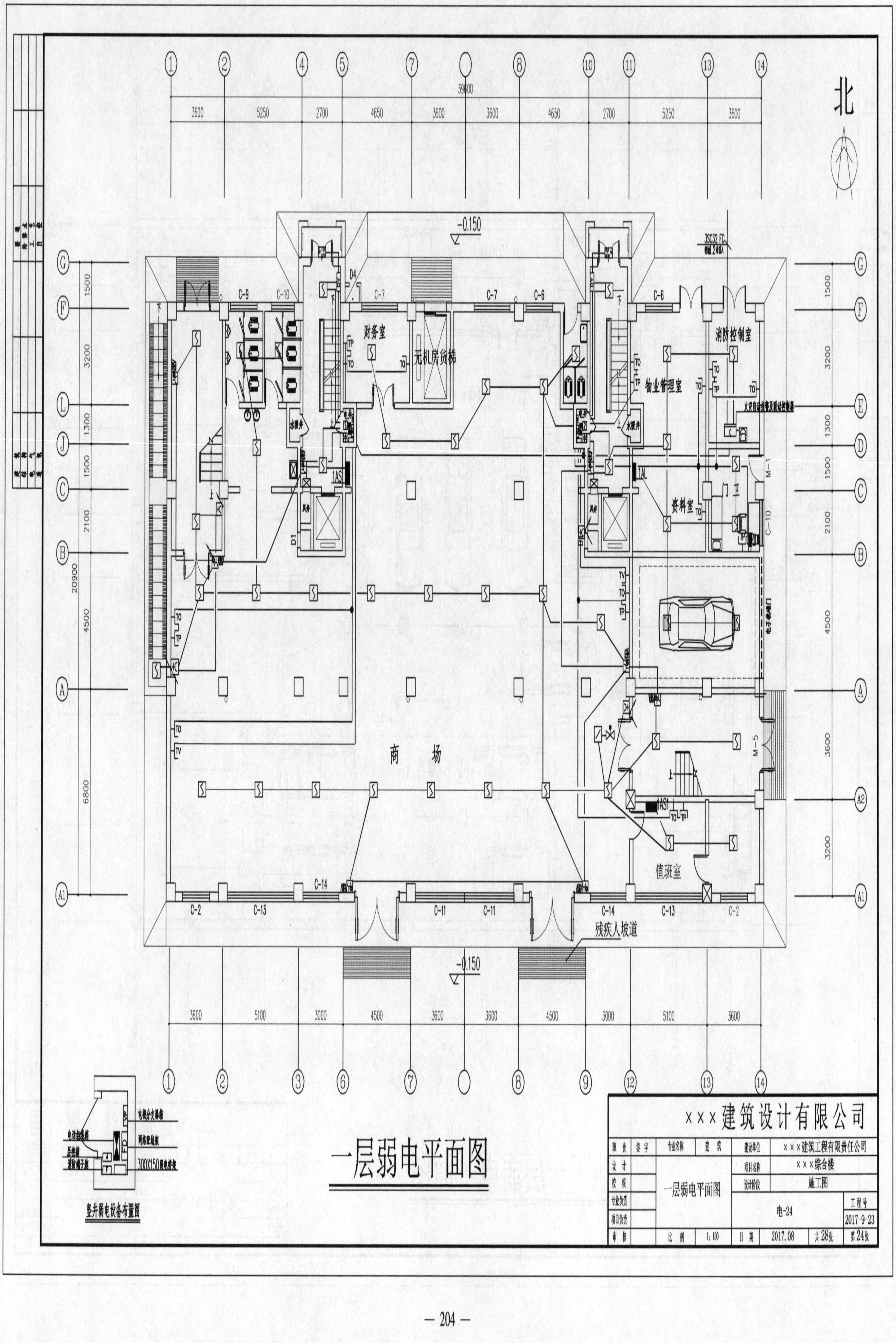

一层弱电平面图
竖井弱电设备布置图
300X150
北
财务室
无机房货梯
物业管理室
消防控制室
资料室
门卫
值班室
商　场
残疾人坡道
-0.150
×××建筑设计有限公司
×××建筑工程有限责任公司
×××综合楼
施工图
电-24
1:100
2017.08
2017-9-23
共28张
第24张

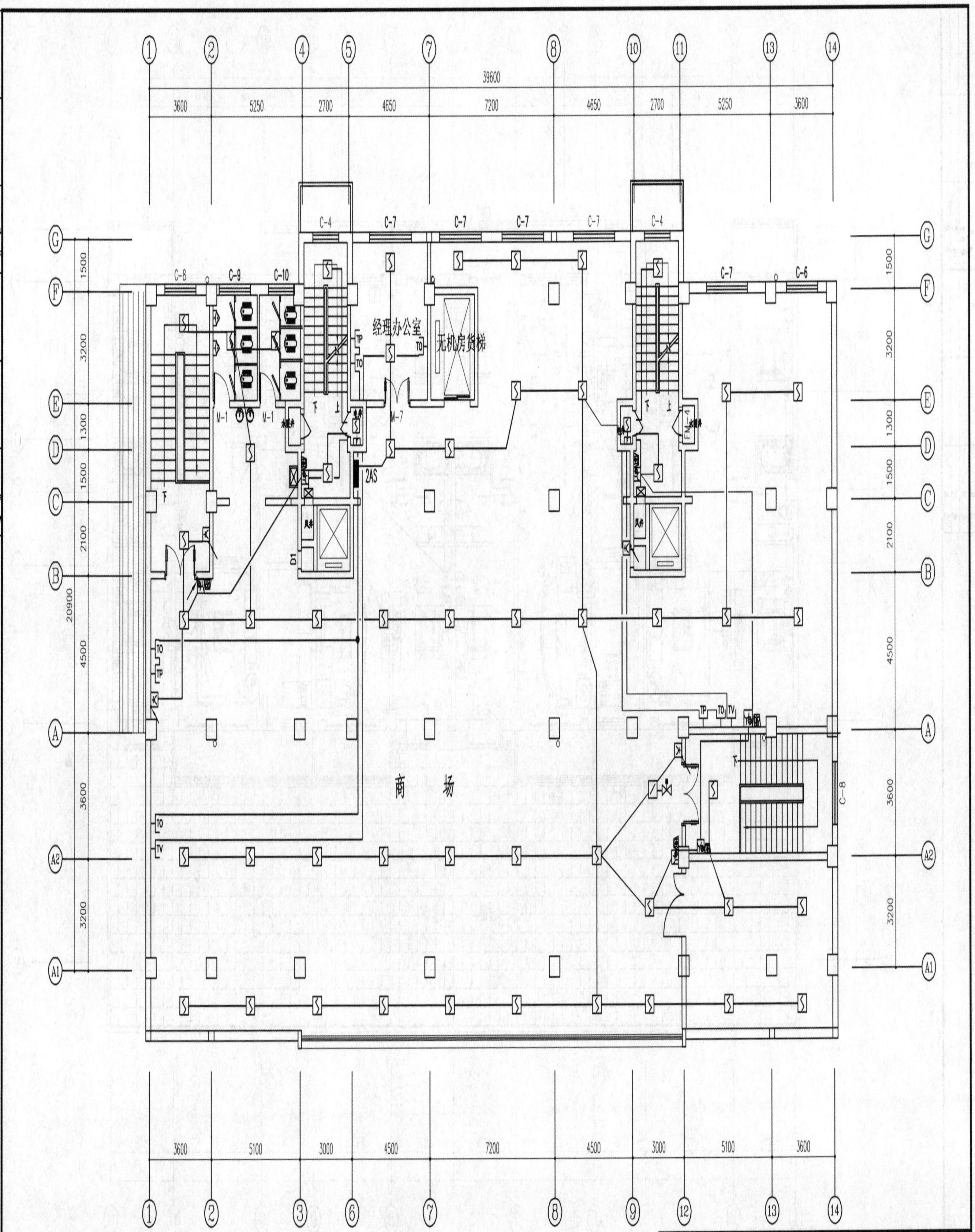

二层弱电平面图

×××建筑设计有限公司

审查 签字 | 专业名称 建筑 | 建设单位 ×××建筑工程有限责任公司

设计 | 项目名称 ×××综合楼

校核 | 二层弱电平面图 | 设计阶段 施工图

专业负责 | 电-25 | 工程号 2017-9-23

项目负责

审核 | 比例 1:100 | 日期 2017.08 | 共28张 | 第25张

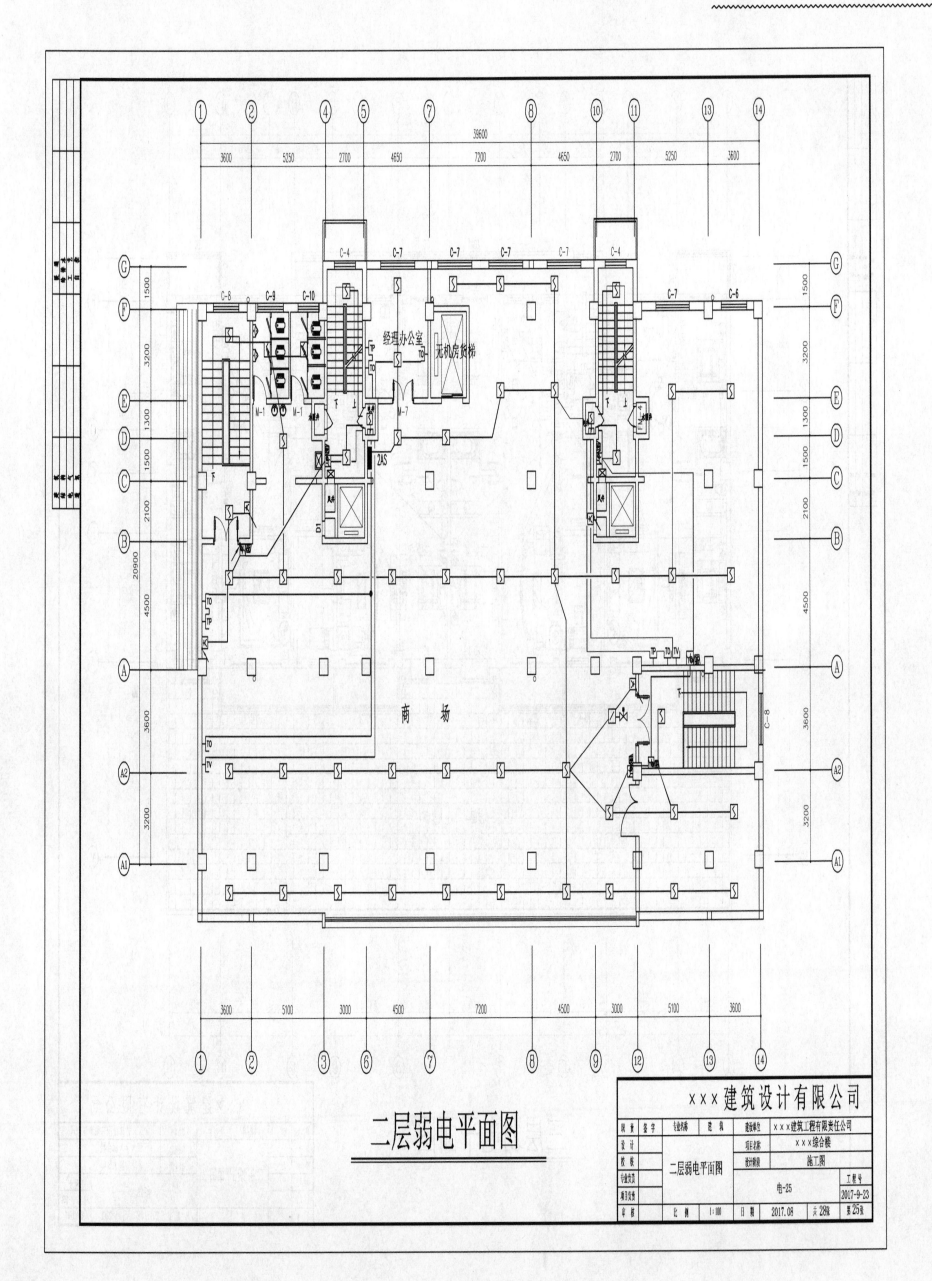

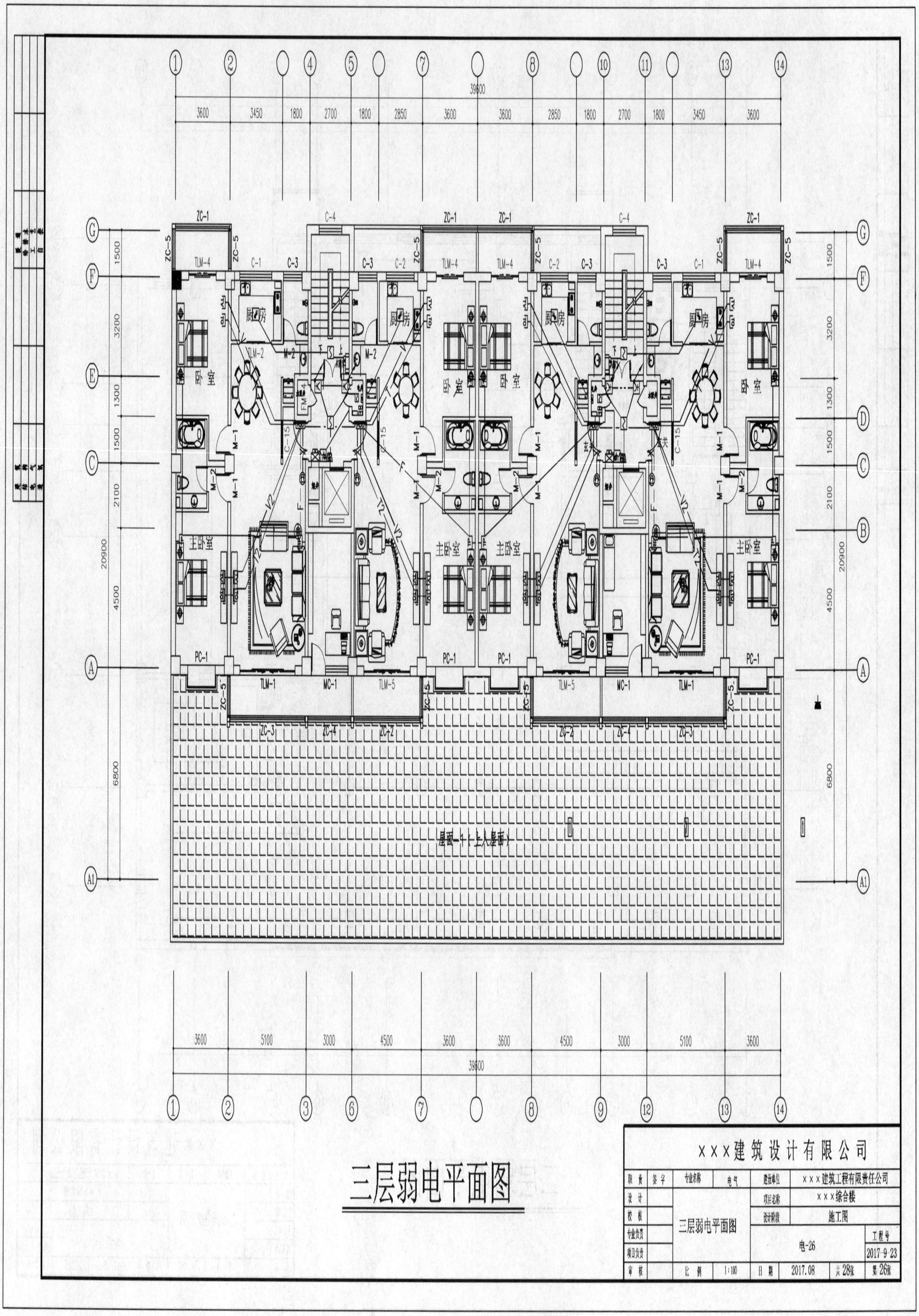
三层弱电平面图
×××建筑设计有限公司
专业名称 电气
建设单位 ×××建筑工程有限责任公司
项目名称 ×××综合楼
设计阶段 施工图
三层弱电平面图
电-26
工程号 2017-9-23
比例 1:100
日期 2017.08
共28张 第26张
屋面一（上人屋面）

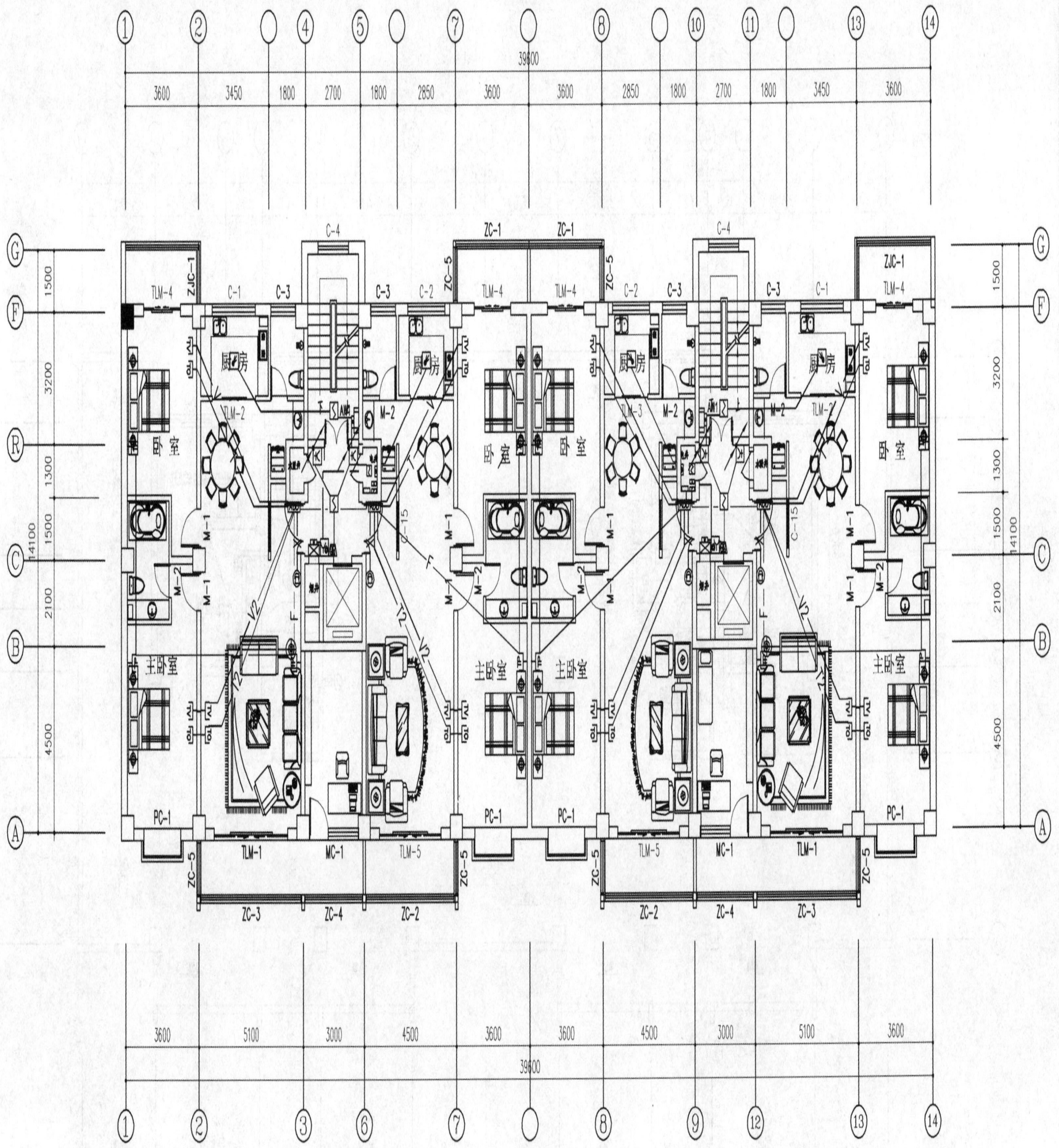

四至十六层弱电平面图

×××建筑设计有限公司							
职 责	签 字	专业名称	电气	建设单位	×××建筑工程有限责任公司		
设 计		四至十六层弱电平面图		项目名称	×××综合楼		
校 核				设计阶段	施工图		
专业负责				电-27			工程号
项目负责							2017-9-23
审 核		比 例	1:100	日 期	2017.08	共28张	第27张

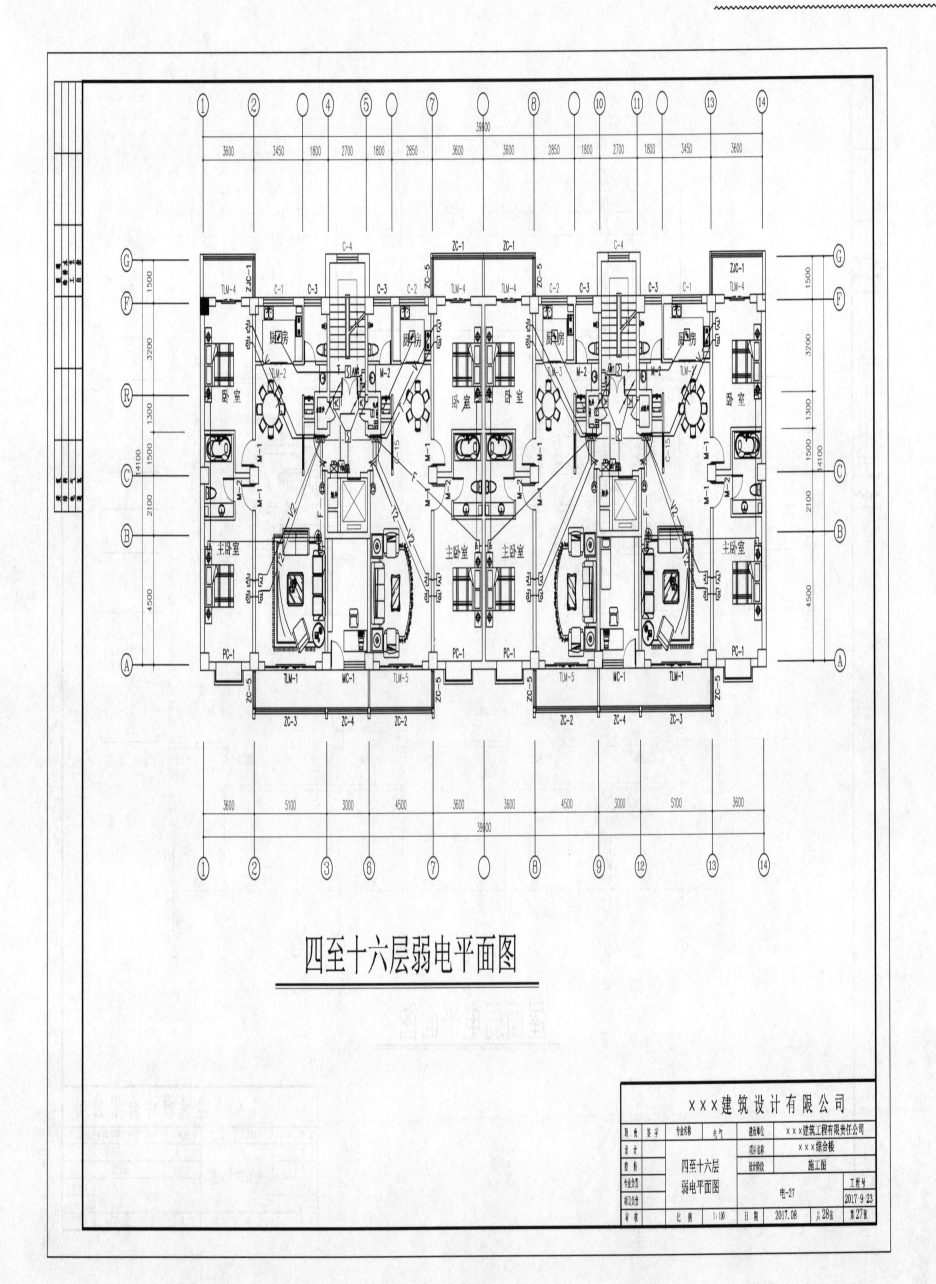

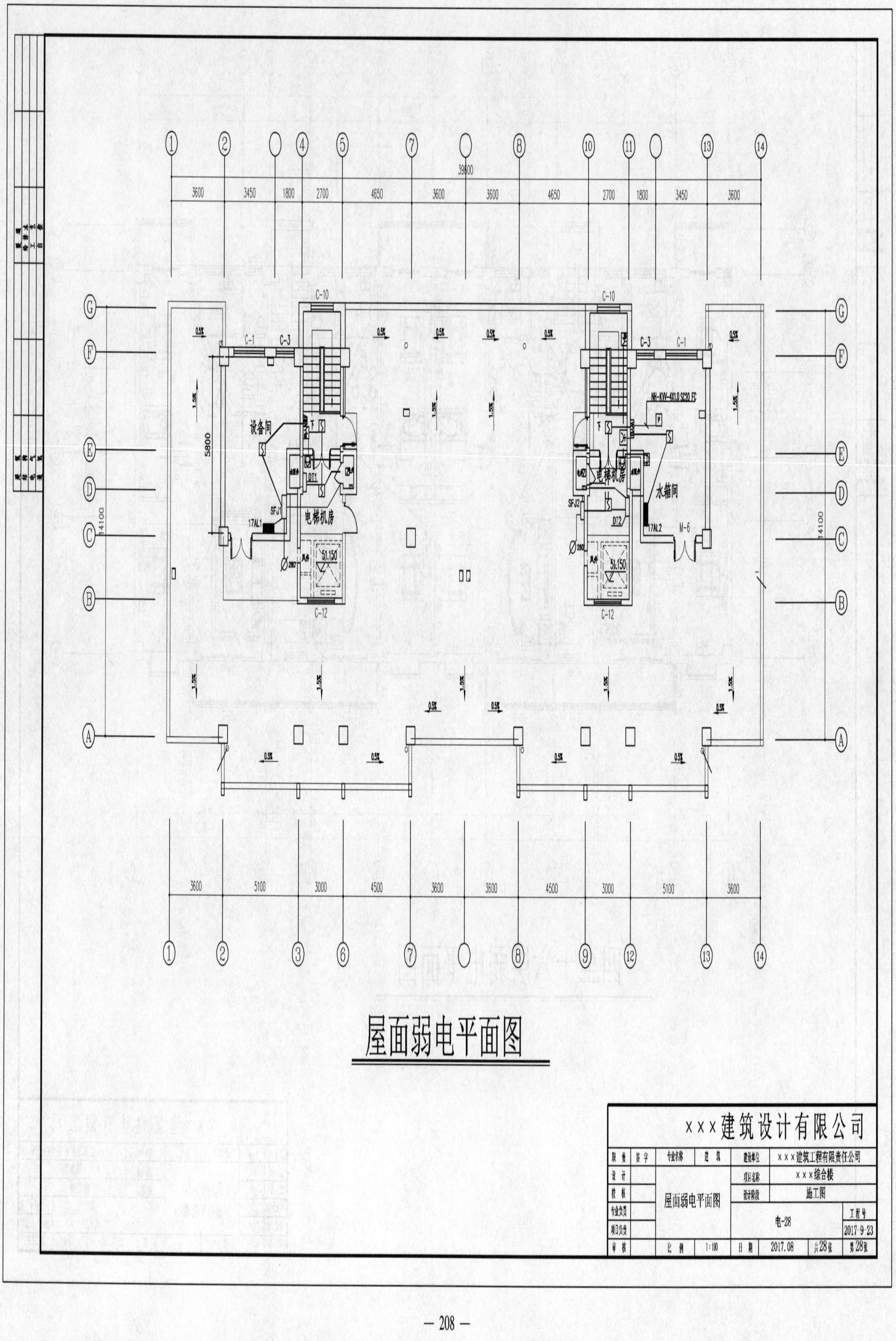
39900
3600
3450
1800
2700
4650
3600
3600
4650
2700
1800
3450
3600
C-10
C-1
C-3
0.5%
1.5%
5800
14100
设备间
电梯机房
水箱间
17AL1
17AL2
SFJ1
SFJ2
DT1
DT2
M-6
C-12
NH-KYV-4X1.0 SC20 FC
5100
3000
4500
屋面弱电平面图
×××建筑设计有限公司
专业名称
建筑
建设单位
×××建筑工程有限责任公司
项目名称
×××综合楼
设计阶段
施工图
屋面弱电平面图
电-28
工程号
2017-9-23
比例
1:100
日期
2017.08
共28张
第28张

附录Ⅱ 建筑工程施工图实例（钢结构）

×××药业有限责任公司

×××XYAOYE YOUXIAN ZEREN GONGSI

厂 房

CHANGFANG

工程号：2016-09-01

×××建筑设计有限责任公司

×××JIANZHU SHEJI YOUXIAN ZEREN GONGSI

建筑设计说明

一、设计依据

1.×××政府的立项批复;

2.建设方提供的设计委托书及地形图，用地范围红线图;

3.×××规划城建局批准的规划图;

4.建设方提供的使用要求;

5.×××提供的《岩土工程勘察报告》;

6.有关设计联络会议记要及各专业提出的技术要求和协作条件.

7.与建设方签订的建设工程设计合同;

8.建设方认可并同意根据方案设计直接进行施工图设计.

9.主要国家现行的有关规范规程:

a.《建筑设计防火规范》GB 50016—2006

b.《钢结构设计规范》GB5 0017—2003

c.《门式钢架轻型房屋钢结构技术规程》CECS102: 2002

二、工程概况

1.建设地点:×××县×××镇开发新区;

2.用地概貌: 南高北低、较为平坦;

3.主体合理使用年限: 50年;

4.维护结构使用年限: 25年;

5.仓库耐火等级: 丙类二级;

6.抗震设防烈度: 七度;

7.建筑层数与高度: 单层8.4m(柱顶);

8.结构形式: 门式钢架轻型结构;

9.结构构件安全等级: 二级;

10.建筑面积: 2160m^2.

三、设计范围

本工程设计范围包括建筑、结构，不含二装设计.

四、室内标高的确定

本工程室内外高差450; ±0.000现场确定.

五、施工要求

1.本工程应按国家颁布的现行规范、规程、标准及本工程图纸说明及选用的图集进行施工;

2.本工程采用的建筑材料及设备产品应符合国家有关法规及技术标准规定的质量要求;

3.屋面夹芯板（100厚）安装方法详见《压型钢板、夹芯板屋面及墙体建筑构造》(01J925-1)、(06J925-2)、(08J925-3)标准图集，墙体采用单层压型钢板复合保温墙体（竖向排板），内填玻璃棉保温层100厚;

4.所有1200mm高以下，基础梁上砌筑240厚多孔砖外墙，用MU10粘土多孔砖、M7.5砂浆砌筑，面砖饰面; 饰面后与夹芯板外墙面平齐.

5.在施工的过程中，各工种应密切配合，予留洞口、予埋铁件、管道穿墙、予埋套管等，不得在土建施工后随意打洞影响工程质量.

七、屋面工程

1.本工程屋面防水等级为Ⅲ级，屋面采用夹芯压型屋面保温板;

2.本工程屋面排水为有组织排水，屋面坡度为i=1/10;

3.屋面采用2.5mm厚的钢板挑檐天沟;

4.屋面避雷带的布置详电施.

八、门窗工程

1.按照GB7106-86规定及设计要求施工;

2.仓库塑钢门窗按图集01J925-1安装大样施工与安装;

3.彩钢夹芯板推拉门骨架及节点做法参照标准03J611-4图集《铝合金、彩钢、不锈钢夹芯板大门》.

九、建筑防火

1.本工程仓库防火等级为二级，生产类别为丙类，仓库安全出口数目、外门总宽度、仓库内最远点到外部出口的距离等均满足规范要求;

2.仓库钢结构梁、柱外涂H类钢结构隔热防火涂料以满足二级防火要求。各构件耐火极限如下(单位小时):

非承重外墙为0.5h 钢架柱2.5h

钢架梁1.5h 屋面板1.0h

防火涂料使用前，必须取得监理、甲方、设计单位的检验认可.

3.屋面、墙面夹芯板以满足二级防火要求，1.0h以上耐火极限: 屋面、墙面均选用岩棉夹芯板: 厚度100mm，耐火极限≥60min.

4.在仓库设置消火栓及内灭火器.

十、油漆工程

1.彩色涂层夹心钢板及构件无需漆饰面;

2.除彩钢构件外，其他钢构件均刷红丹二度打底，再刷灰色调和漆二度罩面.

十一、其他

1.建筑物四周设1500m宽散水坡;

2.4m宽绿化道牙外设排水暗沟，接入厂区室外雨水管网系统;

3.本工程总平面图及所有标高尺寸以m为单位，其余以mm为单位;

4.本说明未详尽处，请按有关规范、规定及有关标准图集执行.

门窗表

类型	设计编号	洞口尺寸(mm)	数量	图集名称	页次	选用型号	备注
推拉门	M5050	5000X5000	4	01J925-1	74		夹芯板推拉门构造由生产厂家提供
普通窗	C3036	3000X3600	16	甘02J06-3	37	CSTZ-18	塑钢推拉窗（竖向两组组合）
	C6012	6000X1200	16	甘02J06-3	36	CSTZ-10	塑钢推拉窗（水平两组组合）
	C6015	6000X1500	4	甘02J06-3	36	CSTZ-14	塑钢推拉窗（水平两组组合）

工程材料做法表

项目	名称	标准图集编号	使用部位	备注
屋面	夹芯板不上人屋面	01J925-1	屋面	100厚岩棉夹芯板; 面材厚度0.6mm; 面密度20.1Kg/m^2, 夹芯板外面天蓝色钢板，里面为乳白色钢板.
挑檐	屋面屋面板檐口	01J925-1-56-①	檐口	颜色同屋面
雨棚	夹芯板雨棚	01J925-1-72	雨棚	颜色同屋面
内粉刷	水泥砂浆踢脚	甘02J01-90-踢3	仓库内四周	高度为120、外刷一底二度棕色调和漆
外墙	单层压型钢板复合保温墙体（竖向排板）	01J925-2	1200高以上墙体	单层压型钢板玻璃棉保温层墙体、外板面均为乳白色.
	外墙面砖饰面	甘02J01-22-外3	1200高以下	灰色外墙砖贴面
地面	耐磨彩色混凝土地面	甘02J01-43-地15		专用设备打磨压光（0.3%找坡，破向门口）
其它	散水	甘02J01-19-散3		宽1.5米
	坡道	甘02J01-15-坡4	门洞入口	水泥防滑坡道，宽4米

图纸目录

序号	图号	图纸名称
1	建施-01	建筑设计说明、门窗表、工程做法表
2	建施-02	平面图
3	建施-03	正立面图(背立面图)1—1剖面图
4	建施-04	屋面平面图
5	钢结施-01	结构设计说明
6	钢结施-02	基础平面布置图 基础详图
7	钢结施-03	柱脚锚栓布置图
8	钢结施-04	钢架、屋面支撑、刚性系杆布置图
9	钢结施-05	GJ-1钢架施工详图
10	钢结施-06	GJ-2钢架施工详图
11	钢结施-07	柱间支撑、墙架、檩条布置图
12	钢结施-08	屋面支撑、刚性系杆柱间支撑施工详图
13	钢结施-09	屋面檩条、拉条、隅撑布置图
14	钢结施-10	屋面檩条、拉条、隅撑施工详图
15	钢结施-11	①、⑪轴墙梁、拉条、墙柱施工详图
16	钢结施-12	Ⓐ、Ⓒ轴墙梁、拉条 隅撑、墙柱施工详图
17	钢结施-13	抗风柱施工详图 柱脚安装节点图

×××建筑设计有限公司							
职责	签字	专业名称	建筑	建设单位	×××药业有限责任公司		
设计		建筑设计说明 门窗表、工程做法表		项目名称	厂房		
校核				设计阶段	施工图		
专业负责				建施-1			工程号
项目负责							2016-09-1
审核		比例	1:100	日期	2016.9	共4张	第1张

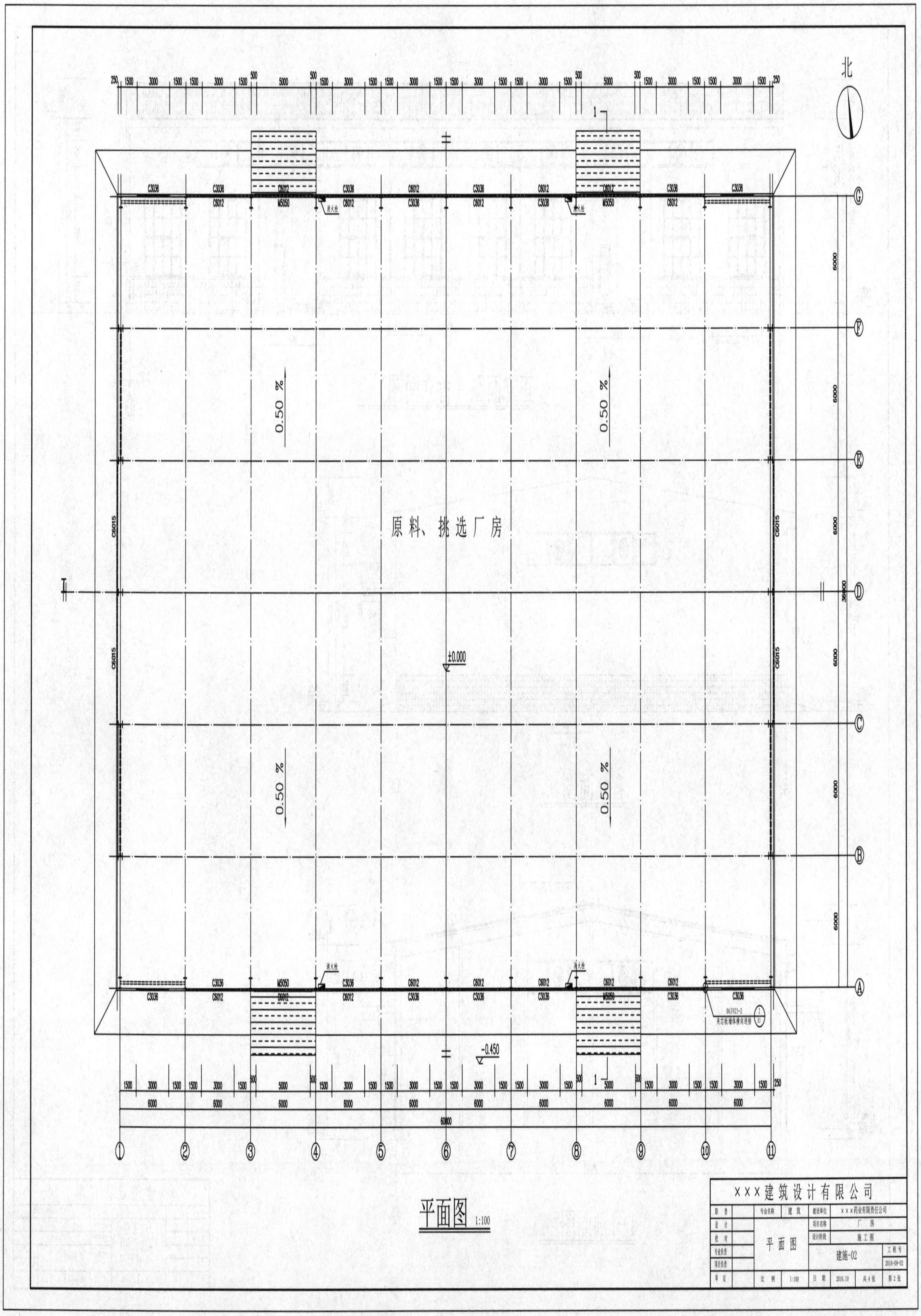
北
原料、挑选厂房
0.50 %
0.50 %
0.50 %
0.50 %
±0.000
-0.450
C3036
C6012
M5050
C6015
6000
36000
60000
1
①
②
③
④
⑤
⑥
⑦
⑧
⑨
⑩
⑪
Ⓐ
Ⓑ
Ⓒ
Ⓓ
Ⓔ
Ⓕ
Ⓖ
平面图 1:100
×××建筑设计有限公司
平面图
建施-02
1:100

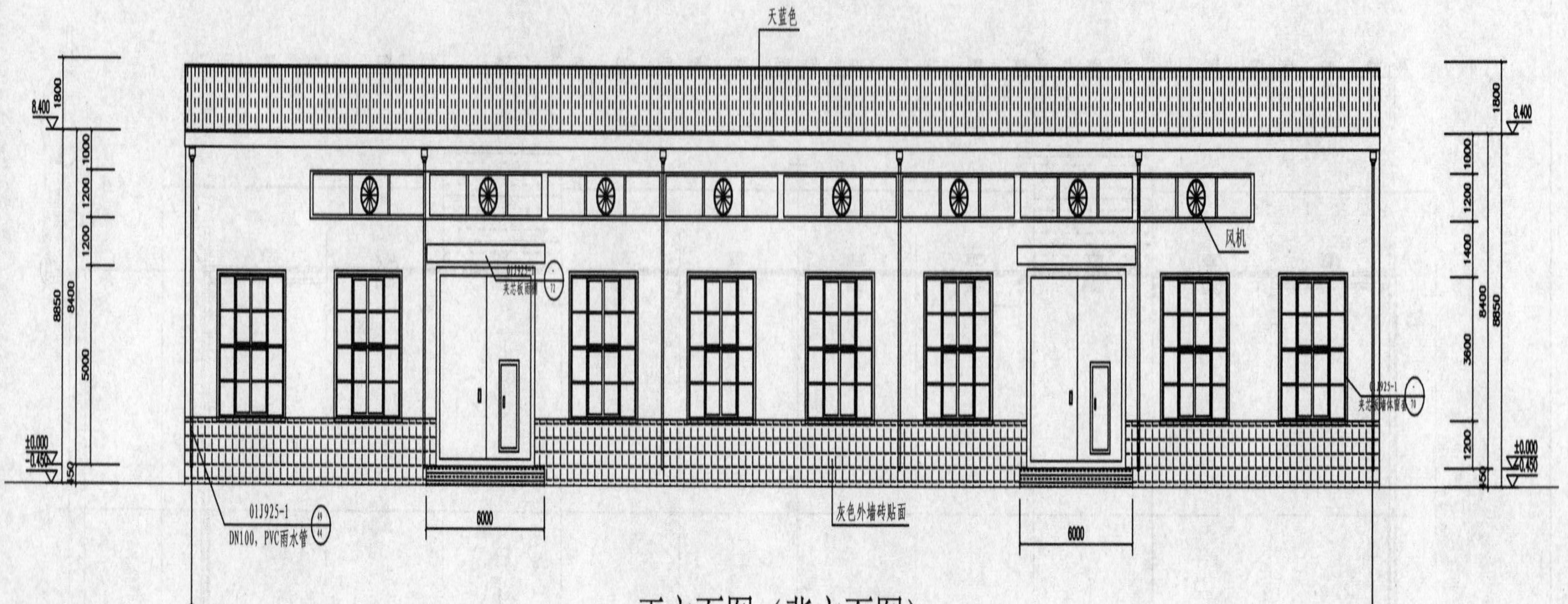

正立面图（背立面图） 1:150

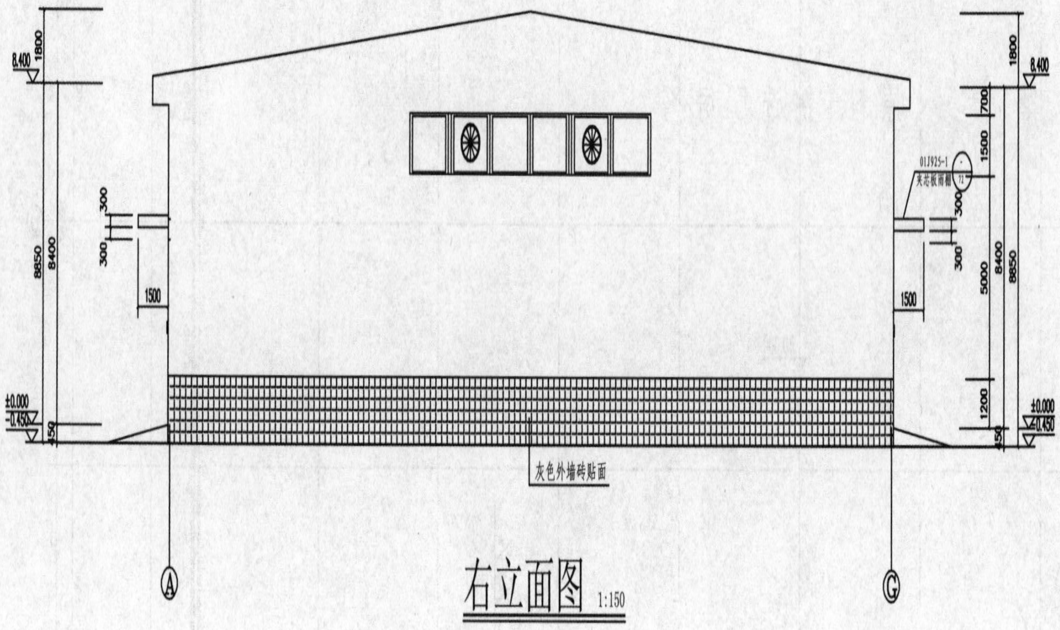

右立面图 1:150

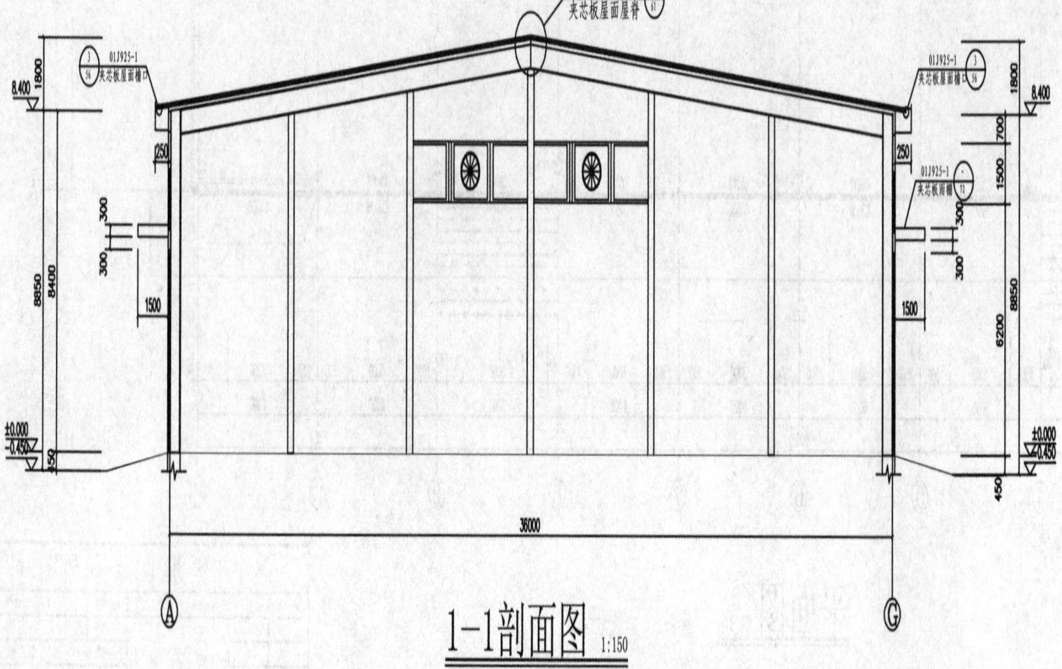

1-1剖面图 1:150

×××建筑设计有限公司							
职　责		专业名称	建　筑	建设单位	×××药业有限责任公司		
设　计		正立面图 (背立面图) 1-1 剖面图		项目名称	厂　房		
校　对				设计阶段	施工图		
专业负责				建施-03			工程号
项目负责							2016-09-02
审　定		比　例	1:100	日　期	2016.10	共 4 张	第 3 张

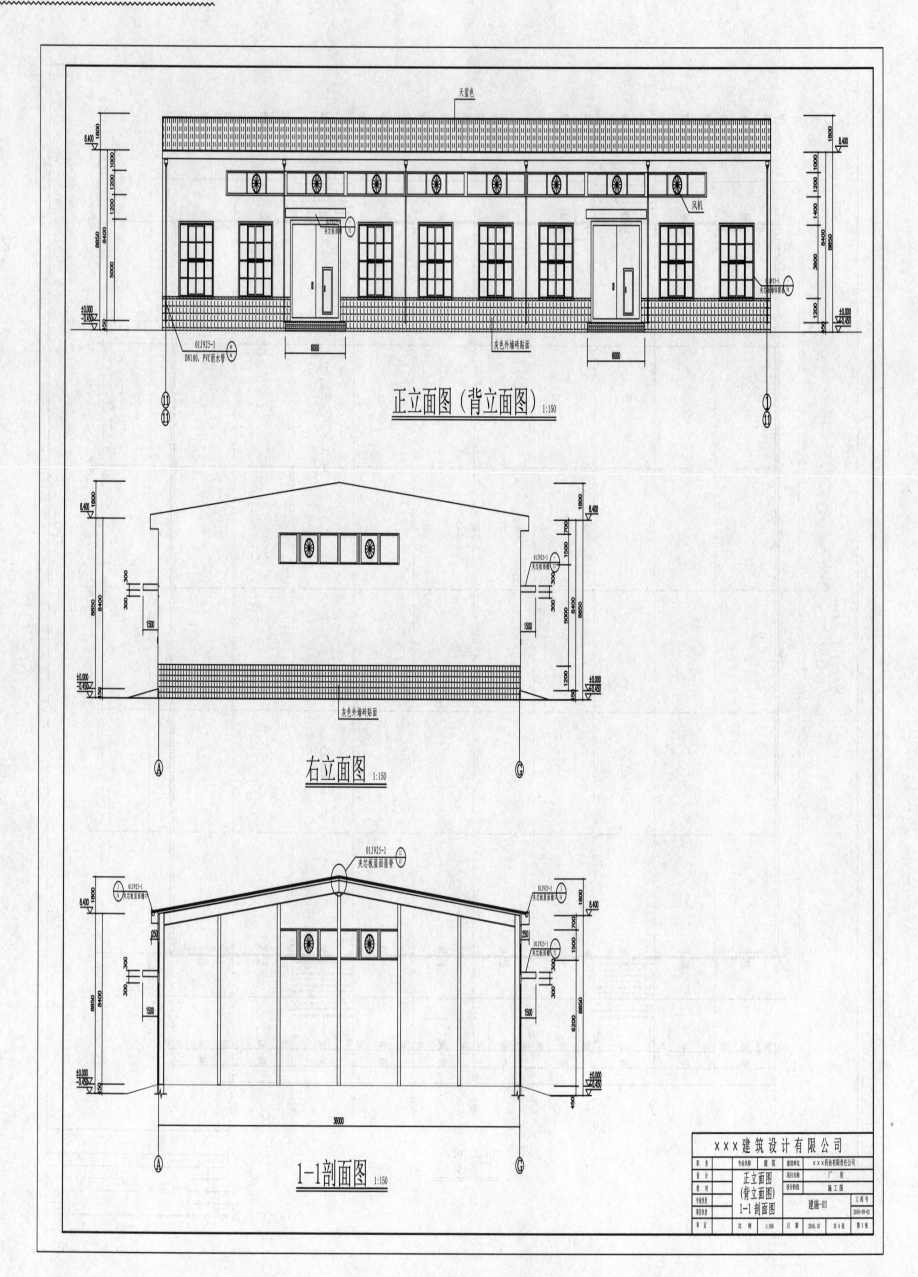

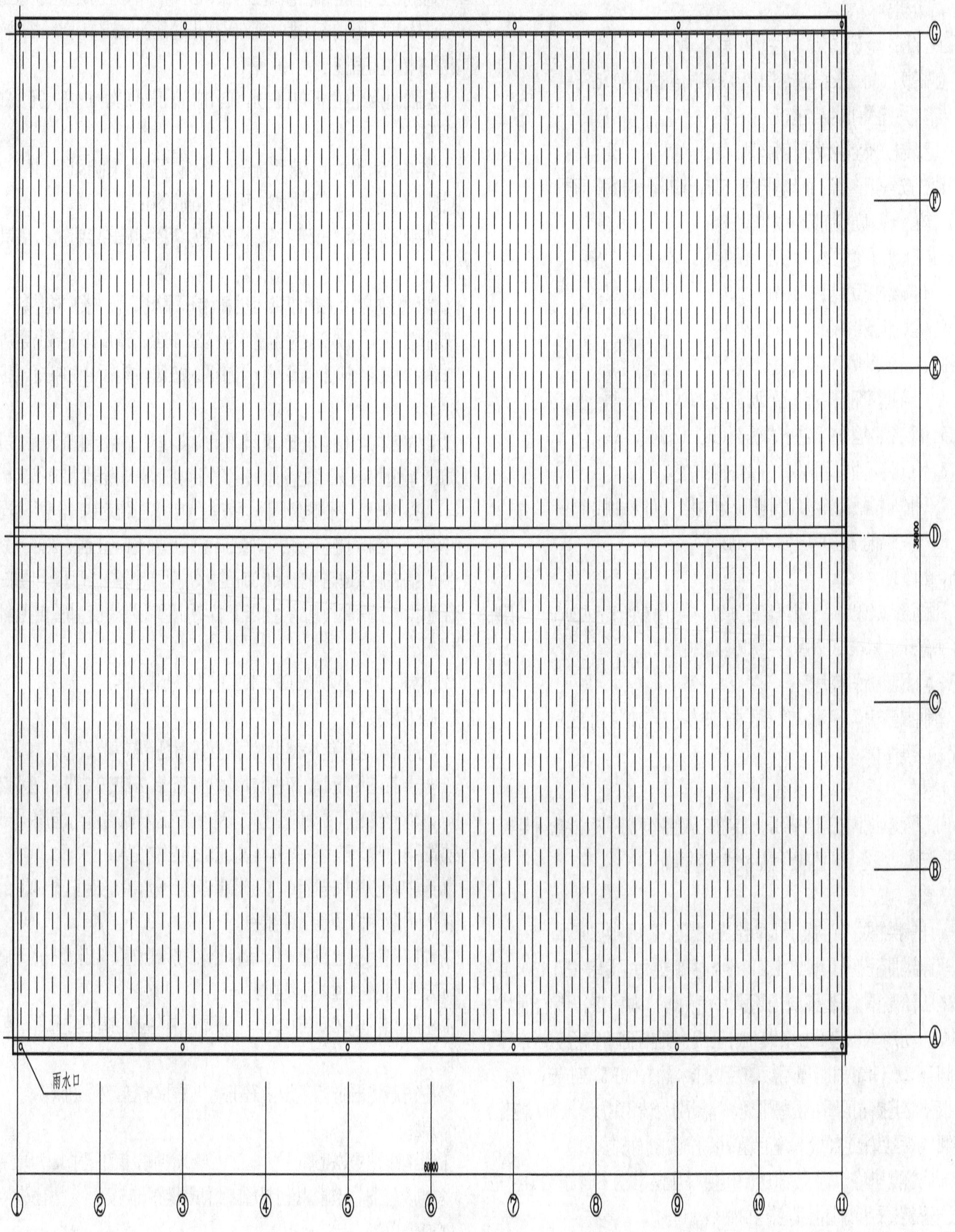

屋面平面图 1:100

×××建筑设计有限公司							
职 责		专业名称	建 筑	建设单位	×××药业有限责任公司		
设 计		屋面平面图		项目名称	厂 房		
校 对				设计阶段	施工图		
专业负责				建施-04			工程号
项目负责							2016-09-02
审 定		比 例	1:100	日 期	2016.10	共 4 张	第 4 张

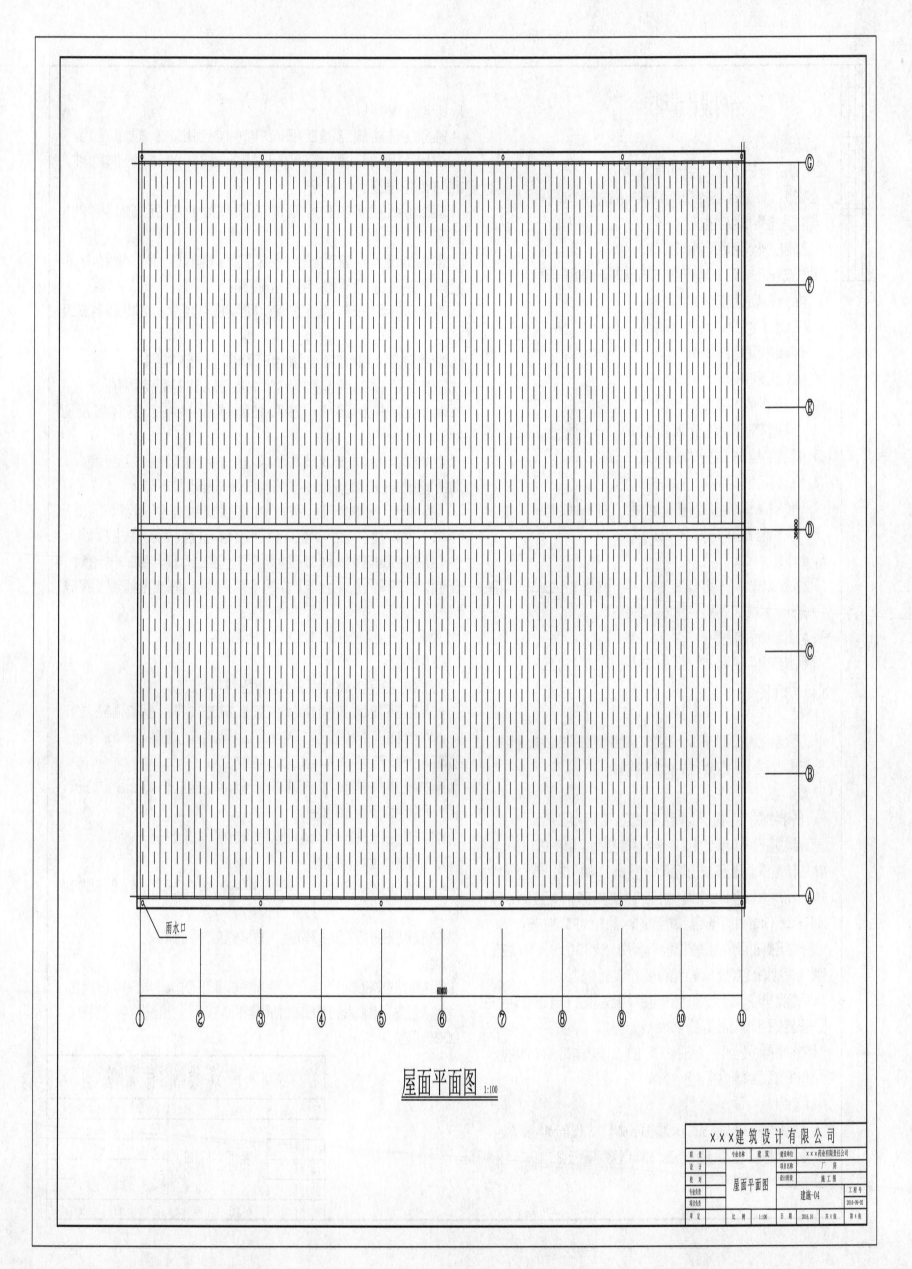

结构设计说明

一、工程概况

工程名称：×××药业有限公司《中药材厂房》；

仓库跨度为36m，总长度为60m；檐口高度为8.40m，屋面坡度为0.10；

结构体系：轻型门式刚架结构。

二、建筑结构的安全等级及设计使用年限

建筑物安全等级：二级；设计使用年限：50年；建筑抗震设防类别：丙类。

三、本工程±0.000相对的绝对标高为2386.29m。

四、本工程设计所遵循的标准、规范、规程

1.《建筑结构荷载规范》(GB 50009-2001)

2.《建筑抗震设计规范》(GB 50011-2010)

3.《钢结构设计规范》(GB 50017-2003)

4.《冷弯薄壁型钢结构技术规范》(GB 50018-2002)

5.《门式刚架轻型房屋钢结构技术规程》(CECS 102:2002)

6.《门式刚架轻型房屋钢构件》(JG 144-2002)

7.《钢结构高强度螺栓连接的设计施工及验收规程》(JGJ 82-1991)

8.《建筑钢结构焊接规程》(JGJ 181-2002)

五、设计荷载

屋面恒载：0.30kN/m^2；计算檩条活载：0.50kN/m^2；计算刚架活载：0.30kN/m^2；雪荷载：0.30kN/m^2；积灰荷载：0.00kN/m^2；基本风压：0.50kN/m^2。

六、本工程设计所采用的程序

采用中国建筑科学研究院编制的《钢结构CAD软件-STS》(2011年3月版)。

七、主要结构材料

1.钢材：

门式钢架选用的钢材应符合GB700-88规定的Q235B级钢化学成分和机械性能。刚架梁、柱、支撑，均采用Q235B钢，檩条采用卷边槽型冷弯型钢；

2.螺栓：

a.门式钢架的梁柱节点均采用承压型连接的高强螺栓；强度级别为10.9级；

《钢结构用高强度垫圈》(GB/T 1230)、《钢结构用高强度大六角螺母》GB/T 1229、高强度螺栓应符合现行国家标准《钢结构用高强度大六角头螺栓》GB/T 1228、《钢结构用大六角头螺栓、大六角螺母、垫圈技术条件》(GB/T 1231)、《钢结构用扭剪型高强度螺栓连接副》GB/T 3632或《钢结构用扭剪型高强度螺栓连接副技术条件》GB/T 3633的规定。

高强螺栓连接钢材的摩擦面处理采用钢丝刷清除浮锈，抗滑移系数$\mu \geqslant 0.30$，并应符合《钢结构高强度螺栓连接的设计、施工及验收规程》(JGJ82)的规定。

b.门式钢架与檩条、墙梁、支撑以及板材连接均采用性能等级为4.6级的普通螺栓；柱底板与基础连接采用Q235锚栓，均应符合GB3098.1-2000规定。

3.锚栓：锚栓除另有注明外，均采用Q235钢，应符合《碳素结构钢》GB/T 700的规定。柱脚锚栓均采用双螺母，螺栓直径：4个M36。

4.焊接材料

a.手工焊的焊条应符合GB/T 5117《碳钢焊条》或GB/T 5118《低合金钢焊条》规定；

b.埋弧焊用的碳钢焊丝与焊剂应符合GB/T 5293《埋弧焊用碳》及GB/T 14957《熔化焊用钢丝》的规定。

八、钢结构的加工制作要求

1.钢结构加工制作前应编制工艺和施工组织设计，在制作中宜实施工序质量控制，建立质量保证体系；

2.门式钢架房屋钢结构施工过程中使用的计量器具，必须经计量法定单位验证合格，并在有效期内制作，安装与验收（包括基础施工单位）统一用尺；

3.选用的钢材除须具有出厂合格证书外，在下料前应进行抽样复验，证明符合规范要求的质量标准的材料方可下料；

4.钢构件加工前要放大样，校核尺寸准确后方可下料，下料时宜采用自动切割机切割；当钢板为18mm厚以上时，宜采用精密切割，确有困难时，可采用火焰切割下料；

5.焊接应采用自动焊接机或半自动焊接机进行焊接，对接焊缝应采用全熔透焊缝，其焊缝质量等级按二级检验；

6.焊接H型钢的翼缘板和腹板的拼接焊缝应相互错开，翼缘板只允许在长度方向拼接；

7.门式刚架宜采用喷射和抛射除锈，除锈等级为Sa2 1/2级，防腐蚀涂料应与除锈等级相匹配；

8.涂层分为底漆、中间漆和面漆。第一道防锈漆必须在钢构件除锈后4小时内进行。涂层干漆膜总厚度室内为125μm；

9.工地安装焊接焊缝两侧30~50mm范围暂不涂刷油漆，施焊完，经质量检查合格后，方可进行涂装；

10.冷弯薄壁型钢檩条和墙梁宜采用热浸镀锌的带钢加工而成。其镀锌量为250~275g/m^2。

11.高强度螺栓设计要求的强度级别进厂后在施工前应对高强螺栓连接副（含螺栓、螺母和垫圈）实物进行检验和复验，合格后才能进行安装；10.9级的高强螺栓硬度不允许超过上限。必须按批保证扭矩系数供货，同时连接副的扭矩系数标准偏差应≤0.010；应检验摩擦面抗滑移系数能否达到设计要求。对试验值低于设计值时，摩擦面需重新处理，使达到设计要求；对扭剪型高强度螺栓连接副重点检验紧固轴力是否符合设计要求。

12.钢结构制作质量必须符合GB50205-2011规定及相关标准的规定。

九、钢结构安装要求：

1.柱子安装前，应对所有柱脚螺栓的空间位置的准确性进行核对和校正。

2.安装顺序：应从靠近山墙的有柱间支撑的两榀钢架开始，在钢架安装完毕后，应将其间的檩条、支撑、拉条、隅撑等全部装好，并检查垂直度和方正度，然后以这两榀钢架为起点，向房屋另一端安装。螺栓应在校准后再行拧紧。钢架调整完毕后，全部高强度螺栓应终拧完毕。

3.钢结构单元及逐次安装过程中，应及时调整消除累计偏差，使总安装偏差最小以符合设计要求。任何安装孔均不得随意割扩，不得更改螺栓直径。

4.钢柱安装前，应对全部柱基位置、标高、轴线、地脚锚栓位置、伸出长度进行检查并验收。

5.未注明定位的柱、梁均为轴线居中。

6.柱子在安装完毕后必须将锚栓垫板与柱底板焊牢，锚栓垫板及螺母必须进行点焊，点焊不得损伤锚栓母材。

7.檩条与角钢肢托的连接和拉条与拉条的连接，应采用螺栓连接，不得采用焊接。

十、其他：

1.钢结构的防火要求按建筑说明进行施工；2.未特殊注明时，施工图尺寸以mm为单位，标高以m为单位；3.总说明和施工图不一致时，以施工图为准；4.门式钢架的制作与安装可参见《门式钢架轻型房屋钢结构》(02SG518-1)。

×××建筑设计有限公司							
职责	签字	专业名称	结构	建设单位	×××药业有限责任公司		
设计		结构设计说明		项目名称	厂房		
校核				设计阶段	施工图		
专业负责				钢结施-01			工程号
项目负责							2016-9
审核		比例	1∶100	日期	2016.9	共13张	第1张

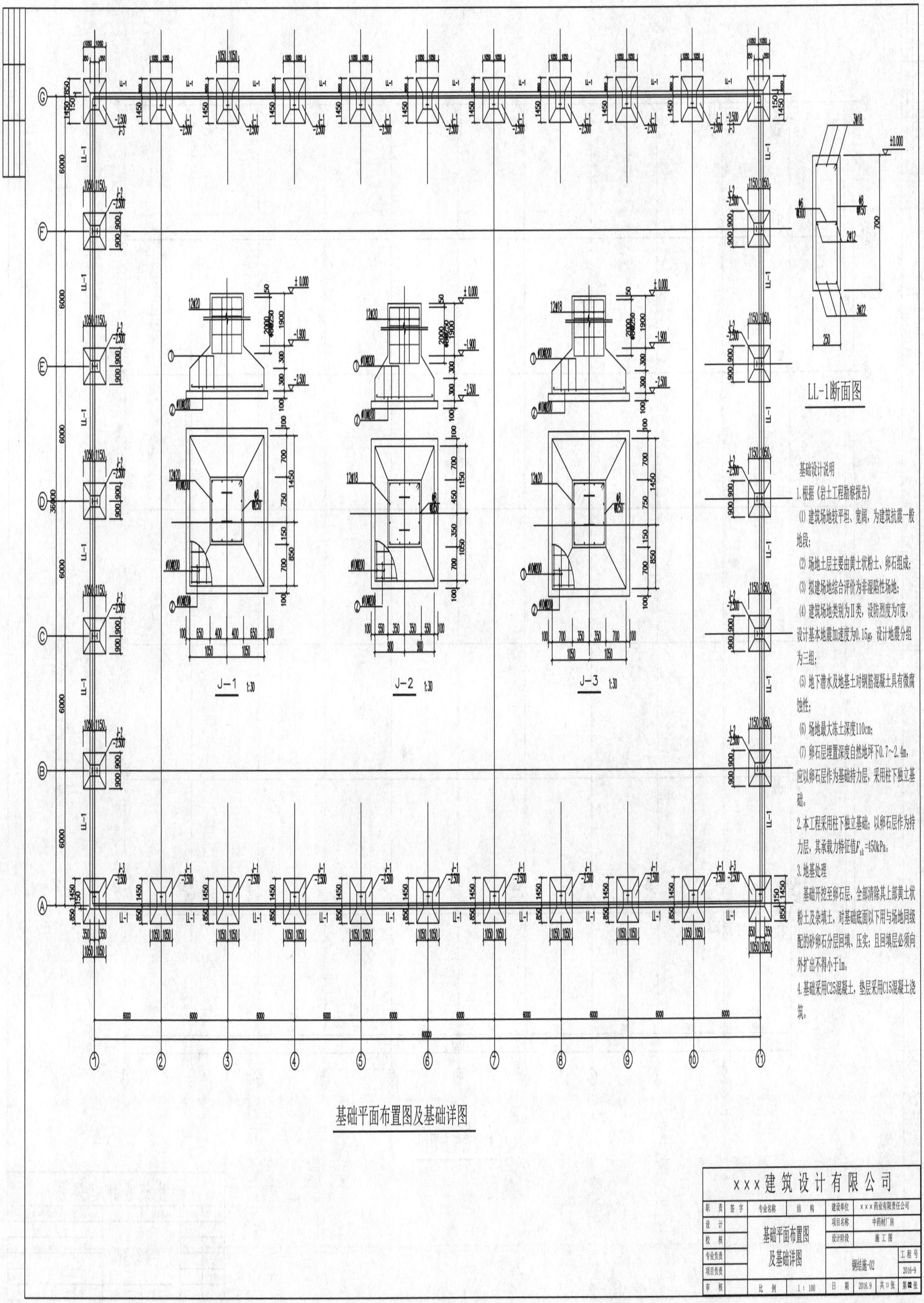

基础设计说明

1. 根据《岩土工程勘察报告》

(1) 建筑场地较平坦、宽阔，为建筑抗震一般地段；

(2) 场地土层主要由黄土状粉土、卵石组成；

(3) 拟建场地综合评价为非湿陷性场地；

(4) 建筑场地类别为Ⅱ类，设防烈度为7度，设计基本地震加速度为0.15g，设计地震分组为三组；

(5) 地下潜水及地基土对钢筋混凝土具有微腐蚀性；

(6) 场地最大冻土深度110cm；

(7) 卵石层埋置深度自然地坪下0.7～2.4m，应以卵石层作为基础持力层，采用柱下独立基础。

2. 本工程采用柱下独立基础：以卵石层作为持力层，其承载力特征值F_{ak}=450kPa。

3. 地基处理

基础开挖至卵石层，全部清除其上部黄土状粉土及杂填土，对基础底面以下用与场地同级配的砂卵石分层回填、压实；且回填层必须向外扩出不得小于1m。

4. 基础采用C25混凝土，垫层采用C15混凝土浇筑。

×××建筑设计有限公司							
职　责	签　字	专业名称	结　构	建设单位	×××药业有限责任公司		
设　计		基础平面布置图及基础详图		项目名称	中药材厂房		
校　核				设计阶段	施 工 图		
专业负责				钢结施-02			工程号
项目负责							2016-9
审　核		比　例	1：100	日　期	2016.9	共13张	第02张

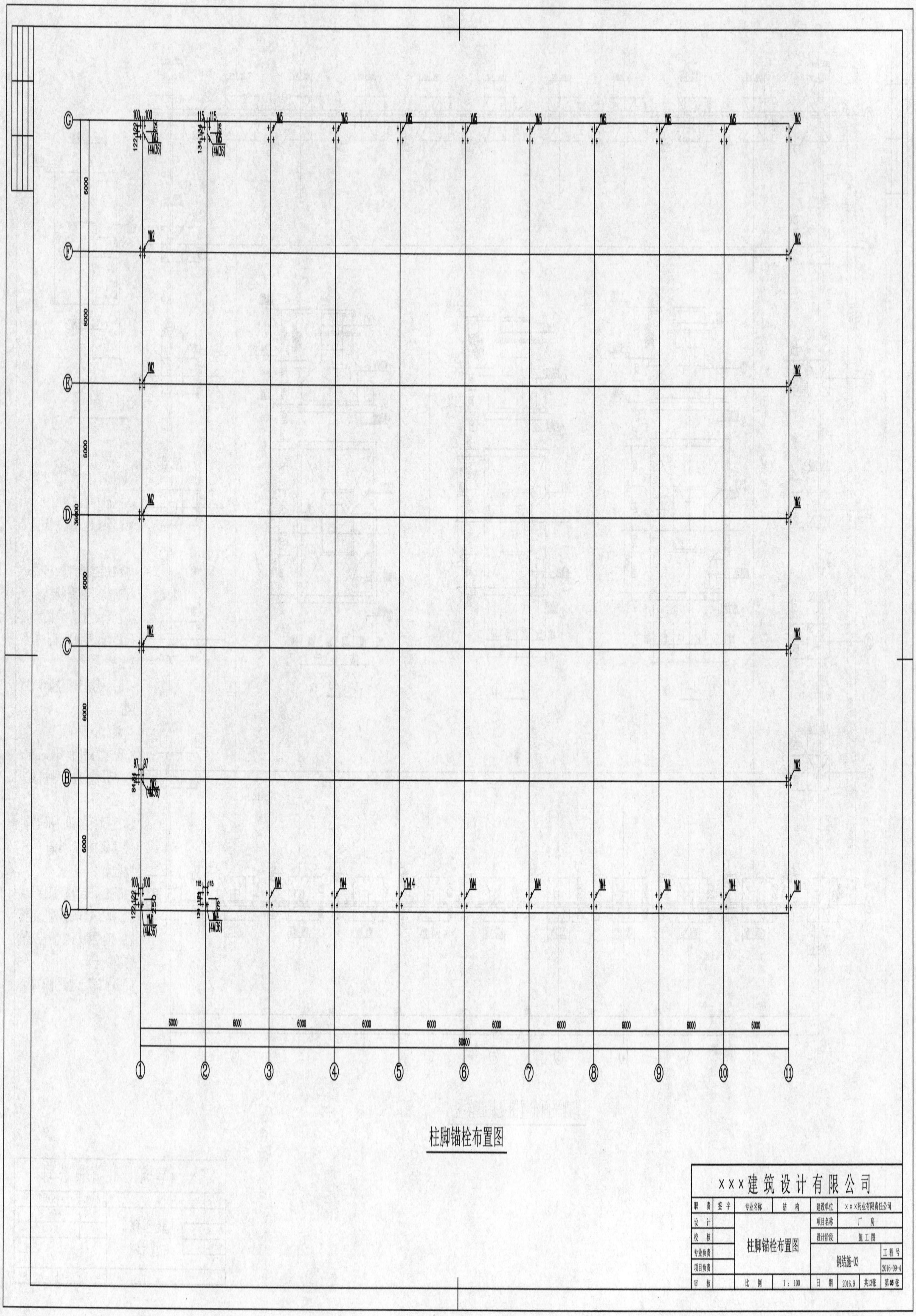
柱脚锚栓布置图
×××建筑设计有限公司
职 责
签 字
专业名称
结 构
建设单位
×××药业有限责任公司
设 计
校 核
专业负责
项目负责
审 核
项目名称
厂 房
设计阶段
施工图
柱脚锚栓布置图
钢结施-03
工程号
2016-09-4
比 例
1：100
日 期
2016.9
共13张
第03张
6000
36000
60000
YM1
YM2
YM3
YM4
YM5
(4M36)
1
2
3
4
5
6
7
8
9
10
11
A
B
C
D
E
F
G

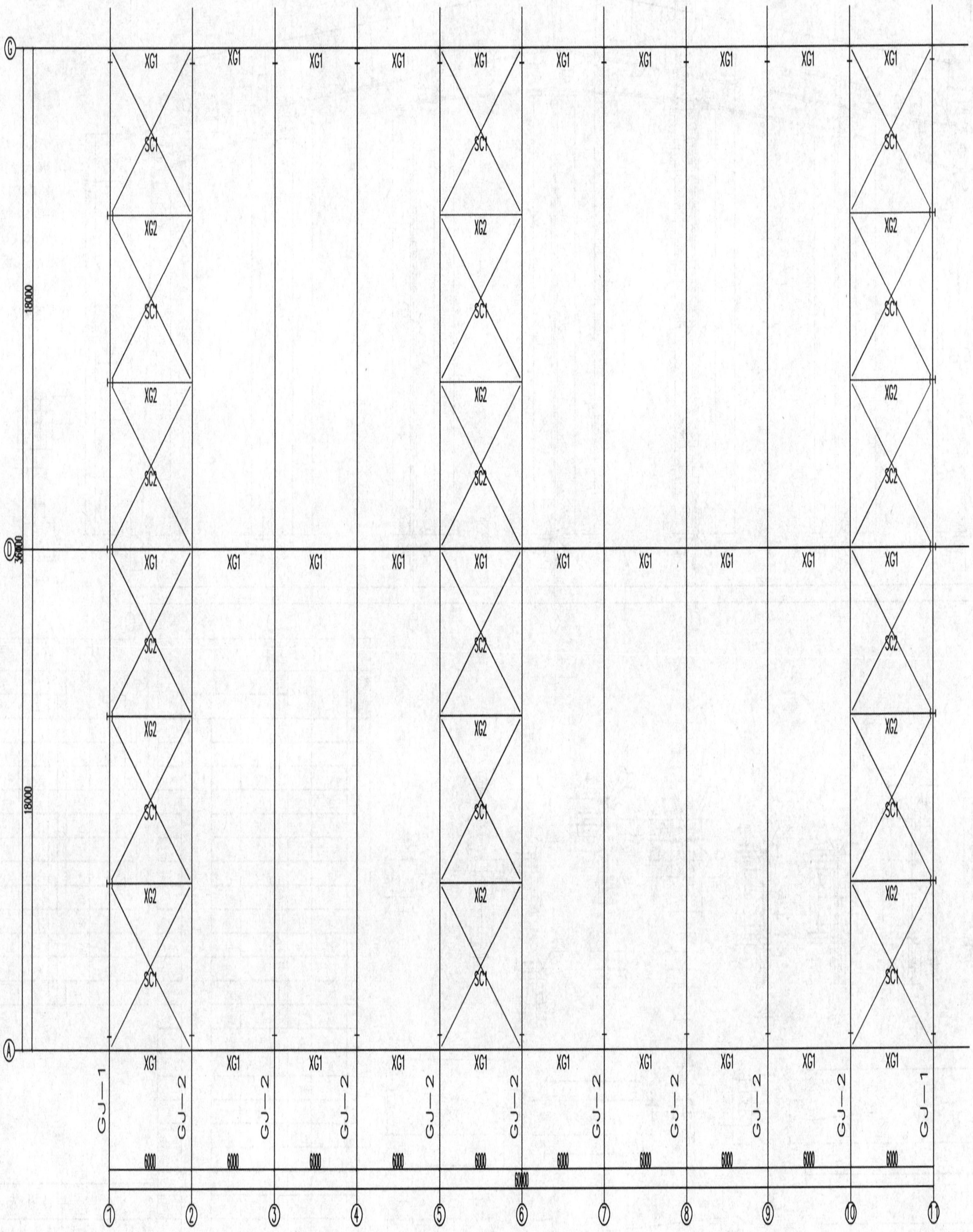

钢架、屋面支撑、刚性系杆布置图 1:100

构件表						
标号	名称	图号	数量	重量/kg		连接方法
				单重	总重	
SC1	屋面支撑	钢施-8	12			普通螺栓
SC2	屋面支撑	钢施-8	6			普通螺栓
XG1	刚性系杆	钢施-8	30			普通螺栓
XG2	刚性系杆	钢施-8	12			普通螺栓
总计			60			

×××建筑设计有限公司							
职　责	签　字	专业名称	结　构	建设单位	×××药业有限责任公司		
设　计		钢架、屋面支撑、刚性系杆布置图		项目名称	厂　房		
校　核				设计阶段	施 工 图		
专业负责				钢结施-04			工 程 号
项目负责							2016-09-4
审　核		比　例	1 ： 100	日　期	2016.9	共13张	第04张

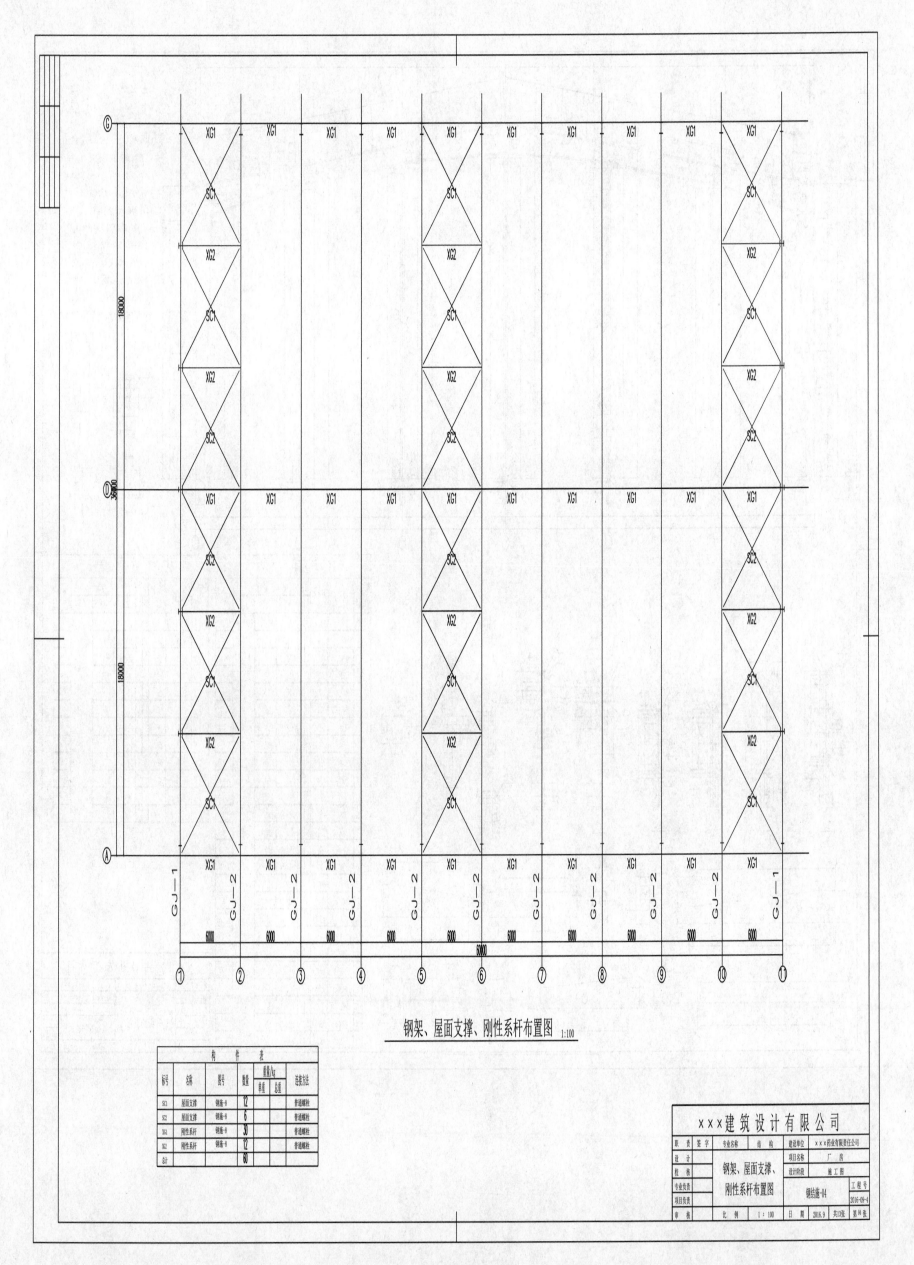

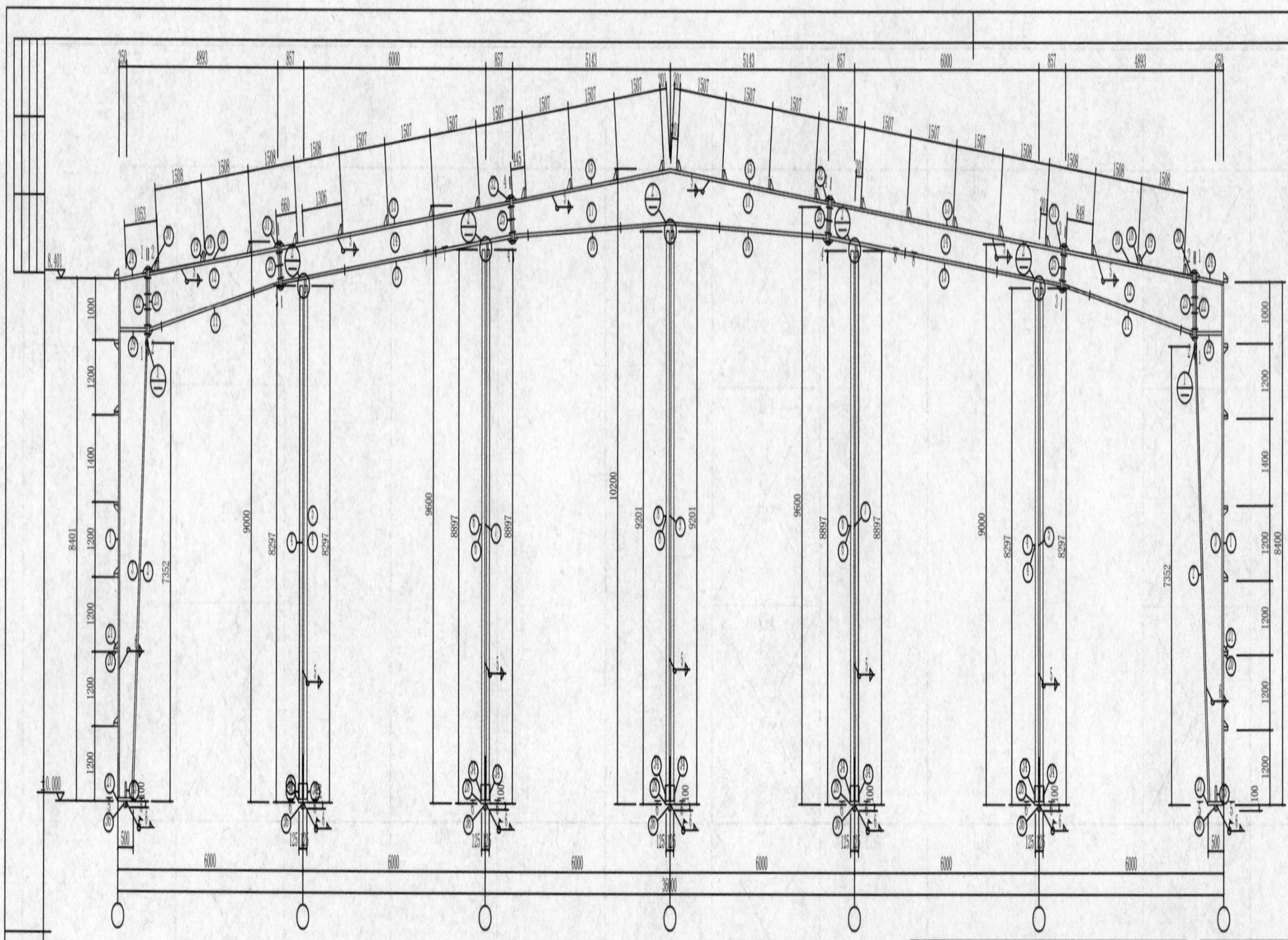

GJ-1 1:50

图例

- 高强度螺栓
- 永久螺栓
- 安装螺栓
- 螺栓孔

说明：1. 本设计按钢结构设计规范(GB50017-2003)和门式刚架轻型房屋钢结构技术规程(CECS102:2002)进行设计；
2. 材料：未特殊注明的钢板及型钢为Q235钢，焊条为E43系列焊条；
3. 构件的拼接连接采用10.9级摩擦型连接高强度螺栓，连接接触面的处理采用钢丝刷清除浮锈；
4. 柱脚基础混凝土强度等级为C25，锚栓钢号为Q235钢；
5. 图中未注明的角焊缝最小焊脚尺寸为 5 mm，一律满焊；
6. 对接焊缝的焊缝质量不低于二级；
7. 钢结构的制作和安装需按照钢结构工程施工及验收规范(GB50205)的有关规定进行施工；
8. 钢构件表面除锈后用两道红丹打底，构件的防火等级按建筑要求处理

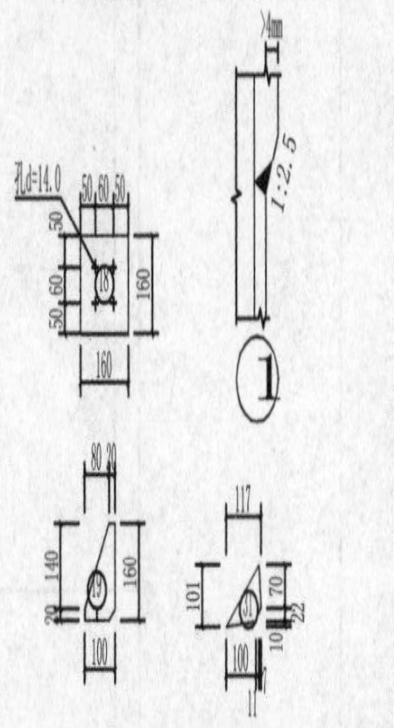

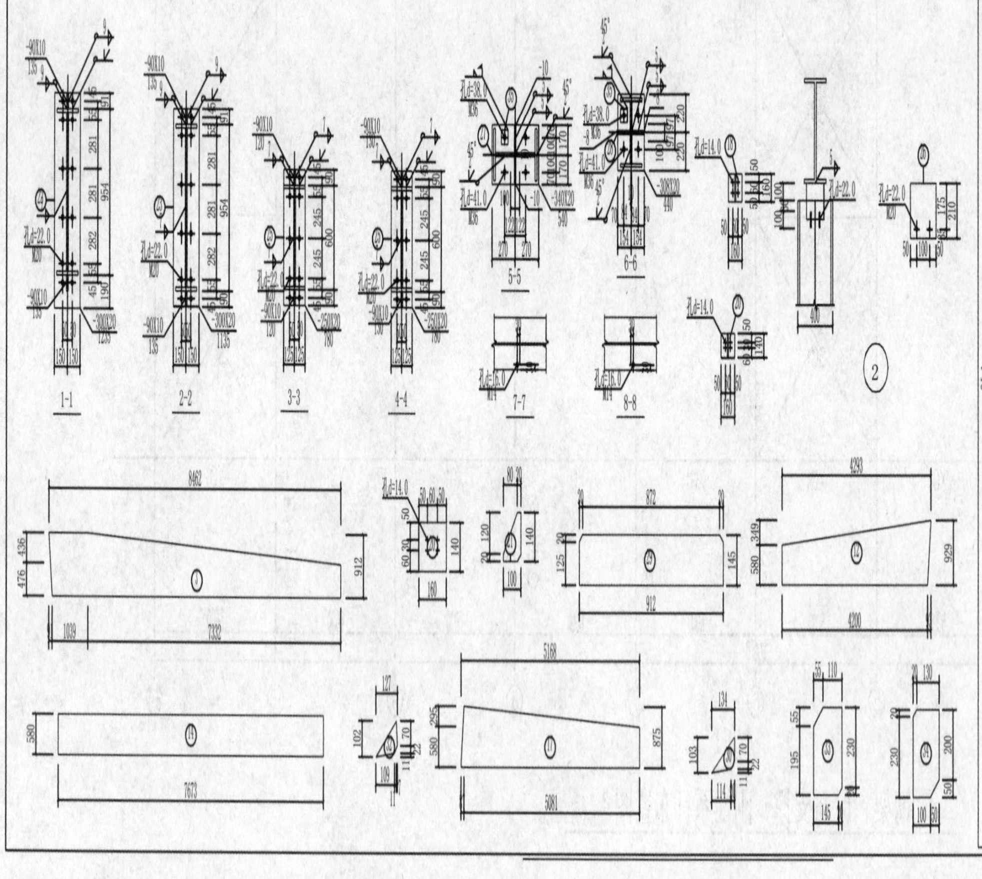

材 料 表

构件编号	零件编号	规格	长度/mm	数量 正	数量 反	重量/kg 单重	重量/kg 共重	重量/kg 总重	备注
GJ-1	1	-300X12	8371	2		236.6	473.1	8250.7	
	2	-300X12	7345	2		207.6	415.2		
	3	-912X10	8462	2		477.2	954.4		
	4	-250X10	8277	4		162.4	649.7		
	5	-380X8	8277	2		197.5	395.0		
	6	-250X10	8877	4		174.2	696.8		
	7	-380X8	8877	2		211.8	423.7		
	8	-250X10	9181	2		180.2	360.3		
	9	-380X8	9181	1		219.1	219.1		
	10	-250X10	4200	2		82.4	164.9		
	11	-250X10	4308	2		84.6	169.1		
	12	-929X8	4293	2		200.7	401.5		
	13	-250X10	7673	4		150.6	602.3		
	14	-580X8	7673	2		279.5	558.9		
	15	-250X10	5169	2		101.4	202.9		
	16	-250X10	5089	2		99.9	199.7		
	17	-875X8	5168	2		234.5	468.9		
	18	-160X6	160	24		1.2	28.9		
	19	-100X6	160	24		0.8	18.1		
	20	-140X6	160	14		1.1	14.8		
	21	-100X6	140	14		0.7	9.2		
	22	-300X20	1235	2		58.2	116.3		
	23	-300X20	1135	2		53.5	106.9		
	24	-300X10	929	2		21.9	43.8		
	25	-250X20	780	8		30.6	244.9		

材 料 表

构件编号	零件编号	规格	长度/mm	数量 正	数量 反	重量/kg 单重	重量/kg 共重	重量/kg 总重	备注
	26	-200X10	210	5		3.3	16.5		
	27	-340X20	540	2		28.8	57.7		
	28	-308X20	440	5		21.3	106.4		
	29	-145X10	912	4		10.4	41.5		
	30	-90X10	135	6		1.0	5.7		
	31	-90X10	120	8		0.8	6.8		
	32	-90X10	130	8		0.9	7.3		
	33	-165X10	250	4		3.2	13.0		
	34	-150X8	250	10		2.4	23.5		
	35	-80X20	80	28		1.0	28.1		
	36	-100x10	100	7		0.8	5.5		

×××建筑设计有限公司

职责	签字	专业名称	结构	建设单位	×××药业有限责任公司	
设计		GJ-1 钢架施工详图		项目名称	厂房	
校核				设计阶段	施工图	
专业负责				钢结施-05		工程号
项目负责						2016-09-4
审核		比例	1:100	日期 2016.9	共13张	第05张

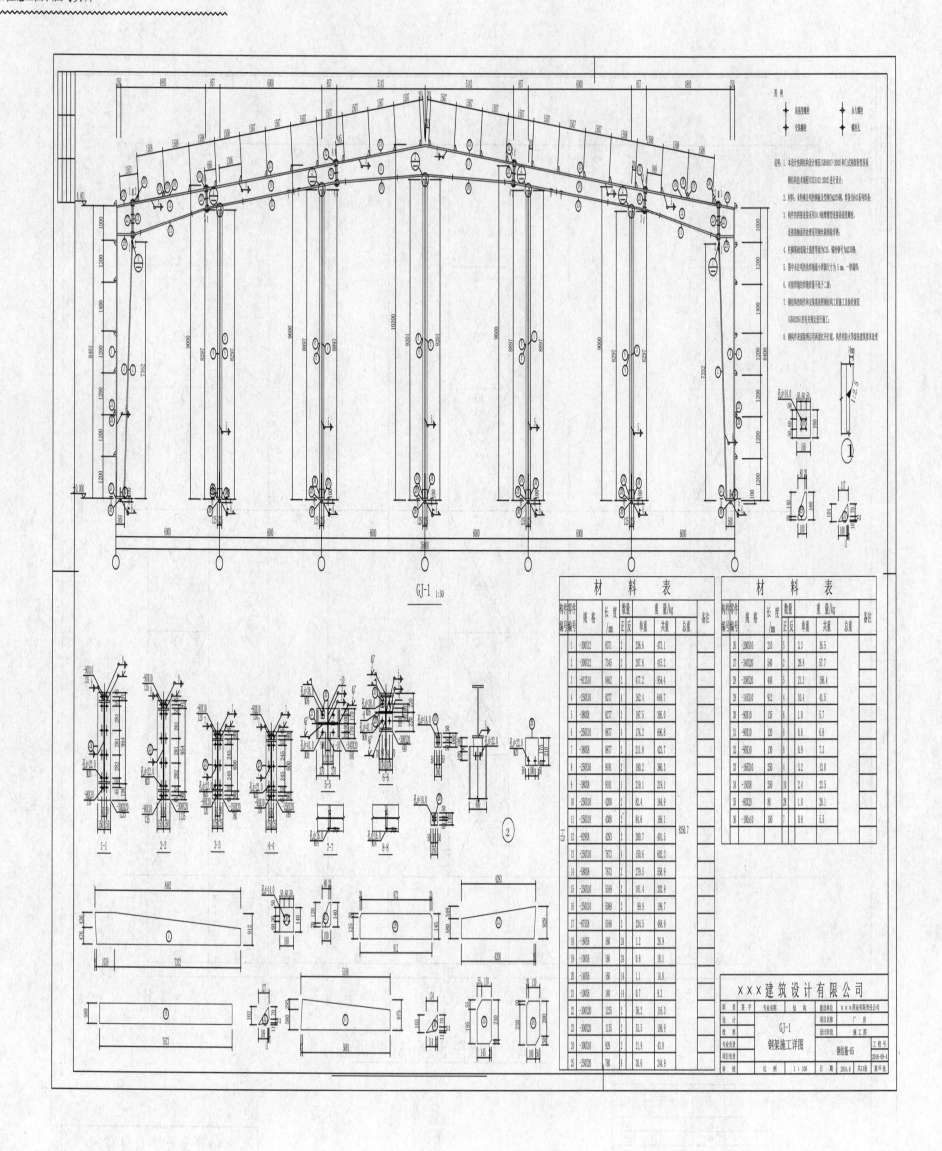

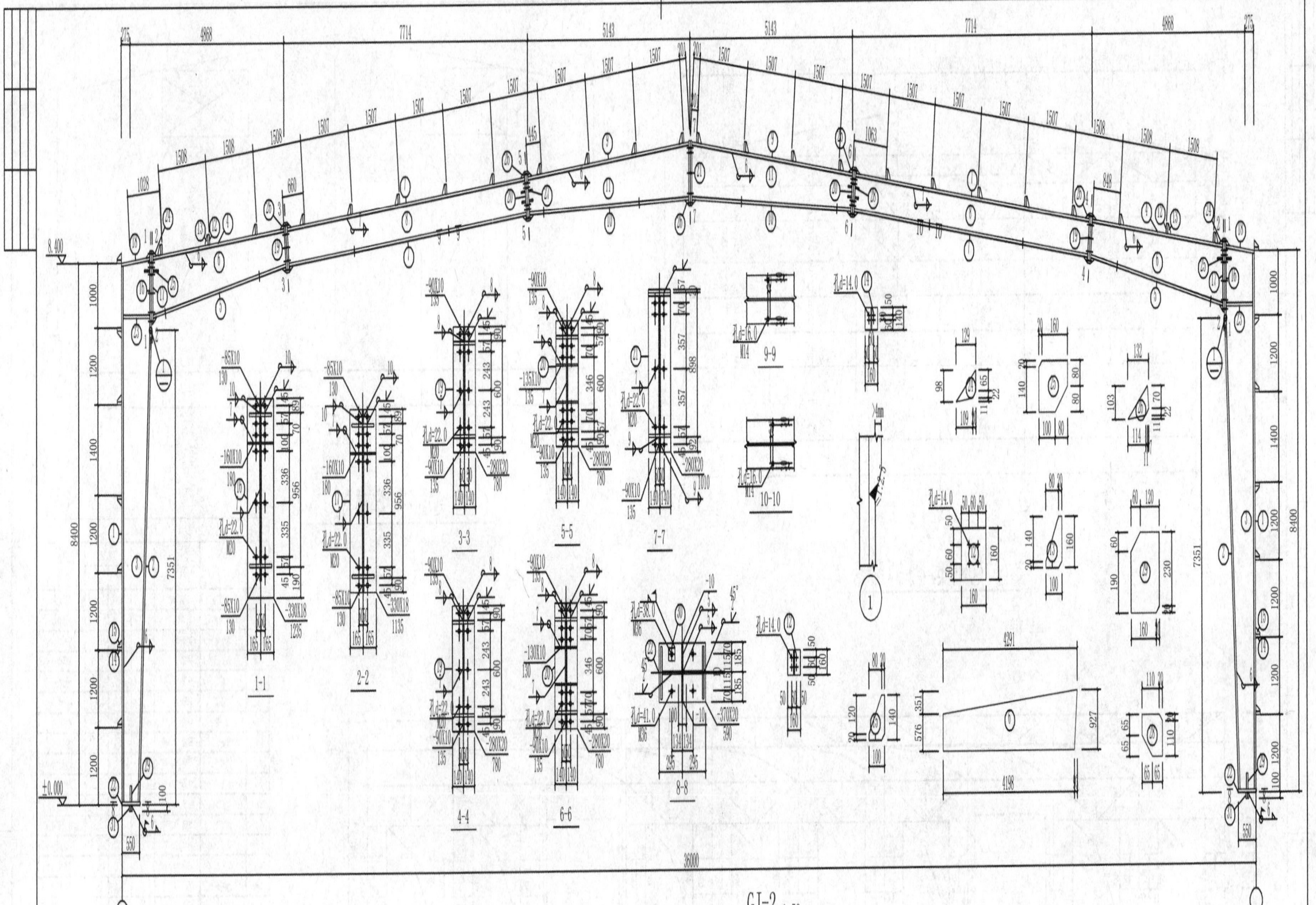

GJ-2 1:50

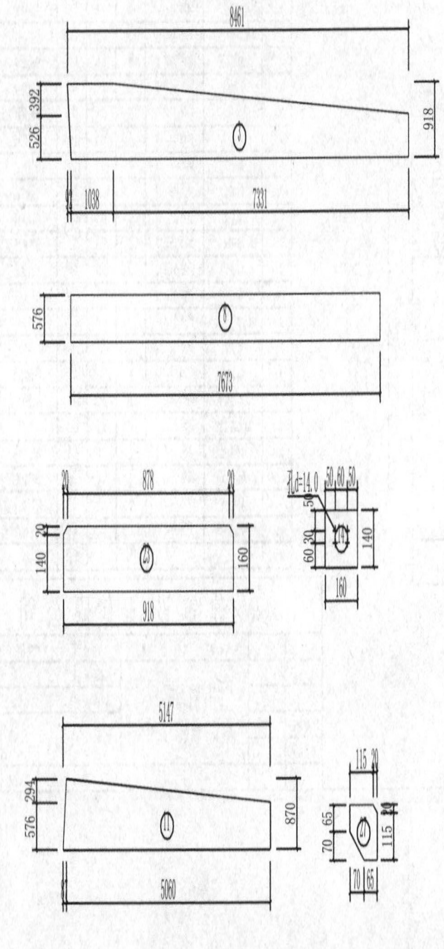

材料表									
构件编号	零件编号	规格	长度/mm	数量		重量/kg			备注
				正	反	单重	共重	总重	
GJ-2	1	-330X12	8369	2		260.2	520.3	6597.3	
	2	-330X12	7341	2		228.2	456.4		
	3	-918X10	8461	2		493.8	987.6		
	4	-280X12	4198	2		110.7	221.5		
	5	-280X12	4307	2		113.6	227.2		
	6	-927X10	4291	2		249.7	499.5		
	7	-280X12	7673	4		202.4	809.5		
	8	-576X12	7673	2		416.3	832.6		
	9	-280X12	5148	2		135.8	271.6		
	10	-280X12	5069	2		133.7	267.4		
	11	-870X10	5147	2		290.1	580.2		
	12	-160X6	160	24		1.2	28.9		
	13	-100X6	160	24		0.8	18.1		
	14	-140X6	160	14		1.1	14.8		
	15	-100X6	140	14		0.7	9.2		
	16	-330X18	1235	2		57.6	115.2		
	17	-330X18	1135	2		52.9	105.8		
	18	-330X12	935	2		29.1	58.1		
	19	-280X20	780	4		34.3	137.2		
	20	-280X20	780	4		34.3	137.2		
	21	-280X20	1010	2		44.4	88.8		
	22	-370X20	590	2		34.3	68.5		
	23	-160X12	918	4		13.8	55.4		
	24	-85X10	130	6		0.9	5.2		
	25	-160X10	180	8		2.3	18.1		

材料表									
构件编号	零件编号	规格	长度/mm	数量		重量/kg			备注
				正	反	单重	共重	总重	
	26	-90X10	135	18		1.0	17.2		
	27	-135X10	135	8		1.4	11.4		
	28	-130X10	130	8		1.3	10.6		
	29	-180X10	250	4		3.5	14.1		
	30	-80X20	80	8		1.0	8.0		
	31	-100x10	100	2		0.8	1.6		

图 例

高强度螺栓　　永久螺栓

安装螺栓　　螺栓孔

说明：1. 本设计按钢结构设计规范(GB50017-2003)和门式刚架轻型房屋钢结构技术规程(CECS102:2002)进行设计；

2. 材料：未特殊注明的钢板及型钢为Q235钢，焊条为E43系列焊条；

3. 构件的拼接连接采用10.9级摩擦型连接高强度螺栓，连接接触面的处理采用钢丝刷清除浮锈；

4. 柱脚基础混凝土强度等级为C25，锚栓钢号为Q235钢；

5. 图中未注明的角焊缝最小焊脚尺寸为5 mm，一律满焊；

6. 对接焊缝的焊缝质量不低于二级；

7. 钢结构的制作和安装需按照钢结构工程施工及验收规范(GB50205)的有关规定进行施工；

8. 钢构件表面除锈后用两道红丹打底，构件的防火等级按建筑要求处理

×××建筑设计有限公司							
职责	签字	专业名称	结构	建设单位	×××药业有限责任公司		
设计		GJ-2 钢架施工详图		项目名称	厂房		
校核				设计阶段	施工图		
专业负责				钢结施-06			工程号
项目负责							2016-09-4
审核		比例	1:100	日期	2016.9	共13张	第06张

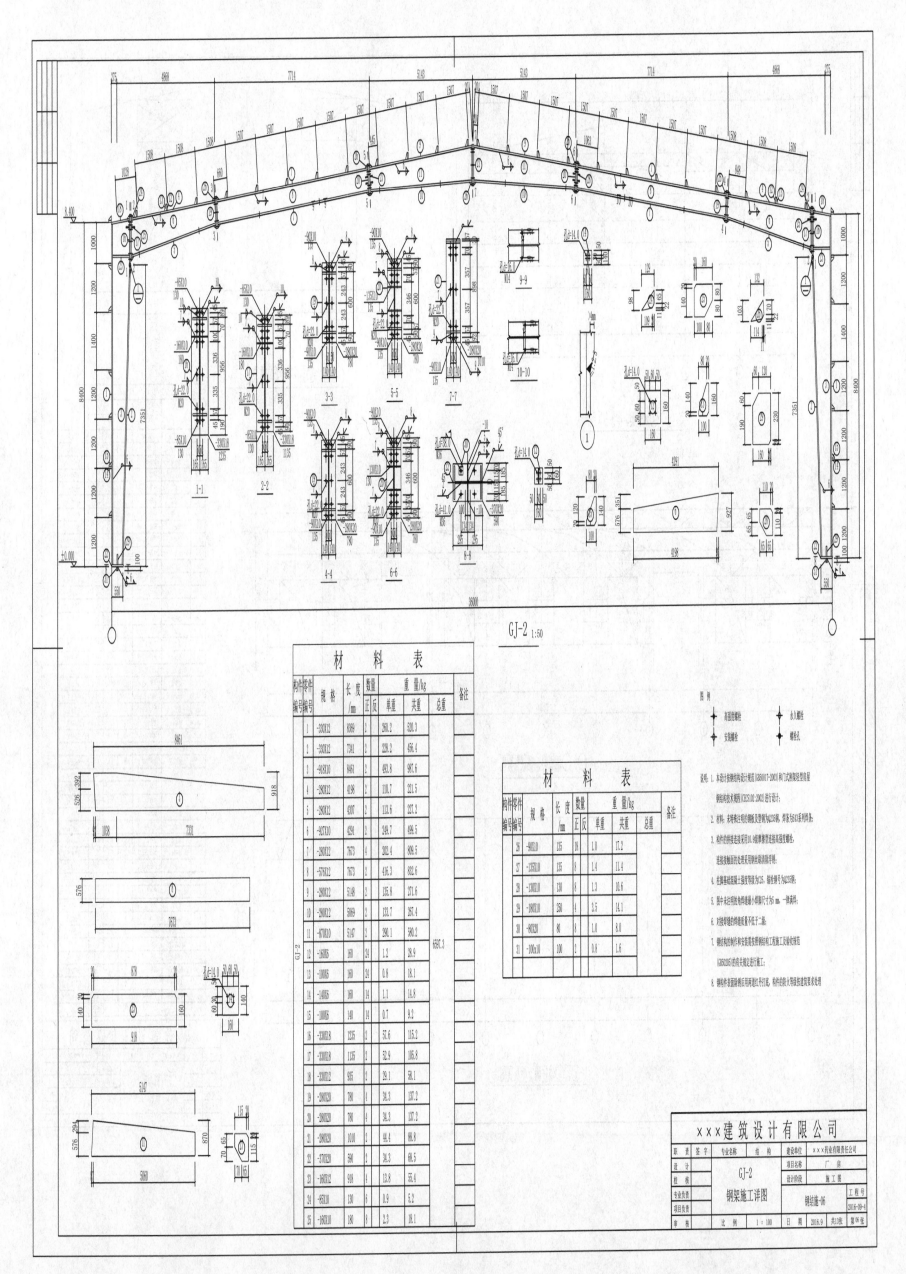

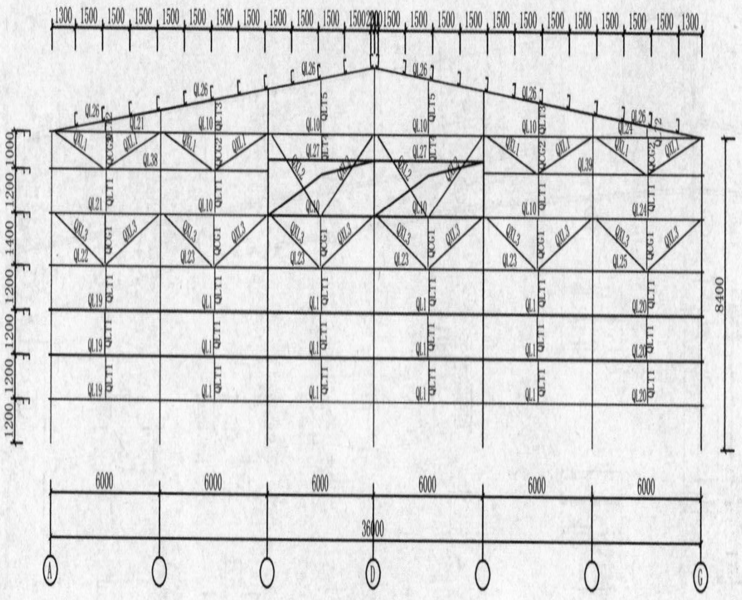

①、⑪轴墙架、檩条布置图

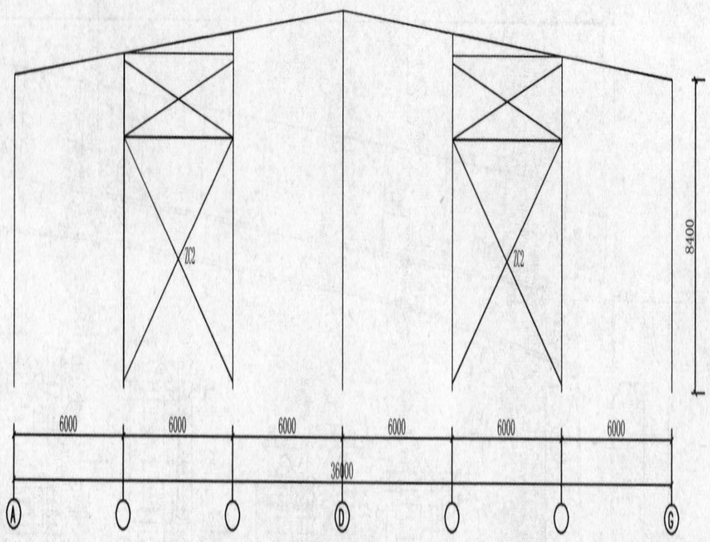

①、⑪轴柱间支撑布置图

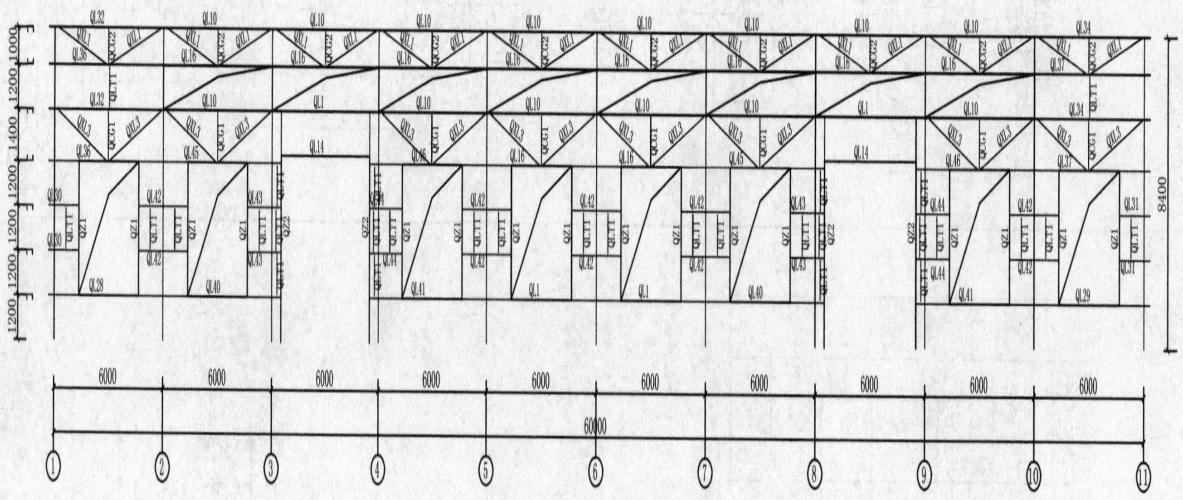

Ⓐ、Ⓖ轴墙架、檩条布置图

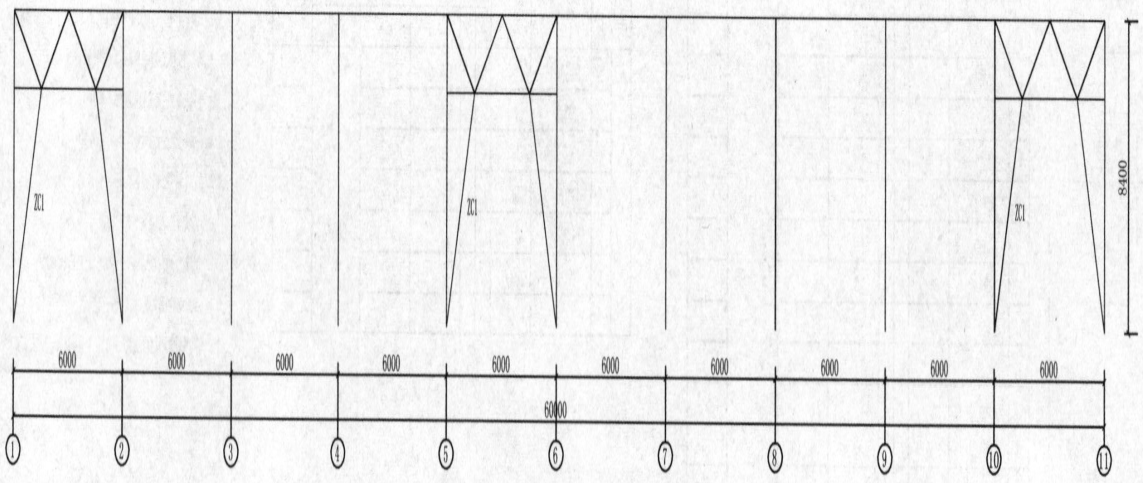

Ⓐ、Ⓖ轴柱间支撑布置图

构 件 表

标号	名称	图号	数量	重量/kg 单重	重量/kg 总重	连接方法
ZC1	柱间支撑	钢施-8	3			普通螺栓
ZC2	柱间支撑	钢施-8	2			普通螺栓
QL28	墙架梁	钢施-11、12	1	41.0	41.0	普通螺栓
QL40	墙架梁	钢施-11、12	2	42.0	83.9	普通螺栓
QL41	墙架梁	钢施-11、12	2	42.0	83.9	普通螺栓
QL1	墙架梁	钢施-11、12	16	38.8	620.7	普通螺栓
QL29	墙架梁	钢施-11、12	1	41.0	41.0	普通螺栓
QL30	墙架梁	钢施-11、12	2	10.5	21.0	普通螺栓
QL42	墙架梁	钢施-11、12	10	16.6	165.8	普通螺栓
QL43	墙架梁	钢施-11、12	4	11.5	45.9	普通螺栓
QL44	墙架梁	钢施-11、12	4	11.5	45.9	普通螺栓
QL31	墙架梁	钢施-11、12	2	10.5	21.0	普通螺栓
QL36	墙架梁	钢施-11、12	2	41.0	82.0	普通螺栓
QL45	墙架梁	钢施-11、12	2	42.0	83.9	普通螺栓
QL46	墙架梁	钢施-11、12	2	42.0	83.9	普通螺栓
QL16	墙架梁	钢施-11、12	10	38.8	387.9	普通螺栓
QL37	墙架梁	钢施-11、12	2	41.0	82.0	普通螺栓
QL32	墙架梁	钢施-11、12	2	41.0	82.0	普通螺栓
QL10	墙架梁	钢施-11、12	22	38.8	853.4	普通螺栓
QL34	墙架梁	钢施-11、12	2	41.0	82.0	普通螺栓
QL14	墙架梁	钢施-11、12	2	32.3	64.6	普通螺栓
QZ1	墙架柱	钢施-11、12	16	25.2	402.6	普通螺栓
QZ2	墙架柱	钢施-11、12	4	84.4	337.5	普通螺栓
QXL1	墙面斜拉条	钢施-11、12	28	3.7	102.9	普通螺栓
QXL3	墙面斜拉条	钢施-11、12	28	3.9	108.3	普通螺栓
QLT1	墙面拉条	钢施-11、12	52	1.6	81.7	普通螺栓
QCG1	墙面撑杆	钢施-11、12	14	4.4	60.9	普通螺栓
QCG2	墙面撑杆	钢施-11、12	14	3.1	44.0	普通螺栓
QL19	墙架梁	钢施-11、12	3	39.7	119.1	普通螺栓
QL20	墙架梁	钢施-11、12	3	39.7	119.1	普通螺栓
QL22	墙架梁	钢施-11、12	1	39.7	39.7	普通螺栓
QL23	墙架梁	钢施-11、12	4	38.8	155.2	普通螺栓
QL25	墙架梁	钢施-11、12	1	39.7	39.7	普通螺栓
QL21	墙架梁	钢施-11、12	2	39.7	79.4	普通螺栓
QL24	墙架梁	钢施-11、12	2	39.7	79.4	普通螺栓
QL38	墙架梁	钢施-11、12	1	78.5	78.5	普通螺栓
QL39	墙架梁	钢施-11、12	1	78.5	78.5	普通螺栓
QL26	墙架梁	钢施-11、12	6	39.0	233.9	普通螺栓
QL27	墙架梁	钢施-11、12	2	38.8	77.6	普通螺栓
QXL2	墙面斜拉条	钢施-11、12	4	4.4	17.6	普通螺栓
QLT4	墙面拉条	钢施-11、12	2	1.0	1.9	普通螺栓
QLT2	墙面拉条	钢施-11、12	2	0.5	1.0	普通螺栓
QLT3	墙面拉条	钢施-11、12	2	1.2	2.4	普通螺栓
QLT5	墙面拉条	钢施-11、12	2	1.9	3.9	普通螺栓
总计			289		5237	

×××建筑设计有限公司							
职　责	签　字	专业名称	结　构	建设单位	×××药业有限责任公司		
设　计		柱间支撑 墙架、檩条布置图		项目名称	厂　房		
校　核				设计阶段	施工图		
专业负责				钢结施-07			工程号
项目负责							2016-09-4
审　核		比　例	1：100	日　期	2016.9	共13张	第07张

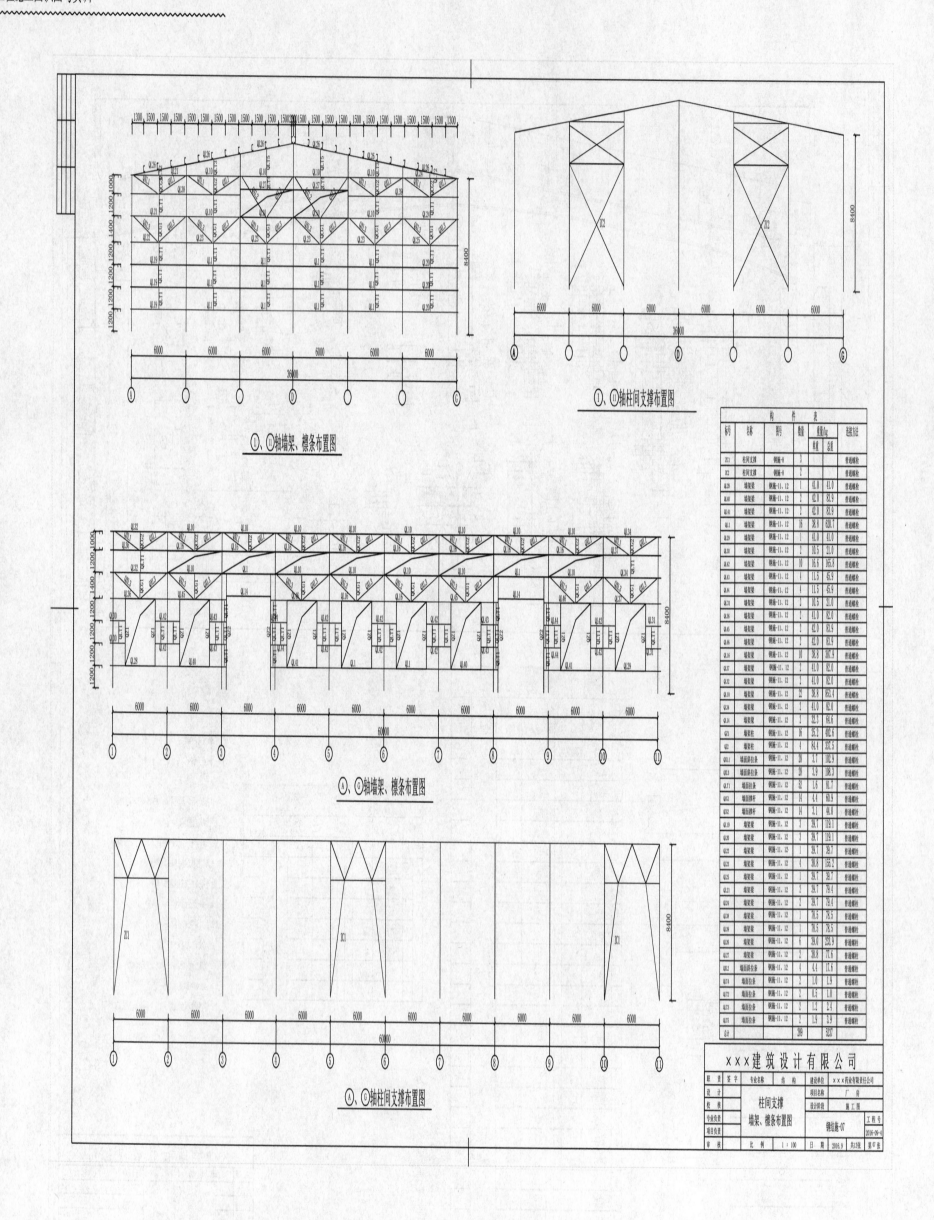

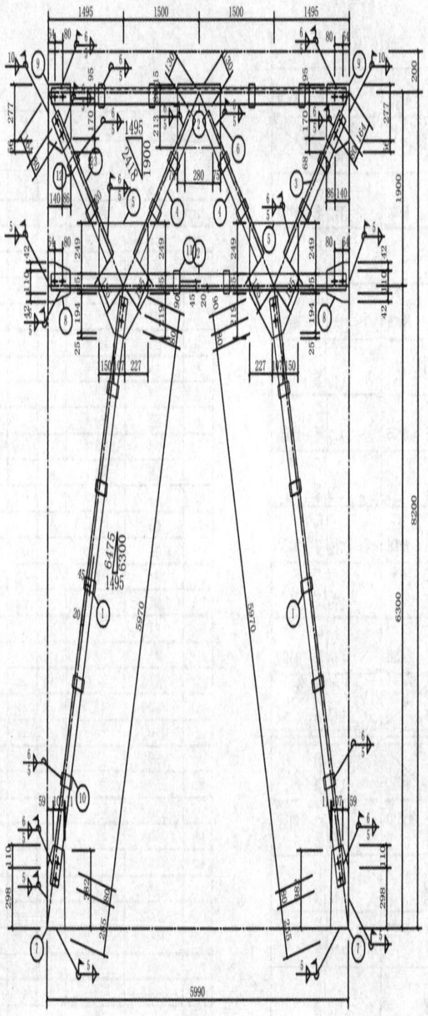

ZC1

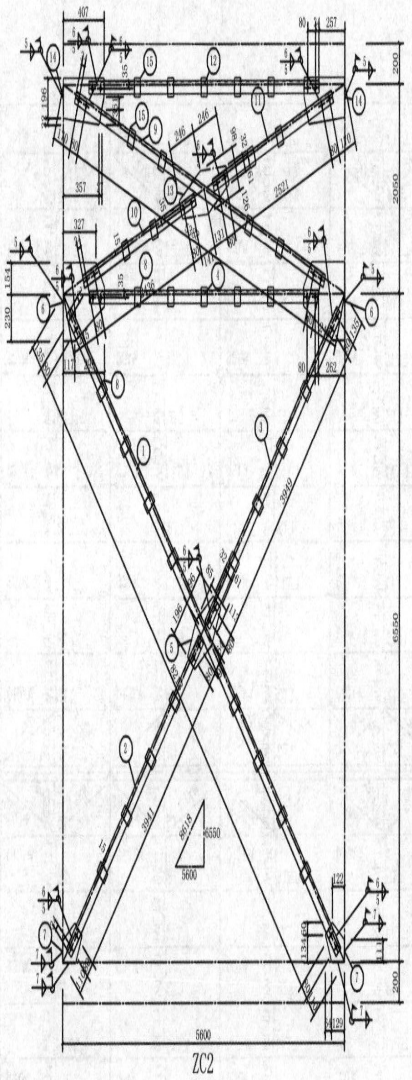

ZC2

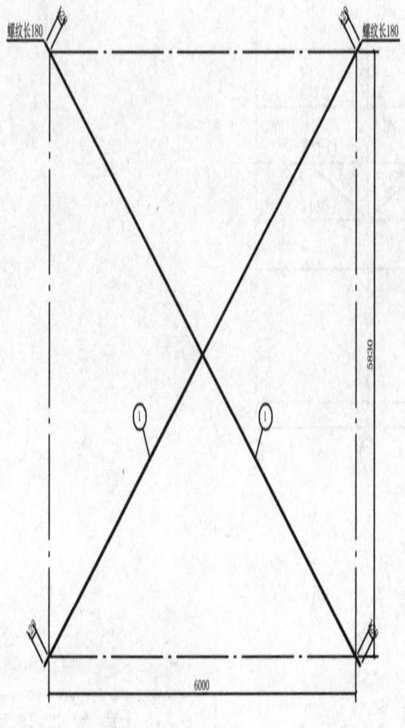

SC1

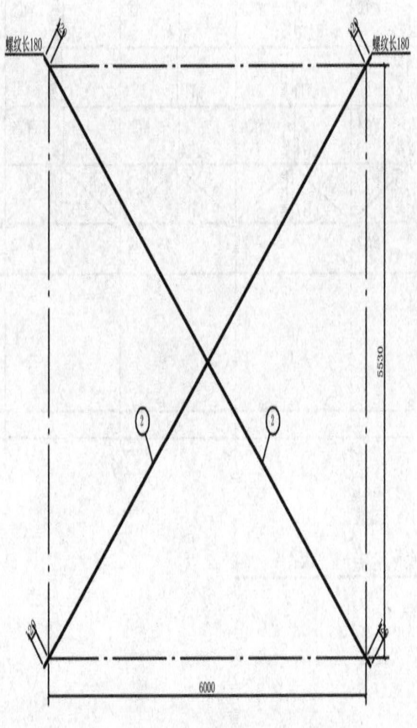

SC2

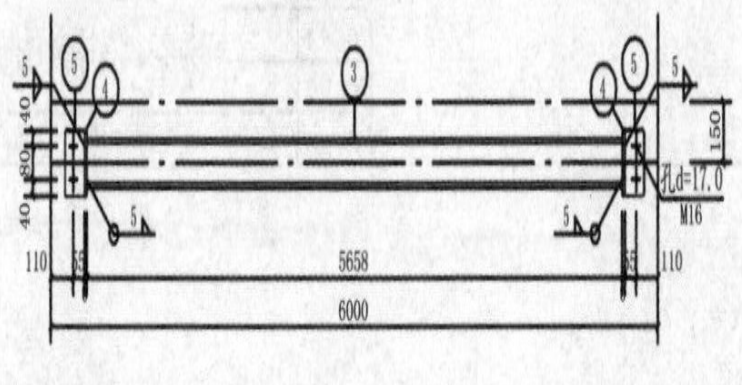

XG1

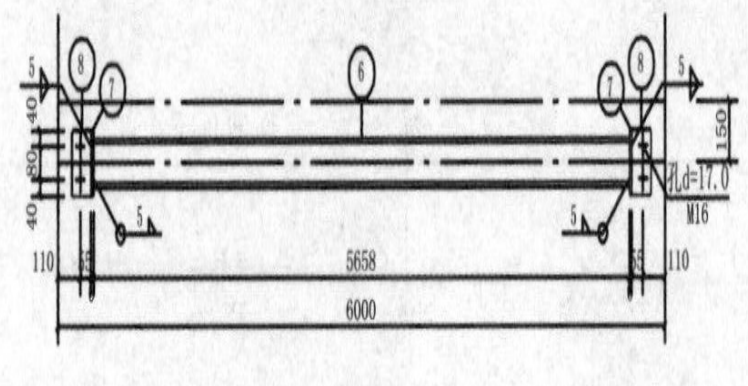

XG2

材　料　表

构件编号	零件号	截面	长度/mm	数量 正	数量 反	重量/kg 单重	重量/kg 总重	重量/kg 合计	材质	备注
	1	L80X5	6197	2	2	38.5	154.0			
	2	L80X5	5930	2	2	36.8	147.3			
	3	L80X5	2102	2	2	13.1	52.2			
	4	L80X5	2105	4		13.1	52.3			
	5	-484x10	563	2		17.9	35.8			
	6	-308x10	429	1		10.4	10.4	494.2	Q235钢	
ZC1	7	-177x10	407	2		5.7	11.3			
	8	-193x10	219	2		3.3	6.6			
	9	-226x10	333	2		5.9	11.8			
	10	-60x10	110	10		0.5	5.2			
	11	-60x10	110	6		0.5	3.1			
	12	-60x10	110	8		0.5	4.1			
本图构件总重 494.2kg										

材　料　表

构件编号	零件号	截面	长度/mm	数量 正	数量 反	重量/kg 单重	重量/kg 总重	重量/kg 合计	材质	备注
	1	L63X5	8441	1	1	40.7	81.4			
	2	L63X5	4169	1	1	20.1	40.2			
	3	L63X5	4177	1	1	20.1	40.3			
	4	L63X5	5076	1	1	24.5	48.9			
	5	-198x8	392	1		4.9	4.9			
	6	-384x8	412	2		8.0	16.1			
	7	-164x8	228	2		2.3	4.7			
ZC2	8	-60x8	93	21		0.4	7.4	243.8	Q235钢	
	9	L63X5	5616	1	1	27.1	54.1			
	10	L63X5	2670	1	1	12.9	25.7			
	11	L63X5	2755	1	1	13.3	26.6			
	12	L63X5	5086	1	1	24.5	49.0			
	13	-224x8	492	1		6.9	6.9			
	14	-139x8	414	2		3.6	7.2			
	15	-60x8	93	13		0.4	4.6			
本图构件总重 243.8Kg										

材　料　表

构件编号	零件号	截面	长度/mm	数量 正	数量 反	重量/kg 单重	重量/kg 总重	重量/kg 合计	材质	备注
SC1	1	Φ22	8605	2		25.7	51.4	51.4	Q235钢	
SC2	2	Φ22	8399	2		25.1	50.1	50.1	Q235钢	
	3	D120X5	5658	1		80.2	80.2			
XG1	4	-160x6	160	2		1.2	2.4	84.1	Q235钢	
	5	-95x6	160	2		0.7	1.4			
	6	120X5	5658	1		80.2	80.2			
XG2	7	-160x6	160	2		1.2	2.4	84.1	Q235钢	
	8	-95x6	160	2		0.7	1.4			
本图构件总重 269.6kg										

说明:

1. 切断边距为2D(D为螺栓直径)
2. 未注明的焊缝焊脚尺寸为 5 mm,长度一律满焊

×××建筑设计有限公司

职 责	签 字	专业名称	结 构	建设单位	×××药业有限责任公司	
设 计		屋面支撑、刚性系杆 柱间支撑施工详图		项目名称	厂 房	
校 核				设计阶段	施工图	
专业负责				钢结施-08		工程号
项目负责						2016-09-4
审 核		比 例	1:100	日 期	2016.9 共13张	第08张

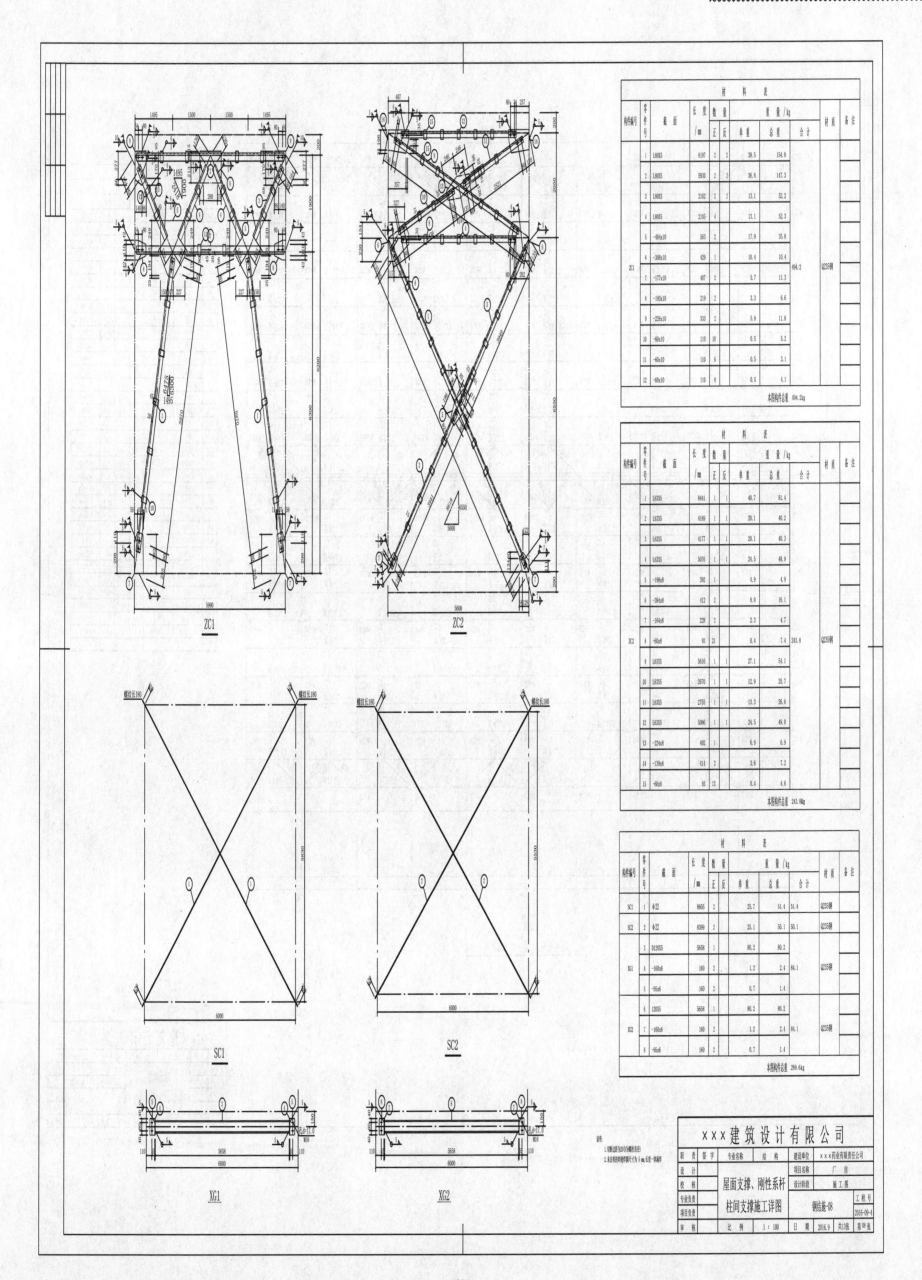

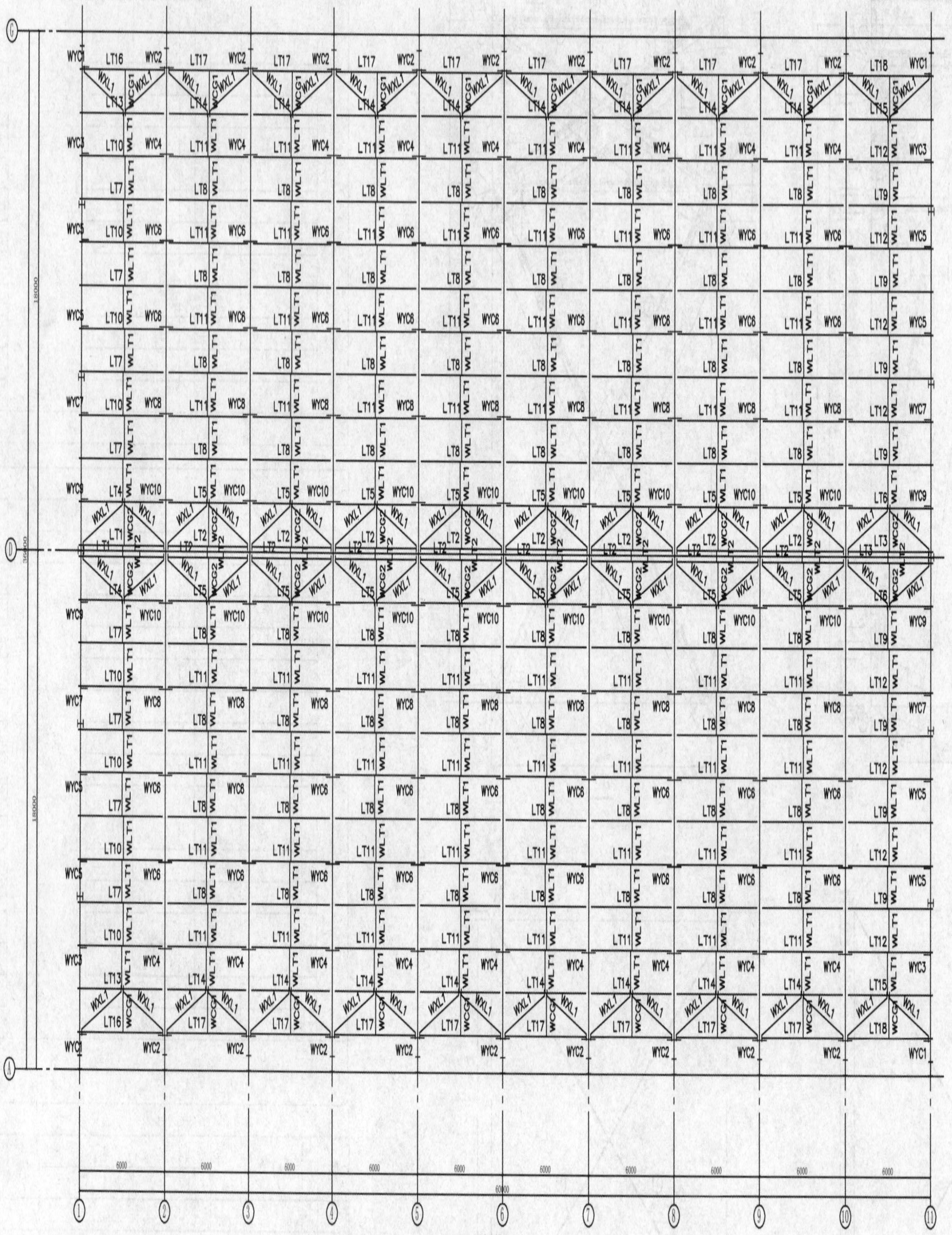

屋面檩条、拉条、隅撑布置图 1:100

构件表						
标号	名称	图号	数量	重量/kg		连接方法
				单重	总重	
LT1	檩条	钢施-10	2	47.0	93.9	普通螺栓
LT2	檩条	钢施-10	16	44.4	711.0	普通螺栓
LT3	檩条	钢施-10	2	47.0	93.9	普通螺栓
LT4	檩条	钢施-10	2	47.0	93.9	普通螺栓
LT5	檩条	钢施-10	16	44.4	711.0	普通螺栓
LT6	檩条	钢施-10	2	47.0	93.9	普通螺栓
LT7	檩条	钢施-10	8	47.0	375.7	普通螺栓
LT8	檩条	钢施-10	64	44.4	2843.9	普通螺栓
LT9	檩条	钢施-10	8	47.0	375.7	普通螺栓
LT10	檩条	钢施-10	8	47.0	375.7	普通螺栓
LT11	檩条	钢施-10	64	44.4	2843.9	普通螺栓
LT12	檩条	钢施-10	8	47.0	375.7	普通螺栓
LT13	檩条	钢施-10	2	47.0	93.9	普通螺栓
LT14	檩条	钢施-10	16	44.4	711.0	普通螺栓
LT15	檩条	钢施-10	2	47.0	93.9	普通螺栓
LT16	檩条	钢施-10	2	47.0	93.9	普通螺栓
LT17	檩条	钢施-10	16	44.4	711.0	普通螺栓
LT18	檩条	钢施-10	2	47.0	93.9	普通螺栓
WYC1	屋面隅撑	钢施-10	4	4.7	19.0	普通螺栓
WYC2	屋面隅撑	钢施-10	36	4.7	169.8	普通螺栓
WYC3	屋面隅撑	钢施-10	4	3.6	14.3	普通螺栓
WYC4	屋面隅撑	钢施-10	36	3.5	127.5	普通螺栓
WYC5	屋面隅撑	钢施-10	8	3.5	27.6	普通螺栓
WYC6	屋面隅撑	钢施-10	72	3.4	245.2	普通螺栓
WYC7	屋面隅撑	钢施-10	4	3.5	14.1	普通螺栓
WYC8	屋面隅撑	钢施-10	36	3.5	124.6	普通螺栓
WYC9	屋面隅撑	钢施-10	4	4.2	16.8	普通螺栓
WYC10	屋面隅撑	钢施-10	36	4.2	150.6	普通螺栓
WCG1	屋面撑杆	钢施-10	20	4.7	93.4	普通螺栓
WLT1	屋面拉条	钢施-10	180	1.9	348.0	普通螺栓
WCG2	屋面撑杆	钢施-10	20	4.7	93.7	普通螺栓
WLT2	屋面拉条	钢施-10	10	0.6	6.0	普通螺栓
WXL1	屋面斜拉条	钢施-10	80	3.9	313.9	普通螺栓
总计			790		12550	

×××建筑设计有限公司							
职责	签字	专业名称	结构	建设单位	×××药业有限责任公司		
设计		屋面檩条、拉条、隅撑布置图		项目名称	厂房		
校核				设计阶段	施工图		
专业负责				钢结施-09			工程号
项目负责							2016-09-4
审核		比例	1:100	日期	2016.9	共13张	第09张

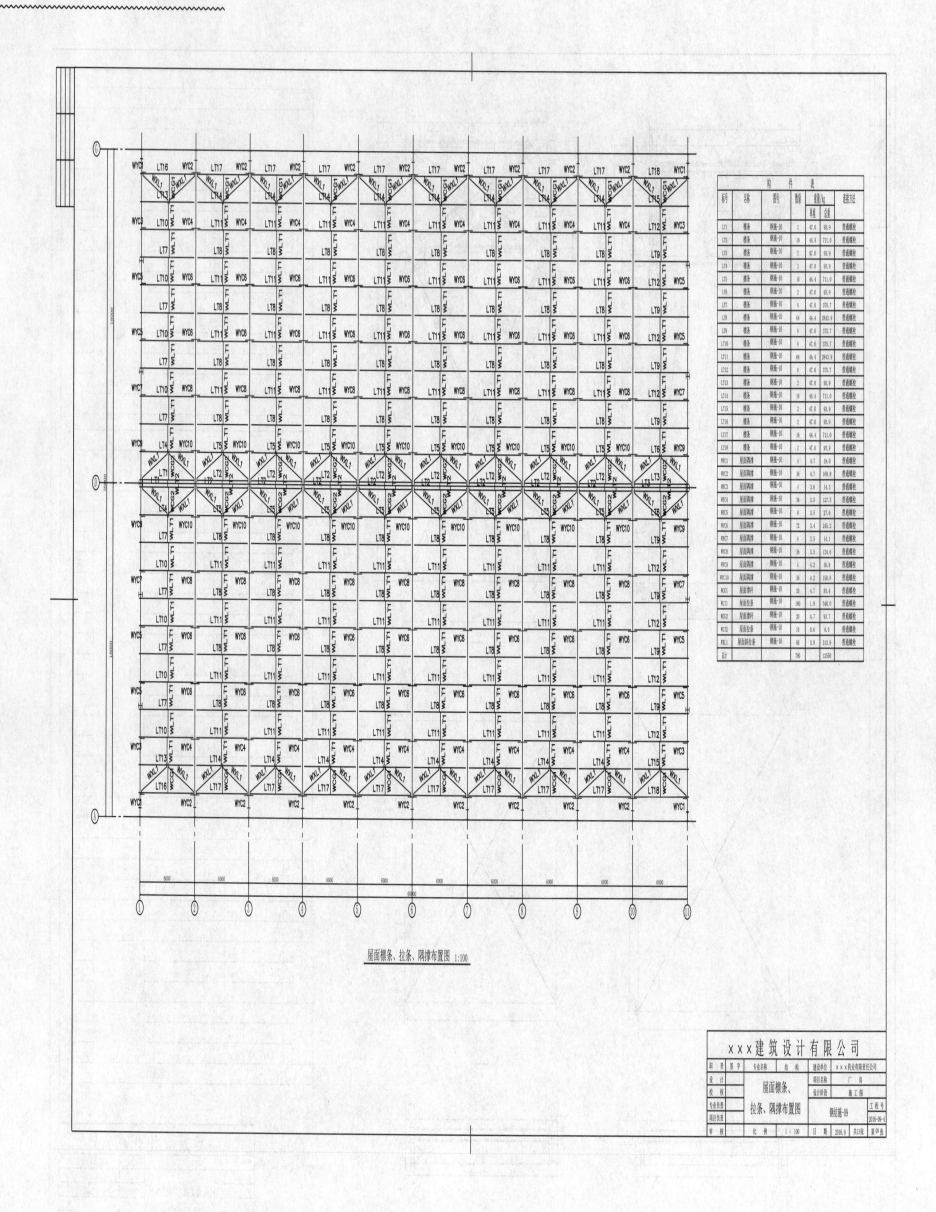

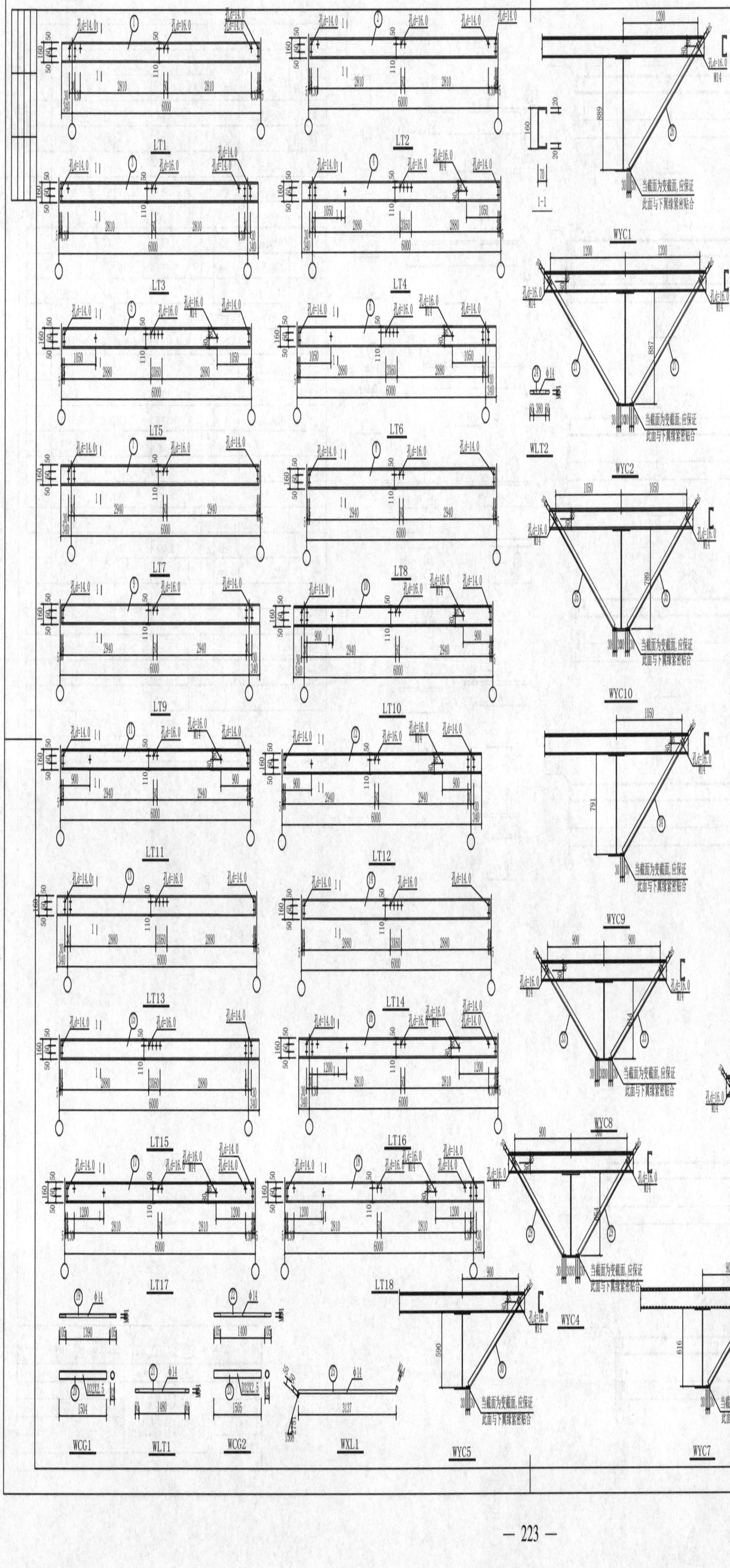

材料表										
构件编号	零件号	截面	长度/mm	数量 正	数量 反	重量/Kg 单重	重量/Kg 总重	重量/Kg 合计	材质	备注
LT1	1	C160x70x20x3.0	6330	1		47.0	47.0	47.0	Q235钢	
LT2	2	C160x70x20x3.0	5990	1		44.4	44.4	44.4	Q235钢	
LT3	3	C160x70x20x3.0	6330	1		47.0	47.0	47.0	Q235钢	
LT4	4	C160x70x20x3.0	6330	1		47.0	47.0	47.0	Q235钢	
LT5	5	C160x70x20x3.0	5990	1		44.4	44.4	44.4	Q235钢	
LT6	6	C160x70x20x3.0	6330	1		47.0	47.0	47.0	Q235钢	
LT7	7	C160x70x20x3.0	6330	1		47.0	47.0	47.0	Q235钢	
LT8	8	C160x70x20x3.0	5990	1		44.4	44.4	44.4	Q235钢	
LT9	9	C160x70x20x3.0	6330	1		47.0	47.0	47.0	Q235钢	
LT10	10	C160x70x20x3.0	6330	1		47.0	47.0	47.0	Q235钢	
LT11	11	C160x70x20x3.0	5990	1		44.4	44.4	44.4	Q235钢	
LT12	12	C160x70x20x3.0	6330	1		47.0	47.0	47.0	Q235钢	
LT13	13	C160x70x20x3.0	6330	1		47.0	47.0	47.0	Q235钢	
LT14	14	C160x70x20x3.0	5990	1		44.4	44.4	44.4	Q235钢	
LT15	15	C160x70x20x3.0	6330	1		47.0	47.0	47.0	Q235钢	
LT16	16	C160x70x20x3.0	6330	1		47.0	47.0	47.0	Q235钢	
LT17	17	C160x70x20x3.0	5990	1		44.4	44.4	44.4	Q235钢	
LT18	18	C160x70x20x3.0	6330	1		47.0	47.0	47.0	Q235钢	
WCG1	19	Φ14	1600	1		1.9	1.9	4.7	Q235钢	
	20	D32X2.5	1504	1		2.7	2.7			
WLT1	21	Φ14	1600	1		1.9	1.9	1.9	Q235钢	
WCG2	22	Φ14	1610	1		1.9	1.9	4.7	Q235钢	
	23	D32X2.5	1505	1		2.7	2.7			
WLT2	24	Φ14	500	1		0.6	0.6	0.6	Q235钢	
WXL1	25	Φ14	3247	1		3.9	3.9	3.9	Q235钢	
WYC1	26	L50x4	1550	1		4.7	4.7	4.7	Q235钢	
WYC2	27	L50x4	1541	1	1	4.7	9.4	9.4	Q235钢	
WYC3	28	L50x4	1170	1		3.6	3.6	3.6	Q235钢	
WYC4	29	L50x4	1157	1	1	3.5	7.1	7.1	Q235钢	
WYC5	30	L50x4	1129	1		3.5	3.5	3.5	Q235钢	
WYC6	31	L50x4	1113	1	1	3.4	6.8	6.8	Q235钢	
WYC7	32	L50x4	1149	1		3.5	3.5	3.5	Q235钢	
WYC8	33	L50x4	1131	1	1	3.5	6.9	6.9	Q235钢	
WYC9	34	L50x4	1372	1		4.2	4.2	4.2	Q235钢	
WYC10	35	L50x4	1367	1	1	4.2	8.4	8.4	Q235钢	
本图构件总重 904.0kg										

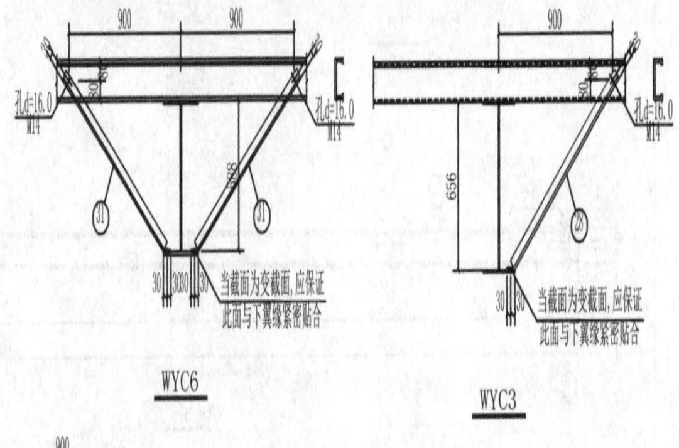

×××建筑设计有限公司							
职责	签字	专业名称	结构	建设单位	×××药业有限责任公司		
设计		屋面檩条 拉条、隅撑施工详图		项目名称	厂房		
校核				设计阶段	施工图		
专业负责				钢结施-10			工程号
项目负责							2016-09-4
审核		比例	1:100	日期	2016.9	共13张	第10张

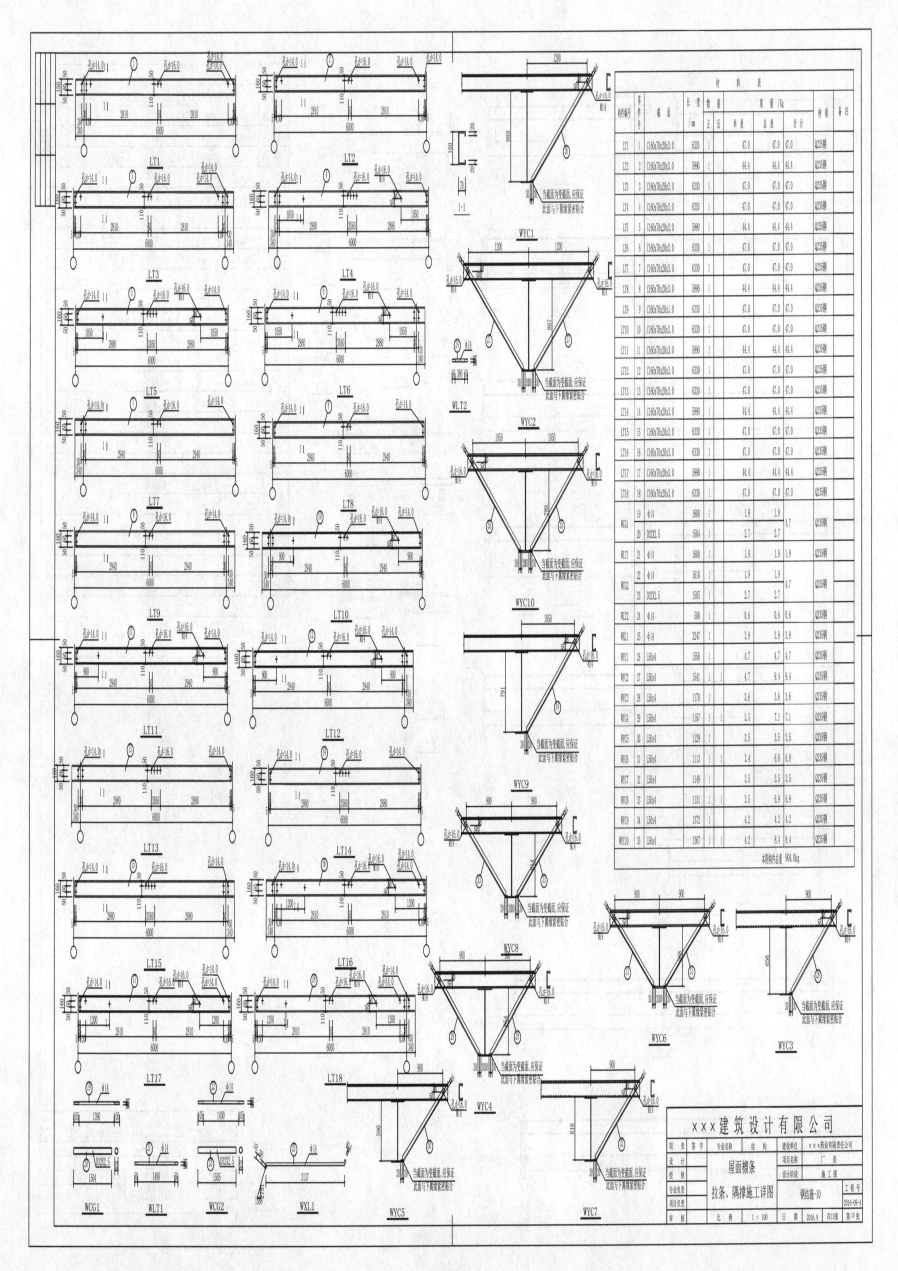

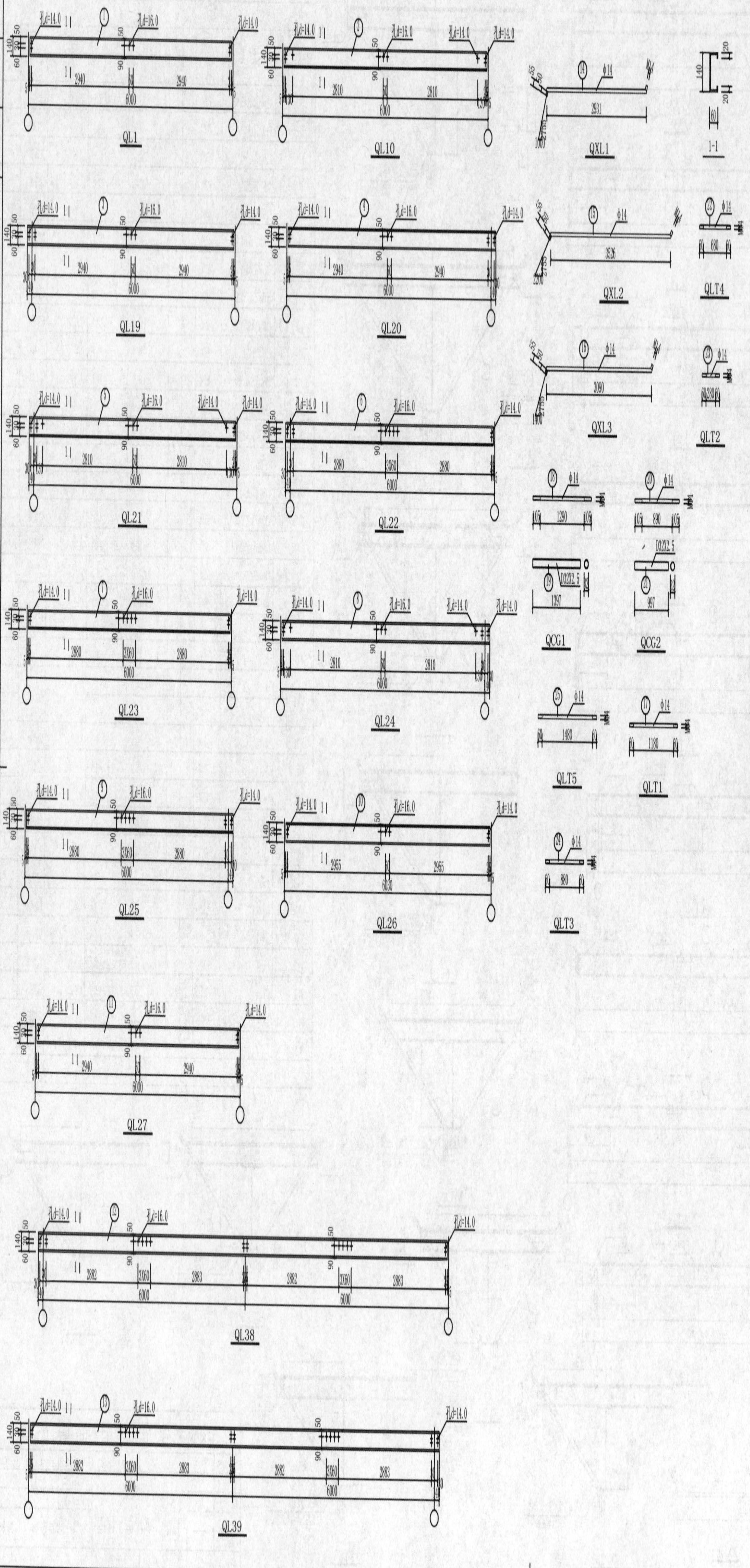

材料表

构件编号	零件号	截面	长度/mm	数量 正	数量 反	重量/kg 单重	重量/kg 总重	重量/kg 合计	材质	备注
QL1	1	C140x60x20x3.0	5990	1		38.8	38.8	38.8	Q235钢	
QL10	2	C140x60x20x3.0	5990	1		38.8	38.8	38.8	Q235钢	
QL19	3	C140x60x20x3.0	6135	1		39.7	39.7	39.7	Q235钢	
QL20	4	C140x60x20x3.0	6135	1		39.7	39.7	39.7	Q235钢	
QL21	5	C140x60x20x3.0	6135	1		39.7	39.7	39.7	Q235钢	
QL22	6	C140x60x20x3.0	6135	1		39.7	39.7	39.7	Q235钢	
QL23	7	C140x60x20x3.0	5990	1		38.8	38.8	38.8	Q235钢	
QL24	8	C140x60x20x3.0	6135	1		39.7	39.7	39.7	Q235钢	
QL25	9	C140x60x20x3.0	6135	1		39.7	39.7	39.7	Q235钢	
QL26	10	C140x60x20x3.0	6020	1		39.0	39.0	39.0	Q235钢	
QL27	11	C140x60x20x3.0	5990	1		38.8	38.8	38.8	Q235钢	
QL38	12	C140x60x20x3.0	12135	1		78.5	78.5	78.5	Q235钢	
QL39	13	C140x60x20x3.0	12135	1		78.5	78.5	78.5	Q235钢	
QXL1	14	φ14	3041	1		3.7	3.7	3.7	Q235钢	
QXL2	15	φ14	3636	1		4.4	4.4	4.4	Q235钢	
QXL3	16	φ14	3200	1		3.9	3.9	3.9	Q235钢	
QLT1	17	φ14	1300	1		1.6	1.6	1.6	Q235钢	
QCG1	18	φ14	1500	1		1.8	1.8	4.4	Q235钢	
	19	D32X2.5	1397	1		2.5	2.5			
QCG2	20	φ14	1100	1		1.3	1.3	3.1	Q235钢	
	21	D32X2.5	997	1		1.8	1.8			
QLT4	22	φ14	800	1		1.0	1.0	1.0	Q235钢	
QLT2	23	φ14	400	1		0.5	0.5	0.5	Q235钢	
QLT3	24	φ14	1000	1		1.2	1.2	1.2	Q235钢	
QLT5	25	φ14	1600	1		1.9	1.9	1.9	Q235钢	
本图构件总重 614.9kg										

×××建筑设计有限公司							
职责	签字	专业名称	结构	建设单位	×××药业有限责任公司		
设计		①、⑪轴墙梁拉条、墙柱施工详图		项目名称	厂房		
校核				设计阶段	施工图		
专业负责				钢结施-11			工程号
项目负责							2016-09-4
审核		比例	1：100	日期	2016.9	共13张	第11张

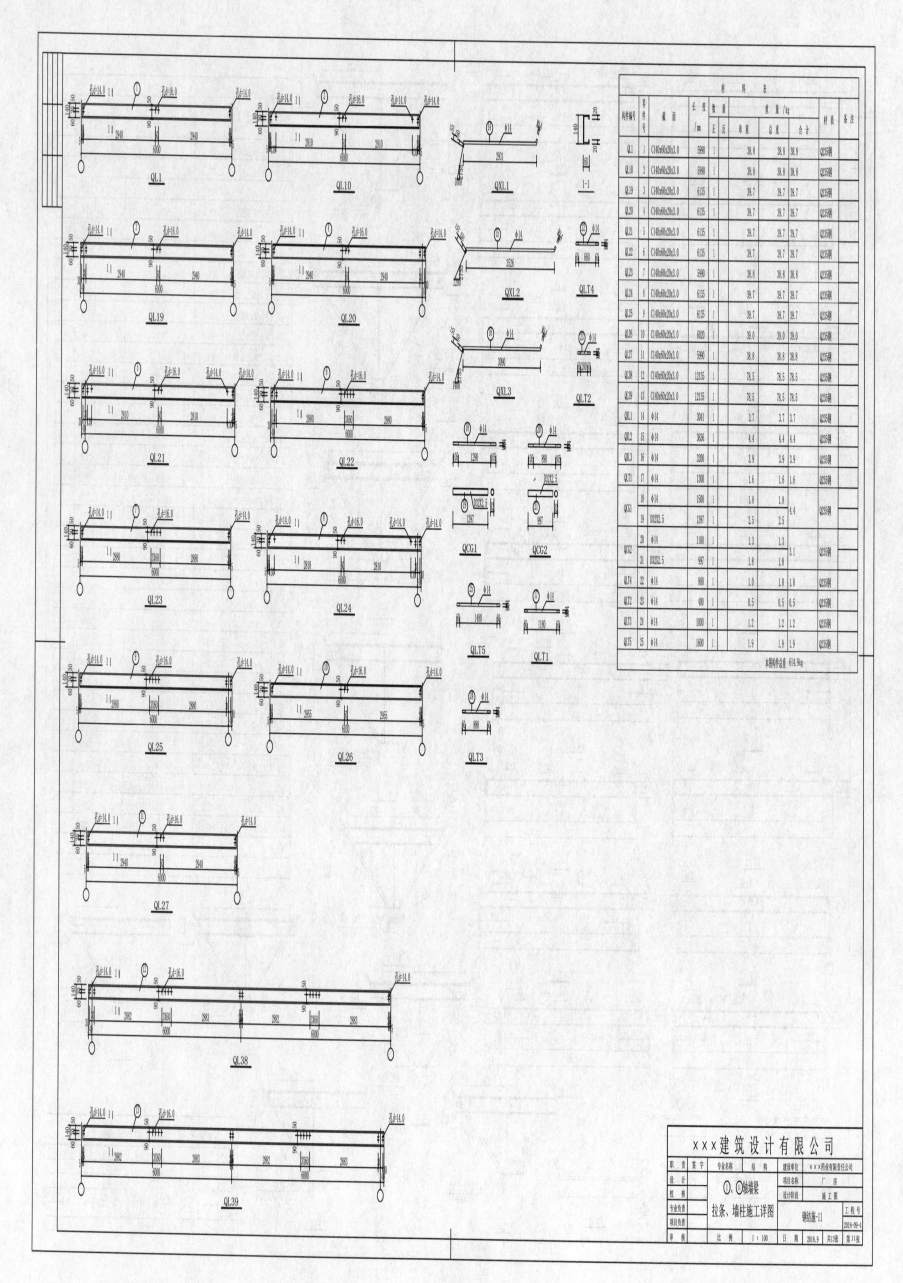

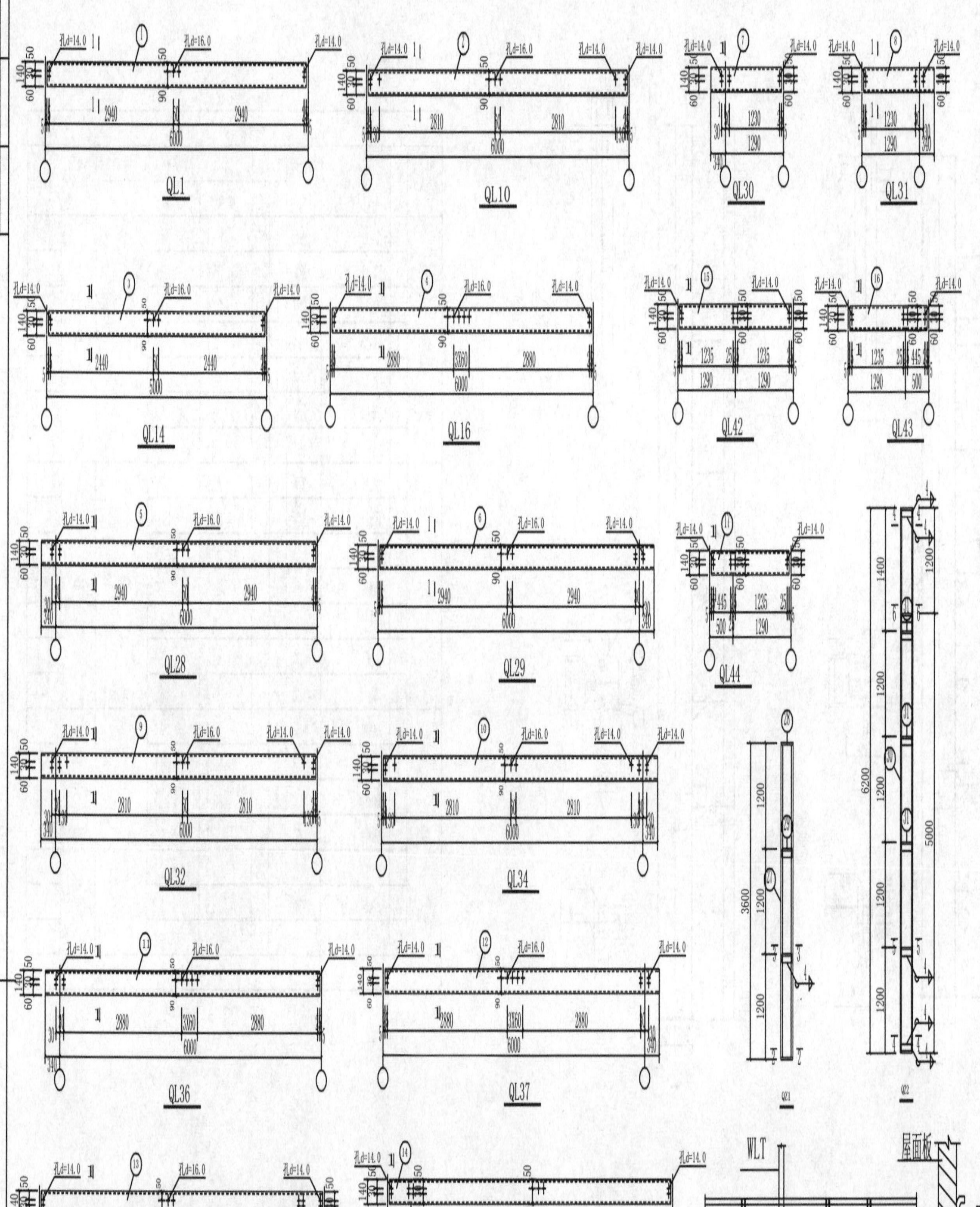

材料表										
构件编号	零件号	截面	长度/mm	数量		重量/kg			材质	备注
				正	反	单重	总重	合计		
QL1	1	C140x60x20x3.0	5990	1		38.8	38.8	38.8	Q235钢	
QL10	2	C140x60x20x3.0	5990	1		38.8	38.8	38.8	Q235钢	
QL14	3	C140x60x20x3.0	4990	1		32.3	32.3	32.3	Q235钢	
QL16	4	C140x60x20x3.0	5990	1		38.8	38.8	38.8	Q235钢	
QL28	5	C140x60x20x3.0	6335	1		41	41	41	Q235钢	
QL29	6	C140x60x20x3.0	6335	1		41	41	41	Q235钢	
QL30	7	C140x60x20x3.0	1625	1		10.5	10.5	10.5	Q235钢	
QL31	8	C140x60x20x3.0	1625	1		10.5	10.5	10.5	Q235钢	
QL32	9	C140x60x20x3.0	6335	1		41	41	41	Q235钢	
QL34	10	C140x60x20x3.0	6335	1		41	41	41	Q235钢	
QL36	11	C140x60x20x3.0	6335	1		41	41	41	Q235钢	
QL37	12	C140x60x20x3.0	6335	1		41	41	41	Q235钢	
QL40	13	C140x60x20x3.0	6490	1		42.0	42.0	42.0	Q235钢	
QL41	14	C140x60x20x3.0	6490	1		42.0	42.0	42.0	Q235钢	
QL42	15	C140x60x20x3.0	2570	1		16.6	16.6	16.6	Q235钢	
QL43	16	C140x60x20x3.0	1780	1		11.5	11.5	11.5	Q235钢	
QL44	17	C140x60x20x3.0	1780	1		11.5	11.5	11.5	Q235钢	
QL45	18	C140x60x20x3.0	6490	1		42.0	42.0	42.0	Q235钢	
QL46	19	C140x60x20x3.0	6490	1		42.0	42.0	42.0	Q235钢	
QXL1	20	ϕ14	3041	1		3.7	3.7	3.7	Q235钢	
QXL3	21	ϕ14	3200	1		3.9	3.9	3.9	Q235钢	
QLT1	22	ϕ14	1300	1		1.6	1.6	1.6	Q235钢	
QCG1	23	ϕ14	1500	1		1.8	1.8	4.4	Q235钢	
	24	D32X2.5	1397	1		2.5	2.5			
QCG2	25	ϕ14	1100	1		1.3	1.3	3.1	Q235钢	
	26	D32X2.5	997	1		1.8	1.8			
QZ1	27	C140X60X20X3.0	3600	1		23.3	23.3	25.2	Q235钢	
	28	-140x4	60	2		0.3	0.5			
	29	-120x4	175	2		0.7	1.3			
QZ2	30	C140X60X20X3.0	6200	1	1	40.2	80.3	84.4	Q235钢	
	31	-120x4	120	9		0.5	4.1			
本图构件总重 749.2kg										

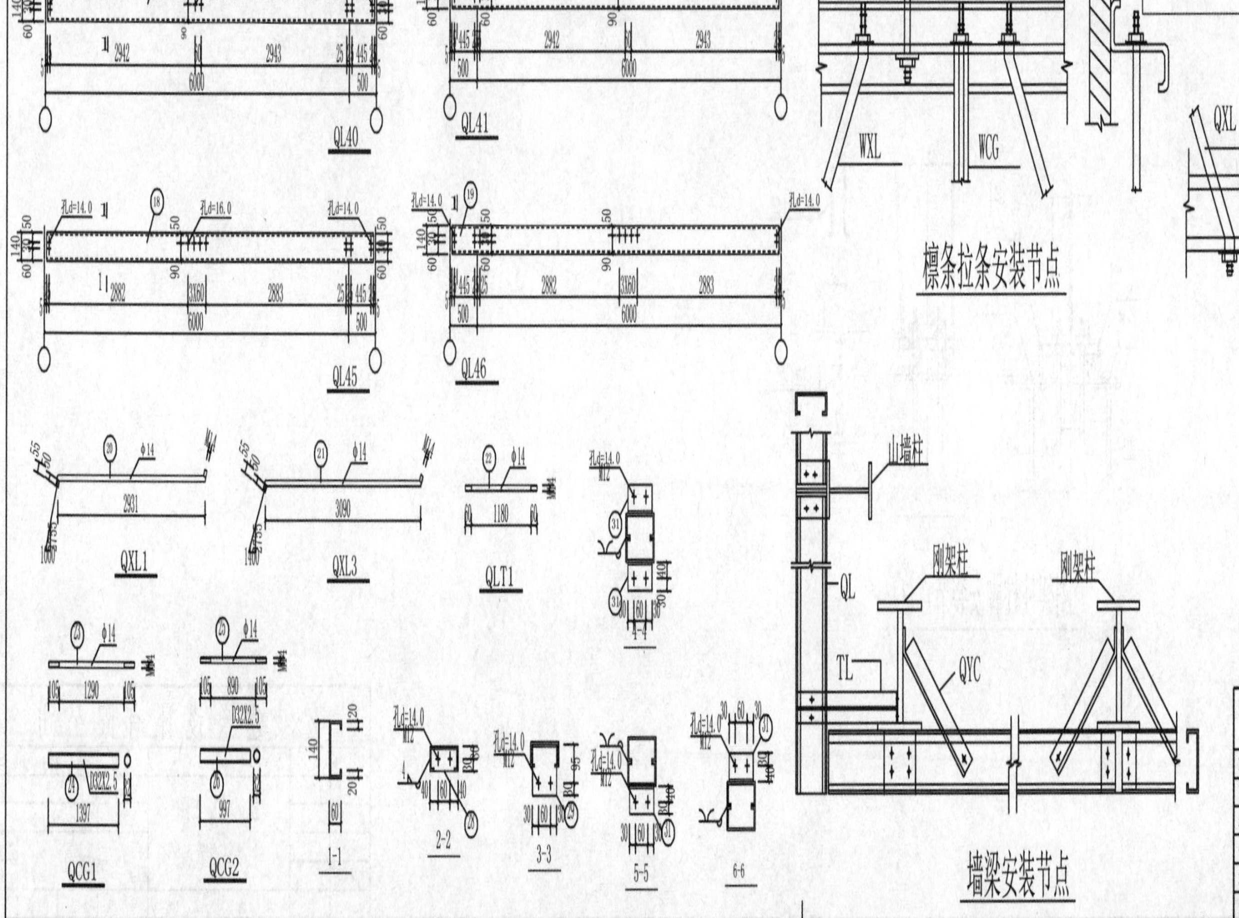

檩条拉条安装节点

墙梁安装节点

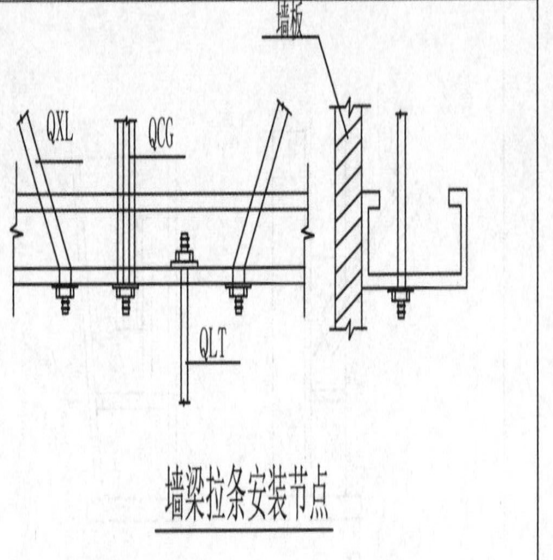

墙梁拉条安装节点

×××建筑设计有限公司							
职责	签字	专业名称	结构	建设单位	×××药业有限责任公司		
设计		Ⓐ、Ⓖ轴墙梁、拉条隅撑、墙柱施工详图		项目名称	厂房		
校核				设计阶段	施工图		
专业负责				钢结施-12			工程号
项目负责							2016-09-4
审核		比例	1：100	日期	2016.9	共13张	第12张

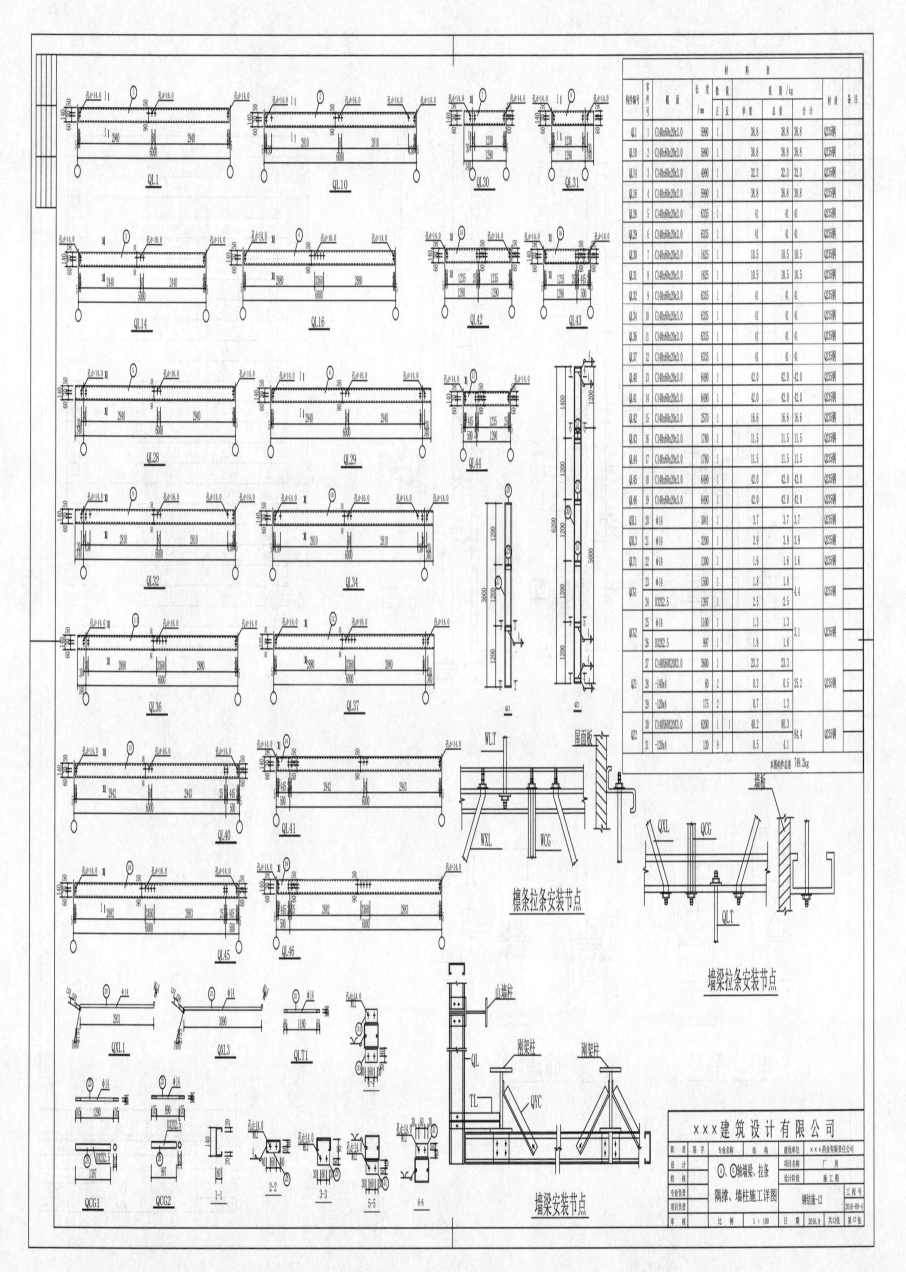

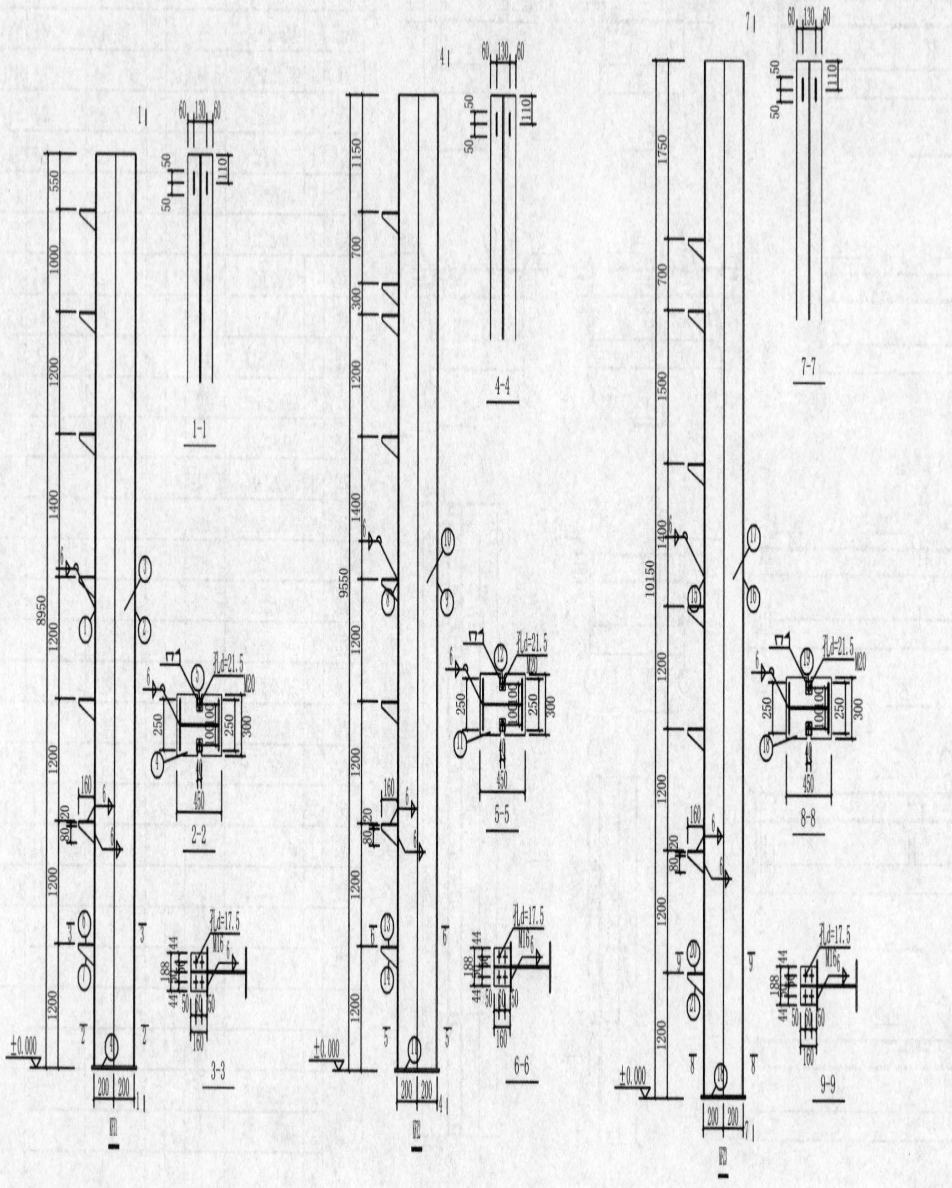

构件编号	零件号	截面	长度/mm	数量 正	数量 反	重量/kg 单重	重量/kg 总重	重量/kg 合计	材质	备注
				材料表						
KFZ1	1	-250x10	8938	1		175.4	175.4	592.7	Q235钢	
	2	-250x10	8938	1		175.4	175.4			
	3	-380x8	8938	1		213.3	213.3			
	4	-300x12	450	1		12.7	12.7			
	5	-60x12	60	2		0.3	0.7			
	6	-160x6	188	7		1.4	9.9			
	7	-100x6	160	7		0.8	5.3			
KFZ2	8	-250x10	9538	1		187.2	187.2	632.7	Q235钢	
	9	-250x10	9538	1		187.2	187.2			
	10	-380x8	9538	1		227.6	227.6			
	11	-300x12	450	1		12.7	12.7			
	12	-60x12	60	2		0.3	0.7			
	13	-160x6	188	8		1.4	11.3			
	14	-100x6	160	8		0.8	6.0			
KFZ3	15	-250x10	10138	1		199.0	199.0	668.4	Q235钢	
	16	-250x10	10138	1		199.0	199.0			
	17	-380x8	10138	1		241.9	241.9			
	18	-300x12	450	1		12.7	12.7			
	19	-60x12	60	2		0.3	0.7			
	20	-160x6	188	7		1.4	9.9			
	21	-100x6	160	7		0.8	5.3			
本图构件总重 1893.9kg										

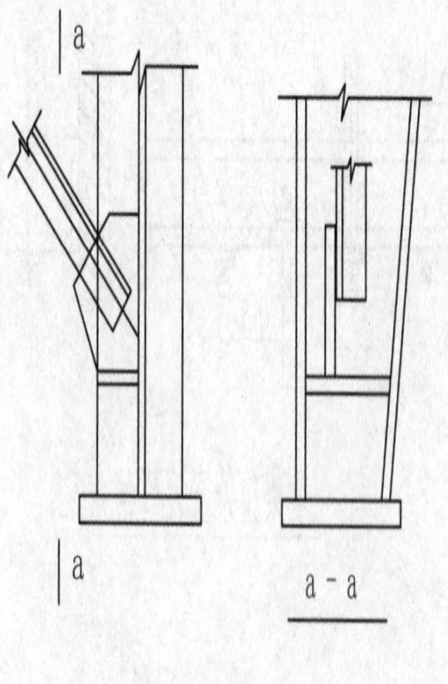

角钢支撑与柱连接节点

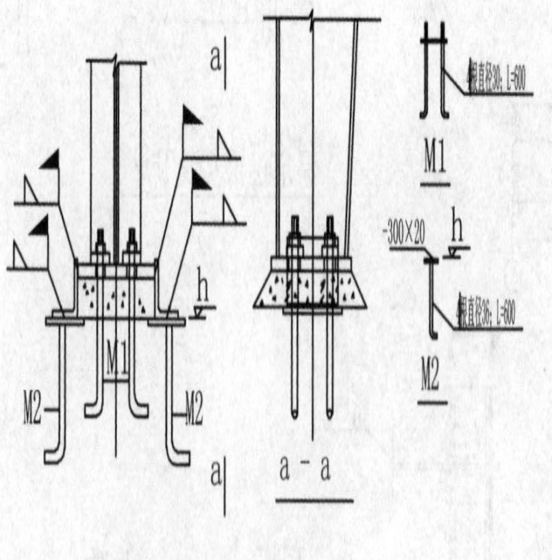

刚架柱柱脚安装节点(1)

×××建筑设计有限公司					
职责	签字	专业名称	结构	建设单位	×××药业有限责任公司
设计		抗风柱施工图 柱脚安装节点图		项目名称	厂房
校核				设计阶段	施工图
专业负责				钢结施-13	工程号
项目负责					2016-09-4
审核		比例	1：100	日期 2016.9	共13张 第13张

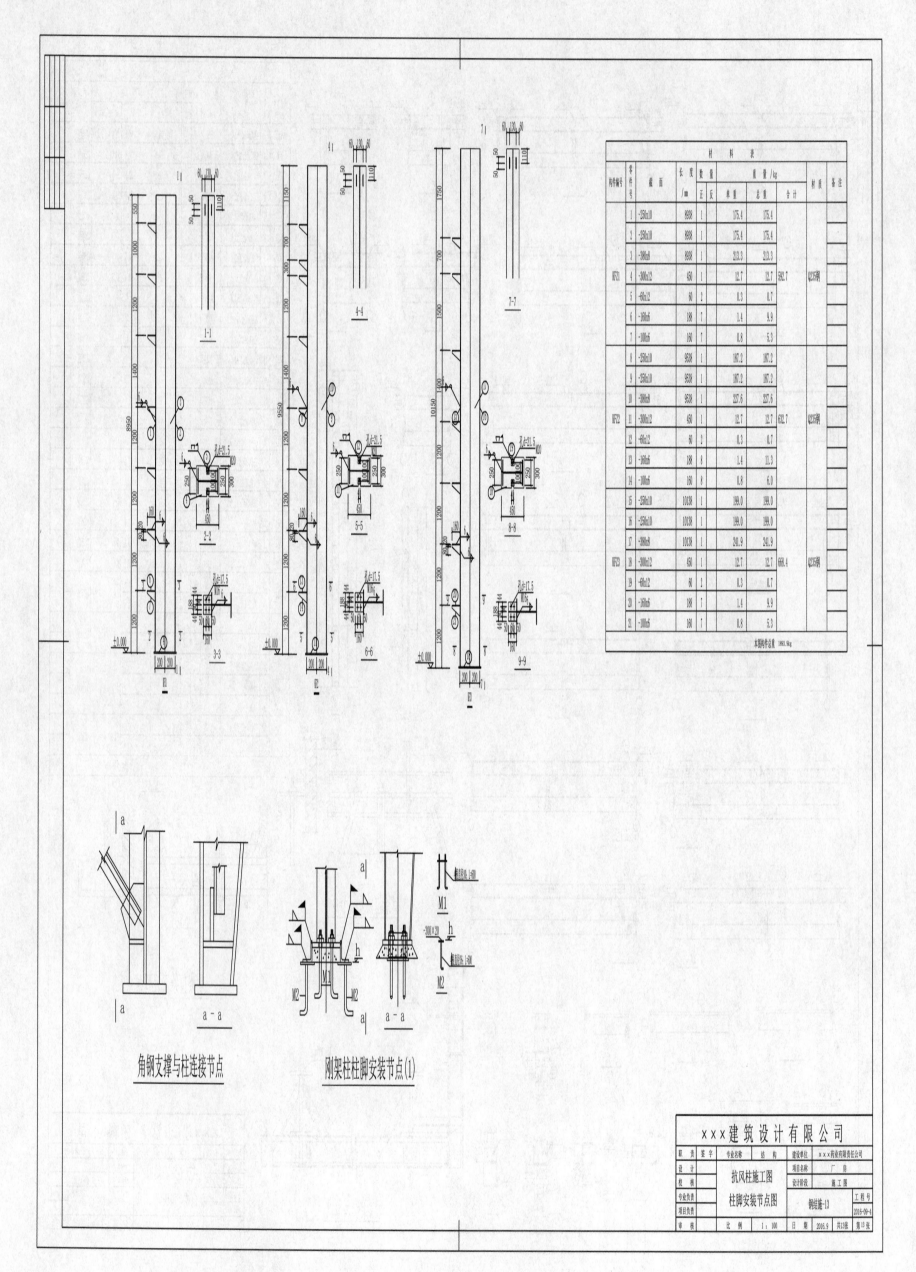

附录Ⅲ 建筑工程施工图实例（框架隔震结构）

×××县妇幼保健医院

×××XIAN FUYOU BAOJIAN YIYUAN

业 务 楼

YEWULOU

工程号：201710306

×××建筑设计研究院

×××JIANZHU SHEJI YANJIUYUAN

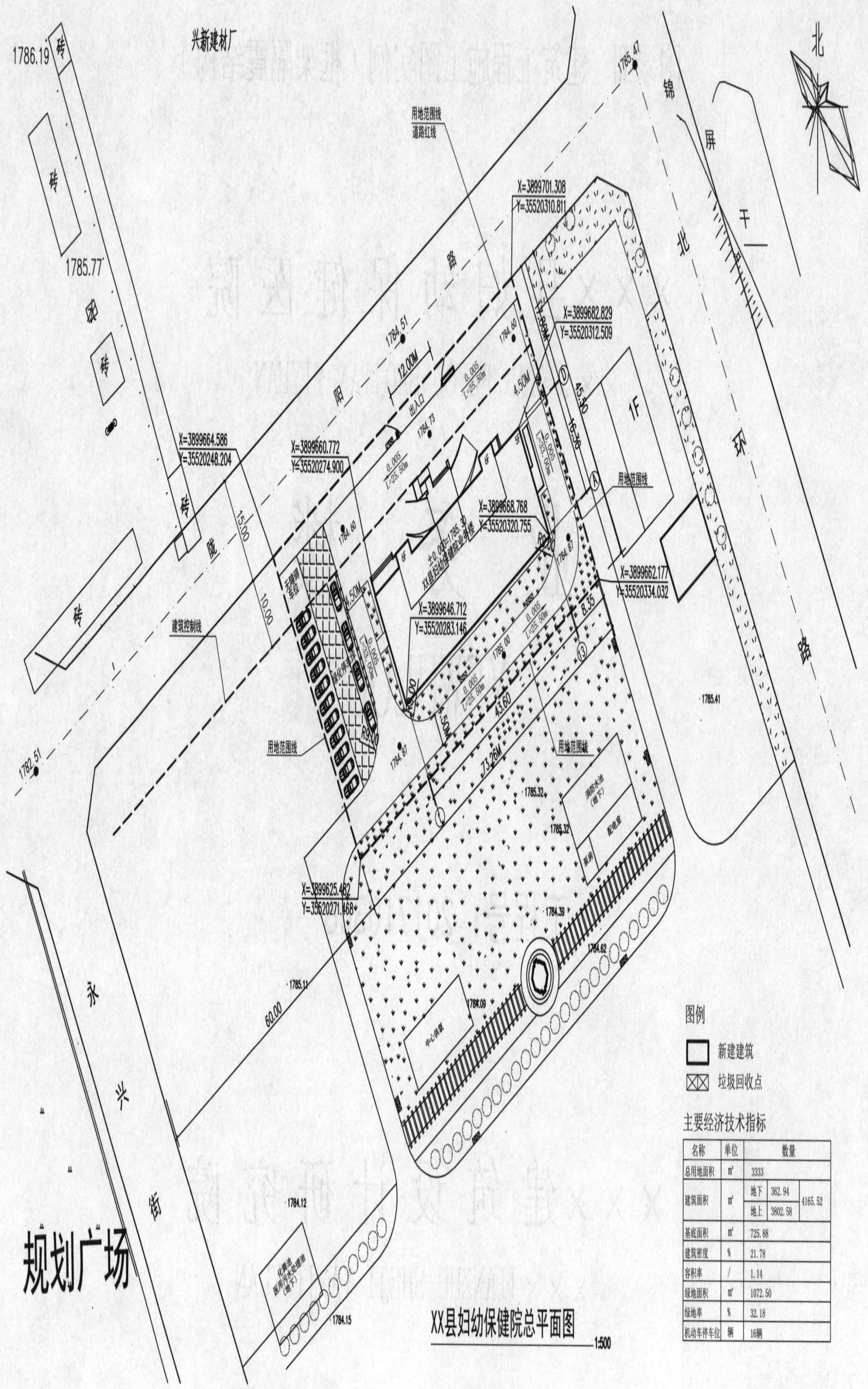

主要经济技术指标

名称	单位	数量		
总用地面积	m²	3333		
建筑面积	m²	地下	362.94	4165.52
		地上	3802.58	
基底面积	m²	725.88		
建筑密度	%	21.78		
容积率	/	1.14		
绿地面积	m²	1072.50		
绿地率	%	32.18		
机动车停车位	辆	16辆		

×××市建筑设计研究院	审定		校对			建设单位	××县妇幼保健医院	图纸名称	××县妇幼保健院总平面图	工程编号	201710306	阶段	施工图
	审核		设计负责人			项目名称	××县妇幼保健医院业务楼			图号	建施-1	日期	2017.10
	项目负责人		设计人									比例	1:100

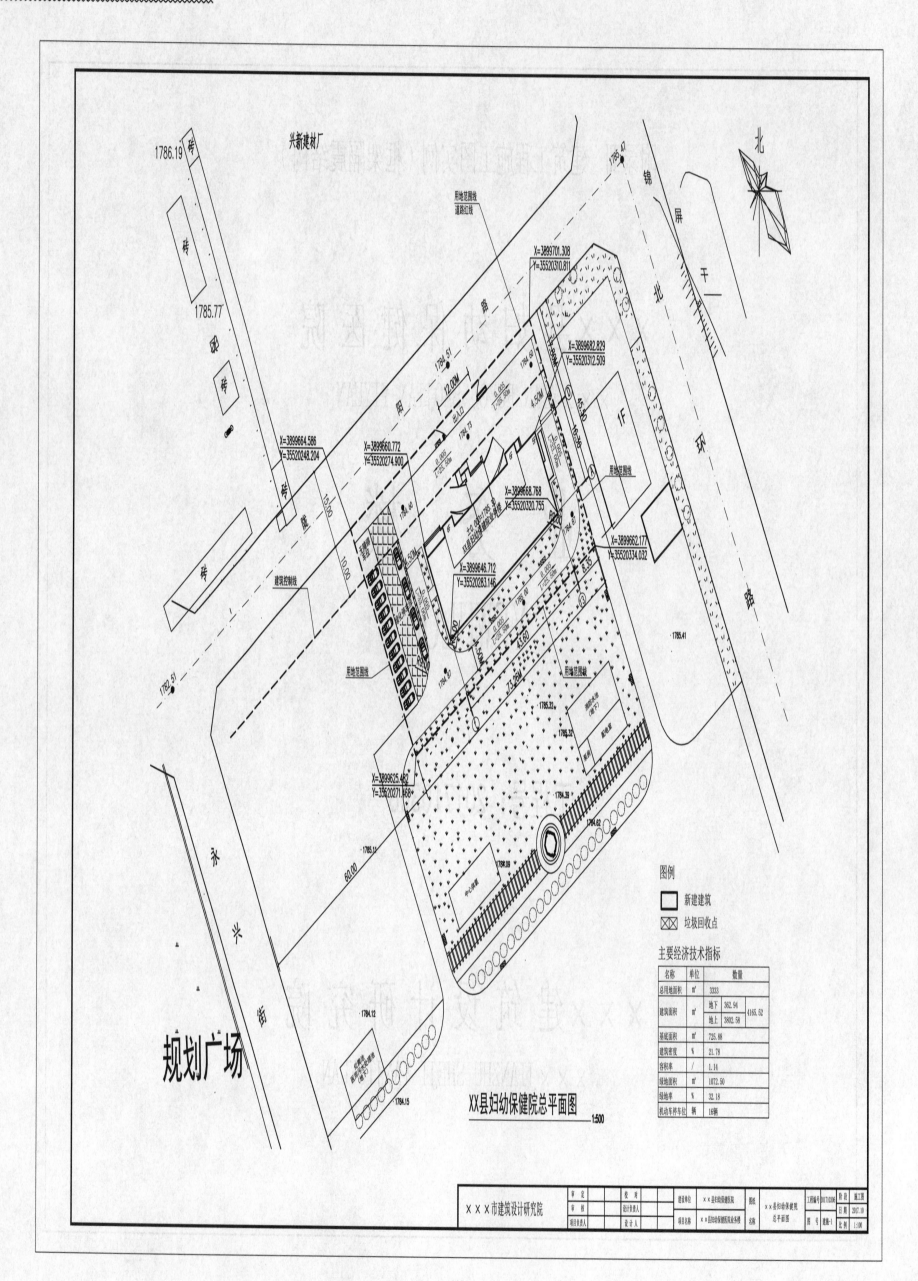

设 计 说 明(一)

一、设计依据

1.关于××县妇幼保健院业务楼建设项目初步设计批复。

2.××县住房和城乡建设局颁发的【建设工程规划许可证】建字第(2017)135号。

3.××县妇幼保健站提供的1:500地形图。

4.建设单位提供的设计委托书、设计合同、设计要求及<<工程地质勘察报告>>等有关设计基础资料。

5.国家及甘肃省现行设计规范和规定。

《民用建筑设计通则》GB 50352-2005

《建筑设计防火规范》(GB 50016-2014)

《公共建筑节能设计标准》GB 50189-2015

《综合医院建设标准》建标(2008)164号

《综合医院建筑设计规范》(GB 51039-2014)

《无障碍设计规范》GB 50763-2012

《民用建筑工程室内环境污染控制规范》GB 50325-2010(2013年修订版)

《绿色建筑评价标准》GB/T 50378-2014

《建筑外门窗气密、水密、抗风压性能分级及检测方法》GB/T 7106-2008

《屋面工程技术规范》GB50345-2012

《建筑工程设计文件编制深度规定》(2008年版)

《屋面工程质量验收规范》GB 50207-2012

《绿色建筑评价标准》DB62/T 25-3064-2013

《民用建筑绿色设计规范》JGJ/T 229-2010

《建筑内部装修设计防火规范》(GB 50222-95)2001年版

《工程建设标准强制性条文》(房屋建筑部分)2013年版

《民用建筑外墙外保温系统及外墙装饰防火暂行规定》(公通字(2009)46号)

《甘肃省住房和城乡建设厅 甘肃省公安厅关于规范我省建筑外墙保温材料燃烧性能的通知》甘建设(2013)454号

甘肃省住房和城乡建设厅关于转发《住房城乡建设部关于房屋建筑工程推广应用减隔震技术的若干意见(暂行)》及进一步做好我省减震隔震技术推广应用工作的通知--甘建设(2014)260号文

二、工程概况

1.建设单位:XX县妇幼保健站

项目名称:XX县妇幼保健院业务楼

2.本工程位于XX县新城区,设计室内外高差0.450m。

3.本工程地下设隔震层兼管道层,地上五层,局部六层。隔震层层高1.50m,一层层高4.20m,二至四层层高3.60m,五、六层层高4.20m,建筑物总长43.60m,宽16.30m,高19.65m,地下建筑面积为362.94m²,地上建筑面积为3802.58m²,基底面积为725.88m²,建筑面积为4165.52m²。

4.结构形式:框架结构,基础形式为钢筋混凝土人工成孔灌注桩基础。

三、工程技术准则

1.建筑防火分类:多层公共建筑	2.建筑物设计使用年限:50年
3.建筑耐火等级:二级	4.抗震设防烈度:8度
5.抗震设防分类:乙类	6.结构安全等级:二级
7.室内环境污染控制指标为Ⅰ类	8.屋面防水等级:Ⅰ级,地下防水等级:Ⅱ级

四、设计范围

本设计文件包括建筑物单体的建筑,结构,给排水,暖通,电气专业的施工图。不包括室外工程及二次装修。

五、墙体工程

1.梁、柱、构造柱尺寸以结施图为准;楼板、梁留洞位置,洞口尺寸均见结施图。

2.外墙为300厚非承重烧结空心砖。内墙为200厚非承重烧结空心砖,隔墙采用120厚多孔砖,电梯井道砌墙部分采用200厚多孔砖。

六、屋面工程

1.本工程的屋面防水等级为Ⅰ级,做法详见剖面图与节点详图。

2.屋面雨水采用有组织内排水,雨水管采用DN110白色PVC管。

七、门窗工程

1.门窗立面均表示洞口尺寸,门窗加工尺寸按装修面厚度予以调整;外门窗采用断桥铝合金中空玻璃推拉窗(6+12A+6)。所有窗户均安装开启位置限位器。

窗台距楼面低于900时,均设不锈钢护窗栏杆(不锈钢护栏做法:06J403-1-78,护栏高1.10m)。

门窗立樘:外墙门窗均装于墙中,内门内开为内平,外开为外平,开启方向一侧做木压条.

2.内门窗予埋在墙中的木砖,铁件均做防腐防锈处理,门洞留三道木砖(120×120×120)分别距上下口200及洞中。

3.门窗仅提供门窗洞口尺寸和数量,立面分格和开启形式。详细构造由专业生产厂家进行二次设计,框料尺寸和玻璃厚度由厂家根据通渭县风压值及各种荷载计算之后确定,各项技术指标应符合相关规范,规程和技术标准。

4.门窗施工时必须现场复核尺寸和数量,确定无误后再加工安装。

5.门窗标准、规格、窗框及玻璃色彩须经设计院看样认可后方可订货。

6.防火门选用自闭式,必须选择有资质的厂家的专业产品。

八、外装修工程

1. 外装修设计:一层为灰白色干挂花岗岩墙面,以上均采用高档自洁防水外墙乳胶漆(颜色见效果图)或建设单位自定。

2. 外装修选用的各项材质、规格、颜色等,均由施工单位提供样板,经建设单位和设计单位共同看样后确定。

3. 外墙保温材料的阻燃性能为A级,保温材料为硅酸盐泡沫保温板。

4. 散水做法:隔震沟盖板填缝后,素水泥砂浆一道(内掺建筑胶),20厚1:2.5水泥砂浆面层,散水与外墙间设10mm宽通缝,通缝内填嵌缝膏。

九、内装修工程

1. 卫生间、医疗、办公等所有用水房间均做防水层。图中未注明整个房间做坡者,均在地漏周围1m范围内做1%坡度坡向地漏。

2. 内装修选用的各项材质、规格、颜色等,均由施工单位提供样板,经建设单位和设计单位共同看样后确定。所选材料均应符合相应规范和标准的环保要求。

十、油漆工程

1. 室内外所用油漆用料详见工程做法表。

2. 楼梯、平台栏杆油漆颜色详建施图中引注。

3. 凡埋入楼、地面及墙内铁件均刷防锈漆二度,露明铁件均红丹打底,中灰色调和漆二度,一般木制构配件均做一底二度调和漆。

4、各种油漆均由施工单位制作样板,经确认后进行封样,并据此验收。

十一、电梯选型:

1.根据建设单位要求本工程选用两部侧分门电梯,一部病床梯和一部客梯,病床梯设计时速1.0m/s,载重1600kg;客梯设计时速1.0m/s,载重1275kg。五层产科产房设计一台小型电动污物提升机,设计时速10m/min,载重150kg。

2.电梯井道采取隔声减震措施:紧邻电梯井道墙内侧贴50厚矿棉吸音板。井道1/2层高处设置圈梁,构造做法详见结构图。施工时应根据电梯样本核对井道尺寸、留洞尺寸、埋件、底坑深度及顶层高度,确定无误后方可施工。

十二、防火设计:

1、本工程每个自然层为一个防火分区,并设有自动喷水灭火系统,每层设有两部疏散楼梯,均在一层直通室外,并直接通向屋面;一层设有四个出入口。

2、楼梯间均为封闭楼梯间,楼梯间可自然通风和采光,楼梯间采用自闭型乙级防火门,向疏散方向开启。

十三、无障碍设计:

本工程在一层主入口和次入口处均设有无障碍坡道(坡度1:12),各层均设有无障碍厕位,电梯设计满足无障碍使用要求,一层主入口设计了汽车坡道(坡度1:12)。

十四、其他:

1.图中部分工程做法为二次装修设计内容,需进行二次设计。

2.土建施工时应密切配合电梯,智能,铝合金等专业厂家,正确予留建筑及各专业所需洞口、沟槽和预埋件。

3.电缆井、管道井应每层在楼板处用相当于楼板耐火极限的不燃烧体作防火分隔,其与房间、走道等相连通的孔洞,其间隙应采用不燃烧材料填塞密实。墙体转角处的阳角及阴角均抹灰成圆角。

4.卫生间地面降低本层楼地面20mm,凡因结构降板导致面层厚度改变部分均用水泥焦渣做相应厚度的垫层。

5.所有管道井及配电间门下均用细石混凝土砌300高门槛。

6.所有图中尺寸单位除总图及标高以米为单位外其余均以毫米为单位。

7.图纸中未注明做法的设备及家具仅为示意。

9.卫生间变压式排风道做法见甘12J8-61-1,洞外均加成品PVC风帽。

8.图纸中各层走廊、楼梯间靠墙一侧等均设靠墙扶手,做法参见甘12J6-22-1。

10.本工程施工时,应与结构、给排水、设备及电气专业图纸配合使用,并应仔细核对各工种对管线预留洞口及埋件的要求,确保无误后方可施工。若有错、漏、碰、缺等问题,请及时与设计单位联系,协商解决。

11.本图未尽事宜均严格按照《建筑工程施工质量验收统一标准》(GB50300-2013)施工,或与设计单位联系,协商解决。

工程用料表

名称编号	做法名称	图集代号及编号	应用部位	备注
外墙面1	干挂石材墙面	05J909-WQ20-外墙25	一层外墙面	灰白色花岗岩
外墙面2	乳胶漆墙面	05J909-WQ9-外墙10A 05J909-TL9-外涂2	除注明外的其他部位	采用高档自洁防水外墙乳胶漆(颜色见效果图)
内墙面1	乳胶漆墙面、油漆墙裙	05J909-NQ16-内墙8A/裙8A 05J909-TL11-内涂3	除注明者外所有部位	采用白色乳胶漆,墙裙油漆颜色由建设单位定
内墙面2	贴面砖防水墙面	05J909-NQ31-内墙16A	卫生间、污洗室	面砖采用白色, 防水层为2厚非焦油聚氨酯涂膜
楼面1	铺地砖楼面(有防水)	05J909-LD16-楼13C	卫生间、污洗室、开水间	防水层为2厚非焦油聚氨酯涂膜
楼面2	铺地砖楼面	05J909-LD15-楼12A	除注明者外所有楼面	地砖颜色看样后定,规格甲方定
楼面3	水泥混凝土楼面	05J909-LD4-楼1A	电梯机房	
楼面4	水泥混凝土楼面(有防水)	05J909-LD5-楼2A	屋面水箱间	
踢脚	贴面砖踢脚板	甘12J1-1-7-5/6	所有房间同相应楼地面	150高
顶棚1	装饰石膏板吊顶	05J909-DP12-棚24B	除注明外的其他房间	
顶棚2	板底涂料顶棚	05J909-DP7-棚7A	楼梯间、水箱间、机房	采用白色乳胶漆
顶棚3	铝合金条板吊顶	05J909-DP19-棚35A	卫生间、污洗室、开水间	
油漆	调和漆	05J909-TL19-油25	室外钢爬梯、楼梯扶手	采用中灰色
路面	混凝土路面	甘12J5-1-A03-CL02	室外道路	

×××市建筑设计研究院	审定			校对			建设单位	××县妇幼保健医院	图纸名称	设计说明(一)	工程编号	201710306	阶段	施工图
	审核			设计负责人			项目名称	××县妇幼保健医院业务楼			图号	建施-2	日期	2017.10
	项目负责人			设计人									比例	1:100

设 计 说 明(二)

一、节能设计:

本工程外墙保温材料为硅酸盐泡沫保温板，燃烧性能等级为A级。

1.本工程属甲类公共建筑，气候分区为寒冷地区，建筑物体形系数为0.227。

建筑物窗墙比：南0.327　北0.284　东0.066　西0.077

2.屋面采用70厚岩棉板保温层（燃烧性能等级为A级），传热系数 K=0.38W/（m²·k）。(≤0.45)

3.外墙采用300厚烧结空心砖，外贴50厚硅酸盐泡沫保温层,传热系数 K= 0.48W/（m²·k）。(≤0.50)

200厚外墙采用烧结空心砖，外贴80厚硅酸盐泡沫保温层。

4.地下管道层顶板下贴65厚岩棉板保温层,传热系数 K=0.45W/(m²·k)。(≤1.00)

5.外围窗采用断桥铝合金low-e中空玻璃（6+12A+6）窗，传热系数 K=2.20W/（m²·k）。(≤2.40)

外窗气密性等级不低于《建筑外门窗气密、水密、抗风压性能分级及检测方法》GB/T7106-2008规定的6级水平，外门气密性等级不低于4级水平。

6.合理控制窗墙比，楼梯间为封闭采暖楼梯间，采用节能灯具。

二、绿色建筑设计

本项目根据《绿色建筑评价标准》DB62/T25-3064-2013的规定，按照一星级设计。

1.节地与室外环境：本次设计控制项全部满足。一般项共11项，满足7项，分别为：①场地环境噪声符合现行国家标准《城市区域环境噪声标准》GB3096的规定；②建筑物周围人行区风速低于5m/s，不影响室外活动的舒适性和建筑通风；③绿化物种选择适宜当地气候和土壤条件的乡土植物，且采用包含乔、灌木的复层绿化；④场地交通组织合理，到达公共交通站点的步行距离不超过500m；⑤建筑场地充分结合原有地形地貌设计；⑥场地均采用无障碍设计，且与建筑场地外人行通道无障碍连通；⑦合理布置停车场。

2.节能与能源利用：本次设计控制项全部满足。一般项共13项，满足5项，分别为：①建筑总平面设计有利于冬季日照并避开冬季主导风向，夏季利于自然通风；②建筑外窗可开启面积不小于外窗总面积的30%；③建筑外窗的气密性不低于现行国家标准《建筑外窗气密性、水密、抗风压性能分级及检测方法》GB/T7106-2008规定的6级要求；④采用节能设备与系统，通风空调系统风机的单位风量耗功率和冷热水系统的输送能效比符合国家《公共建筑节能设计标准》GB50189-2005相关规定；⑤采用的配电变压器，其空载损耗和负载损耗符合《三项配电变压器能效限定值及节能评价值》GB20052中表3或表4的节能评价值。变电所位置接近负荷中心，线路路径合理。功率因数数值符合国家现行相关供配电标准的要求。优选项共5项，满足2项，①建筑内所有电梯均使用节能型电梯，并采用节能控制方式；②各房间或场所的照明功率密度值不高于现行国家标准《建筑照明设计标准》GB50034规定的目标值，合理采用自动控制方式。

3.节水与水资源利用：本次设计控制项全部满足。一般项共11项，满足6项，分别为：①节约地下水资源；②通过技术经济比较，合理确定雨水积蓄、处理及利用方案；③绿化、景观、洗车等用水采用非传统水源；④绿化灌溉采用喷灌、微灌、滴灌等高效节水灌溉方式；⑤按用途设置用水计量水表；⑥建筑平均日用水量不高于现行国家标准《民用建筑节水设计标准》GB50555中的节水用水定额中限制要求。

4.节材与材料资源利用：本次设计控制项全部满足。一般项共10项，满足6项，分别为：①施工现场500km以内生产的建筑材料重量占建筑材料总重量的60%以上；②建筑结构材料合理采用高性能混凝土、高强度钢；③室内采用灵活隔断，减少重新装修时的材料浪费和垃圾产生；④保证性能的前提下，使用以废弃物为原料生产的建筑材料，其用量占同类建筑材料的比例不低于30%；⑤采用预拌砂浆；⑥使用新型节能环保墙体材料。优选项共4项，满足2项，①采用资源消耗和环境影响小的建筑结构体系；②使用获得绿色认证的建筑材料。

5.室内环境质量：本次设计控制项全部满足。一般项共7项，满足3项，分别为：①建筑设计和构造设计有促进自然通风的措施；②建筑平面布局和空调功能安排合理，减少相邻建筑的噪声干扰以及外界噪声对室内的影响；③建筑主入口和主要活动空间设有无障碍设施。优选项共3项，满足1项，采用可调节外遮阳，改善室内热环境。

6.运营管理：本次设计控制项全部满足。一般项共11项，满足9项，分别为：①建筑施工兼顾土方平衡和施工道路等设施在运营过程中的使用；②物业管理部门通过《环境管理体系要求及使用指南》GB/T24001、《质量管理体系要求》GB/T19001与《能源管理体系要求》GB/T23331认证；③设备、管道的设置便于维修、改造和更换；④公共设施如水箱、中央空调系统、水池等按照规定进行定期检查和清洗；⑤建筑通风、空调、照明等设备自动监控系统技术合理，系统高效运营；⑥定期对建筑外立面进行检查和维护；⑦废气废水排放前进行无害化处理，以降低其对生态环境影响；⑧制定设备及耗材管理制度，用完善的设备使用手册和操作规程，对设备进行定期维修和分类管理，设备有科学地运行计划和详细的设备运行记录；⑨制定消防管理制度，消防设施和疏散指示标志及出口复合国家相关标准的规定。优选项共3项，满足1项，①具有并实施资源管理激励机制，管理业绩与节约资源、提高经济效益挂钩。

综上所述，本设计满足所有控制项要求：一般项共63项，节地与室外环境11项，满足7项，节能与能源利用13项，满足5项，节水与水资源利用11项，满足6项，节材与材料资源利用10项，满足6项，室内环境质量7项，满足3项，运营管理11项，满足9项；优选项20项，满足7项。综合评定为一星级。

门窗表

类型	编号	洞口尺寸/mm	数量	备注	类型	编号	洞口尺寸/mm	数量	备注
门	M-1	1800X2700	2	铝合金钢化玻璃地弹门	窗	C-1	2100X2100	76	断桥节能铝合金推拉窗
	M-2	1000X2400	37	成品装饰木门		C-2	2100X1500	10	断桥节能铝合金推拉窗
	M-3	1200X2400	30	成品装饰木门		C-3	2100X1500	3	铝合金推拉窗，订做
	M-4	1500X2100	9	防盗门		C-4	1200X900	12	铝合金推拉窗，订做
	M-5	1000X2100	20	手术室净化密闭门		C-5	2100X2400	45	断桥节能铝合金推拉窗
	M-6	1500X2400	5	手术室净化密闭门		C-6	900X1200	1	密闭观察窗
	M-7	800X2100	11	成品装饰木门		FHC-1	2100X1800	1	乙级防火窗
	FDM-1	1200X2400	1	防火防盗门					
	FHM-1	1500X2100	11	木质乙级防火门					
	FHM-2	1000X2100	4	木质乙级防火门					
	FHM-3	700X1800	17	木质丙级防火门					
	FHM-4	1200X2400	6	木质乙级防火门					
	FHM-5	1000X2100	2	木质甲级防火门					

注：1.外墙断桥铝合金窗采用HD80系列以上材料，但必须保证中空层的厚度，中空玻璃厚度为6+12A+6。

2.除注明外,玻璃门均采用12mm厚中空钢化玻璃,

3.外窗均设窗纱。

4.室内窗均为普通单层铝合金窗。

5.所有病房门均设观察窗。

建筑专业图纸名称

序号	图纸名称	编号
1	××县妇幼保健院总平面图	建施-1
2	设计说明（一）	建施-2
3	设计说明（二）	建施-3
4	隔震层平面图	建施-4
5	一层平面图	建施-5
6	二层平面图	建施-6
7	三层平面图	建施-7
8	四层平面图	建施-8
9	五层平面图	建施-9
10	屋面平面图	建施-10
11	小屋面平面图	建施-11
12	1-13轴线立面图	建施-12
13	13-1轴线立面图	建施-13
14	A-E轴线立面图	建施-14
15	E-A轴线立面图	建施-15
16	剖面图、电梯井道剖面图	建施-16
17	楼梯间大样图	建施-17
18	卫生间大样图	建施-18
19	墙身剖面图	建施-19

×××市建筑设计研究院	审 定			校 对			建设单位	××县妇幼保健医院	图纸名称	设计说明（二）	工程编号	201710306	阶 段	施工图
	审 核			设计负责人									日 期	2017.10
	项目负责人			设 计 人			项目名称	××县妇幼保健医院业务楼			图 号	建施-3	比 例	1:100

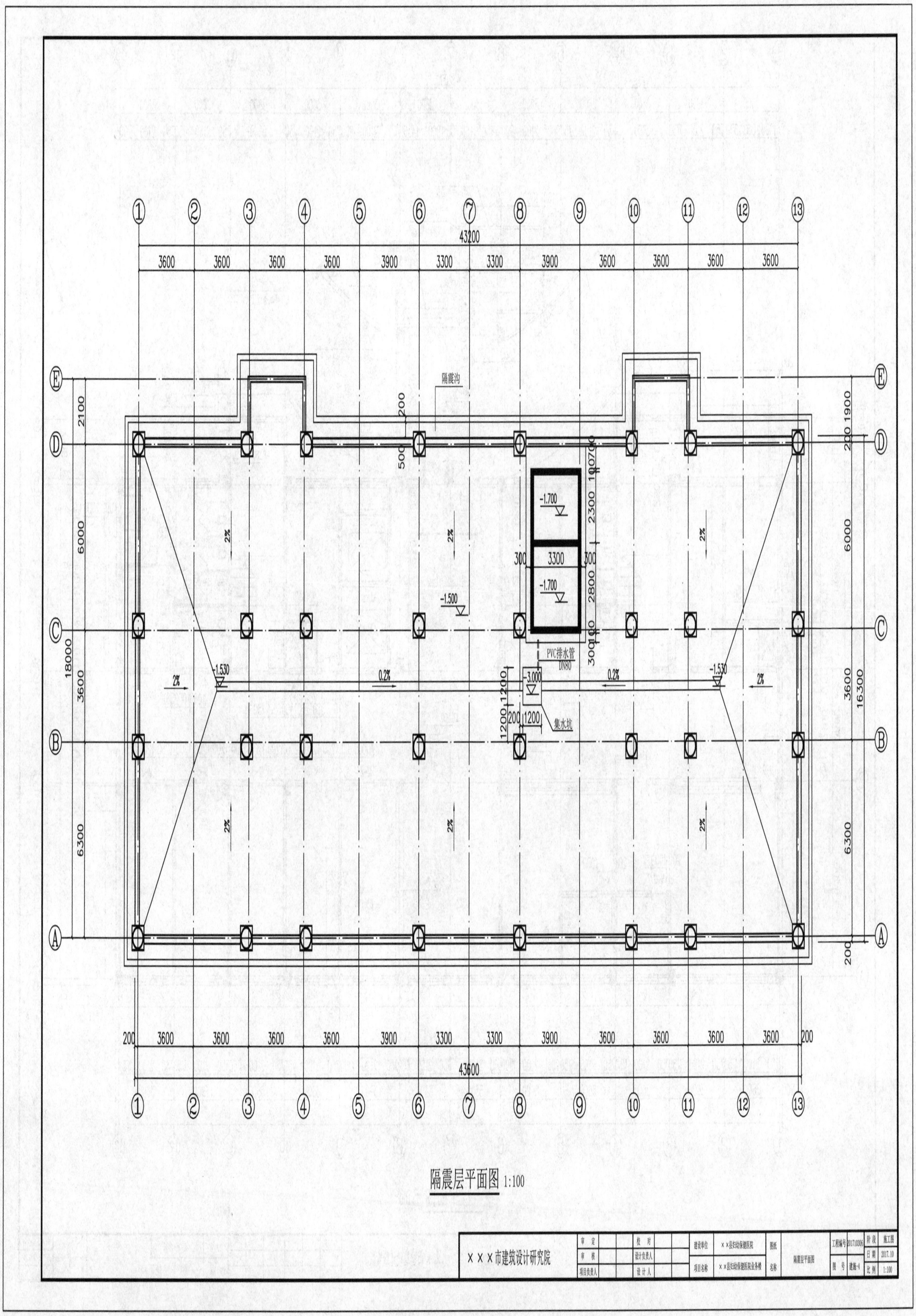

隔震层平面图 1:100

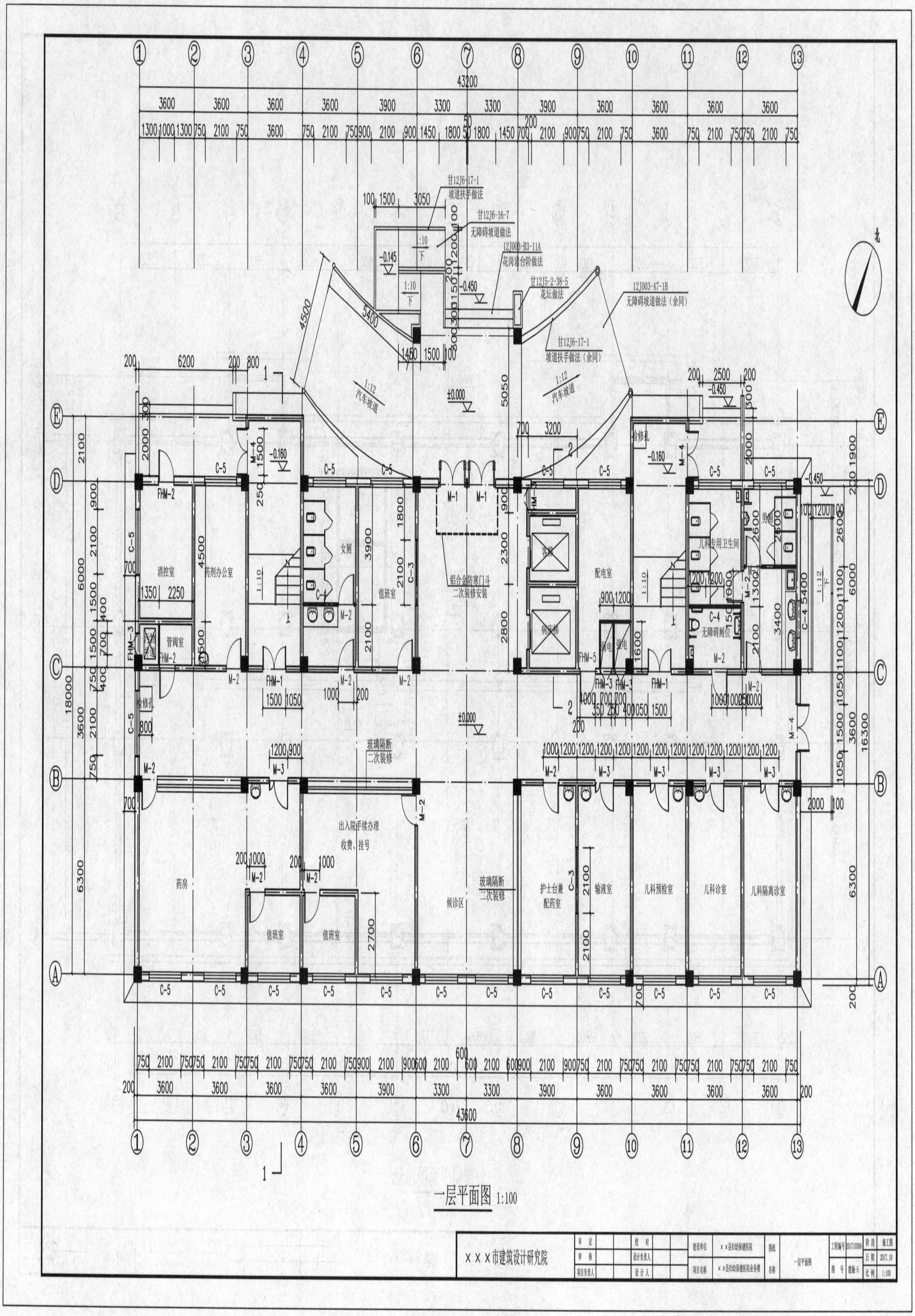

一层平面图 1:100

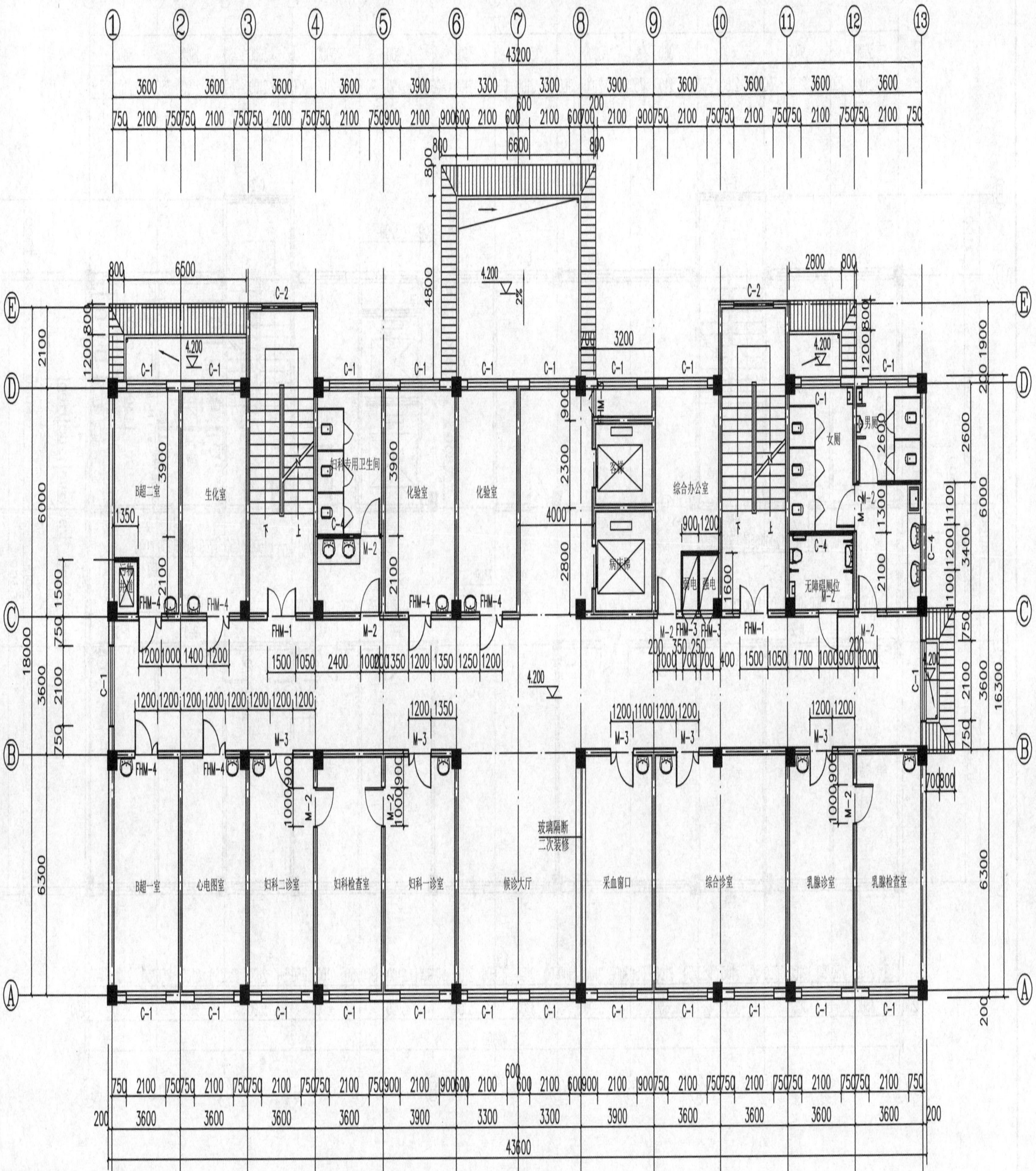

二层平面图 1:100

×××市建筑设计研究院	审 定			校 对			建设单位	××县妇幼保健医院	图纸	二层平面图	工程编号	201710306	阶 段	施工图
	审 核			设计负责人									日 期	2017.10
	项目负责人			设 计 人			项目名称	××县妇幼保健医院业务楼	名称		图 号	建施-6	比 例	1:100

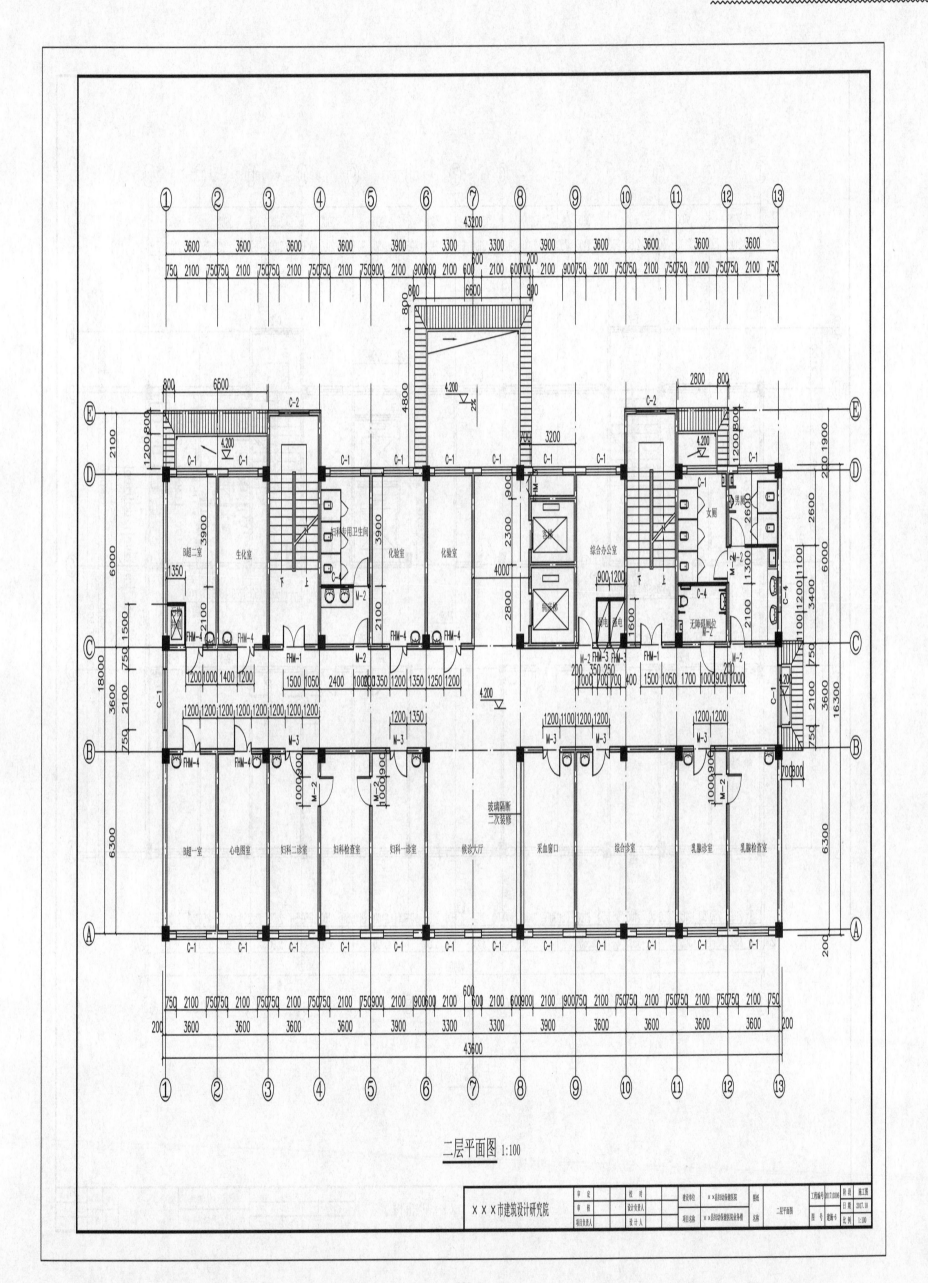

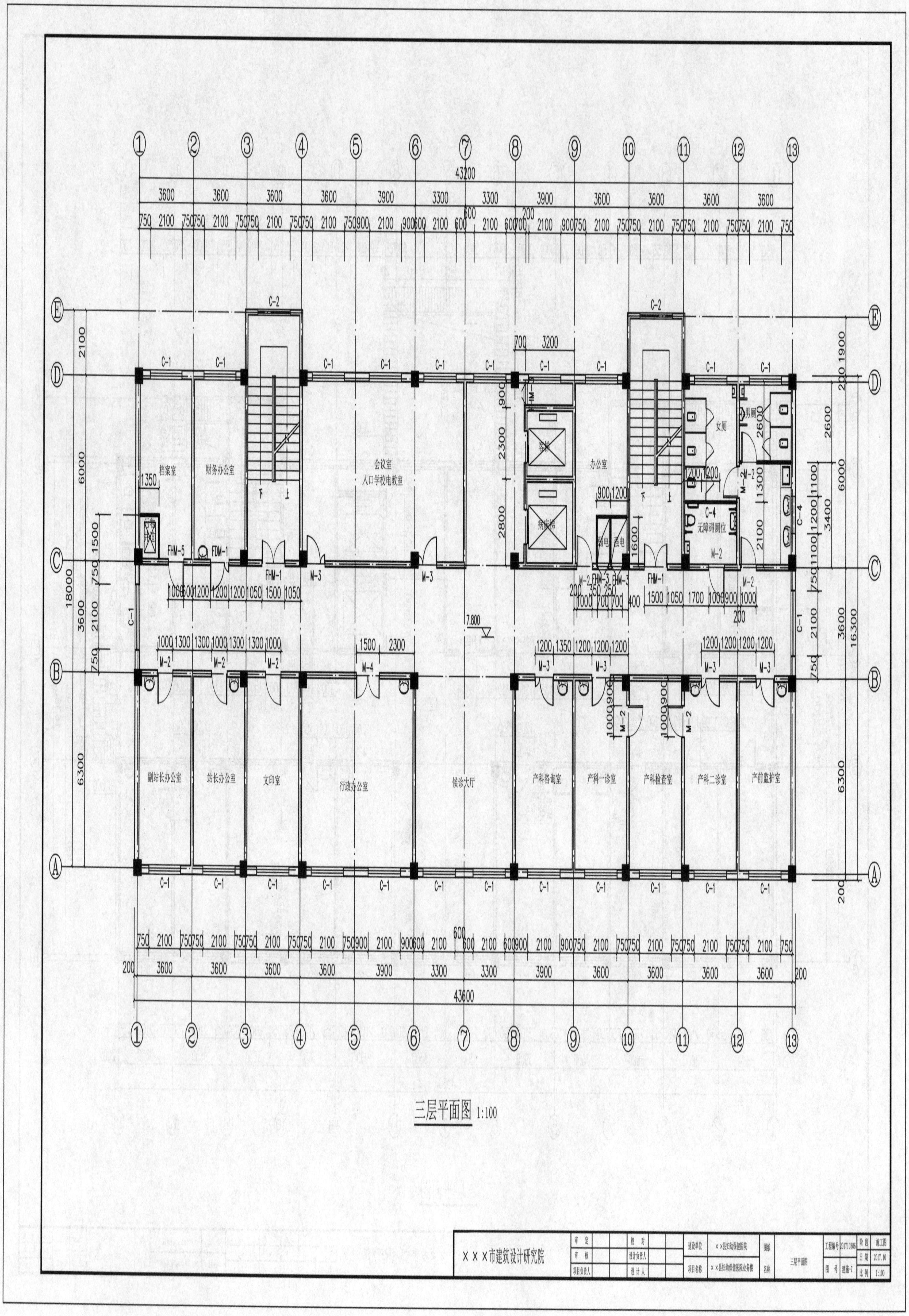

43200
3600 3600 3600 3600 3900 3300 3300 3900 3600 3600 3600 3600
档案室
财务办公室
会议室
人口学校电教室
客梯
病床梯
办公室
女厕
男厕
无障碍厕位
强电
弱电
7.800
副站长办公室
站长办公室
文印室
行政办公室
候诊大厅
产科咨询室
产科一诊室
产科检查室
产科二诊室
产前监护室
18000
16300
43600
三层平面图 1:100
×××市建筑设计研究院
三层平面图

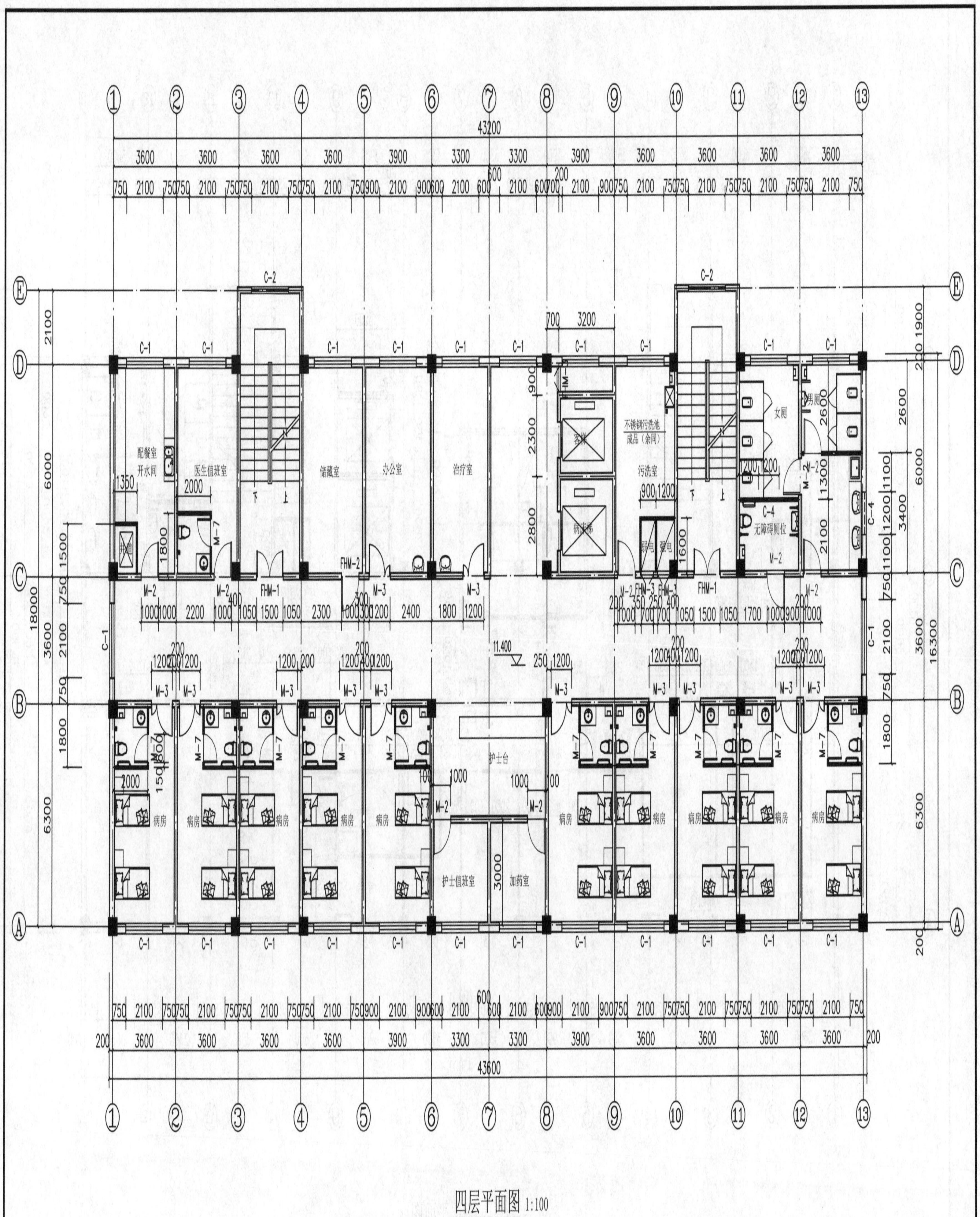

四层平面图 1:100

注：走廊、楼梯间靠墙一侧均设靠墙扶手及防撞设施，做法为甘12J6-22-1

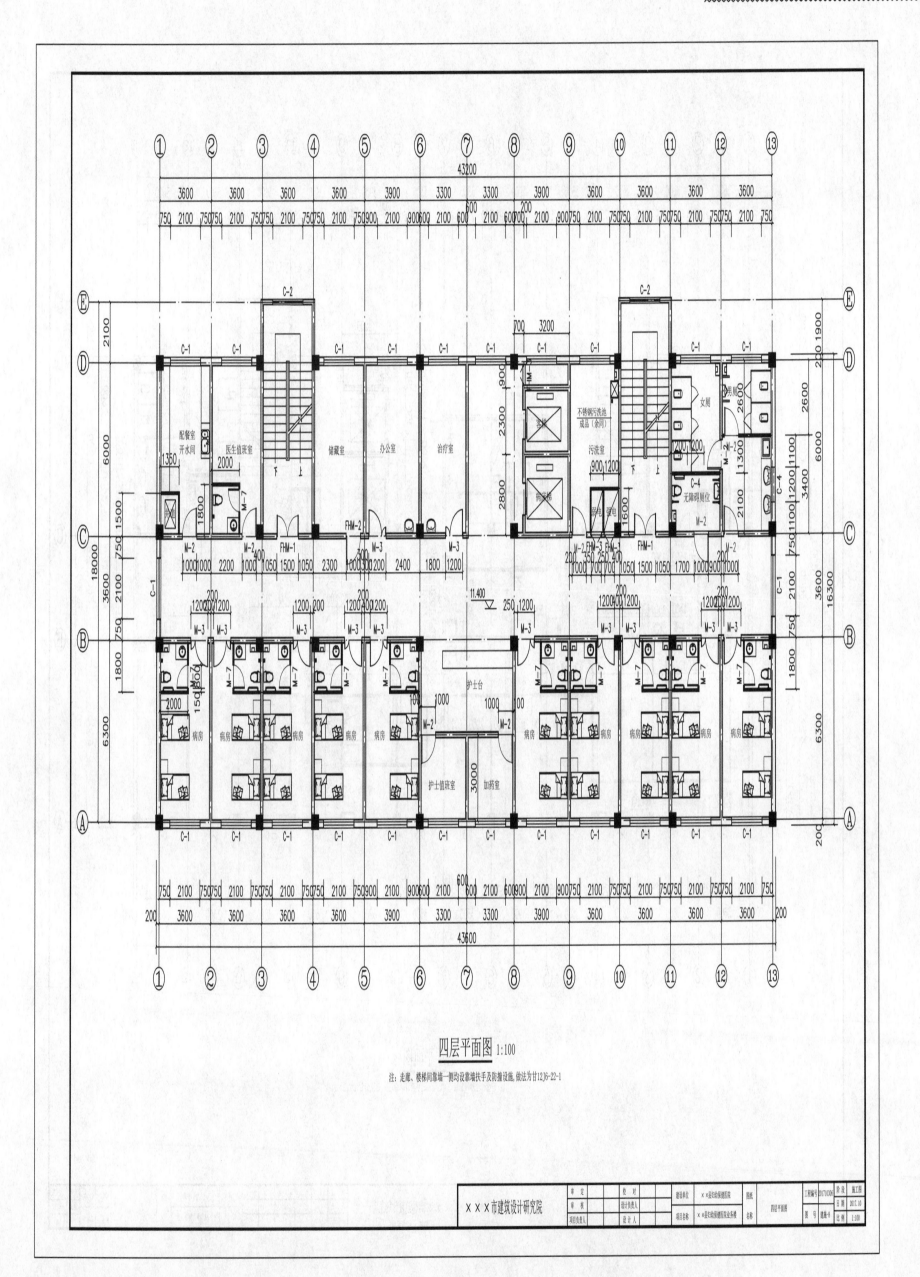

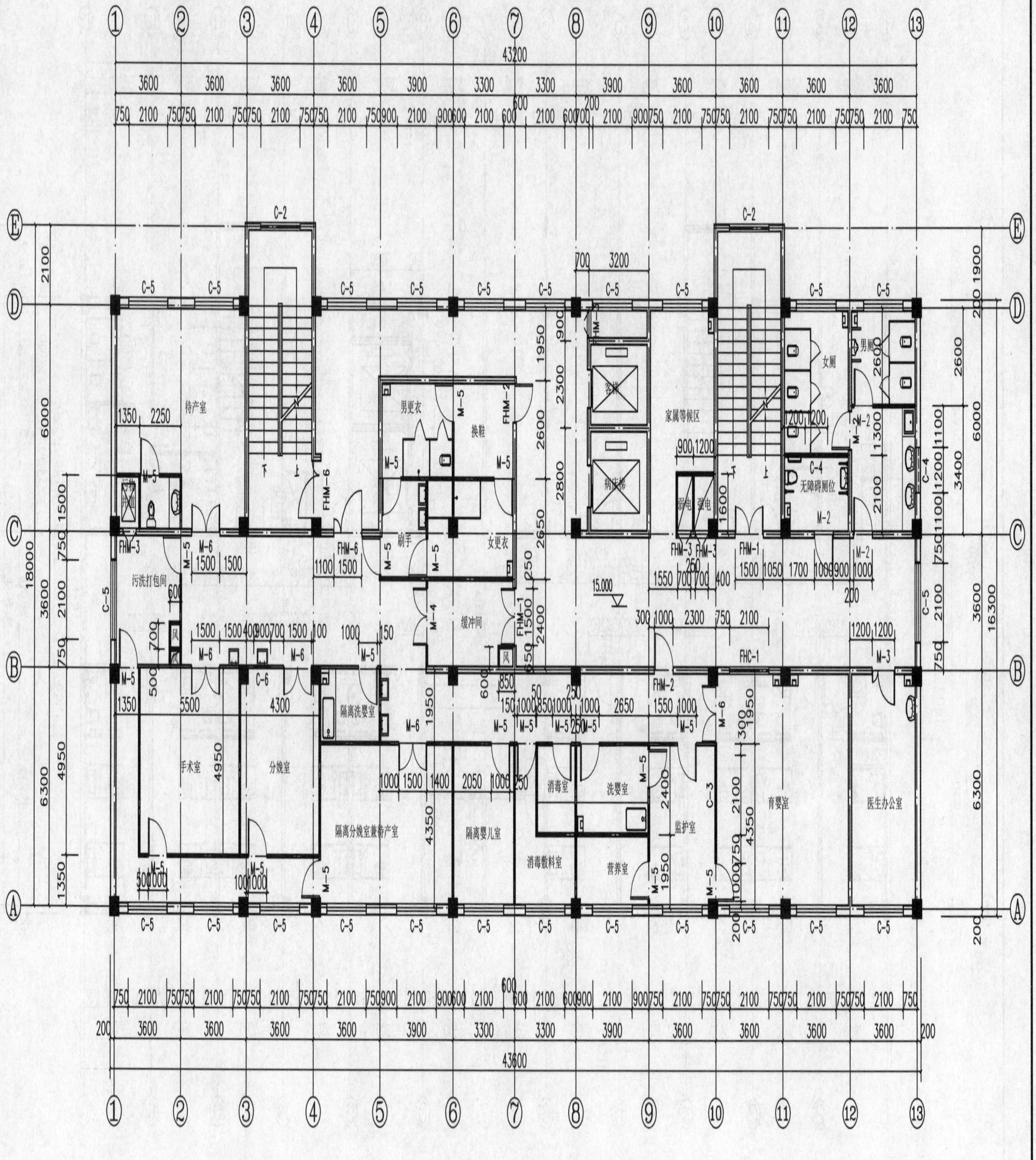

五层平面图 1:100

注：走廊、楼梯间靠墙一侧均设靠墙扶手及防撞设施，做法为甘12J6-22-1

×××市建筑设计研究院	审定		校对		建设单位	××县妇幼保健院	图纸名称	五层平面图	工程编号 2017.0306 阶段 施工图
	审核		设计负责人		项目名称	××县妇幼保健院业务楼			日期 2017.10
	项目负责人		设计人						图号 建施-9 比例 1:100

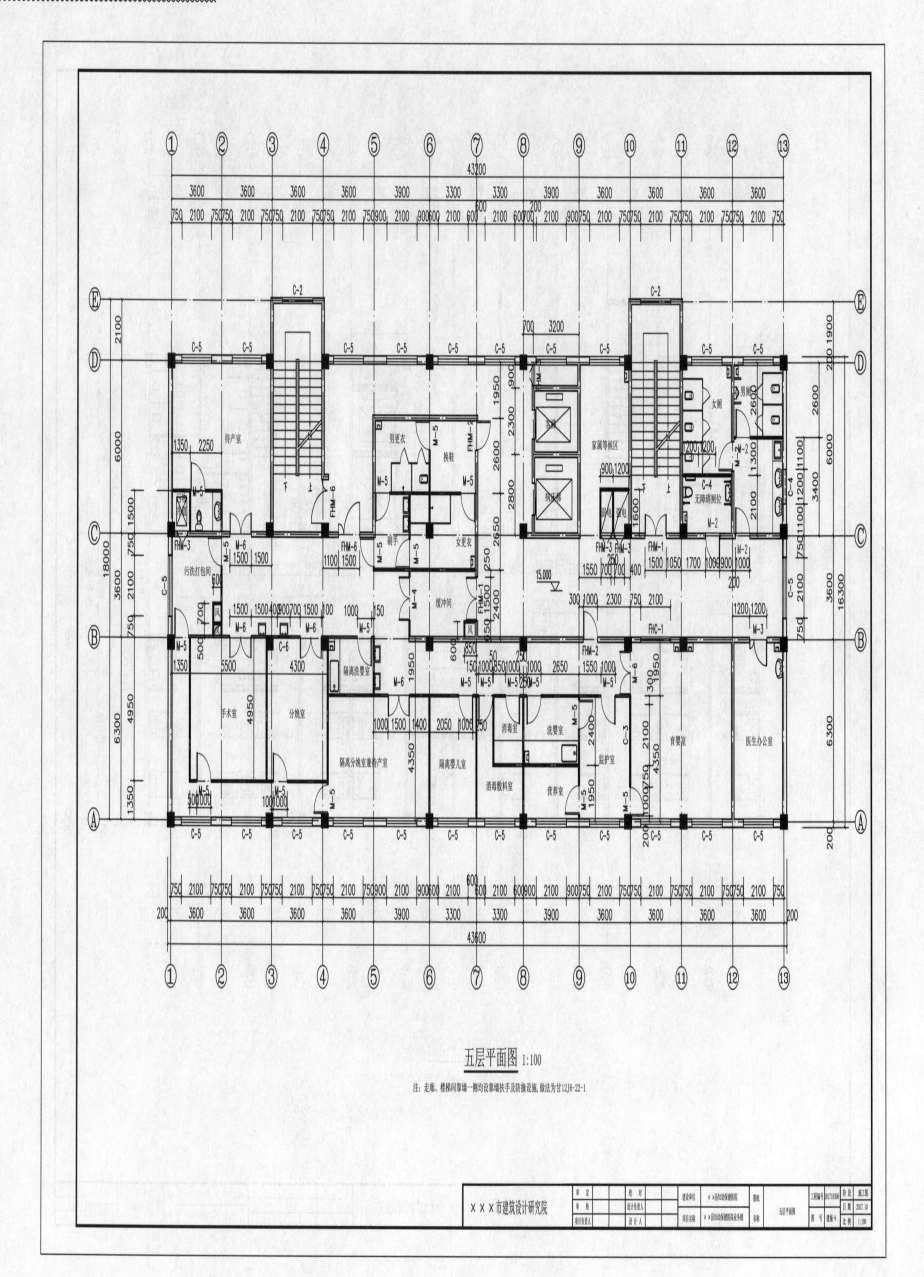

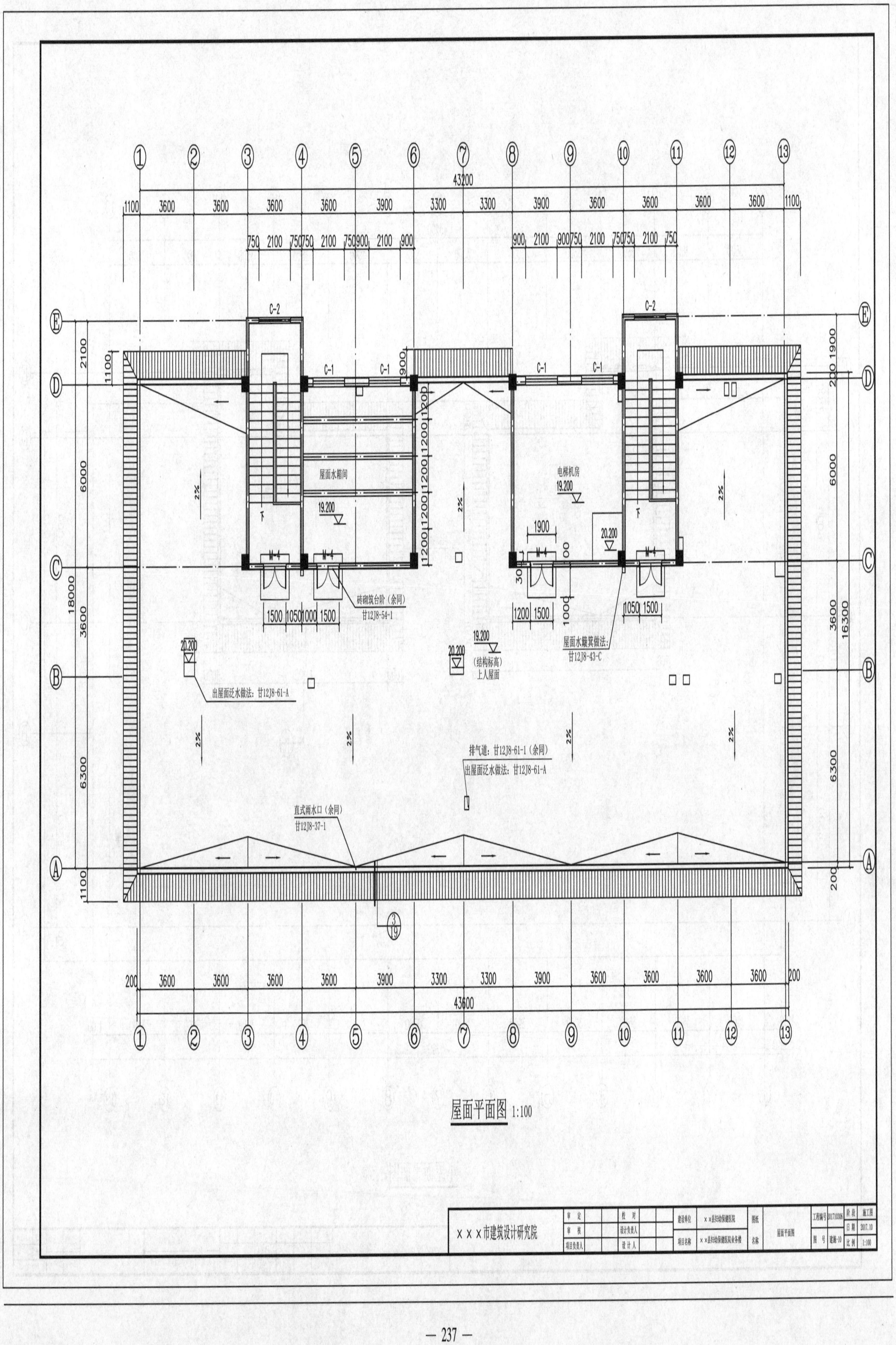
43200
屋面水箱间
电梯机房
19.200
20.200
砖砌筑台阶（余同）
甘12J8-54-1
屋面水簸箕做法：
甘12J8-43-C
出屋面泛水做法：甘12J8-61-A
(结构标高)
上人屋面
排气道：甘12J8-61-1（余同）
出屋面泛水做法：甘12J8-61-A
直式雨水口（余同）
甘12J8-37-1
43600
屋面平面图 1:100
×××市建筑设计研究院
审 定
审 核
项目负责人
校 对
设计负责人
设 计 人
建设单位
××县妇幼保健医院
项目名称
××县妇幼保健医院业务楼
图纸名称
屋面平面图
工程编号
201710306
图 号
建施-10
阶 段
施工图
日 期
2017.10
比 例
1:100

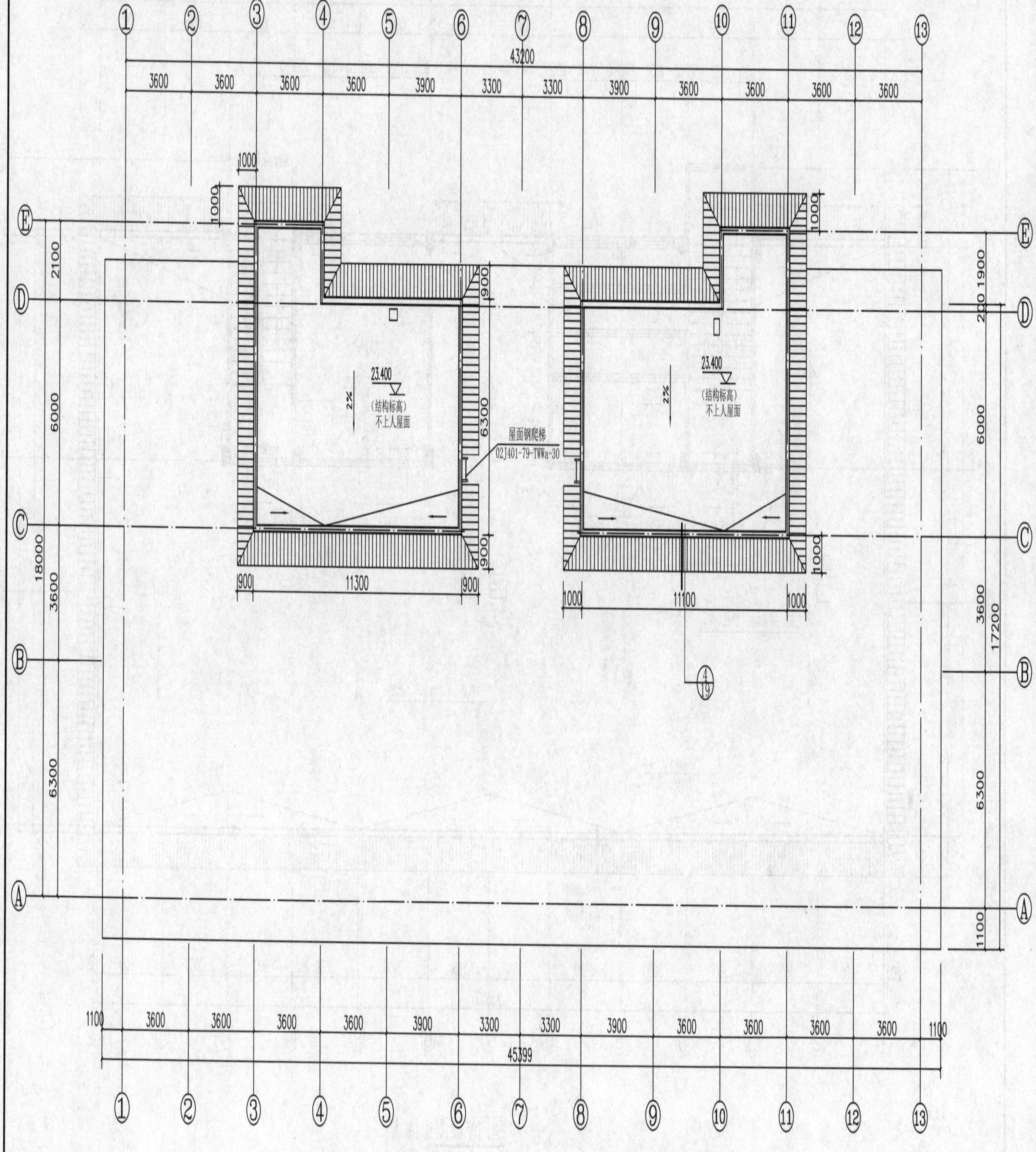

小屋面平面图 1:100

×××市建筑设计研究院	审定		校对		建设单位	××县妇幼保健医院	图纸	小屋面平面图	工程编号	阶段	施工图
	审核		设计负责人		项目名称	××县妇幼保健医院业务楼	名称		图号	日期	2017.10
	项目负责人		设计人							比例	1:100

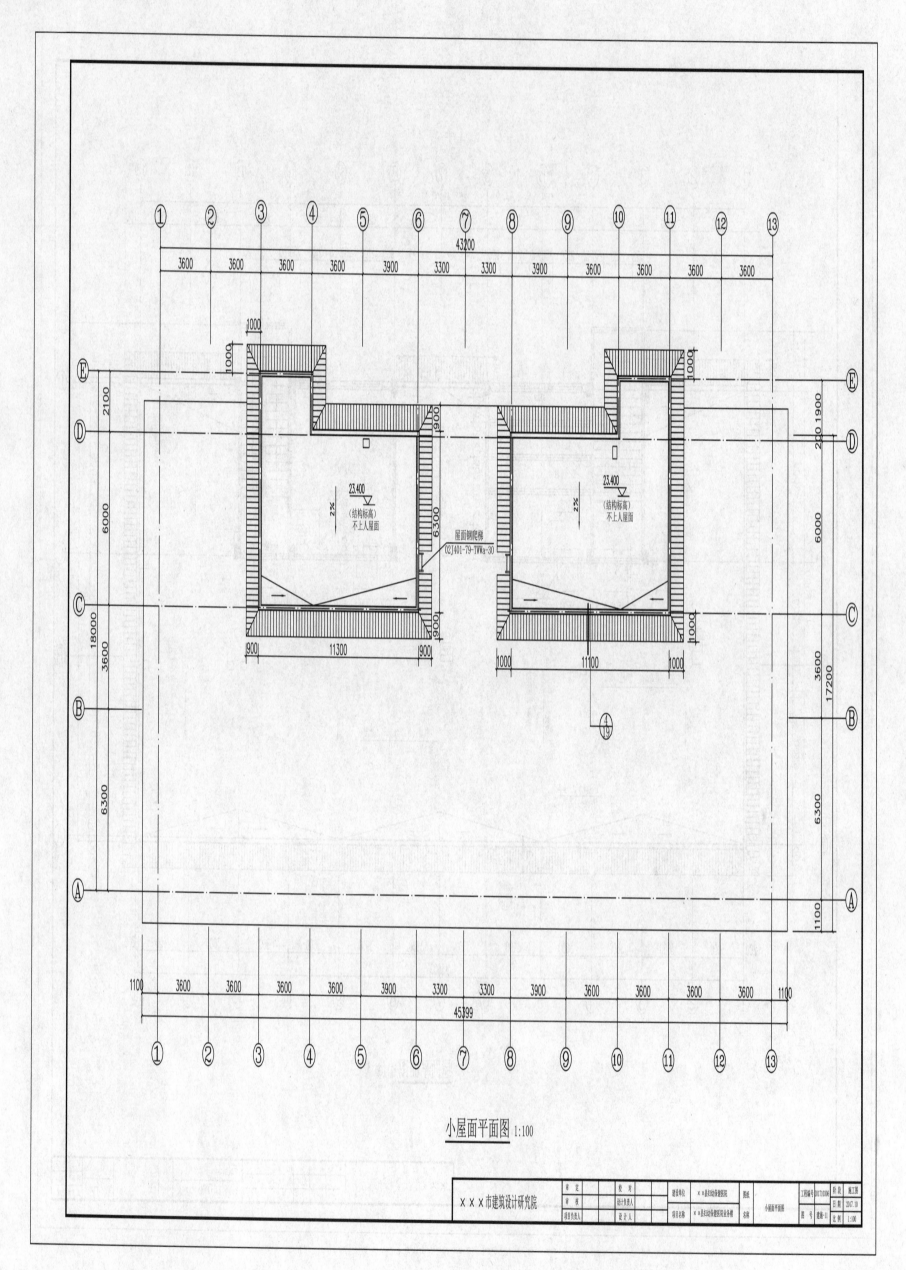

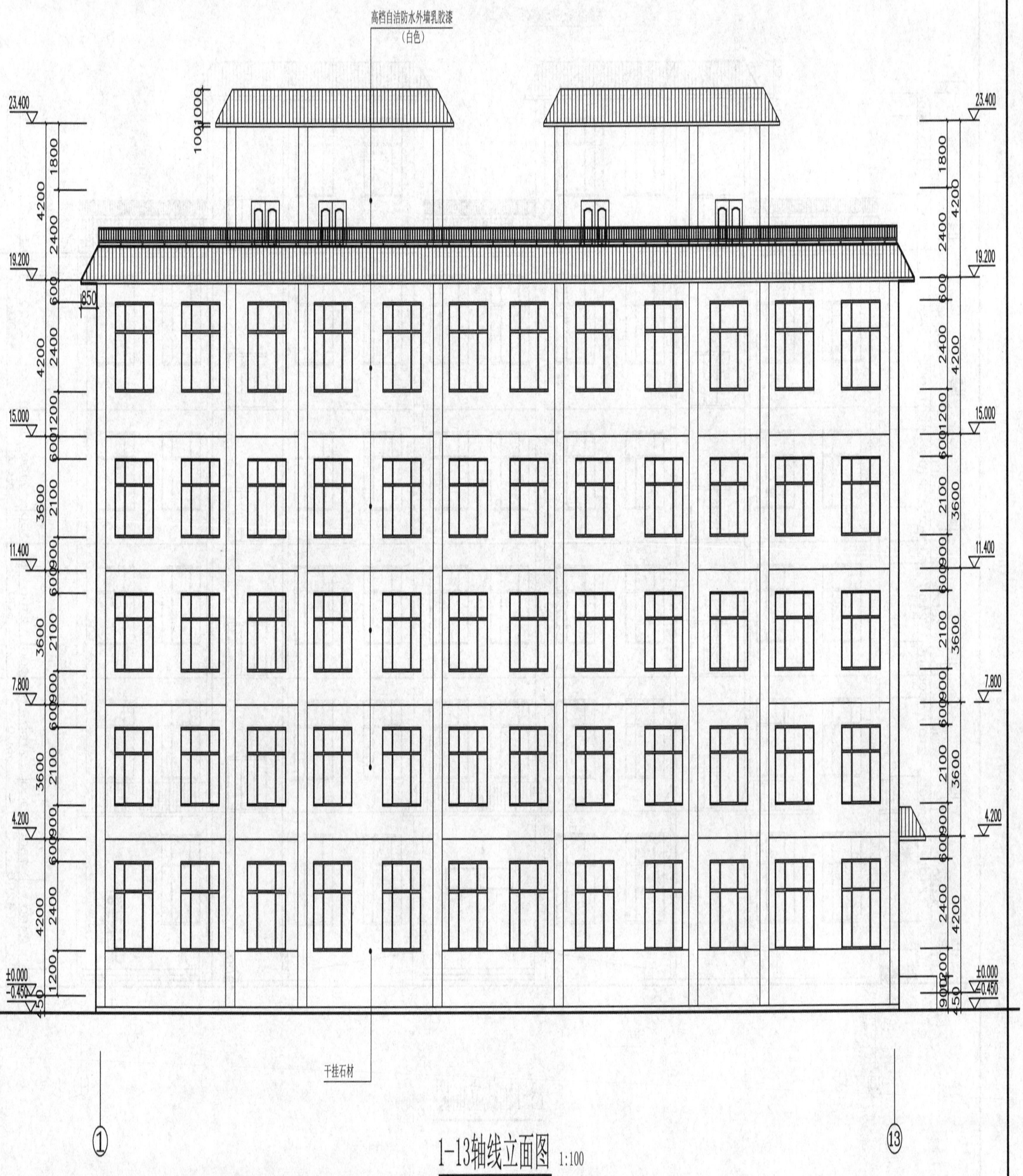

1-13轴线立面图 1:100

×××市建筑设计研究院	审 定			校 对			建设单位	××县妇幼保健医院	图纸名称	1-13轴线立面图	工程编号	201710306	阶 段	施工图
	审 核			设计负责人			项目名称	××县妇幼保健医院业务楼			图 号	建施-12	日 期	2017.10
	项目负责人			设 计 人									比 例	1:100

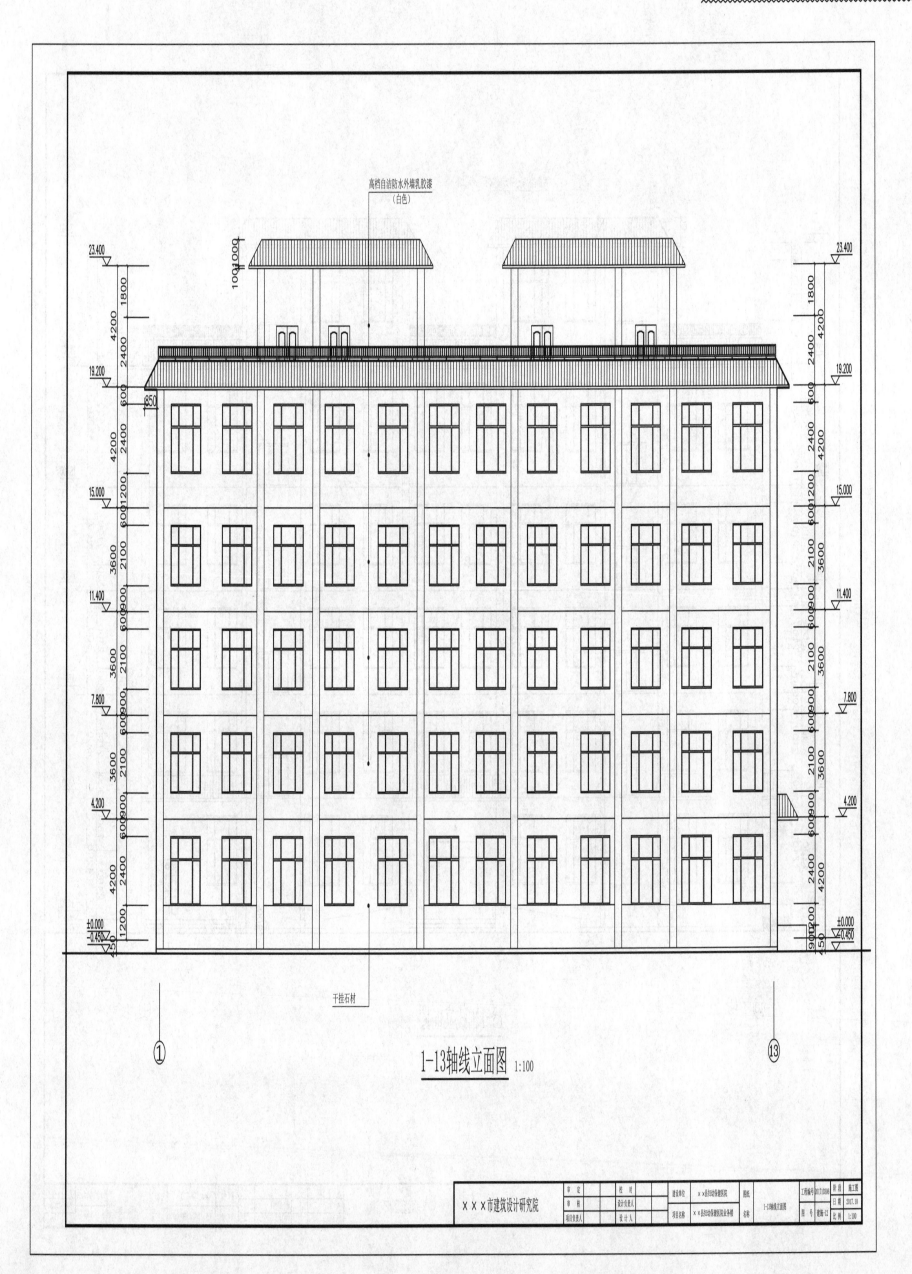

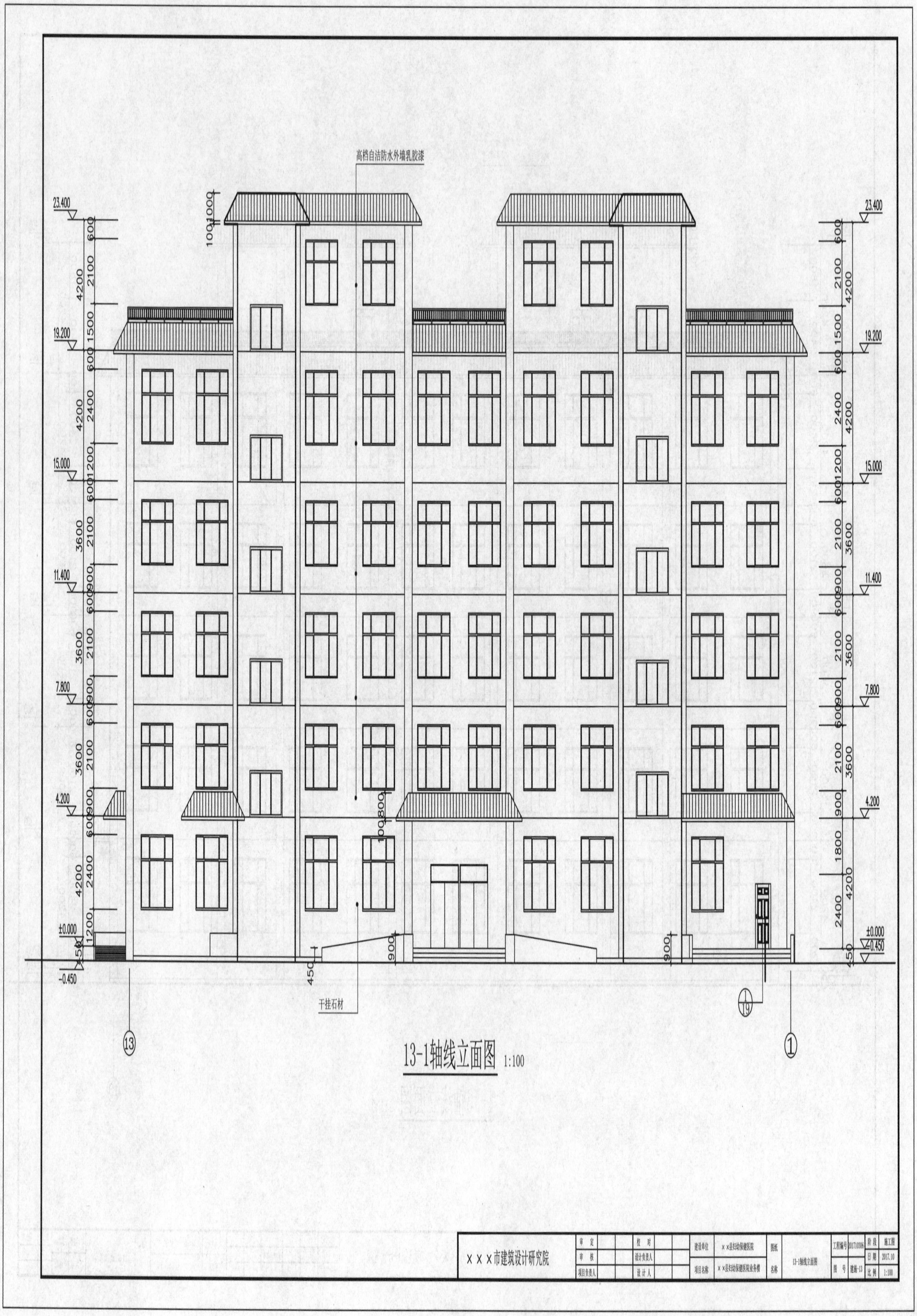
高档自洁防水外墙乳胶漆
干挂石材
23.400
19.200
15.000
11.400
7.800
4.200
±0.000
-0.450
13-1轴线立面图 1:100
×××市建筑设计研究院

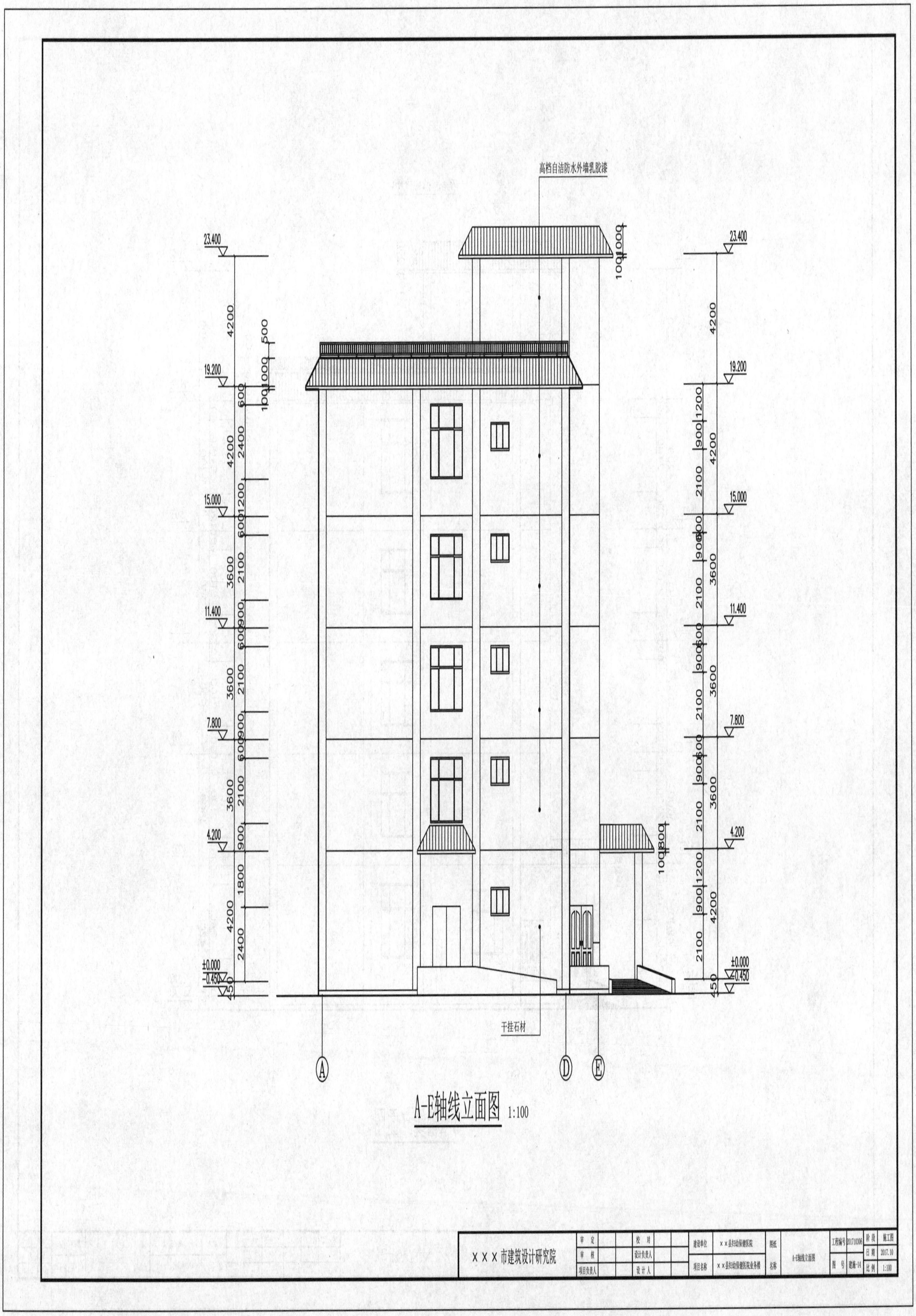
高档自洁防水外墙乳胶漆
干挂石材
23.400
19.200
15.000
11.400
7.800
4.200
±0.000
-0.450
A
D
E
A-E轴线立面图 1:100
X X X 市建筑设计研究院
审 定
审 核
项目负责人
校 对
设计负责人
设 计 人
建设单位
x x县妇幼保健医院
项目名称
x x县妇幼保健医院业务楼
图纸
名称
A-E轴线立面图
工程编号
201710306
图 号
建施-14
阶 段
施工图
日 期
2017.10
比 例
1:100

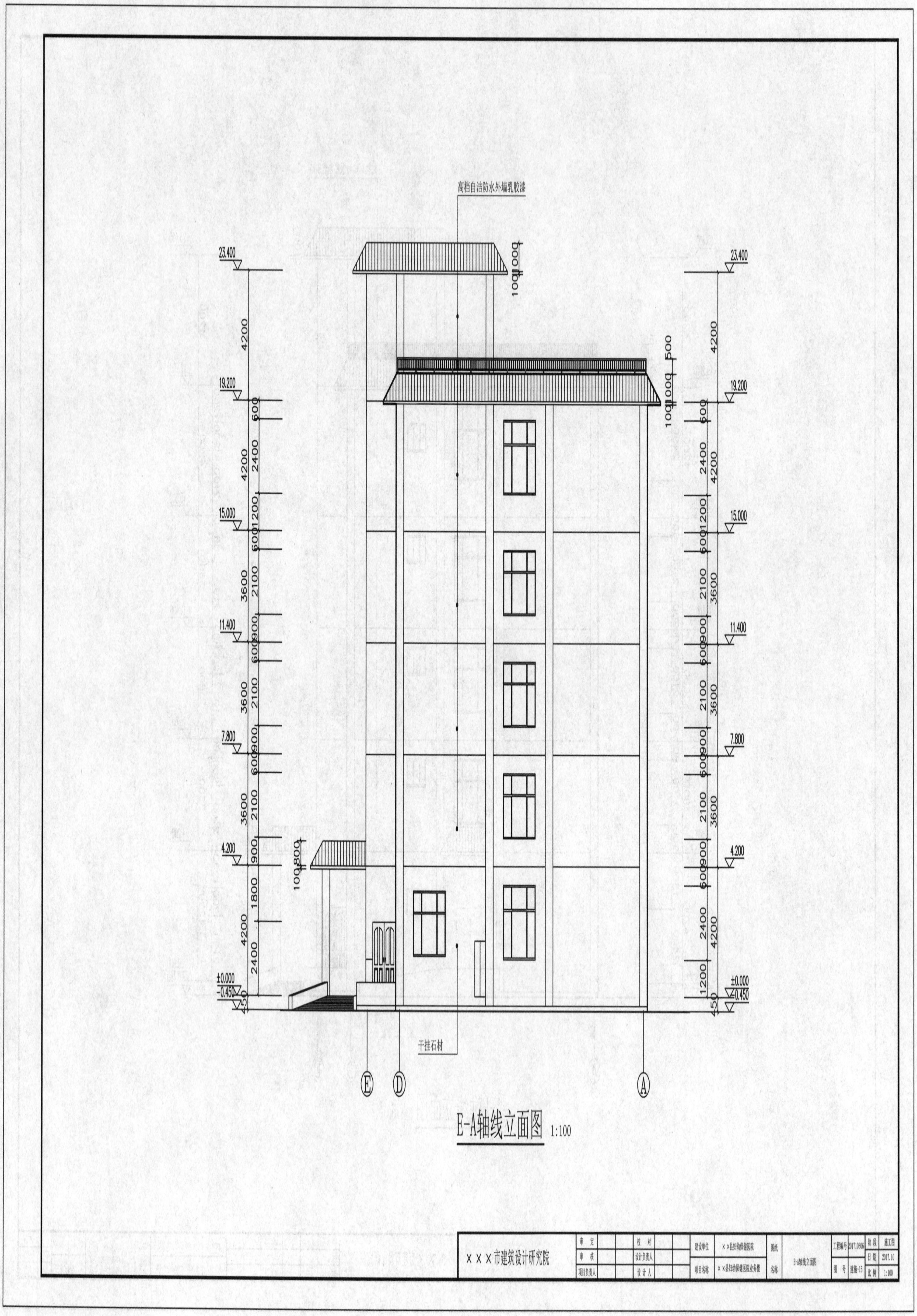
高档自洁防水外墙乳胶漆
23.400
19.200
15.000
11.400
7.800
4.200
±0.000
-0.450
4200
2400
3600
2100
1800
1200
900
600
450
1000
500
800
100
干挂石材
E
D
A
E-A轴线立面图 1:100
×××市建筑设计研究院
审定
审核
项目负责人
校对
设计负责人
设计人
建设单位
××县妇幼保健医院
项目名称
××县妇幼保健医院业务楼
图纸名称
E-A轴线立面图
工程编号
201710306
图号
建施-15
阶段
施工图
日期
2017.10
比例
1:100

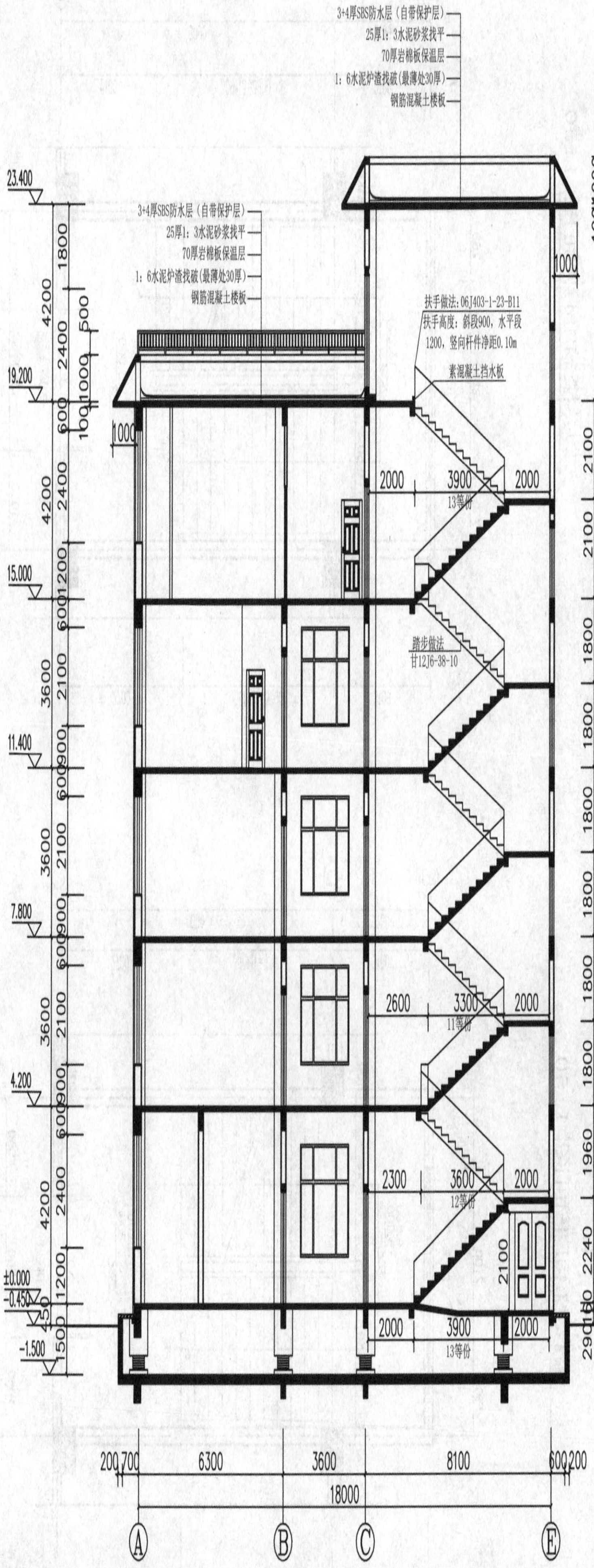

1-1剖面图 1:100

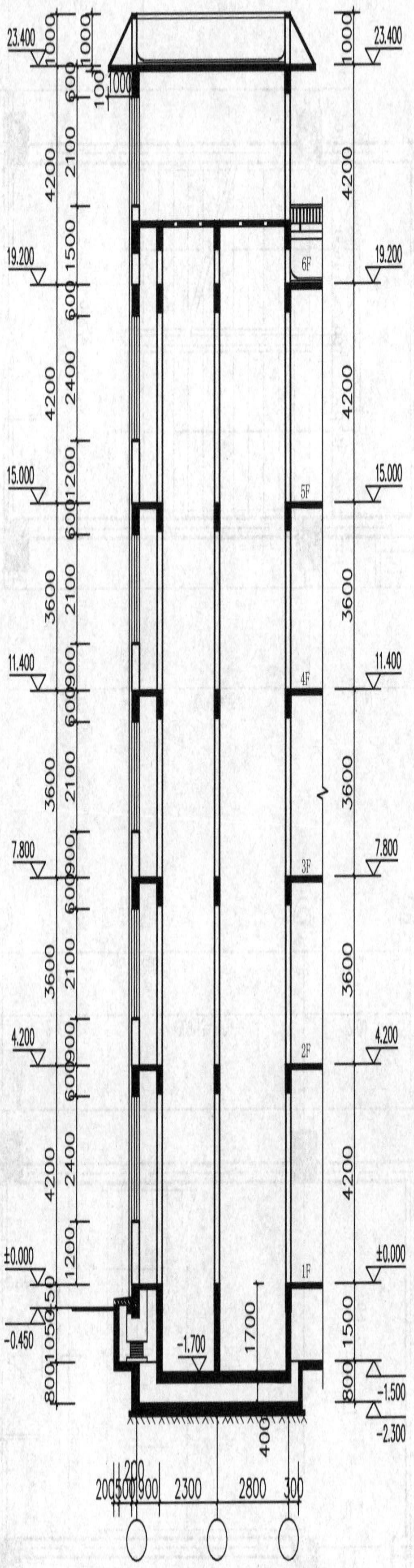

（电梯井道）2-2剖面图 1:100

×××市建筑设计研究院	审定		校对		建设单位	××县妇幼保健医院	图纸名称	剖面图、电梯井道剖面图	工程编号		阶段	施工图
	审核		设计负责人		项目名称	××县妇幼保健医院业务楼			图号	建施-16	日期	2017.10
	项目负责人		设计人								比例	1:100

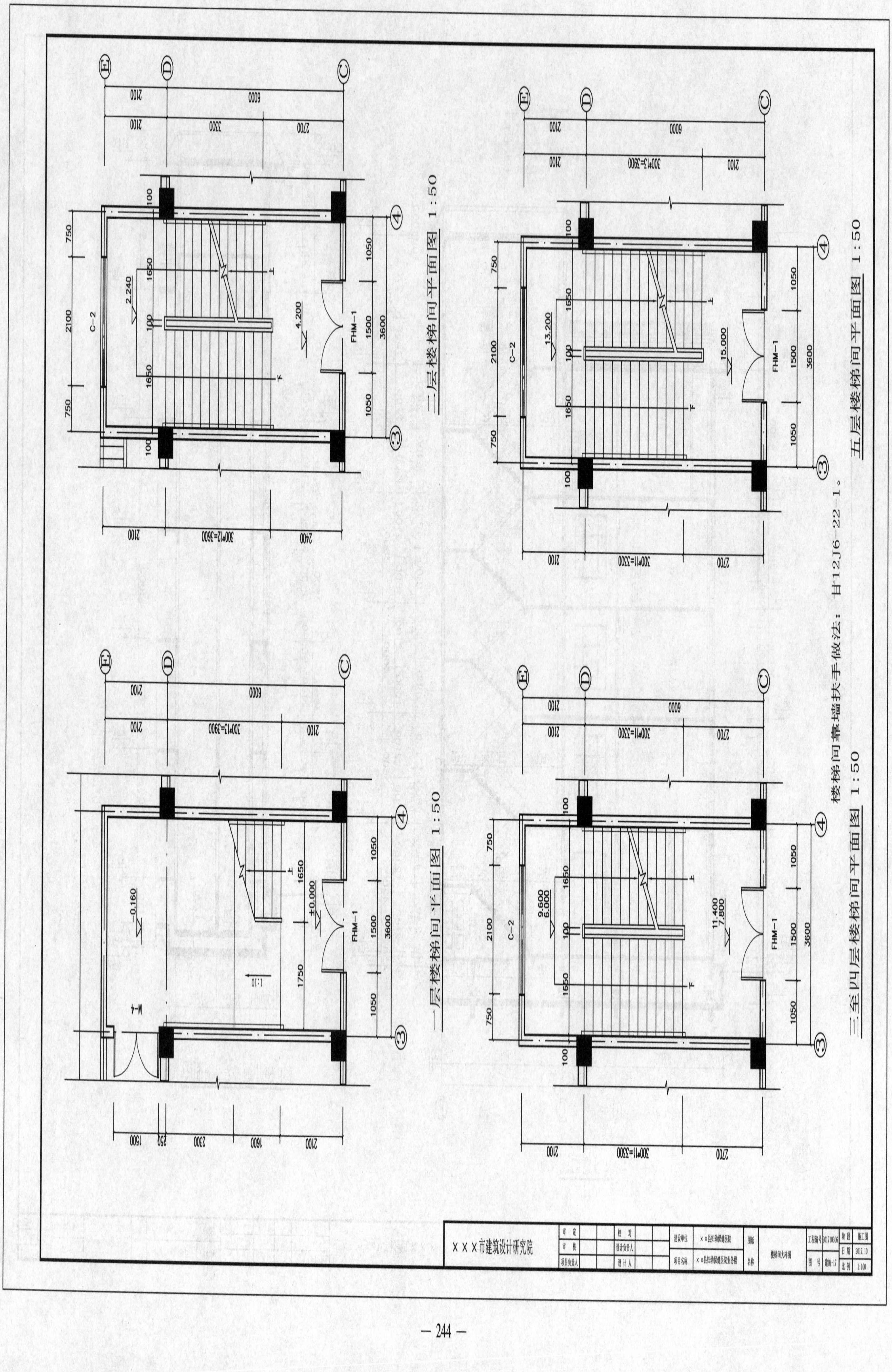
二层楼梯间平面图 1:50
五层楼梯间平面图 1:50
一层楼梯间平面图 1:50
三至四层楼梯间平面图 1:50
楼梯间靠墙扶手做法：甘12J6-22-1。
XXX市建筑设计研究院

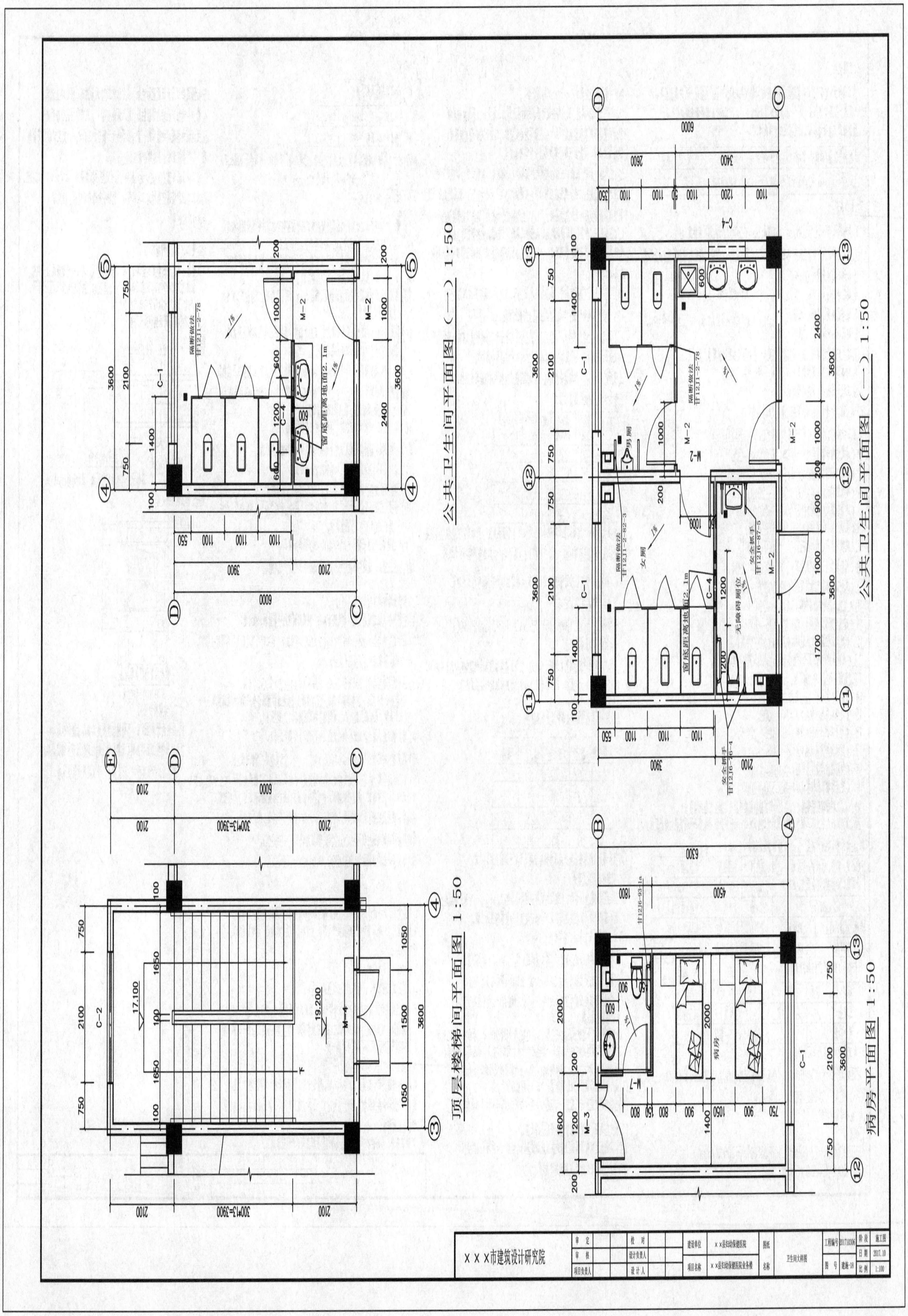
公共卫生间平面图（一） 1:50
顶层楼梯间平面图 1:50
病房平面图 1:50
×××市建筑设计研究院
卫生间大样图

结构设计总说明

一、工程概况：

本工程位于XX市X县妇幼保健医院新址院内，为XX县妇幼保健医院业务楼，采用现浇框架结构，工程地上五层局部六层，地下一层为隔震层兼做管道层。人工挖孔钢筋混凝土灌注桩基础。隔震橡胶支座设计和施工图见本图纸专项设计。

表一

室内外高差	建筑长x宽/m	主要结构跨度/m	层高/m	层 数	总高度/m
0.450	46.30x16.30	6.30,3.60	见结构层高表	5F	19.65

二、自然条件

1. 基本风压：W_0=0.350N/m²，基本雪压：S_0=0.20kN/m²，地面粗糙度：B类
2. 本工程抗震设防烈度为8度，第三组，设计基本地震加速度 0.20g，Ⅱ类场地，基础采用橡胶垫隔震。
3. 场地标准冻土深度：0.98m
4. 建筑结构的安全等级：二级　　设计使用年限：50年
5. 地基基础设计等级：丙级　　半地下室防水等级为二级，混凝土抗渗等级为P6。
6. 建筑物耐火等级：二级
7. 建筑抗震设防类别：重点设防类（乙类），基础隔震后框架抗震等级为二级。
8. 砌体结构施工质量控制等级：B 级　特征周期 0.45S
9. 工程地质条件：见基础设计说明

三、本工程设计遵循的标准、规范、规程及标准图集

1. 《工程结构可靠性设计统一标准》(GB 50153—2008)
2. 《建筑结构可靠度设计统一标准》(GB 50068—2001)
3. 《建筑工程抗震设防分类标准》(GB 50223—2008)
4. 《建筑结构荷载规范》(GB 50009—2012)
5. 《建筑抗震设计规范》(GB 50011—2010)
6. 《混凝土结构设计规范》(GB 50010—2010)
7. 《建筑地基基础设计规范》(GB 50007—2011)
8. 《湿陷性黄土地区建筑规范》(GB 50025—2004)
9. 《工业建筑防腐蚀设计规范》(GB 50046—2008)
10. 《建筑地基处理技术规范》(JGJ79—2012)
11. 《建筑抗震设计规程》(DB 62/T25—3055—2011)
12. 《建筑工程设计文件编制深度规定》(2008年版)
13. 《混凝土结构施工图平面整体表示方法制图规则和构造详图》(现浇混凝土框架、剪力墙、梁、板、基础、楼梯)(16G101—1、2、3)
14. 甘建设[2014]260号文
15. 《建筑桩基技术规范》JGJ94—2008
16. 《地下工程防水技术规范》GB50108—2008
17. 《建筑变形测量规范》JGJ8—2007
18. 《钢筋机械连接技术规程》JGJ107—2010
19. 《建筑边坡工程技术规范》GB50330—2002

22. XX工程勘察院提供的《XX县妇幼保健院业务楼建设项目岩土工程勘察报告》。
23. XX科技大学土木工程与力学学院提供的《XX县妇幼保健医院业务楼工程隔震设计分析报告》。

四、结构计算主要选用荷载　　楼面活荷载标准值　表二　单位：kN/m²

办公室、病房、值班室、护士站 诊断室、治疗室、小会议室、配餐室		卫生间	电梯机房	屋 面（上人）
		5.0kN/m²	7.0kN/m²	2.0kN/m²
2.0kN/m²		楼 梯	手术室	屋 面（非上人）
走廊、库房、档案室	配电室	3.5kN/m²	3.0kN/m²	0.5kN/m²
2.5kN/m²	5.0kN/m²	栏杆顶部的水平荷载取1.0kN/m		

构件材料自重标准值（kN/m³）：

表三

材料	容重	材料	容重	材料	容重
混凝土	26	水泥砂浆	20	烧结粘土实心砖	19.0
混合砂浆	17	空心砖	9.0	钢材	78

五、本工程设计计算所采用的计算程序

中国建筑科学研究院PKPMCAD工程部编制的PKPM2010V2.1系列结构计算程序(PKPMCAD、SATWE、JCCAD、LTCAD)

六、主要结构材料

1. 钢筋：

HPB300(Φ)，fy=270N/mm²，HRB335(Φ)，fy=300 N/mm²

HRB400(Φ)，fy=360 N/mm²；

钢筋强度标准值应具有不小于95%的保证率。

(1) 当进行钢筋代换时，除应符合设计要求的构件承载力、最大应力下的总伸长率、裂缝宽度验算以及抗震规定以外，尚应满足最小配筋率、钢筋间距、保护层厚度、钢筋锚固长度、接头面积百分率及搭接长度等构造要求。

(2) 抗震等级为一、二级、三级的框架和斜撑构件（含梯段），其纵向受力钢筋采用普通钢筋时，钢筋的抗拉强度实测值与屈服强度实测值的比值不应小于1.25；钢筋的屈服强度实测值与屈服强度标准值的比值不应大于1.3，且钢筋在最大拉力下的总伸长率实测值不应小于9%。

(3) 在施工中，当需要以强度级较高的钢筋替代原设计中的纵向受力钢筋时，应按照钢筋受拉承载力设计值相等的原则换算，并应满足最小配筋率的要求，必须征得设计单位同意。

2. 混凝土：

(1) −0.03m以下所有构件、框架柱均采用C35，框架梁、板和其他均为C30.

(2) 混凝土结构环境别：与微腐蚀性地基土接触的混凝土为二b类环境，

(3) 冰冻线以上与土壤接触以及0.00米以上外露混凝土为二b类环境，室内一般环境为一类。

(4) 地下水对混凝土具中腐蚀性，对混凝土结构中的钢筋具中腐蚀性。

土壤对建筑物混凝土结构具有微腐蚀，对钢筋混凝土结构中的钢筋具微腐蚀。

结构混凝土耐久性的基本要求

表四

环境类别	最大水胶比	最低砼强度等级	最大氯离子含量(%)	最大碱含量(kg/m³)
一	0.60	C20	0.30	不限制
二a	0.55	C25	0.20	3.00
二b	0.50	C30	0.15	3.00
五	0.50	C30	0.10	

3. 填充墙砌体：地面以上采用烧结粘土空心砖，外墙厚300，内墙厚200，卫生间采用烧结粘土多空砖墙厚100，五层产科和手术室隔墙均100厚为金属轻质夹芯板墙。

4. 砂浆：砌筑工程采用 M5.0混合砂浆，天然地面以下采用M5.0水泥砂浆。

5. 钢材及钢板：Q235B。

6. 焊条：E43xx型 (HPB235)，E50xx型 (HRB335、HRB400)。

七、钢筋混凝土结构构造

本工程采用国家标准图《混凝土结构施工图平面整体表示方法制图规则和构造详图《11G101—1》表示方法。施工图中未注明的构造要求应按照标准图的有关要求执行。

1. 最外层钢筋的混凝土保护层最小厚度：

表五

环境类别	基础	梁、柱	墙、板	楼梯
一	/	20	15	15
二a	/	20	25	20
二b	/	35	25	25
五	50	35	30	/

且各部分主筋混凝土保护层厚度同时应满足不小于钢筋直径的要求。

2. 钢筋接头形式及要求

框架柱采用电渣压力焊。框架梁的纵筋采用焊接连接，d≥22mm时采用机械连接，钢筋连接必须满足相关规范要求，机械连接接头的质量等级为二级。

3. 纵向钢筋的锚固长度、搭接长度

(1) 构件受拉钢筋的锚固长度、搭接长度详见《16G101—1》图集要求。

(2) 板下部纵向受力钢筋伸过支座的中心线，且锚固长度不应小于 5d。

(3) 受拉钢筋搭接长度不应小于300mm，受压钢筋搭接长度不应小于200mm。

4. 现浇钢筋混凝土板

现浇板厚：地下室防水底板250厚，−0.030米处楼板200厚，屋面板厚130毫米。手术室层楼板厚度均为130毫米。其他层：除卫生间外的病房、办公室、护士站等现浇板厚均为110毫米，卫生间为100厚，卫生间板降低楼面90mm。

(1) 双向板的底部钢筋，短跨钢筋置于下排，长跨钢筋置于上排。

(2) 当板底与梁底平时，板的下部钢筋伸入梁内须弯折后置于梁的下部纵向钢筋之上。

(3) 板支座负筋下数字为梁中到钢筋端头的长度。

(4) 楼板上通风道预留洞口每边在板底加设2Φ14钢筋，长度满足锚固要求。

(5) 板跨大于 4米的板，其模板跨中起拱 L/350。

(6) 分布钢筋选用见下表：

表六

板厚/mm	h≤120	120<h≤300
分布筋直径、间距	Φ8@250	Φ8@200

(7) 对于外露的现浇钢筋混凝土女儿墙、挂板、栏板、檐口等构件，当其水平直线长度超过 12m时，设一道伸缩缝，伸缩缝宽15mm，内填沥青麻丝。

5. 梁、柱（包括基础梁）

(1) 梁、柱结构施工图纸均按《混凝土结构施工图平面整体表示方法制图规则和构造详图》(16G101—1)标准设计，按本图集要求进行施工。

(2) 梁上梯柱生根处附加箍筋为每侧3根，箍筋直径及肢数同相应主梁，箍筋间距为50 mm。梯柱纵筋构造详见《16G101—1》LZ要求施工。

(3) 悬挑构件必须待混凝土强度达到设计强度的百分之百，且待其上部结构施工完毕后，才能拆除支撑及底模。

(4) 跨度大于1.5米的悬挑梁及跨度大于 4.0m的梁，其模板应起拱，起拱高度为跨度的 0.3%，（悬挑梁按其悬挑跨度的2倍计算）。

(5) 主、次梁相交处图形（|||）表示为附加箍筋，每侧根数见平面图，箍筋直径及肢数同相应主梁，箍筋间距为 50mm；主、次梁相交处图形（\/）表示为附加吊筋。高度大于500的梁应设置2根直径14侧面钢筋。

(6) 梁平法施工图中未定位的梁，其梁中心线与轴线重合。

(7) 非框架梁、屋面框架梁悬挑跨上部纵向钢筋伸入内跨的长度除满足《16G101—1》要求外，还必须大于悬挑净长。

(8) 梁侧面纵向构造筋和拉筋做法详见《16G101—1》图集要求。

(9) 当柱上层配筋根数多于下层或钢筋直径大于下层时，应在下层柱顶预留插筋，做法见《16G101—1》图集要求。

(10) 柱箍筋加密区长度详见《16G101—1》图集要求。

(11) 柱纵筋应尽量均匀布置，柱纵筋及箍筋肢距不得大于 200。

6. 后砌填充墙的抗震构造措施

(1) 楼梯间和人流通道填充墙在靠人流方向的一侧采用钢丝网砂浆抹面加强措施。

(2) 后砌填充墙与框架柱的拉结按甘《12G2》第8、9页施工，施工时必须在框架柱内预留拉结钢筋，填充墙拉结筋应通长设置。

(3) 后砌填充墙应与梁、板底面密切结合，做法详见甘《12G2》第23、24页。当墙高长于4米时，应在墙体半高处设置与混凝土墙或柱连接且沿墙全厂贯通的现浇混凝土水平系梁，系梁截面高200，宽同墙，内配纵筋4Φ12，箍筋Φ6@200。

(4) 填充墙与剪力墙之间的连接做法依据甘《12G2》中第7页施工。

(5) 填充墙内的门窗洞口过梁按甘《12G5》第21、22、23页选用，荷载等级2级。

(6) 独立墙肢端部、内墙纵横墙交接处、内外墙交接处、电梯间井道四角应设构造柱，在主体完工后施工，必须先砌墙后浇构造柱，构造柱纵向钢筋和墙体拉结钢筋必须在结构施工时预留，严禁植筋。构造柱的截面及配筋：内墙交接的十字接头，内外墙交接的丁字接头，悬挑部分墙体的自由端设置构造柱截面为200x200，配筋为4Φ12，Φ6@200。内外墙交接处构造柱截面为 200x300，配筋4Φ12，Φ6@200。

八、其他

1. 未经技术鉴定或设计许可，不得改变结构的用途和使用环境，不得改变填充墙材料。
2. 本工程尺寸以毫米为单位，标高以米为单位，图中标高均为建筑标高，结构标高比建筑标高低30mm。
3. 防雷做法详见电气施工图。
4. 未通过施工图审查，不得作为施工依据进行施工。
5. 在建筑物四角和4、9轴线框架柱外距地0.5米处设沉降观测点，施工完成后开始观测，在主体进行到主体完工、装修完成各观测一次，建筑物建成后第一、第二年每年观测3次，第三年后每年观测一次。

九、施工

1. 施工时须密切配合建筑、水、电讯、电、暖专业施工图埋设管线，留洞及埋设预埋件，不得遗漏，必须和设备图纸核对无误后方可施工，不得在施工完后凿、凿梁柱墙等结构构件或在其钢筋上实施焊接。
2. 建筑窗套、装饰柱构造柱、装饰线等位置及标高与建筑图配合施工。
3. 自隔震层到屋面板留置后浇带，在主体完工21天后用高一级混凝土浇筑。
4. 墙体构造柱应在梁内预留插筋（锚入梁内30d），施工中须先砌墙后浇柱。
5. 现浇板内埋设各种暗管时，管外径不得大于板厚的三分之一，交叉管线应妥善处理，并使管壁至板上下边缘净距应≥25mm。
6. 施工前务必弄清±0.000绝对标高与总平面图中标高关系，以确保施工的准确性。
7. 施工中应严格遵守现行施工验收规范、规程，如遇异常情况，请及时与设计单位联系。

十、电梯井道与吊钩施工

1. 各层电梯井道的非剪力墙部位，在层高的1/2处，增设一道钢筋混凝土圈梁，截面为200x200，配筋为4Φ12，Φ6@200，圈梁在电梯门洞口处断开。
2. 电梯门洞尺寸以订货电梯的型号为准。
3. 电梯机房屋顶吊钩做法见下图：

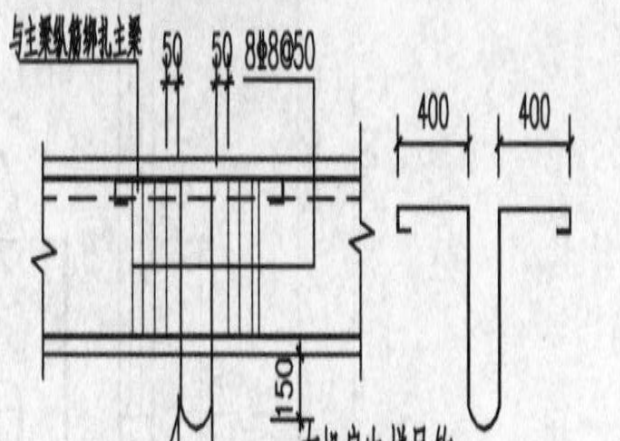

有机房电梯吊钩

吊钩定位详电梯厂家样本，吊钩承重≤3吨

十一、楼板预留洞处理

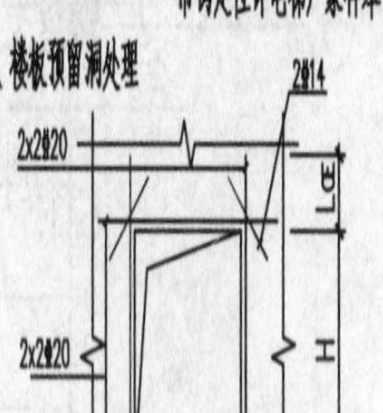

楼板预留洞口加筋做法

用于B、H均小于800时

十二、建筑物使用

1. 未经设计单位许可，不得擅自改变建筑物内功能和布局。
2. 建筑物竣工后要按照《湿陷性黄土地区建筑规范》的要求对建筑物进行认真围护，防止雨水、污水浸入建筑物地基。

X X X市建筑设计研究院	审 定		校 对		建设单位	X X县妇幼保健医院	图纸名称	结构设计说明	工程编号	201710306	阶 段	施工图
	审 核		设计负责人								日 期	2017.10
	项目负责人		设 计 人		项目名称	X X县妇幼保健医院业务楼			图 号	结施-1	比 例	1:100

基础隔震设计说明

一、工程隔震设计概况

1. 隔震部分的结构形式：框架结构；
2. 建筑物的长度：43.60m，宽16.30m，高19.65m；
3. 建筑物高宽比：1.206；
4. 隔震措施：建筑物基础顶面设置隔震橡胶支座，隔震层层高1.50m。在上下支墩之间设置叠层橡胶支座；
5. 隔震前设防烈度8度（0.20g），设计地震分组第三组；
6. 场地类别：场地土为Ⅱ类，场地特征周期取 =0.45s，不考虑近场影响。
7、建筑类别：乙类建筑；

二、设计参考依据

1.《建筑抗震设计规范》（GB50011-2010）；
2.《建筑工程抗震设防分类标准》（GB50223-2008）
3.《叠层橡胶支座隔震技术规程》（CECS126：2001）；
4.《建筑抗震设计规程》(DB62/T25-3055-2011)；
5.《橡胶支座第3部分：建筑隔震橡胶支座》（GB20688.3-2006）；
6.《叠层橡胶支座基础隔震建筑构造图集》（甘02G10）；
7.《××省建筑隔震减震应用技术导则》（试行稿） 2014.8；
8.××工程勘察院提供的《××县妇幼保健医院业务楼岩土工程地质勘察报告》。
9.《住房城乡建设部关于房屋建筑工程推广应用减隔震技术的若干意见（暂行）》及进一步做好××省减震隔震技术推广应用工作的通知，X建设（2014）260号文。
10.XX大学土木工程与力学学院提供的《XX县妇幼保健医院业务楼隔震设计报告》。

三、隔震设计主要指标参数

1. 叠层橡胶支座的设计应力值：12MPa；
2. 隔震结构在设防地震作用下的层间剪力比值为0.379；
3. 隔震后上部结构的水平地震影响系数最大值为0.08；
4. 罕遇地震作用下隔震支座的最大水平位移为0.142m；
5. 隔震层以上结构与结构下部水平方向固定物的脱开距离不得小于200mm；
6. 罕遇地震和风荷载作用下隔震支座均未出现拉应力。

四、隔震支座信息汇总

隔震支座型号	LNR500	LRB600	LNR700
橡胶剪切模量 / MPa	0.54	0.54	0.54
第一形状系数S1	≥15	≥15	≥15
第二形状系数S2	≥5.0	≥5.0	≥5.0
支座高度/mm	158	179	205
支座安装高度/mm	198	219	245
竖向刚度 / (kN/mm)	1744.1	2988.5	3132.4
屈前刚度 / (kN/mm)	/	17.3	/
屈后刚度 / (kN/mm)	/	1.758	/
屈服力 /kN	/	93.8	/
等效刚度（r100%）/ (kN/mm)	1.325	2.625	1.923
等效阻尼（r100%）%	5	23.5	5
等效刚度（r250%）/ (kN/mm)	1.289	/	/
等效阻尼（r250%）%	4	/	/
支座个数	10	16	6

五、隔震支座安装配件统计表

<table>
<tr><td>支座型号</td><td>每支座螺栓数量</td><td rowspan="3">连接螺栓
总 数
304个M30</td><td rowspan="3">上连接钢板
总 数
32块</td><td rowspan="3">下连接钢板
总 数
32块</td></tr>
<tr><td>LNR500</td><td>8个M35，16个M16</td></tr>
<tr><td>LRB600</td><td>8个M35，24个M16</td></tr>
<tr><td>LNR700</td><td>16个M35，24个M16</td><td rowspan="2">套筒螺杆
总 数
304个M30</td><td rowspan="2">上预埋钢板
总 数
32块</td><td rowspan="2">下预埋钢板
总 数
32块</td></tr>
<tr><td colspan="2">连接螺栓 总 数 688个M16</td></tr>
</table>

六、支座安装前的检验要求

支座安装前应对隔震支座进行随机抽样检测，每种规格的支座不应少于3个，若有一件抽样的一项性能不合格，则该次抽样检验不合格。每种规格的产品抽样数量应不少于总数的20%，若有不合格，再重新抽取总数的50%，若仍有不合格，则应100%检测。每项工程抽样总数不少于20件，每种规格的产品抽样数量不少于4件。安装隔震支座前应对工程中所有的各种规格和类型的螺栓和配件进行抽样检测，各种类型和每一规格的数量不应少于3个，抽样合格率应为100%。

所有支座必须提供下列性能指标：

1. 在轴压应力设计值作用下的竖向刚度。
2. 在轴压应力设计值作用下，水平剪切应变分别为50%、100%、250%，且相应的水平加载频率分别为0.3Hz、0.2Hz、0.1Hz时有效水平刚度。
3. 在轴压应力设计值作用下，水平剪切应变分别为50%、100%、250%，且相应的水平加载频率分别为0.3Hz、0.2Hz、0.1Hz时有效阻力比。
4. 对于有芯型或者其他有阻尼装置的隔震支座，应提供在轴压应力设计值作用下的水平剪切屈服剪力、屈服前水平刚度和屈服后水平刚度。
5. 隔震支座的压应力破坏极限值不应小于90MPa，隔震支座的拉应力屈服极限值不应小于1.50MPa。
6. 隔震支座的产品性能型式检验和产品性能出厂检验不能相互替代。
7. 检验不合格及检验后性能发生变化不能满足正常使用要求的产品，不得在工程中使用。
8. 隔震支座的力学性能检验，应在能按不同频率施加反复循环荷载的、符合要求的伺服试验机上进行。

七、材料使用要求说明

预埋钢板技术要求

1. 材料采用Q345钢，质量符合GB/T700-2006表面完整无缺陷、四边及中孔氧割割边，栓孔必须是钻孔而成。
2. 为使构件紧密贴合，贴合面上严禁有电焊气割溅点，毛刺飞边，尘土油漆等不洁物质。
3. 所有配件组装后，不得露出预埋板板面，且连接牢固。

配件技术要求

1. 材料：Q345钢，质量符合GB/T700-2006。
2. 要求：表面完整，无缺陷、锈蚀，孔位必须用钻孔模定位，锐棱倒角45°。

连接钢板表面电镀锌处理。要求无杂质、无漏镀。

3. 配件：上下连接钢板所用螺栓各为8M30;连接钢板与隔震支座之间所用螺栓型号由生产厂家自定。

七、隔震支座施工要求

建筑隔震支座的安装施工顺序是自下而上的过程，即在完成隔震支座下部构件或基础的施工后，才能进行隔震支座的安装。在安装过程中，应做好施工记录，对隔震支座下预埋板顶面水平度、隔震支座中心的平面位置和标高进行观测并记录。

1. 专用工具

施工中所用的有关机具应提前准备并校正，所需的工具主要有：经纬仪、水平尺、标杆、水准仪、塔尺、盒尺、角尺、线坠等。

2. 所有隔震垫底部均安装在同一平面上。

3. 建筑隔震支座的安装过程中的质量要求

应尽量保证支座为轴压。因此对隔震支座水平度和轴线位置的控制精度要求非常高，国家相关标准要求如下：

(1)隔震支座安装前，其底部安装面水平度误差不宜大于5‰；隔震支座安装后，其顶面的水平度误差不宜大于8‰；

(2)隔震支座的平面位置与设计位置的水平偏差不宜大于5.0mm；

(3)隔震支座的安装标高与设计标高相差不宜大于5.0mm；

(4)当需要进行二次浇注混凝土时应采用比原构件高一个等级的细石混凝土。

4. 建筑隔震支座的具体安装步骤：

(1)基础钢筋按要求绑扎并浇筑混凝土，待混凝土浇筑到设计的预埋螺杆下端时停止浇筑。

(2)当基础混凝土强度达到85%以上时，放置下预埋钢板并调整其水平度、标高和型芯位置。合格后用C40加微膨胀剂的细石混凝土浇筑。

(3)待二次浇筑的混凝土达到设计强度的85%后，将下预埋钢板表面清理干净并涂黄油。安装隔震支座，拧紧连接螺栓。

(4)绑扎上支墩的钢筋，浇筑混凝土。安装上预埋钢板并拧紧连接螺栓。

八、隔震支座的施工和监理必须由具备相应的专业资质。

九、隔震支座施工完成后，在其四周进行防火封堵。

十、隔震结构周边的隔离措施

1. 建筑物四周设计隔震沟，深度为1.20m，最窄处宽度为0.25m。
2. 悬挂电梯基坑外边缘到基础承台（下支墩）的最小距离为0.50m。
3. 悬挂电梯基坑底部到基础筏板顶面的净空距离为0.60m。
4. 安装工程中与隔震相关做法在专业图纸中有细部做法。

十、所有安装工程完成在工程竣工前对橡胶支座周围采用石棉板进行防火封堵。

<table>
<tr><td rowspan="3">×××市建筑设计研究院</td><td>审　定</td><td></td><td></td><td>校　对</td><td></td><td></td><td rowspan="2">建设单位</td><td rowspan="2">××县妇幼保健医院</td><td rowspan="2">图纸</td><td rowspan="3">基础隔震设计说明</td><td rowspan="2">工程编号</td><td rowspan="2">201710306</td><td>阶 段</td><td>施工图</td></tr>
<tr><td>审　核</td><td></td><td></td><td>设计负责人</td><td></td><td></td><td>日 期</td><td>2017.10</td></tr>
<tr><td>项目负责人</td><td></td><td></td><td>设 计 人</td><td></td><td></td><td>项目名称</td><td>××县妇幼保健医院业务楼</td><td>名称</td><td>图　号</td><td>结施-3</td><td>比 例</td><td>1:100</td></tr>
</table>

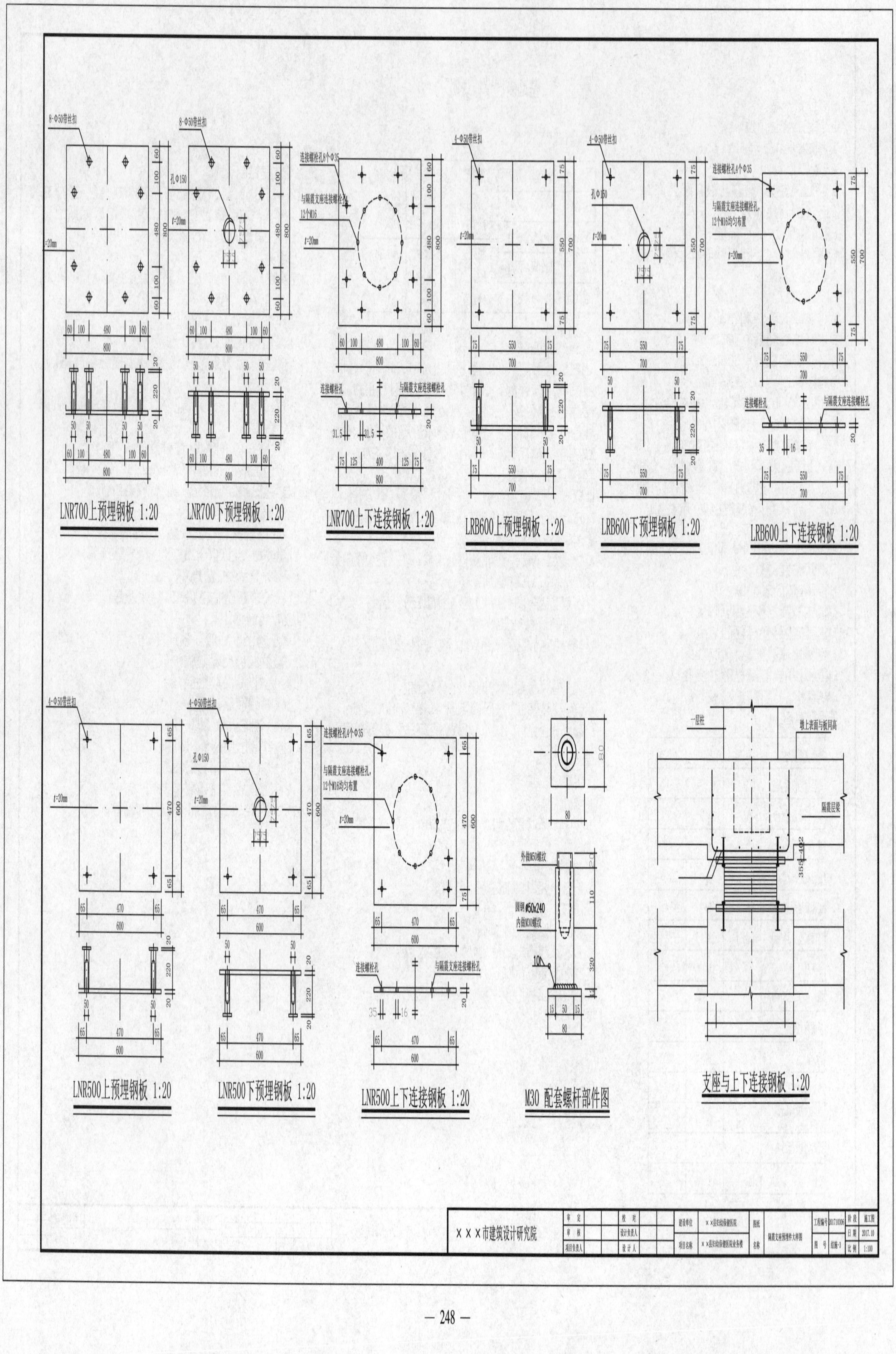
LNR700上预埋钢板 1:20
LNR700下预埋钢板 1:20
LNR700上下连接钢板 1:20
LRB600上预埋钢板 1:20
LRB600下预埋钢板 1:20
LRB600上下连接钢板 1:20
LNR500上预埋钢板 1:20
LNR500下预埋钢板 1:20
LNR500上下连接钢板 1:20
M30 配套螺杆部件图
支座与上下连接钢板 1:20
×××市建筑设计研究院

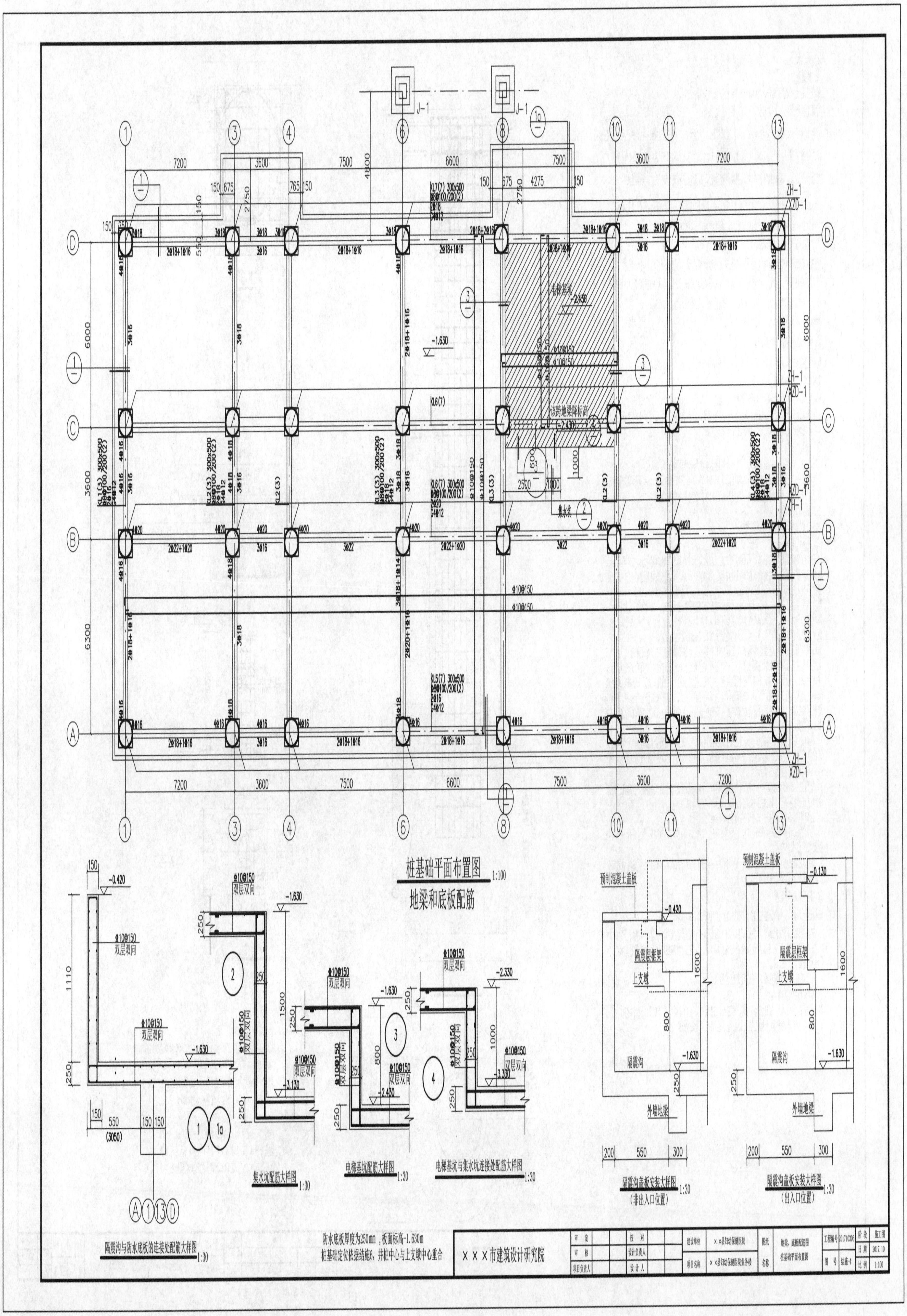
桩基础平面布置图 1:100
地梁和底板配筋
集水坑配筋大样图 1:30
电梯基坑配筋大样图 1:30
电梯基坑与集水坑连接处配筋大样图 1:30
隔震沟盖板安装大样图 1:30
(非出入口位置)
隔震沟盖板安装大样图 1:30
(出入口位置)
隔震沟与防水底板的连接处配筋大样图 1:30
预制混凝土盖板
隔震层框架
上支墩
隔震沟
外墙地梁
φ10@150
双层双向
防水底板厚度为250mm，板面标高-1.630m
桩基础定位依据结施6，并桩中心与上支墩中心重合
×××市建筑设计研究院
审定
审核
项目负责人
校对
设计负责人
设计人
建设单位
××县妇幼保健医院
项目名称
××县妇幼保健医院业务楼
图纸名称
地梁、底板配筋图
桩基础平面布置图
工程编号 20171030б
图号 结施-4
阶段 施工图
日期 2017.10
比例 1:100

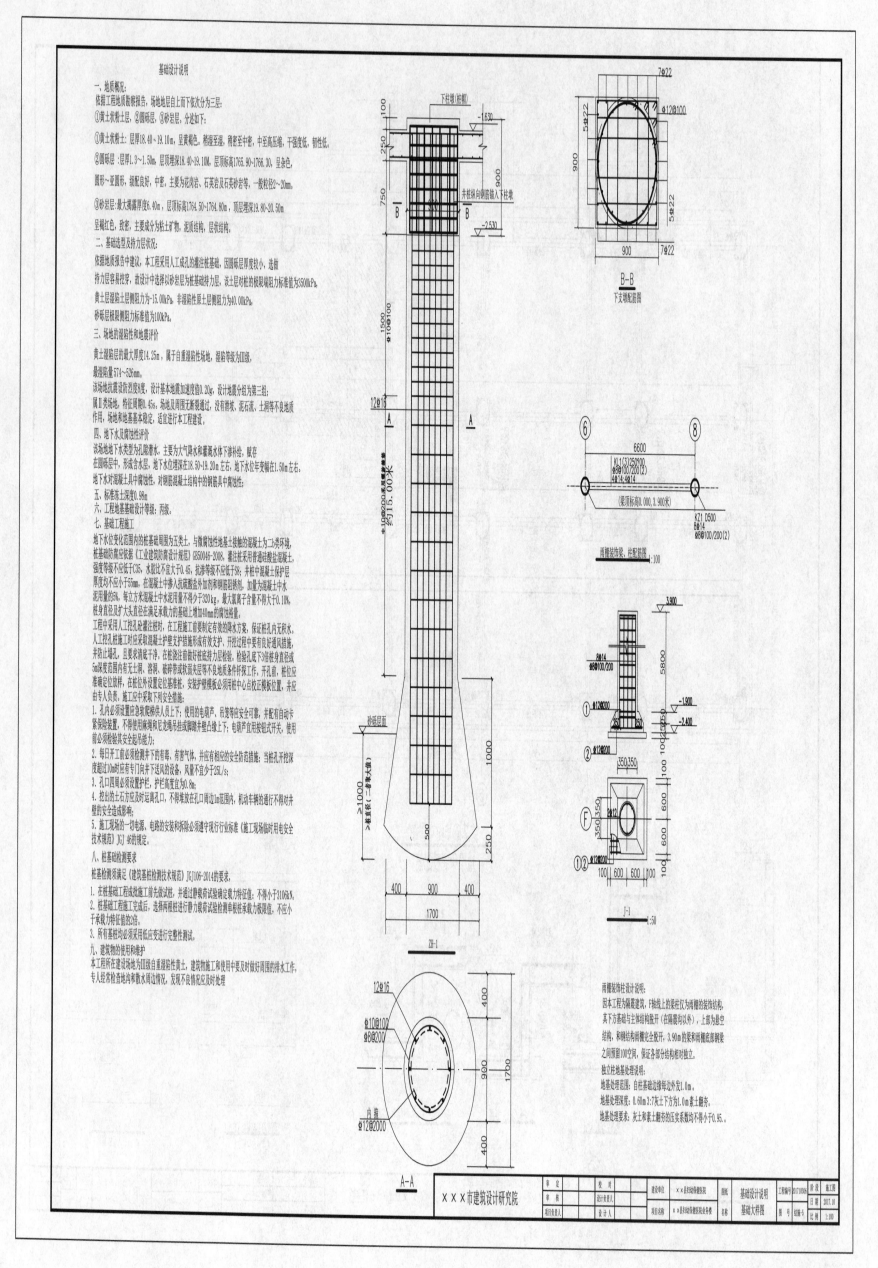

基础设计说明

一、地质概况：

依据工程地质勘察报告，场地地层自上而下依次分为三层：

①黄土状粉土层，②圆砾层，③砂岩层。分述如下：

①黄土状粉土：层厚18.40~19.10m，呈黄褐色。稍湿至湿，稍密至中密，中至高压缩，干强度低，韧性低。

②圆砾层：层厚1.3~1.50m，层顶埋深18.40~19.10M，层顶标高1765.90~1766.30，呈杂色，圆形~亚圆形，级配良好，中密。主要为花岗岩、石英岩及石英砂岩等，一般粒径2~20mm。

③砂岩层：最大揭露厚度6.40m，层顶标高1764.50~1764.80m，顶层埋深19.80~20.50m 呈褐红色，致密，主要成分为粘土矿物，泥质结构，层状结构。

二、基础选型及持力层状况：

依据地质报告中建议，本工程采用人工成孔的灌注桩基础，因圆砾层厚度较小，选做持力层容易挖穿，故设计中选择以砂岩层为桩基础持力层，该土层对桩的极限端阻力标准值为3500kPa，

黄土层湿陷土层侧阻力为-15.00kPa，非湿陷性原土层侧阻力为40.00kPa，

砂砾层极限侧阻力标准值为100kPa。

三、场地的湿陷性和地震评价

黄土湿陷层的最大厚度14.25m，属于自重湿陷性场地，湿陷等级为III级，

最湿陷量574~526mm。

该场地抗震设防烈度8度，设计基本地震加速度值0.20g，设计地震分组为第三组；

属II类场地，特征周期0.45s。场地及周围无断裂通过，没有滑坡、泥石流、土洞等不良地质作用，场地和地基基本稳定，适宜进行本工程建设。

四、地下水及腐蚀性评价

该场地地下水类型为孔隙潜水，主要为大气降水和灌溉水体下渗补给，赋存在圆砾层中，形成含水层，地下水位埋深在18.50~19.20m左右，地下水位年变幅在1.50m左右。

地下水对混凝土具中腐蚀性，对钢筋混凝土结构中的钢筋具中腐蚀性；

五、标准冻土深度0.98m

六、工程地基基础设计等级：丙级。

七、基础工程施工

地下水位变化范围内的桩基础周围为五类土，与微腐蚀性地基土接触的混凝土为二b类环境，桩基础防腐应依据《工业建筑防腐设计规范》GB50046-2008，灌注桩采用普通硅酸盐混凝土，强度等级不应低于C35，水胶比不宜大于0.45，抗渗等级不应低于S8；井桩中混凝土保护层厚度均不应小于55mm，在混凝土中掺入抗硫酸盐外加剂和钢筋阻锈剂，加量为混凝土中水泥用量的5%，每立方米混凝土中水泥用量不得少于320kg，最大氯离子含量不得大于0.10%，桩身直径及扩大头直径在满足承载力的基础上增加40mm的腐蚀裕量。

工程中采用人工挖孔砼灌注桩时，在工程施工前要制定有效的降水方案，保证桩孔内无积水。人工挖孔桩施工时应采取混凝土护壁支护措施形成有效支护、开挖过程中要有良好通风措施，并防止塌孔，且要求清底干净。在桩浇注前做好桩底持力层检验。检验孔底下3倍桩身直径或5m深度范围内有无土洞、溶洞、破碎带或软弱夹层等不良地质条件钎探工作。开孔前，桩位应准确定位放样，在桩位外设置定位基准桩，安装护壁模板必须用桩中心点校正模板位置，并应由专人负责。施工应中采取下列安全措施：

1. 孔内必须设置应急软爬梯供人员上下；使用的电葫芦、吊笼等应安全可靠，并配有自动卡紧保险装置，不得使用麻绳和尼龙绳吊挂或脚踏井壁凸缘上下；电葫芦宜用按钮式开关，使用前必须检验其安全起吊能力；
2. 每日开工前必须检测井下的有毒、有害气体，并应有相应的安全防范措施；当桩孔开挖深度超过10m时应有专门向井下送风的设备，风量不宜少于25L/s；
3. 孔口四周必须设置护栏，护栏高度宜为0.8m；
4. 挖出的土石方应及时运离孔口，不得堆放在孔口周边1m范围内，机动车辆的通行不得对井壁的安全造成影响；
5. 施工现场的一切电源、电路的安装和拆除必须遵守现行行业标准《施工现场临时用电安全技术规范》JGJ 46的规定。

八、桩基础检测要求

桩基检测须满足《建筑基桩检测技术规范》JGJ106-2014的要求，

1. 在桩基础工程成批施工前先做试桩，并通过静载荷试验确定载力特征值：不得小于3106kN。
2. 桩基础工程施工完成后，选择两根桩进行静力载荷试验检测单根桩承载力极限值，不应小于承载力特征值的2倍。
3. 所有基桩均必须采用低应变进行完整性测试。

九、建筑物的使用和维护

本工程所在建设场地为III级自重湿陷性黄土，建筑物施工和使用中要及时做好周围的排水工作，专人经常检查地沟和散水周边情况，发现不良情况应及时处理

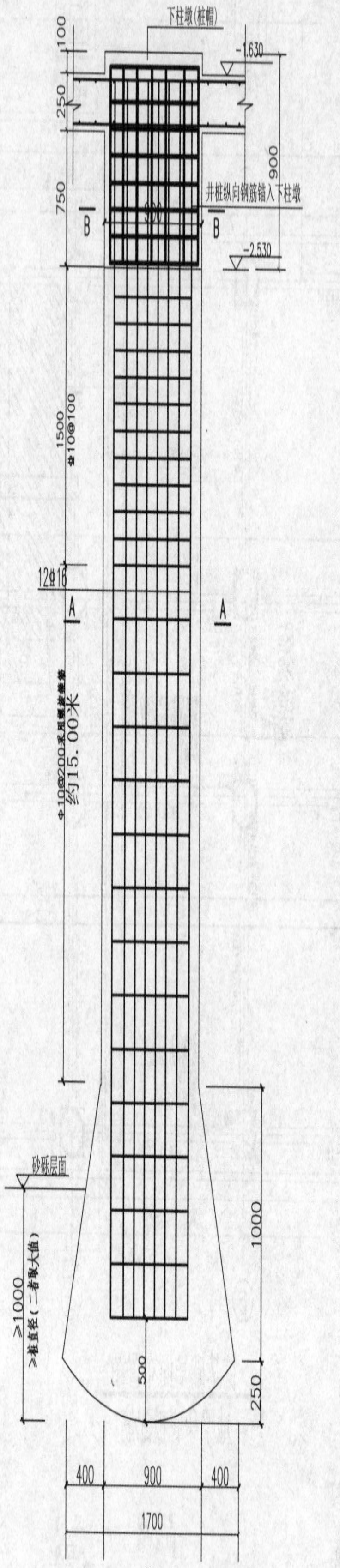

ZH-1

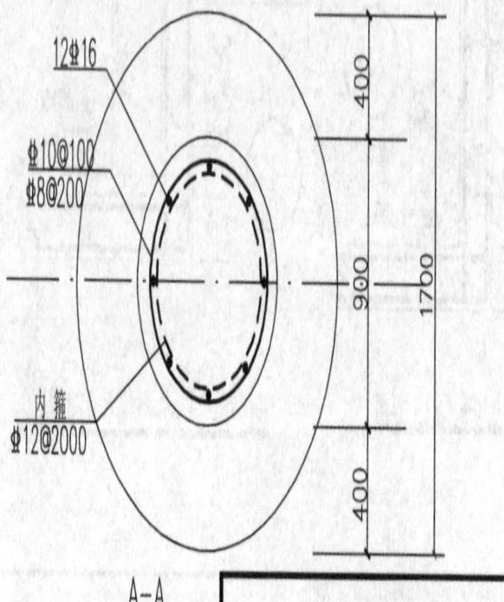

A-A

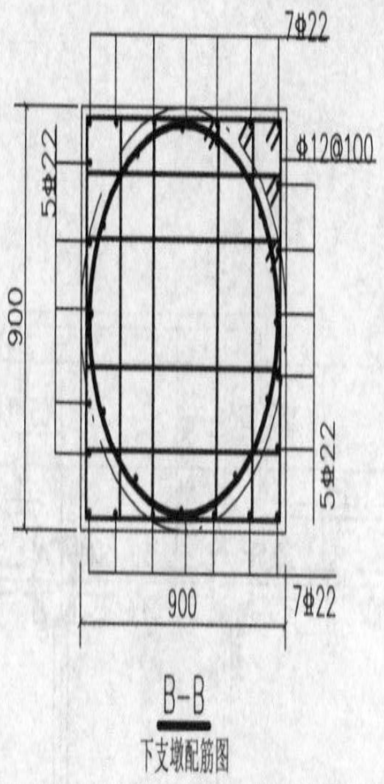

B-B

下支墩配筋图

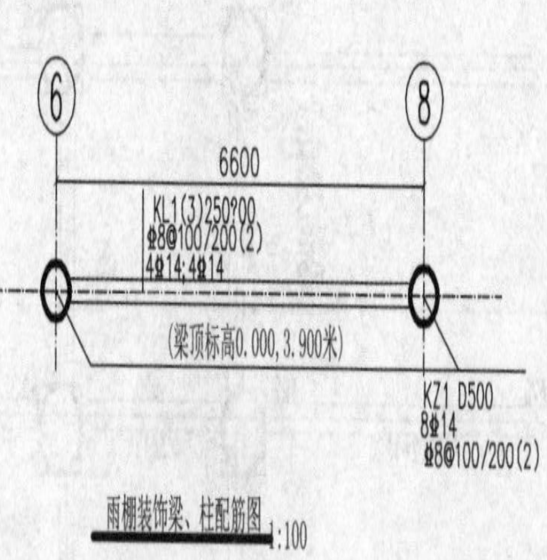

雨棚装饰梁、柱配筋图 1:100

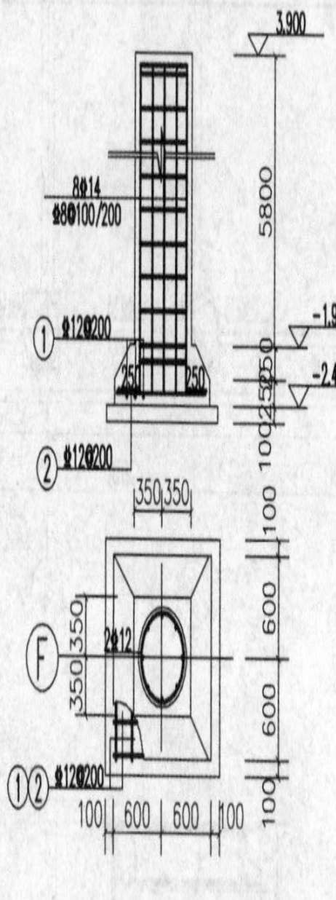

J-1 1:50

雨棚装饰柱设计说明：

因本工程为隔震建筑，F轴线上的梁柱仅为雨棚的装饰结构，其下方基础与主体结构脱开（在隔震沟以外），上部为悬空结构，和钢结构雨棚完全脱开，3.90m的梁和雨棚底部钢梁之间预留100空间，保证各部分结构相对独立。

独立柱地基处理说明：

地基处理范围：自柱基础边缘每边外发1.0m。

地基处理深度：0.60m 3:7灰土下方为1.0m素土翻夯。

地基处理要求：灰土和素土翻夯的压实系数均不得小于0.95.。

×××市建筑设计研究院	审定			校对			建设单位	××县妇幼保健医院	图纸名称	基础设计说明 基础大样图	工程编号	201710306	阶段	施工图
	审核			设计负责人									日期	2017.10
	项目负责人			设计人			项目名称	××县妇幼保健医院业务楼			图号	结施-5	比例	1:100

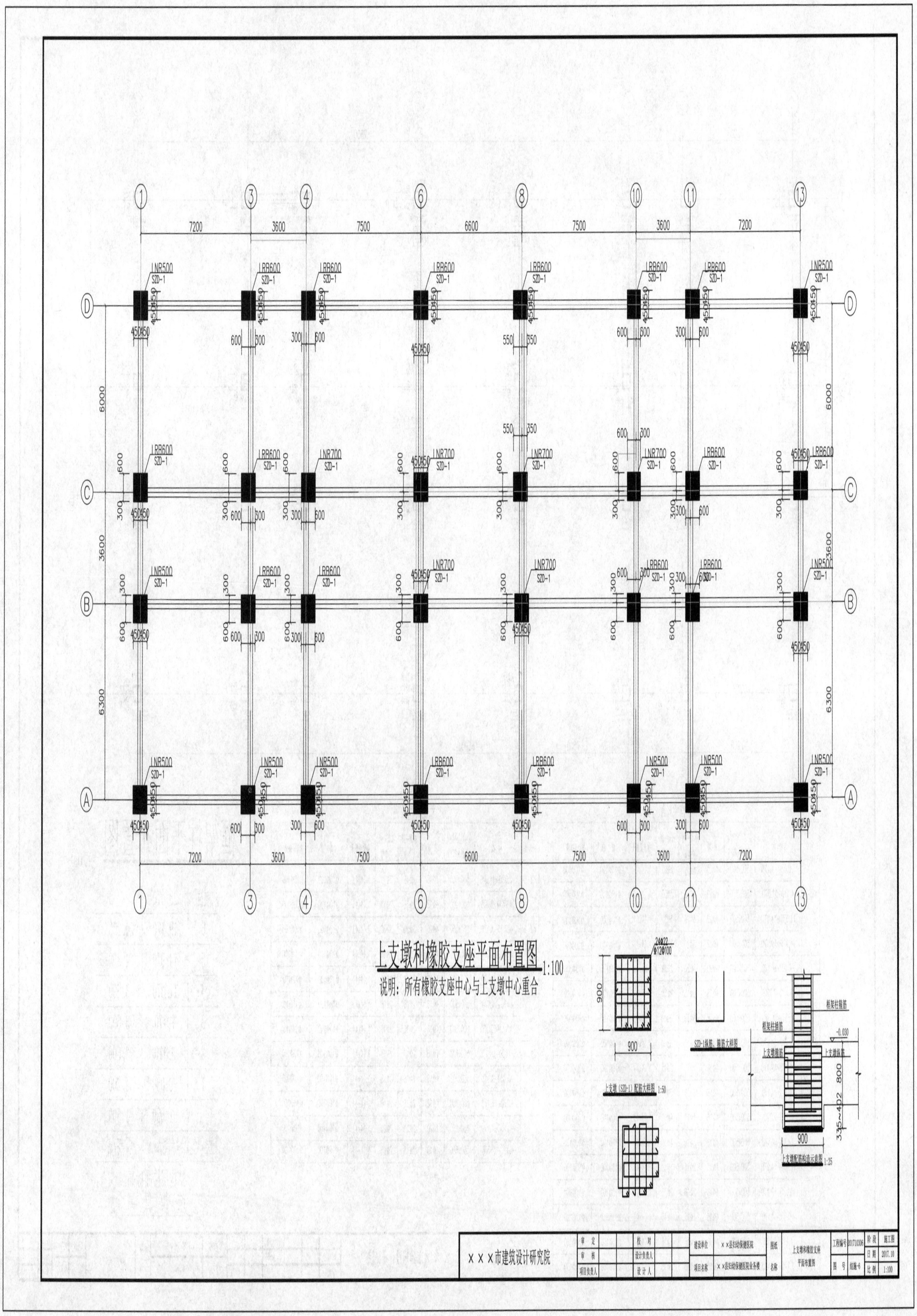
上支墩和橡胶支座平面布置图 1:100
说明：所有橡胶支座中心与上支墩中心重合
X X X市建筑设计研究院

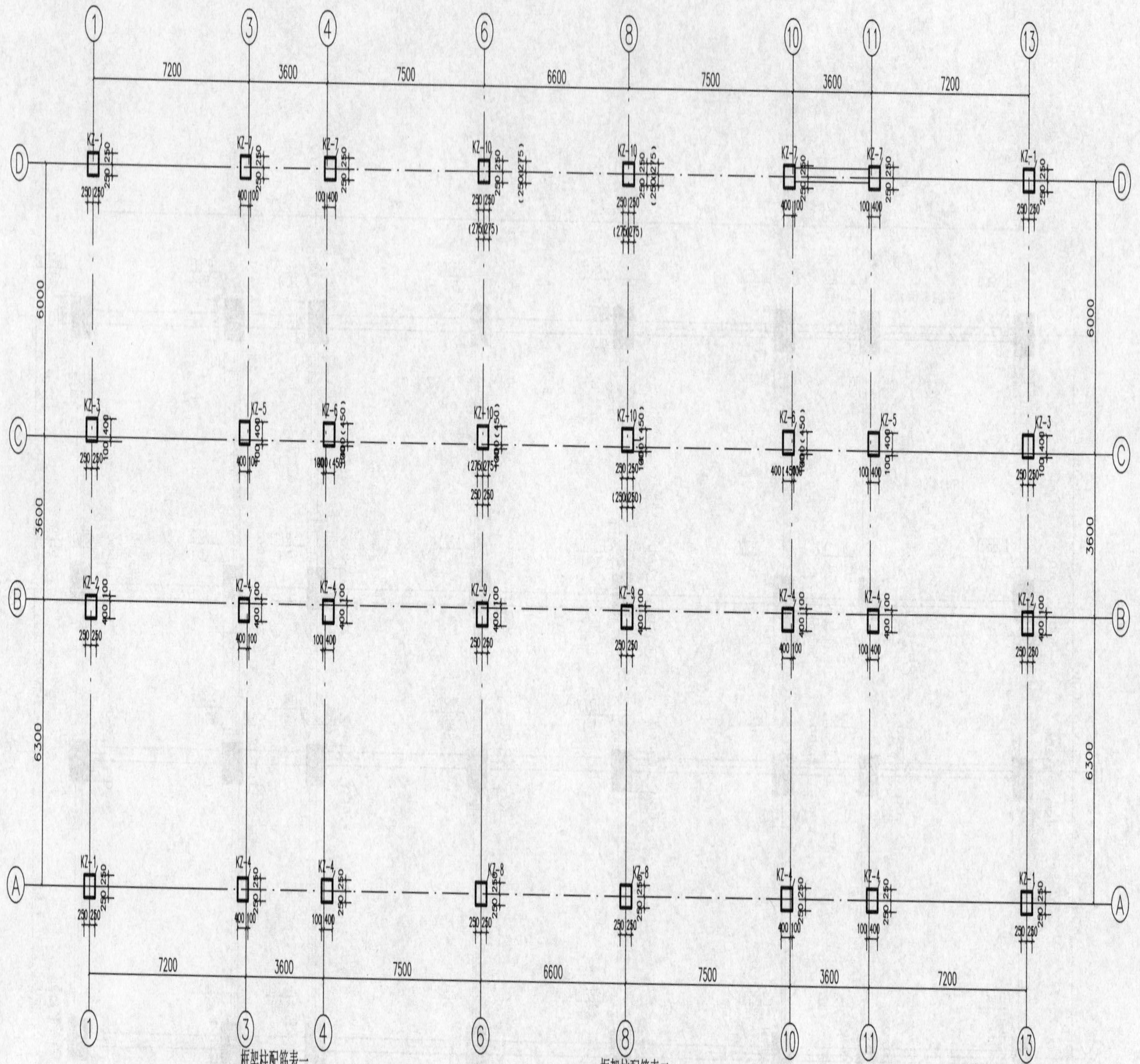

框架柱配筋表一

柱号	标高	bxh(bixhi)(圆柱直径D)	角筋	b边一侧中部筋	h边一侧中部筋	箍筋类型号	箍筋	核心区箍筋
KZ-1	-0.030–4.170	500x500	4Φ25	2Φ22	2Φ25	1.(4x4)	Φ10@100	Φ10@100
	4.170–11.370	500x500	4Φ20	2Φ22	3Φ20	1.(4x4)	Φ10@100	Φ10@100
	11.370–14.970	500x500	4Φ22	3Φ20	3Φ22	1.(4x4)	Φ10@100	Φ10@100
	14.970–19.170	500x500	4Φ22	3Φ20	2Φ22	1.(4x4)	Φ10@100	Φ10@100
KZ-2	-0.030–4.170	500x500	4Φ20	3Φ20	2Φ18	1.(4x4)	Φ10@100	Φ10@100
	4.170–7.770	500x500	4Φ18	3Φ18	2Φ18	1.(4x4)	Φ10@100	Φ10@100
	7.770–11.370	500x500	4Φ18	3Φ18	3Φ18	1.(4x4)	Φ10@100	Φ10@100
	11.370–14.970	500x500	4Φ18	3Φ18	3Φ18	1.(4x4)	Φ10@100	Φ10@100
	14.970–19.170	500x500	4Φ18	2Φ16	2Φ16	1.(4x4)	Φ10@100	Φ10@100
KZ-3	-0.030–4.170	500x500	4Φ18	3Φ18	3Φ18	1.(4x4)	Φ10@100	Φ10@100
	4.170–7.770	500x500	4Φ18	3Φ18	4Φ16	1.(4x4)	Φ10@100	Φ10@100
	7.770–11.370	500x500	4Φ18	3Φ16	4Φ16	1.(4x4)	Φ10@100	Φ10@100
	11.370–14.970	500x500	4Φ18	2Φ16	4Φ16	1.(4x4)	Φ10@100	Φ10@100
	14.970–19.170	500x500	4Φ18	2Φ16	2Φ16	1.(4x4)	Φ10@100	Φ10@100
KZ-4	-0.030–4.170	500x500	4Φ18	4Φ16	4Φ16	1.(4x4)	Φ12@100	Φ12@100
	4.170–7.770	500x500	4Φ18	2Φ18	2Φ18	1.(4x4)	Φ10@100	Φ10@100
	7.770–19.170	500x500	4Φ18	2Φ18	2Φ18	1.(4x4)	Φ10@100	Φ10@100

框架柱配筋表二

柱号	标高	bxh(bixhi)(圆柱直径D)	角筋	b边一侧中部筋	h边一侧中部筋	箍筋类型号	箍筋	核心区箍筋
KZ-5	-0.030–14.970	500x500	4Φ18	2Φ18	2Φ18	1.(4x4)	Φ10@100	Φ10@100
	14.970–23.370	500x500	4Φ18	2Φ18	2Φ18	1.(4x4)	Φ10@100	Φ10@100
KZ-6	-0.030–4.170	550x550	4Φ20	3Φ20	3Φ20	1.(4x4)	Φ10@100	Φ10@100
	4.170–23.370	500x500	4Φ18	2Φ18	2Φ18	1.(4x4)	Φ10@100	Φ10@100
KZ-7	-0.030–4.170	500x500	4Φ18	3Φ18	2Φ18	1.(4x4)	Φ12@100	Φ12@100
	4.170–14.970	500x500	4Φ18	2Φ18	2Φ18	1.(4x4)	Φ10@100	Φ10@100
	14.970–23.370	500x500	4Φ18	2Φ16	2Φ16	1.(4x4)	Φ10@100	Φ10@100
KZ-8	-0.030–19.170	500x500	4Φ18	2Φ18	2Φ18	1.(4x4)	Φ10@100	Φ10@100
KZ-9	-0.030–4.170	500x500	4Φ18	2Φ18	3Φ18	1.(4x4)	Φ10@100	Φ10@100
	4.170–19.170	500x500	4Φ18	2Φ16	2Φ16	1.(4x4)	Φ10@100	Φ10@100
KZ-10	-0.030–4.170	550x550	4Φ20	2Φ20	2Φ20	1.(4x4)	Φ10@100	Φ10@100
	4.170–23.370	500x500	4Φ18	2Φ18	2Φ18	1.(4x4)	Φ10@100	Φ10@100

框架柱平面布置图 1:100

层号	标高/m	层高/m
屋面	23.370	
6	19.170	4.200
5	14.970	4.200
4	11.370	3.600
3	7.770	3.600
2	4.170	3.600
1	-0.030	4.200
-1	-1.530	1.500

结构层楼面标高
结 构 层 高

×××市建筑设计研究院	审 定			校 对			建设单位	××县妇幼保健医院	图纸名称	框架柱平面布置图	工程编号	201710306	阶 段	施工图
	审 核			设计负责人			项目名称	××县妇幼保健医院业务楼			图 号	结施-7	日 期	2017.10
	项目负责人			设 计 人									比 例	1:100

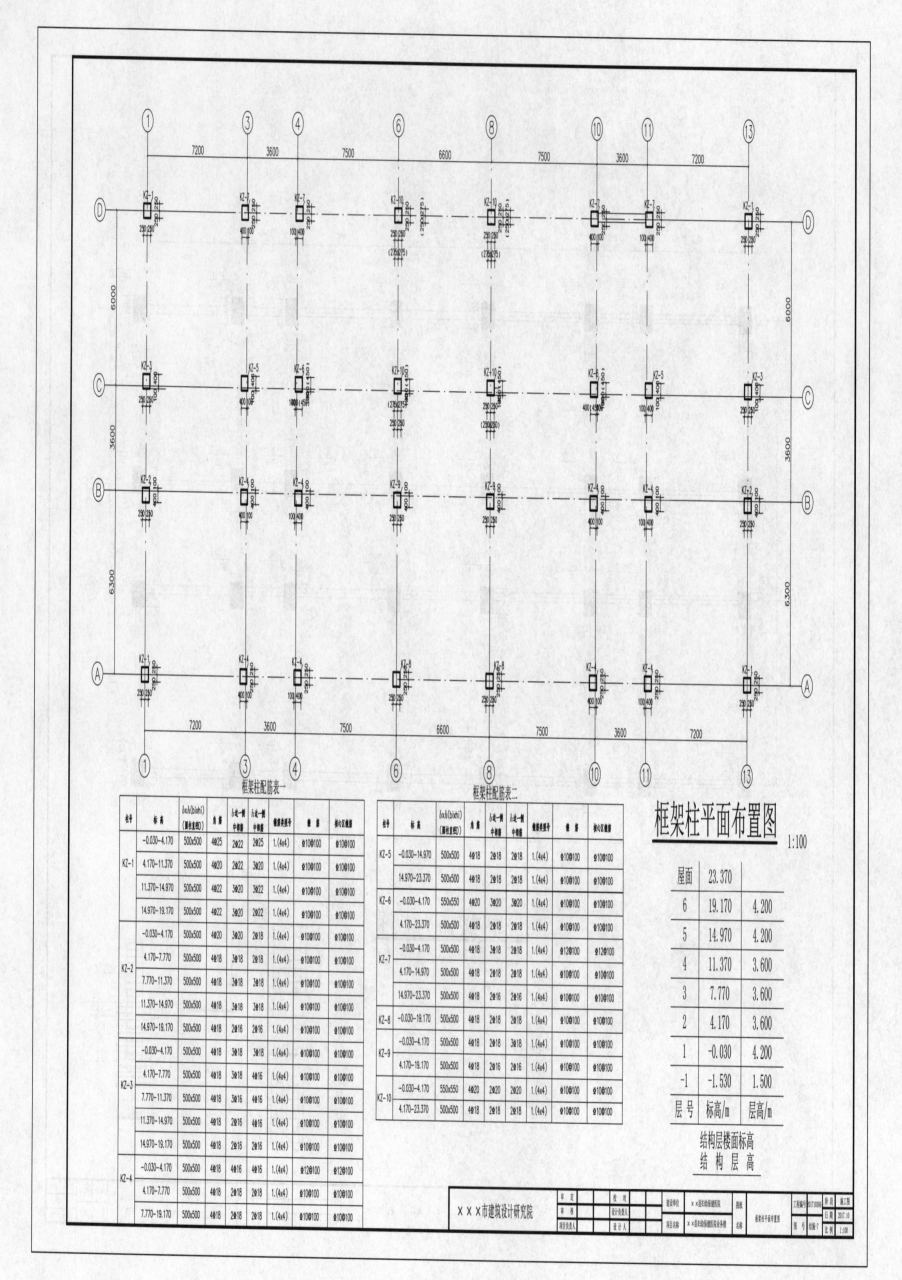

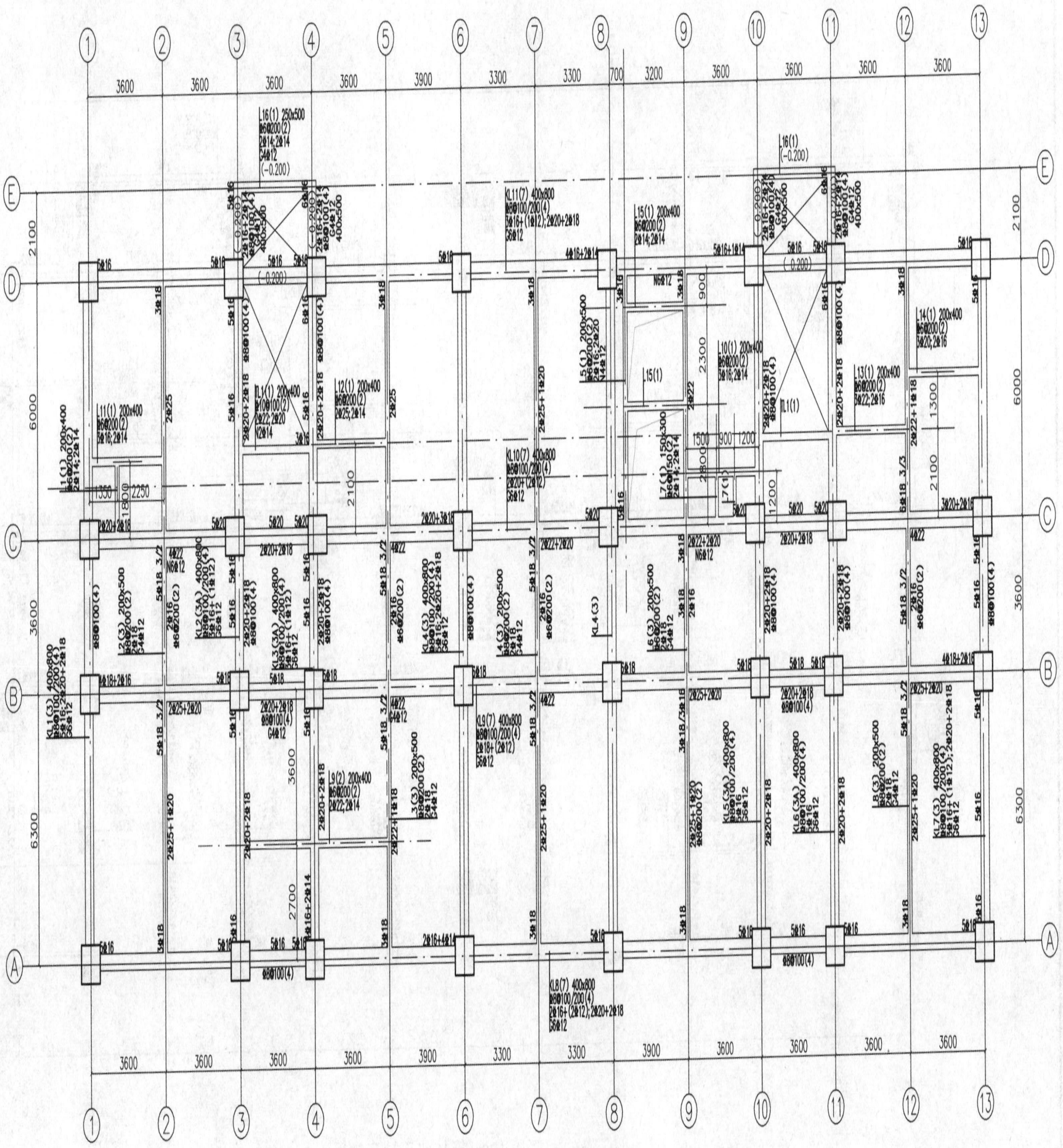

-0.030米框架梁平法配筋图 1:100

屋面	23.370	
6	19.170	4.200
5	14.970	4.200
4	11.370	3.600
3	7.770	3.600
2	4.170	3.600
1	-0.030	4.200
-1	-1.530	1.500
层号	标高/m	层高/m

结构层楼面标高
结构层高

×××市建筑设计研究院	审定			校对			建设单位	××县妇幼保健医院	图纸名称	-0.030米框架梁平法配筋图	工程编号	201710306	阶段	施工图
	审核			设计负责人			项目名称	××县妇幼保健医院业务楼			图号	结施-8	日期	2017.10
	项目负责人			设计人									比例	1:100

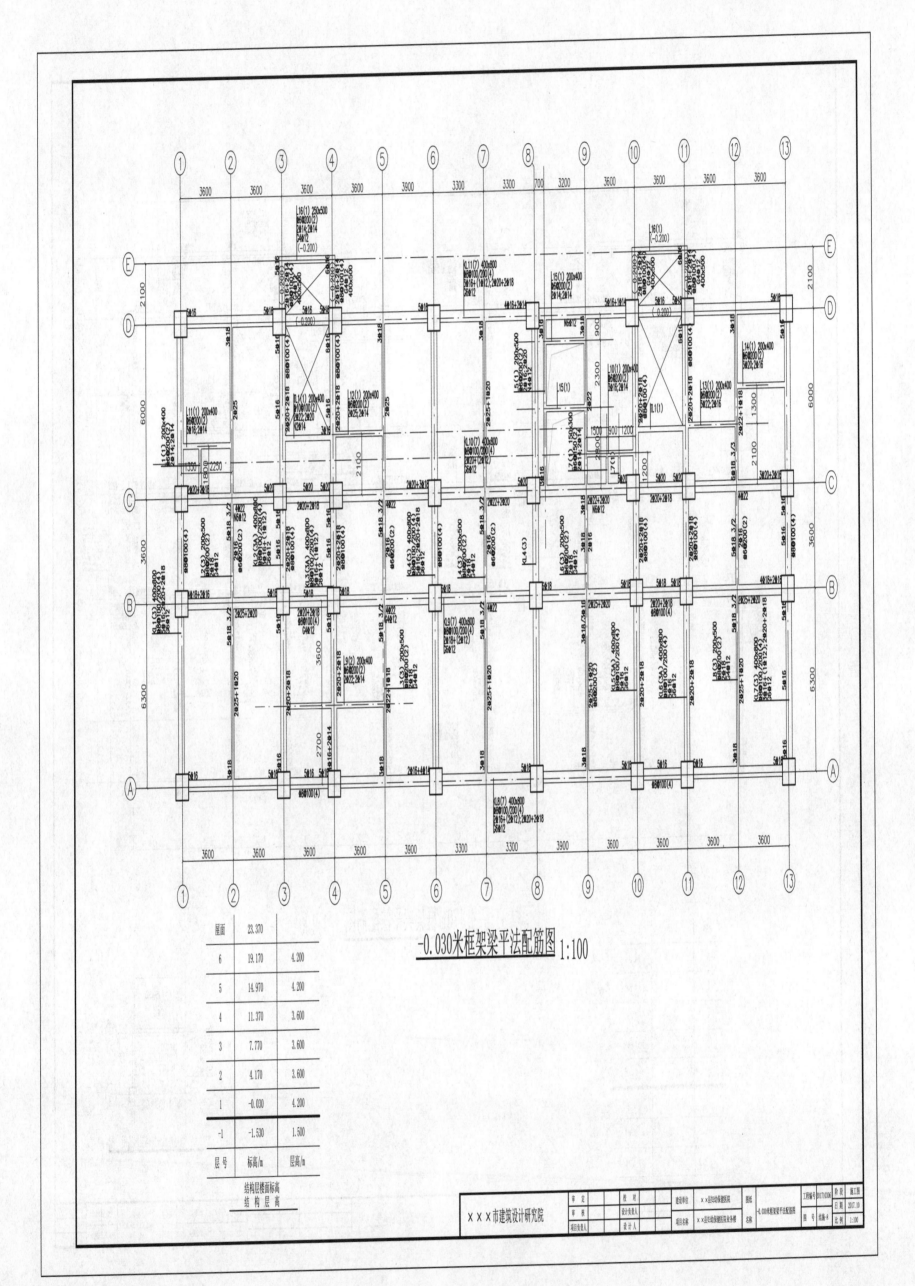

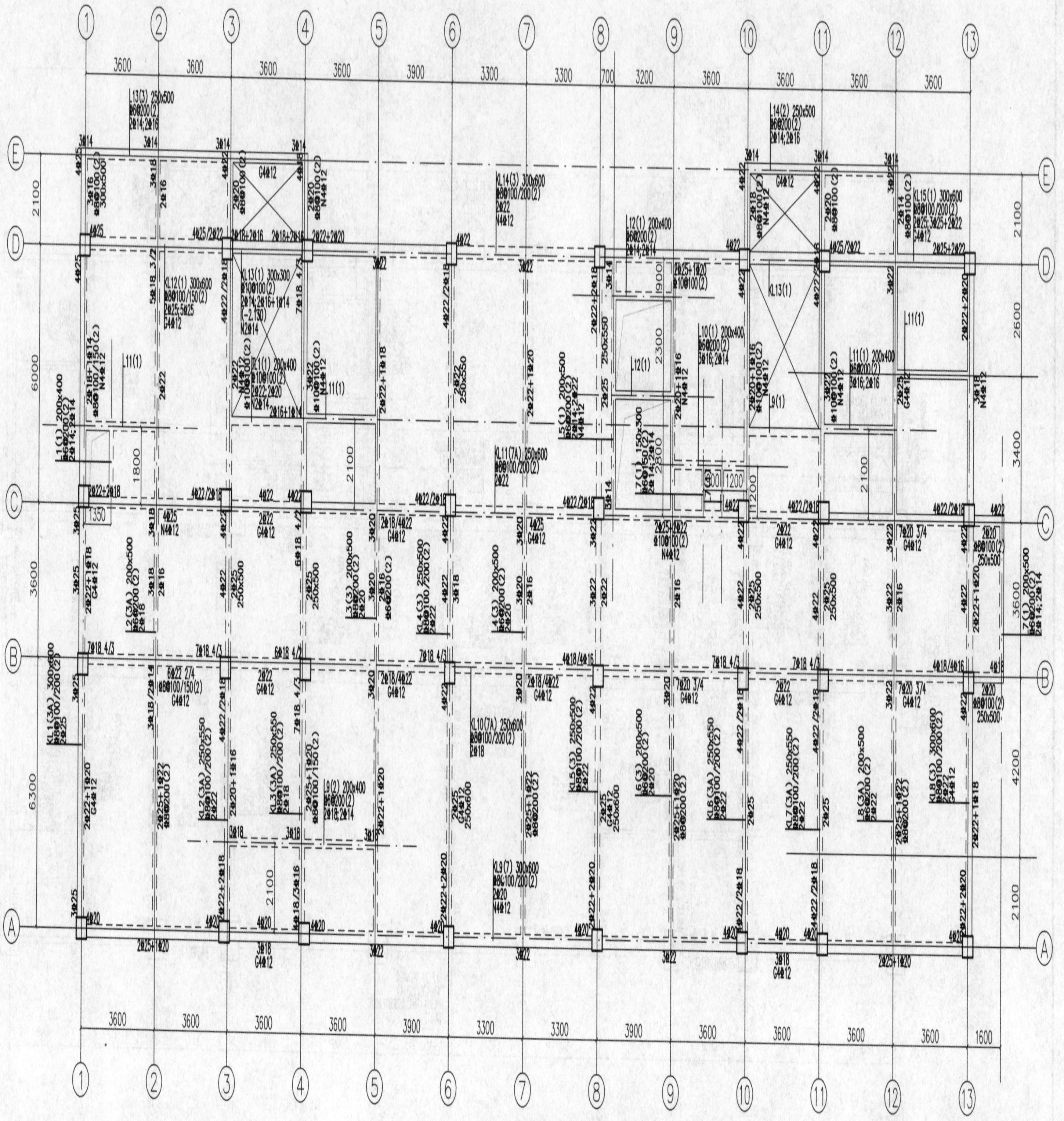

4.170m框架梁平法配筋图 1:100

屋面	23.370	
6	19.170	4.200
5	14.970	4.200
4	11.370	3.600
3	7.770	3.600
2	4.170	3.600
1	-0.030	4.200
-1	-1.530	1.500
层号	标高/m	层高/m

结构层楼面标高
结构层高

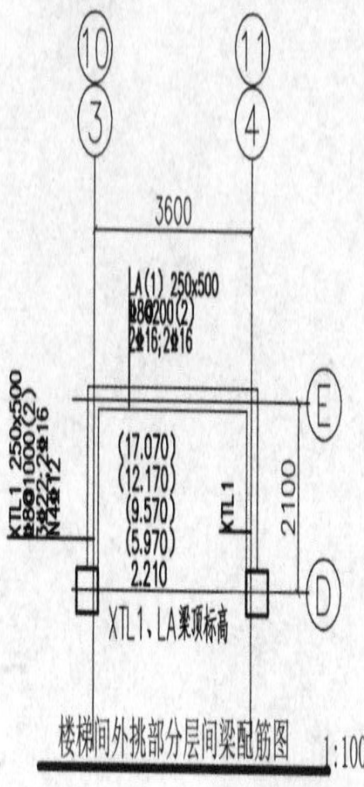

楼梯间外挑部分层间梁配筋图 1:100

×××市建筑设计研究院	审定		校对		建设单位	××县妇幼保健院	图纸名称	4.170m框架梁平法配筋图	阶段	施工图
	审核		设计负责人						日期	2017.10
	项目负责人		设计人		项目名称	××县妇幼保健院业务楼			比例	1:100

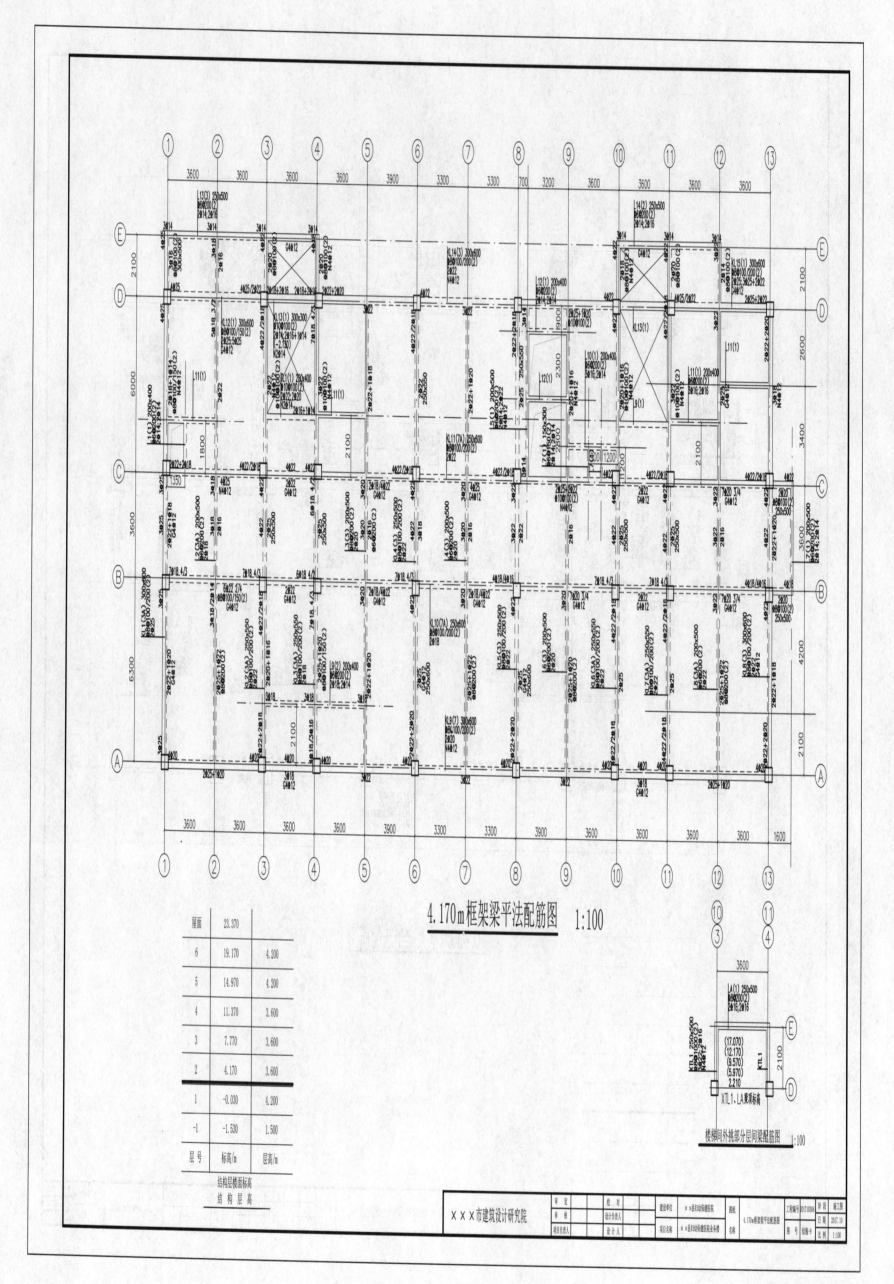

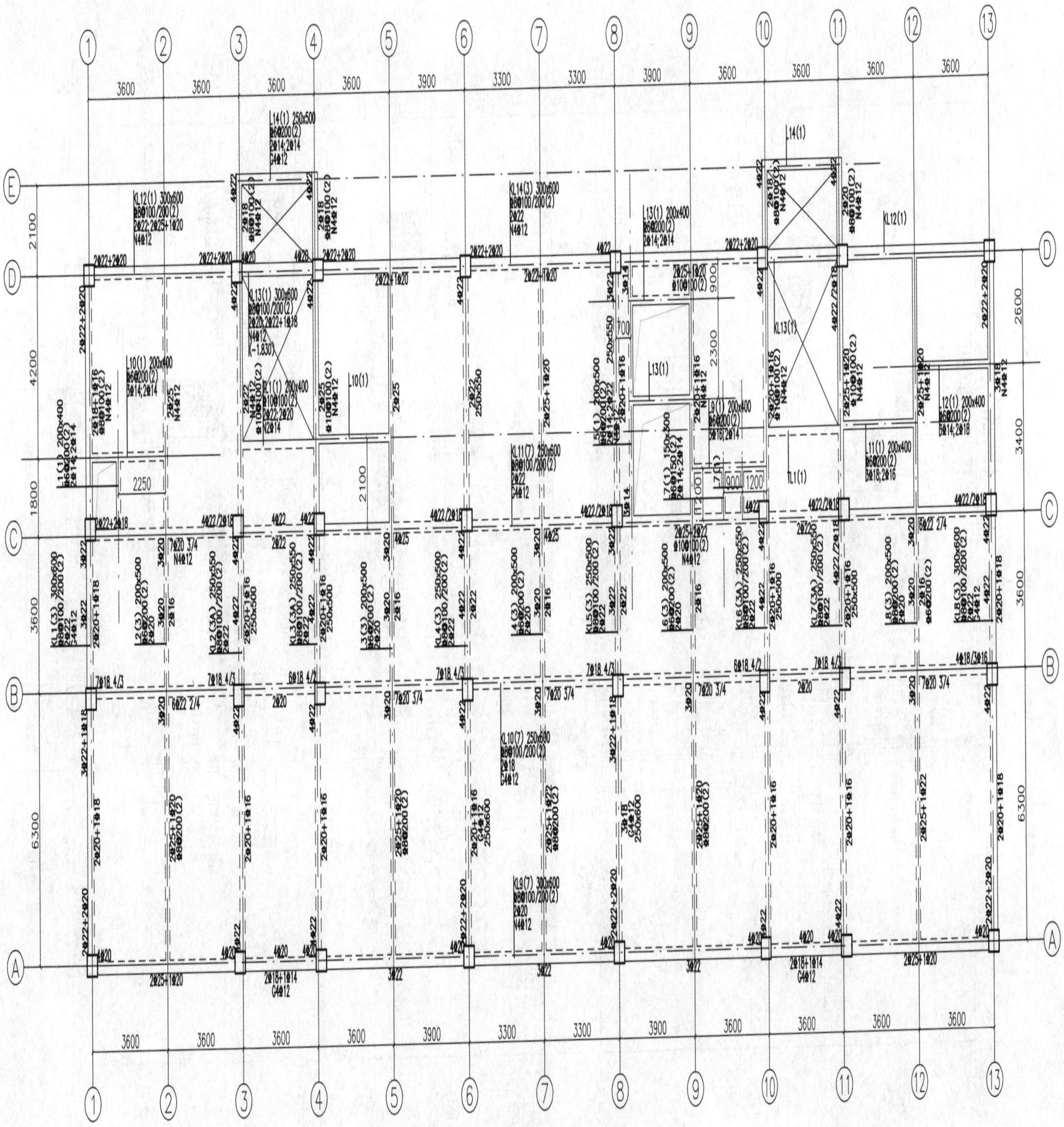

7.770m框架梁平法配筋图 1:100

屋面	23.370	
6	19.170	4.200
5	14.970	4.200
4	11.370	3.600
3	7.770	3.600
2	4.170	3.600
1	-0.030	4.200
-1	-1.530	1.500
层号	标高/m	层高/m

结构层楼面标高
结 构 层 高

×××市建筑设计研究院	审 定			校 对			建设单位	××县妇幼保健医院	图纸名称	7.770m框架梁平法配筋图	工程编号	201710306	阶 段 施工图
	审 核			设计负责人			项目名称	××县妇幼保健医院业务楼			图 号	结施-10	日 期 2017.10
	项目负责人			设 计 人									比 例 1:100

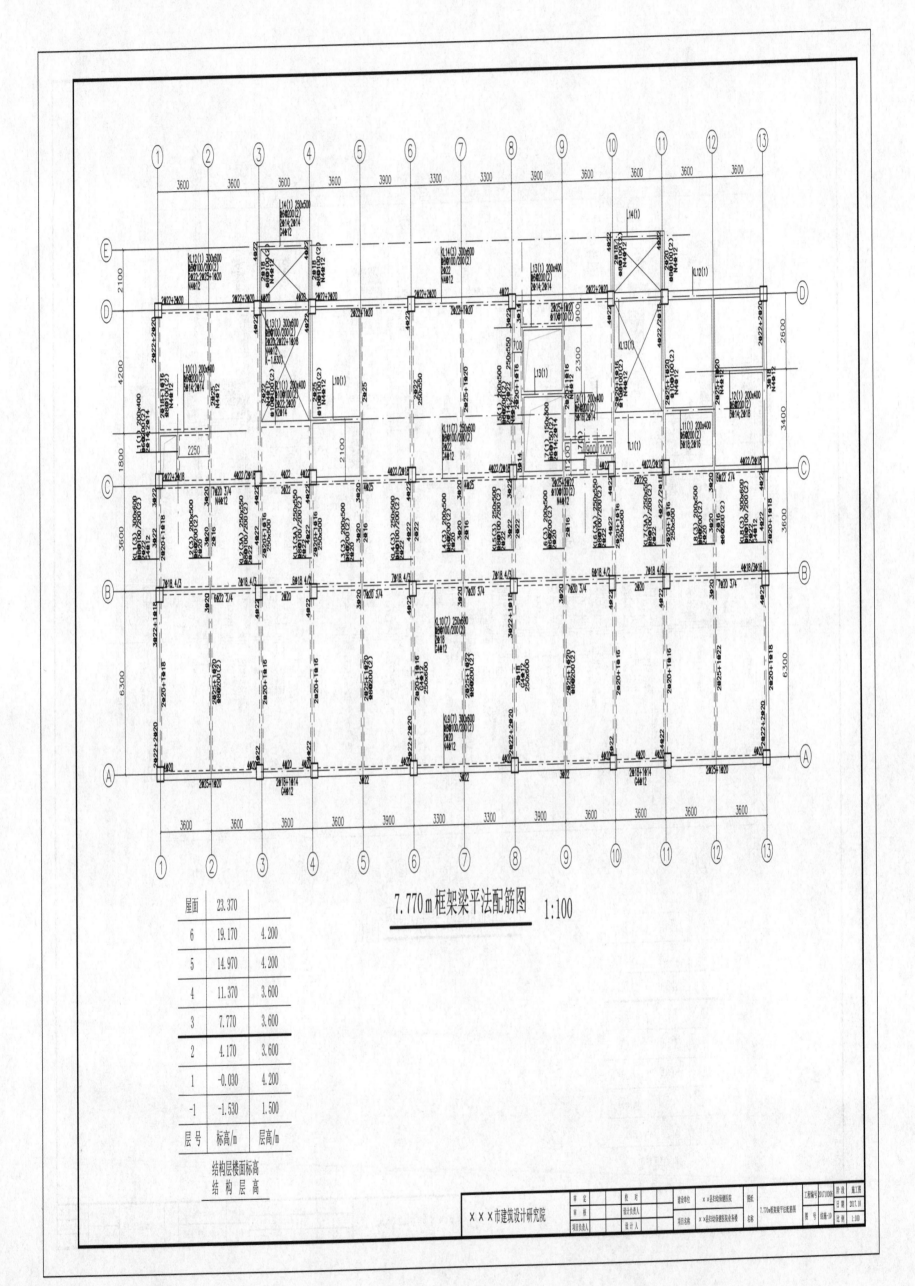

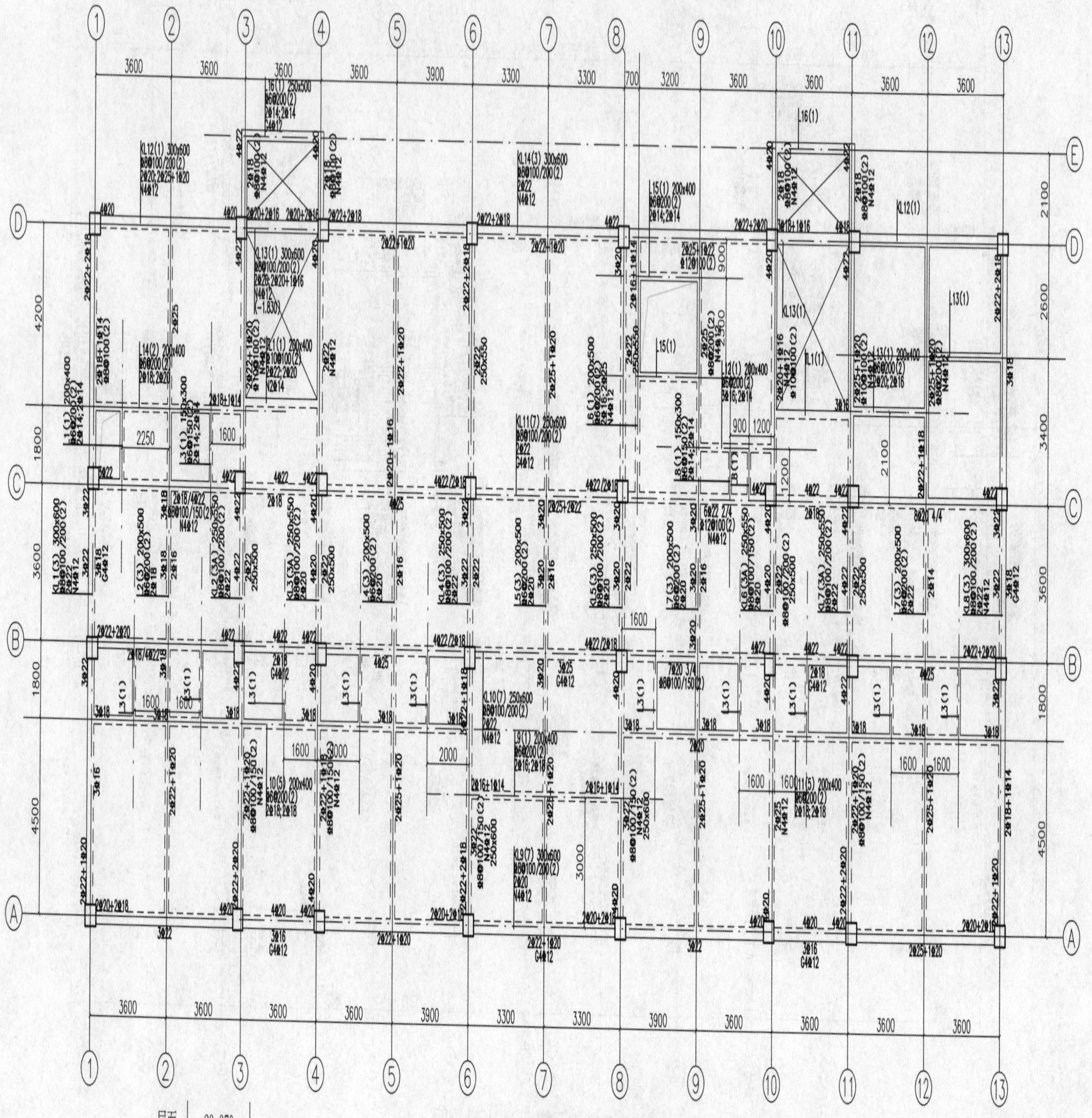

屋面	23.370	
6	19.170	4.200
5	14.970	4.200
4	11.370	3.600
3	7.770	3.600
2	4.170	3.600
1	-0.030	4.200
-1	-1.530	1.500
层号	标高/m	层高/m

结构层楼面标高
结构层高

11.370m框架梁平法配筋图 1:100

×××市建筑设计研究院	审定			校对			建设单位	××县妇幼保健医院	图纸名称	11.370m框架梁平法配筋图	工程编号	201710306	阶段	施工图
	审核			设计负责人			项目名称	××县妇幼保健医院业务楼			图号	结施-11	日期	2017.10
	项目负责人			设计人									比例	1:100

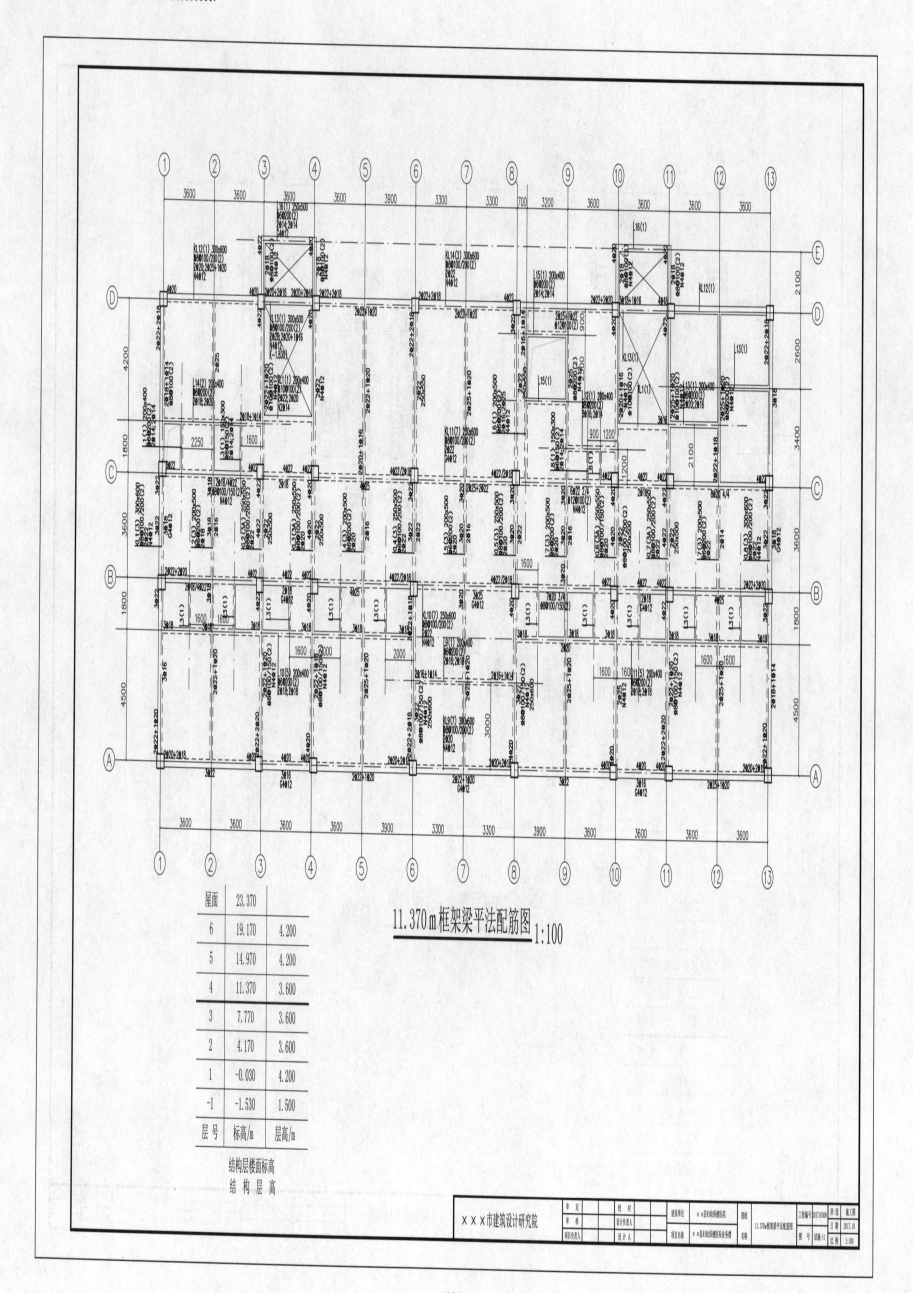

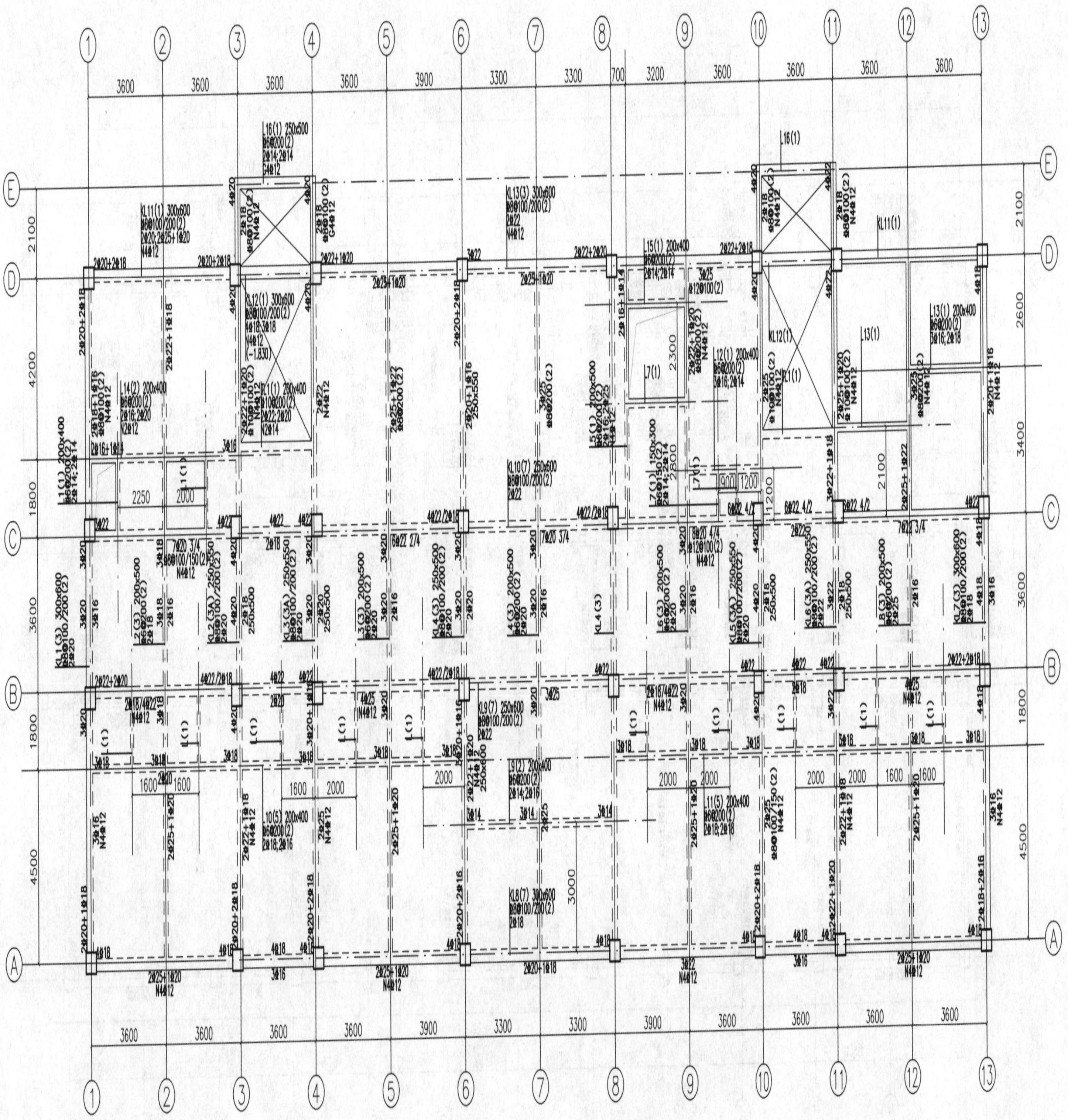

14.970m框架梁平法配筋图 1:100

屋面	23.370	
6	19.170	4.200
5	14.970	4.200
4	11.370	3.600
3	7.770	3.600
2	4.170	3.600
1	-0.030	4.200
-1	-1.530	1.500
层号	标高/m	层高/m

结构层楼面标高
结 构 层 高

×××市建筑设计研究院	审 定		校 对		建设单位	××县妇幼保健医院	图纸名称	14.970m框架梁平法配筋图	工程编号	201710306	阶 段	施工图
	审 核		设计负责人		项目名称	××县妇幼保健医院业务楼			图 号	结施-12	日 期	2017.10
	项目负责人		设 计 人								比 例	1:100

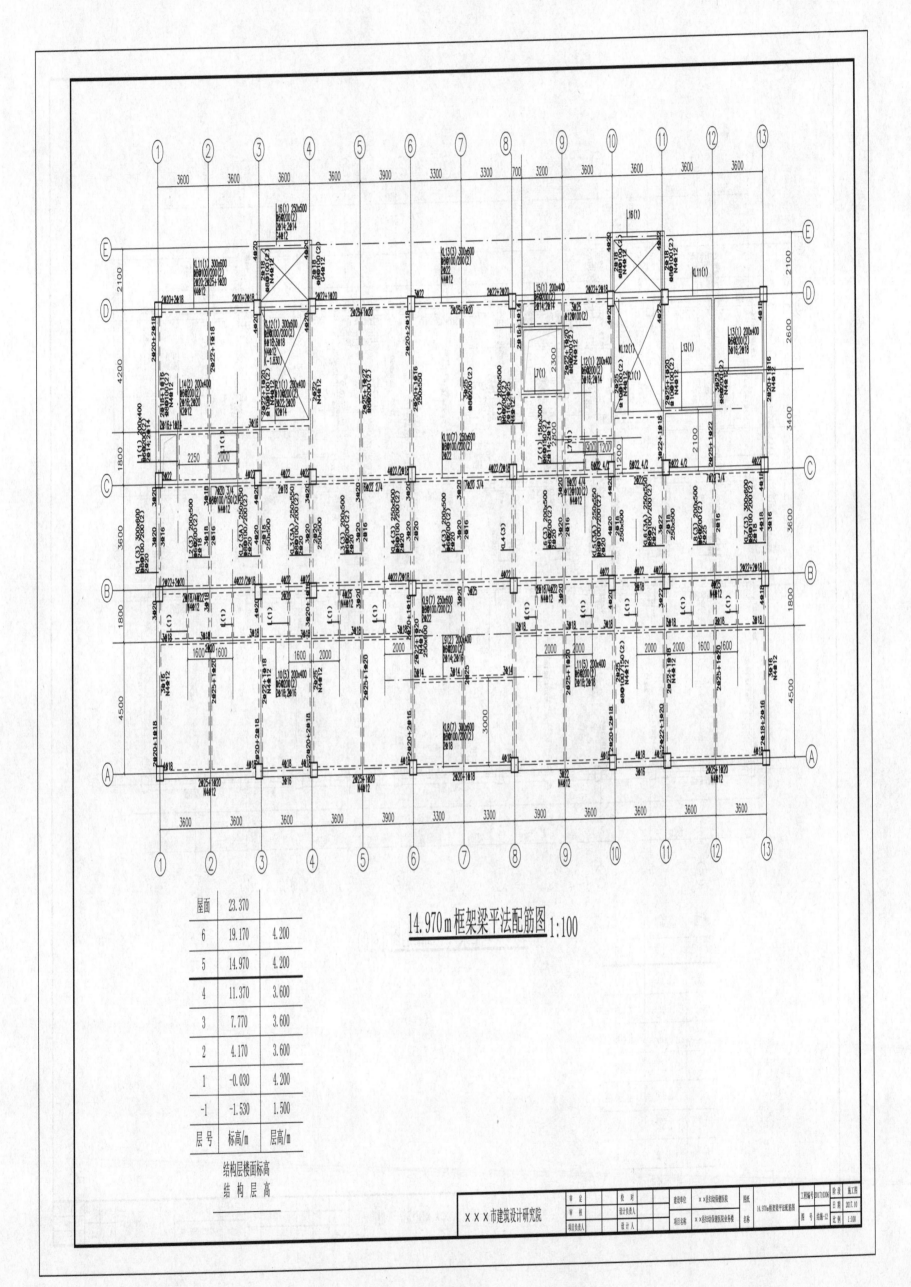

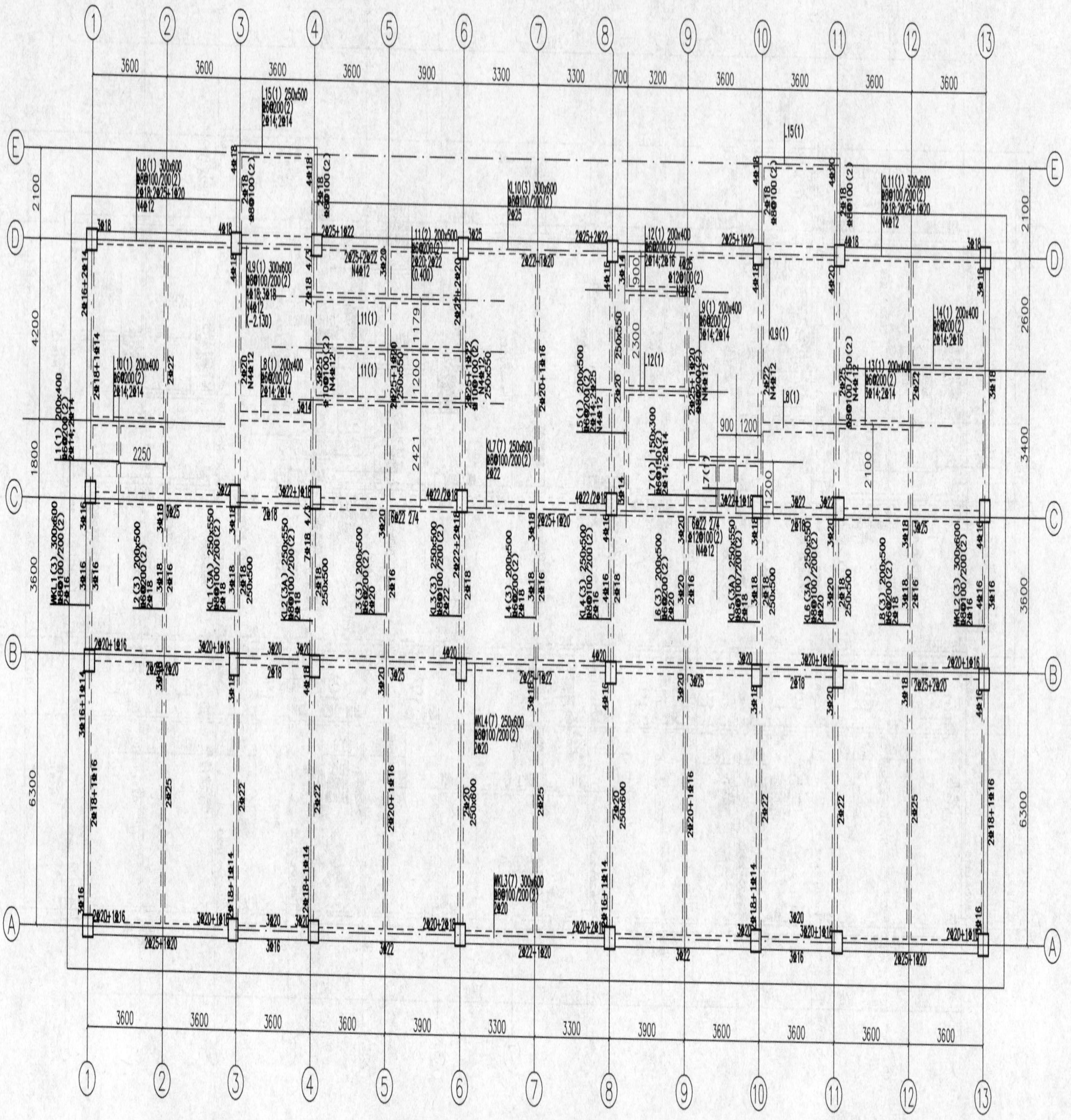

屋面	23.370	
6	19.170	4.200
5	14.970	4.200
4	11.370	3.600
3	7.770	3.600
2	4.170	3.600
1	-0.030	4.200
-1	-1.530	1.500
层号	标高/m	层高/m

结构层楼面标高
结构层高

19.170 m框架梁平法配筋图 1:100

×××市建筑设计研究院	审定			校对			建设单位	××县妇幼保健医院	图纸	19.170m框架梁平法配筋图	工程编号	201710306	阶段	施工图
	审核			设计负责人									日期	2017.10
	项目负责人			设计人			项目名称	××县妇幼保健医院业务楼	名称		图号	结施-13	比例	1:100

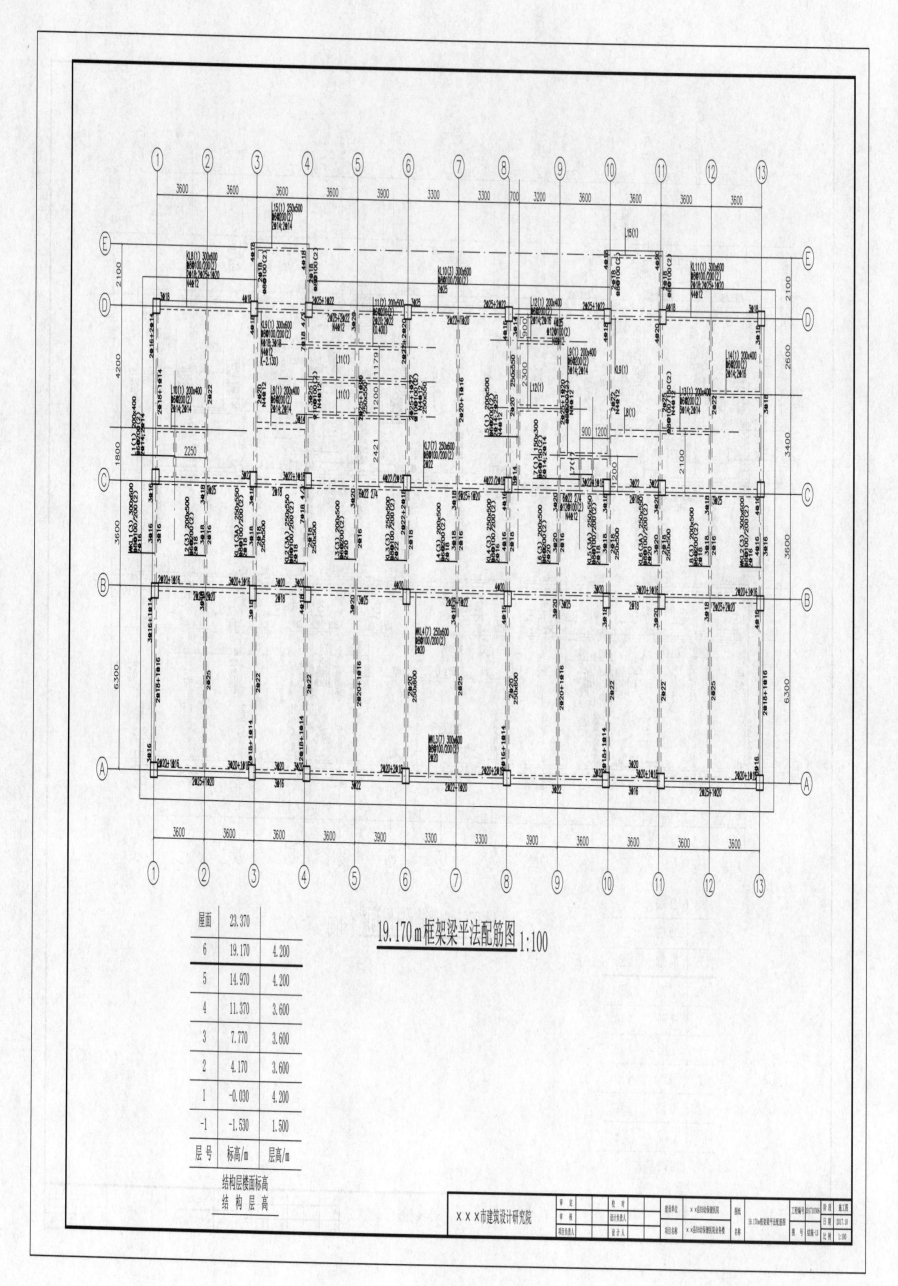

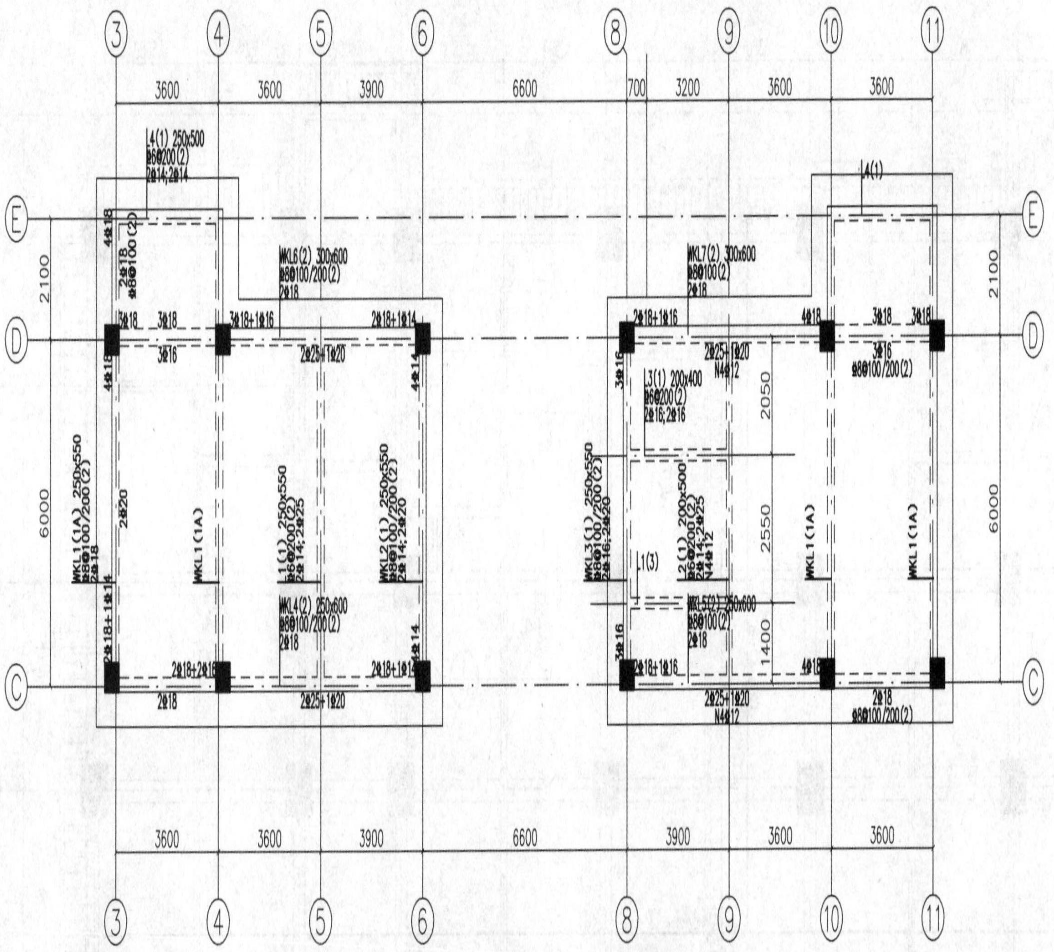

23.370m框架梁平法配筋图 1:100

屋面	23.370	
6	19.170	4.200
5	14.970	4.200
4	11.370	3.600
3	7.770	3.600
2	4.170	3.600
1	-0.030	4.200
-1	-1.530	1.500
层号	标高/m	层高/m

结构层楼面标高
结构层高

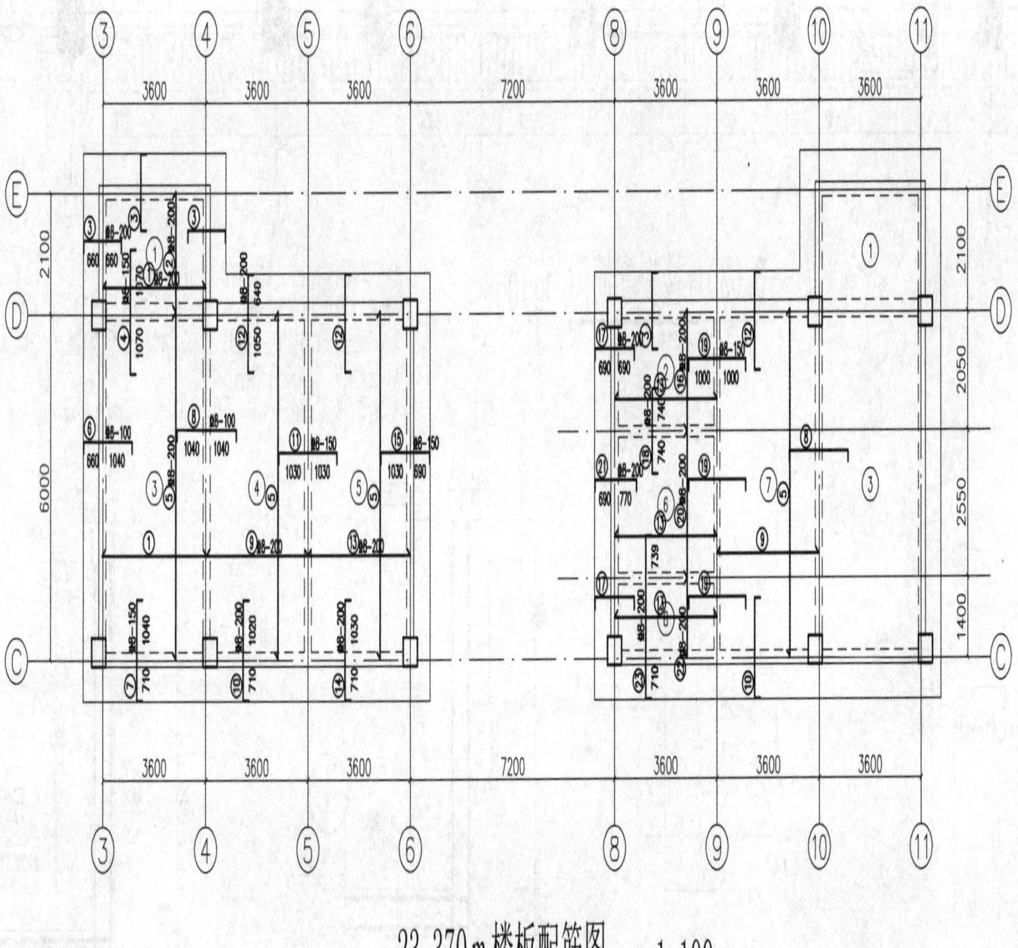

23.370m楼板配筋图 1:100

×××市建筑设计研究院	审定			校对			建设单位	××县妇幼保健医院	图纸名称	23.370m框架梁平法配筋图 23.370m楼板配筋图	工程编号	201710306	阶段	施工图
	审核			设计负责人			项目名称	××县妇幼保健医院业务楼			图号	结施-14	日期	2017.10
	项目负责人			设计人									比例	1:100

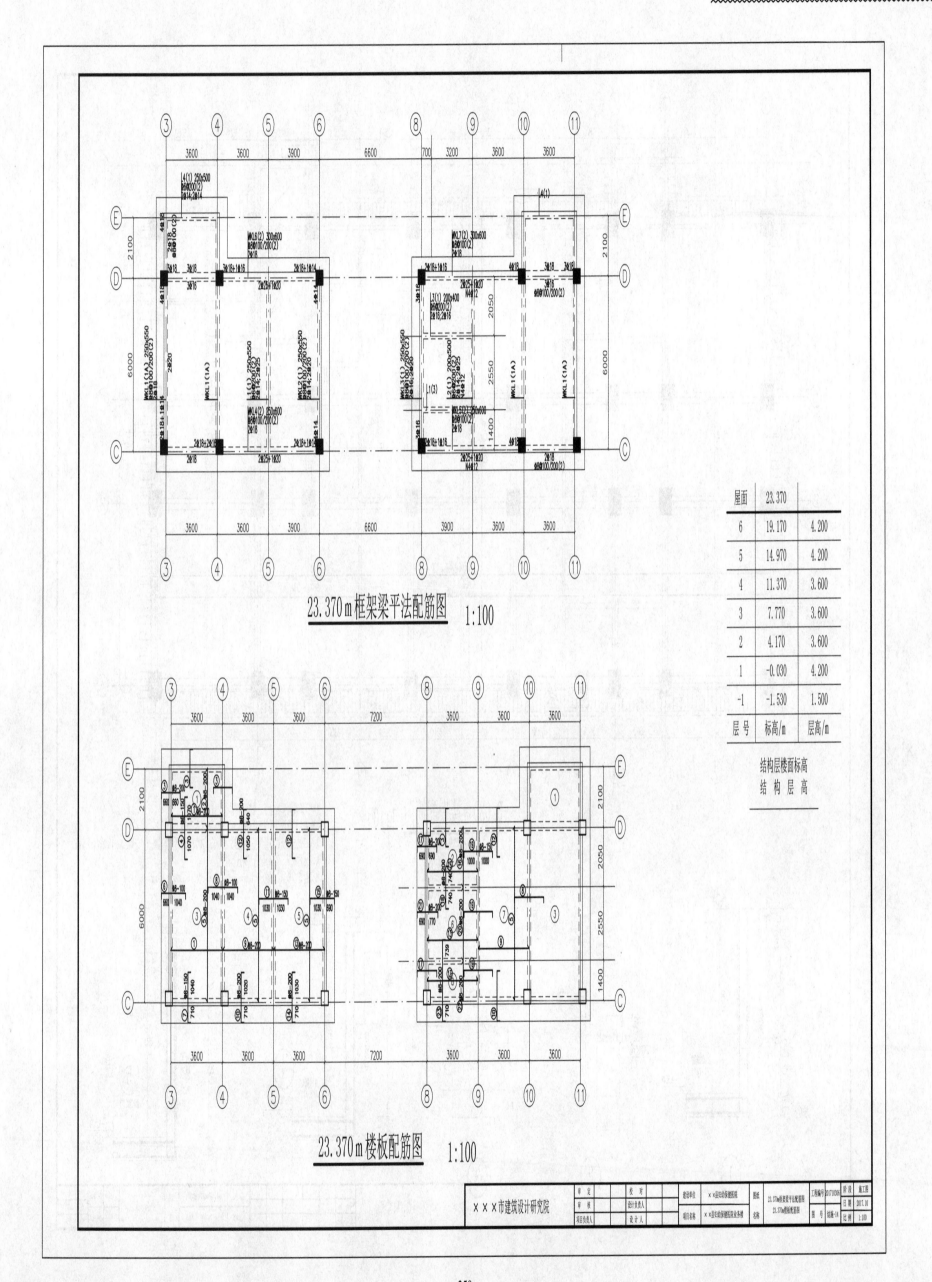

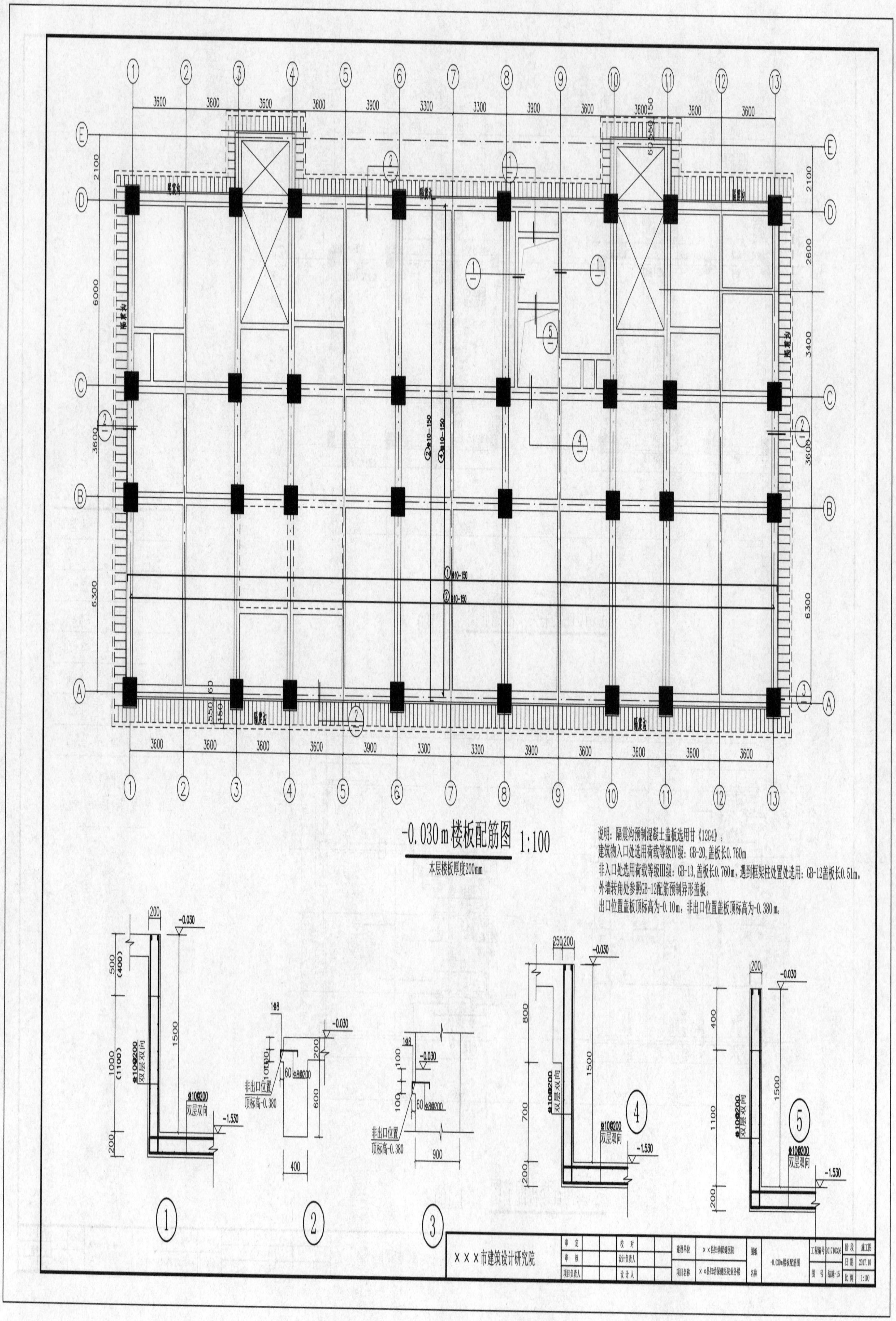
-0.030m楼板配筋图 1:100
本层楼板厚度200mm
说明：隔震沟预制混凝土盖板选用甘《12G4》。
建筑物入口处选用荷载等级Ⅳ级：GB-20，盖板长0.760m
非入口处选用荷载等级Ⅲ级：GB-13，盖板长0.760m，遇到框架柱处置处选用：GB-12盖板长0.51m。
外墙转角处参照GB-12配筋预制异形盖板。
出口位置盖板顶标高为-0.10m，非出口位置盖板顶标高为-0.380m。
非出口位置
顶标高-0.380
双层双向
×××市建筑设计研究院
审定
审核
项目负责人
校对
设计负责人
设计人
建设单位
××县妇幼保健医院
项目名称
××县妇幼保健医院业务楼
图纸名称
-0.030m楼板配筋图
工程编号
201710306
图号
结施-15
阶段
施工图
日期
2017.10
比例
1:100

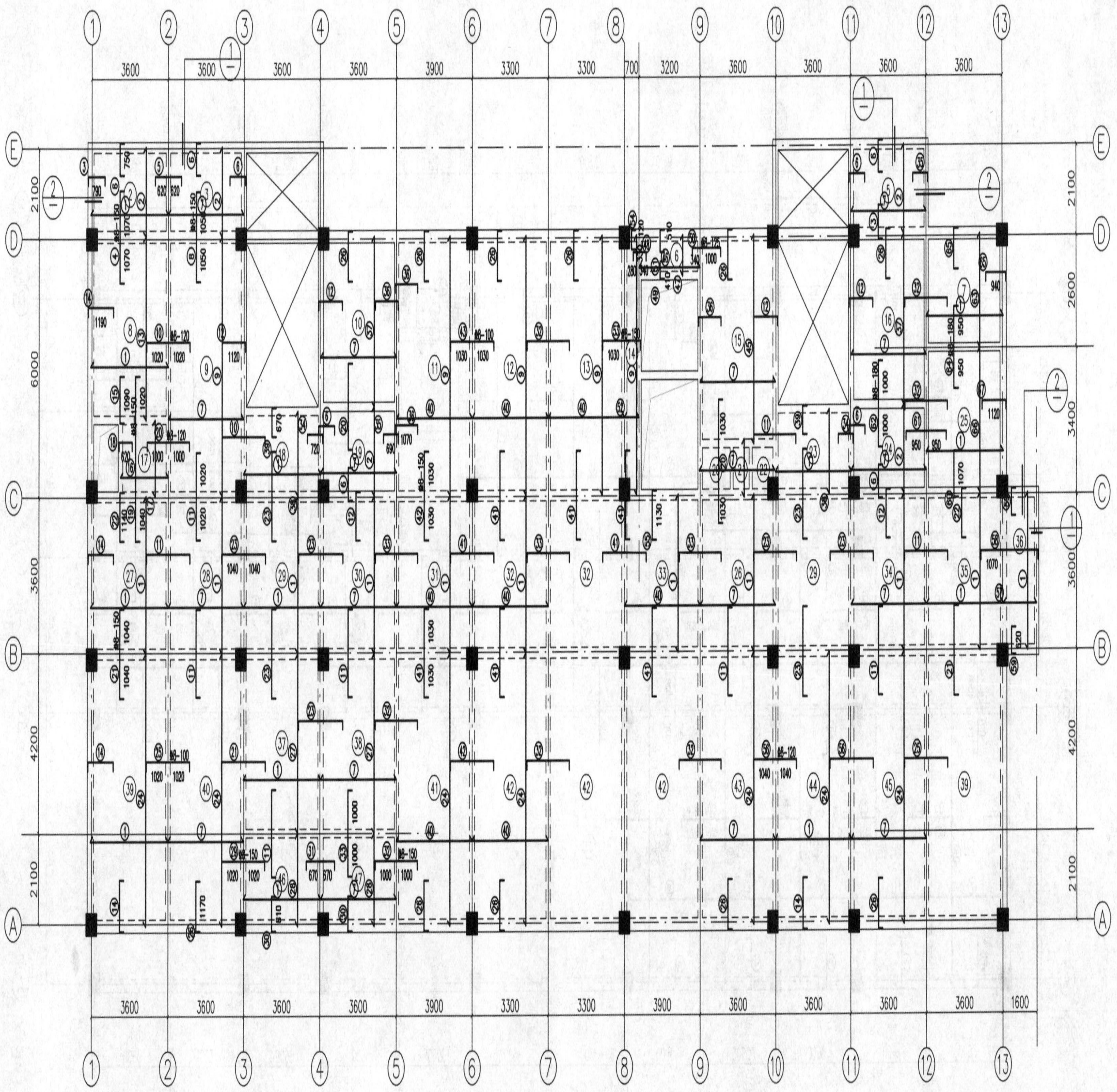

4.17m楼板配筋图 1:100

本层楼板厚为110mm，图中未标注的主受力钢筋为Φ8-200

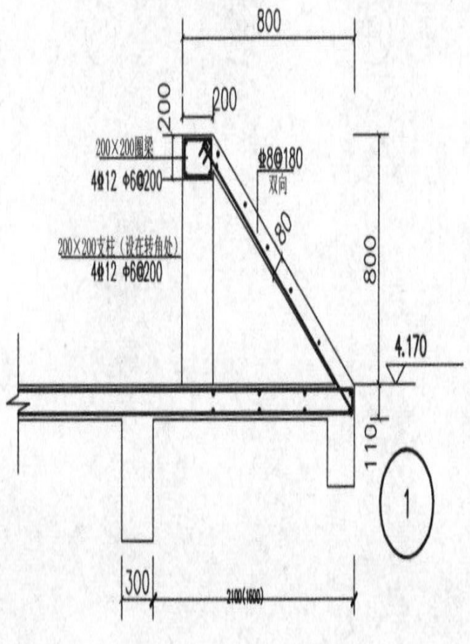

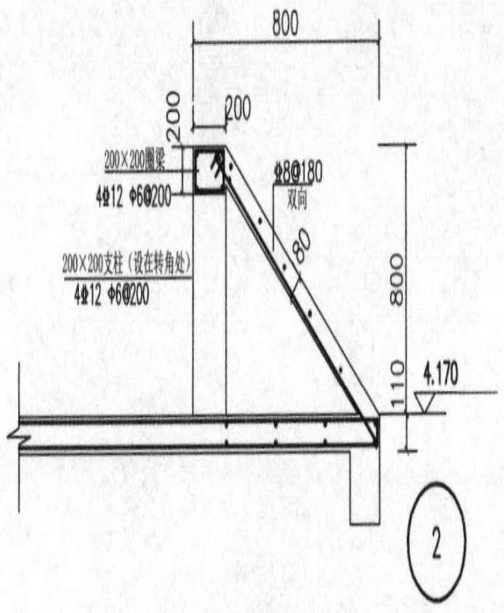

×××市建筑设计研究院	审 定			校 对			建设单位	××县妇幼保健医院	图纸名称	4.17m楼板配筋图	工程编号 201710306	阶 段	施工图
	审 核			设计负责人			项目名称	××县妇幼保健医院业务楼			图 号 结施-16	日 期	2017.10
	项目负责人			设 计 人								比 例	1:100

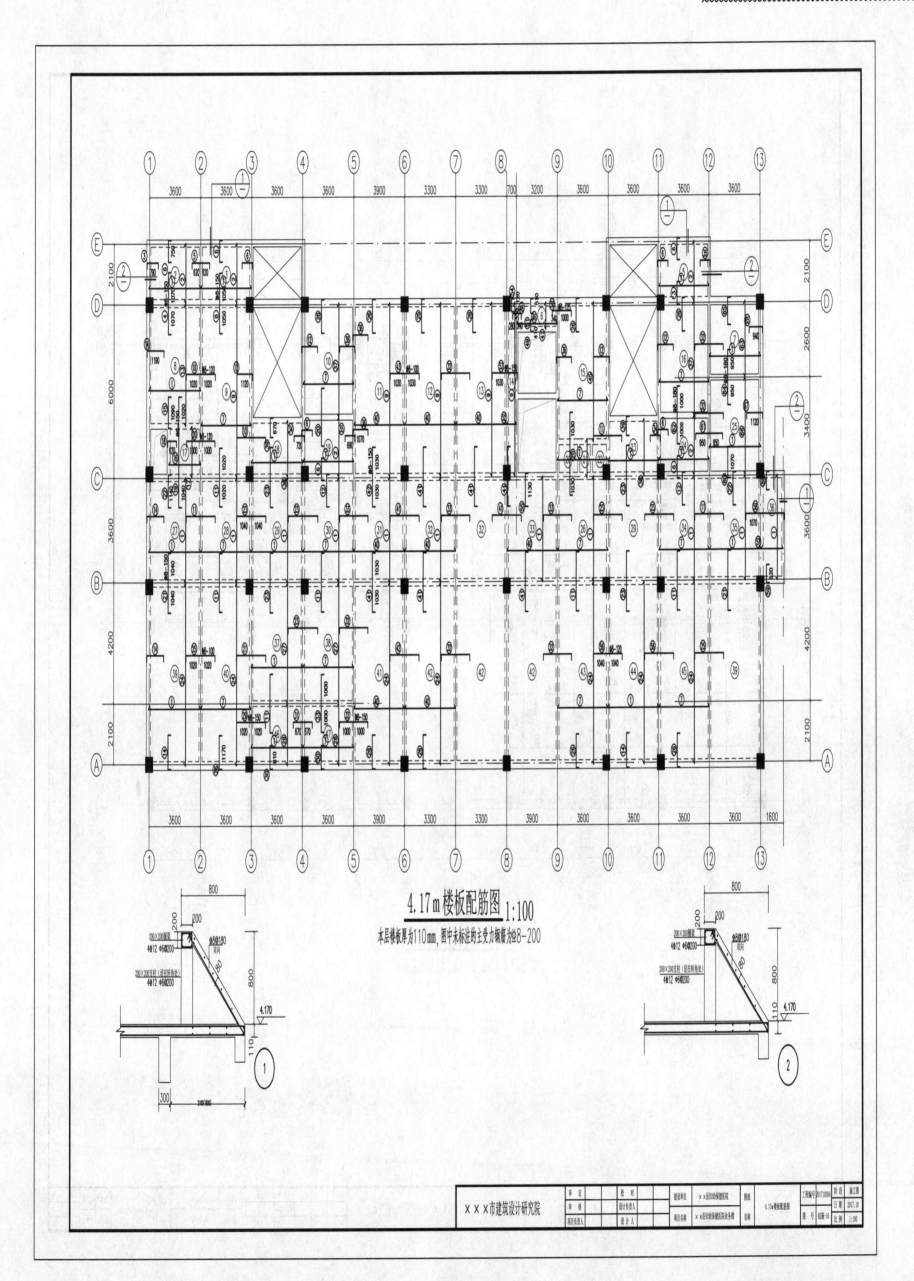

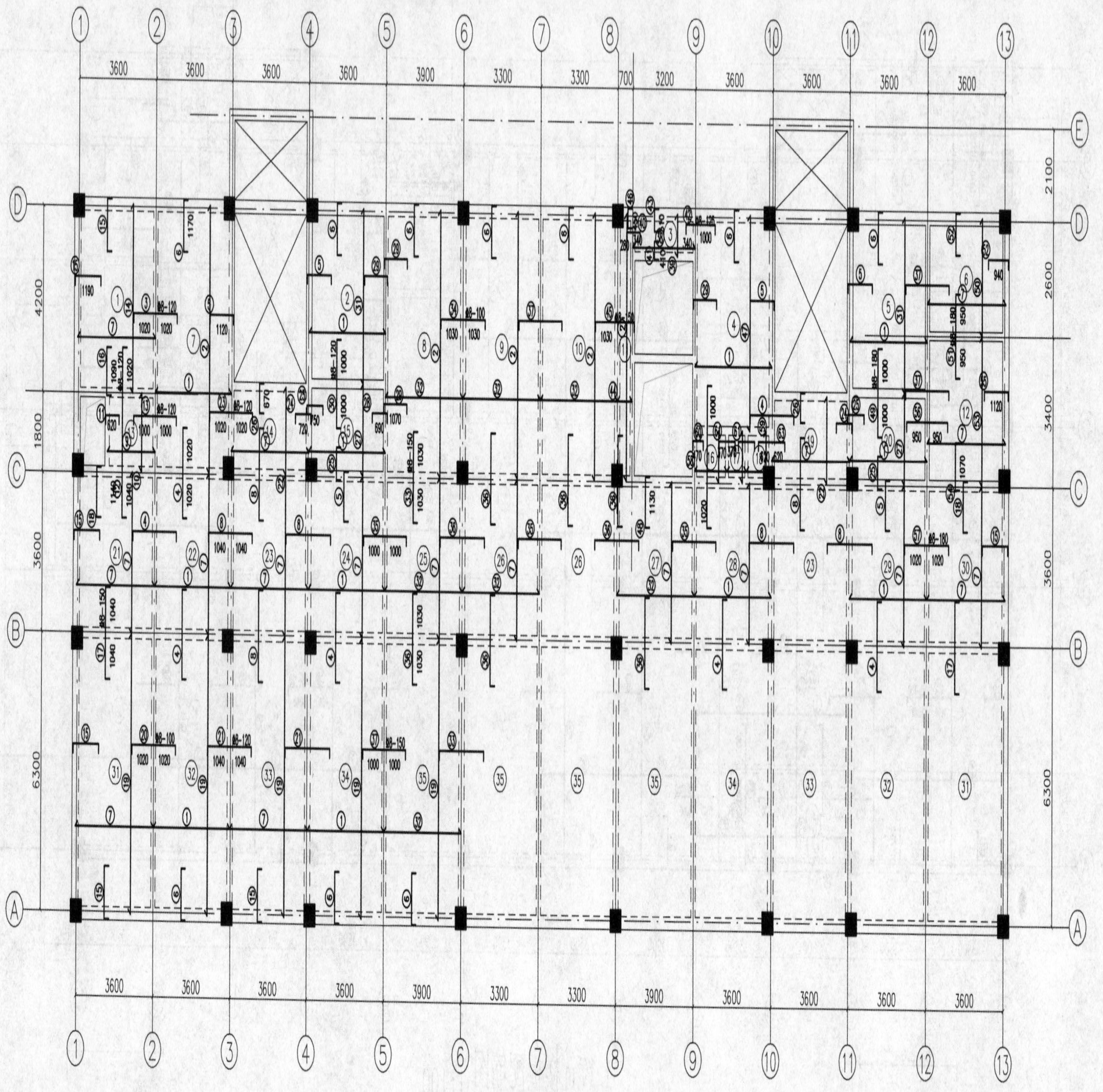

7.770m楼板配筋图 1:100

本层楼板厚为110mm，图中未标注的主受力钢筋为⌀8-200

×××市建筑设计研究院	审　定			校　对			建设单位	××县妇幼保健医院	图纸名称	7.770m楼板配筋图	工程编号 201710306	阶段 施工图
	审　核			设计负责人								日期 2017.10
	项目负责人			设计人			项目名称	××县妇幼保健医院业务楼			图号 结施-17	比例 1:100

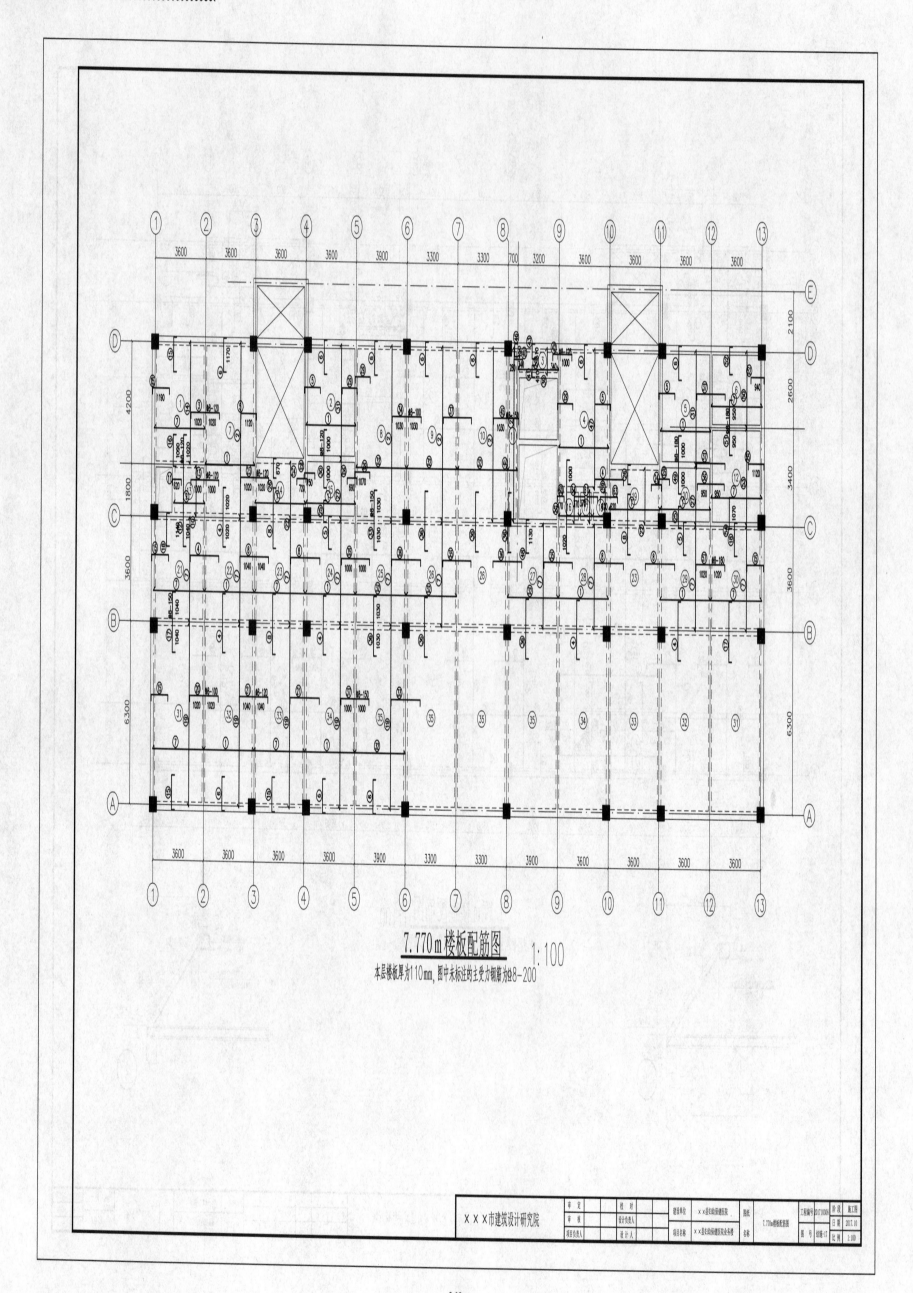

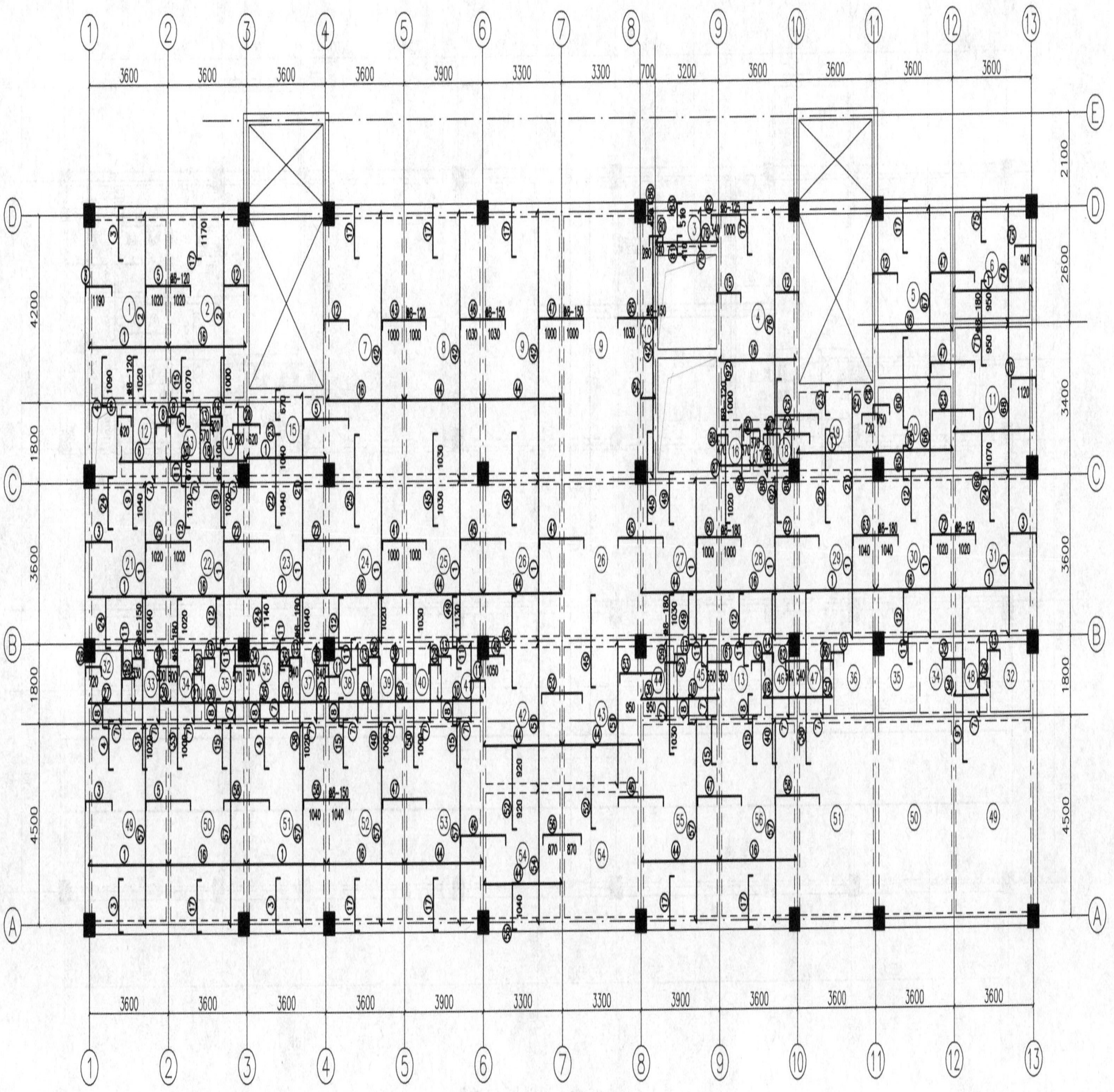

11.370m楼板配筋图 1:100

除卫生间外，本层楼板厚110mm，图中未标注的主受力钢筋为⌀8-200

×××市建筑设计研究院	审　定		校　对		建设单位	××县妇幼保健医院	图纸名称	11.370m楼板配筋图	工程编号	201710306	阶　段	施工图
	审　核		设计负责人		项目名称	××县妇幼保健医院业务楼			图　号	结施-18	日　期	2017.10
	项目负责人		设 计 人								比　例	1:100

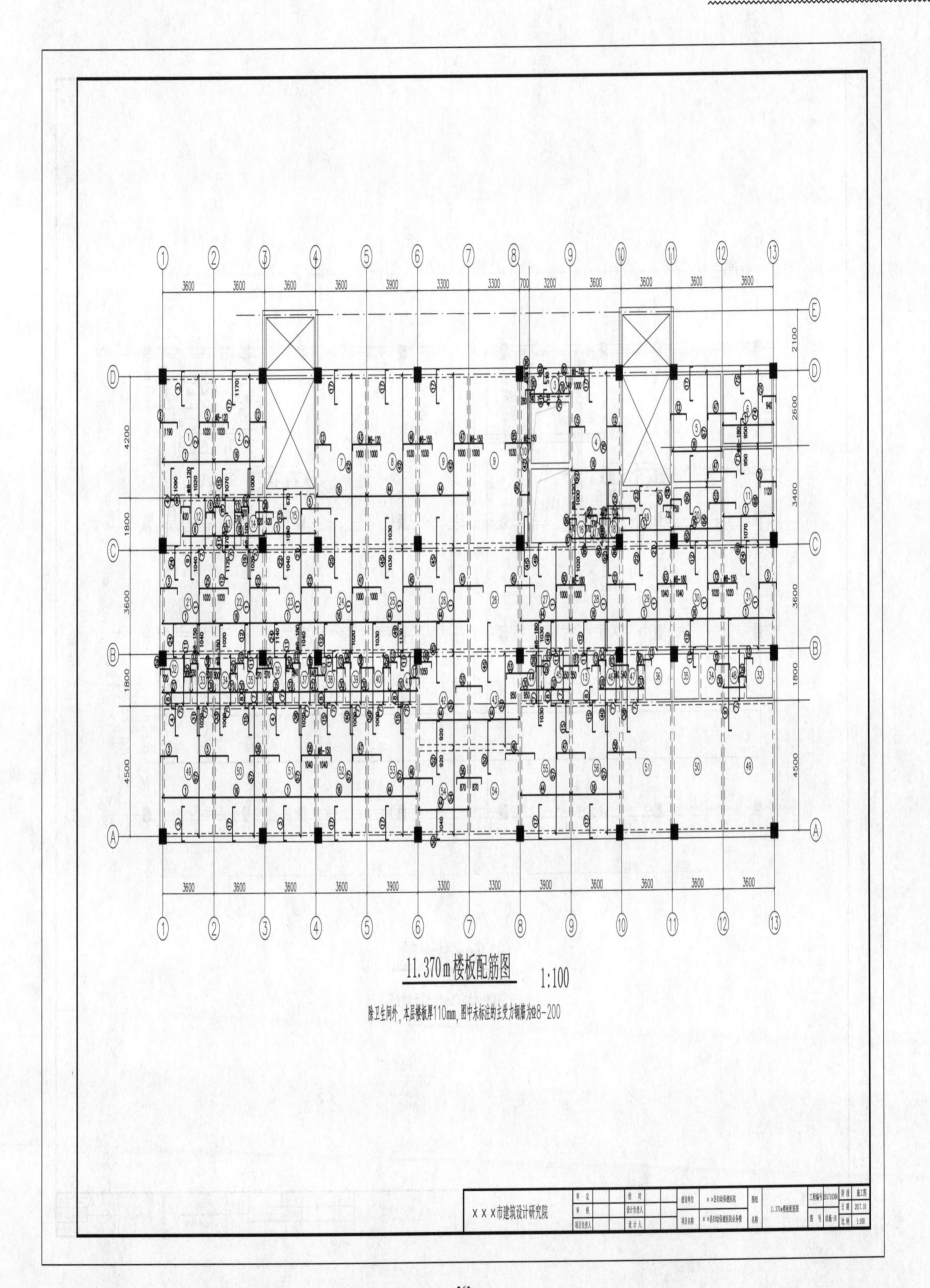

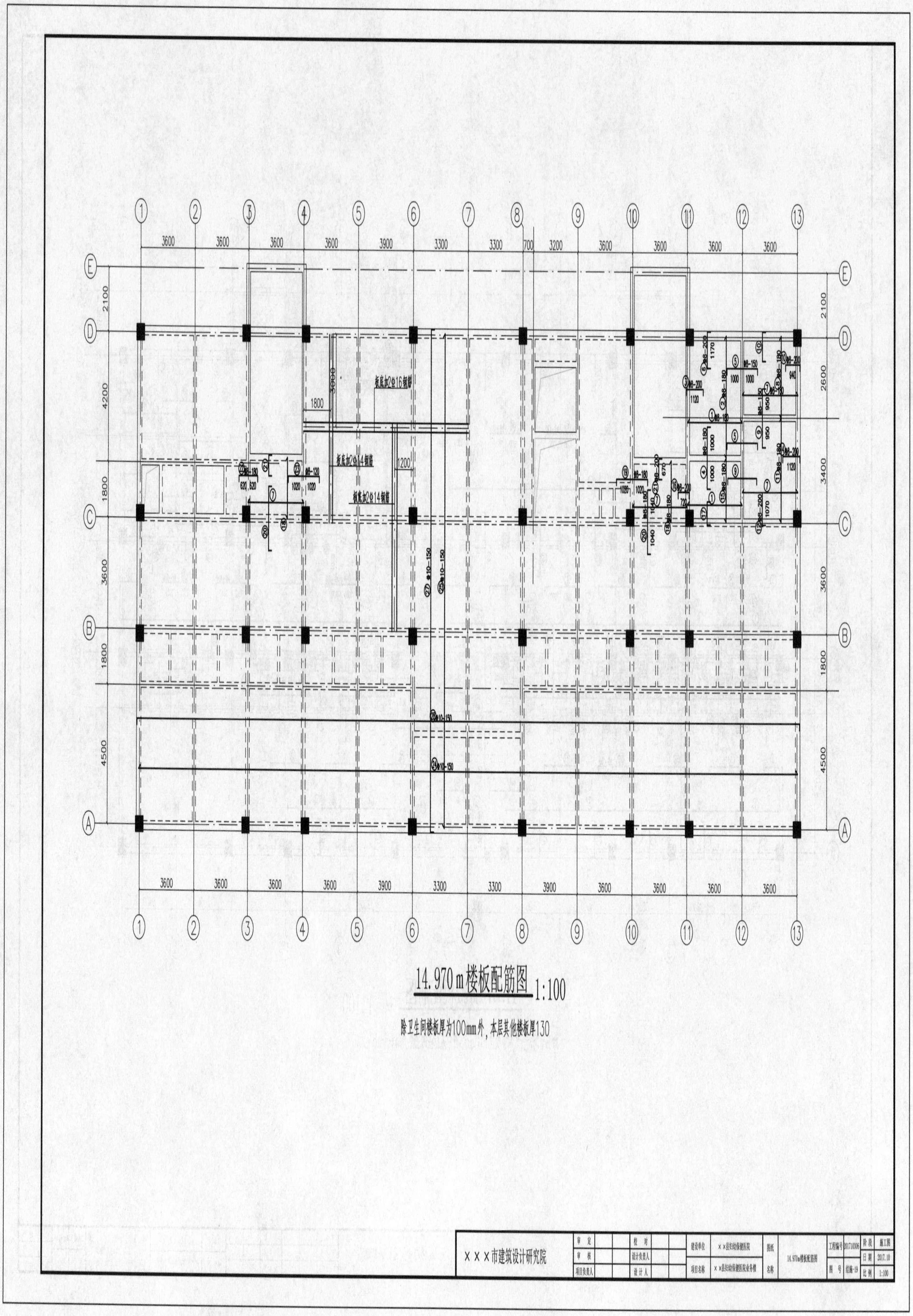
14.970 m楼板配筋图 1:100
除卫生间楼板厚为100mm外，本层其他楼板厚130
×××市建筑设计研究院

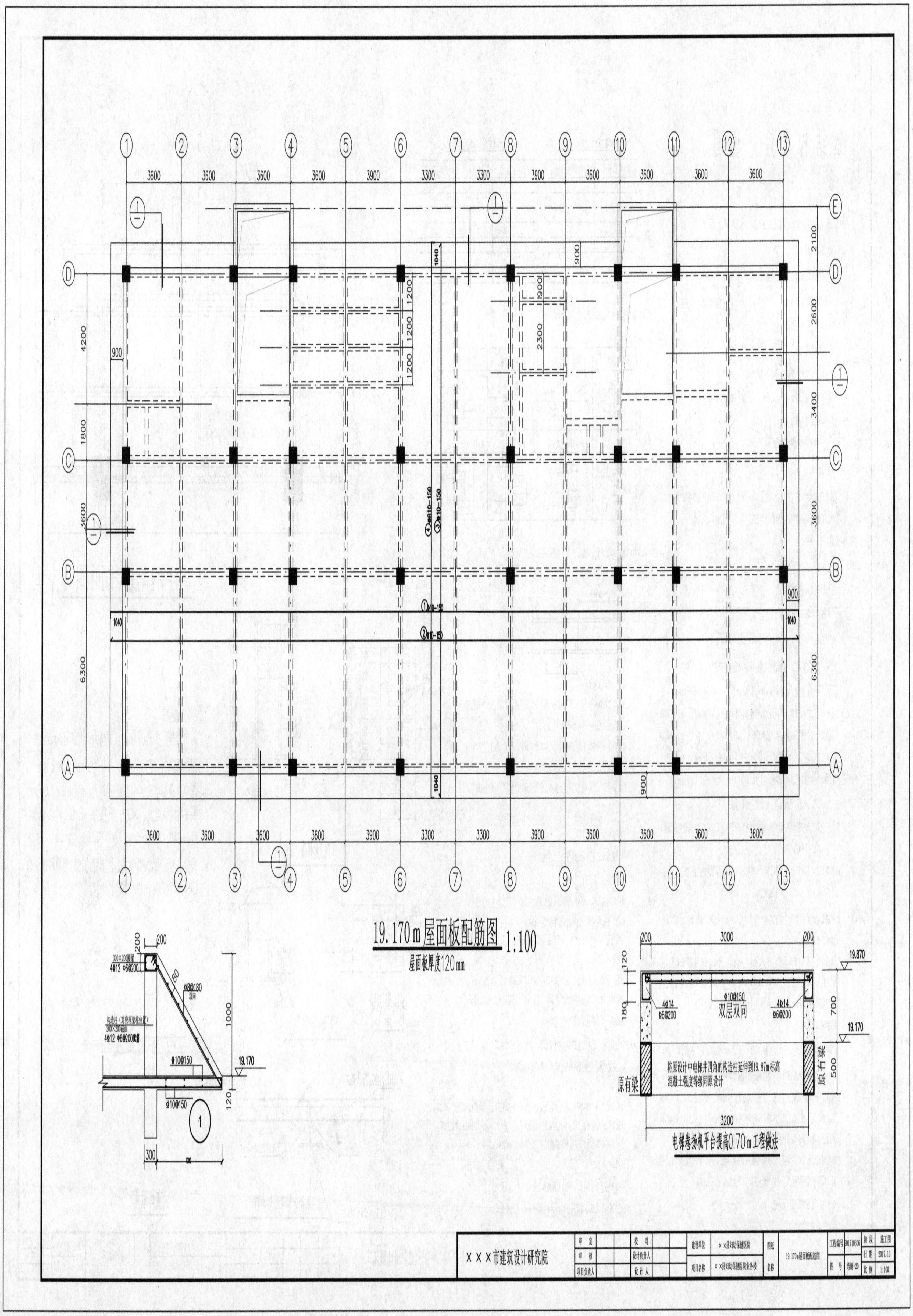
19.170m屋面板配筋图 1:100
屋面板厚度120mm
双层双向
将原设计中电梯井四角的构造柱延伸到19.87m标高
混凝土强度等级同原设计
原有梁
电梯卷扬机平台提高0.70m工程做法
×××市建筑设计研究院
审 定
审 核
项目负责人
校 对
设计负责人
设 计 人
建设单位
××县妇幼保健医院
项目名称
××县妇幼保健医院业务楼
图纸名称
19.170m屋面板配筋图
工程编号 201710306
图 号 结施-20
阶 段 施工图
日 期 2017.10
比 例 1:100

钢结构设计总说明

一、工程概况：

1.工程名称：××县妇幼保健医院业务楼轻钢雨棚

二、设计依据及规范：

(1)《钢结构工程施工质量验收规范》 GB 50205-2001

(2)《建筑结构荷载规范》 GB 50009-2012

(3)《建筑抗震设计规范》 GB 50011-2010

(4)《钢结构设计规范》 GB 50017-2003

(5)《涂装前钢材表面锈蚀等级和除锈等级》 GB 8923-88

(6)《冷弯薄壁型钢结构技术规范》 GB 50018-2002

(7)《建筑钢结构焊接规程》 JGJ 81-2002

(8)《空间网格结构技术规程》 JGJ 7-2010

三、结构设计概况：

1.按重要性分类：本工程安全等级为二级；设计使用年限和设计基准期为 50 年；

2.本工程建筑抗震设防烈度隔震后为七度；设计基本加速度为0.10g；

3.基本设计参数：

基本风压值：0.30kN/m^2

雨棚恒荷载：0.80kN/m^2

雨棚活荷载：0.50kN/m^2

四、材料选用：

1.钢材：冷弯薄壁型、轻型热轧型钢和钢板质量标准应符合《碳素结构钢》（GB 700-88）或《低合金高强度结构钢》（GB/T 1591-94）的规定。

2.钢材采用 Q235B 级钢，钢材的抗拉强度实测值与屈服强度的实测值不应小于 1.2

3.手工焊接用的焊条，应符合《碳钢焊条》（GB/T 5117-95）或《低合金钢焊条》（GB/T 5118-95）的规定，焊条型号应与主体金属强度相适应。

4.自动或半自动埋弧焊用的焊条，应符合《熔化焊用钢丝》（GB/T 14957-94）的规定。焊丝和焊剂应与主体金属强度相适应。

5.二氧化碳气体保护焊用的焊丝，应符合《气体保护电弧焊用碳钢、低合金钢焊丝》(GB/T 8110-95)的规定。

6.檩条采用冷弯薄壁型钢，采用 Q235B 钢板轧制，其质量标准应符合《通用冷弯开口型钢》（T6723-86）的规定。

7.普通螺栓采用 C 级，应符合 C 级六角头螺栓、六角头螺母、平垫圈的规格、尺寸与技术条件的规定。

8.高强螺栓采用 10.9 级摩擦型高强度螺栓，应符合《钢结构用高强度大六角头螺栓、大六角头螺母、垫圈技术条件》(GB 1228~1231-91)的规定。在高强度螺栓连接的范围内，摩擦系数不小于0.35，不得刷油漆及有油污。

五、制作与加工说明：

1.钢架制作安装及验收应符合《钢结构工程施工质量验收规范》 GB 50205-2001 的规定，檩条构件应符合《冷弯薄壁钢结构技术规范》GB 50018-2002)的规定。

2.焊缝质量等级：端板与柱、梁、翼缘和腹板的连接焊缝为全熔透坡口焊，质量等级为二级，其他为三级。所有非施工图所示构件拼接焊缝质量应达到二级，拼接焊缝及熔透焊缝均要求与母材等强，梁柱节点均采用等强连接。

3.焊接时应选择合理的焊接工艺及焊接顺序，以减小钢结构中产生的焊接应力和焊接变形；组合H 型钢因焊接产生的变形应以机械或火焰矫正调直；

4.构件角焊缝厚度范围：(见下表：mm)

角焊缝的最大焊角尺寸h_f

较薄焊件的厚度	较薄焊件的厚度
4	5
5	6
6	7
8	10
10	12
12	14
14	17

角焊缝的最小焊角尺寸h_f

较厚焊件的厚度	手工焊接h_f	埋弧焊接h_f
≤4	4	3
5~7	4	3
8~11	5	4
12~16	6	5
17~21	7	6
22~26	8	7
27~36	9	8

5.焊接H型钢焊缝型式及焊缝尺寸：(见下表：mm)

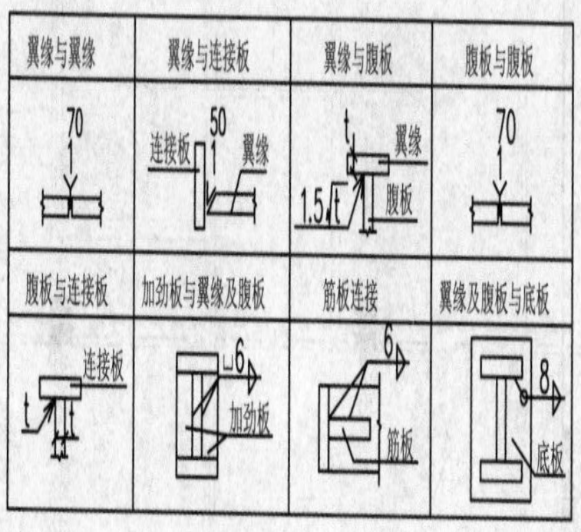

6.焊接H型钢梁柱如需工厂拼接，须按下图措缝拼接：

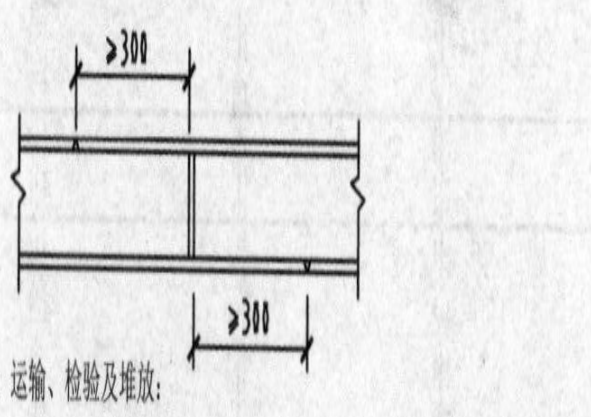

六、运输、检验及堆放：

1.在运输及操作过程中应采取措施防止构件变形和损坏，对发生变形的构件在安装前需整好形方可使用。

2.结构安装前应对构件进行全面检查：如构件的数量、长度、垂直度、安装接头处螺栓孔之间的尺寸是否符合设计要求等。

3.现场脚手架上材料堆放不可过于集中，材料应及时分散，且不可超出脚手架允许荷载。

七、安装说明：

预埋件及要求详见刚架预埋图。

八、涂装说明：

1.钢结构涂装工程应在构件制作质量经检验合格后进行。

2.除锈：制作前钢构件表面均应进行喷砂（抛丸）除锈处理，不得手工除锈，除锈质量等级应达到国标GB8923中Sa2.5级标准。

3.涂漆：钢构件经除锈处理后应立即喷涂车间保养底漆，而后再涂两道红丹底漆，制作完成后，再涂二道面漆，其中最后一道面漆应在安装完成后工地涂制，干漆膜总厚度不小于125μm。

4.涂漆时应注意，凡是高强度螺栓连接范围内，不允许涂刷油漆或有油污，待连接安装完毕后，连接板周围应作封闭处理并补刷油漆。

九、防火涂料

1.防火设计依据：〈钢结构施工质量验收规范〉GB50205及〈钢结构防火涂料技术规程〉CECS24.

2.建筑物的耐火等级为二级，钢结构的耐火极限不小于1.50小时，防火涂料选用薄型钢结构防火涂料，涂刷遍数不得少于3遍，每遍的厚度控制在0.30-0.50mm之间，总厚度不小于3.50mm.

十、其他：

1.未注明长度单位为：mm；未注明标高单位为：m.

2.本说明未尽之处，请严格按照国家现行有关规范及规程施工.

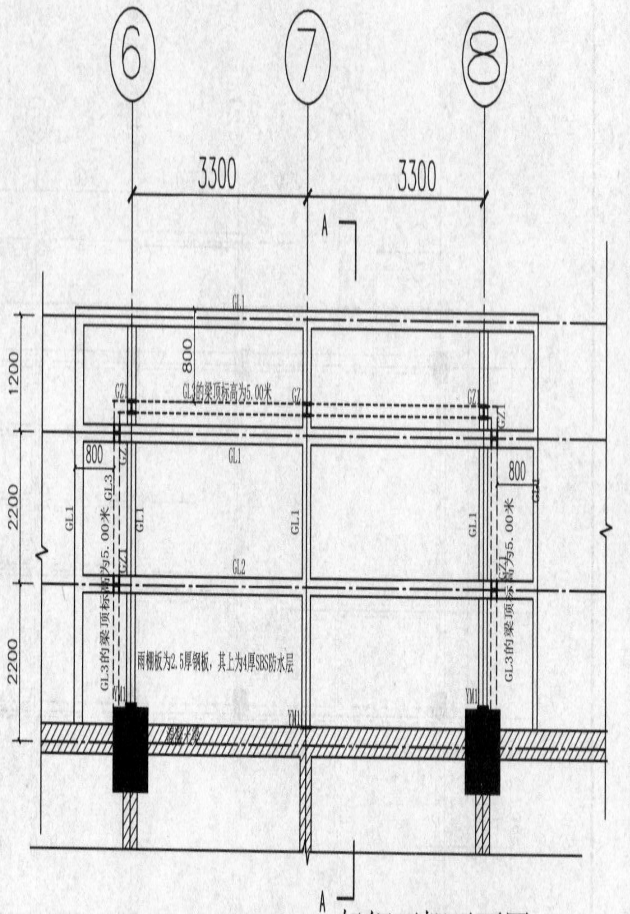

轻钢雨棚平面图 1:50

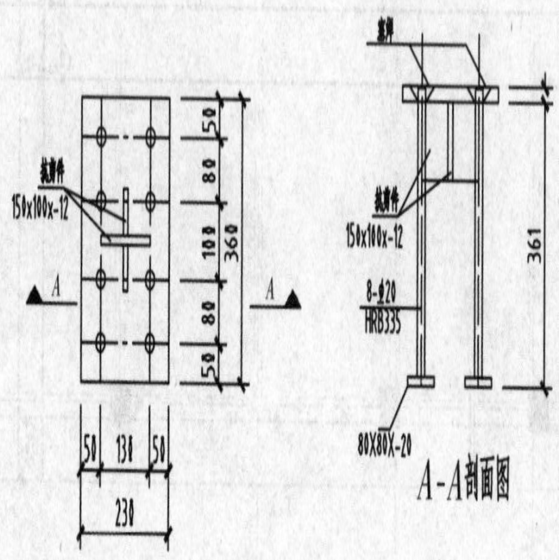

YM2大样图 1:10

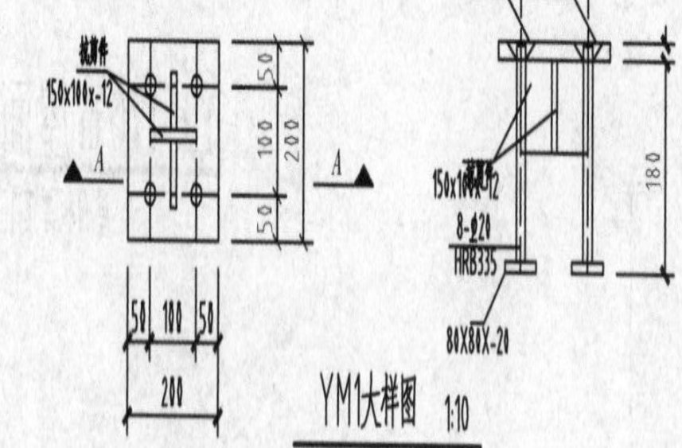

YM1大样图 1:10

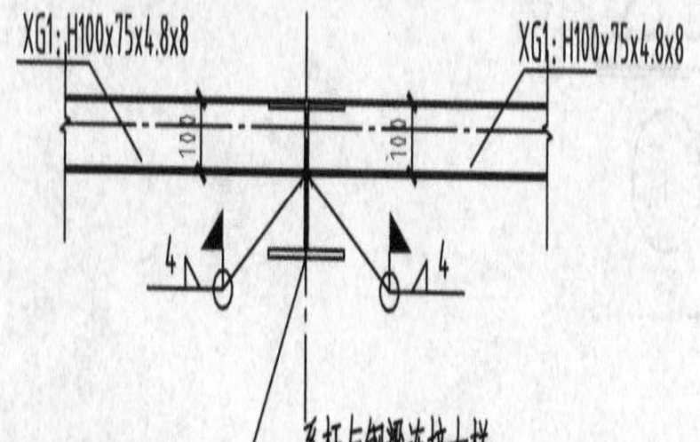

系杆与钢梁连接大样

塞焊示意

工程用料说明：

1. 图中雨棚钢梁表示为GL1，规格为：H200x150x6x8

2. 图中雨棚钢梁表示为GL2，规格为：H100x75x4.8x8

3. 图中雨棚钢梁表示为GL3，规格为：H100x50x4.0x6

4. 图中雨棚钢梁表示为GZ1，规格为：H100x100x4.0x6

5. 图中雨棚拉杆表示为XG，规格为：Ø114x4

6. 雨棚顶板采用2.5厚钢板，四周翻边180，钢板和钢结构之间采用焊接连接，并用结构胶填缝。

×××市建筑设计研究院	审定			校对			建设单位	××县妇幼保健医院	图纸名称	轻钢雨棚施工图一	工程编号	201710306	阶段	施工图
	审核			设计负责人									日期	2017.10
	项目负责人			设计人			项目名称	××县妇幼保健医院业务楼			图号	结施-21	比例	1:100

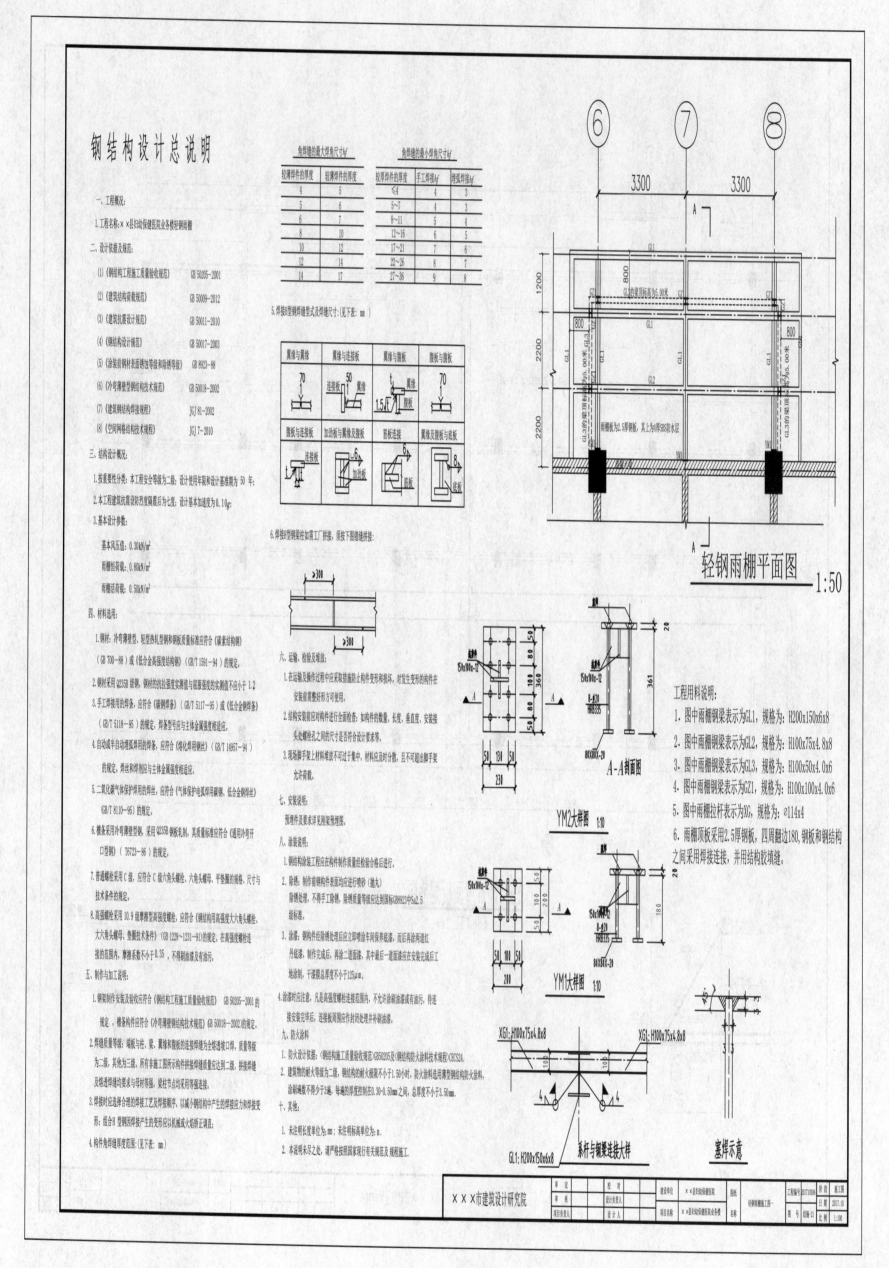

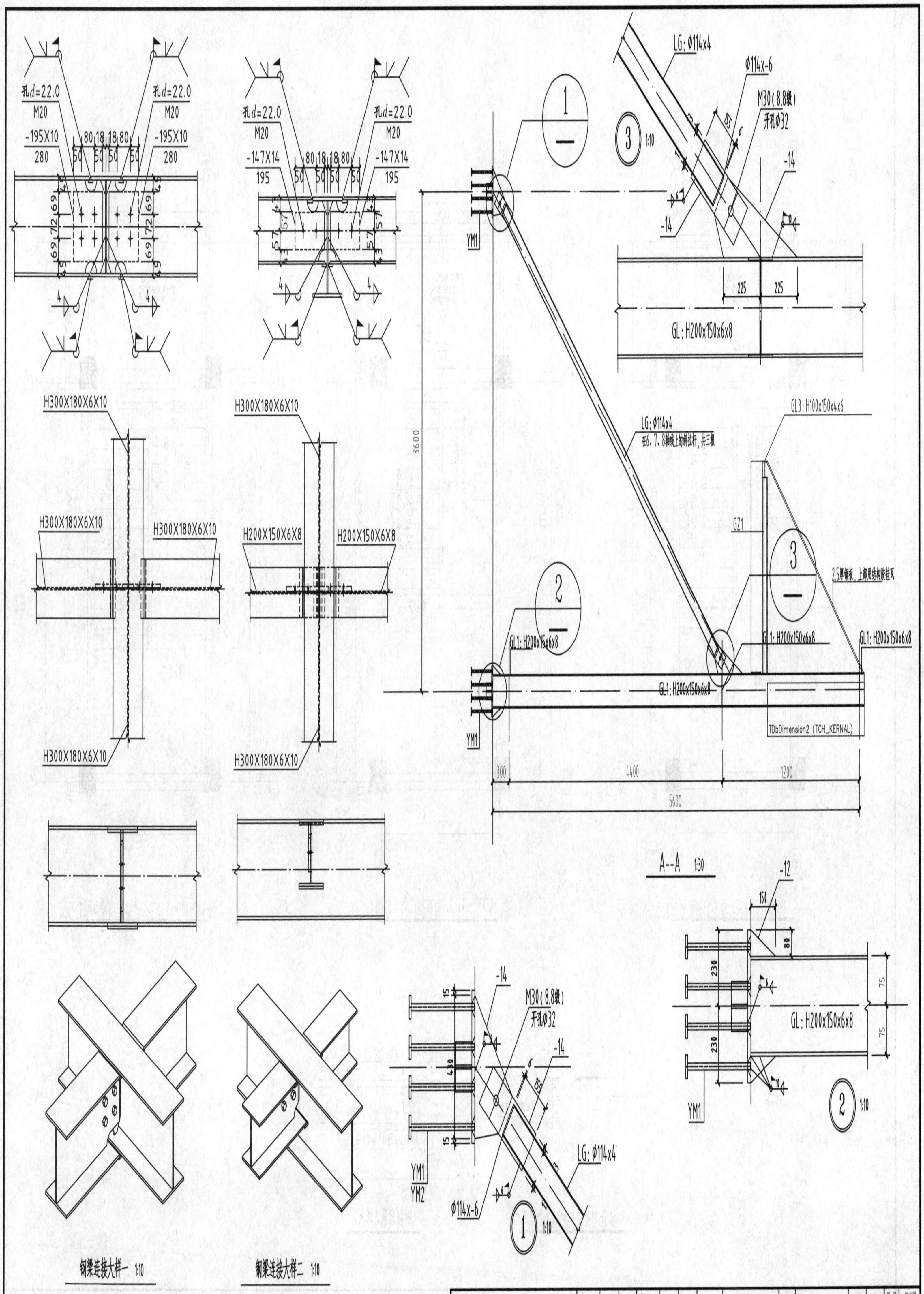

×××市建筑设计研究院	审 定		校 对		建设单位	××县妇幼保健医院	图纸名称	轻钢雨棚施工图二	工程编号	201710306	阶段 施工图
	审 核		设计负责人								日期 2017.10
	项目负责人		设 计 人		项目名称	××县妇幼保健医院业务楼			图 号	结施-22	比例 1:100

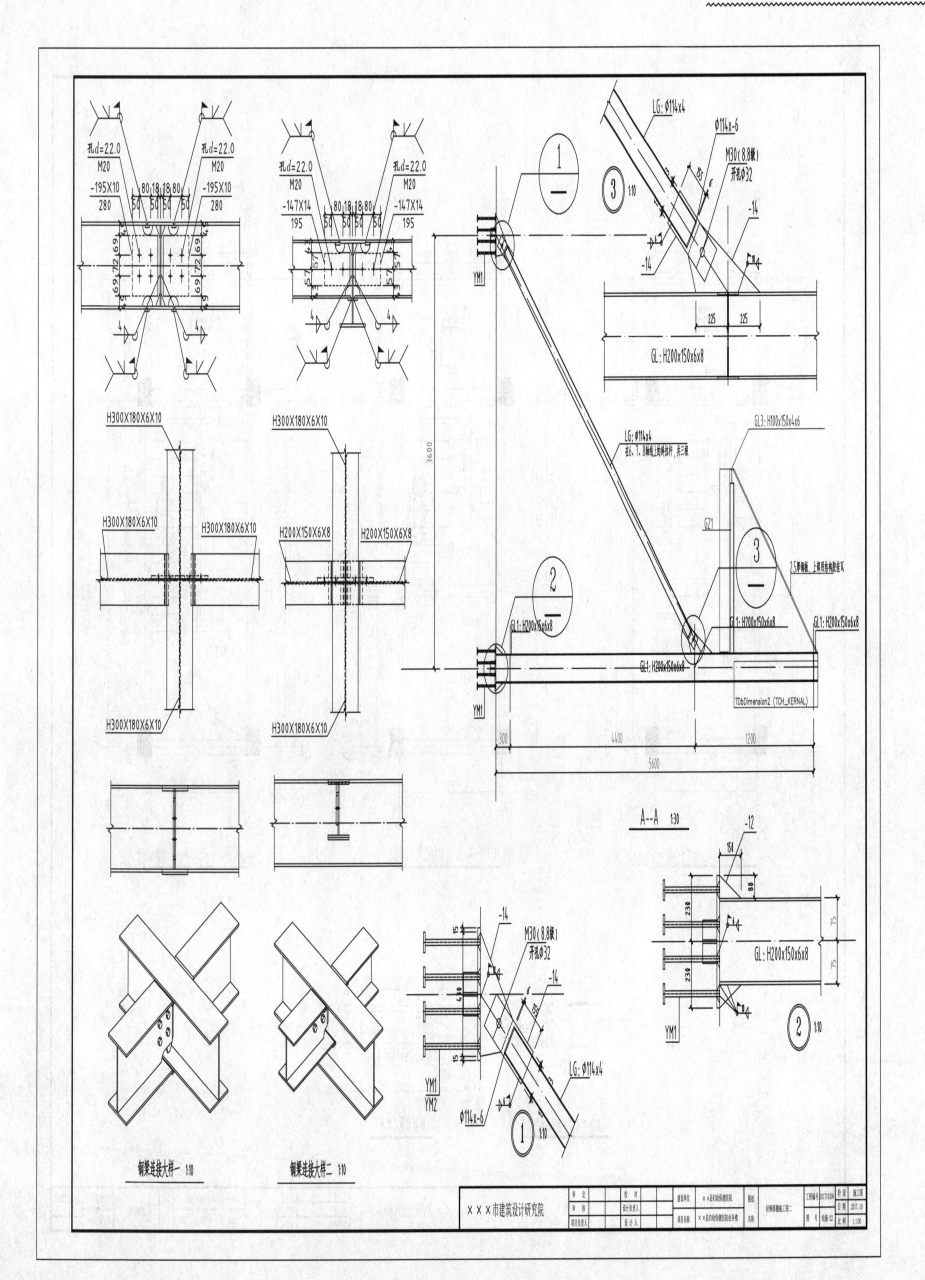

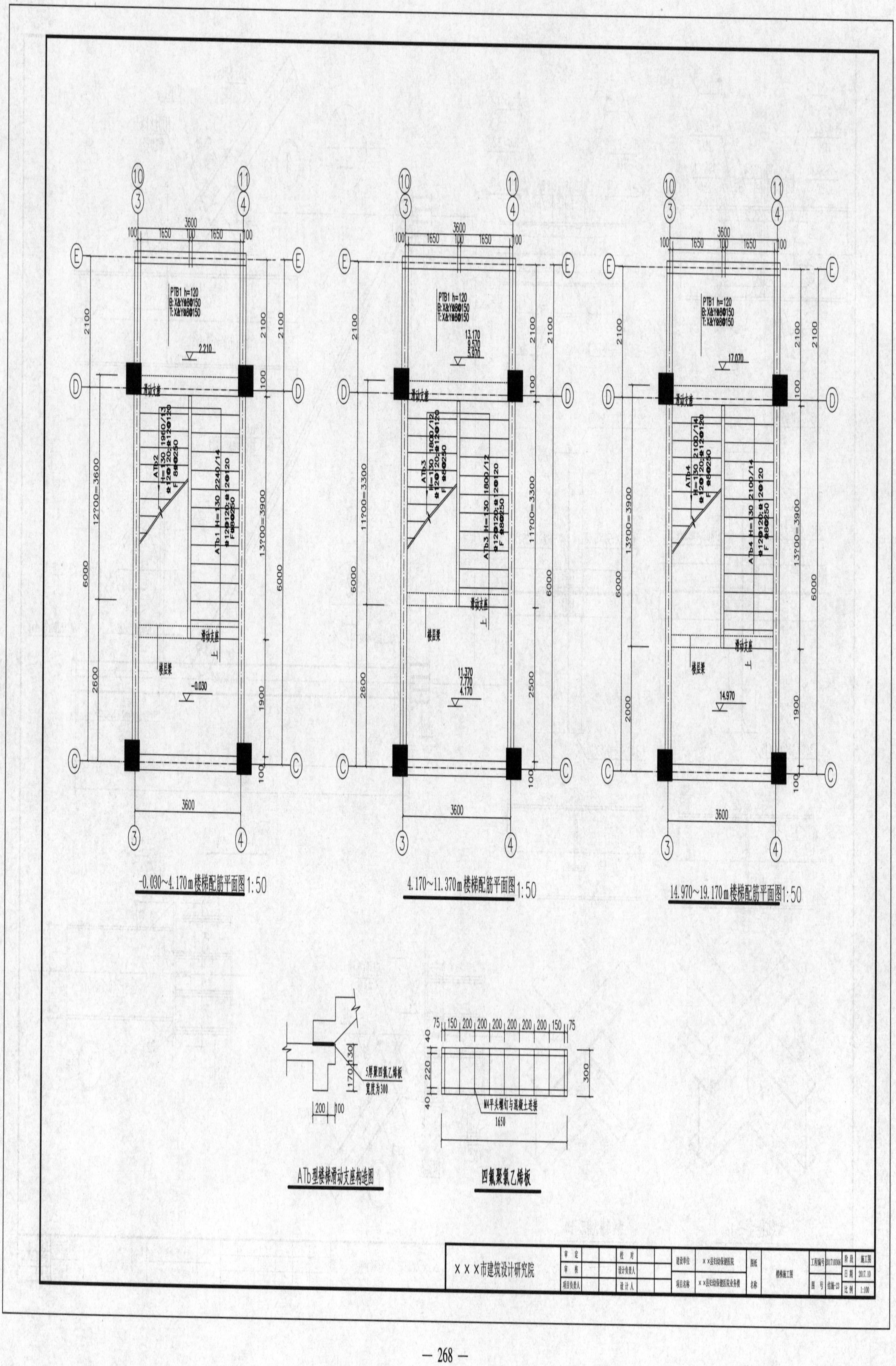
-0.030~4.170m楼梯配筋平面图 1:50
4.170~11.370m楼梯配筋平面图 1:50
14.970~19.170m楼梯配筋平面图 1:50
PTB1 h=120
滑动支座
楼层梁
ATb型楼梯滑动支座构造图
5厚聚四氟乙烯板
宽度为300
M4平头螺钉与混凝土连接
四氟聚氯乙烯板
×××市建筑设计研究院
楼梯施工图

给排水设计说明

一、工程概况：

建设场地地处XX县新城区，本工程长43.60m，宽16.30m，地上五层，局部六层。建筑面积4165.52 m^2，体积15976 m^3。隔震层：隔震层兼做管道层，建筑面积362.94 m^2，层高1.50m。本建筑为多层医疗建筑。

一层：出入院手续办理窗口、收费挂号窗口、药房、公共卫生间、消控室、门厅、儿科护士台、儿科输液室、儿科预检室、儿科诊室、儿科隔离诊室、配电室

二层：B超室、心电图室、妇科诊室、妇科检查室、生化室、化验室、妇科专用卫生间、候诊大厅、资料室、采血窗口、综合诊室、乳腺诊室、乳腺检查室

三层：产科咨询室、产科诊室、产科检查室、产前监护室、资料室、候诊大厅、文印室、行政办公室、站长办公室、档案室、财务室、会议室、公共卫生间

四层：为医院病区，开放式护士站、加药室、医生办公室、医生值班室、护士值班室、治疗室、污洗室、主任办公室、公共卫生间、配餐间、楼梯间等。本层共设计了20张病床。

五层：为医院的手术室，主要布置了手术室、分娩室、待产室、隔离产房兼待产室、医生办公室、隔离婴儿室、洗婴室、监护室、手术休息室、育婴室、助产师办公室、手术辅料间、消毒室、污物打包间、换床间、淋浴间、男更衣室、女更衣室、手术室专用污物通道、手术时家属等待区、公共卫生间、楼梯间等。

六层：主要设有电梯机房、屋面水箱间、出屋面楼梯间

该工程隔震层层高1.50m，一层层高4.20m，二、三、四层层高为3.60m，五层层高4.20m，出屋面局部层高为3.60m，设计室内外高差0.45m，建筑物总高度19.65m。

标准冻土深度0.98m，场地属于自重湿陷性场地，湿陷等级为Ⅲ级。

二、给排水设计范围：

设计内容包括 给水系统、消防系统。

三、设计依据：

《建筑给水排水设计规范》GB 50015—2003（2009年版）　《污水综合排放标准》GB 8978—1996

《建筑设计防火规范》GB 50016—2014　《室外给水设计规范》 GB 50013—2006

《自动喷水灭火系统设计规范》GB 50084—2001（2005年版）　《医院洁净手术部建筑技术规范》 GB 50333—2002

《消防给水及消火栓系统技术规范》GB 50974—2014　《医疗机构水污染物排放标准》 GB 18466—2005

《建筑灭火器配置设计规范》GB 50140—2005　《民用建筑节水设计标准》 GB 50555—2010

《综合医院建筑设计规范》（JGJ49—88）　《中医医院建设标准》建标 106—2008

《室外排水设计规范》GB 50014—2006（2014年版）　《建筑机电工程抗震设计规范》GB 50981—2014

《城镇给水排水技术规范》GB 50788—2012　建筑专业提供的作业图。

四、系统说明：

（一）给水系统

1.水源：

根据甲方提供的有关资料，本工程从市政供水干管引入一根DN150的给水管，作为院区生活和消防用水水源；供水压力为0.3MPa。

2.室内生活给水系统：

室内生活给水均采用下行上给供水方式。

1-5层采用直接供水方式，5层手术室市政给水停水时，第2路水源引入供水，第2路水源采用变频给水加压设备（置于中医院室外泵房）供水。

办公室开水由自备小型电热开水壶制备，4层开水间内电开水器提供，电功率：9kW。电开水器均应符合国家安全标准。

3.给水用水量标准如下表：

序号	用水部位	用水标准	数量	最高日用水量（m/d）	小时变化系数	最大小时用水量（m/h）	用水时间/h	平均小时用水量（m/h）
1	病房设单独卫生间	250（L/d.床）	20床	5	2.0	0.4	24	0.2
2	医务人员	150（L/人.班）	50人	7.5	1.5	1.4	8	0.94
	门诊	10（L/人.d）	120人	1.2	2.5	0.4	8	0.2
	绿化及浇洒	$3L/m^2.d$	$4165m^2$	12.5				
	未预见用水量	按以上用水量的10%计		2.7		1.3		1.54
	总计			29.2		2.6		

（二）排水系统：

1.室内排水系统采用污废合流制。污水收集后先经化粪池处理后进入院区污水处理站，经处理达到医院污水排放标准后，排至市政污水管道。

2.排水系统采用带伸顶通气管的单立管排水系统，首层卫生间排水单独排出；

3.住院楼排水系数取0.9，最高日排水量为27 m^3。

（三）消防系统：

本工程按多层医疗建筑设计，耐火等级为一级；消防系统设计包括室内、外消火栓系统，自动喷水灭火系统及建筑灭火器配置。

1. 消防水量：

(1) 室外消火栓用水量：25L/ s持续时间2小时；室内消火栓用水量：10L/ s持续时间2小时；

(2) 自动喷水灭火系统用水量：21L/ s持续时间1小时；

室内外一次灭火用水量约为328 m^3，在隔壁紧邻已建中医院室外设有效容积为650 m^3的消防水池，供室内消火栓泵，室外设消防取水井。

2.室外消火栓系统：在室外沿院区道路设室外地下式消火栓，并设明显标志，消火栓间距不大于120m，距路边距离不大于2m，室外消火栓系统水源由室外生活给水管道提供。

3.室内消火栓系统：

(1) 室内消火栓系统所需流量及水压由设隔壁紧邻已建中医院室外的消防水池及水泵（Q=25L/s，H=70mH_2O）提供。

(2) 室内消火栓系统布置成环状管网。布置间距<30米，保证同层任何部位有两只消火栓水枪的充实水柱同时到达，水枪充实水柱10米。消火栓规格为减压稳压型消火栓，SN65，内置Ø19mm水枪，化纤胶衬水龙带，自救卷盘，消防按钮及指示灯。自救卷盘的栓口直径为25mm，内配胶带内径为19mm；卷盘喷嘴口径6mm。消火栓箱尺寸700mmX1800mmX240mm，安装参见1286-36。室内消火栓系统设2套DN100地下式水泵接合器，高位消防水箱出水管设流量开关启动泵房消火栓水泵。

(3).屋顶水箱间内设一座有效容积为18 m^3高位消防和增压稳压设备，保证消火栓系统所需水压和火灾初期10分钟消防用水量。

4.自动喷水灭火系统：

(1).喷淋系统所需水压及水量由设在隔壁紧邻已建中医院地下一层的消防水池和自动喷水泵提供。

(2).本建筑自动喷水系统按中危险Ⅰ级设计，喷水强度为6 L/min.平方米，保护面积160 m^2，设计流量21L/ s火灾延续时间1h。最点不利喷头处的压力为0.1MPa。

(3).屋顶水箱和消防专用增压稳压装置的出水管接在报警阀前。每个报警阀所带喷头数量不超过800个。各层喷淋干管均设电信号阀门及水流指示器，信号均接至消防控制中心。每层管网末端设检验装置。自动喷水灭火系设2套DN150地下式水泵结合器。

(4).喷头采用68℃温标级玻璃球喷头；病房及治疗区吊顶处采用ZSDT2-20型快速响应喷头，无吊顶处采用S5 SU型上喷式快速响应喷头，其余部位采用下垂型标准玻璃球喷头。

5.移动式灭火器的配置：

本工程病房按严重危险级A级火灾设置手提式磷酸氨盐干粉灭火器。每个消火栓柜内布置2具手提式磷酸氨盐干粉灭火器，配电室及消防控制室各配2具，其配置为MF/ABC5型，治疗室、办公室按严重危险级A类设置3A（50 m^2/A） 配置为MF/ABC5型

五、管道、阀门及安装

1.各类设备、管材、阀门等到货后，应核对无误后方可安装。

2.管材、阀门选用

管材：给水管采用PP-R管(1.0MPa)，消防管、压力排水管及自动喷水灭火系统管道采用内外热浸镀锌钢管， DN≤100mm管道采用螺纹连接，DN>100mm管道采用沟槽式连接，管件采用镀铜制螺纹管件（GB3287-3289），排水管采用排水用采用柔性接口的机制排水铸铁管。隔振装置连接处管道接法参照03SG610-1 58-59页。

阀门：管径DN50及以上给水管道上的阀门一律采用蝶阀，管径等于或小于DN40的给水管道上的阀门一律采用铜截止阀；消防管道上的检修用阀门一律采用蝶阀。

3.管道的安装：

（1）管道安装时，管道的中心线与梁、柱、楼板等的最小距离应符合下表的要求：

公称直径（DN）	25	32	40	50	70	80	100	125	150	200
与梁、柱距离（mm）	40	40	50	60	70	80	100	125	150	200

(2)管道安装前应核对标高，并配合其他专业管道，进行预排。安装时应注意平直美观，尽量靠柱、靠梁、贴墙。

(3)管道交叉时采取以下躲让原则：压力管道让重力管道，小管让大管，冷水让热水；与风管交叉时应经双方专业人员协调后方可施工。

(4)图中标高以米计，其余尺寸以毫米计。管道标高均为管中心标高。

(5)所有留洞及预埋管道，在施工时应对照水施图与土建图纸仔细确认核对，安装单位与土建施工单位密切配合，以防错漏。

4.管道支、吊架：支吊托架、固定件的设置应符合有关规定。立管在每层及立管底部，横管在变径及接口处均应设固定件。

5.建筑机电工程抗震设计要求

（1）建筑的入户管阀门之后应设软接头，建筑物的生活、消防给水箱的配水管、水泵吸水管应设软管接头；

（2）采用柔性接口的机制排水铸铁管。

（3）需要设防的室内给水、热水以及消防管道管径大于或等于DN65的水平管道，当其采用吊架、支架或托架固定时，应求设置抗震支承室内自动喷水灭火系统消防系统还应按相关施工及验收规范的要求设置防晃支架；管段设置抗震支架与防晃支架重合处，可只设抗震支承。

（4）管道穿过内墙或楼板时，应设置套管；套管与管道间的缝隙，应采用柔性防火材料封堵；

（5）建筑物给水引入管和排水出户管穿越地下室外墙时，应设防水套管。穿越基础时，基础与管道间应留有一定空隙，并宜在管道穿越地下室外墙或基础处的室外部位设置波纹管伸缩节。

6.管道坡度

1)给水管按0.002的坡度坡向立管或泄水装置；

2)污、废水排水管除图中注明者外，按下列坡度敷设：

管径(mm)	DN50	DN75	DN100	DN150	DN200
坡度	0.035	0.025	0.02	0.01	0.008

六、系统试压和冲洗：

（1）系统安装完毕后，排水管道应做满水试验，给水和消防系统应对管网进行强度实验、严密性实验和冲洗给水系统试验压力0.6MPa，消防系统试验压力1.4MPa。试验排水管做灌水试验，灌水高度为一个层高，30分钟不渗漏为合格。

(2)系统的水源干管，进户管和室内地下管道应在回填隐蔽前，单独或与系统进行强度实验、严密性实验。

(3)系统管网试压合格后，应分段进行冲洗，冲洗前应对系统仪表采取保护措施，并将报警阀等拆下，冲洗工作结束后及时复位。

水压试验后对给水管进行冲洗、消毒，用20~30 mg/L的游离氯的水在系统内放置24小时以上。所有水箱水池应做充水试验。

七、本说明未尽事项应按

《建筑给排水及采暖工程施工质量验收规范》(GB50242-2002)

《自动喷水灭火系统施工及验收规范》(GB 50261-2005)等国家现行有关规范及规程执行。

XXX市建筑设计研究院	审 定			校 对			建设单位	XX县妇幼保健医院	图纸名称	给排水设计说明	工程编号	201710306	阶 段	施工图
	审 核			设计负责人			项目名称	XX县妇幼保健医院业务楼			图 号	水施-1	日 期	2017.10
	项目负责人			设计人									比 例	1:100

主要设备表

序号	名称	规格型号	单位	数量	备注
一	消防系统设备				
	消火栓增压稳压装置	XQZW(L)-I-XZ-10型 配用水泵型号 25LGW3-10X4 一用一备 N=1.5kW 气压罐 SQL1000X0.76 V有=450L	套		屋顶水箱间
	屋顶消防水箱	4mx3mx2.5 有效容积:18	座		屋顶水箱间 热镀锌钢板水箱
	水泵接合器	SQX100-A	个	2	
	手提式灭火器		具	40	
	室内减压稳压消火栓	SNJ65型	套	36	
	潜水泵	65WQ/C248-4型 N=4kW $Q=40m^3/h$ H=20m	台	2	电梯集水坑 其中库存备用一台
	单偏心对夹式蝶阀	WBLX PN16型 DN70 WBLX PN16型 DN100	个 个	3 8	
	压力表	YX100 型	个	1	试验消火栓
二	喷水消防系统				
1	截止阀	J11X-16型 DN25	个	5	试水装置
2	闭式玻璃球洒水喷头	ZSTD-15A/68	个	385	
3	压力表	Y-100型	个	5	试水装置
4	湿式报警阀	ZSFZ150型	组		位于一层湿式报警阀室内
5	水流指示器	ZSJZ100	组	5	
6	信号蝶阀	WBXE PN16 DN100	个	8	
7	自动排气阀	ZSFP15	个		
8	水泵接合器	SQX150-A	个	2	

主要设备材料表

设备名称	规格及型号		单位	数量
闸阀	Z15T-16T型	DN80	个	2
	Z15T-16T型	DN40	个	2
截止阀	J11X-10T型	DN50	个	4
	J11X-10T型	DN32	个	12
	J11X-10T型	DN25	个	16
	J11X-10T型	DN20	个	12
	J11X-10T型	DN15	个	64
开水器	CSB-9型	N=9kW	台	1
坐便器	卫生器具规格、型号由建设单位确定			
拖布池				
洗脸盆				
蹲式大便器				
小便器				

图例

序号	名称	图例	序号	名称	图例
1	市政给水管	— J —	17	压力表	
2	生活加压给水管	— J —	18	闭式喷头	
3	生活污水管	— W —	19	末端试水阀	
4	压力污水管	— YW —	20	排气阀	
5	压力废水管	— YF —	21	闸阀	
6	废水管	— F —	22	止回阀	
7	雨水管	— Y —	23	磷酸铵盐干粉灭火器	
8	室内消火栓加压给水管	— X —	24	Y型伸缩过滤器	
9	自动喷水管	— ZP —	25	通气帽	
10	室内水泵接合器		26	洗手盆	
11	室内消火栓		27	坐式大便器	
12	湿式报警阀		28	蹲式大便器	
13	信号蝶阀		29	小便器	
14	水流指示器		30	清扫口	
15	立管检查口		31	地漏	
16	蝶阀		32	拖布池	

标准图目录

序号	图号	图名	备注
1	甘12S1-42	单柄单孔龙头台上洗脸盆安装图(感应式)	
2	甘12S1-86	连体式坐便器安装图	
3	甘12S1-107	脚踏阀蹲式大便器安装图	
4	甘12S1-135	感应式冲洗阀壁挂式小便器安装图(一)	
5	甘12S1-10	污水盆安装图(甲型)	
6	甘12S1-167	地面式清扫口(A型)安装图	
7	甘12S1-168	地漏安装图	DN50
8	甘12S10	室内管道支架及吊架	
9	甘12S6-36	消防柜(丙型)	1800X700X240
10	甘12S6-31	屋顶试验用消火栓箱	
11	甘12S6-31	消防水泵接合器井平、剖面图	
12	04S20681-84	卡箍式管道连接示意图及说明	
13	甘12S2-50	$18m^3$热镀锌钢板装配式水箱	热镀锌钢板
14	甘12S6-31	地下式消防水泵接合器安装图	SQX100-A
15	04S206-77	ZSFP15排气阀大样图	
16	甘12S6-76	湿式系统说明	

图 纸 目 录

图号	图纸名称
水施-1	给排水设计说明
水施-2	主要设备表 图例 标准图目录
水施-3	隔震层消防给水平面图
水施-4	一层消防给水平面图
水施-5	二层消防给水平面图
水施-6	三层消防给水平面图
水施-7	四层消防给水平面图
水施-8	五层消防给水平面图
水施-9	屋面消防水箱间平面图
水施-10	消防系统图 屋顶水箱系统图
水施-11	一层自喷系统图 自喷系统原理图
水施-12	二、三层自喷系统图
水施-13	四、五层自喷系统图
水施-14	隔震层给排水平面图
水施-15	一层给排水平面图
水施-16	二层给排水平面图
水施-17	三层给排水平面图
水施-18	四层给排水平面图
水施-19	五层给排水平面图
水施-20	给水系统图
水施-21	排水系统图
水施-22	卫生间详图

×××市建筑设计研究院	审定		校对		建设单位	××县妇幼保健医院	图纸名称	主要设备材料表 图例 标准图目录	工程编号	201710306	阶段	施工图
	审核		设计负责人		项目名称	××县妇幼保健医院业务楼			图号	水施-2	日期	2017.10
	项目负责人		设计人								比例	1:100

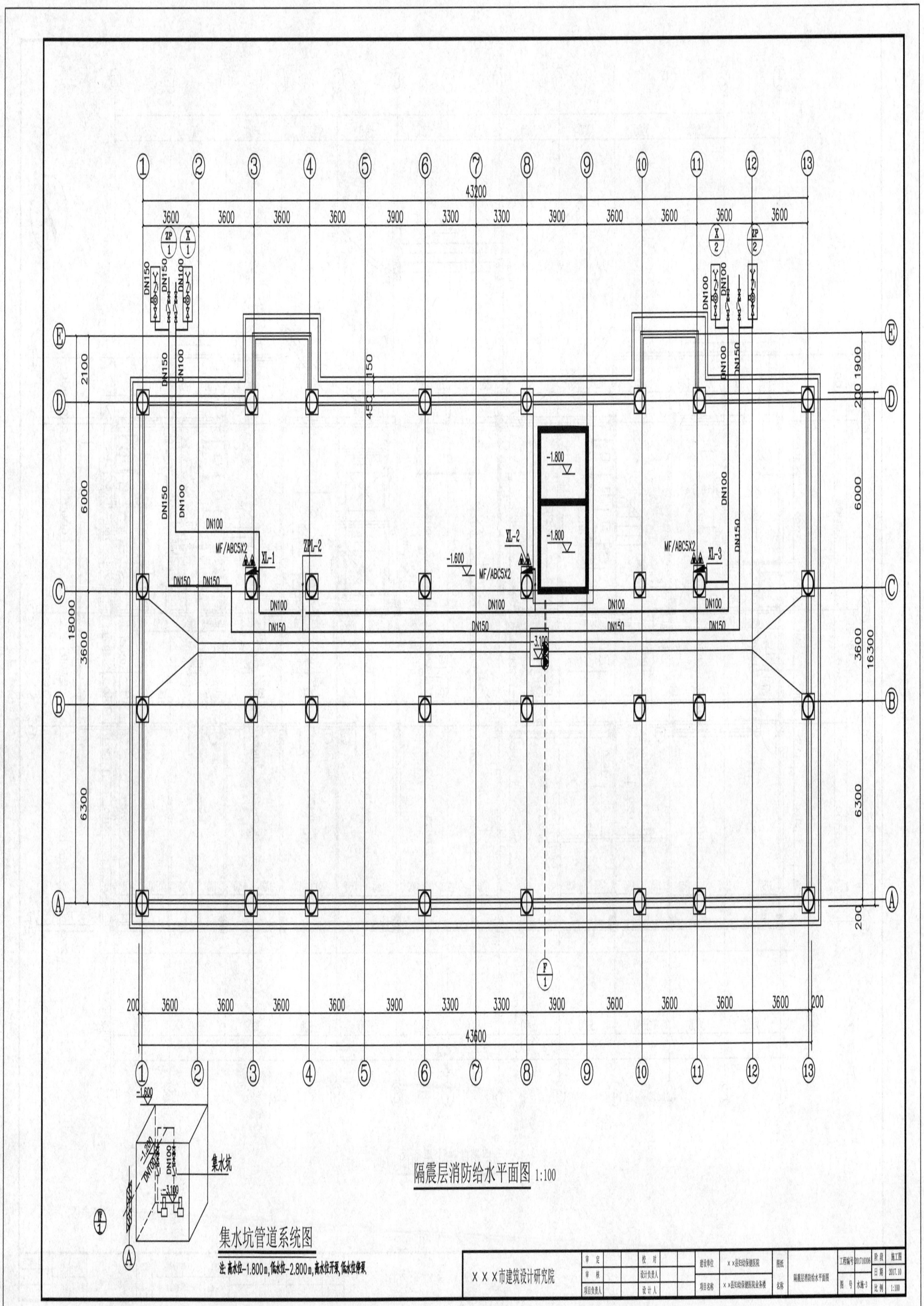
43200
3600
3900
3300
DN150
DN100
MF/ABC5X2
XL-1
XL-2
XL-3
ZPL-2
-1.800
-1.600
-3.100
18000
16300
6000
6300
2100
1900
43600
集水坑
隔震层消防给水平面图 1:100
集水坑管道系统图
注: 高水位-1.800m, 低水位-2.800m, 高水位开泵, 低水位停泵
×××市建筑设计研究院
审 定
审 核
项目负责人
校 对
设计负责人
设 计 人
建设单位
××县妇幼保健医院
项目名称
××县妇幼保健医院业务楼
图纸名称
隔震层消防给水平面图
工程编号
201710306
图 号
水施-3
阶 段
施工图
日 期
2017.10
比 例
1:100

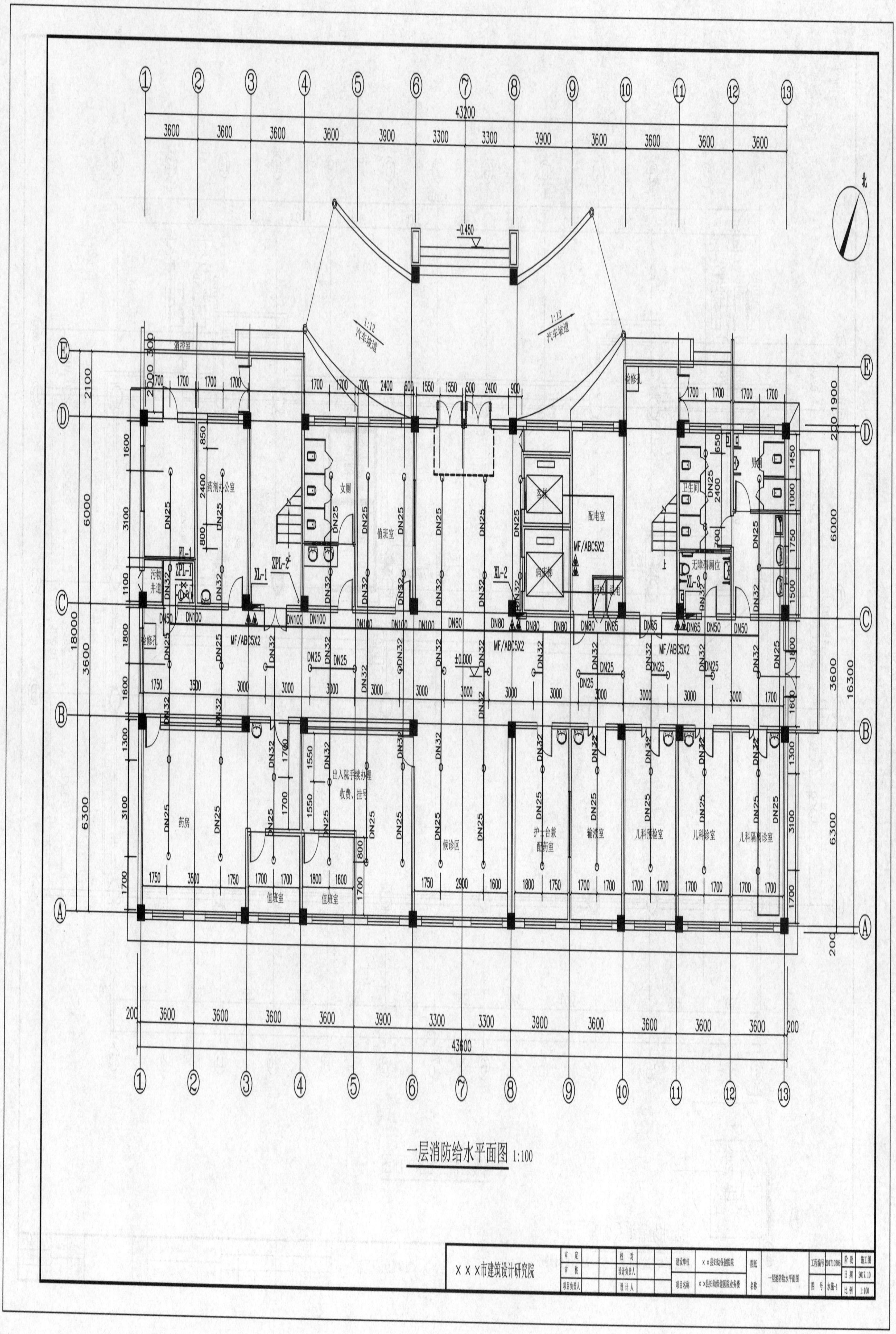
一层消防给水平面图 1:100
43200
43600
3600
3900
3300
汽车坡道
1:12
-0.450
±0.000
药剂办公室
女厕
值班室
配电室
卫生间
男厕
无障碍厕位
污物井道
检修孔
药房
出入院手续办理
收费、挂号
候诊区
护士台兼
配药室
输液室
儿科预检室
儿科诊室
儿科隔离诊室
MF/ABC5X2
XL-1
XL-2
XL-3
DN25
DN32
DN50
DN65
DN80
DN100
XXX市建筑设计研究院
审定
审核
项目负责人
校对
设计负责人
设计人
建设单位
项目名称
图纸名称
工程编号
阶段
施工图
日期
2017.10
图号
比例
1:100

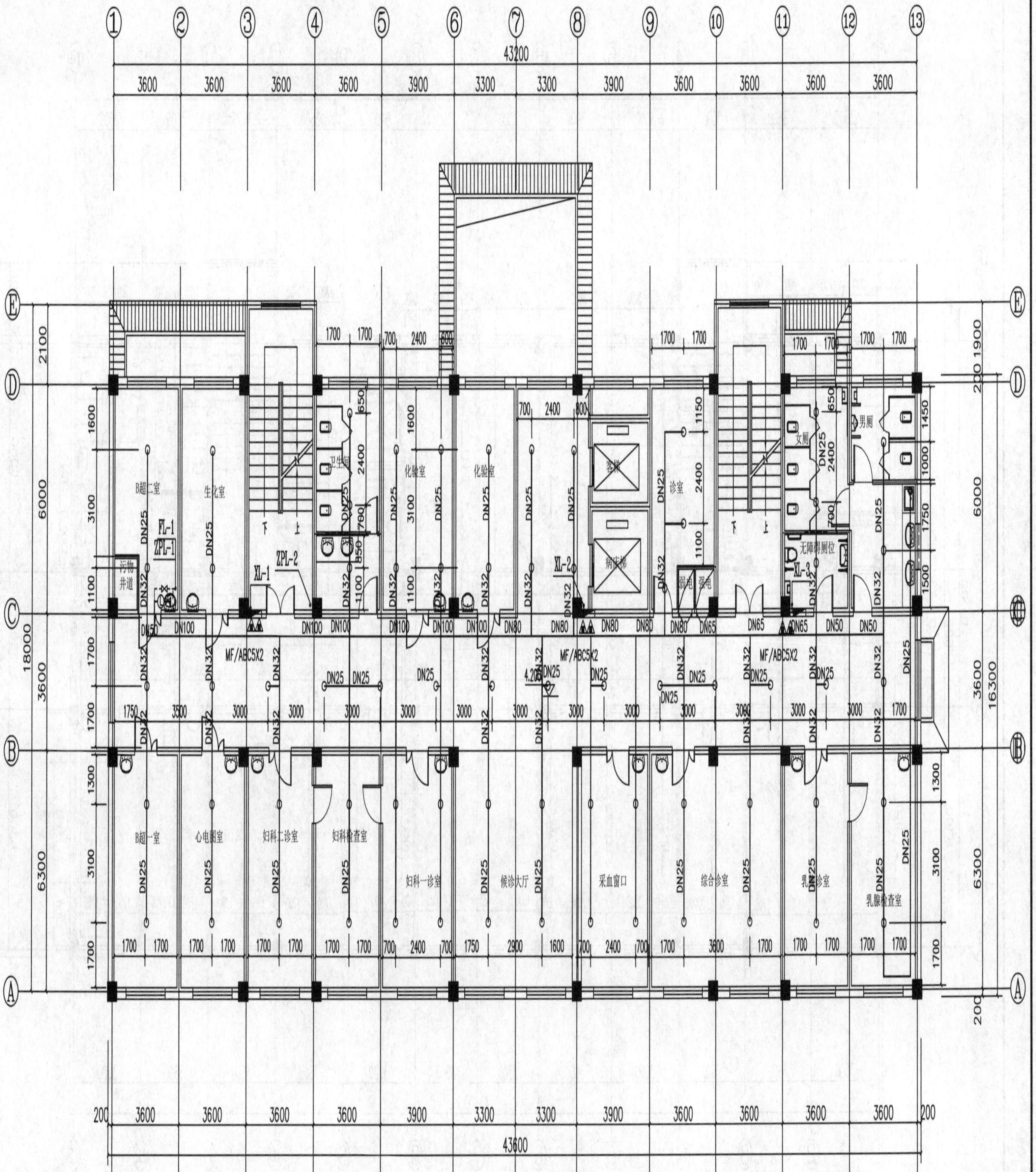

二层消防给水平面图 1:100

×××市建筑设计研究院

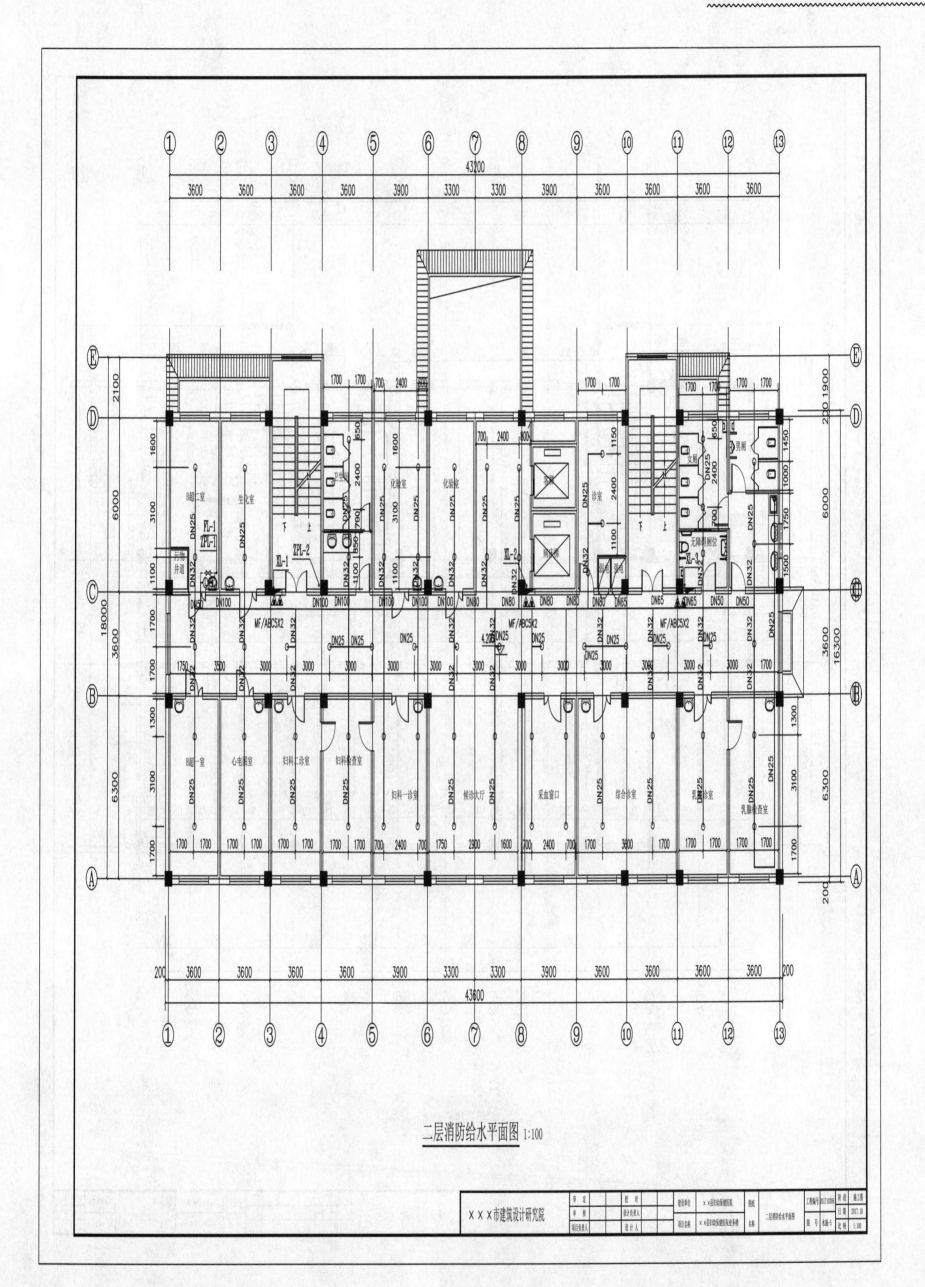

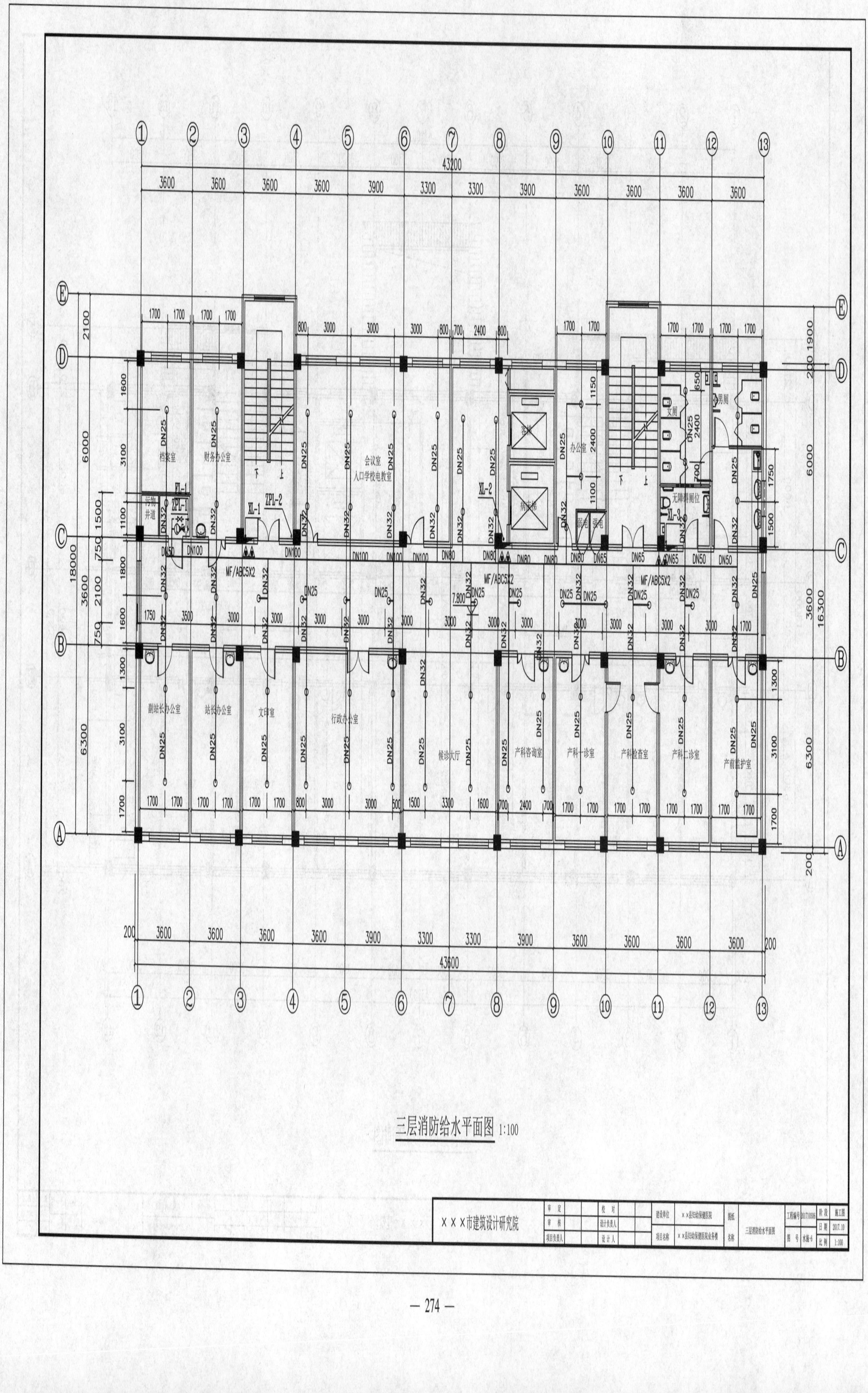

三层消防给水平面图 1:100

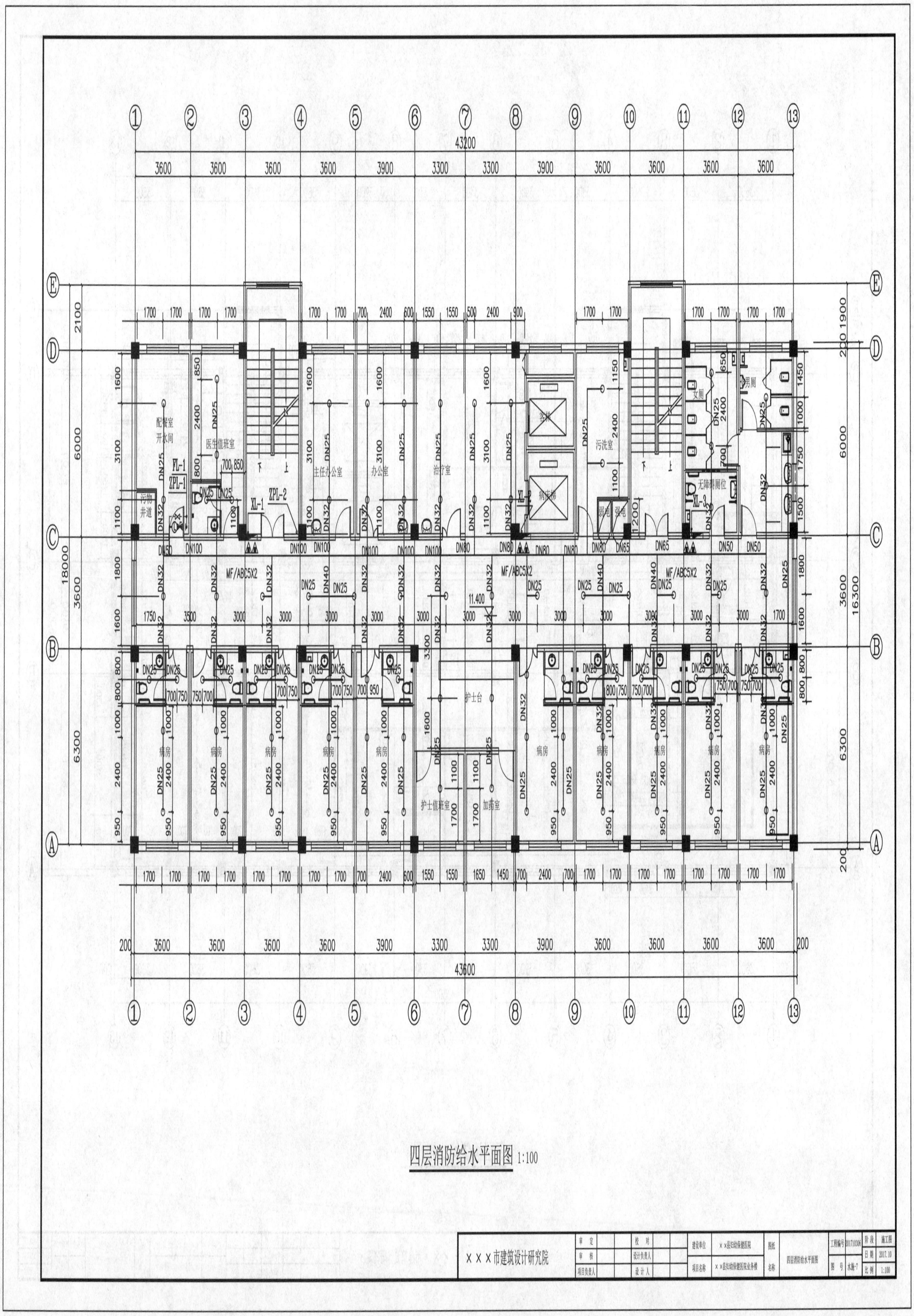
43200
3600
3900
3300
配餐室
开水间
医生值班室
主任办公室
办公室
治疗室
污洗室
女厕
男厕
无障碍厕位
污物井道
MF/ABC5X2
护士台
病房
护士值班室
加药室
43600
四层消防给水平面图 1:100
×××市建筑设计研究院

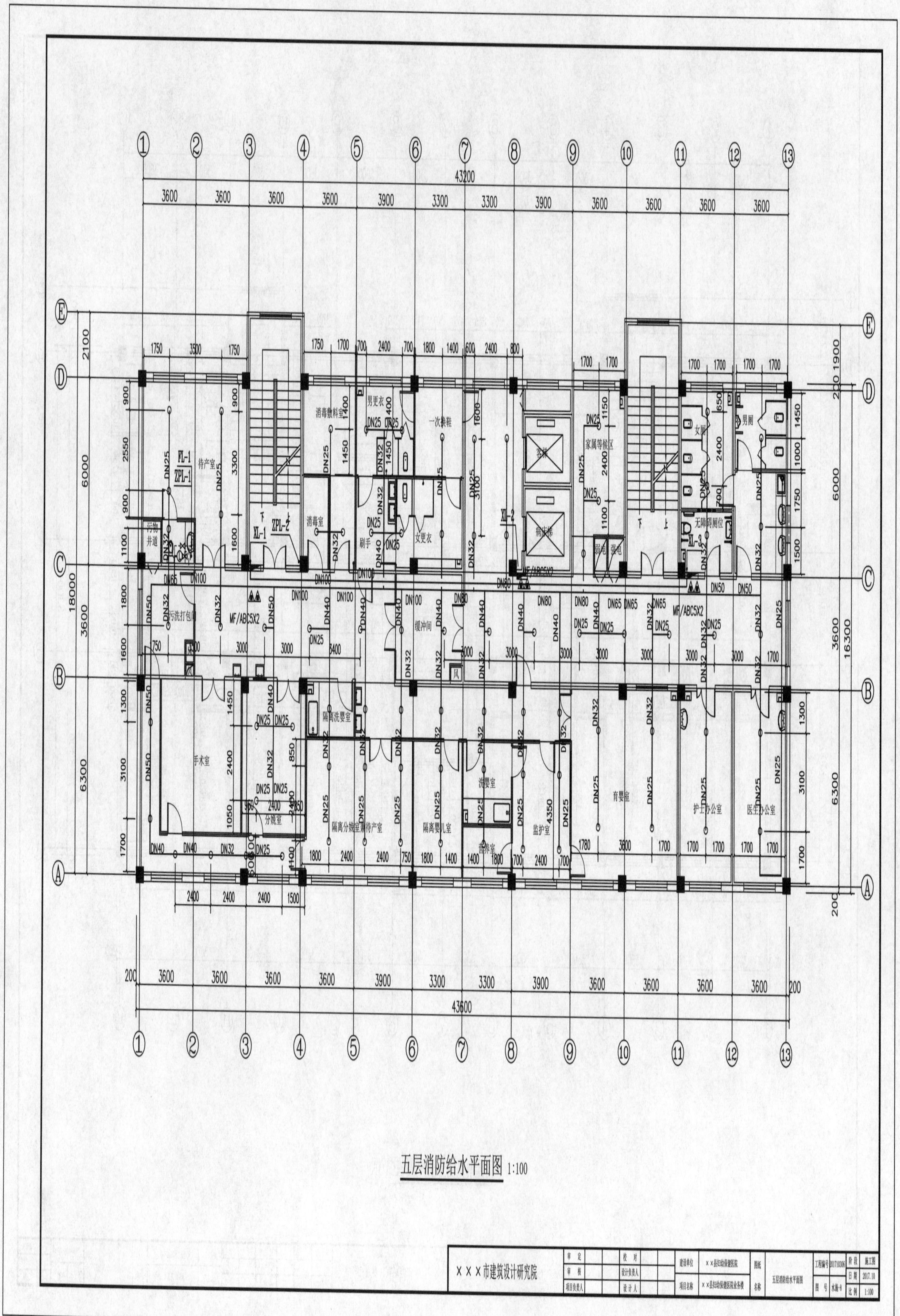

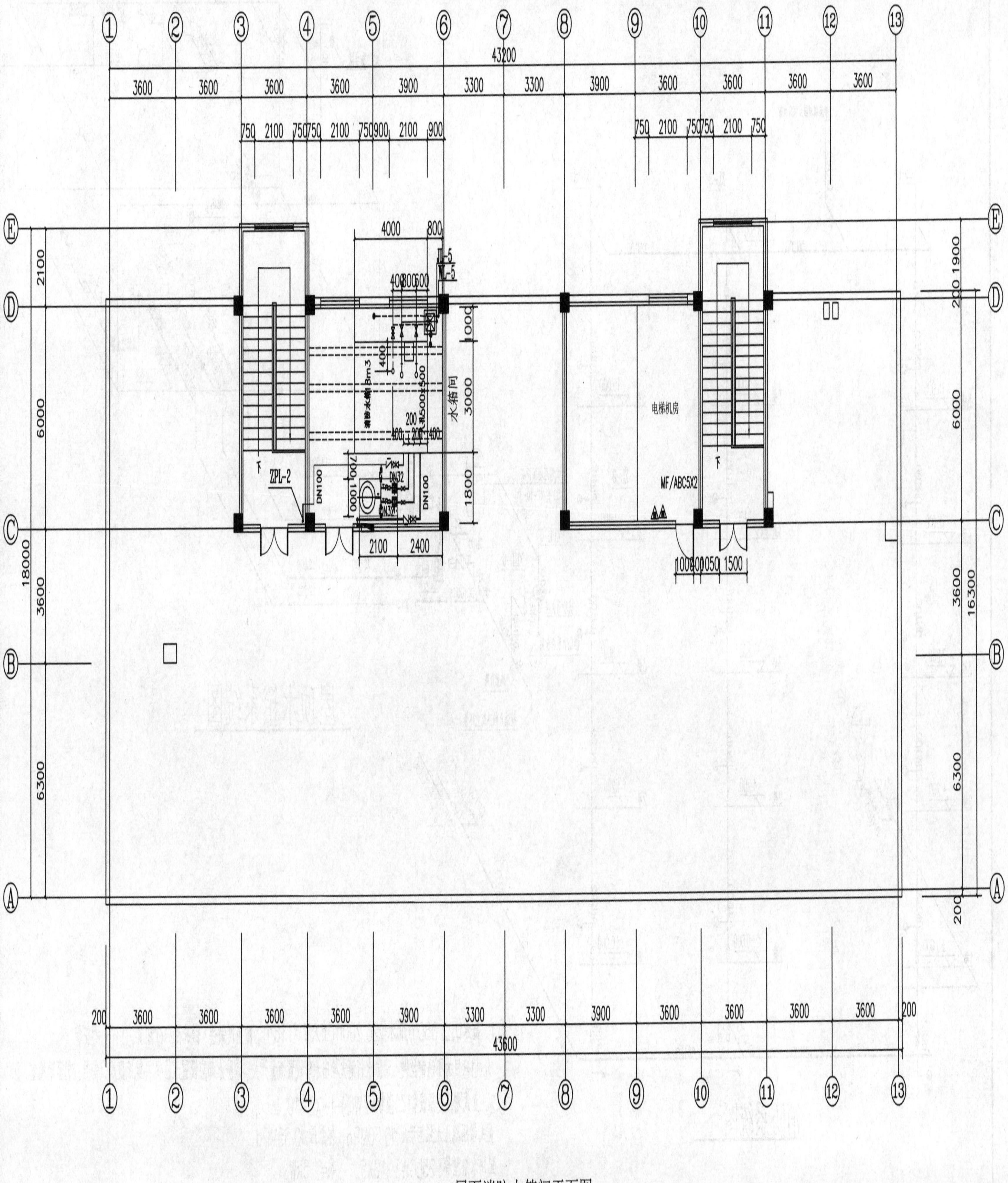

屋面消防水箱间平面图 1:100

×××市建筑设计研究院	审 定		校 对		建设单位	××县妇幼保健医院	图纸名称	屋面消防水箱间平面图	工程编号	201710306	阶 段	施工图
	审 核		设计负责人								日 期	2017.10
	项目负责人		设 计 人		项目名称	××县妇幼保健医院业务楼			图 号	水施-9	比 例	1:100

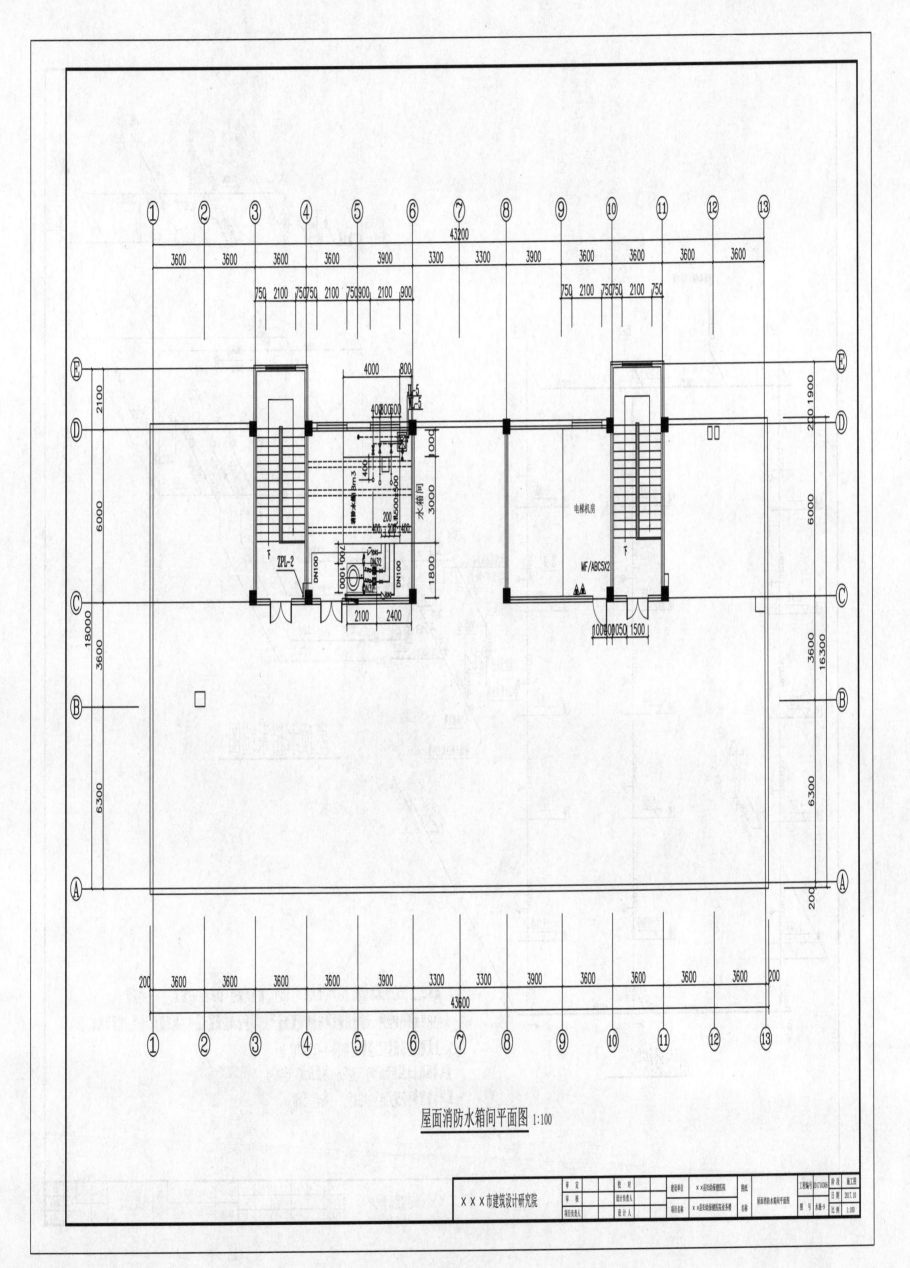

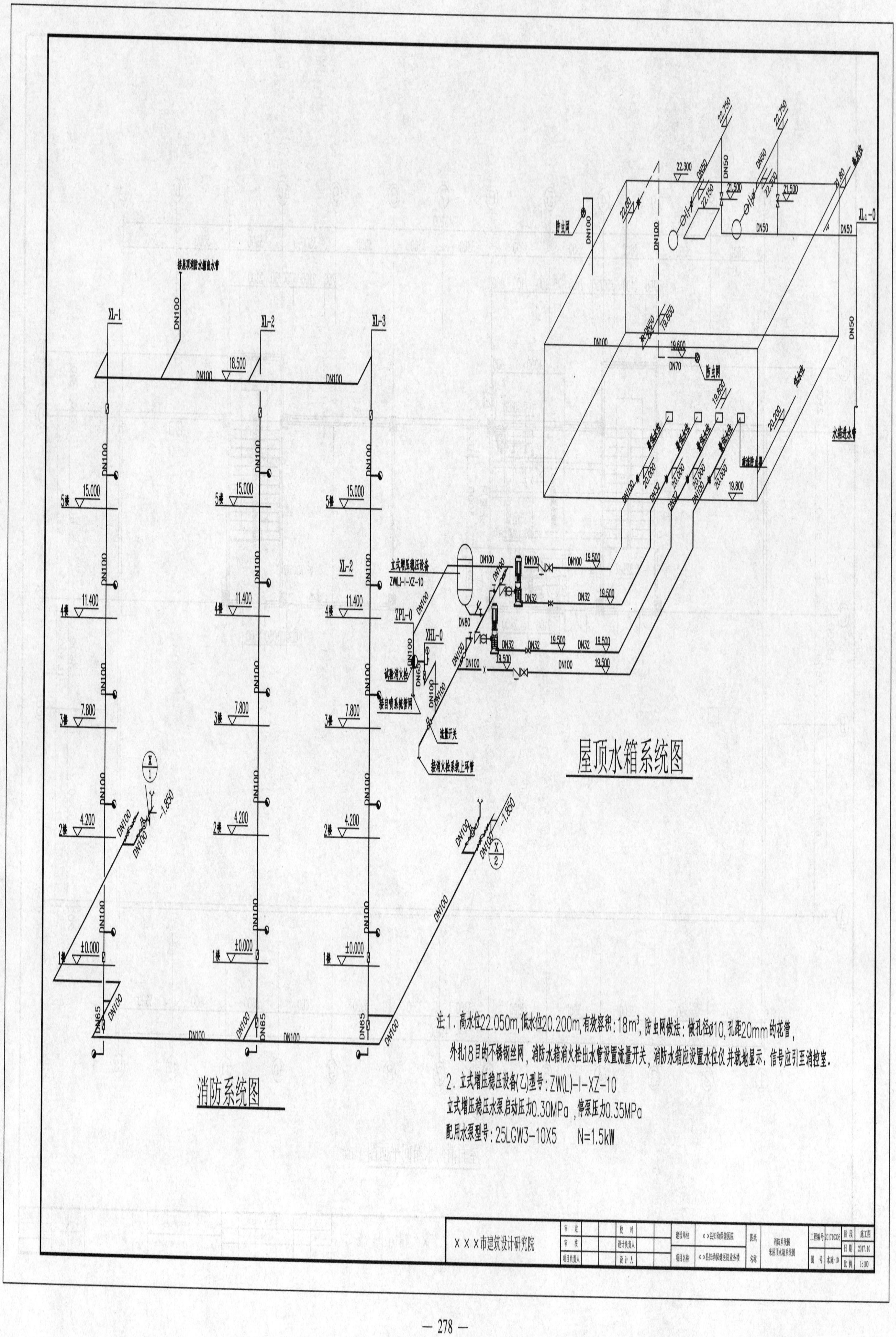
屋顶水箱系统图
消防系统图
XL-1
XL-2
XL-3
ZPL-0
XHL-0
JL-0
立式增压稳压设备
ZW(L)-I-XZ-10
防虫网
水箱进水管
5楼 15.000
4楼 11.400
3楼 7.800
2楼 4.200
1楼 ±0.000
18.500
19.500
19.800
20.200
22.300
22.750
注:1. 高水位22.050m,低水位20.200m,有效容积:18m³,防虫网做法:做孔径ø10,孔距20mm的花管,
外扎18目的不锈钢丝网,消防水箱消火栓出水管设置流量开关,消防水箱应设置水位仪 并就地显示,信号应引至消控室.
2. 立式增压稳压设备(乙)型号:ZW(L)-I-XZ-10
立式增压稳压水泵启动压力0.30MPa ,停泵压力0.35MPa
配用水泵型号:25LGW3-10X5 N=1.5kW
×××市建筑设计研究院

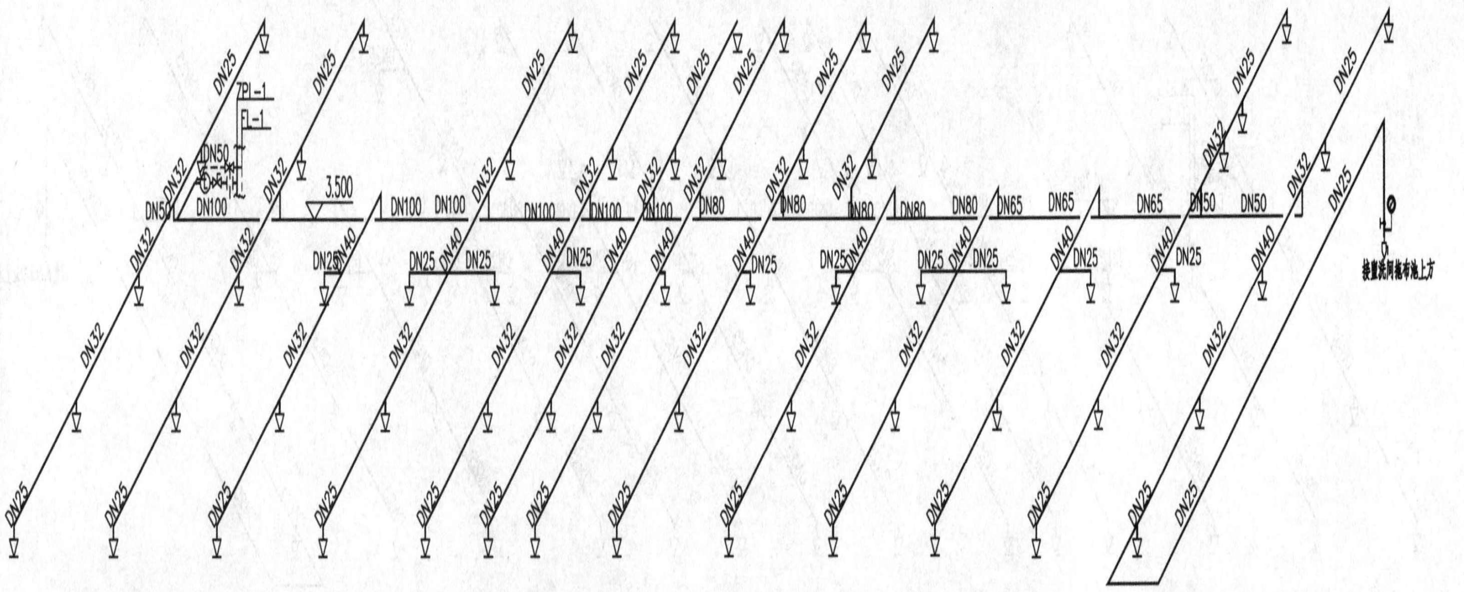

一层自喷系统图

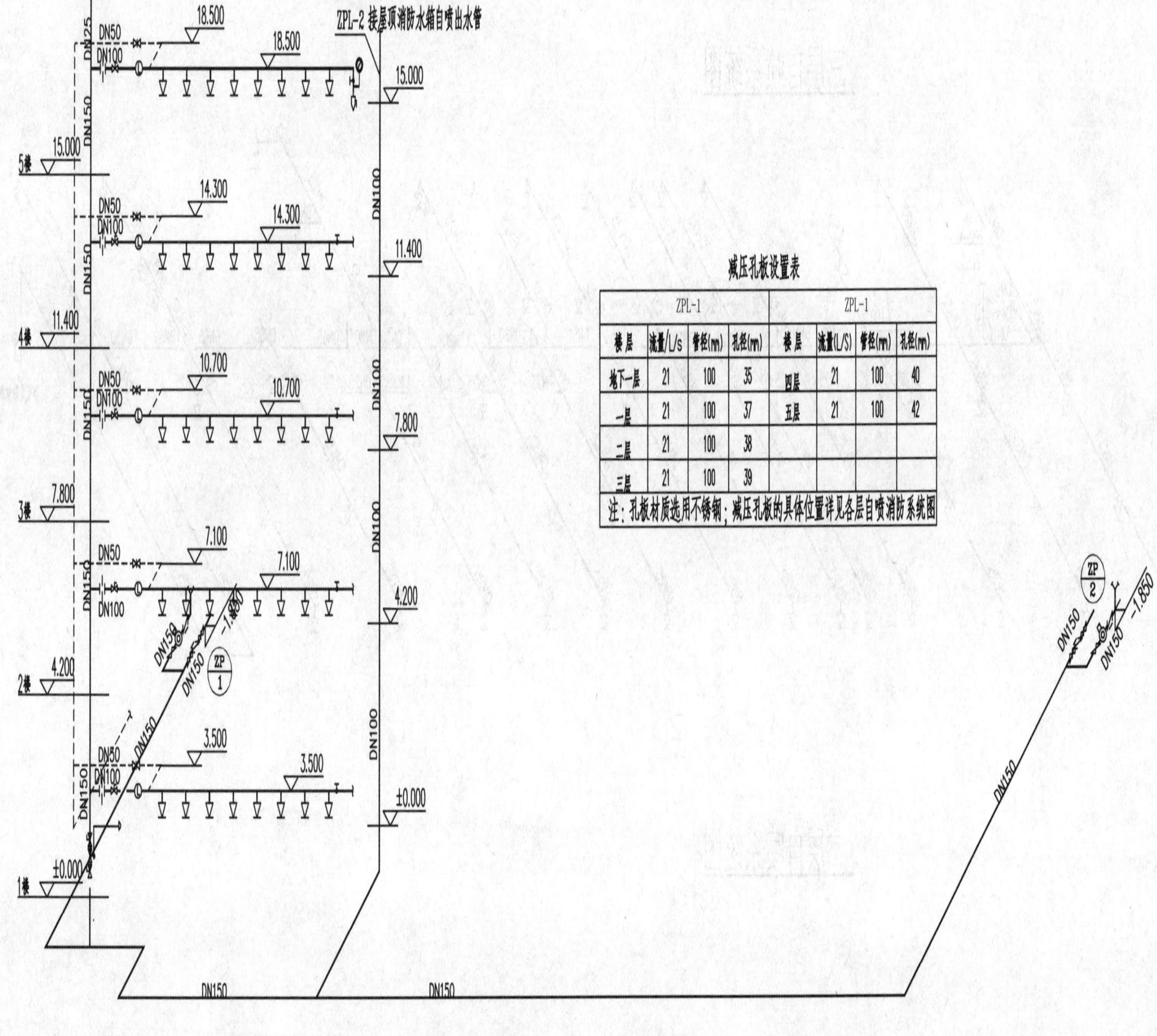

减压孔板设置表

ZPL-1				ZPL-1			
楼层	流量/L/s	管径(mm)	孔径(mm)	楼层	流量(L/S)	管径(mm)	孔径(mm)
地下一层	21	100	35	四层	21	100	40
一层	21	100	37	五层	21	100	42
二层	21	100	38				
三层	21	100	39				

注：孔板材质选用不锈钢；减压孔板的具体位置详见各层自喷消防系统图

自喷系统原理图

×××市建筑设计研究院	审 定		校 对		建设单位	××县妇幼保健医院	图纸名称	一层自喷系统图 自喷系统原理图	工程编号	201710306	阶 段	施工图
	审 核		设计负责人								日 期	2017.10
	项目负责人		设 计 人		项目名称	××县妇幼保健医院业务楼			图 号	水施-11	比 例	1:100

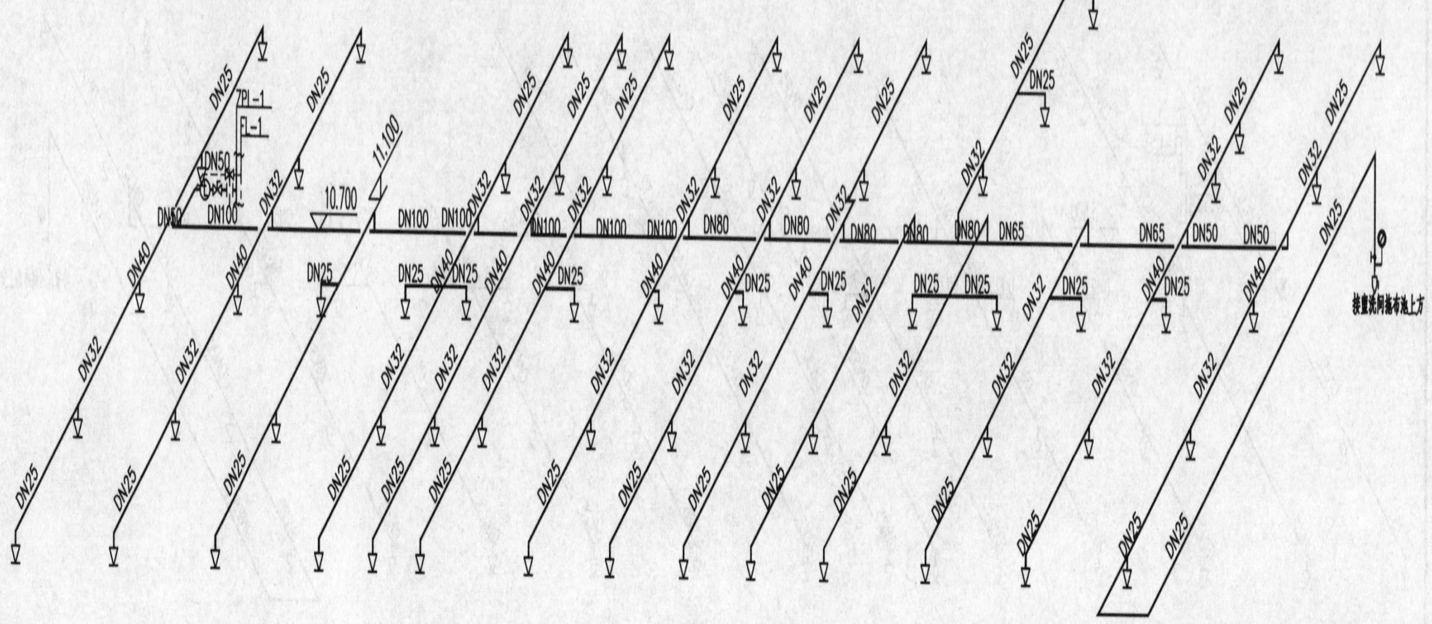

三层自喷系统图

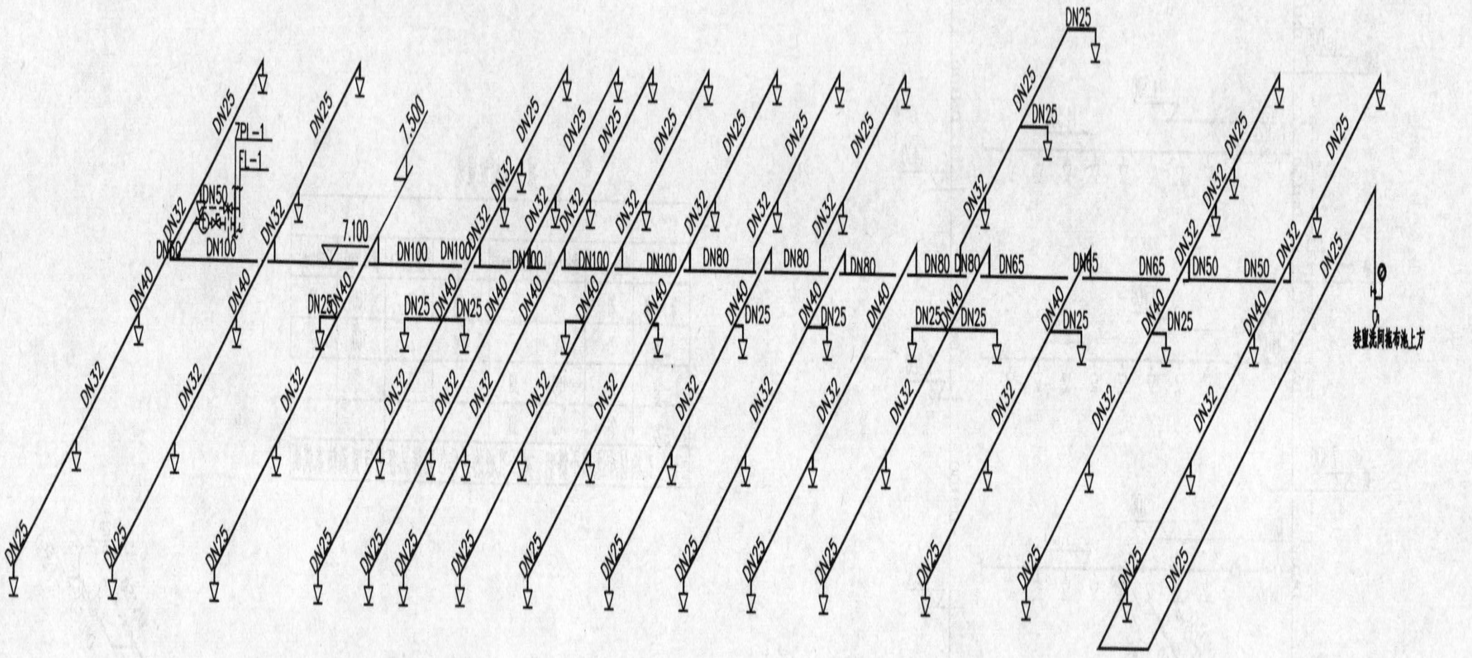

二层自喷系统图

×××市建筑设计研究院	审定			校对			建设单位	××县妇幼保健医院	图纸名称	二、三层自喷系统图	工程编号	201710306	阶段	施工图
	审核			设计负责人			项目名称	××县妇幼保健医院业务楼			图号	水施-12	日期	2017.10
	项目负责人			设计人									比例	1:100

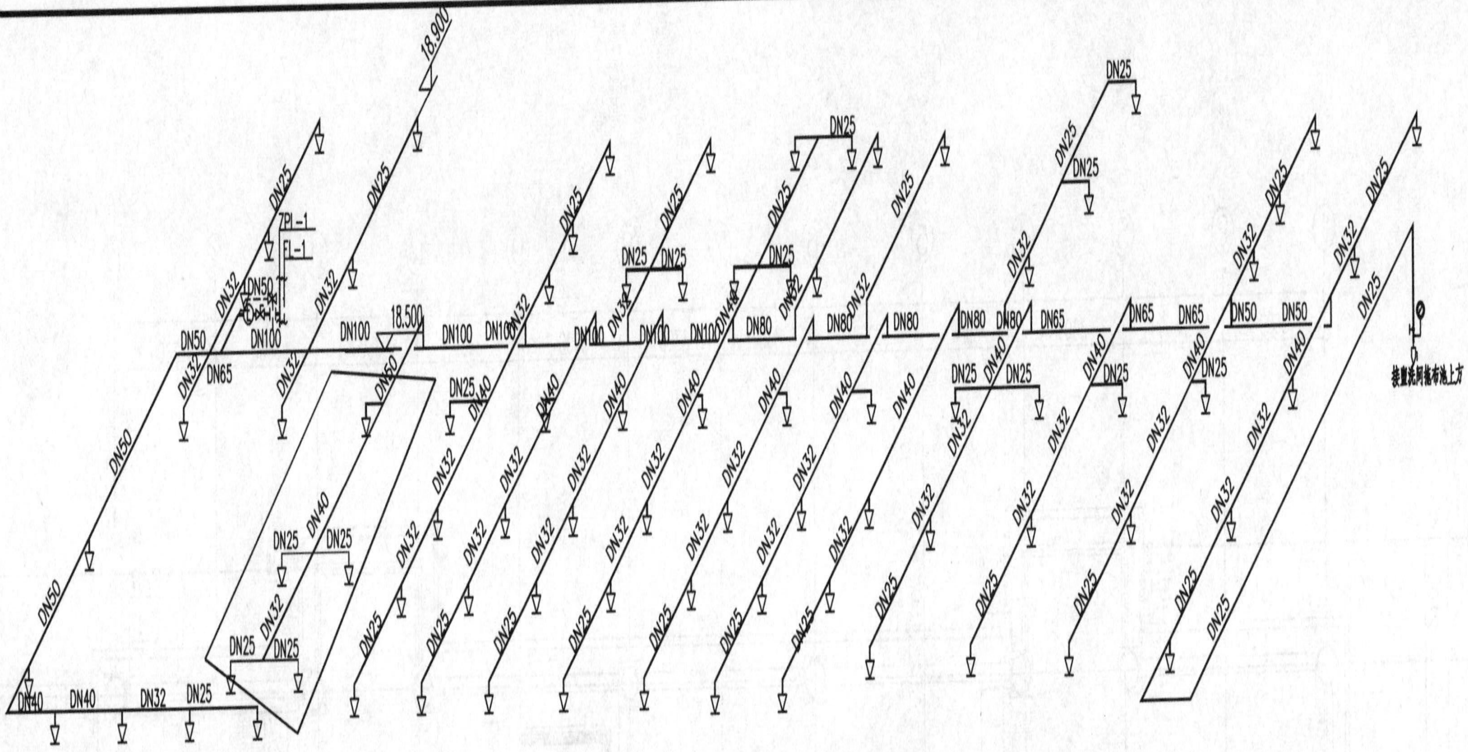

五层自喷系统图

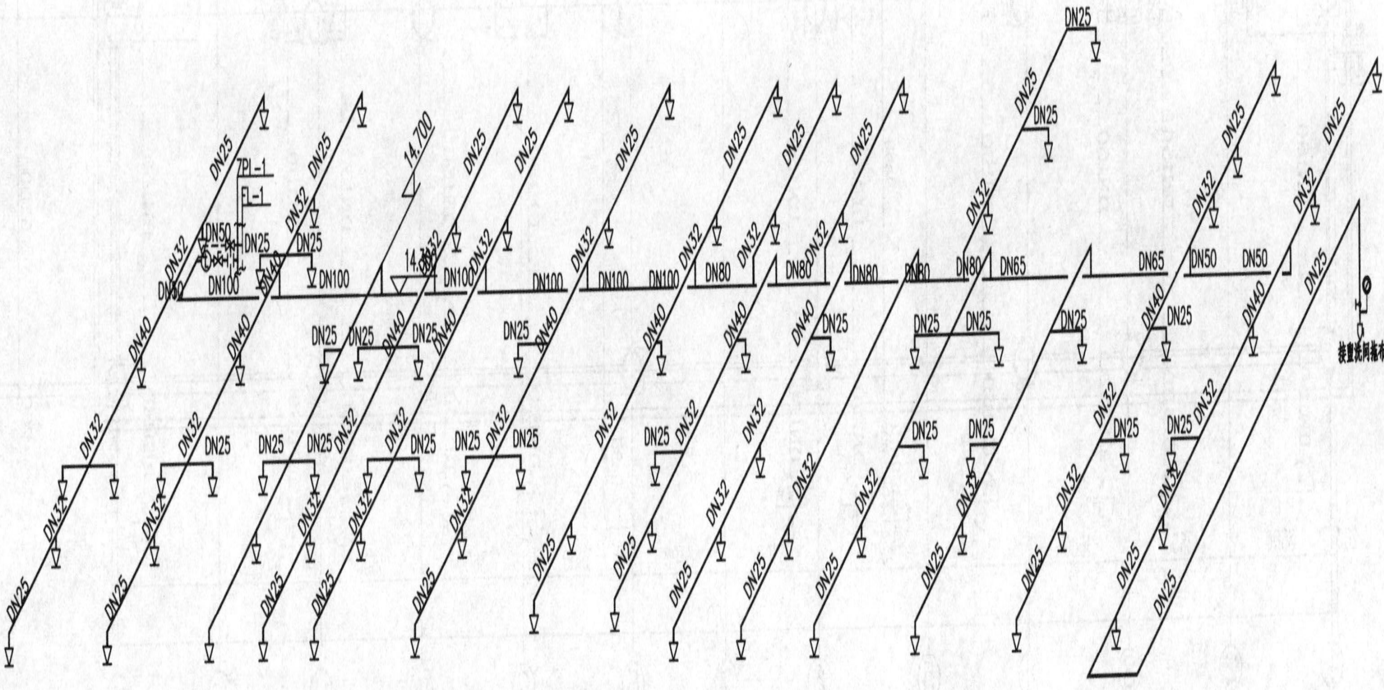

四层自喷系统图

×××市建筑设计研究院	审 定			校 对			建设单位	××县妇幼保健医院	图纸名称	四、五层自喷系统图	工程编号	201710306	阶 段	施工图
	审 核			设计负责人			项目名称	××县妇幼保健医院业务楼			图 号	水施-13	日 期	2017.10
	项目负责人			设 计 人									比 例	1:100

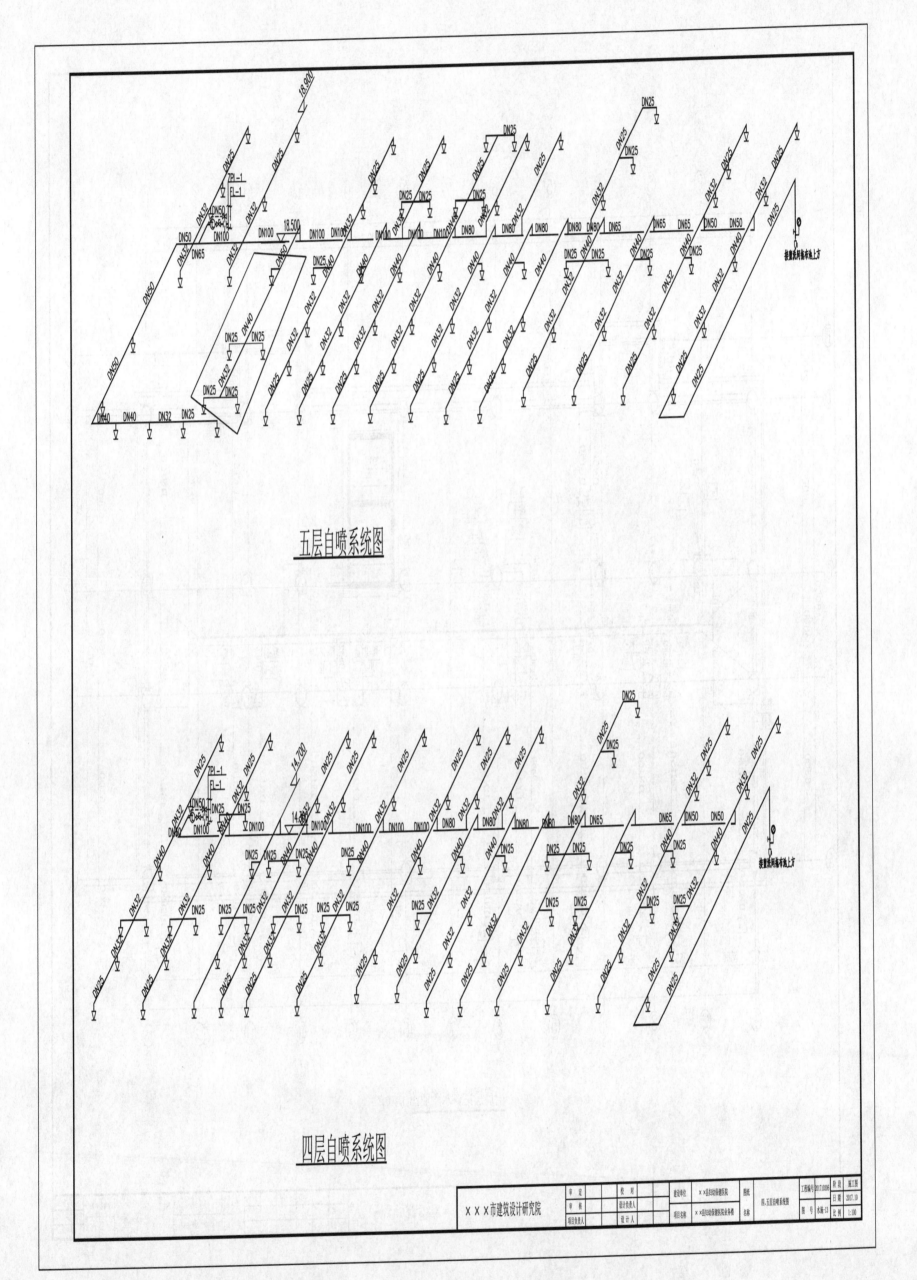

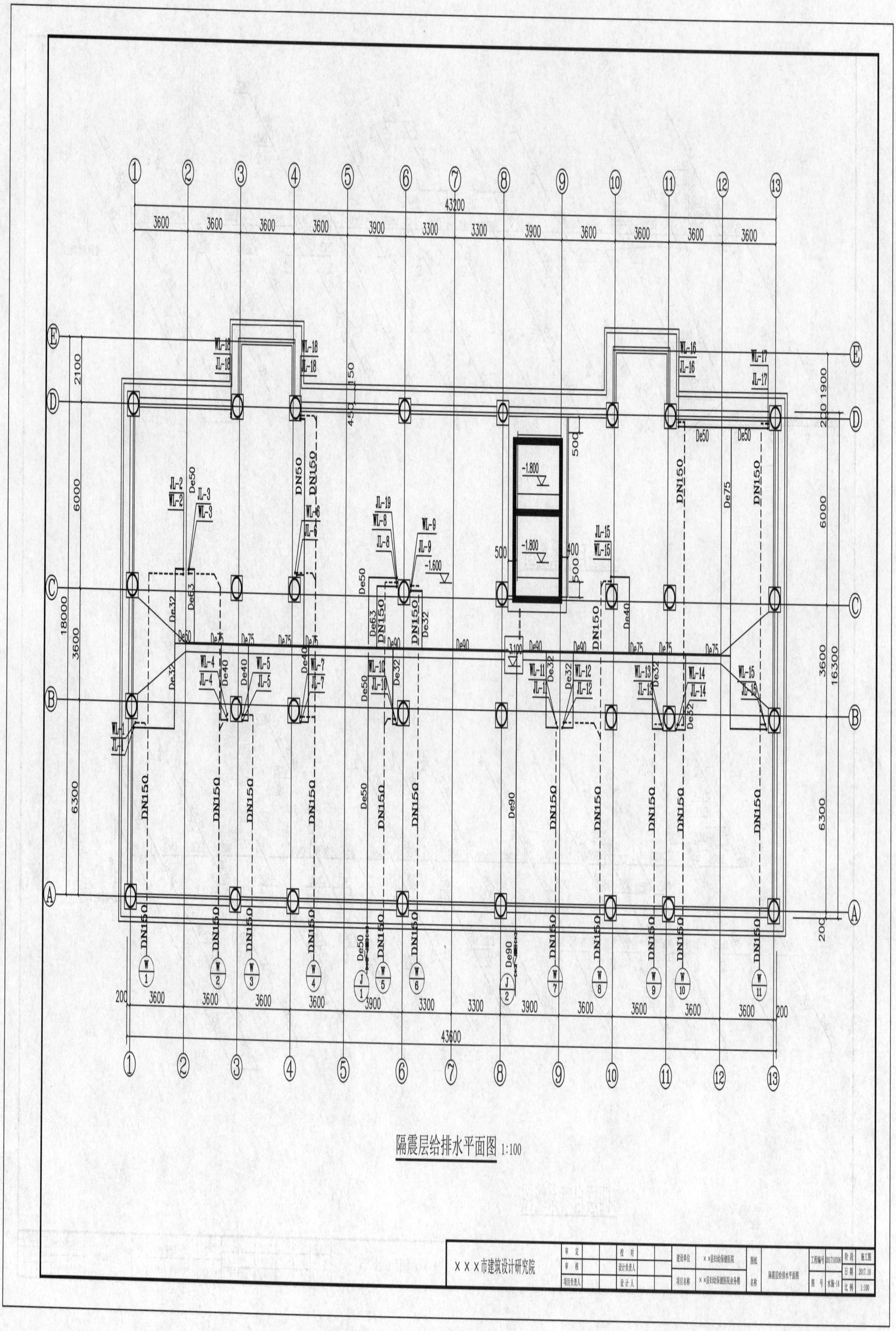
43200
3600
3900
3300
6000
2100
18000
16300
6300
1900
DN150
DN50
De50
De75
De90
De32
De40
De63
-1.800
-1.600
43600
隔震层给排水平面图 1:100
×××市建筑设计研究院

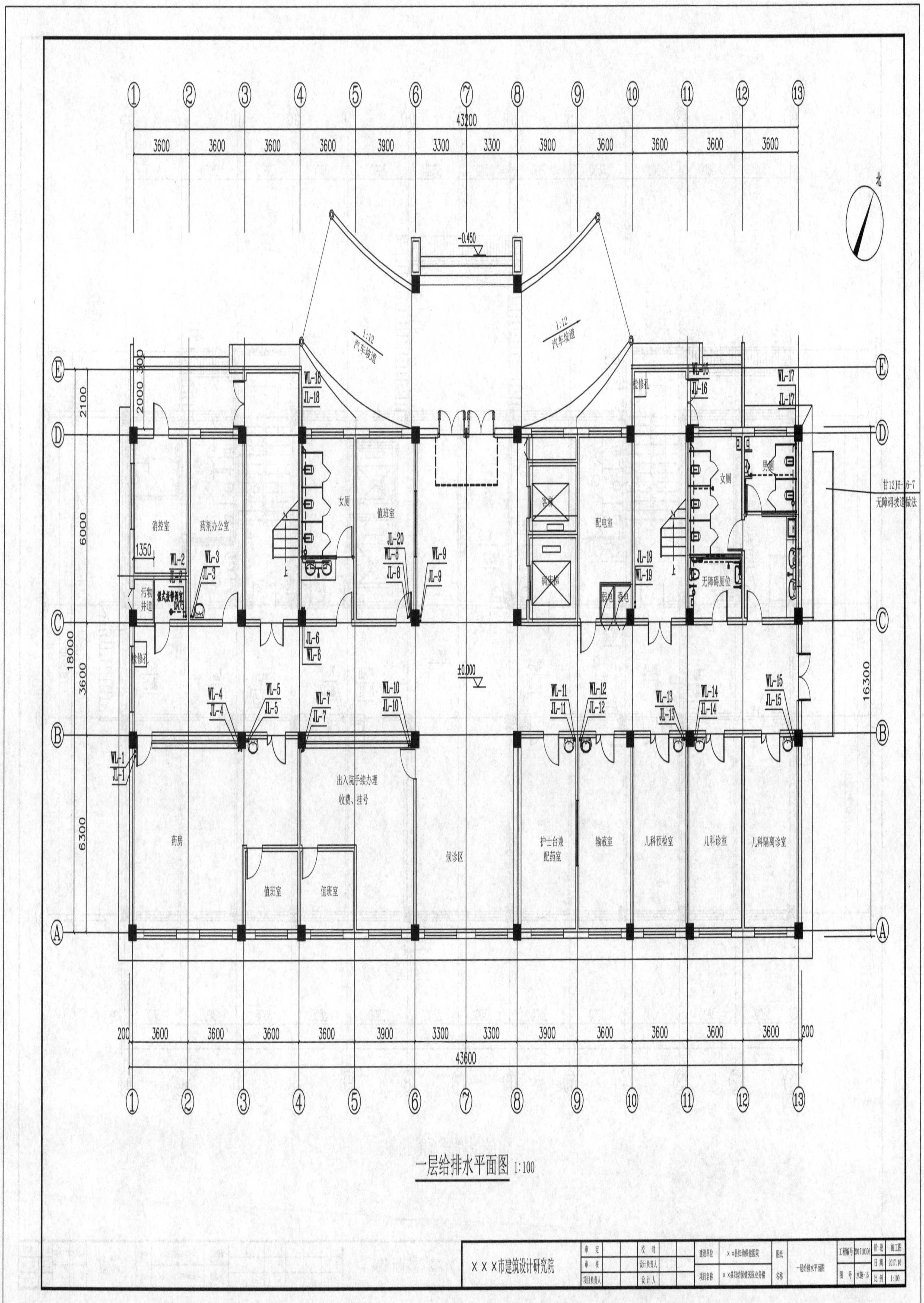

一层给排水平面图 1:100

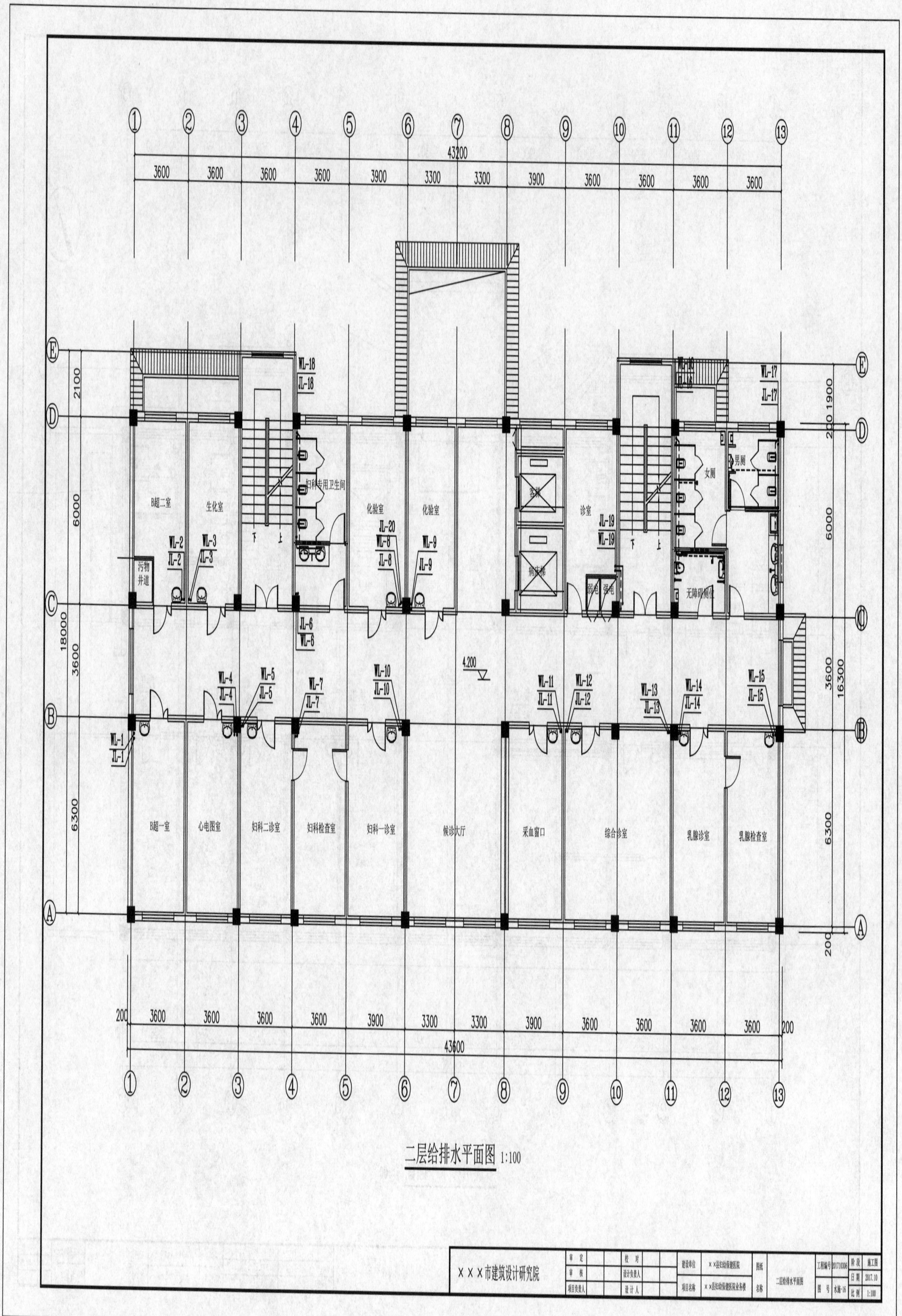
二层给排水平面图 1:100
×××市建筑设计研究院

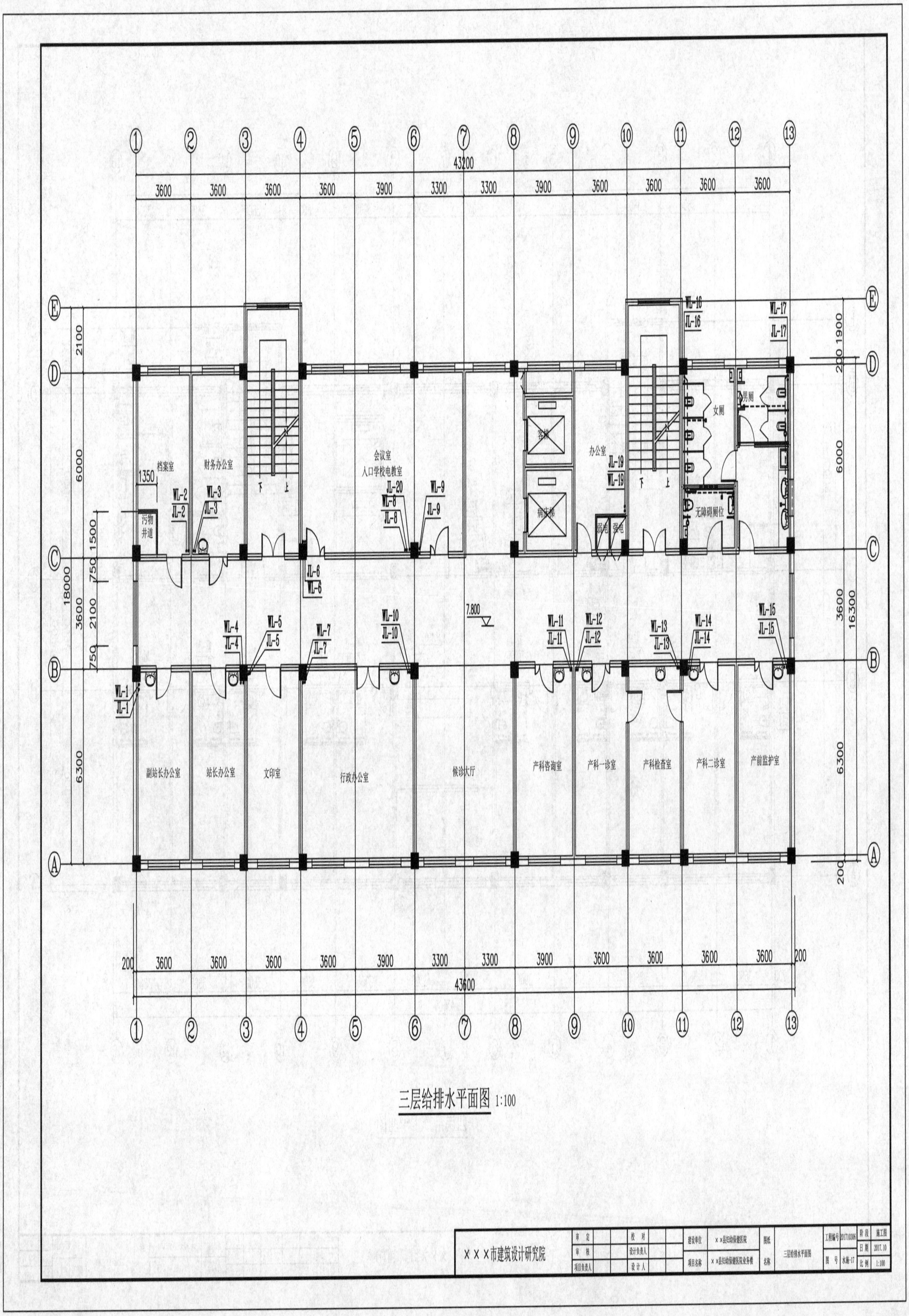
档案室
财务办公室
会议室
人口学校电教室
办公室
女厕
男厕
无障碍厕位
污物井道
副站长办公室
站长办公室
文印室
行政办公室
候诊大厅
产科咨询室
产科一诊室
产科检查室
产科二诊室
产前监护室
43200
43600
18000
16300
7.800
三层给排水平面图 1:100
×××市建筑设计研究院

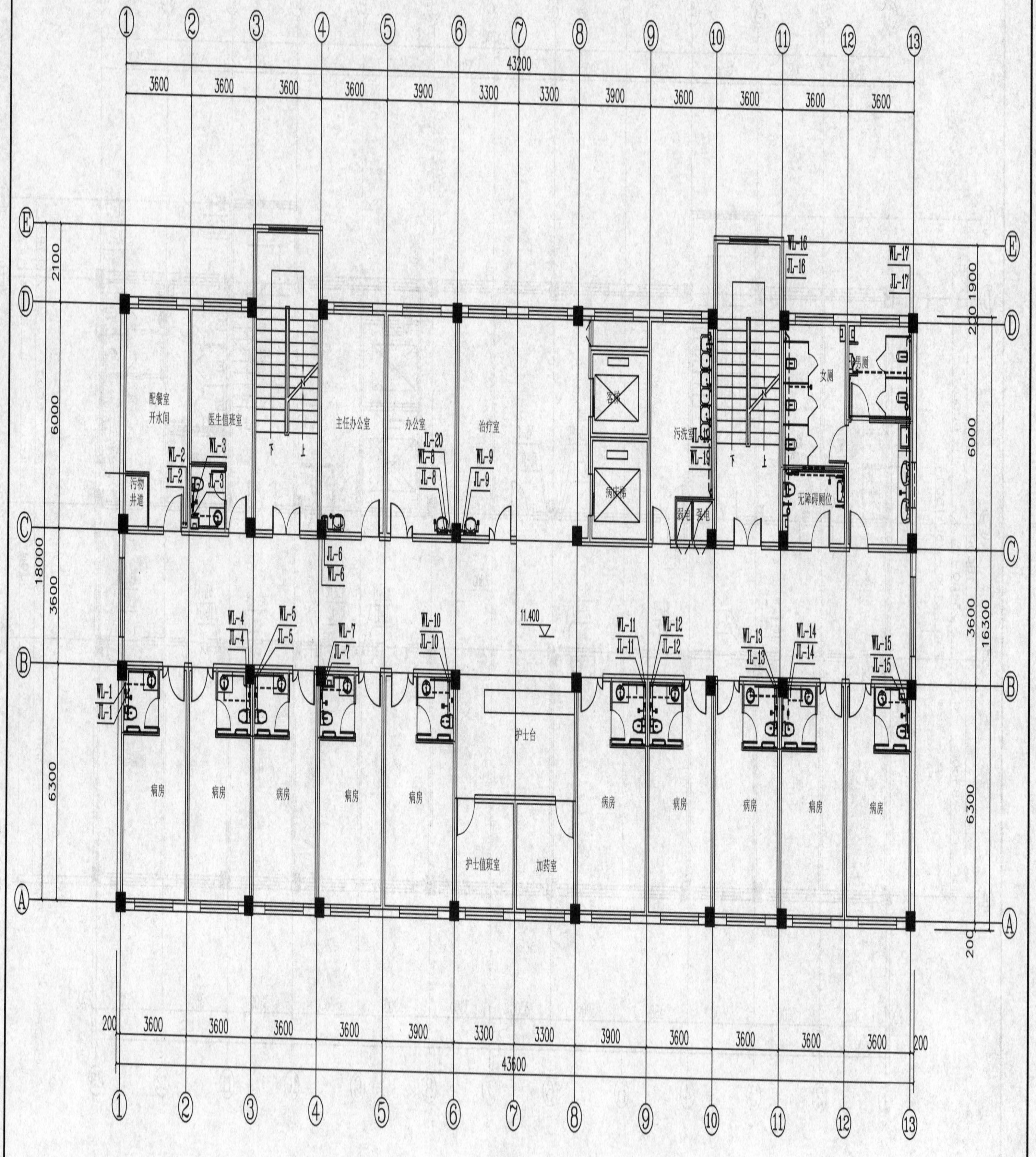

四层给排水平面图 1:100

×××市建筑设计研究院	审定		校对		建设单位	××县妇幼保健医院	图纸名称	四层给排水平面图	工程编号	阶段	施工图
	审核		设计负责人		项目名称	××县妇幼保健医院业务楼				日期	2017.10
	项目负责人		设计人						图号 水施-16	比例	1:100

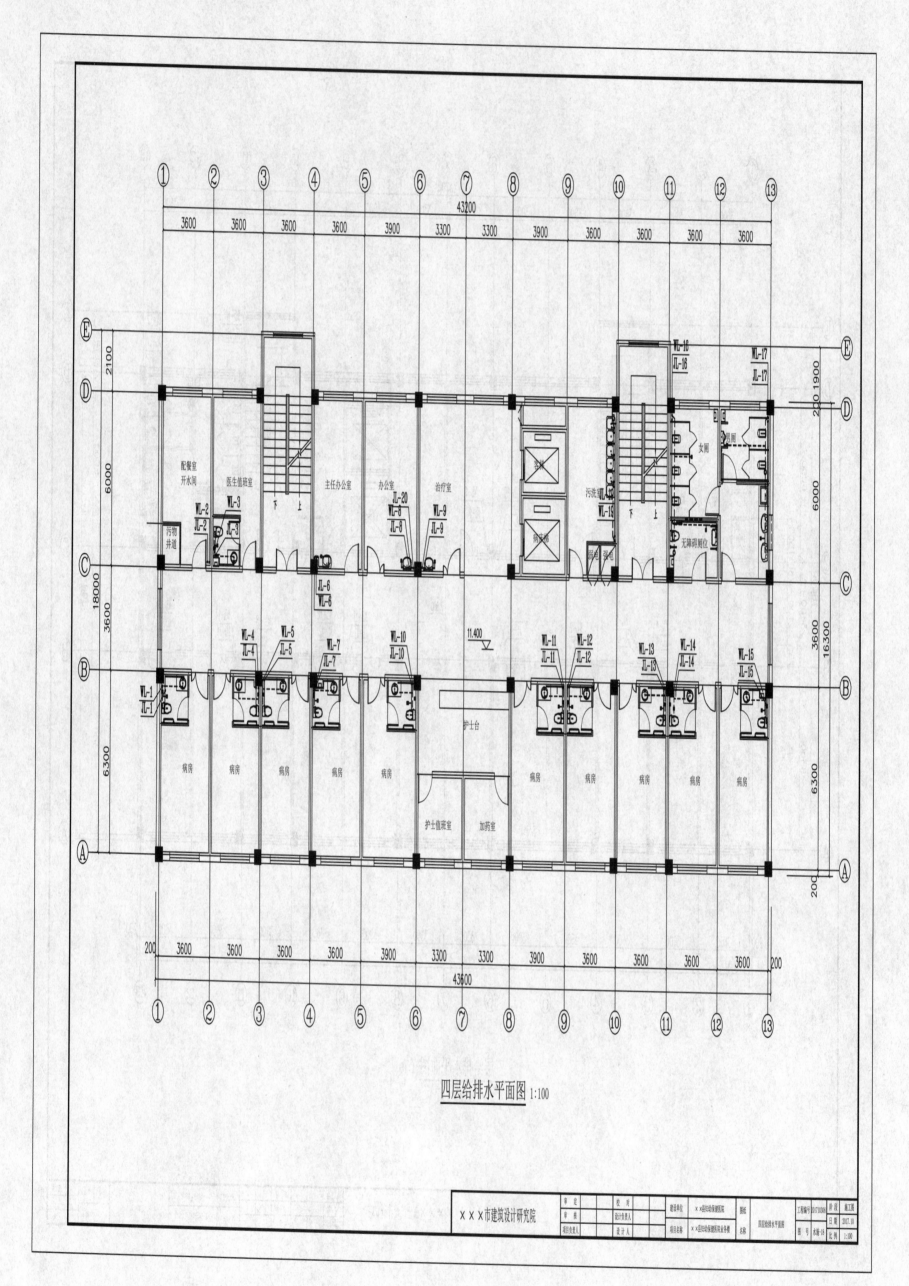

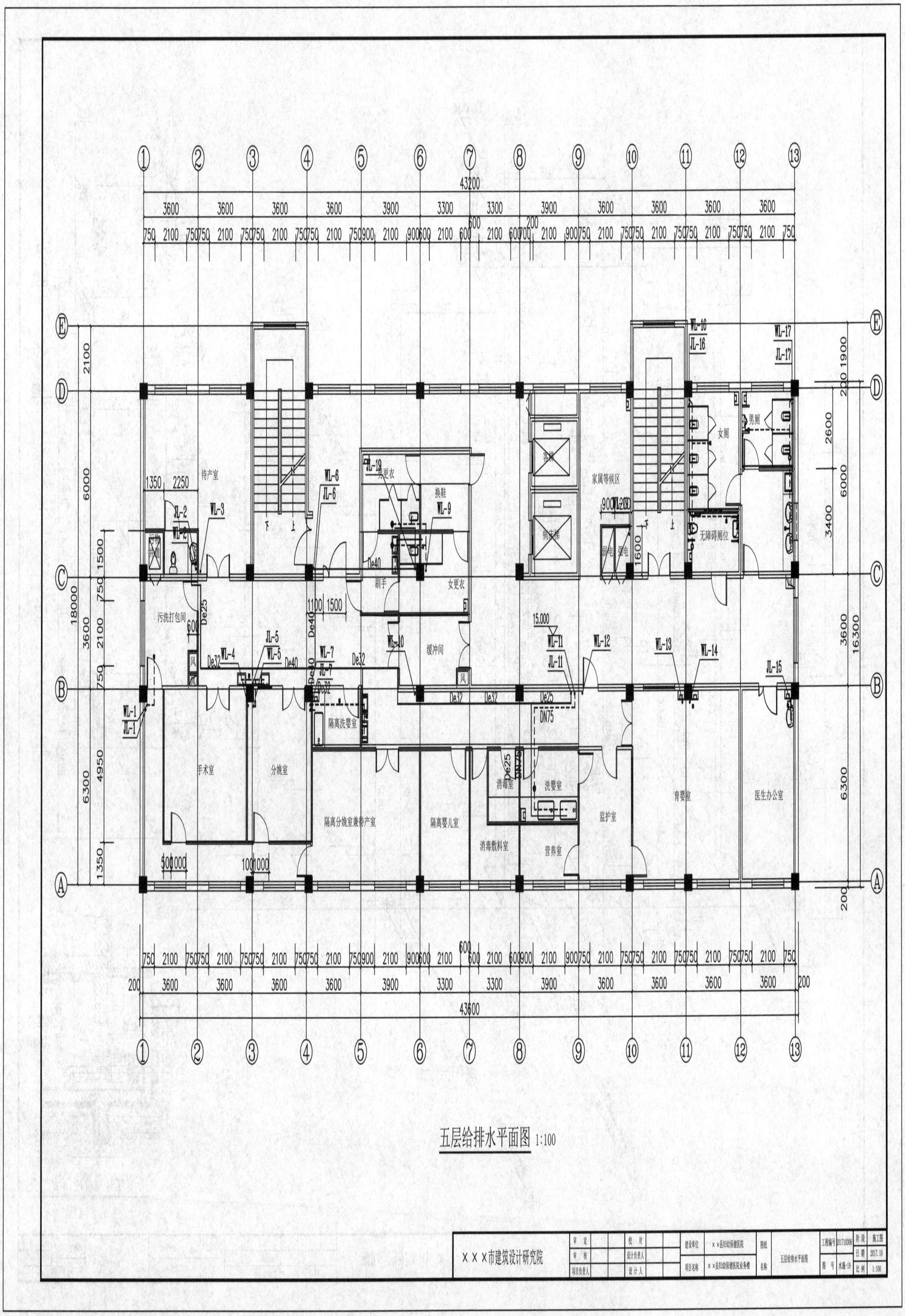

五层给排水平面图 1:100

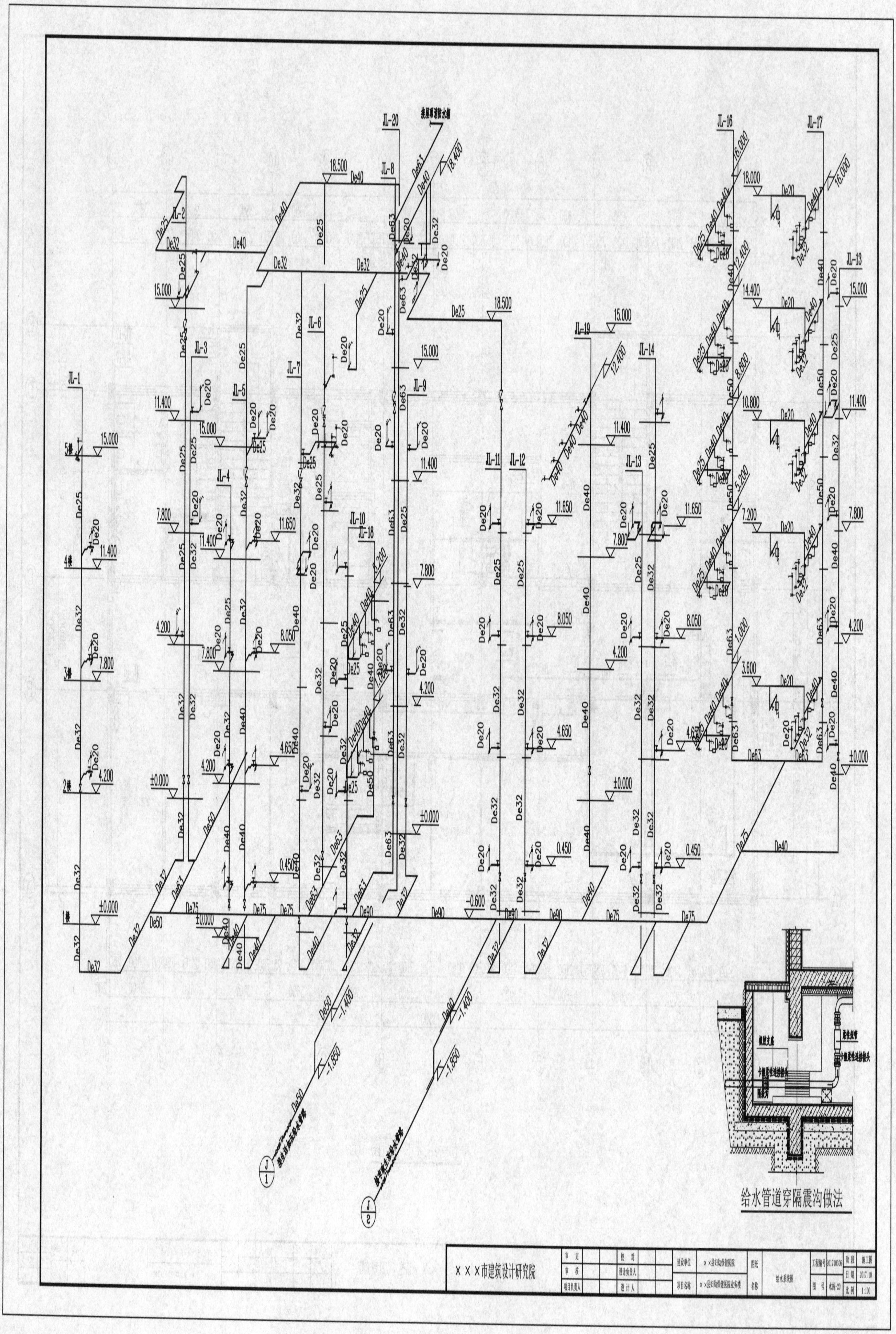
给水管道穿隔震沟做法
×××市建筑设计研究院

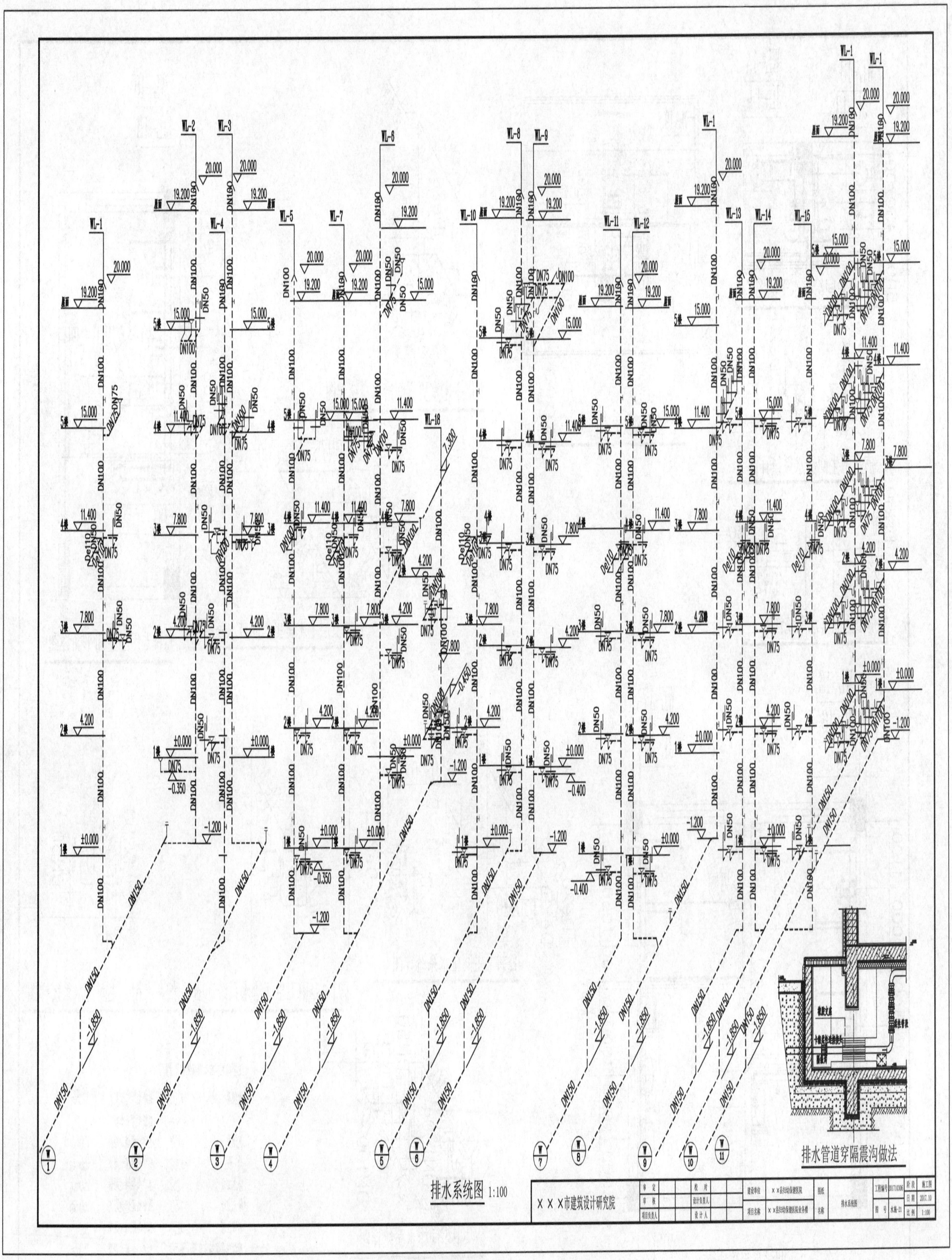
排水管道穿隔震沟做法
排水系统图 1:100
×××市建筑设计研究院

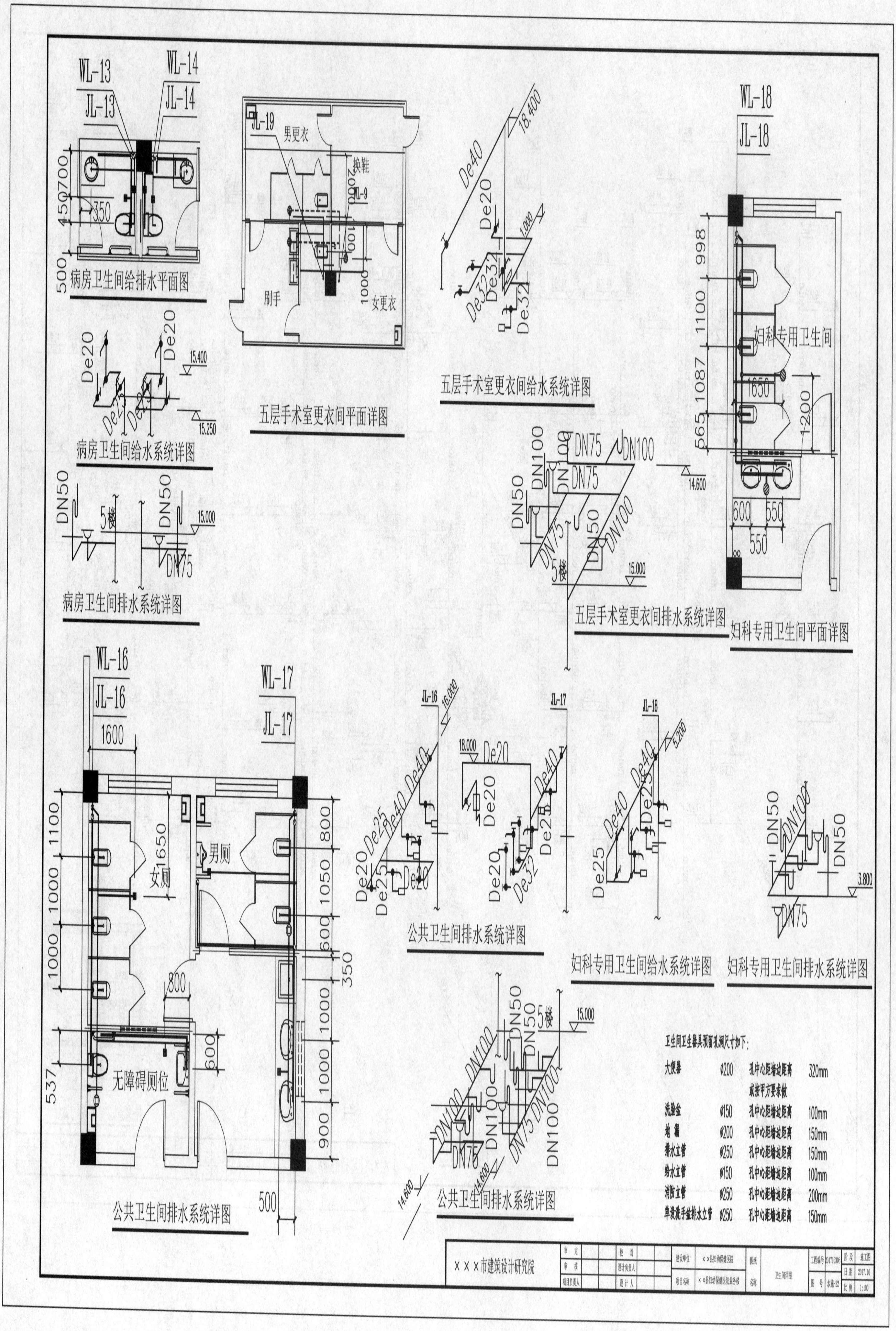
WL-13
JL-13
WL-14
JL-14
病房卫生间给排水平面图
JL-19
男更衣
换鞋
女更衣
刷手
五层手术室更衣间平面详图
De40
De20
18.400
五层手术室更衣间给水系统详图
WL-18
JL-18
妇科专用卫生间
妇科专用卫生间平面详图
病房卫生间给水系统详图
15.400
15.250
病房卫生间排水系统详图
5楼
15.000
DN50
DN75
DN100
14.600
五层手术室更衣间排水系统详图
WL-16
JL-16
WL-17
JL-17
女厕
男厕
无障碍厕位
公共卫生间排水系统详图
JL-16
JL-17
JL-18
16.000
18.000
5.200
3.800
公共卫生间排水系统详图
妇科专用卫生间给水系统详图
妇科专用卫生间排水系统详图
公共卫生间排水系统详图
卫生间卫生器具预留孔洞尺寸如下：
大便器 ø200 孔中心距墙边距离 320mm
或按甲方要求做
洗脸盆 ø150 孔中心距墙边距离 100mm
地 漏 ø200 孔中心距墙边距离 150mm
排水立管 ø250 孔中心距墙边距离 150mm
给水立管 ø150 孔中心距墙边距离 100mm
消防立管 ø250 孔中心距墙边距离 200mm
单设洗手盆排水立管 ø250 孔中心距墙边距离 150mm
×××市建筑设计研究院
审 定
审 核
项目负责人
校 对
设计负责人
设 计 人
建设单位 ××县妇幼保健医院
项目名称 ××县妇幼保健医院业务楼
图纸名称 卫生间详图
工程编号 201710306
图 号 水施-22
阶 段 施工图
日 期 2017.10
比 例 1:100

采暖通风设计说明

1、设计依据:

1)《综合医院建筑设计规范》GB 51039—2014
2)《民用建筑供暖通风与空气调节设计规范》GB 50736—2012
3)《建筑设计防火规范》 GB 50016—2014
4)《辐射供暖供冷技术规程》JGJ142—2012
5)《公共建筑节能设计标准》GB 50189—2015
6)《综合医院建设标准》建标110—2008
7)《建筑工程设计文件编制深度规定》2008版
8)《供热计量技术规程》(JGJ173—2009)
9)《民用建筑集中采暖供热计量技术规》(DB62/T25—3044—2009
10)《建筑机电工程抗震设计规范》GB 50981—2014
11)《中医院建设标准》 建标106—2008
12)《办公建筑设计规范》(JGJ 67—2006)
13)《绿色建筑评价标准》GB/T 50378—2014

2、工程概况

1. 建设项目名称××市××县妇幼保健院业务楼
2. 本工程地下为隔震层兼做管道层，地上五层，局部六层，属多层医疗建筑。建筑物总长43.60m，宽16.30m，高19.65m，建筑面积4165.52m²，1至3层为诊室，4层为病房区，5层为产科手术室，局部出屋面部分设计了电梯机房、出屋面楼梯间、水箱间。

3、设计参数：（参考XX市）

室外设计计算温度

冬季	室内温度	夏季	室内温度
供暖室外计算温度	−11.3 ℃	通风室外计算温度	23.3 ℃
通风室外计算温度	−7 ℃	空调室外计算温度	27.7 ℃
空调室外计算温度	−15.2 ℃		

室内采暖设计计算温度

房间名称	室内温度	房间名称	室内温度
诊室、检查室	20 ℃	医生办公室、护士室，药房	18 ℃
病房、病人厕所	18 ℃	收费、挂号室	20 ℃
手术室	22 ~26 ℃	门厅、走道、楼梯间	18 ℃

采暖热源：本工程采暖热源为中医院自备热水锅炉房提供80/55℃热水，经中医院换热站换热可提供的50/40℃低温热水。
50/40℃低温热水系统定压及补水由换热站解决，经室外热网供给本单体。
本低温热水地板辐射采暖系统定压压力0.45MPa.

4、采暖设计:

4.1热工性能参数:

本工程外墙保温材料为硅酸盐泡沫保温板，燃烧性能等级为A级.

1.本工程属甲类公共建筑，气候分区为寒冷地区，建筑物体形系数为0.227.
建筑物窗墙比：南0.327　北0.284　东0.066　西0.077
2.屋面采用70厚岩棉板保温层（燃烧性能等级为A级），传热系数 K=0.38W/（m.k）.（≤0.45）
3.外墙采用300厚烧结空心砖，外贴50厚硅酸盐泡沫保温层，传热系数 K= 0.48W/（m.k）.（≤0.50）
200厚外墙采用烧结空心砖，外贴80厚硅酸盐泡沫保温层
4.地下管道层顶板下贴65厚岩棉板保温层，传热系数 K=0.45W/（m.k）.（≤1.00）
5.外围窗采用断桥铝合金中空玻璃（6+12A+6）窗，传热系数 K=2.40W/（m.k）.（≤2.40）
外窗气密性等级不低于《建筑外门窗气密、水密、抗风压性能分级及检测方法》GB/T7106−2008规定的6级水平，外门气密性等级不低于4级水平.
6.合理控制窗墙比，楼梯间为封闭采暖楼梯间，采用节能灯具.

4.2采暖热负荷及指标：采暖热负荷共计270kW，阻力损失30kPa，单位热指标为65W/m²

4.3采暖系统形式:
采用50/40℃低温热水地板辐射采暖系统，采用共用立管及管下供下回同程式系统

4.4采暖导入口装置阀件内容按甘2N1第19页执行地暖系统供暖入口热量表SONOCAL2000型超声波热量表，
额定流量：15.0m³/h，热量表准确度2级、热表带有储存及远传功能

4.5 楼内采暖系统干管及共用立管DN≤80采用内外热镀锌钢管，螺纹连接，DN>80无缝钢管，焊接连接；分、集水器至共用立管之间明设的管道采用新型100%阻氧铝合金衬PB管，暗设在垫层内的管道采用PB管，PB管使用条件等级为四级，管系列S5，（工作温度55~45℃）使用工作压力为1.0Mpa，使用寿命50年。室内加热盘管选用PE-RT聚乙烯管，按照设计尺寸铺设，一个分支环路一根管材，地下部分不能有接头。管道敷设间距及管径见图注，管道管径d20，壁厚2.3mm PE-RT管使用条件等级均为四级，管系列S4工作压力为0.8MPa，使用年限不小于50年。直管段每隔700mm设一固定管卡，弯曲部位管卡加倍。

4.6 地面应在沿墙，过门的地方及当地板采暖面积超过30m²或边长大于6m时，应设膨胀缝，PE-RT管穿膨胀缝及墙体以及集，分水器与PE-RT管联接处，均应设柔性套管。加热管进出地面的管段应采用大2号的PVC管做硬质套管保护管，地板隔热层采用30mm厚聚苯板（一层为40mm厚），密度在20kg/m³以上。

4.7 本设计按照地面面层为瓷砖类进行散热计算，地面温度为26°C，用户在装修及使用过程中严禁在楼板上打洞或剧烈敲击，不许破坏埋设管道。

4.8 楼梯间、水箱间采用LXGZ1G-600（1.0MPa）型，标准散热量148.6W/片 t=47.5°c，明装。
病房卫生间采用WYA46/80型（$B \times H$=460mm×800mm，钢制散热器，每组散热器散热量为：明装距地1.0m

4.9、地板辐射管道施工注意事项:

a. 地板绝热层铺设前必须对楼板基面进行平整处理；加热盘管整管敷设，地下不允许有接头。

b. 地板采暖管在穿墙处需加套管进行保护。为防止地面局部过热，盘管间距小于100mm时，加热盘管外部设置柔性套管连接分集水器出地面处及局部管道密集处设1.0mm×50mm×50mm的防裂钢丝网，其余部位设1.0mm×150mm×150mm的防裂钢丝网，加热盘管出地面接分、集水器的明装管段，钢丝网，加热盘管出地面接分、集水器的明装管段，外部加装塑料套管。

c. 填充层混凝土采用豆石混凝土，标号20，厚度50mm，豆石粒径不宜大于12mm，地板供暖面积超过30m²或长边超过6m时，需设置间距不大于6m且宽度不小于8mm的伸缩缝。加热管穿伸缩缝设D25的聚氯乙烯软套管，长度不小于100mm。

d. 分、集水器及加热盘管安装完毕后进行试压，试验压力为0.8MPa，以一小时内压降不超过0.05MPa为合格。试压后立即填充豆石混凝土，采用人工捣固，填充时管道内水压必须保持不低于0.6MPa试压合格后对系统进行冲洗，冲洗直至排除出水不含泥沙、铁屑等杂质，且水色不浑浊为合格，系统冲洗完毕应冲水、加热，进行运行和调试。

e. 施工时参照标准图《地面辐射供暖系统施工安装》2K404图集）

4.10 楼内采暖系统安装完毕后必须做水压试验，楼内系统试验压力：0.8MPa试压合格后对采暖系统进行冲洗并清扫过滤器及除污器，冲洗直至排除出水不含泥沙、铁屑等杂质，且水色不浑浊为合格，清洗完毕方可进行管道保温。

4.11 楼内采暖系统热力入口设在入户检查井内，包括回水水平干管分支处装设MSV-F2静态水力平衡阀、压力表及温度计，户内每组分水器前设RA-G远程温控阀（配套TW型热电驱动器），闸阀采用Z15T-16型，截止阀采用J11T-16型。

4.12 采暖系统立，支，干管的连接以及滑动支架和固定支架在墙上的安装详见甘N4 采暖管道穿墙、楼板或剪力墙预埋钢套管。钢套管比管道管径大两号。

4.13 楼内采暖系统坡度 i=0.005，坡向见图中所示。

4.14 设在管道井、不采暖房间及室外的采暖管道采用硬质聚氨酯成品保温，接头处用岩棉管二次保温，外缠玻璃丝布两层，刷调和漆两道，做法详见甘12N3/34，厚度见下表：

公称管径/mm	保温层厚度/mm	公称管径/mm	保温层厚度/mm
fDN50	40	DN70~200	50

4.15 供暖管道的布置与敷设应符合下列规定:

1. 管道不应穿过抗震缝。当必须穿越时，应在抗震缝两边各装一个柔性管接头或在通过抗震缝处安装门形弯头或设伸缩节；
2. 管道穿过内墙或楼板时，应设置套管，套管与管道间的缝隙应填充柔性耐火材料；
3. 管道穿过建筑物的外墙或基础时，应符合下列规定：
  1) 管道穿越建筑物外墙时应设防水套管，管道穿越建筑物基础时应设套管。基础与管道之间应留有一定间隙，管道与套管间的缝隙内应填充柔性材料；
  2) 当穿越的管道与建筑物外墙或基础为嵌固时，应在穿越的管道上室外就近设置柔性连接。

5、通风及防排烟设计:

5.1 (1) 各卫生间设采用天花板型管道式换气扇小通风换气，10次/h，污浊气体经排气扇排入通风道。病房及办公房间采用自然对流通风。
一层配电室采用机械排风，配电室门百叶窗口自然补风。换气次数12次/h，换气量355 m²/h.
电梯机房设机械排风，排风量按换气次数10次/小时计算，换气1160 m³/h各层污物间设机械排风系统，排风量按5次/小时，采用天花板型管道式换气扇排风，自然补风.
(2) 手术室设带有初、中高效过滤的机械通风系统，手术室通风空调由专业公司二次设计来满足洁净净化要求，本设计不包含
(3) 防排烟设计
五层手术室内走道设机械排烟系统，排烟量按最大防烟分区120m³/m².h计算，对于五层手术室内洁净走道加面积最大一间手术室来确定排烟量，
排烟量按最大防烟分区120m³/m².h计算，采用机械补风，补风量不小于排烟量50%，
排烟风机选用消防高温排烟风机，排烟风机设于屋面。排烟口选用多叶排烟口，火灾时由消控中心控制或手动开启着火层着火区排烟口并联锁排烟风机开启，

5.2、风管材料采用镀锌薄钢板制作，厚度及加工详《通风与空调工程施工质量验收规范》GB50243-2002的规定执行。

5.3、送排风机进出口与风管连接处，设置00~300m的防火软接头，软接头的接口应牢固严密，在软接头处严禁变径。

5.4、所有水平或垂直的风管，必须设置支、吊、托架其构造形式由安装在保证牢固、可靠的原则下，根现场的情况选定见甘12N4/125~135页。
防排烟风道及相关设备采用抗震支吊架。

5.6、防火阀在安装前应对其外观、质量进行鉴定，并设置独立的支吊架，安装位置及气流方向要准确，安装见甘12N2/P81

5.7吊装通风设备均采用VH型弹簧吊架，详见甘12N2/137页。
防排烟风管及相关设备采用采用抗震支吊架。通风、空气调节风道的布置与敷设应符合下列规定:
1.风道穿过内墙或楼板时，应设置套管，套管与管道间的缝隙，应填充柔性耐火材料；
2.矩形截面面积大于等于0.38m²和圆形直径大于等于0.70m的风道可采用抗震支吊架，风道抗震支吊架的设置

5.8、通风及防排烟系统的防火措施

(1) 风管穿越防火分区隔墙或楼板处、风管接通风竖井前以及各通风机入口处均设置70℃的防火阀（通风系统）或280°C的排烟防火阀（排烟系统）.
(2) 所有排烟风机入口前均设置280℃熔断的排烟防火阀，该阀熔断后，能自动关闭的排烟防火阀，且与排烟风机联锁。火灾时，防火分区内所有与防排烟无关的通风系统停止运行。
(3) 平时各防烟分区的排烟口常闭，火灾发生时手动或自动开启本防烟分区内的排烟口。常闭型排烟口均设有手动和自动开启装置，并与排烟风机联锁，当系统内任一排烟口开启时，排烟风机即能启动。
(4) 排烟口按防烟分区布置，各防烟分区内排烟口距最远点的距离不超过30m。
(5) 风管采用不燃材料，保温采用不燃材料。

6.节能及环保

6.1 病房、办公用房内采用低温热水地板辐射采暖系统。
6.2 集水器内置带有阻力预调功能的控制阀芯，分水器前设RA-G远程温控阀，温控器设在每户客厅内。
6.3 通风机均选用高效率风机。通风设备均选用低噪音型，并设减震装置。

7.其他

采暖系统立，支，干管的连接以及滑动支架和固定支架在墙上的安装详见甘12N4。
未尽事宜按《建筑给水排水及采暖工程施工质量验收规范》有关规定严格执行。(GB50242-2002)《通风与空调工程施工质量验收规范》GB50243-2002

×××市建筑设计研究院	审定		校对		建设单位	××县妇幼保健医院	图纸名称	采暖通风设计说明	工程编号	201710306	阶段	施工图
	审核		设计负责人								日期	2017.10
	项目负责人		设计人		项目名称	××县妇幼保健医院业务楼			图号	暖施-1	比例	1:100

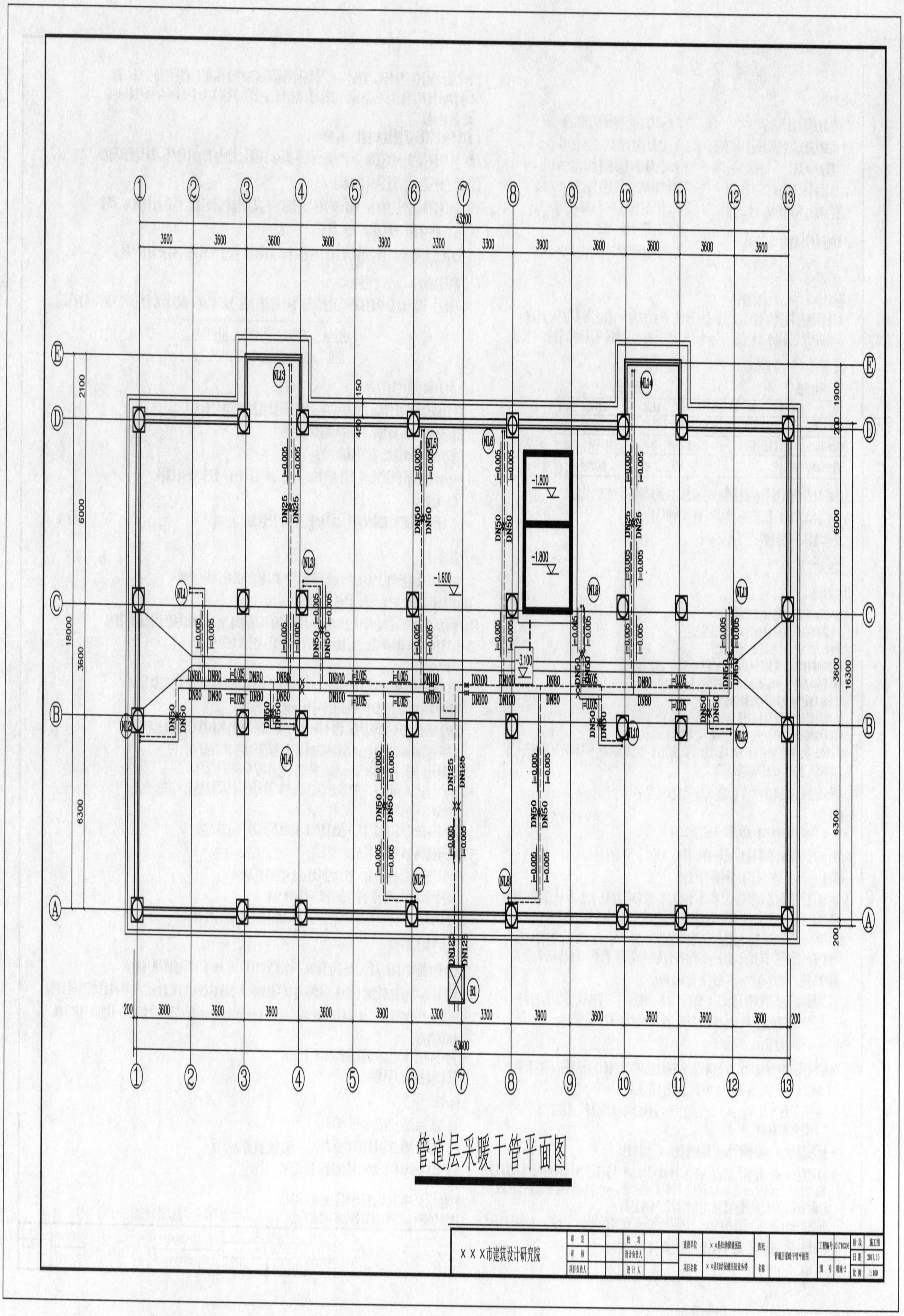
管道层采暖干管平面图
×××市建筑设计研究院

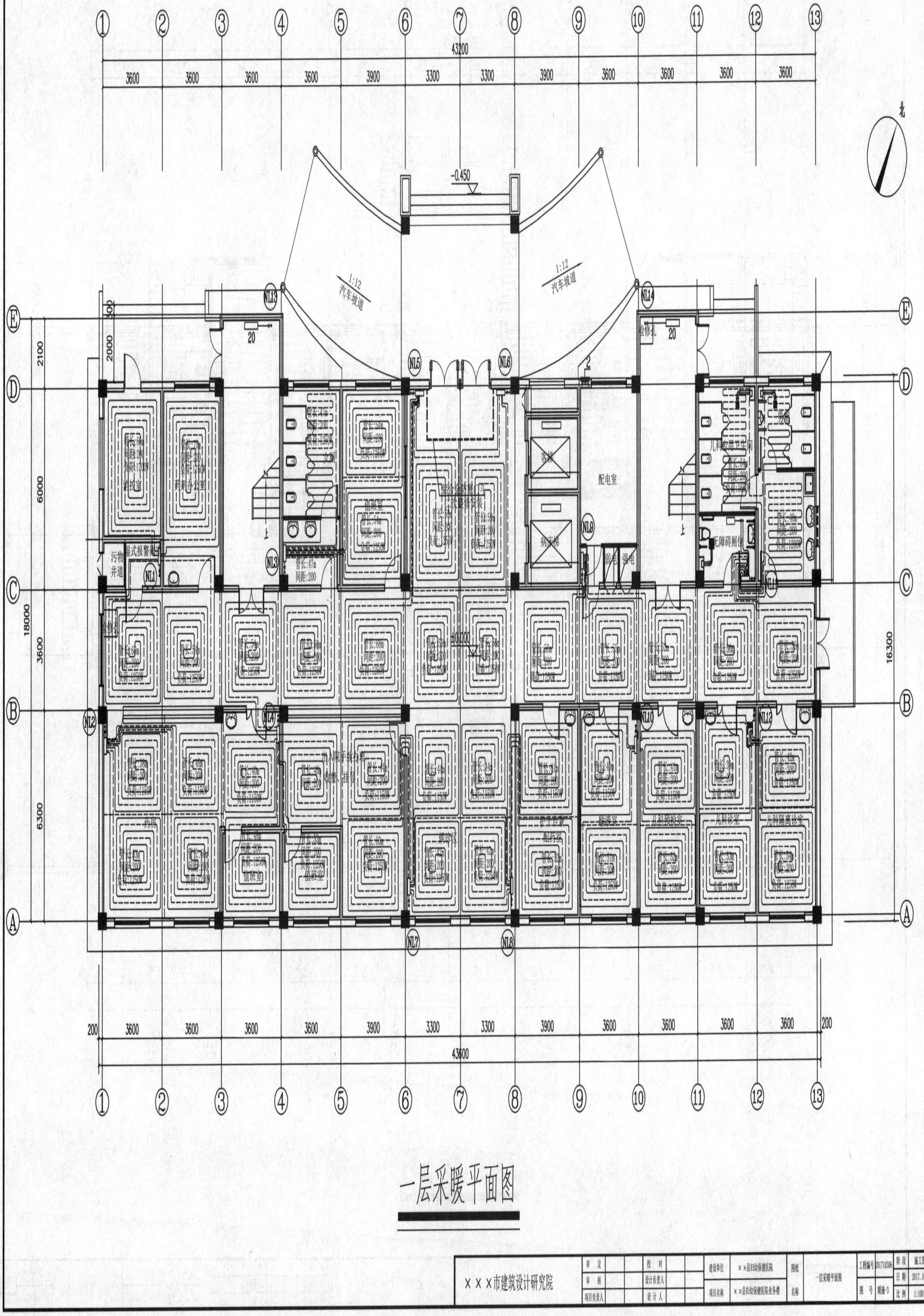

一层采暖平面图

×××市建筑设计研究院	审 定			校 对			建设单位	××县妇幼保健医院	图纸名称	一层采暖平面图	工程编号	201710306	阶 段	施工图
	审 核			设计负责人									日 期	2017.10
	项目负责人			设 计 人			项目名称	××县妇幼保健医院业务楼			图 号	暖施-3	比 例	1:100

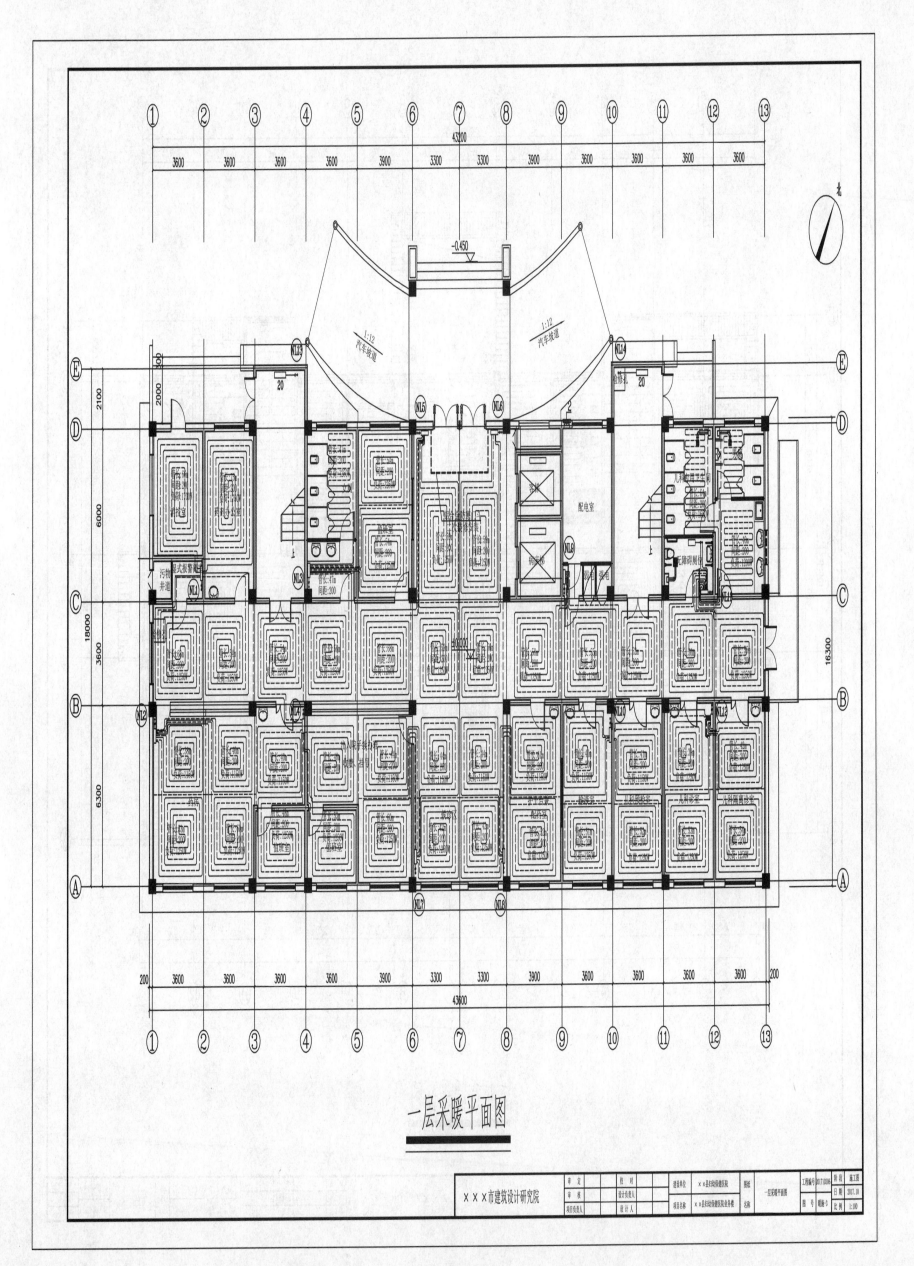

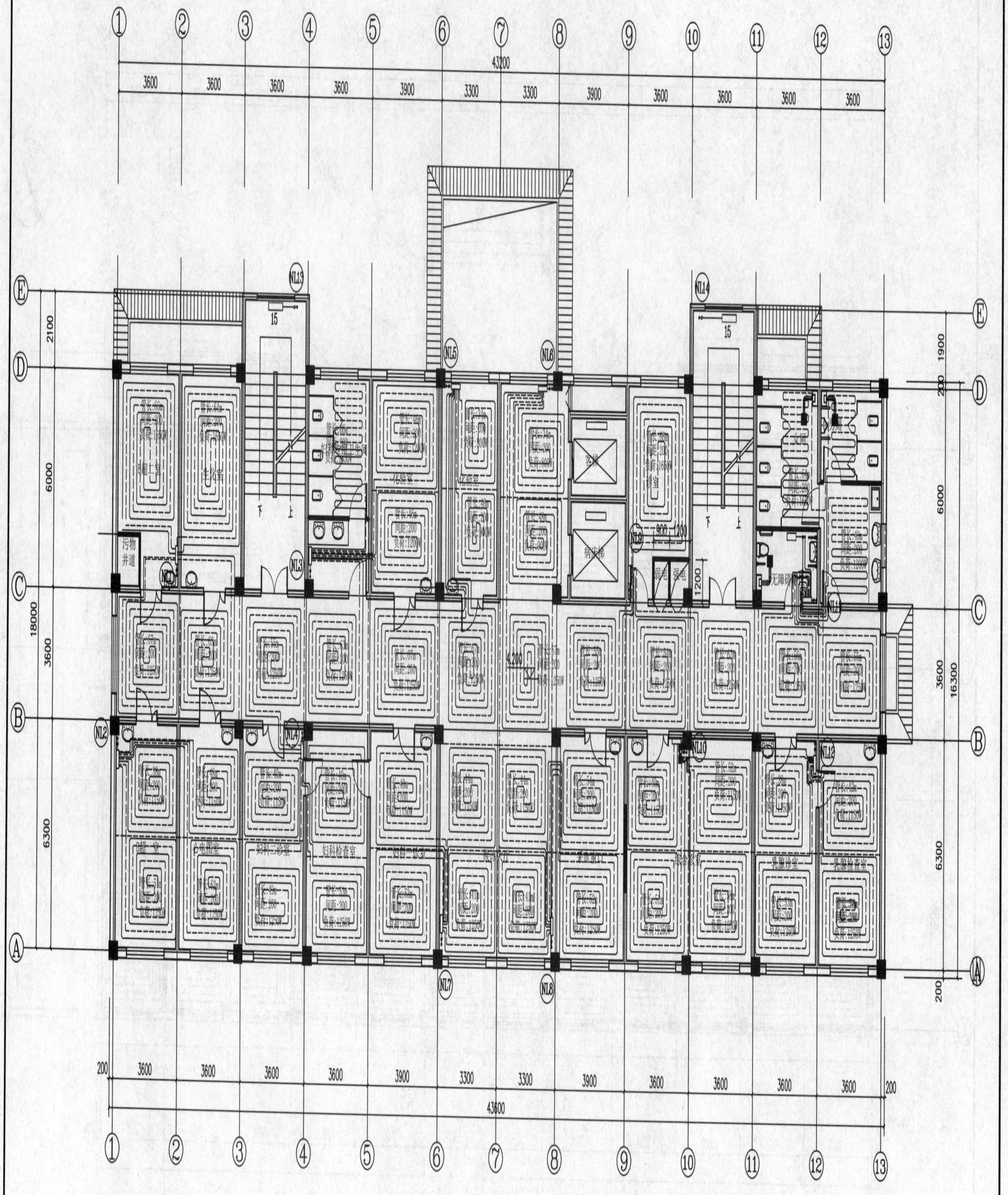

二层采暖平面图

×××市建筑设计研究院	审定		校对		建设单位	××县妇幼保健医院	图纸名称	二层采暖平面图	阶段	施工图
	审核		设计负责人		项目名称	××县妇幼保健院业务楼			日期	2017.10
	项目负责人		设计人						比例	1:100

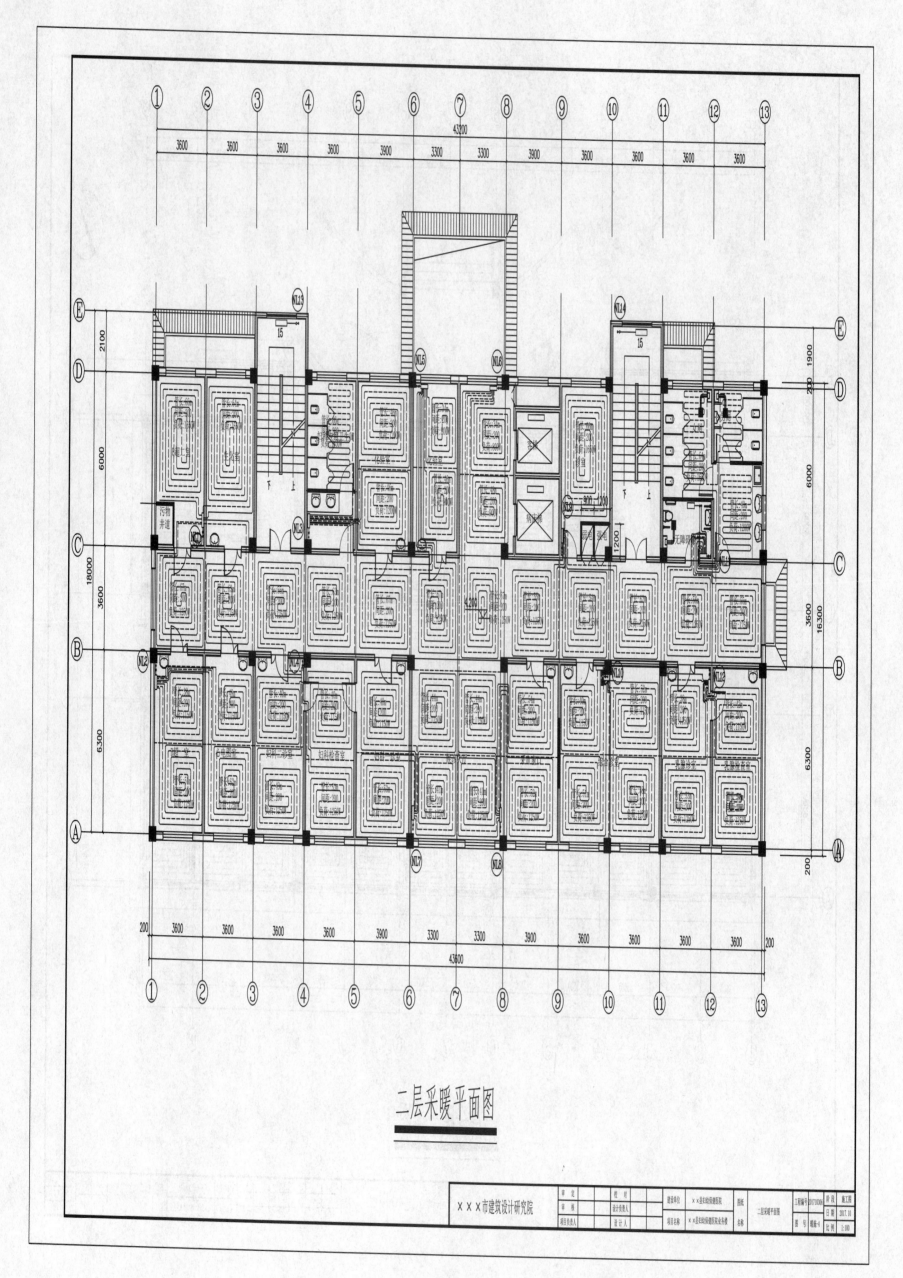

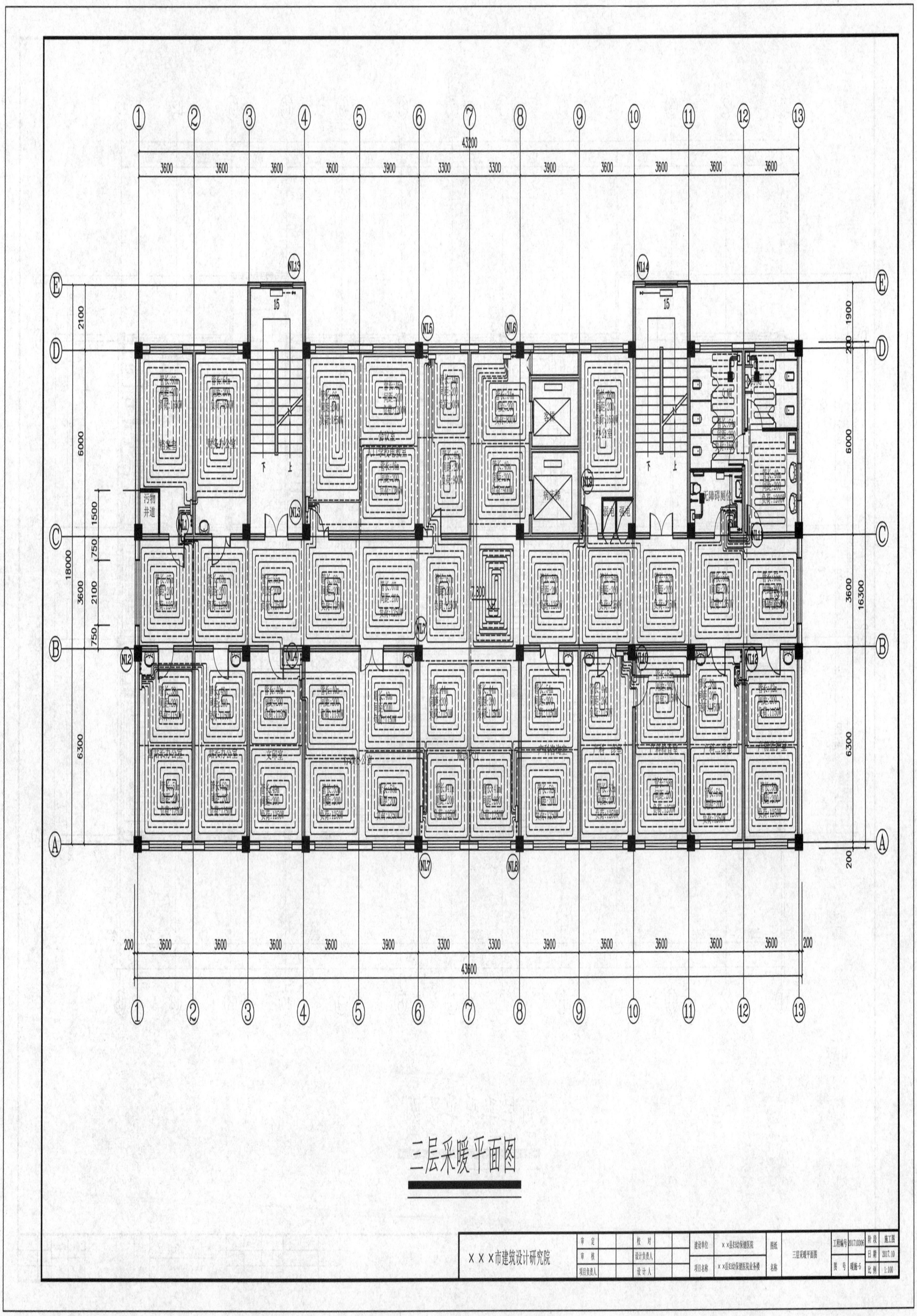
43200
3600
3900
3300
18000
16300
6300
6000
2100
1500
750
1900
200
43600
污物井道
三层采暖平面图
×××市建筑设计研究院
审定
审核
项目负责人
校对
设计负责人
设计人
建设单位
××县妇幼保健医院
项目名称
××县妇幼保健医院业务楼
图纸名称
三层采暖平面图
工程编号
201710306
图号
暖施-5
阶段
施工图
日期
2017.10
比例
1:100

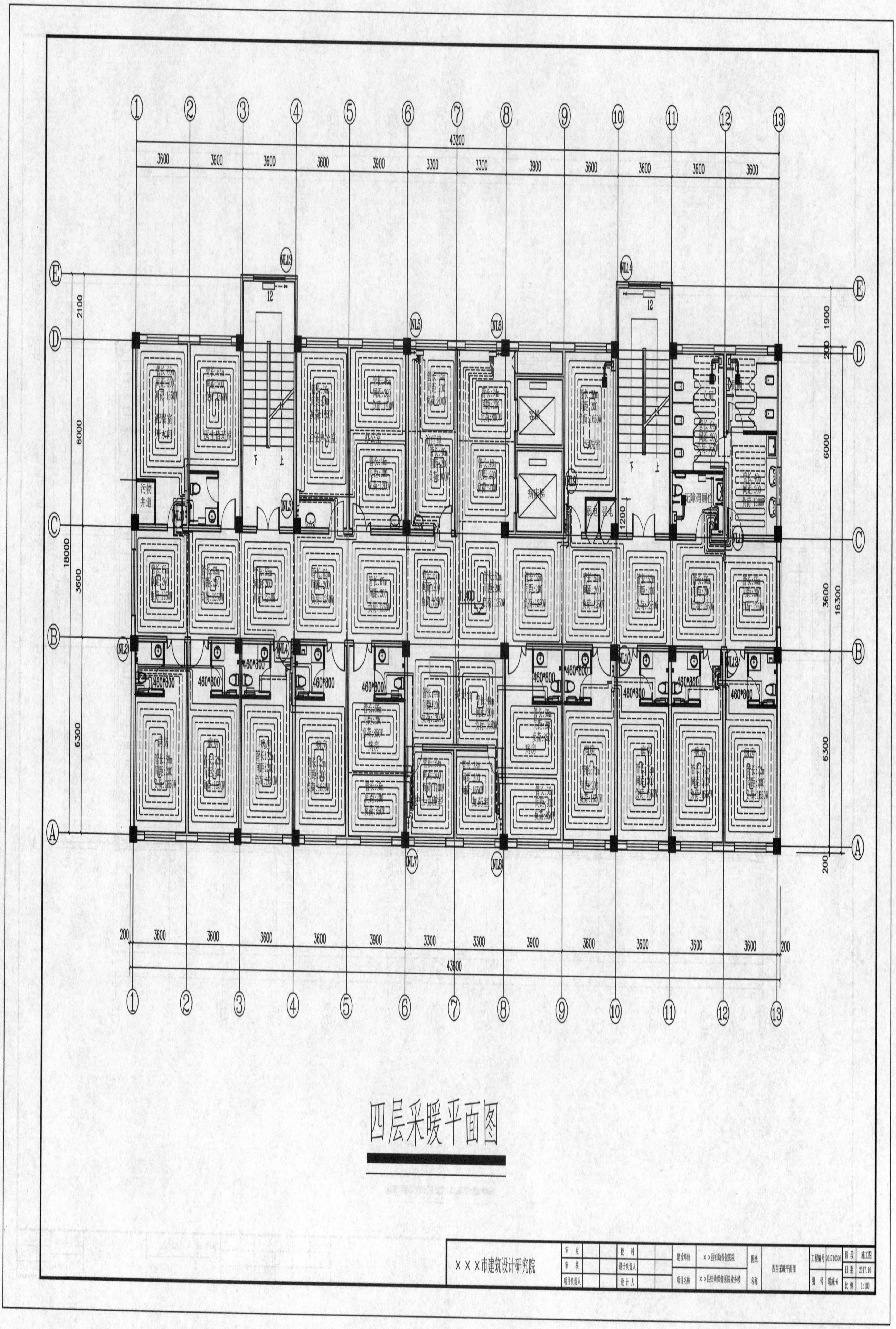
43200
3600 3600 3600 3600 3900 3300 3300 3900 3600 3600 3600 3600
43600
200 3600 3600 3600 3600 3900 3300 3300 3900 3600 3600 3600 3600 200
2100
6000
3600
6300
18000
1900
200
16300
污物井道
无障碍厕位
460*800
×××市建筑设计研究院

四层采暖平面图

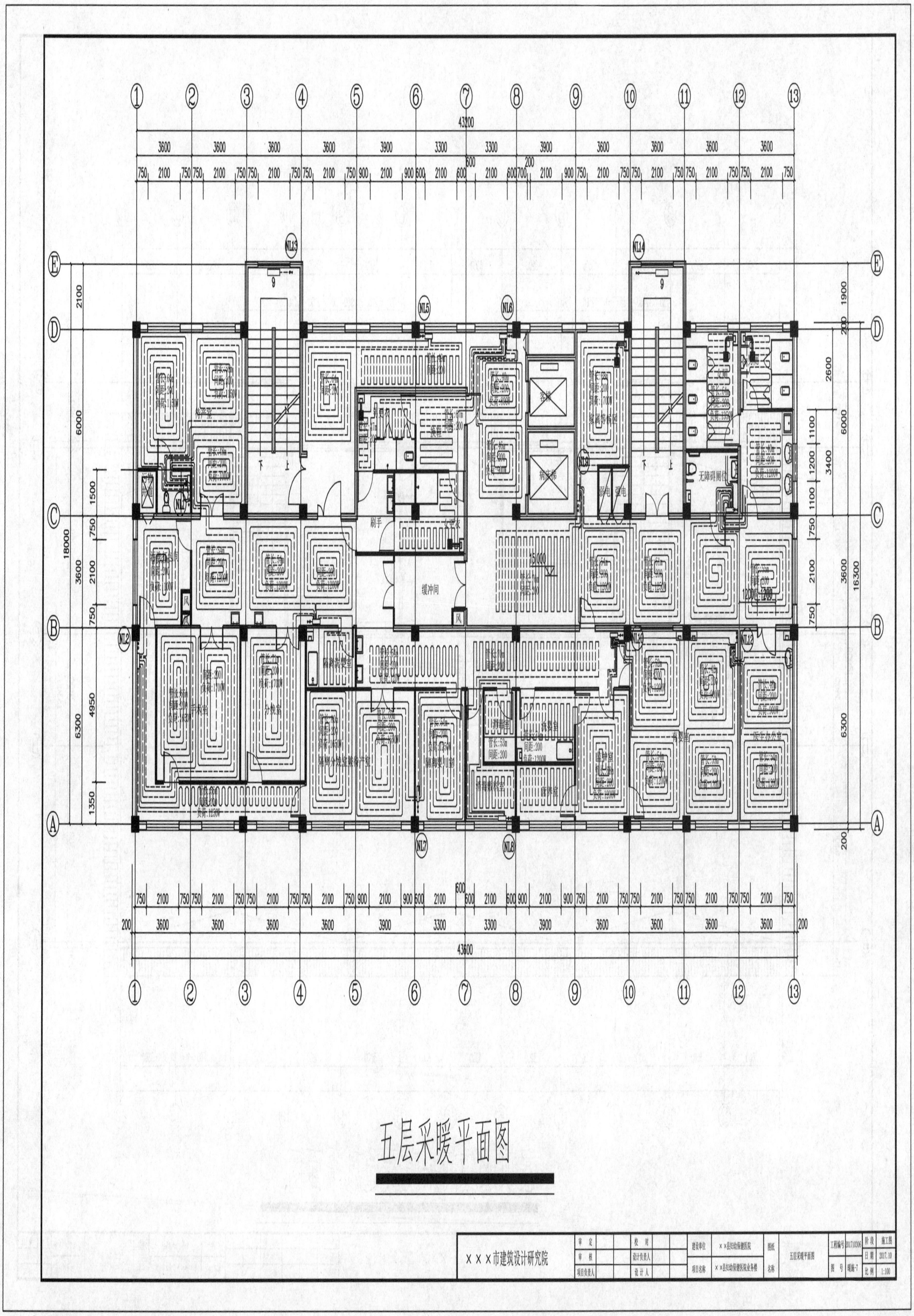

五层采暖平面图
×××市建筑设计研究院
缓冲间
无障碍厕所

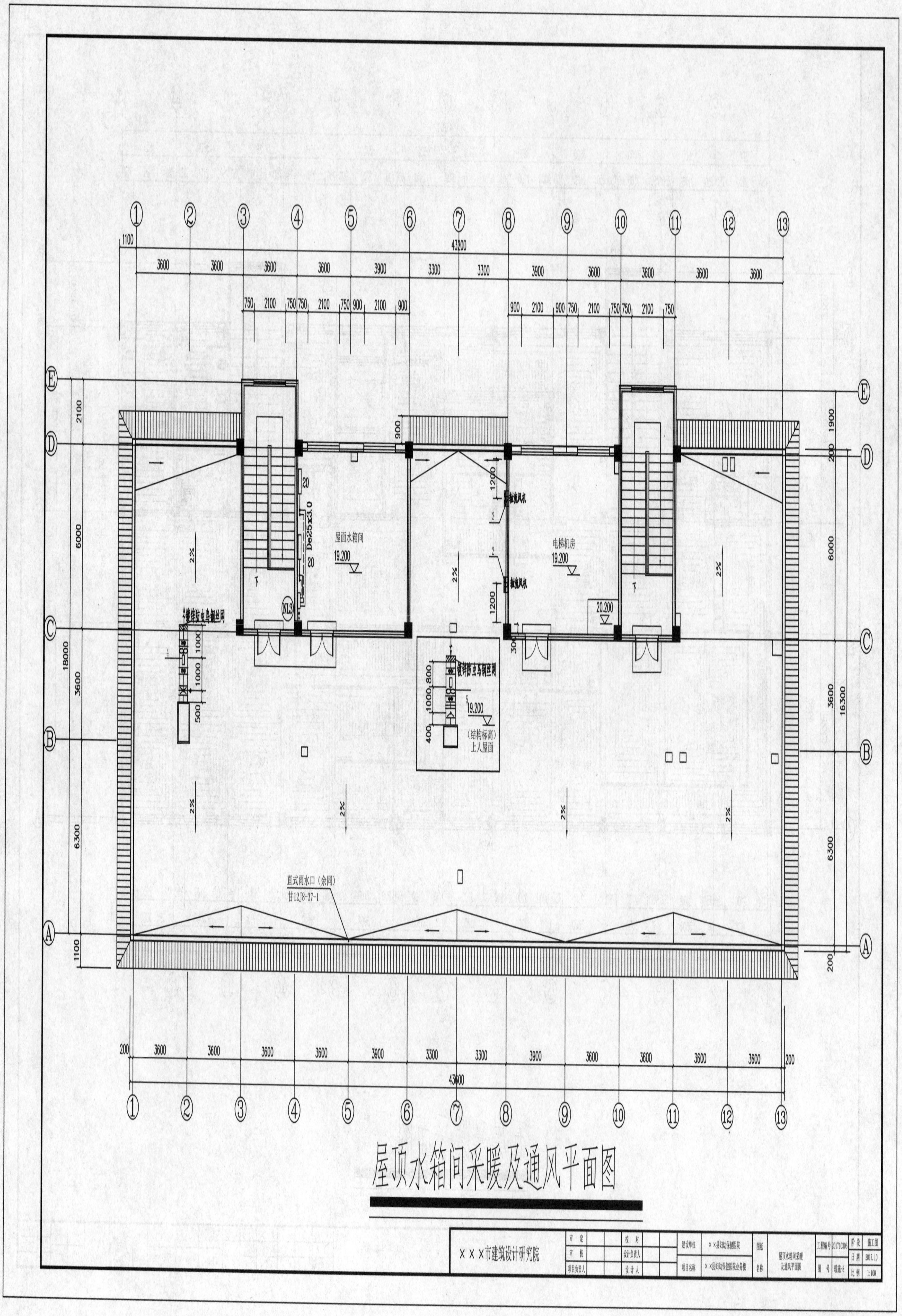
屋面水箱间
19.200
电梯机房
19.200
20.200
De25x3.0
NLS
直式雨水口（余同）
甘12J8-37-1
(结构标高)
上人屋面
43200
43600
18000
16300
屋顶水箱间采暖及通风平面图
×××市建筑设计研究院

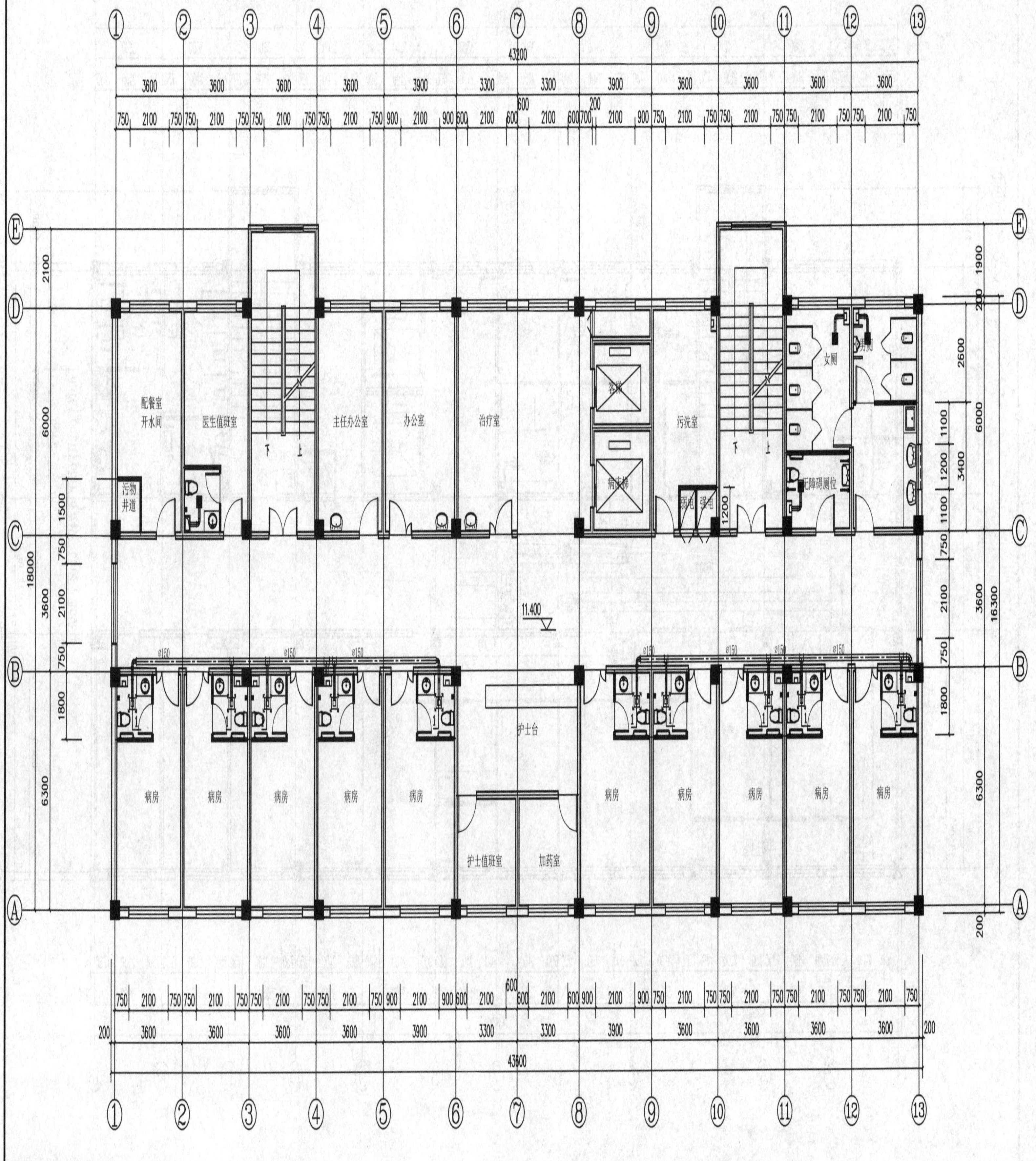

四层通风平面图 1:100

×××市建筑设计研究院

审定		校对		建设单位	××县妇幼保健医院	图纸	四层通风平面图	工程编号	20170006	阶段	施工图
审核		设计负责人		项目名称	××县妇幼保健医院业务楼	名称		图号	暖施-9	日期	2017.10
项目负责人		设计人								比例	1:100

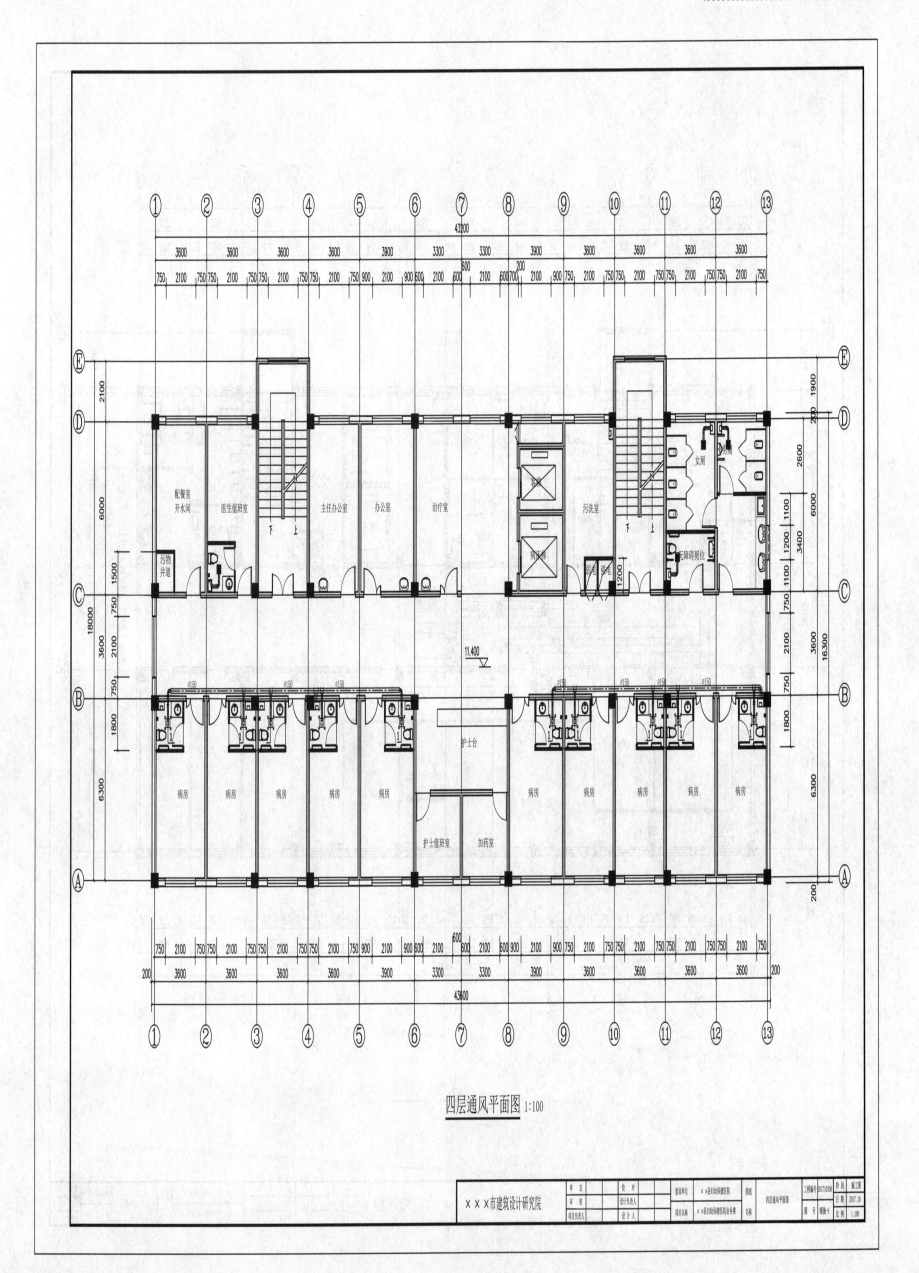

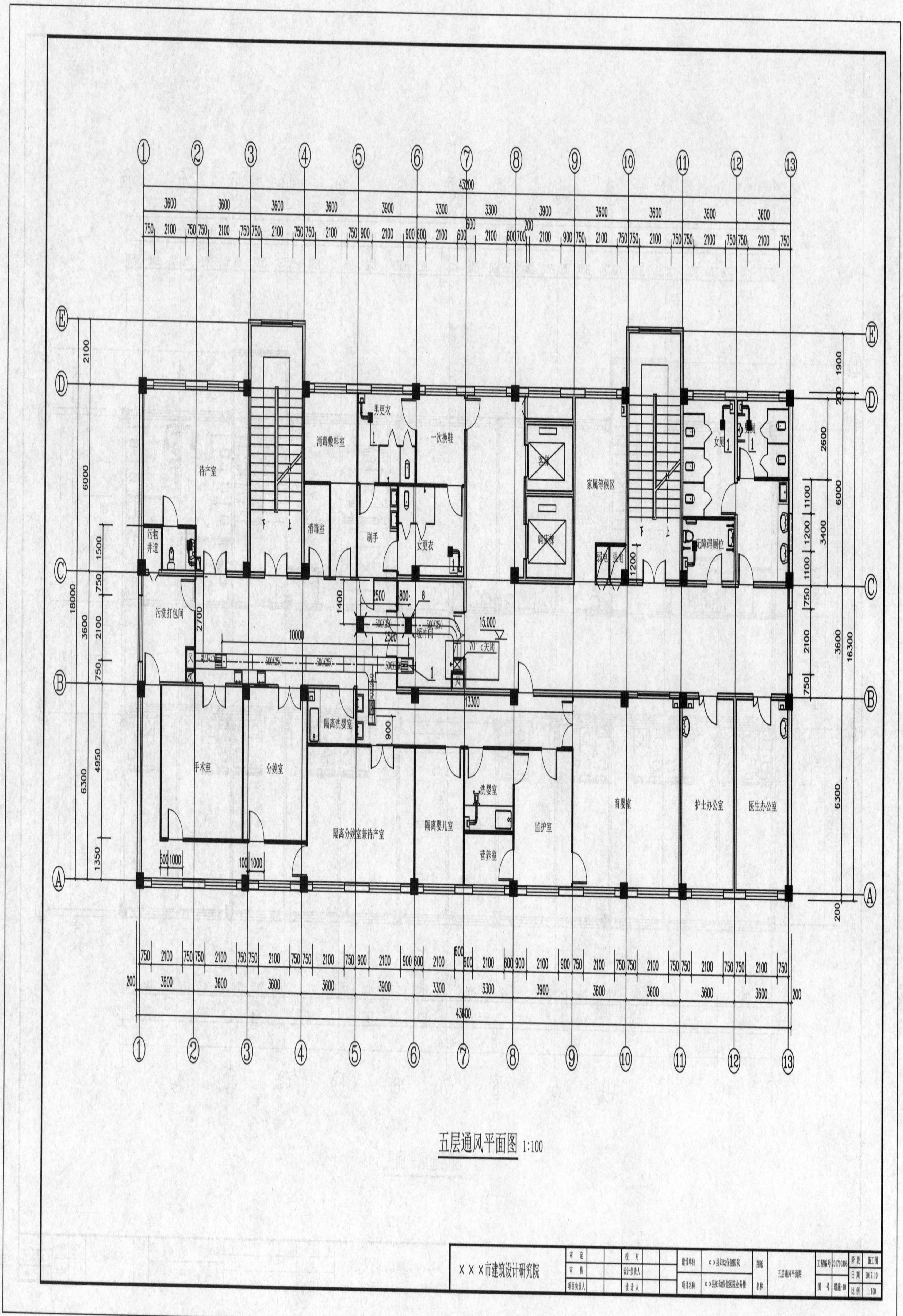

五层通风平面图 1:100

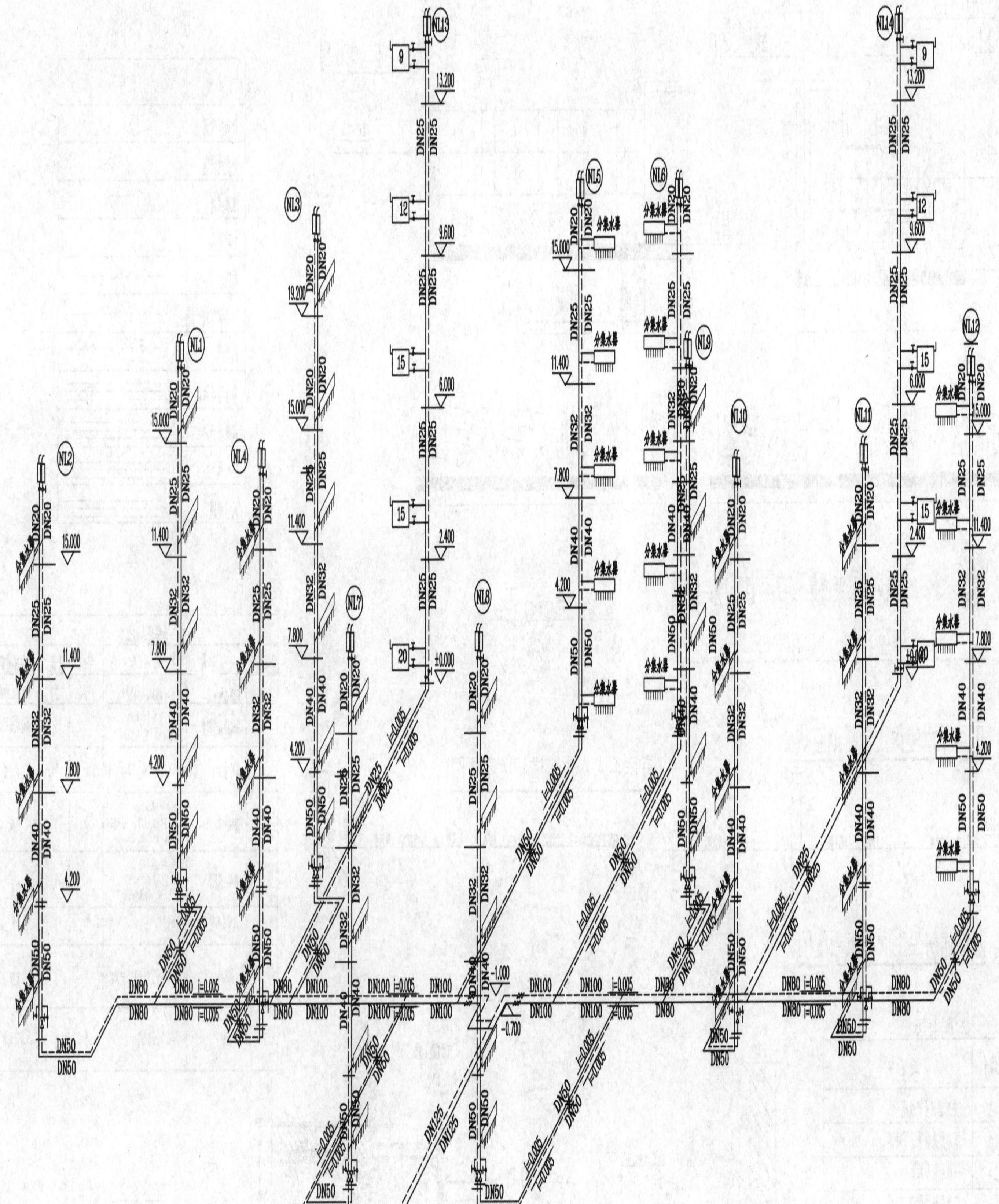

采暖干管管道系统图 1:100

×××市建筑设计研究院	审 定			校 对			建设单位	××县妇幼保健医院	图纸	采暖干管管道系统图	工程编号	201710306	阶 段	施工图
	审 核			设计负责人									日 期	2017.10
	项目负责人			设 计 人			项目名称	××县妇幼保健医院业务楼	名称		图 号	暖施-11	比 例	1:100

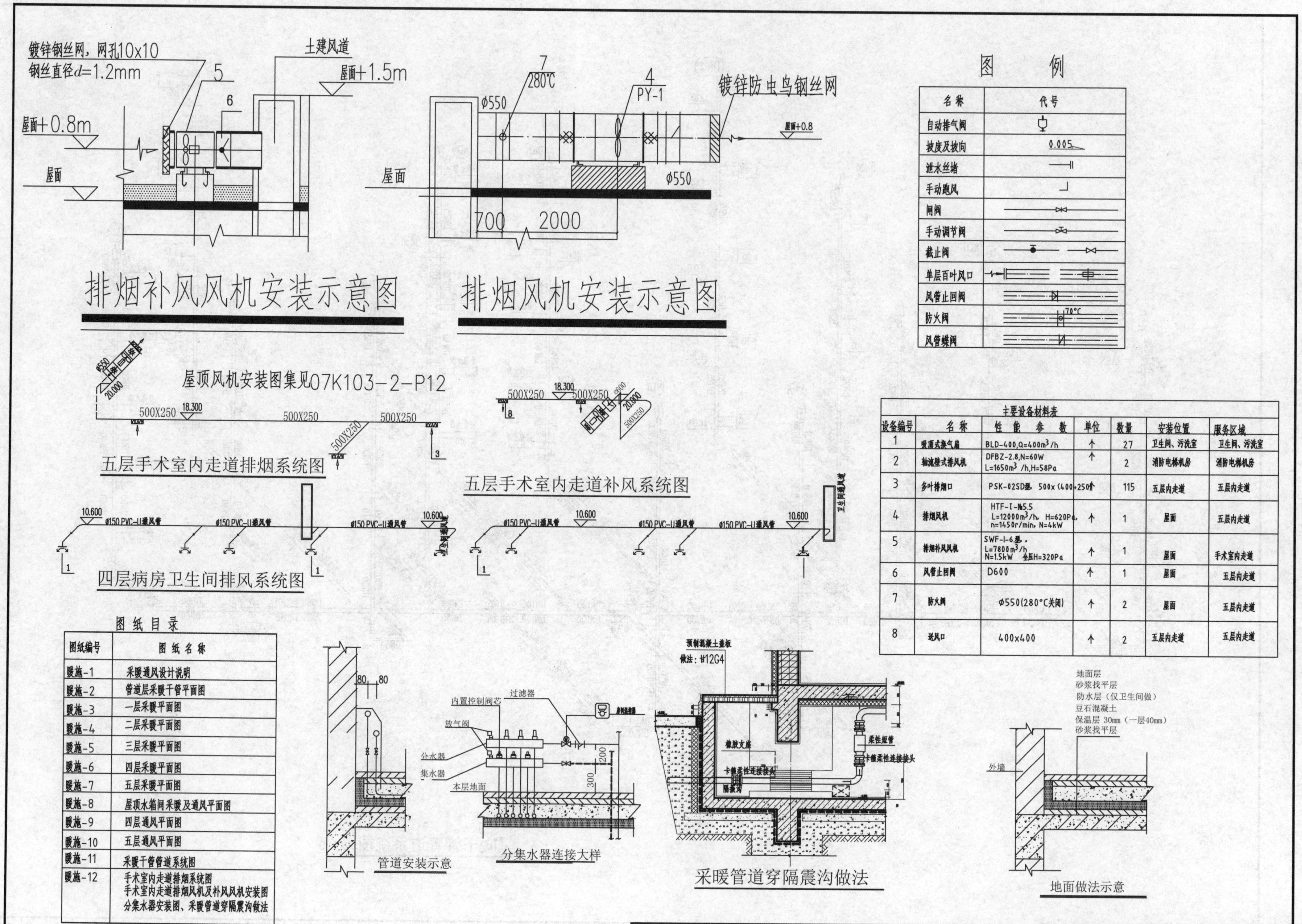

图 例

名称	代号
自动排气阀	
坡度及坡向	0.005
泄水丝堵	
手动跑风	
闸阀	
手动调节阀	
截止阀	
单层百叶风口	
风管止回阀	
防火阀	70℃
风管蝶阀	

主要设备材料表

设备编号	名称	性能参数	单位	数量	安装位置	服务区域
1	吸顶式换气扇	BLD-400,Q=400m³/h	个	27	卫生间、污洗室	卫生间、污洗室
2	轴流壁式排风机	DFBZ-2.8,N=60W L=1650m³/h,H=58Pa	个	2	消防电梯机房	消防电梯机房
3	多叶排烟口	PSK-02SD型，500x(400+250)	个	115	五层内走道	五层内走道
4	排烟风机	HTF-I-No5.5 L=12000m³/h，H=620Pa，n=1450r/min，N=4kW	个	1	屋面	五层内走道
5	排烟补风风机	SWF-I-6型，L=7800m³/h N=1.5kW 全压H=320Pa	个	1	屋面	手术室内走道
6	风管止回阀	D600	个	1	屋面	五层内走道
7	防火阀	φ550(280°C关闭)	个	2	屋面	五层内走道
8	送风口	400x400	个	2	五层内走道	五层内走道

图 纸 目 录

图纸编号	图纸名称
暖施-1	采暖通风设计说明
暖施-2	管道层采暖干管平面图
暖施-3	一层采暖平面图
暖施-4	二层采暖平面图
暖施-5	三层采暖平面图
暖施-6	四层采暖平面图
暖施-7	五层采暖平面图
暖施-8	屋顶水箱间采暖及通风平面图
暖施-9	四层通风平面图
暖施-10	五层通风平面图
暖施-11	采暖干管管道系统图
暖施-12	手术室内走道排烟系统图 手术室内走道排烟风机及补风风机安装图 分集水器安装图、采暖管道穿隔震沟做法

×××市建筑设计研究院	审定		校对		建设单位	××县妇幼保健医院	图纸名称	手术室内走道排烟系统图 手术室内走道排烟风机及补风风机安装图 分集水器安装图、采暖管道穿隔震沟做法	工程编号	201710306	阶段	施工图
	审核		设计负责人		项目名称	××县妇幼保健医院业务楼			图号	暖施-12	日期	2017.10
	项目负责人		设计人								比例	1:100

电气设计说明

一、工程概况

本工程为XX县妇幼保健院业务楼，属二级甲等医院，地下设隔震层兼管道层（层高1.5m），地上为五层，局部六层。总建筑面积约4165m^2，建筑主体高度19.65m。结构形式为:框架剪力墙结构。

二、设计依据

1.建设单位提供的设计任务书及设计要求；

2.建筑、结构、采暖、给排水专业提供设计要求及数据。

3.本工程采用的主要标准及法规：

《综合医院建筑设计规范》JGJ49—88；

《供配电系统设计规范》GB 50052—2009；

《综合布线系统工程设计规范》GB 50311—2007；

《低压配电设计规范》GB 50054—2011；

《民用闭路监视电视系统工程技术规范》GB 50198—2011；

《民用建筑电气设计规范》JGJ16—2008；

《有线电视系统工程技术规范》GB 50200—94；

《建筑照明设计标准》GB 50034—2013；

《建筑物电子信息系统设计防雷技术规范》GB 50343—2012；

《建筑物防雷设计规范》GB 50057—2010；

《医疗建筑电气设计规范》JGJ312—2013；

《建筑设计防火规范》GB 50016—2014；

《高层民用建筑设计防火规范》GB 50045—95（2005版）；

《火灾自动报警系统设计规范》GB 50116—2013

三、设计范围

1.低压配电、电力、照明 2.防雷及接地系统 3.综合布线系统(电话及宽带) 4.火灾自动报警及消防联动系统

5.电气火灾监控系统 6.有线电视系统 7.安保监控系统 8.候诊呼叫信号系统、病房呼叫对讲系统

四、供电电源

1.负荷等级：手术室、术前准备室、术后复苏室、麻醉室、早产儿室、产房为一级负荷中特别重要的负荷；医用电梯、走廊照明、计算机网络用电为一级负荷；客梯、消防设备为二级负荷，其余为三级负荷。

2.电源及电压：本工程电源由中医院待建变电所低压侧分二路引来(照明、动力)用电缆穿管埋地引来。备供电源由中医院待建变电所柴油发电房引来一路备用电源，重要设备末端采用UPS供电。供电电压为380/220V。

安装容量：	273kW(照明)	43kW(动力)	175kW(备用)
需用系数：	0.75	1.0	0.75
计算功率：	205kW	43kW	132kW
功率因数：	0.9	0.8	0.8
计算电流：	346A	82A	250A

3.对恢复供电时间要求为0.5S内的手术室、产房、早产儿室配置UPS电源（UPS转换时间≤4mS，备用电源持续供电时间不小于3小时）来满足要求。

4.柴油发电机组控制要求：当市电网断电时，控制系统经过5秒钟确认后，机组自动起动，并在15秒钟内投正常带负荷运行。当市电网回复供电时，控制系统经过30秒钟确认后，自动转换为市电网供电。

5.无功功率补偿：在中医院待建变电所低压侧集中补偿，功率因数补偿到0.92以上。

6.低压配电接地采用TN-S系统，局部为IT系统(产房、手术室、婴儿室)，接地电阻要求小于1欧姆。

7.配电采用放射式、树干式相结合的配电方式。

五、电力设计

1.本工程配电干线电缆、分支导线均选用低烟.低毒阻燃类线缆。

2.普通照明部分干线采用WDZ-YFD-YJV-1KV预分支电缆沿竖井敷设，分支线采用WDZ-BV-0.45/0.75KV导线，采用金属桥架敷设或穿SC管、RPE管沿建筑物墙、板暗敷设。应急照明干线选用WDZN-YJV-1KV预分支电缆沿竖井敷设，分支线采用WDZN-BV-0.45/0.75V导线穿RPE管或SC管沿建筑物墙、板暗敷设。医用电源干线选用WDZ-YJV-1KV电缆沿竖井敷设，分支线采用WDZ-BV-0.45/0.75V导线穿RPE管或SC管沿建筑物墙、板暗敷设。

3.电缆、电线穿越隔震层时须预留不小于0.5米的多余长度。详见《《建筑隔震构造详图》》。

六、照明设计

1.本工程光源均采用高效节能灯和高效日光灯管，日光灯管采用T8管，镇流器选用COSø≥0.9的电子镇流器。

2.走廊、楼梯间及其前室、主要出入口等场所设置应急照明及疏散照明，应急照明和疏散照明选自带电源的专用灯具，断电时自动投入要求连续供电时间不小于90分钟。

3.应急照明的照度值不低于该场所一般照度值的5%，疏散照明的照度值不低于0.5LX。

4.治疗室、病房（设置电源插座）均采用移动式紫外线杀菌灯。

5.照明、插座均由不同的支路供电；所有插座回路均设漏电断路器保护，漏电整定电流为30mA。

6.用于电子信息设备、医疗电气设备的剩余电流动作保护器应采用电磁式。插座漏电整定电流为10mA。

7.插座均采用安全型三孔加二孔的插座。儿科病房插座高度为1.8m安装。

8.当采用I类灯具时灯具的外露可导电部分应可靠接地。

9.用于电子信息设备、医疗电气设备的剩余电流动作保护器采用电磁式。

七、防雷及接地系统

1.根据《建筑物防雷设计规范》经计算本工程预计雷击次数0.0191，按第三类防雷建筑物设防，建筑物电子信息系统雷电防护等级为D级。

2.在屋面不同标高的女儿墙或屋面上安装ø12镀锌圆钢作为接闪带，接闪带支架为25*4镀锌扁钢，支架间距为一米，支架高度为0.2米。屋面接闪带连接线网格不大于20mX20m或24mX16m，并与引下线焊接。

3.利用建筑物钢筋混凝土柱子或剪力墙内两根Φ16以上主筋通长焊接做引下线，引下线间距不大于18m，引下线上端与接闪焊接，下端与建筑物基础底梁及基础底板轴线上的上下两层钢筋内的两根主筋焊接。

4.接地极为建筑物桩基、基础底板轴线上的上下两层主筋中的两根通长焊接形成的基础接地网。

5.配电室设总等电位联接箱，总等电位联接端子板与接地体之间用40*4镀锌扁钢进行连接。电气设备工作接地、保护接地与防雷接地装置焊接成一体，形成一个总的接地网。总等电位联结端子箱明装，底边距地0.3m。

6.凡突出屋面的所有金属构件、金属屋架等均与接闪带可靠焊接。

7.为防止雷电波侵入，进入建筑物的各线路及金属管道采用埋地引入，并在入户端将电缆的金属外皮、钢管及金属管道与接地装置连接。

八、有线电视系统

1.本工程有线电视系统进线选用SYWV-75-12型电缆，由市有线电视网引入。楼内一层配电间设电视放大器箱，其他各层弱电间设电视分支分配器箱。

2.电视干线选用SYWV-75-9型电缆，采用金属桥架沿竖井、或沿走廊梁底敷设，由桥架至室内电视插座的分支线选用SYV-75-5型电缆穿RPE管沿建筑物墙、板暗敷。

3.系统采用邻频传输，要求用户出口电平为：64±4db。图象清晰度不底于4级。

九、综合布线系统

1.本工程采用综合布线系统，由电信局引入一根互联网光纤和一根电话光缆，在楼内一层设网络机房，内设互联网总配线架、医疗专用信息网（局域网）总配线架和程控交换机数据配线架，其它各楼层弱电间设楼层配线架。

2.网络数据竖向主干线均采用六芯单模光纤，语音数据采用大对数电缆。水平支线网络数据采用CAT6八芯双绞线，语音数据采用RVS电话线。网络及语音终端采用RJ45信息插座。

3.敷设方式采用金属桥架沿竖井或走廊梁底敷设，桥架至室内的管线采用RPE管沿建筑物墙、板暗敷设。

十、安保监控系统

1.医院监控室设在消防控制室，设计采用微机技术.网络技术和多媒体技术于一体的综合性保安设备。

2.本工程将楼内主要出入口、主要通道及重点区域作为监控对象，设监控摄像头。

3.从楼层弱电间引出连接各摄像机的连线采用金属桥架敷设或穿RPE管沿建筑物墙、板暗敷设。

4.监控视频线、控制线与电源线必须分管，视频线、控制线合穿一根RPE20，电源线穿一根RPE16管接入摄像机。

十一、候诊呼叫信号系统、病房呼叫对讲系统

1.候诊呼叫信号系统：该系统在护士站或分诊台设置主机，各诊室设终端、呼叫扬声器、显示屏等。系统采用总线并与医院医疗专用信息系统联网。

2.病房呼叫对讲系统：该系统在各个病区均设置病床护士站之间的呼叫对讲系统，呼叫主机设在护士站，分机设在病房内的床头控制板上，系统采用总线制。

3.导线的敷设采用金属桥架明敷设或穿RPE20管沿建筑物墙、板暗敷设。

十二、火灾自动报警及联动系统

1.本工程属二级保护对象。在一层设消防控制室，内设集中报警控制器、联动控制器、消防广播及消防电话总机等设备。

系统由感烟探测器、感温探测器、消火栓按钮、手动报警按钮、水流指示器、压力开关、水暖专业、通风专业各种阀及报警主机等构成报警系统。

2.联动控制系统的控制过程：

（1）喷淋系统水流指示器报警，湿式报警阀报警，压力开关动作并报警，压力开关动作即启动喷淋泵。

（2）消火栓系统报警阀（压力开关）作为触发信号，直接控制启动消火栓水泵。消火栓按钮的动作信号作为系统的联动触发信号，由消防联动控制器联动控制消火栓泵的启动。

（3）消控室发出控制信号打开着火层及着火层上下两层的前室加压送风阀，打开着火层排烟阀同时启动屋顶加压送风机及排烟风机。

（4）消控室发出控制信号打开着火层及着火层上下两层的前室加压送风阀，打开着火层排烟阀同时启动屋顶加压送风机及排烟风机。

（5）火灾事故广播按疏散顺序控制广播输出分路进行事故广播。（平时应能兼做音乐广播）

（6）火灾时电梯迫降至一层，消控室应关闭着火区域的非消防电源并启动相关区域的应急照明。

3.所有消防干线、支线均采用绝缘耐火型电线或电缆。

4.所有消防控制模块严禁安装在配电箱内。

十三、漏电火灾报警系统

本工程设漏电火灾报警系统，于每层的层配电箱处装设现场监控器，并通过八芯双绞线将数据传输至医院消控室。控制室的数据集中器可通过RS232接口接入火灾自动报警系统主机。

漏电火灾报警系统应具有下列功能：

1.探测漏电电流、过电流等信号，发出声光信号报警，准确报出故障线路地址，监视故障点的变化。

2.切断漏电线路上的电源，并显示其状态。

3.显示系统电源状态。

4.漏电火灾报警系统应由专业厂家配合施工队安装调试.并应符合国家现行的相关规范及标准的要求。

十四、电气施工及其他：

1.低压柜落地安装，安装高度均为底边距地0.15m，除配电室、电井内配电箱明装外其余均为暗装。

2.电气竖井内电缆桥架、封闭式母线槽、预分支电缆的安装，具体做法参见《08民用建筑设计与施工》08D800-6。

3.竖井内供电缆贯穿的预留洞在设备安装完毕后，须用放火材料将洞口做密封处理，在电缆桥架穿过防火分区处，应采用防火材料做封堵处理，以满足防火要求。

4.凡有吊顶处，由楼板预埋盒至吊顶照明器具等设备均采用金属软管。

5.手术部的配电设计，可根据设备及工艺情况调整，以实际要求由净化公司进行专业深化施工图设计。

6.有特殊设备的场所（如：手术室等），本设计仅预留配电箱，并预留局部等电位箱。

7.呼叫系统见《《建筑电气安装工程图集》》JD11-212.

十五、照明节能专篇

1.本工程光源均采用高效节能灯及高效日光灯管，日光灯管采用T8管，镇流器选用COSø≥0.9的电子镇流器。

2.治疗室、诊室照度为300LX，功率密度为≤9W/m；药房照度500LX，功率密度≤15W/m；候诊大厅200LX，功率密度为≤6.5W/m；手术室750LX，功率密度为≤30W/m；走廊照度100LX、功率密度≤4.5W/m；应急照明的照度值不低于该场所一般照度值的5%，疏散照明的照度值不低于0.5LX。

3.用电设备选用低损耗，节能型、高效率电动机，合理选择电动机容量。

电气图纸目录

序号	图号	图号图纸内容	序号	图号	图号图纸内容
1	电施-01	电气设计说明	17	电施-17	弱电系统图
2	电施-02	低压配电干线系统图 电气设备材料图列表	18	电施-18	隔震层弱电平面图
3	电施-03	低压配电系统图（一）	19	电施-19	一层弱电平面图
4	电施-04	低压配电系统图（二）	20	电施-20	二层弱电平面图
5	电施-05	低压配电系统图（三）	21	电施-21	三层弱电平面图
6	电施-06	低压配电系统图（四）	22	电施-22	四层弱电平面图
7	电施-07	低压配电系统图（五）	23	电施-23	五层弱电平面图
8	电施-08	隔震层照明平面图	24	电施-24	屋面弱电平面图
9	电施-09	一层照明平面图	25	电施-25	火灾自动报警系统图
10	电施-10	二层照明平面图	26	电施-26	隔震层消防平面图
11	电施-11	三层照明平面图	27	电施-27	一层消防平面图
12	电施-12	四层照明平面图	28	电施-28	二层消防平面图
13	电施-13	五层照明平面图	29	电施-29	三层消防平面图
14	电施-14	屋面防雷及照明平面图	30	电施-30	四层消防平面图
15	电施-15	小屋面防雷平面图	31	电施-31	五层消防平面图
16	电施-16	基础接地平面图	32	电施-32	屋面消防平面图

附注：索引图集

《《建筑电气常用数据》》	04DX101-1
《《常用风机控制电路图》》	01D303-3
《《常用水泵控制电路图》》	99D303-2
《《建筑电气安装工程图集》》第二版	
《《民用建筑电气设计与施工》》	08D800
《《12系列电气照明标准设计图集》》	甘12D1-6

×××市建筑设计研究院	审 定		校 对		建设单位	××县妇幼保健医院	图纸名称	电气设计说明	工程编号	201710306	阶 段	施工图
	审 核		设计负责人		项目名称	××县妇幼保健医院业务楼			图 号	电施-01	日 期	2017.10
	项目负责人		设 计 人								比 例	1:100

低压配电干线系统图

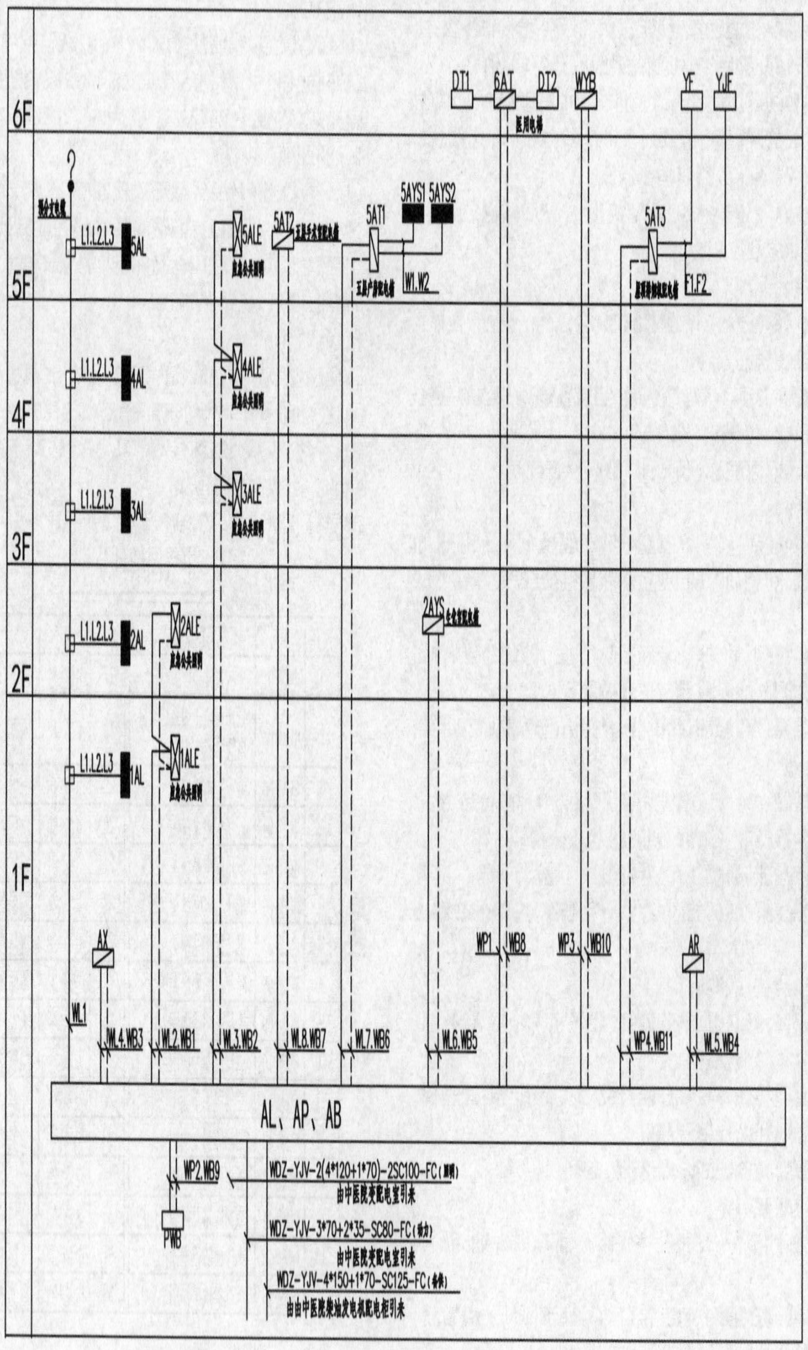

序号	图例	名称	规格型号	备注
47		防溅型暗装单相三极插座	AC240V 16A	暗装，底距地2.3m
46		声光报警器		距门0.2m
45		求助按钮	按系统图定制	距地0.6m
44		带保护接点密闭插座	AC240V 16A	暗装，底距地1.5m
43		三管洁净荧光灯	220V/3x36W/T8直管	嵌入
42		双管洁净荧光灯	220V/2x36W/T8直管	嵌入
41		紫外线消毒灯	220V/1x36W/T8直管	嵌入
40		筒灯	1*13W 节能灯	嵌入
39		局部照明灯（医疗带）		医疗带
38		MEB总等电位箱	参见08D800-8	暗装，底距地0.5m
37		LEB局部等电位箱	参见08D800-8	暗装，底距地0.5m
36		插座箱	按系统图定制	暗装，底距地1.2m
35		3+2孔插座	AC240V 10A	暗装，底距地0.3m 暗装，儿科、儿童输液大厅距地1.8m
34		地面插座	AC240V 10A	
33		电视插座	AC240V 10A	暗装，底距地1.8m
32		开关	AC240V 10A	暗装，底距地1.3m 暗装，紫外线消毒灯开关距地1.8m
31		双联开关	AC240V 10A	暗装，底距地1.3m
30		三联开关	AC240V 10A	暗装，底距地1.3m
29		换气扇	双重绝缘或加强绝缘型（Ⅱ类电器）	卫生间 吸顶安装
28		双头应急灯	LED 2W 应急时间>180分钟	距地2.3m
27		双管荧光灯	2X36W T8管	链吊，距地2.6m
26		单管荧光灯	1X36W T8管	链吊，距地2.6m
25		楼层显示灯	LED 4W 应急时间>90分钟	明装，底距地2.5m
24		应急正常两用吸顶灯	2X13W 节能灯 应急1x36W 应急时间>90分钟	吸顶
23		带蓄电池双管荧光灯	2X36W T8管 应急1x36W 应急时间>90分钟	链吊，距地2.6m
22		带蓄电池嵌入式方格栅灯	3X18W T8管 应急1x18W 应急时间>90分钟	嵌入
21		带蓄电池嵌入式长格栅灯	3X36W T8管 应急1x36W 应急时间>90分钟	嵌入
20		带蓄电池嵌入式长格栅灯	2X36W T8管 应急1x36W 应急时间>90分钟	嵌入
19		吸顶灯	220V 22W 节能灯	吸顶
18		嵌入式方格栅灯	3X18W T8管	嵌入
17		嵌入式长格栅灯具	3X36W T8管	嵌入
16		嵌入式长格栅灯具	2X36W T8管	壁挂或吊挂2.6m
15		安全出口标志灯	LED 4W 应急时间>90分钟	壁挂或吊挂2.6m
14		疏散指示灯	LED 4W 应急时间>90分钟	嵌壁0.5m或吊挂2.5m
13		防水防尘灯	220V 12W 节能灯	吸顶
12		声光控吸顶灯	220V 22W 节能灯	吸顶
11		地脚灯	220V 3W 节能灯	暗装，底距地0.3m
10		墙上座灯	220V 12W 节能灯	明装，底距门0.2m
9		壁灯	220V 22W 节能灯	明装，底距地2.5m
8		普通灯	220V 22W 节能灯	吸顶
7		电气设备控制箱	按系统图定制	嵌墙暗装，底距地1.4m 挂墙明装，底距地1.4m
6		照明配电箱	按系统图定制	挂墙明装，底距地1.4m
5		事故照明配电箱	按系统图定制	明装，底距地1.2m
4		电源自动切换箱	按系统图定制	嵌墙暗装，底距地1.4m 挂墙明装，底距地1.4m
3		AB－备供总配电柜	XL-52-10（改）	落地安装
2		AP－动力总配电柜	XL-52-10（改）	落地安装
1		AL－照明总配电柜	XL-52-10（改）	落地安装

电气设备材料图例表

×××市建筑设计研究院	审定			校对			建设单位	××县妇幼保健医院	图纸名称	低压配电干线系统图 电气设备材料图例表	工程编号	201710306	阶段	施工图
	审核			设计负责人			项目名称	××县妇幼保健医院业务楼			图号	电施-2	日期	2017.10
	项目负责人			设计人									比例	1:100

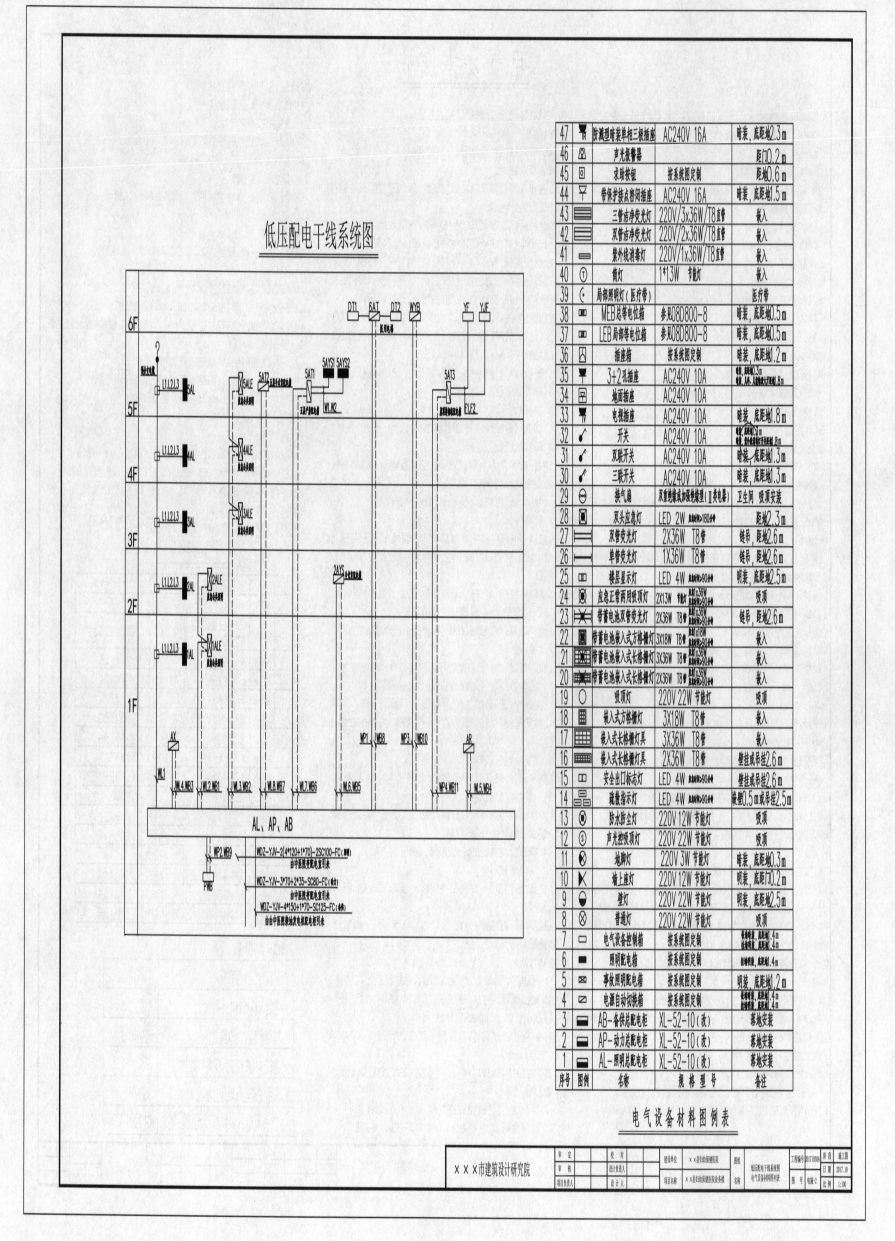

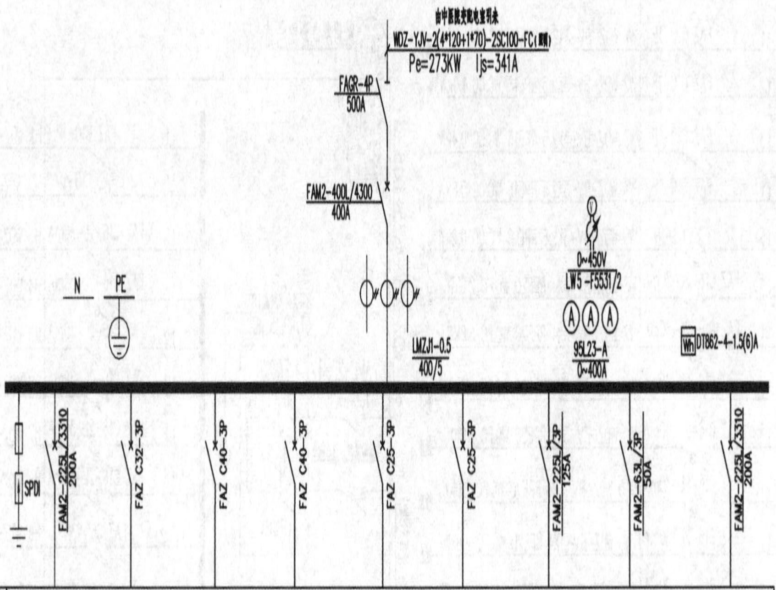

动力配电箱编号	AL								
动力配电箱型号	XL-52-10(改) (1000*1800*400)								
回路编号	WL1	WL2	WL3	WL4	WL5	WL6	WL7	WL8	备用
设备安装容量(kw)	141	15	18	15	9	9	51	15	
计算电流 (A)	178	25	30	25	15	15	91	27	
线缆截面及管径	WDZ-YDF-YJV-4X95+1X50 CT	WDZ-YJV-5X6 CT	WDZ-YJV-5X10 CT	WDZ-YJV-5X10 CT/SC40 WC	WDZ-YJV-5X6 CT/SC32 WC	WDZ-YJV-5X6 CT/SC32 WC	WDZ-YJV-4x35+1x16 CT	WDZ-YJV-5X16 CT/SC50 WC	
用途	1AL~5AL	1ALE、2ALE	3ALE~5ALE	AX	AR	2AYS	5AT1	5AT2	

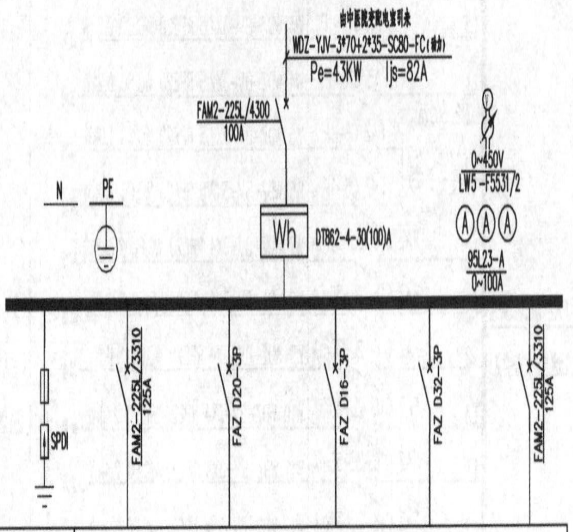

动力配电箱编号	AP				
动力配电箱型号	XL-52-10(改) (800*1800*400)				
回路编号	WP1	WP2	WP3	WP4	备用
设备安装容量(kw)	43	4	1.5	5.5	
计算电流 (A)	82	8.8	3.0	11	
线缆截面及管径	WDZ-YJV-3X50+2X16 CT/ SC50 WC	WDZN-BV-5X6 CT/SC32 WC	WDZN-BV-5X6 CT/SC32 WC	WDZ-YJV-5X6 CT/ SC32 WC	
用途	6AT	PWB	WYB	5AT3	

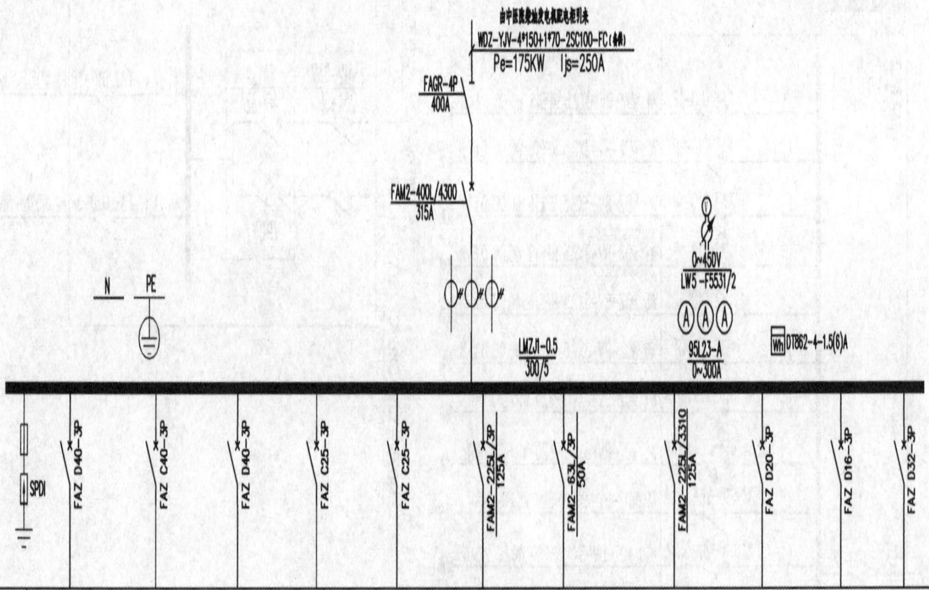

动力配电箱编号	AB										
动力配电箱型号	XL-52-10(改) (1000*1800*400)										
回路编号	WB1	WB2	WB3	WB4	WB5	WB6	WB7	WB8	WB9	WB10	WB11
设备安装容量(kw)	15	18	15	9	9	51	15	43	4	1.5	5.5
计算电流 (A)	25	30	25	15	15	91	27	82	8.8	3.0	11
线缆截面及管径	WDZN-YJV-5X10 CT	WDZN-YJV-5X10 CT	WDZN-YJV-5X10 CT/SC40 WC	WDZ-YJV-5X6 CT/SC32 WC	WDZ-YJV-5X6 CT/SC32 WC	WDZ-YJV-4x35+1x16 CT	WDZ-YJV-5X16 CT/SC50 WC	WDZ-YJV-3X50+2X16 CT/ SC50 WC	WDZN-BV-5X6 CT/SC32 WC	WDZN-BV-5X6 CT/SC32 WC	WDZN-YJV-5X6 CT/SC32 WC
用途	1ALE、2ALE	3ALE~5ALE	AX	AR	2AYS	5AT1	5AT2	6AT	PWB	WYB	5AT3

低压配电系统图（一）

×××市建筑设计研究院	审 定			校 对		建设单位	××县妇幼保健医院	图纸名称	低压配电系统图（一）	工程编号	201710306	阶 段	施工图
	审 核			设计负责人		项目名称	××县妇幼保健医院业务楼			图 号	电施-3	日 期	2017.10
	项目负责人			设 计 人								比 例	1:100

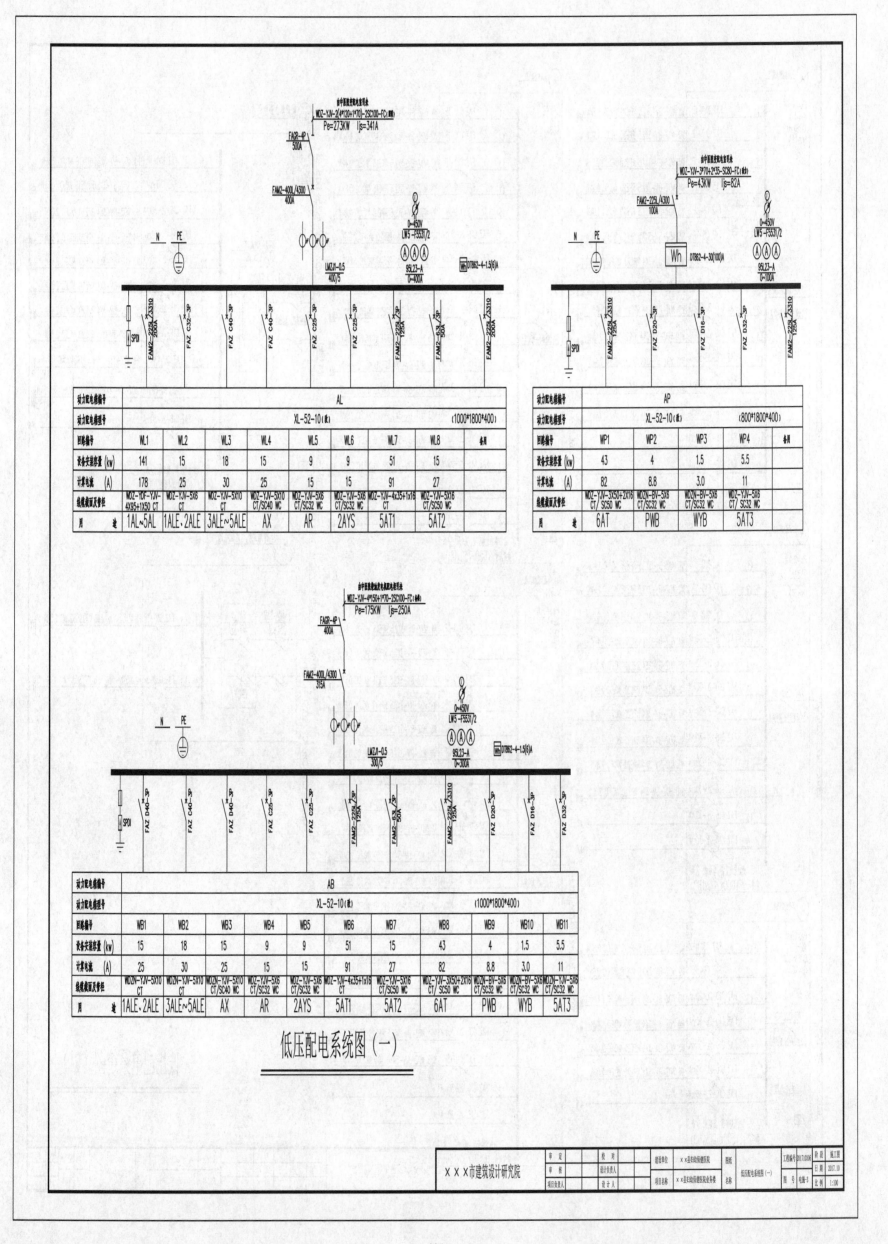

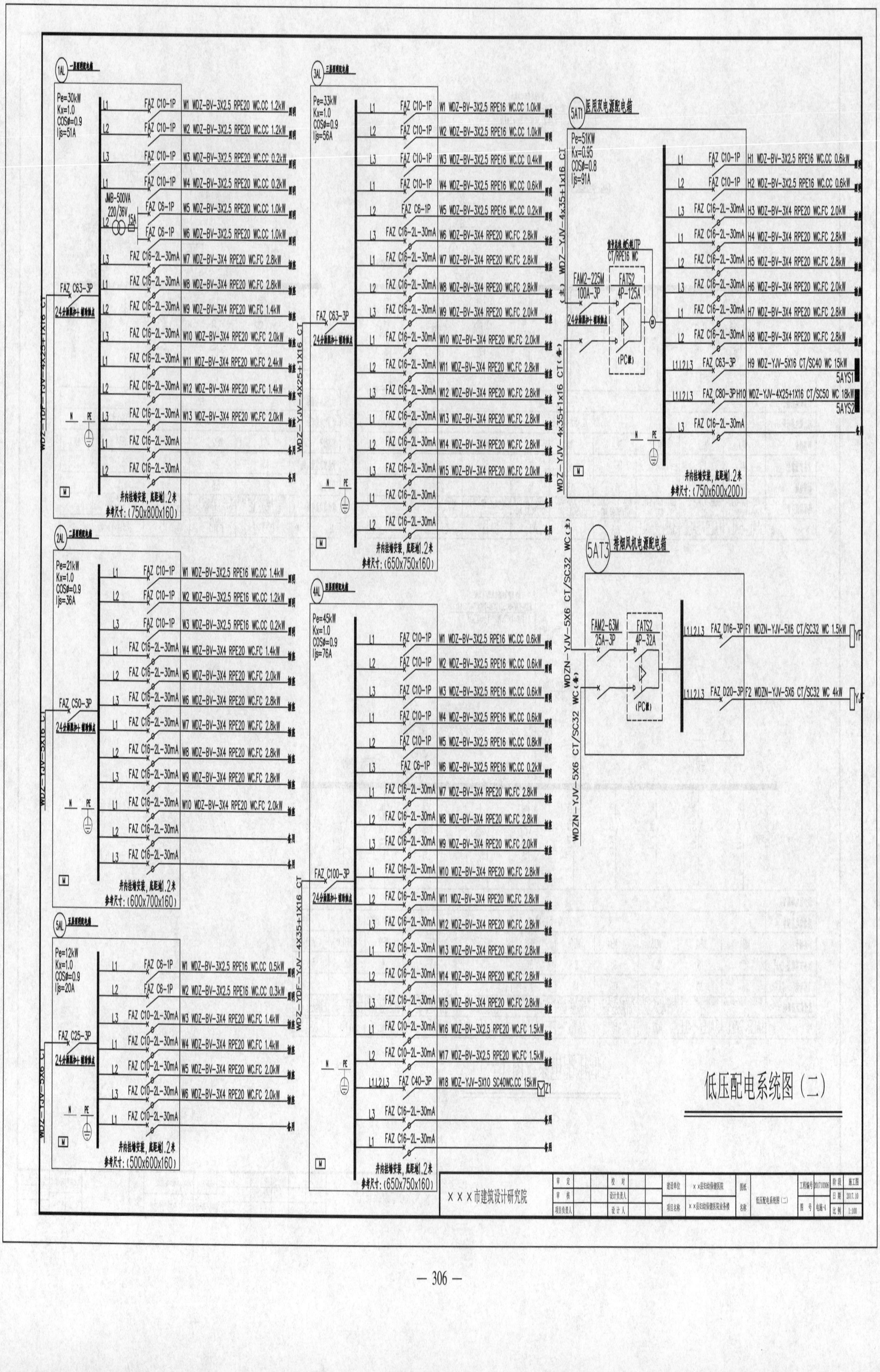
1AL
Pe=30kW
Kx=1.0
COSØ=0.9
Ijs=51A
参考尺寸：(750x800x160)
2AL
Pe=21kW
Kx=1.0
COSØ=0.9
Ijs=36A
参考尺寸：(600x700x160)
5AL
Pe=12kW
Kx=1.0
COSØ=0.9
Ijs=20A
参考尺寸：(500x600x160)
3AL
Pe=33kW
Kx=1.0
COSØ=0.9
Ijs=56A
参考尺寸：(650x750x160)
4AL
Pe=45kW
Kx=1.0
COSØ=0.9
Ijs=76A
参考尺寸：(650x750x160)
5AT1
医用双电源配电箱
Pe=51KW
Kx=0.95
COSØ=0.8
Ijs=91A
参考尺寸：(750x600x200)
5AT3
排烟风机电源配电箱
5AYS1
5AYS2
低压配电系统图（二）
×××市建筑设计研究院

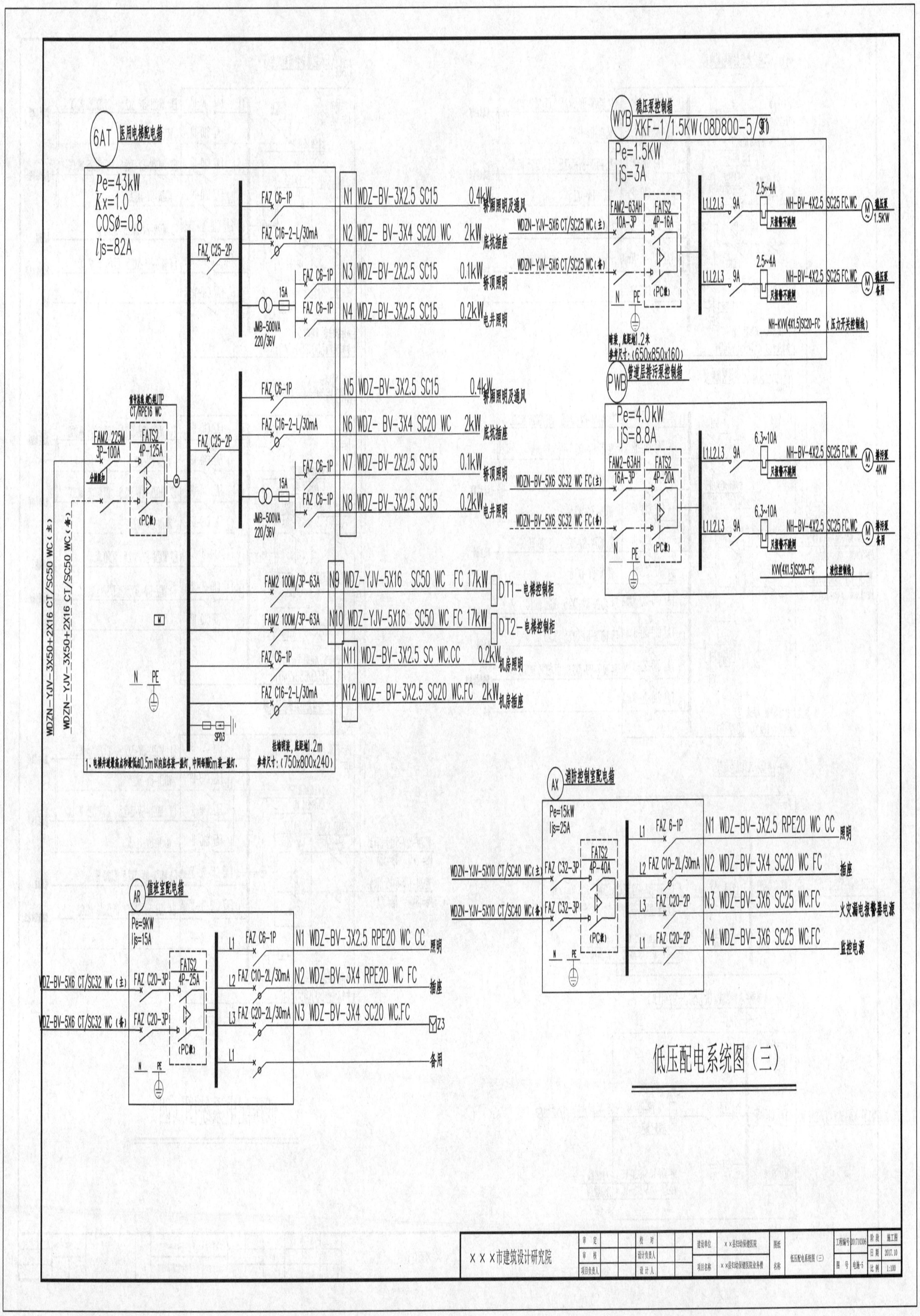
6AT 医用电梯配电箱
Pe=43kW
Kx=1.0
COSØ=0.8
Ijs=82A
WYB 稳压泵控制箱
XKF-1/1.5KW(08D800-5/9)
PWB 管道层排污泵控制箱
AX 消防控制室配电箱
AR 值班室配电箱
DT1-电梯控制柜
DT2-电梯控制柜
低压配电系统图(三)
×××市建筑设计研究院

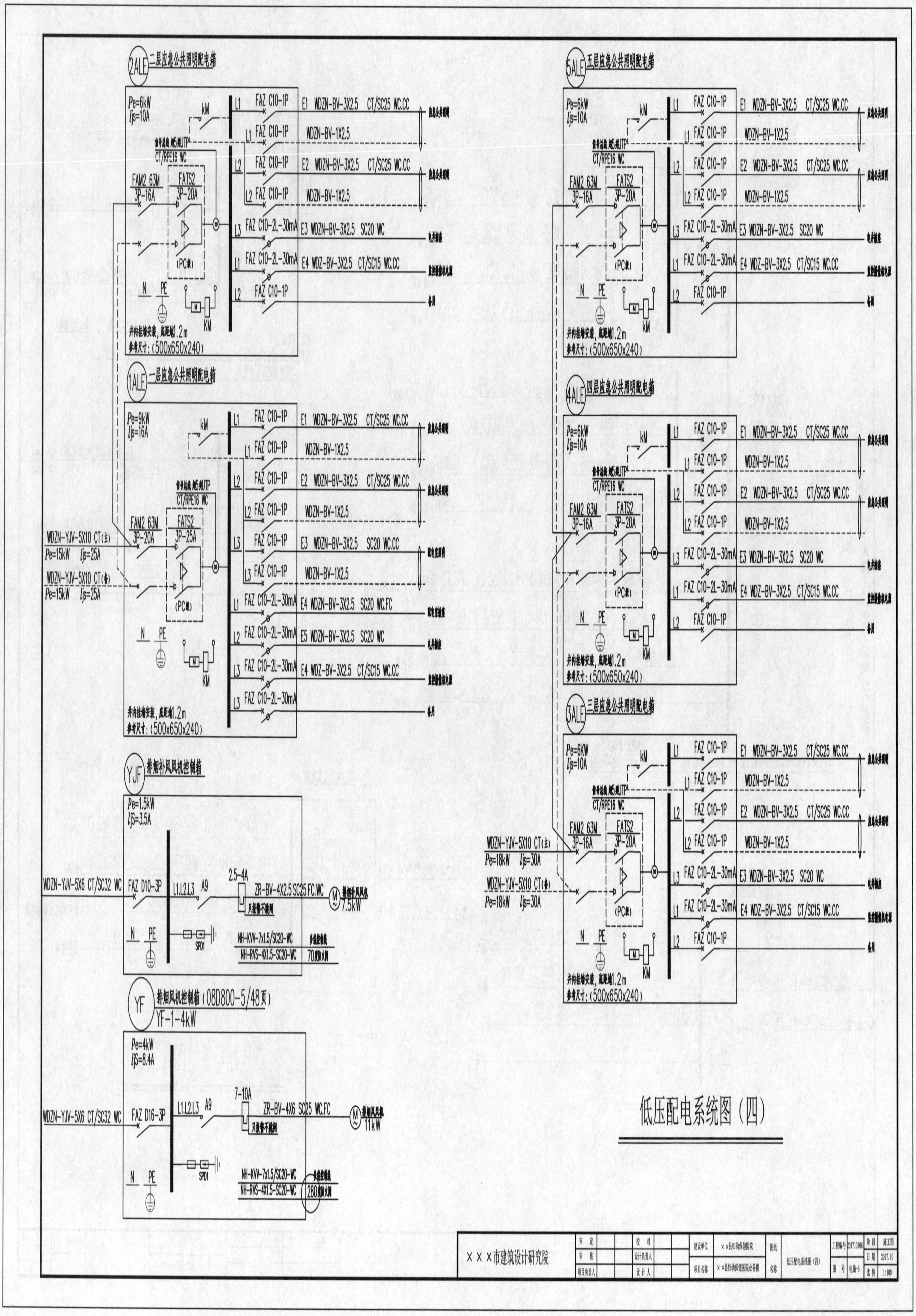
2ALE 二层应急公共照明配电箱
1ALE 一层应急公共照明配电箱
YJF 排烟补风风机控制箱
YF 排烟风机控制箱（08D800-5/48页）
YF-1-4kW
5ALE 五层应急公共照明配电箱
4ALE 四层应急公共照明配电箱
3ALE 三层应急公共照明配电箱
低压配电系统图（四）
×××市建筑设计研究院

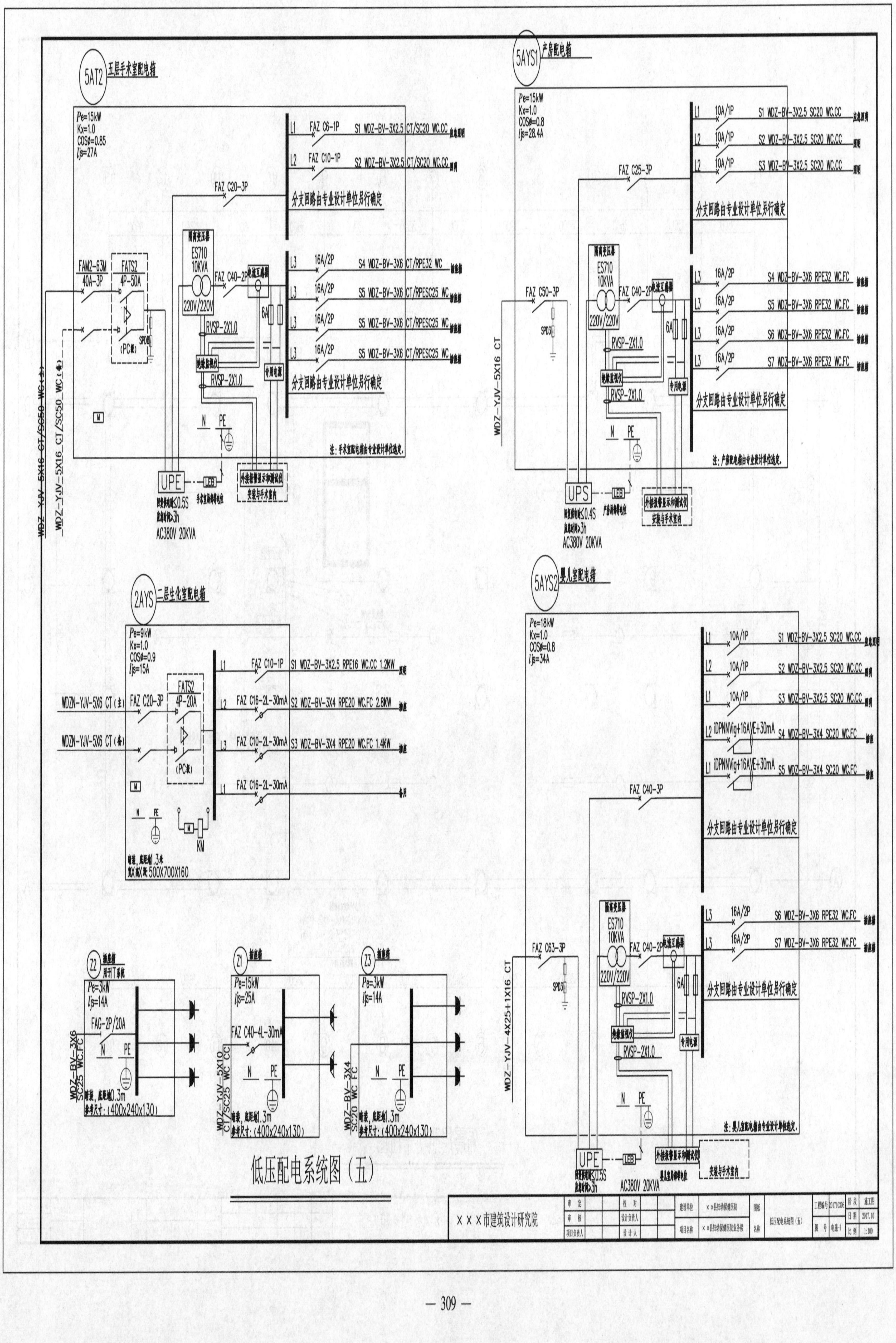
5AT2 五层手术室配电箱
Pe=15kW
Kx=1.0
COSϕ=0.85
Ijs=27A
FAZ C6-1P
S1 WDZ-BV-3X2.5 CT/SC20 WC.CC
FAZ C10-1P
S2 WDZ-BV-3X2.5 CT/SC20 WC.CC
FAZ C20-3P
分支回路由专业设计单位另行确定
FAM2-63M 40A-3P
FATS2 4P-50A
ES710 10KVA
220V/220V
FAZ C40-2P
RVSP-2X1.0
L3 16A/2P S4 WDZ-BV-3X6 CT/RPE32 WC
S5 WDZ-BV-3X6 CT/RPESC25 WC
UPE
AC380V 20KVA
WDZ-YJV-5X16 CT/SC50 WC(主)
WDZ-YJV-5X16 CT/SC50 WC(备)
5AYS1 产房配电箱
Pe=15kW
Kx=1.0
COSϕ=0.8
Ijs=28.4A
10A/1P
S1 WDZ-BV-3X2.5 SC20 WC.CC
S2 WDZ-BV-3X2.5 SC20 WC.CC
S3 WDZ-BV-3X2.5 SC20 WC.CC
FAZ C25-3P
FAZ C50-3P
S4 WDZ-BV-3X6 RPE32 WC.FC
S5 WDZ-BV-3X6 RPE32 WC.FC
S6 WDZ-BV-3X6 RPE32 WC.FC
S7 WDZ-BV-3X6 RPE32 WC.FC
UPS
AC380V 20KVA
WDZ-YJV-5X16 CT
2AYS 二层生化室配电箱
Pe=9kW
Kx=1.0
COSϕ=0.9
Ijs=15A
WDZN-YJV-5X6 CT(主)
WDZN-YJV-5X6 CT(备)
FAZ C20-3P
FATS2 4P-20A
FAZ C10-1P S1 WDZ-BV-3X2.5 RPE16 WC.CC 1.2KW
FAZ C16-2L-30mA S2 WDZ-BV-3X4 RPE20 WC.FC 2.8KW
FAZ C10-2L-30mA S3 WDZ-BV-3X4 RPE20 WC.FC 1.4KW
FAZ C16-2L-30mA
KM
500X700X160
5AYS2 婴儿室配电箱
Pe=18kW
Kx=1.0
COSϕ=0.8
Ijs=34A
S1 WDZ-BV-3X2.5 SC20 WC.CC
S2 WDZ-BV-3X2.5 SC20 WC.CC
S3 WDZ-BV-3X2.5 SC20 WC.CC
iDPNNVigi+16A+30mA
S4 WDZ-BV-3X4 SC20 WC.FC
S5 WDZ-BV-3X4 SC20 WC.FC
FAZ C40-3P
FAZ C63-3P
S6 WDZ-BV-3X6 RPE32 WC.FC
S7 WDZ-BV-3X6 RPE32 WC.FC
WDZ-YJV-4X25+1X16 CT
UPE
AC380V 20KVA
Z2
Pe=3kW
Ijs=14A
FAG-2P/20A
WDZ-BV-3X6 SC25 WC.FC
(400x240x130)
Z1
Pe=15kW
Ijs=25A
FAZ C40-4L-30mA
WDZ-YJV-5X10 SC25 WC.CC
(400x240x130)
Z3
Pe=3kW
Ijs=14A
WDZ-BV-3X4 SC20 WC.FC
(400x240x130)
×××市建筑设计研究院
低压配电系统图（五）

低压配电系统图（五）

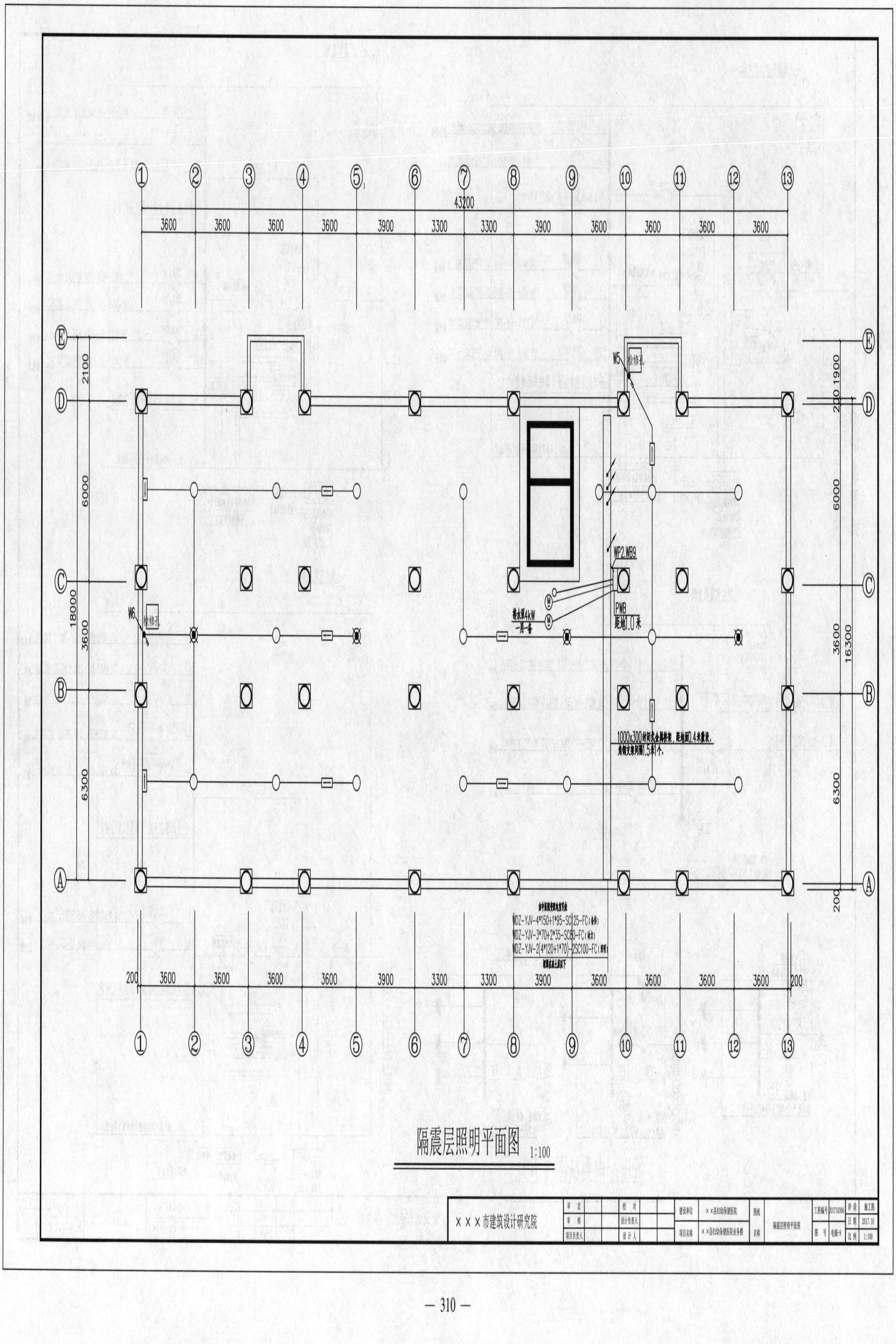

隔震层照明平面图 1:100

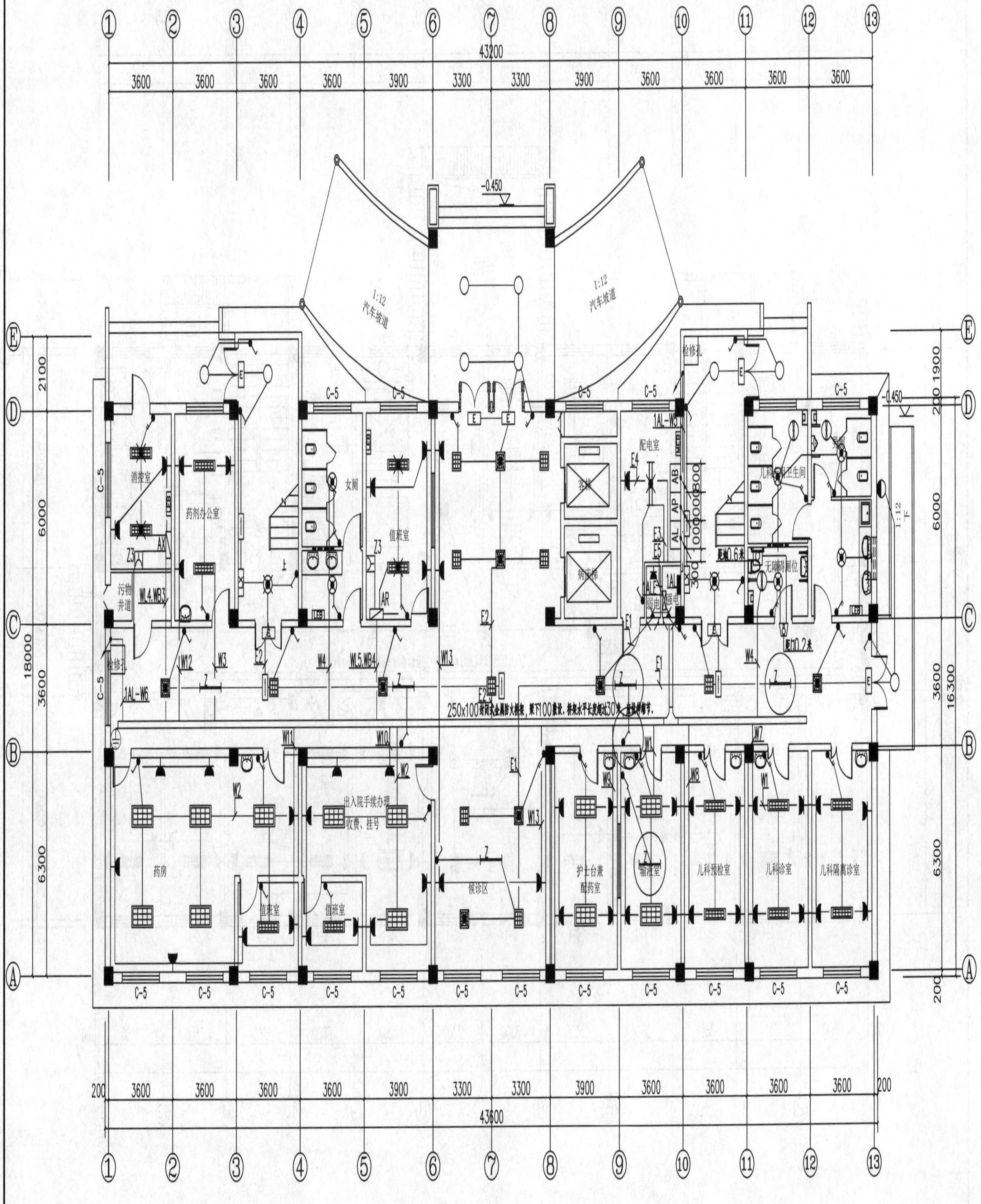

一层照明平面图 1:100

×××市建筑设计研究院	审 定		校 对		建设单位	××县妇幼保健医院	图纸	一层照明平面图	工程编号	201710306	阶 段	施工图
	审 核		设计负责人								日 期	2017.10
	项目负责人		设 计 人		项目名称	××县妇幼保健医院业务楼	名称		图 号	电施-9	比 例	1:100

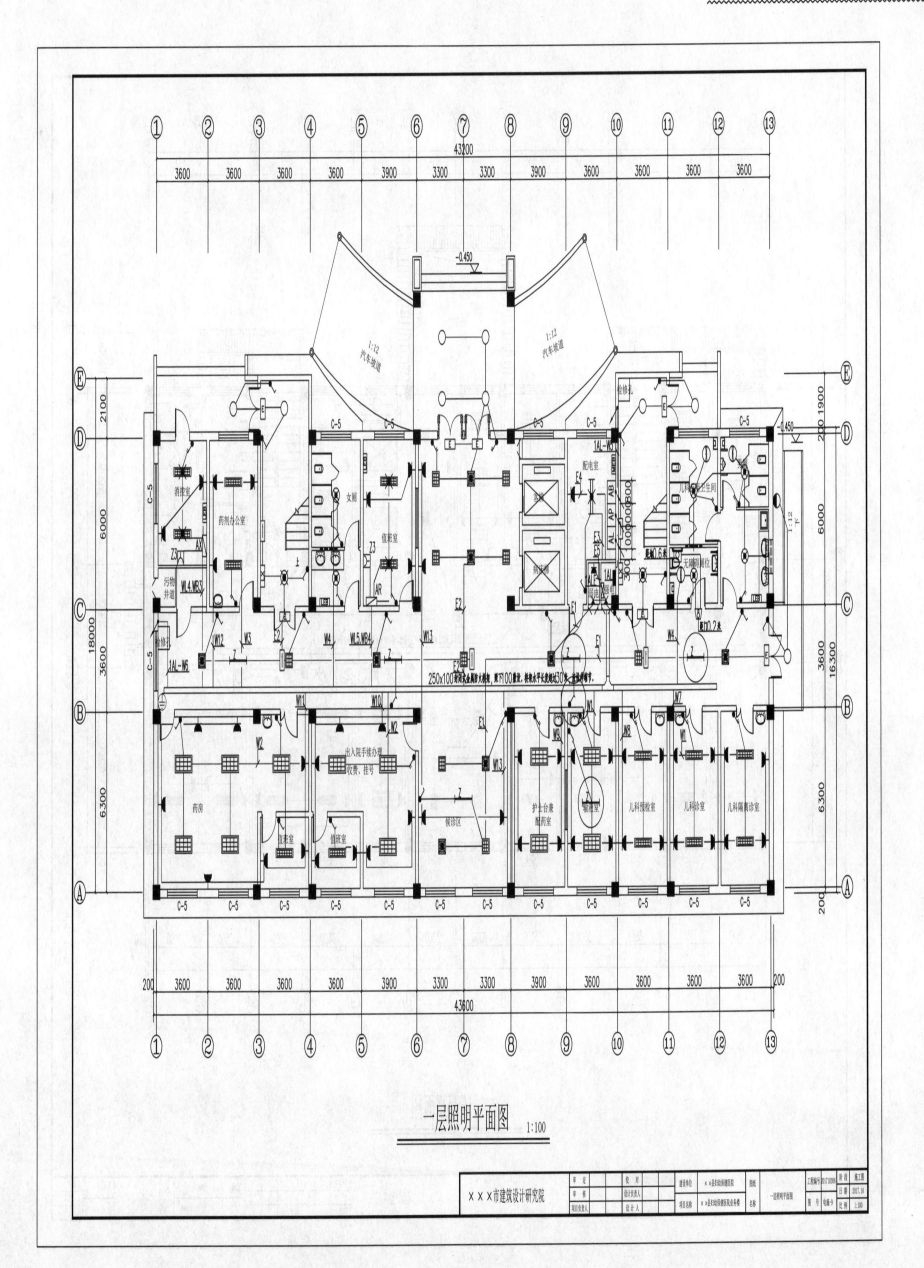

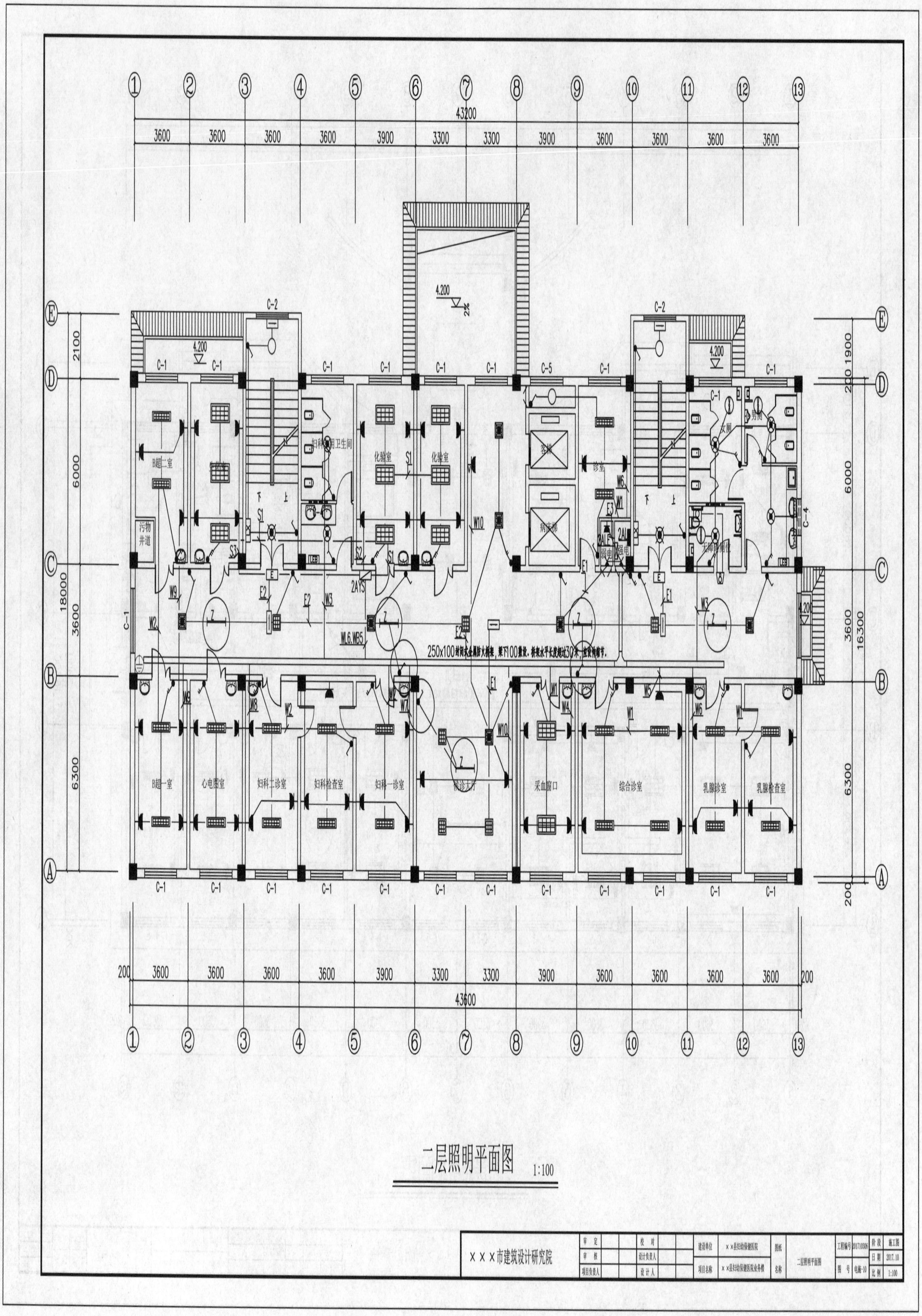

二层照明平面图 1:100

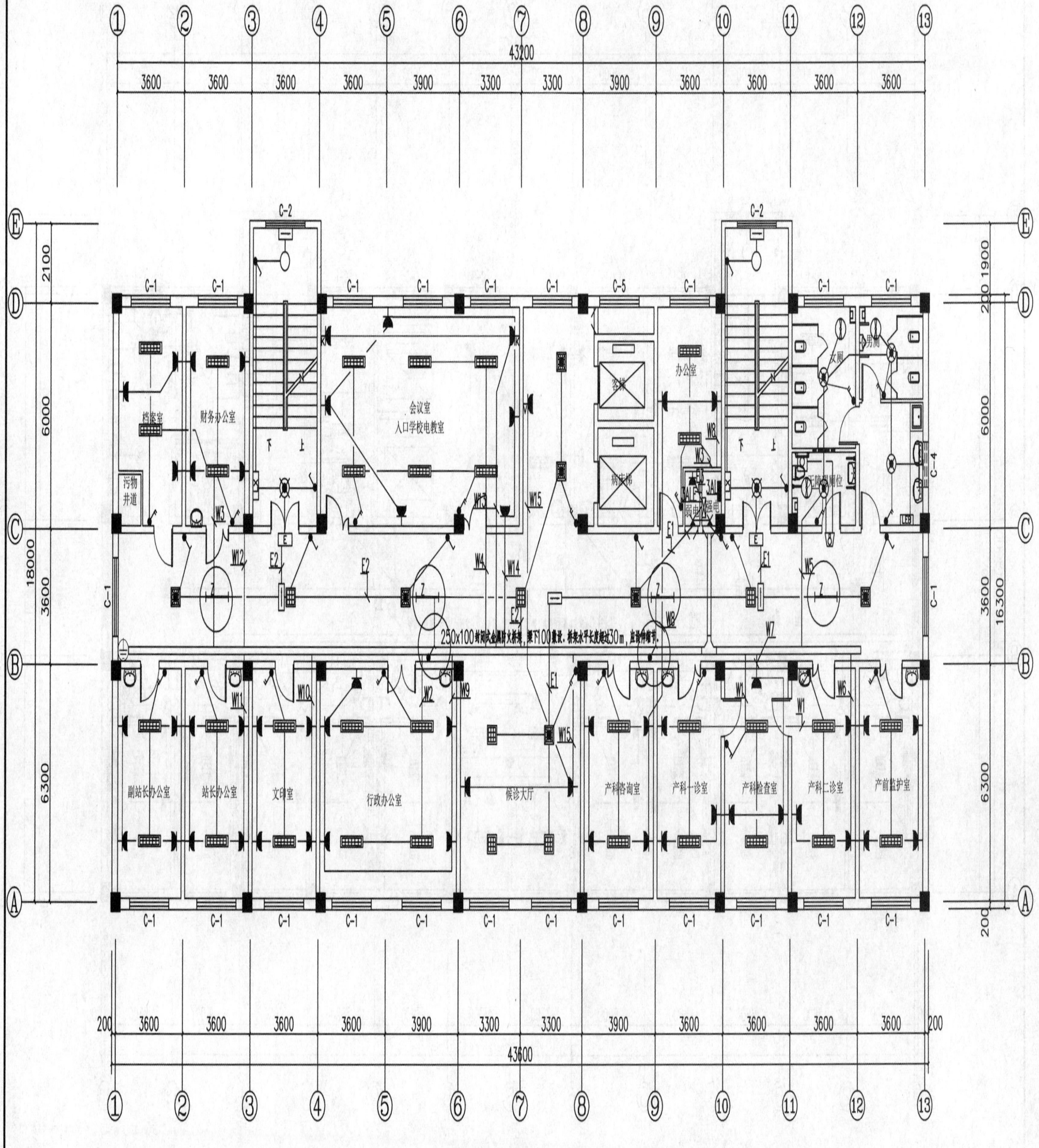

三层照明平面图 1:100

×××市建筑设计研究院	审 定	校 对		建设单位	××县妇幼保健医院	图纸名称	三层照明平面图图	工程编号	201710306	阶 段	施工图
	审 核	设计负责人								日 期	2017.10
	项目负责人	设 计 人		项目名称	××县妇幼保健医院业务楼			图 号	电施-11	比 例	1:100

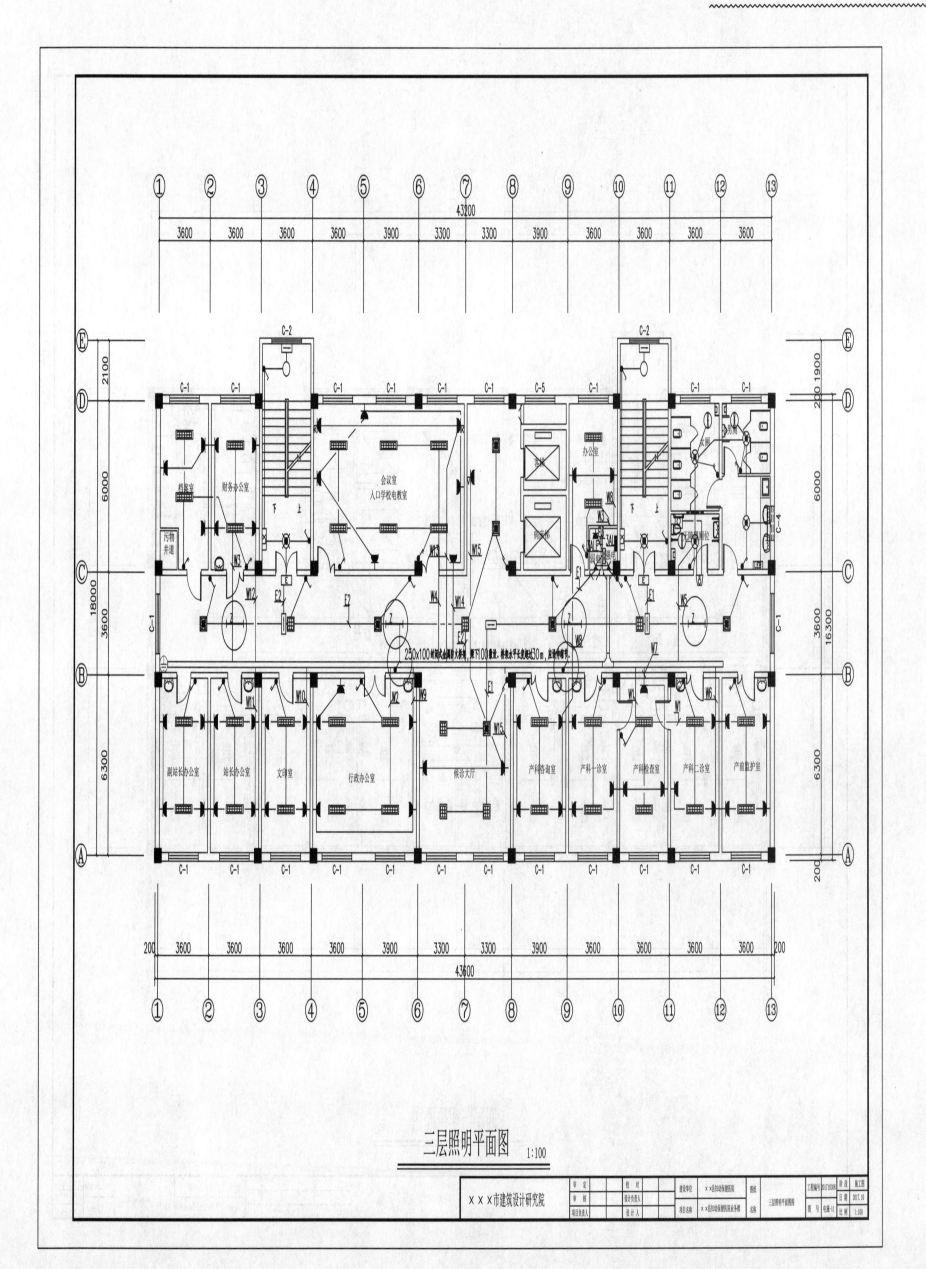

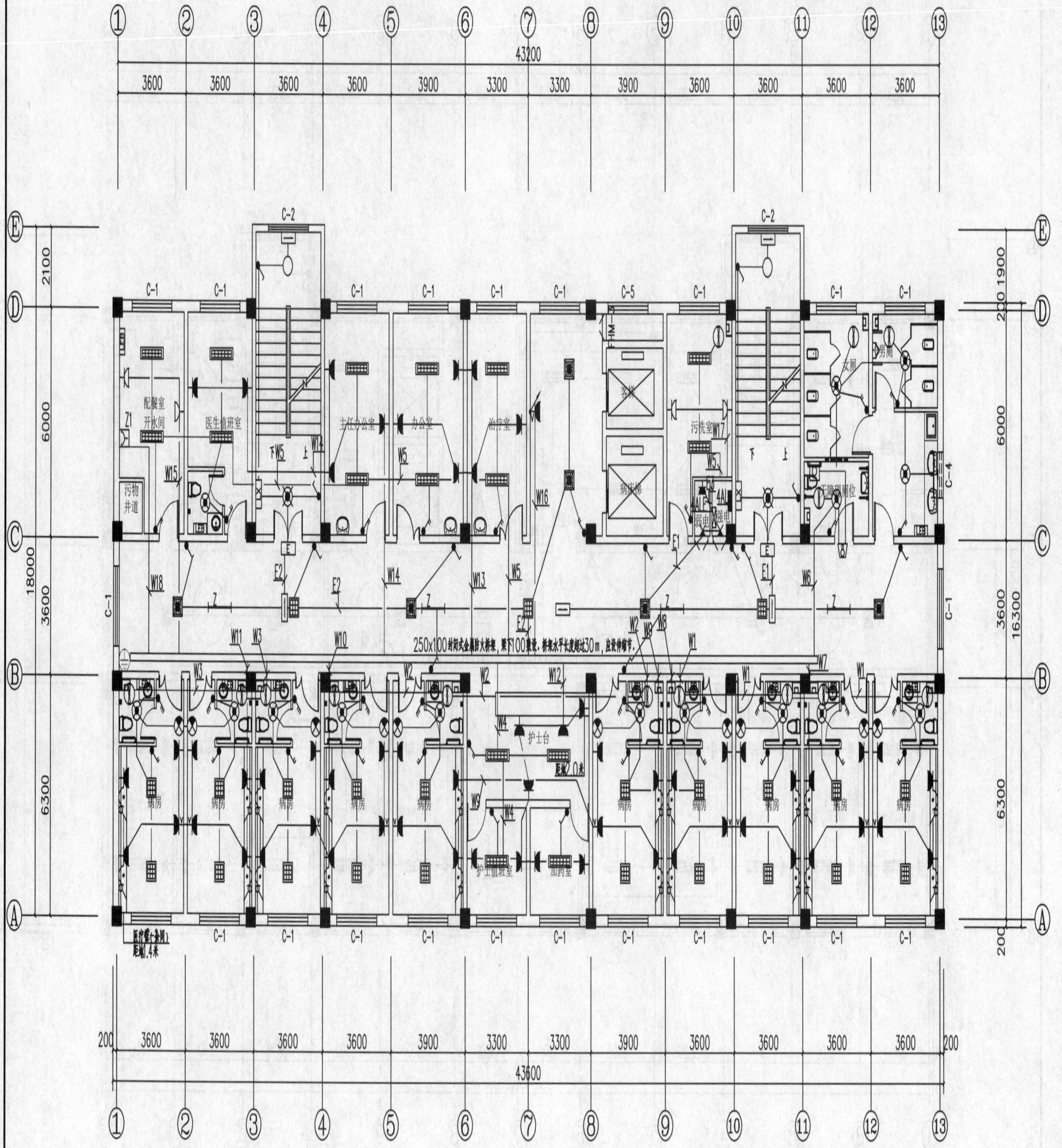

四层照明平面图 1:100

×××市建筑设计研究院	审定		校对		建设单位	××县妇幼保健医院	图纸	四层照明平面图	工程编号		阶段	施工图
	审核		设计负责人								日期	2017.10
	项目负责人		设计人		项目名称	××县妇幼保健医院业务楼	名称		图号	电施-12	比例	1:100

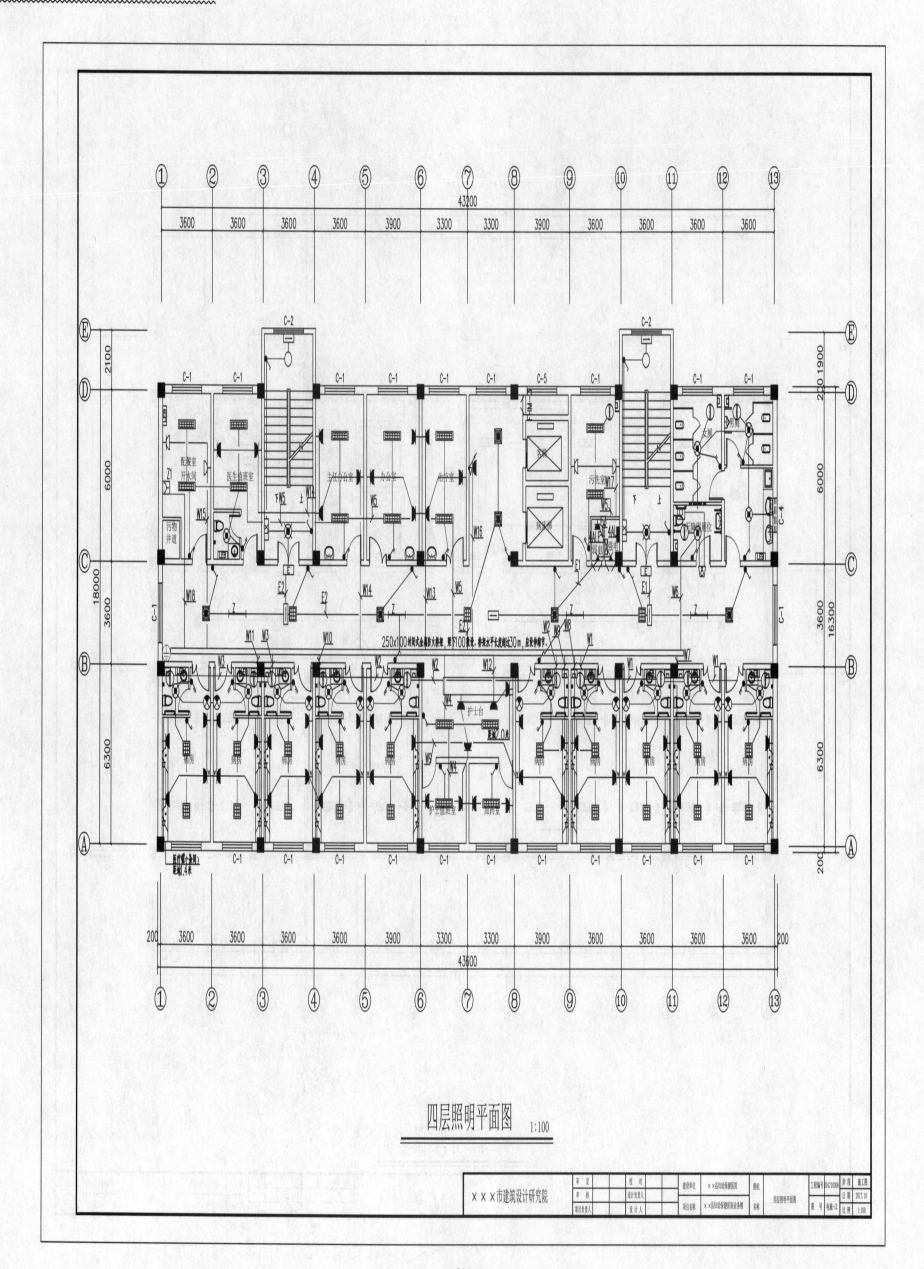

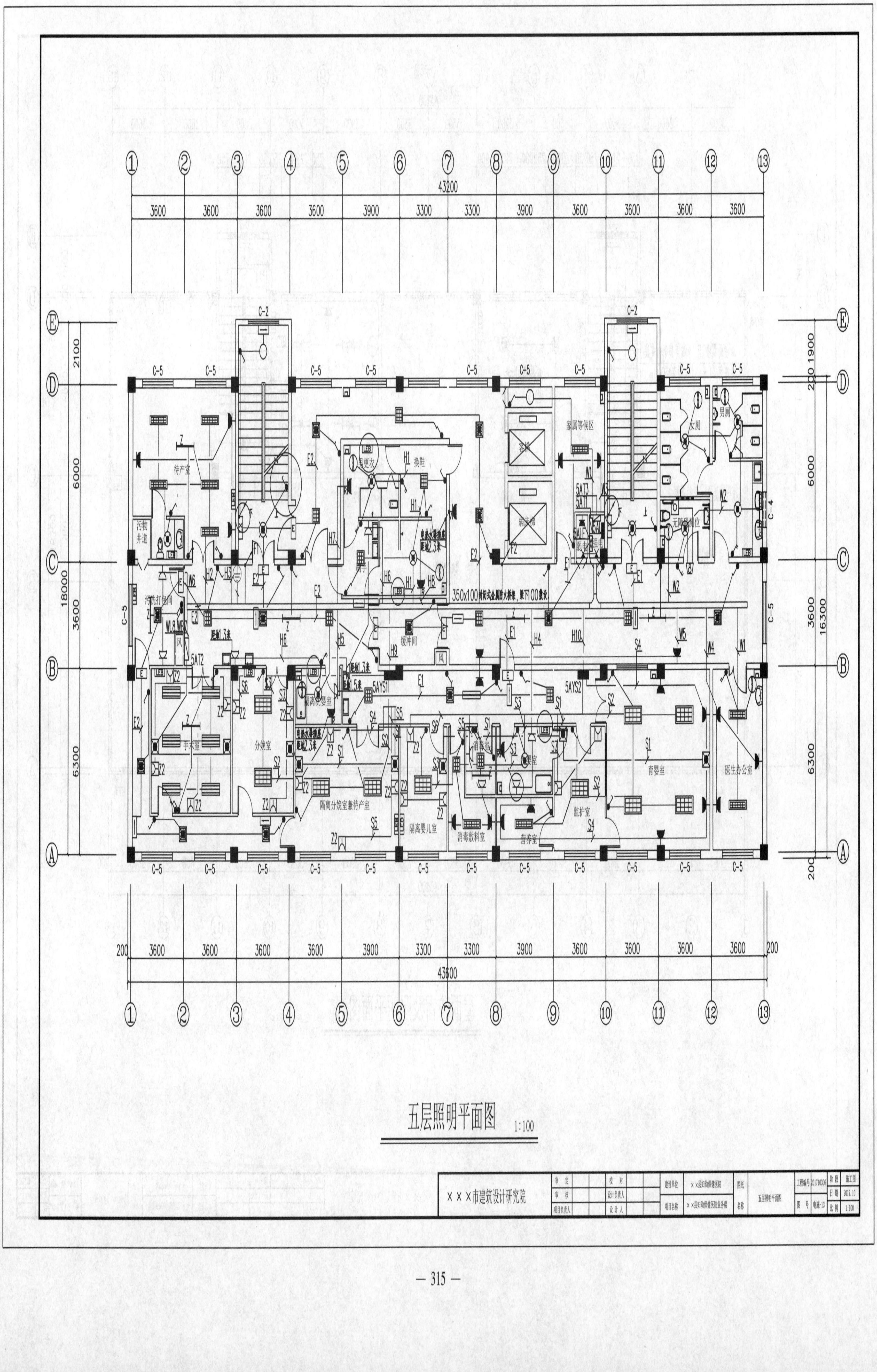

五层照明平面图 1:100

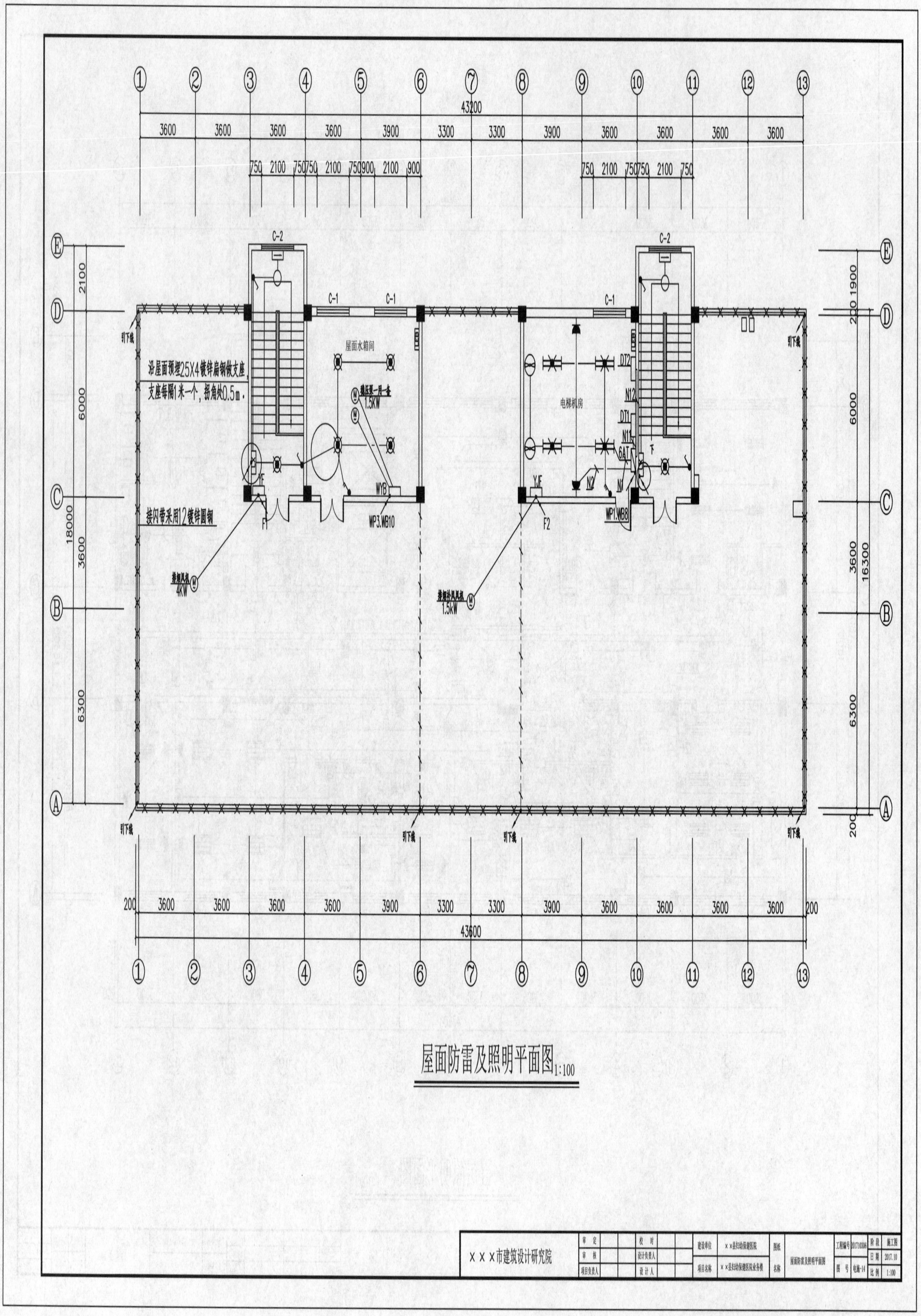

43200
3600 3600 3600 3600 3900 3300 3300 3900 3600 3600 3600 3600
C-2
C-1
屋面水箱间
电梯机房
沿屋面预埋25X4镀锌扁钢做支座，支座每隔1米一个，拐角处0.5m。
接闪带采用12镀锌圆钢
引下线
WP3.WB10
WP1.WB8
1.5KW
4KW
43600
屋面防雷及照明平面图1:100
X X X市建筑设计研究院

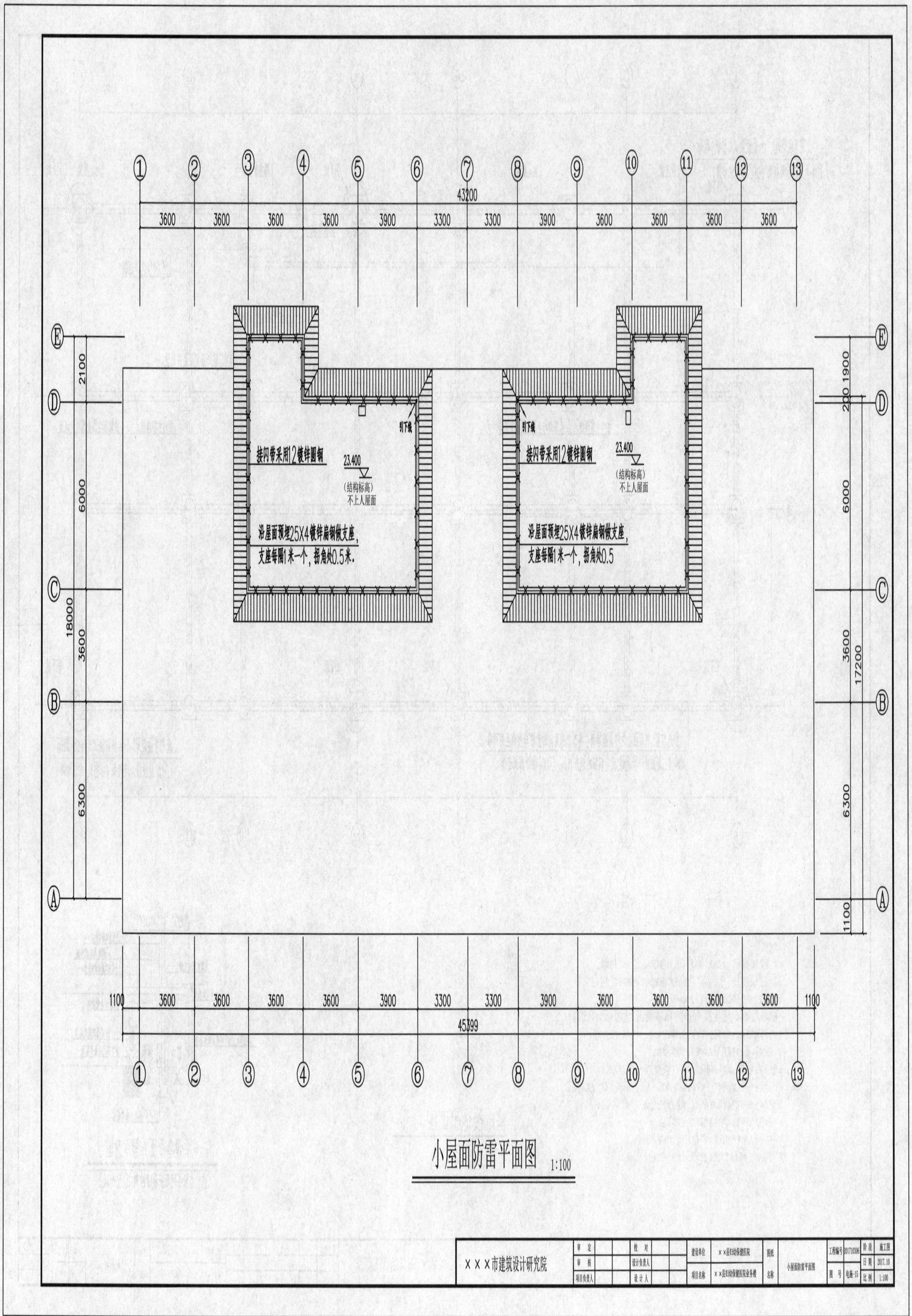
43200
3600
3300
3900
接闪带采用Ø12镀锌圆钢
23.400
(结构标高)
不上人屋面
沿屋面预埋25X4镀锌扁钢做支座,
支座每隔1米一个，拐角处0.5米.
引下线
18000
17200
2100
6000
6300
1100
45399
小屋面防雷平面图 1:100
X X X市建筑设计研究院
审定
审核
项目负责人
校对
设计负责人
设计人
建设单位
××县妇幼保健医院
项目名称
××县妇幼保健医院业务楼
图纸名称
小屋面防雷平面图
工程编号
201710306
图号
电施-15
阶段
施工图
日期
2017.10
比例
1:100

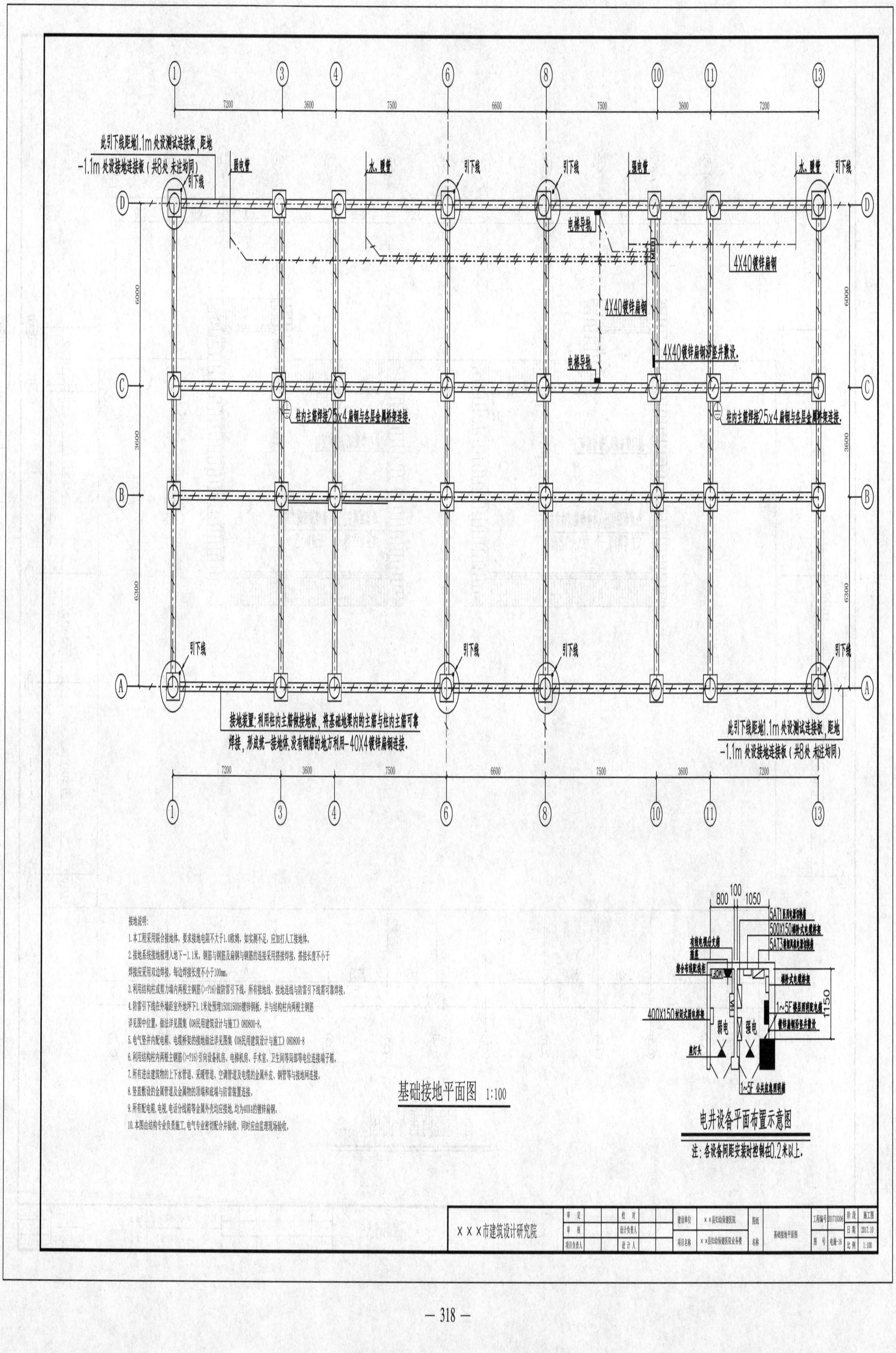
此引下线距地1.1m处设测试连接板，距地
-1.1m处设接地连接板（共8处 未注均同）
引下线
弱电管
水、暖管
强电管
电梯导轨
4X40镀锌扁钢
4X40镀锌扁钢沿竖井敷设.
柱内主筋焊接25x4扁钢与各层金属桥架连接.
接地装置：利用柱内主筋做接地极，将基础地梁内的主筋与柱内主筋可靠
焊接，形成统一接地体，没有钢筋的地方利用-40X4镀锌扁钢连接.
7200
3600
7500
6600
6000
6300
接地说明：
1.本工程采用联合接地体，要求接地电阻不大于1.0欧姆，如实测不足，应加打人工接地体。
2.接地系统接地极埋入地下-1.1米，钢筋与钢筋及扁钢与钢筋的连接采用搭接焊接，搭接长度不小于
焊接应采用双边焊接，每边焊接长度不小于100mm。
3.利用结构柱或剪力墙内两根主钢筋(>=?16)做防雷引下线，所有接地线、接地连线与防雷引下线需可靠焊接。
4.防雷引下线在外墙距室外地坪下1.1米处预埋150X150X6镀锌钢板，并与结构柱内两根主钢筋
详见图中位置，做法详见图集《08民用建筑设计与施工》08D800-8。
5.电气竖井内配电箱、电缆桥架的接地做法详见图集《08民用建筑设计与施工》08D800-8
6.利用结构柱内两根主钢筋(>=?16)引向设备机房、电梯机房、手术室、卫生间等局部等电位连接端子箱。
7.所有进出建筑物的上下水管道、采暖管道、空调管道及电缆的金属外皮、钢管等与接地网连接。
8.竖直敷设的金属管道及金属物的顶端和底端与防雷装置连接。
9.所有配电箱,电视,电话分线箱等金属外壳均应接地,均为40X4的镀锌扁钢。
10.本图由结构专业负责施工,电气专业密切配合并验收。同时应由监理现场验收。
基础接地平面图 1:100
800
100
1050
5AT1医用电源切换箱
500X150梯阶式电缆桥架
5AT3排烟风机电源切换箱
有线电视分支箱
插座
综合布线配线柜
梯阶式电缆桥架
1~5F楼层照明配电箱
镀锌扁钢沿竖井敷设
400X150封闭式弱电桥架
弱电
强电
座灯头
1~5F 公共应急照明箱
1150
电井设备平面布置示意图
注：各设备间距安装时控制在0.2米以上.
×××市建筑设计研究院
审定
校对
审核
设计负责人
项目负责人
设计人
建设单位
××县妇幼保健医院
项目名称
××县妇幼保健医院业务楼
图纸名称
基础接地平面图
工程编号 201710306
图号 电施-16
阶段 施工图
日期 2017.10
比例 1:100

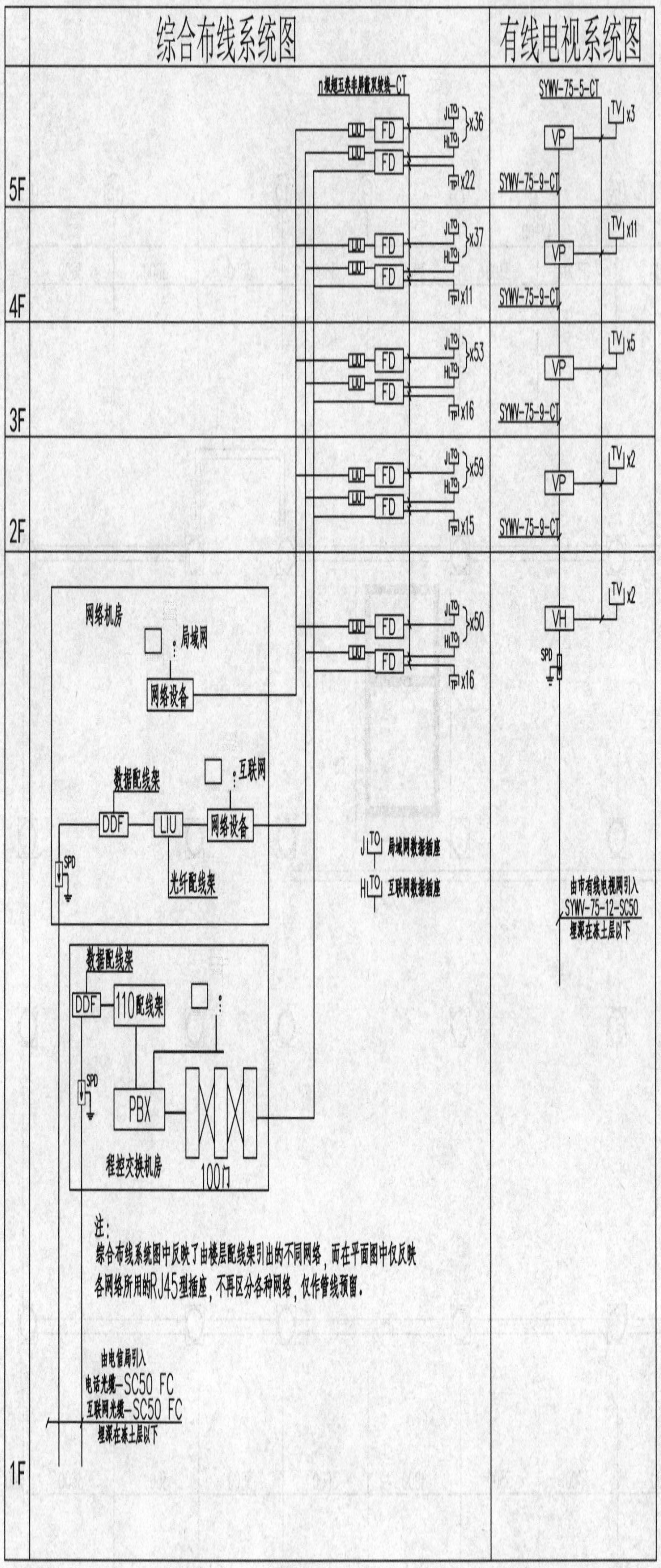

弱电系统图

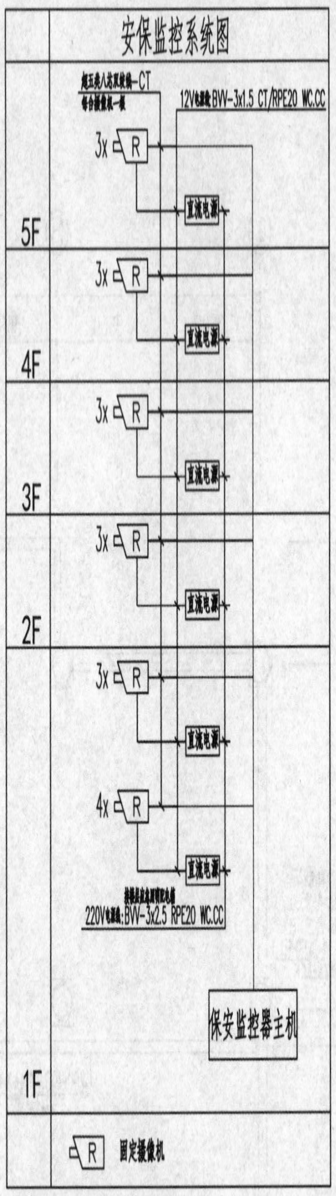

信号线路（有线）浪涌保护器参数选择表

参数要求 / 线缆类型 / 参数名称	非屏蔽双绞线	屏蔽双绞线	同轴电缆
标称导通电压	≥	≥	≥
测试波形	，混合波		
标称放电电流	≥	≥	≥

序号	图例	名称	规格	单位	数量	备注
13	VP	分支分配器箱		个	4	明装，距地1.4米
12	VH	前端箱		个	1	明装，距地1.4米
11	FD	楼层配线架		个	10	落地
10		局域网配线架		个	1	落地
9		互联网配线架		个	1	落地
8	R	摄像机		个	16	吸顶
7	TO	信息出线口		个	212	暗装，距地0.3米 病房暗装，距地1.8米
6	TP	电话插座		个	91	暗装，距地0.3米
5	TV	电视插座		个	14	暗装，距地1.8米
4		壁挂式呼叫对讲主机		个	1	明装，距地1.8米
3		呼叫分机		台	10	明装，距门0.3米
2	◎	床位开关		个	30	医疗带上安装
1	⊡	卫生间按钮		个	5	暗装，距地0.8米

电气设备材料图例表

×××市建筑设计研究院	审定			校对			建设单位	××县妇幼保健医院	图纸名称	弱电系统图 电气设备材料图例表	工程编号	201710306	阶段	施工图
	审核			设计负责人			项目名称	××县妇幼保健医院业务楼			图号	电施-17	日期	2017.10
	项目负责人			设计人									比例	1:100

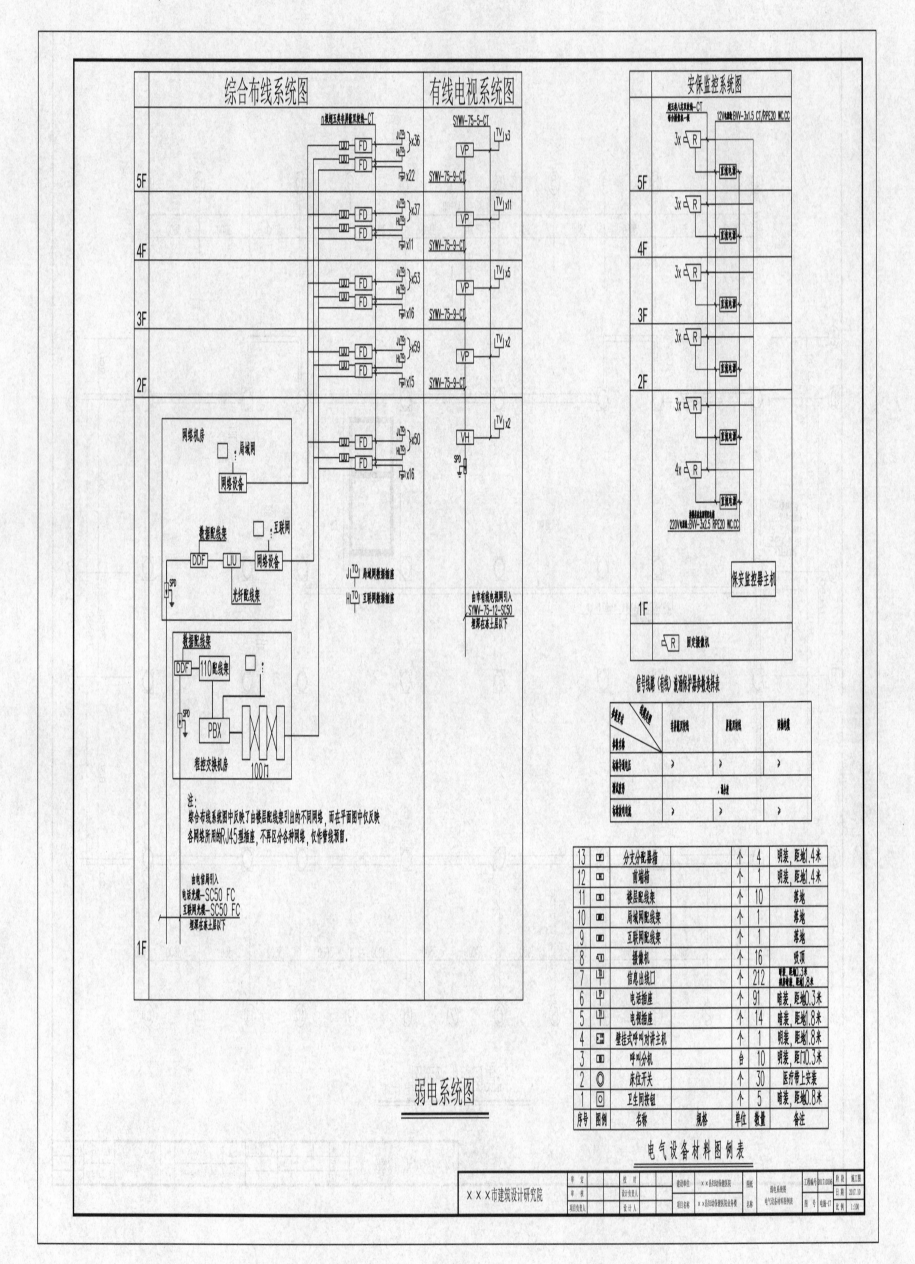

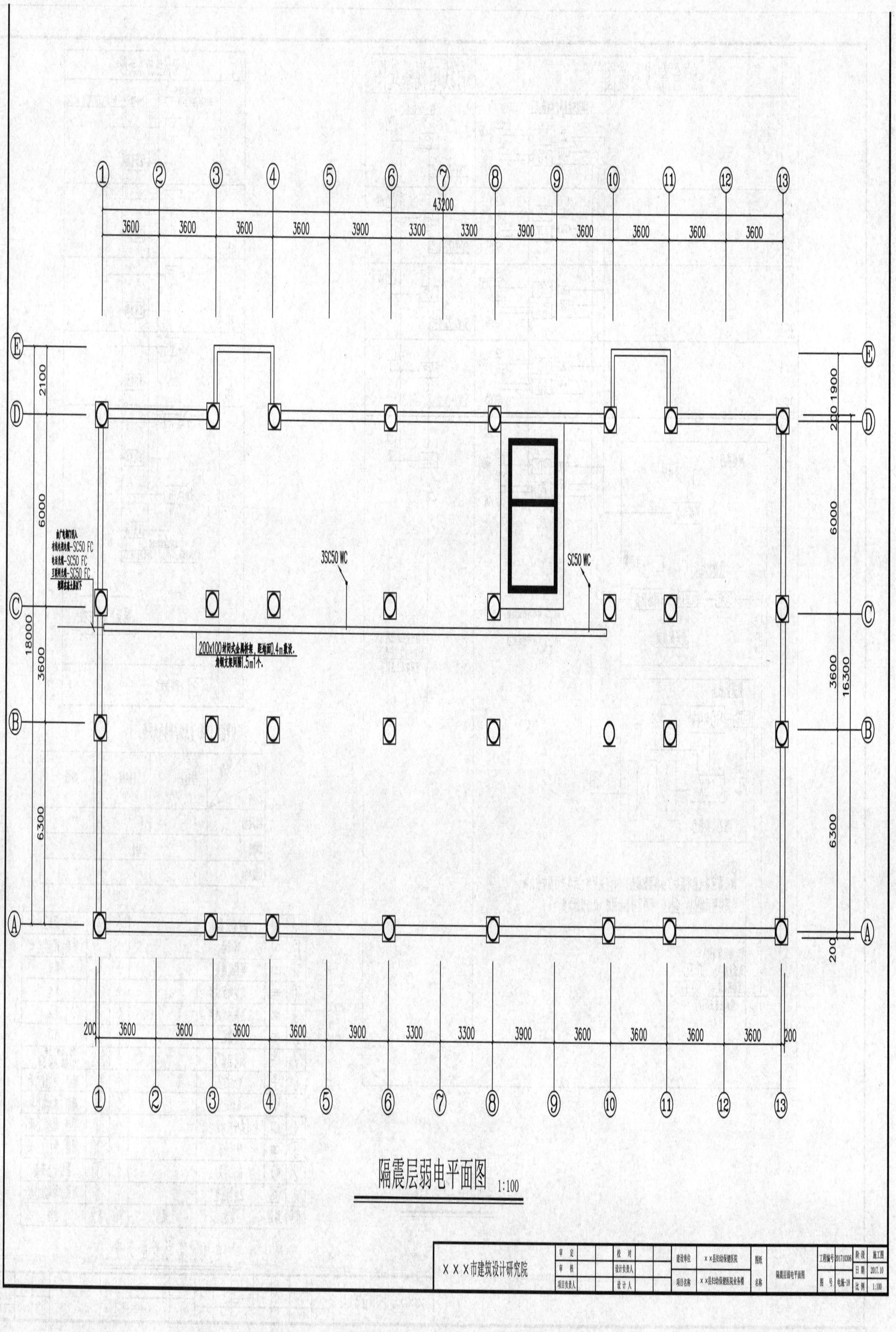

43200
3600
3900
3300
由广电部门引入
有线电视电缆-SC50 FC
电话光缆-SC50 FC
互联网光缆-SC50 FC
埋深在冻土层以下
3SC50 WC
SC50 WC
200x100封闭式金属桥架，距地面0.4m敷设，
角钢支架间隔1.5m1个。
18000
16300
6000
6300
2100
1900
200
隔震层弱电平面图 1:100
X X X市建筑设计研究院
审 定
审 核
项目负责人
校 对
设计负责人
设 计 人
建设单位
x x县妇幼保健医院
项目名称
x x县妇幼保健医院业务楼
图纸名称
隔震层弱电平面图
工程编号
201710306
图 号
电施-18
阶 段
施工图
日 期
2017.10
比 例
1:100

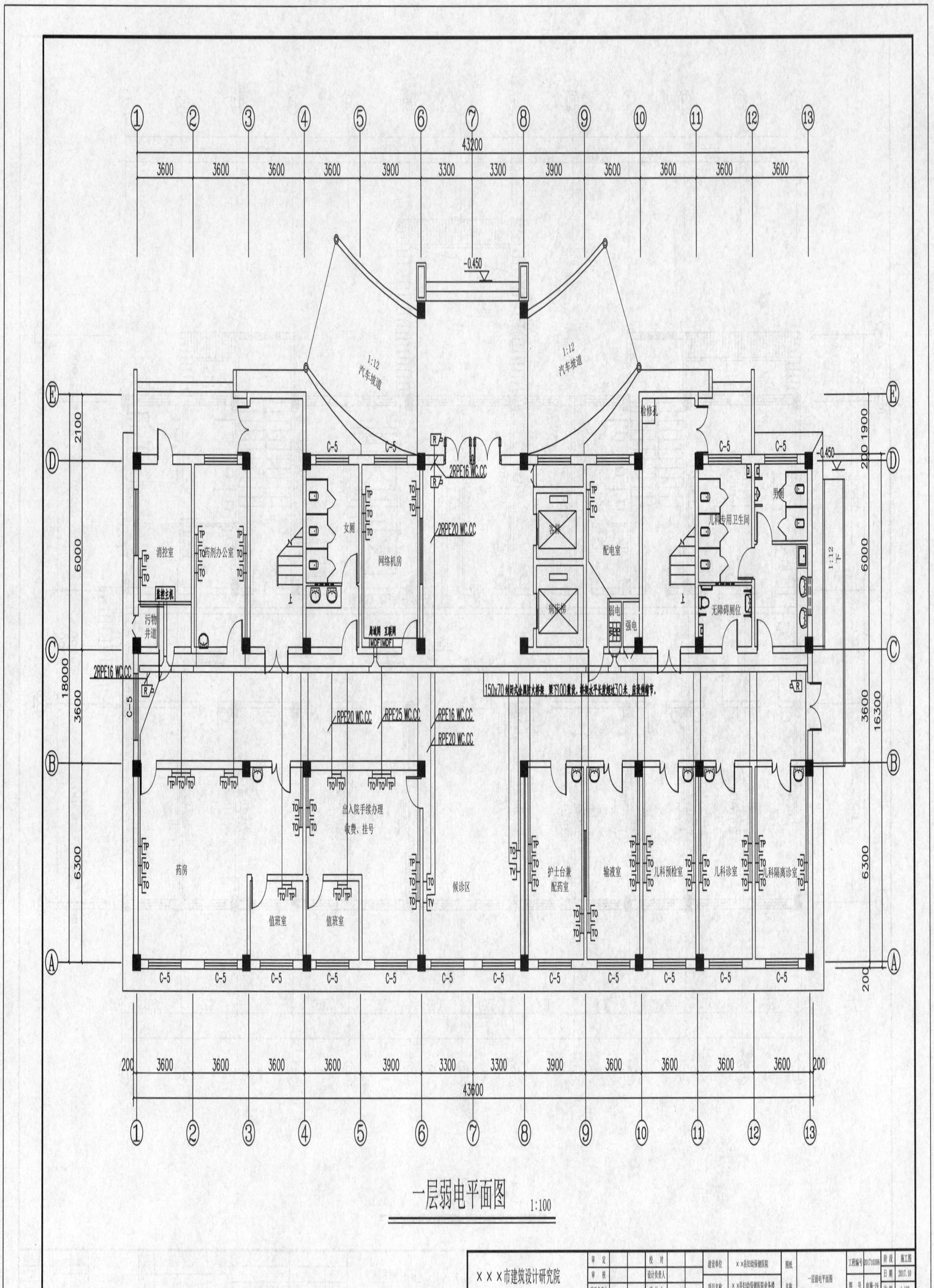

一层弱电平面图 1:100

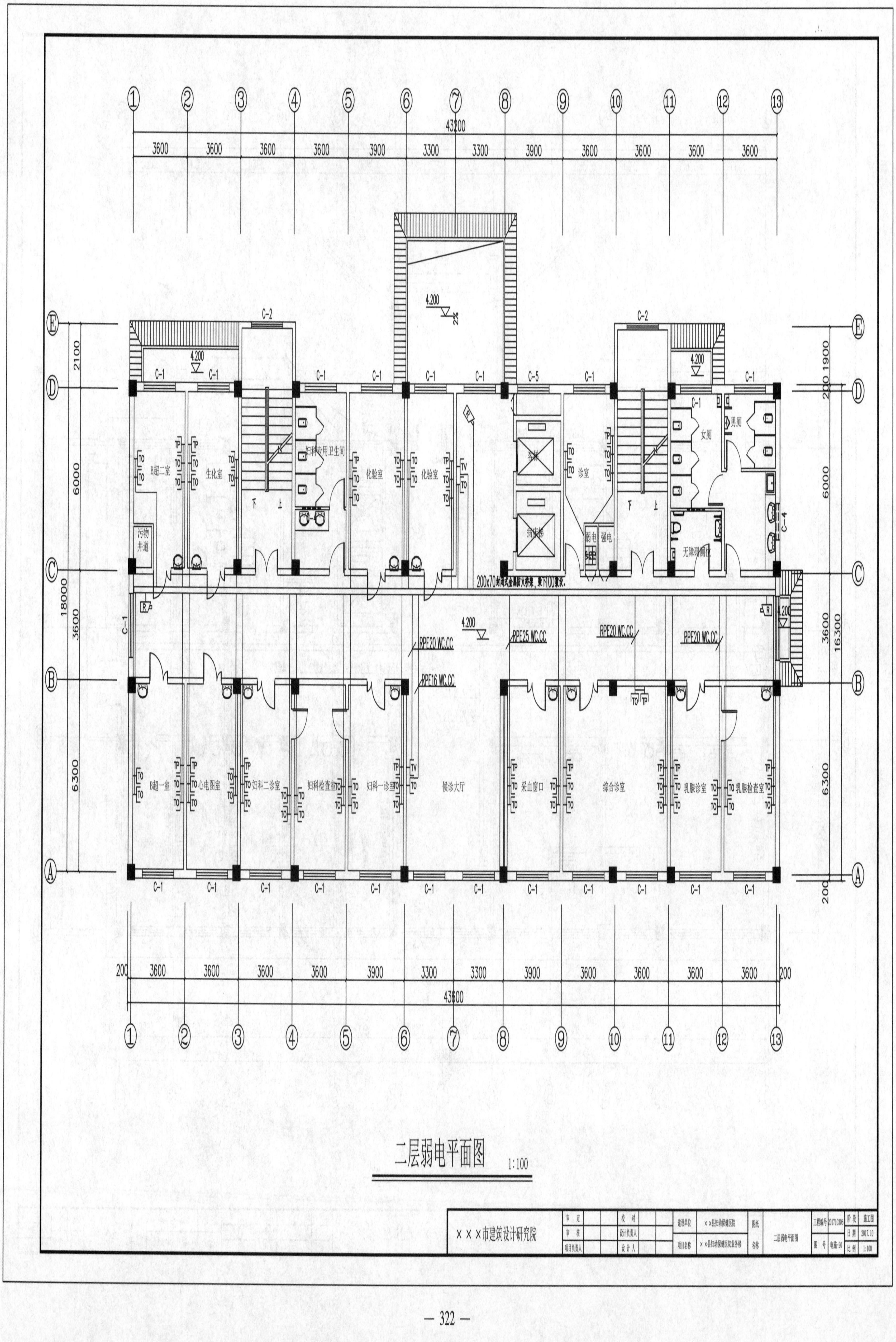
二层弱电平面图 1:100
×××市建筑设计研究院
B超二室
生化室
妇科专用卫生间
化验室
诊室
女厕
男厕
无障碍厕位
污物井道
B超一室
心电图室
妇科二诊室
妇科检查室
妇科一诊室
候诊大厅
采血窗口
综合诊室
乳腺诊室
乳腺检查室
43200
43600
18000
16300

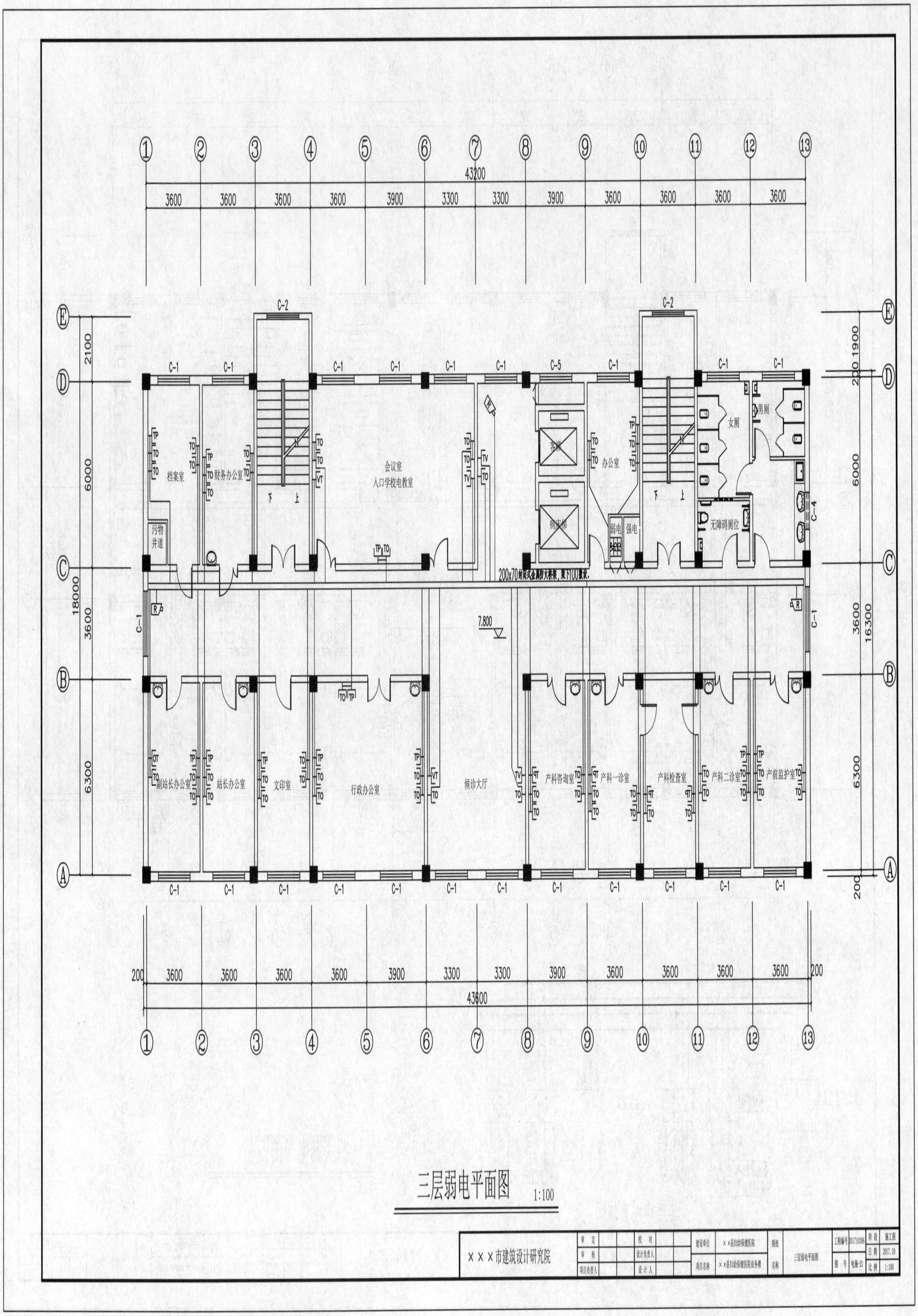
三层弱电平面图
1:100
档案室
财务办公室
会议室
人口学校电教室
办公室
女厕
男厕
无障碍厕位
污物井道
副站长办公室
站长办公室
文印室
行政办公室
候诊大厅
产科咨询室
产科一诊室
产科检查室
产科二诊室
产前监护室
×××市建筑设计研究院

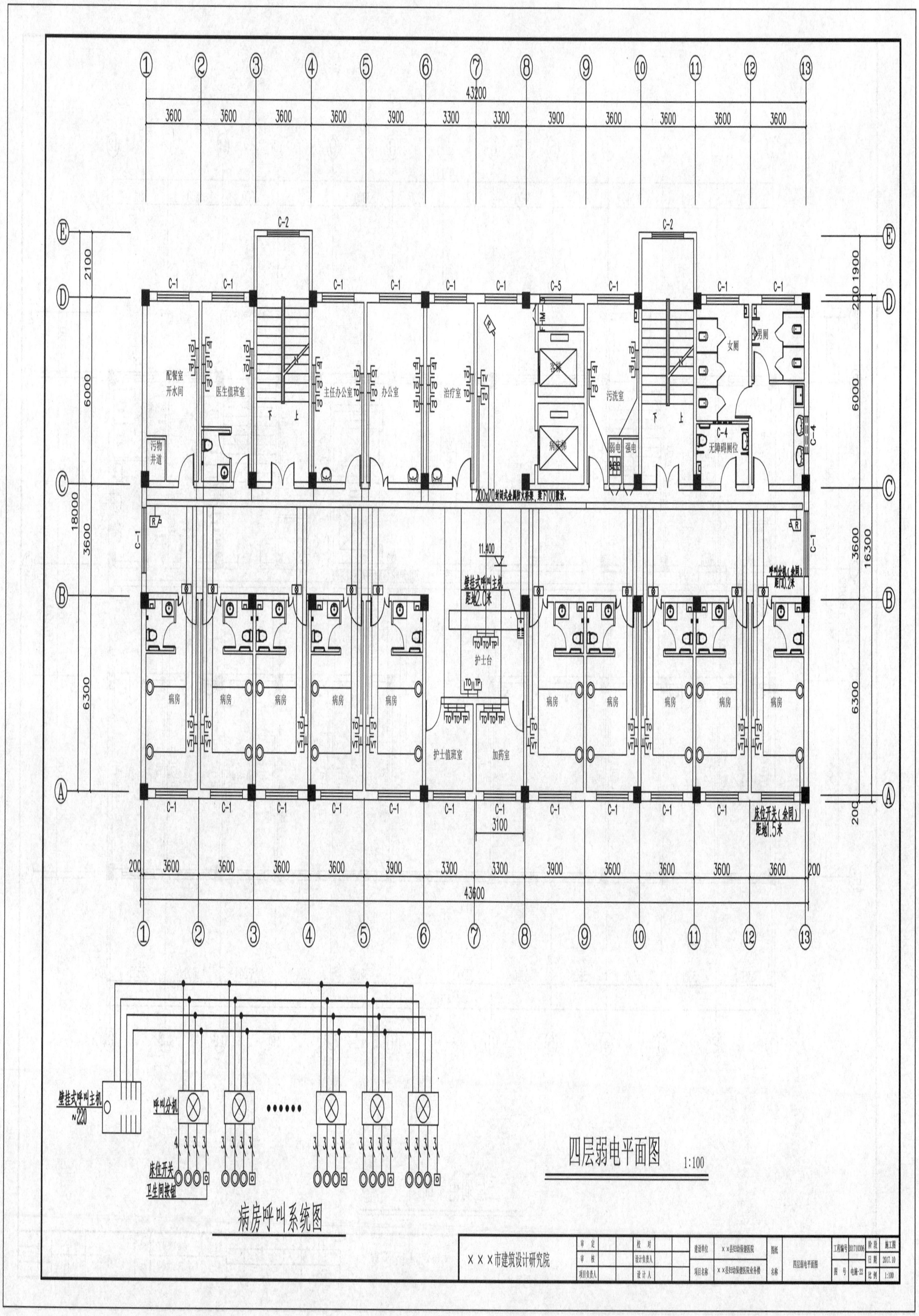
43200
3600
3900
3300
配餐室
开水间
医生值班室
主任办公室
办公室
治疗室
污洗室
女厕
男厕
无障碍厕位
污物
井道
弱电
强电
病房
护士台
护士值班室
加药室
壁挂式呼叫主机
呼叫分机
床位开关
卫生间按钮
43600
四层弱电平面图
1:100
病房呼叫系统图
×××市建筑设计研究院

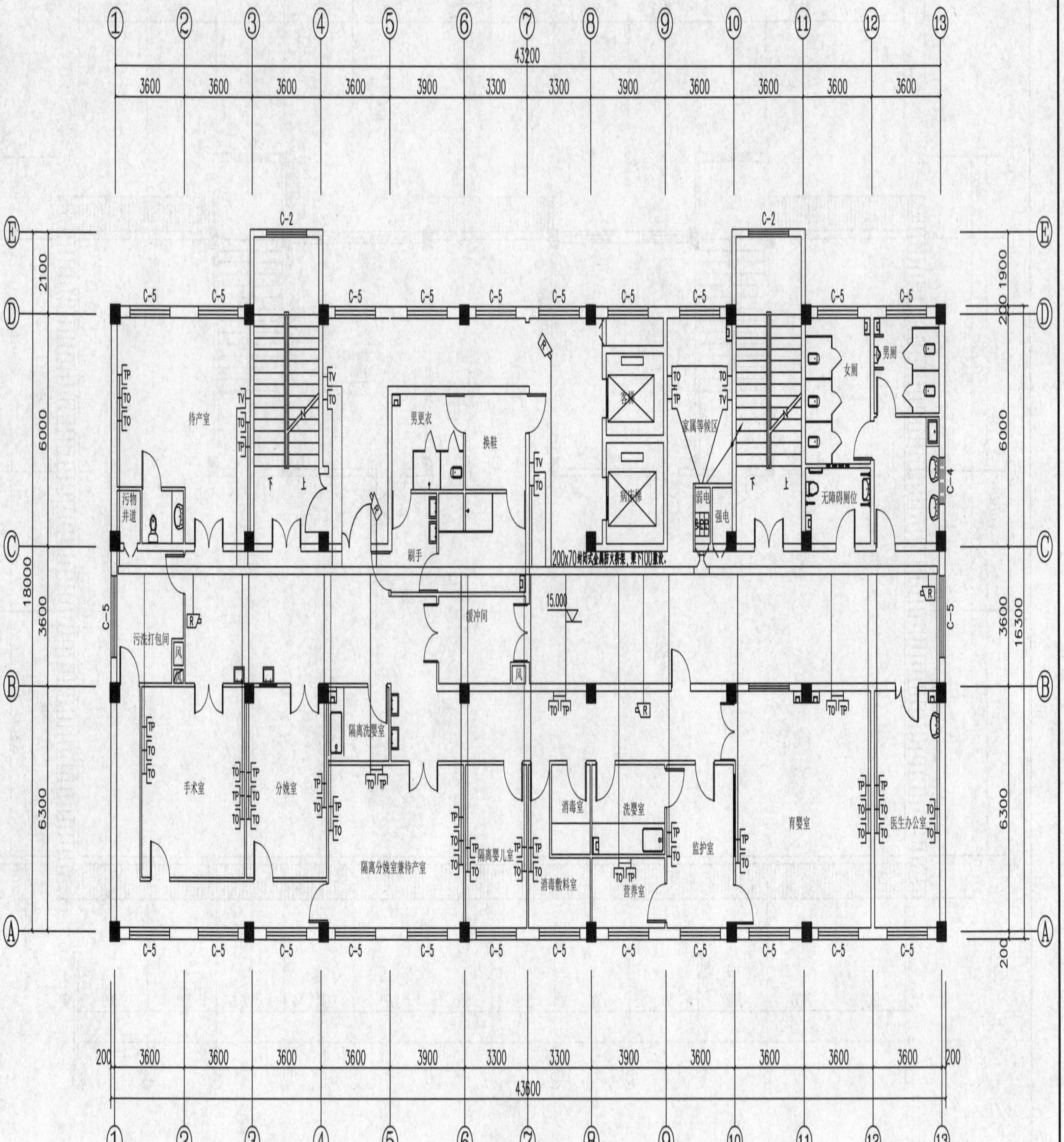

五层弱电平面图 1:100

×××市建筑设计研究院	审 定			校 对			建设单位	××县妇幼保健医院	图纸	五层弱电平面图	工程编号 201710306	阶 段	施工图
	审 核			设计负责人								日 期	2017.10
	项目负责人			设 计 人			项目名称	××县妇幼保健医院业务楼	名称		图 号 电施-23	比 例	1:100

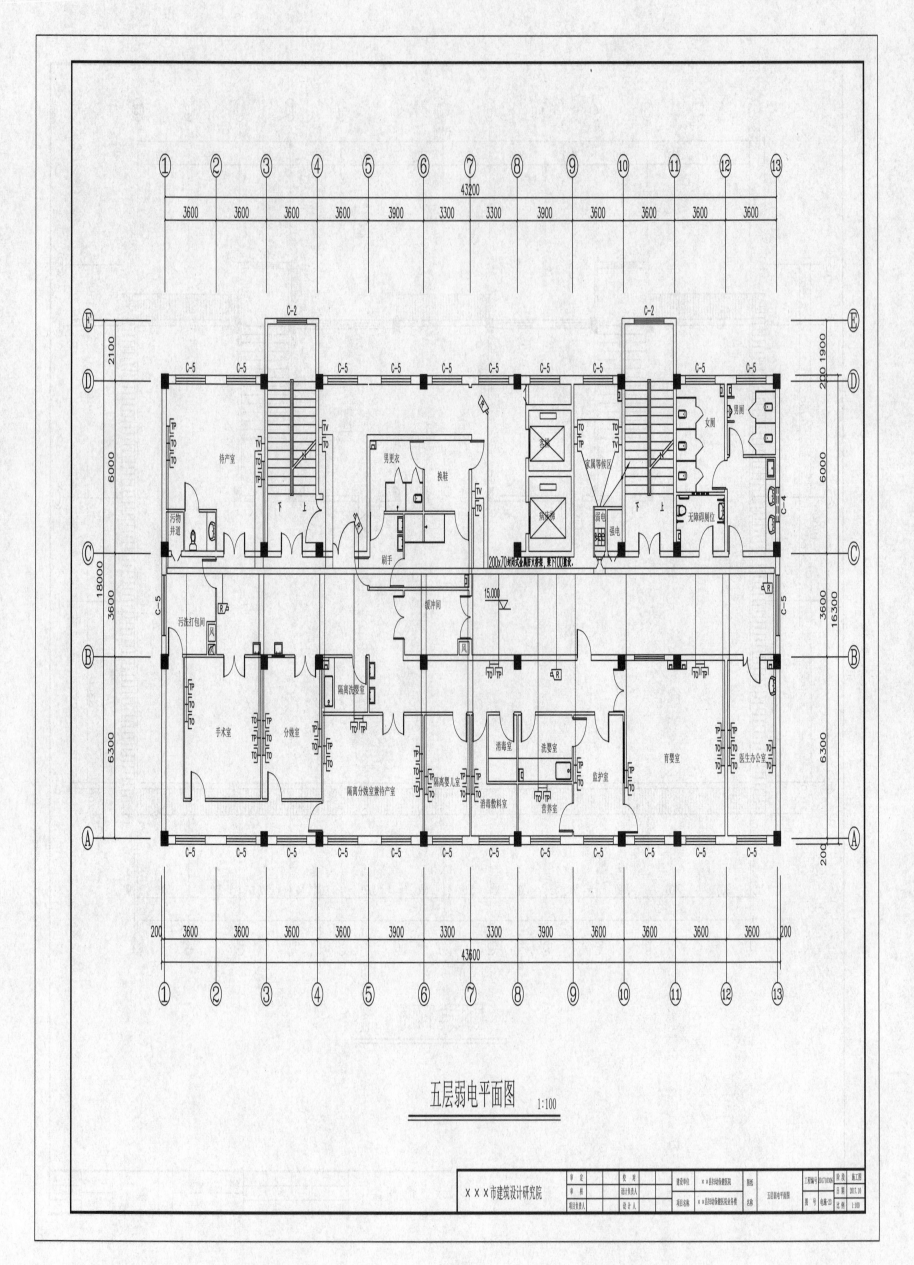

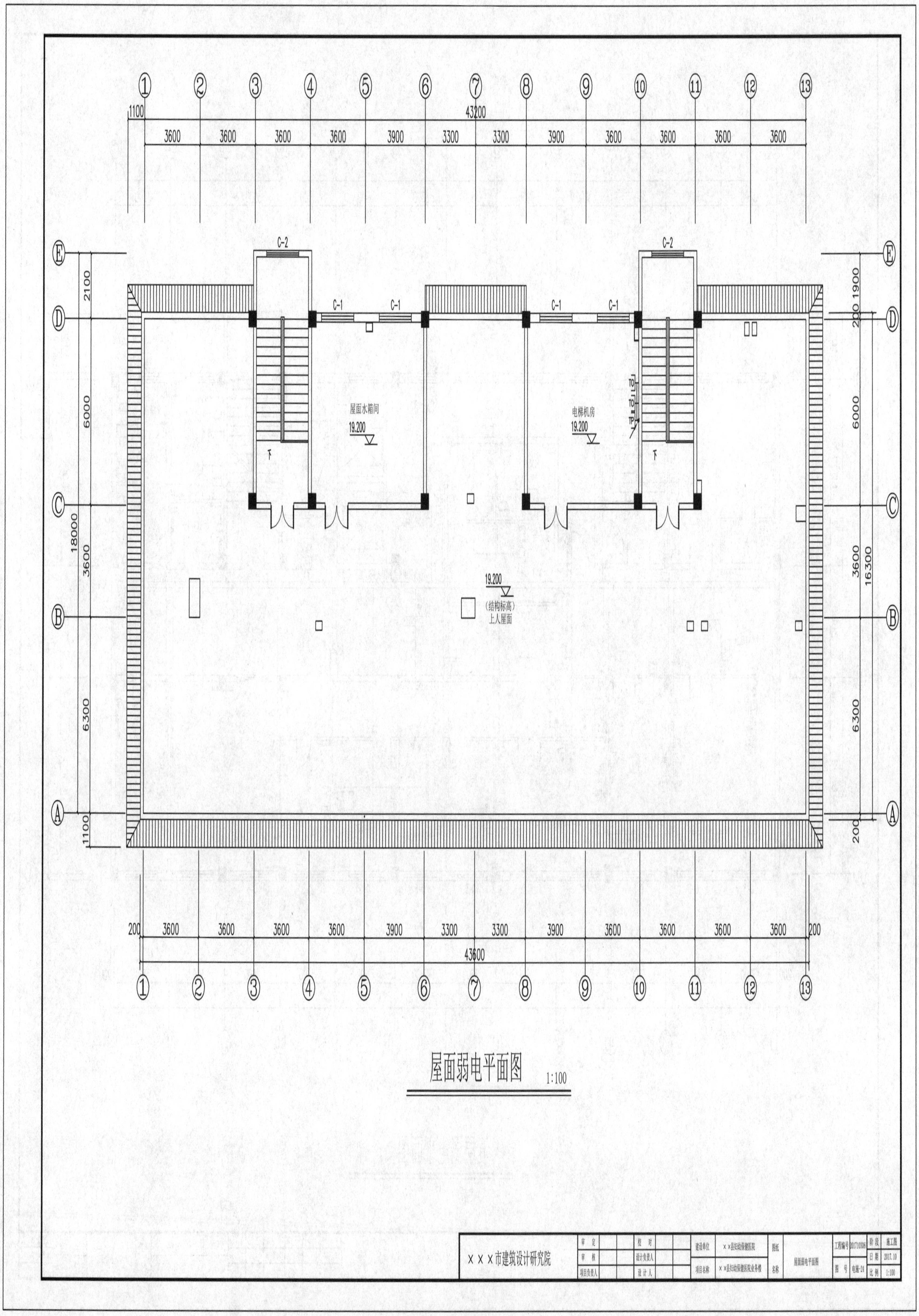
屋面水箱间
19.200
电梯机房
19.200
19.200
(结构标高)
上人屋面
C-1
C-2
屋面弱电平面图
1:100
×××市建筑设计研究院
审 定
审 核
项目负责人
校 对
设计负责人
设 计 人
建设单位
××县妇幼保健医院
项目名称
××县妇幼保健医院业务楼
图纸名称
屋面弱电平面图
工程编号 201710306
图 号 电施-24
阶 段 施工图
日 期 2017.10
比 例 1:100

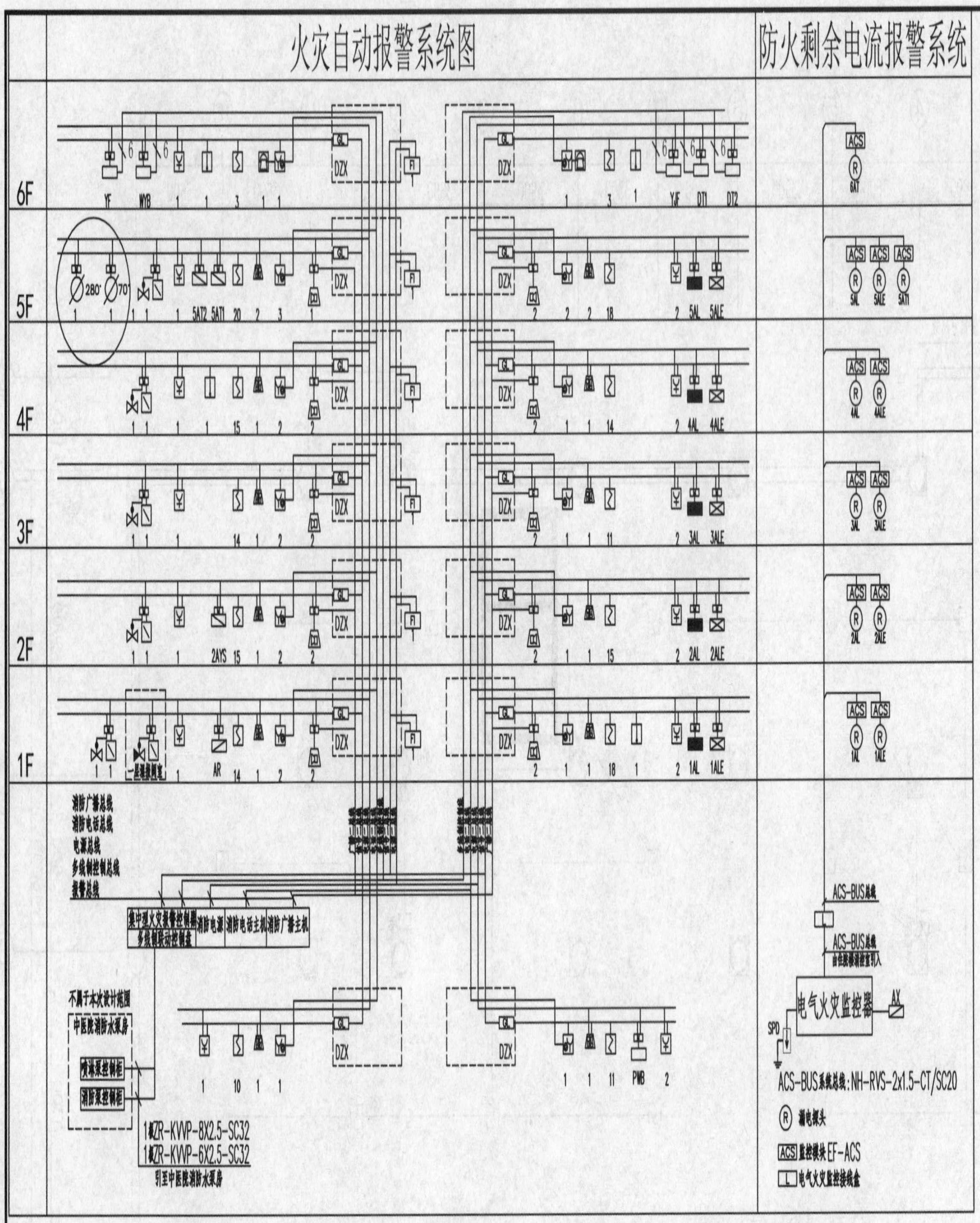

火灾自动报警系统图

序号	图例	名称	规格	单位	数量	备注
18	L	电气火灾监控接线盒	厂家成套	个	1	明装，距地1.4m
17	R	漏电探头	厂家成套	个	14	配电箱内安装
16	ACS	监控模块	EF-ACS	个	14	设备旁就近安装
15		信号蝶阀	厂家成套		5	见水施图
14		水流指示器	厂家成套	个	5	见水施图
13		湿式自动报警阀	厂家成套		1	见水施图
12	P	压力开关	厂家成套	个	1	见水施图
11		消火栓起泵按钮	厂家成套	个	15	消火栓箱内
10		带电话插孔的手动报警按钮	厂家成套		16	明装，距地1.5m
9		火灾声光警报器	厂家成套		13	明装，距地2.5m
8		报警电话	厂家成套		3	明装，距地1.5m
7		感温探测器	厂家成套		3	吸顶
6		感烟探测器	厂家成套		166	吸顶
5		火灾警报扬声器	厂家成套	个	26	吸顶
4	DZX	火灾自动报警楼层接线箱	340X355X50	个	12	暗装，距顶0.9m
3	M	消防模块	厂家成套	个	18	设备旁就近安装
2	G	消防广播切换模块	厂家成套	个	10	设备旁就近安装
1	C	集中报警控制器	厂家成套	台	1	落地安装

电气设备材料表

注：线型

信号二总线：NH-RVS 2X1.5-SC15-FC.WC

DC24V电源二总线：竖向采用NH-BV 2X4-SC20-FC.WC

水平采用NH-BV 2X2.5-SC15-CC-WC

消防电话通信线采用NH-RVS 2X1.5-SC15-FC.WC

消防广播线采用NH-RVS 2X1.5-SC15-FC.WC

多线联动控制线采用NH-KVV-6X1.5-SC20-FC.WC

消火栓按钮控制线采用NH-KVV 4X1.5-SC20 FC.WC

×××市建筑设计研究院	审 定		校 对		建设单位	××县妇幼保健医院	图纸	火灾自动报警系统图	工程编号	201710306	阶段 施工图
	审 核		设计负责人		项目名称	××县妇幼保健医院业务楼	名称		图 号	电施-25	日期 2017.10
	项目负责人		设 计 人								比例 1:100

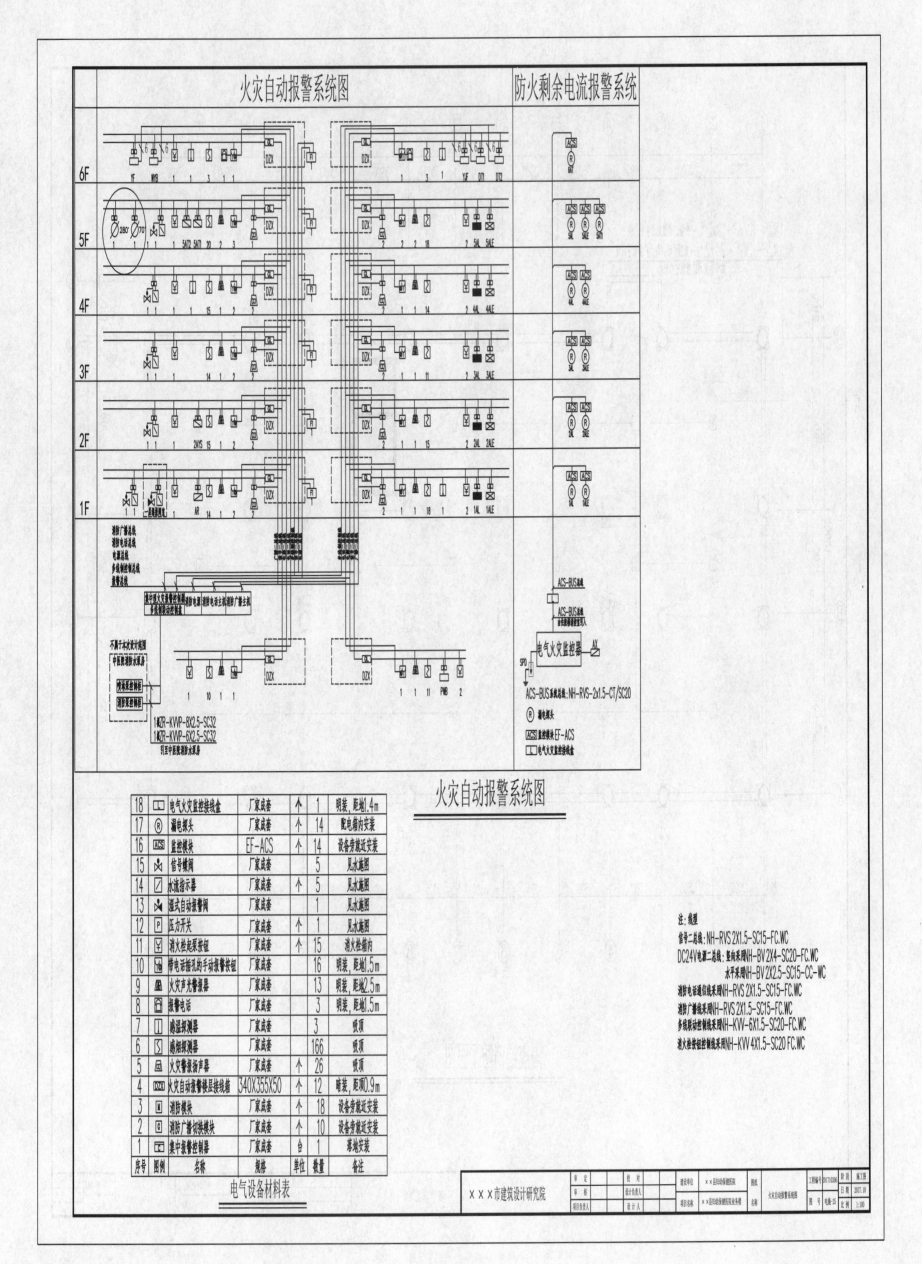

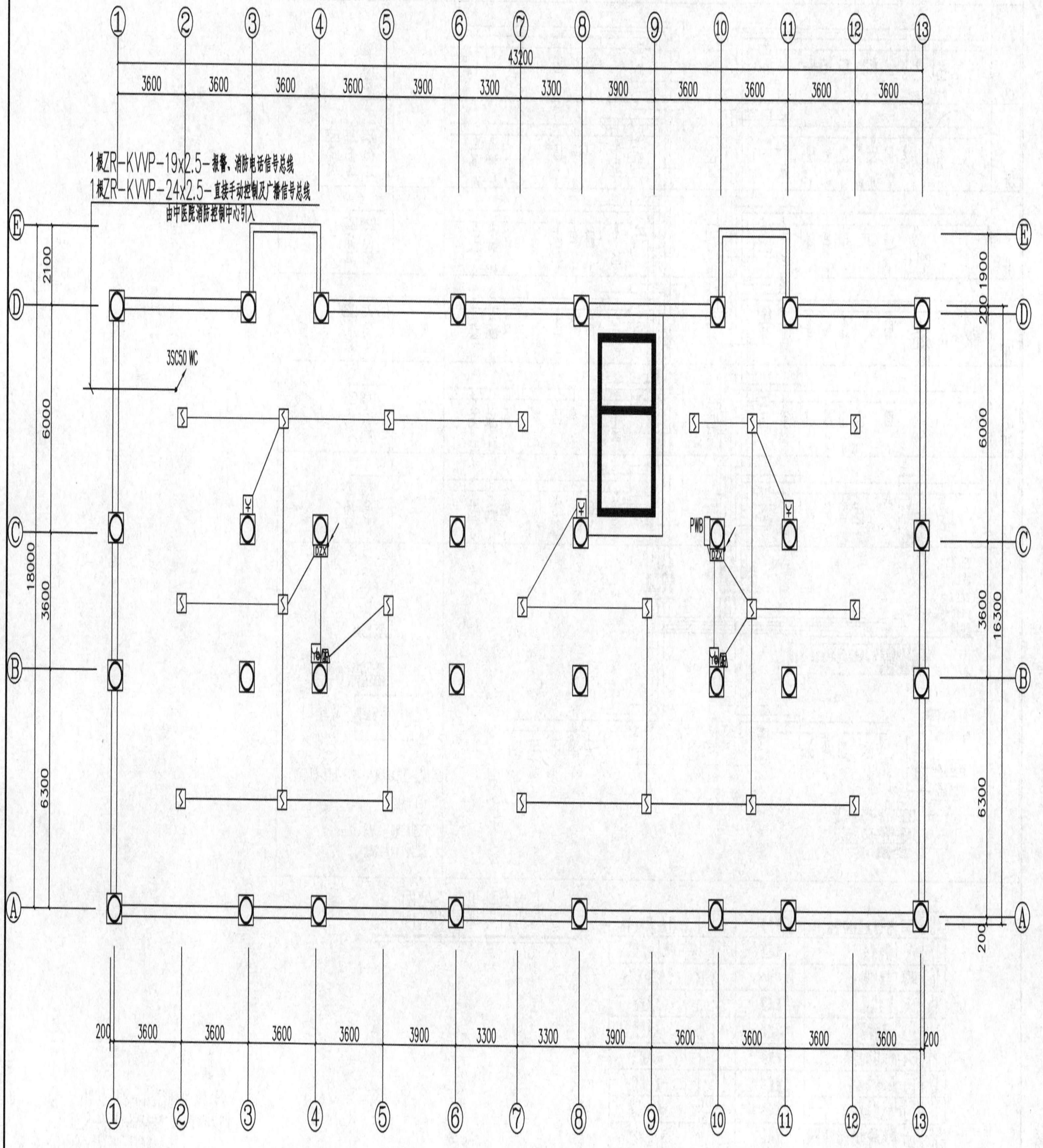

隔震层消防平面图 1:100

×××市建筑设计研究院	审 定		校 对		建设单位	××县妇幼保健医院	图纸名称	隔震层消防平面图	工程编号	201710306	阶 段	施工图
	审 核		设计负责人		项目名称	××县妇幼保健医院业务楼			图 号	电施-26	日 期	2017.10
	项目负责人		设 计 人								比 例	1:100

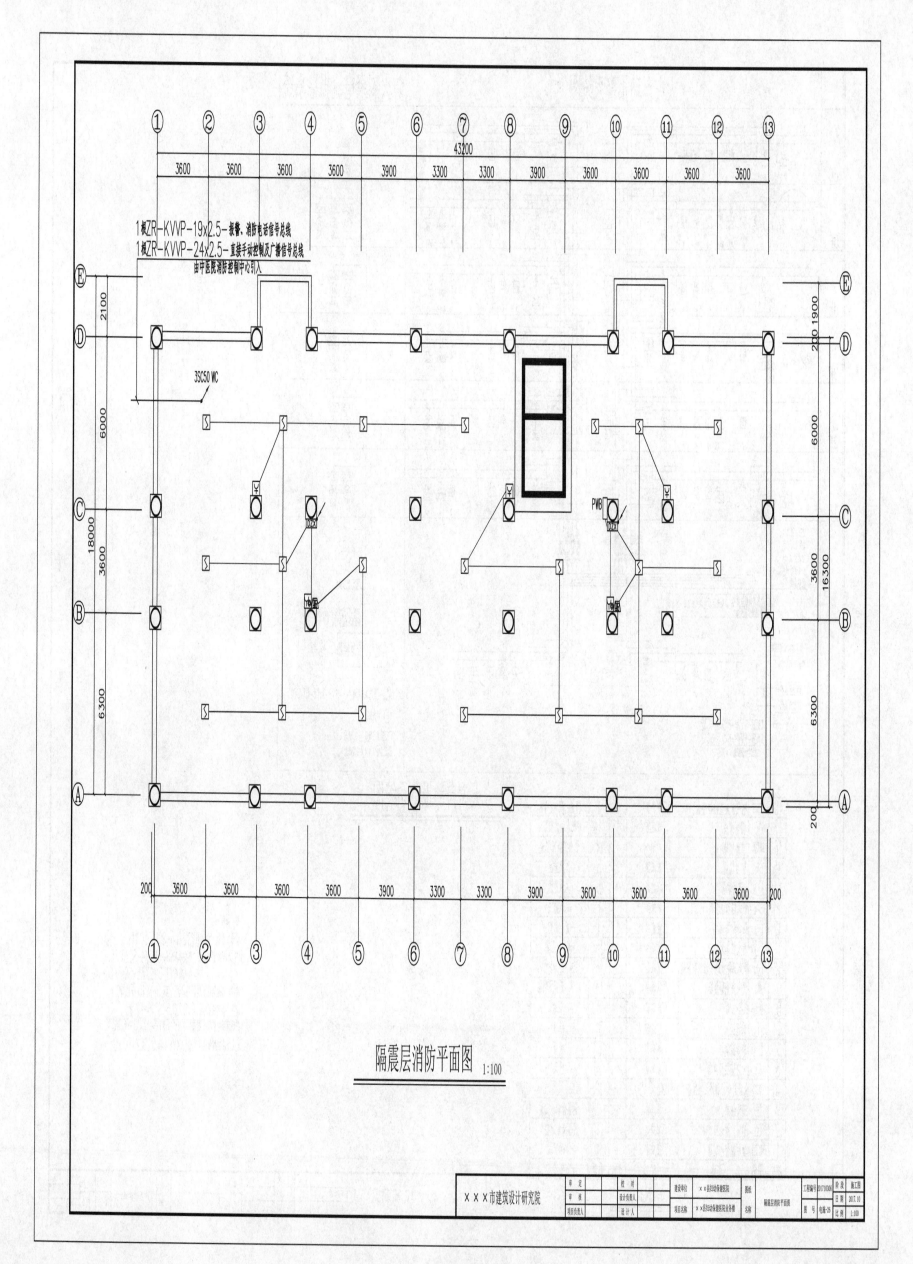

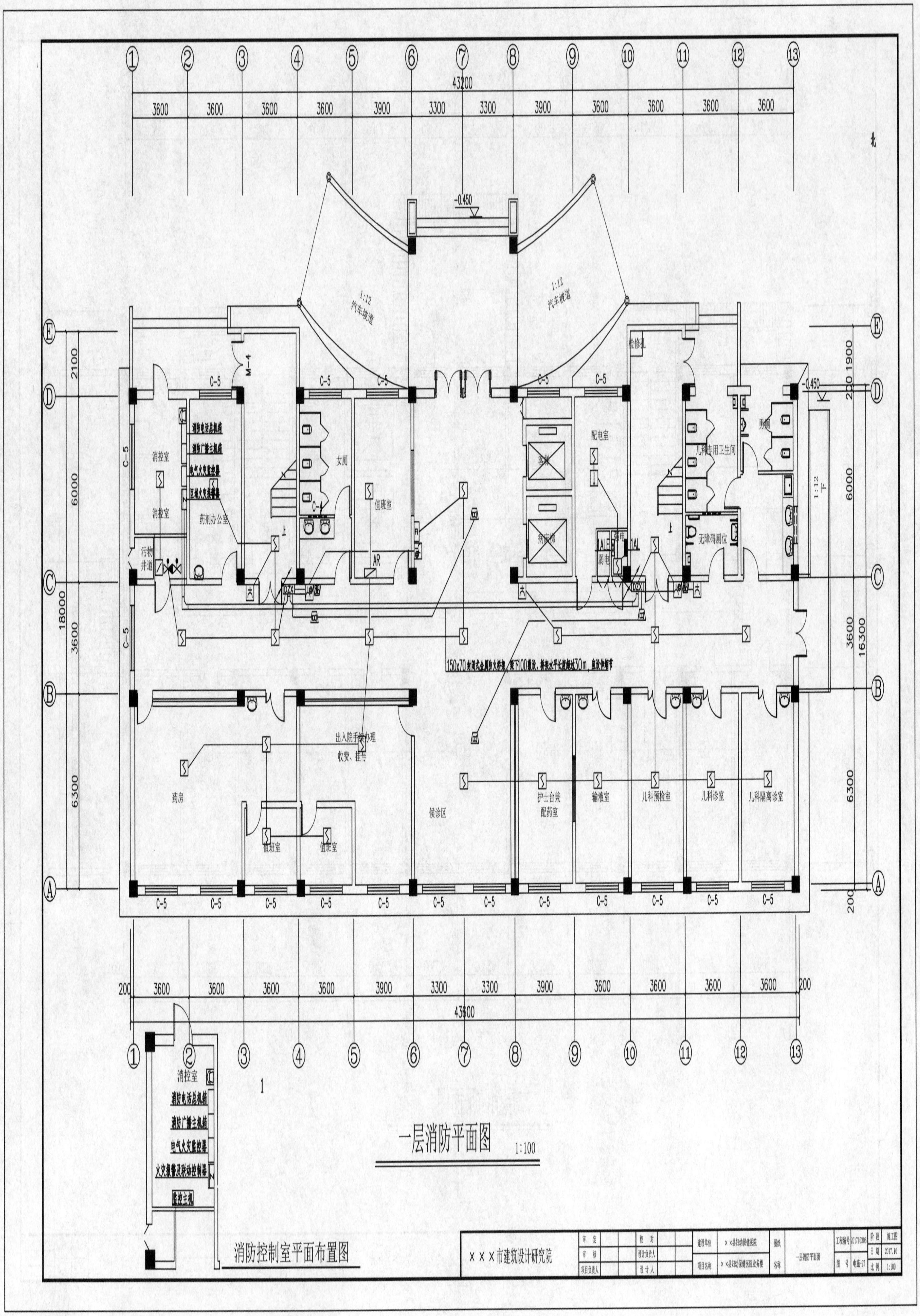

43200
3600
3900
3300
1:12
汽车坡道
-0.450
C-5
M-4
检修孔
消控室
药剂办公室
污物井道
女厕
值班室
AR
客梯
病床梯
配电室
弱电
儿科专用卫生间
无障碍厕位
男厕
150x70封闭式金属防火线槽，梁下100敷设，桥架水平长度超过30m，应设伸缩节
出入院手续办理
收费、挂号
药房
候诊区
护士台兼配药室
输液室
儿科预检室
儿科诊室
儿科隔离诊室
18000
16300
6300
6000
2100
43600
200
消防电话总机
消防广播主机
电气火灾监控器
火灾报警及联动控制器
监控主机
一层消防平面图 1:100
消防控制室平面布置图
X X X市建筑设计研究院

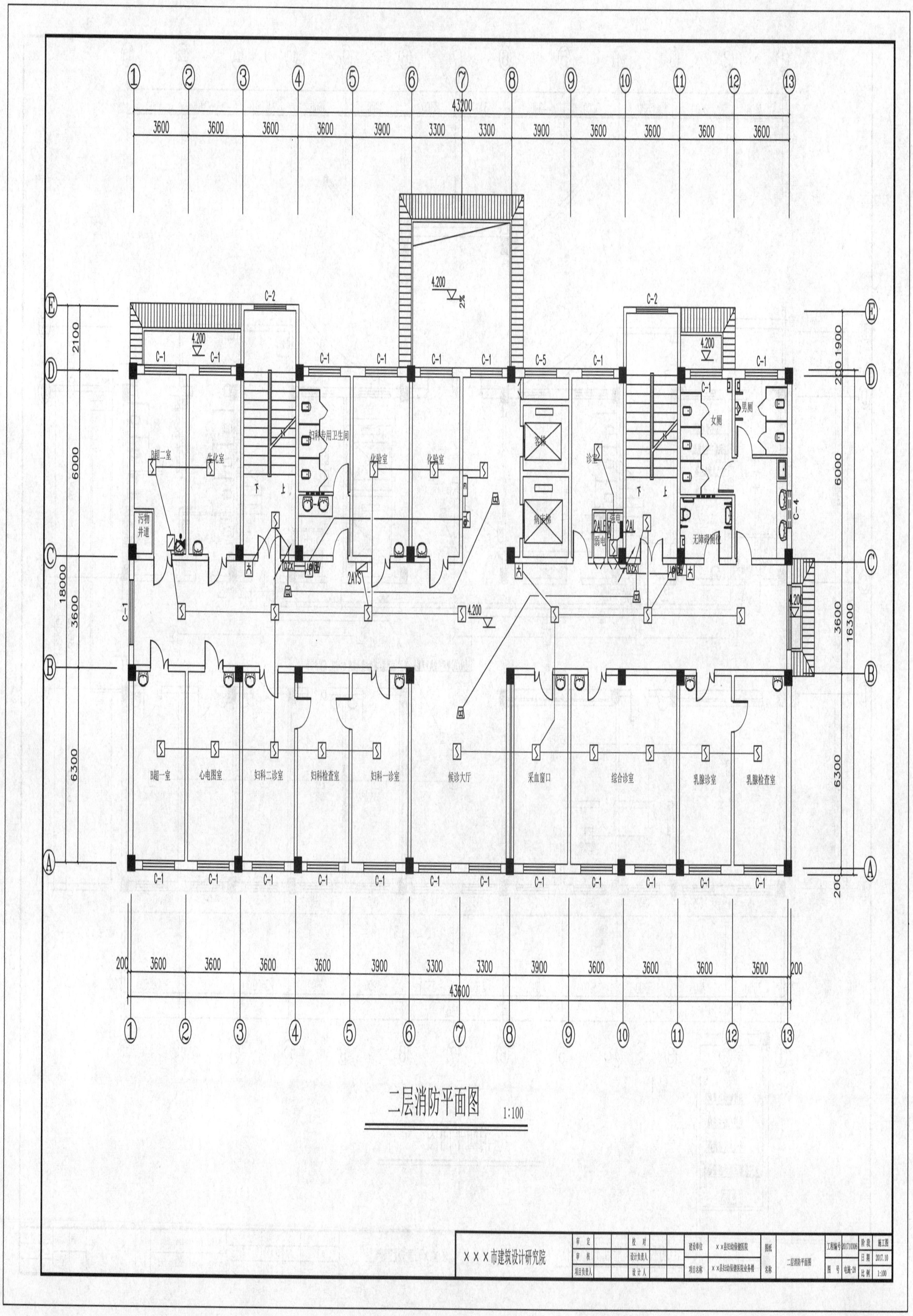

二层消防平面图
1:100
B超二室
B超一室
心电图室
妇科二诊室
妇科检查室
妇科一诊室
候诊大厅
采血窗口
综合诊室
乳腺诊室
乳腺检查室
妇科专用卫生间
化验室
诊室
女厕
男厕
无障碍厕位
污物井道
客梯
病床梯
43200
43600
18000
16300
×××市建筑设计研究院

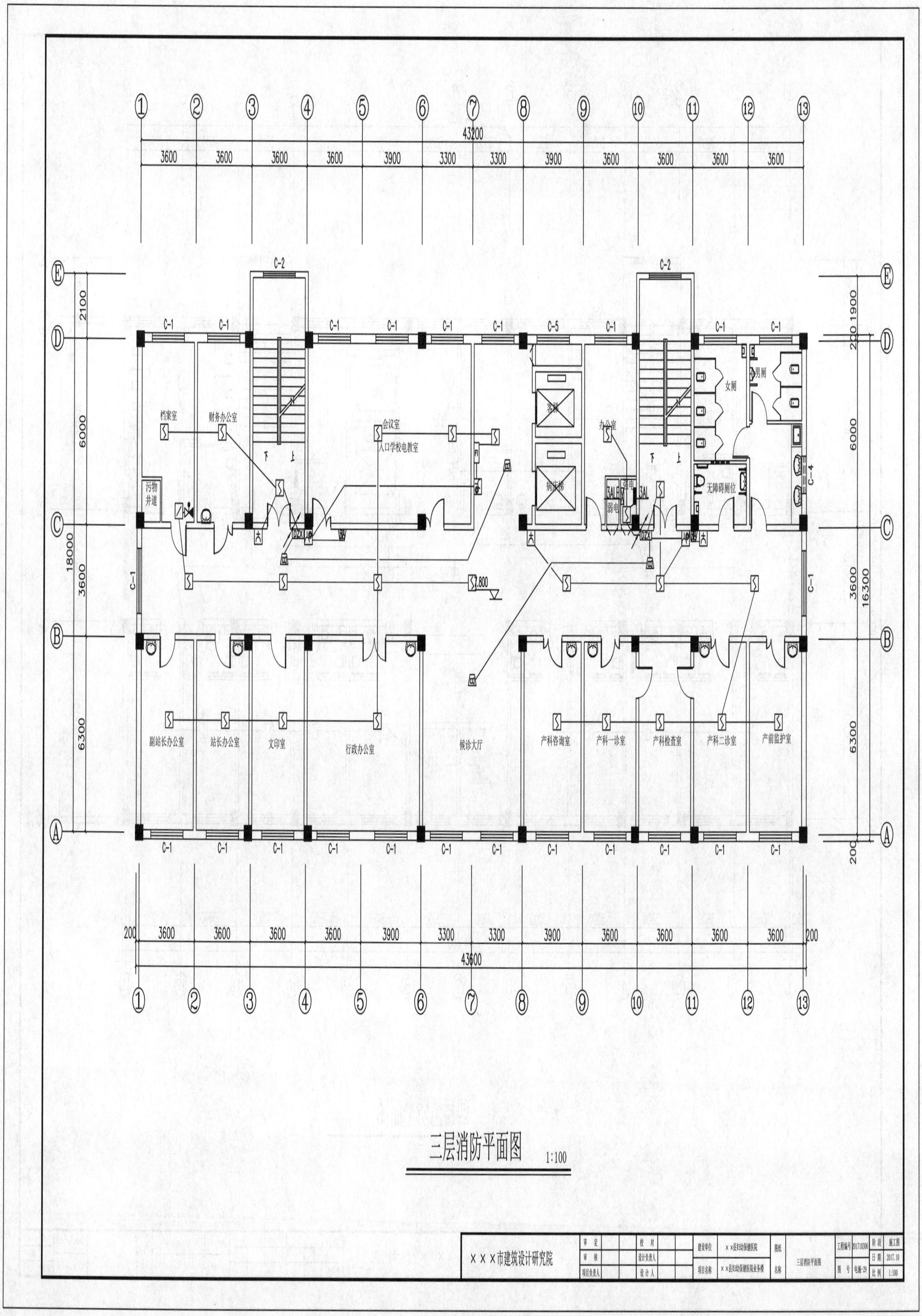
档案室
财务办公室
会议室
人口学校电教室
办公室
女厕
男厕
污物井道
无障碍厕位
客梯
病床梯
副站长办公室
站长办公室
文印室
行政办公室
候诊大厅
产科咨询室
产科一诊室
产科检查室
产科二诊室
产前监护室
43200
43600
18000
16300
三层消防平面图 1:100
×××市建筑设计研究院
审 定
审 核
项目负责人
校 对
设计负责人
设 计 人
建设单位
××县妇幼保健医院
项目名称
××县妇幼保健医院业务楼
图纸名称
三层消防平面图
工程编号 201710306
图 号 电施-29
阶 段 施工图
日 期 2017.10
比 例 1:100

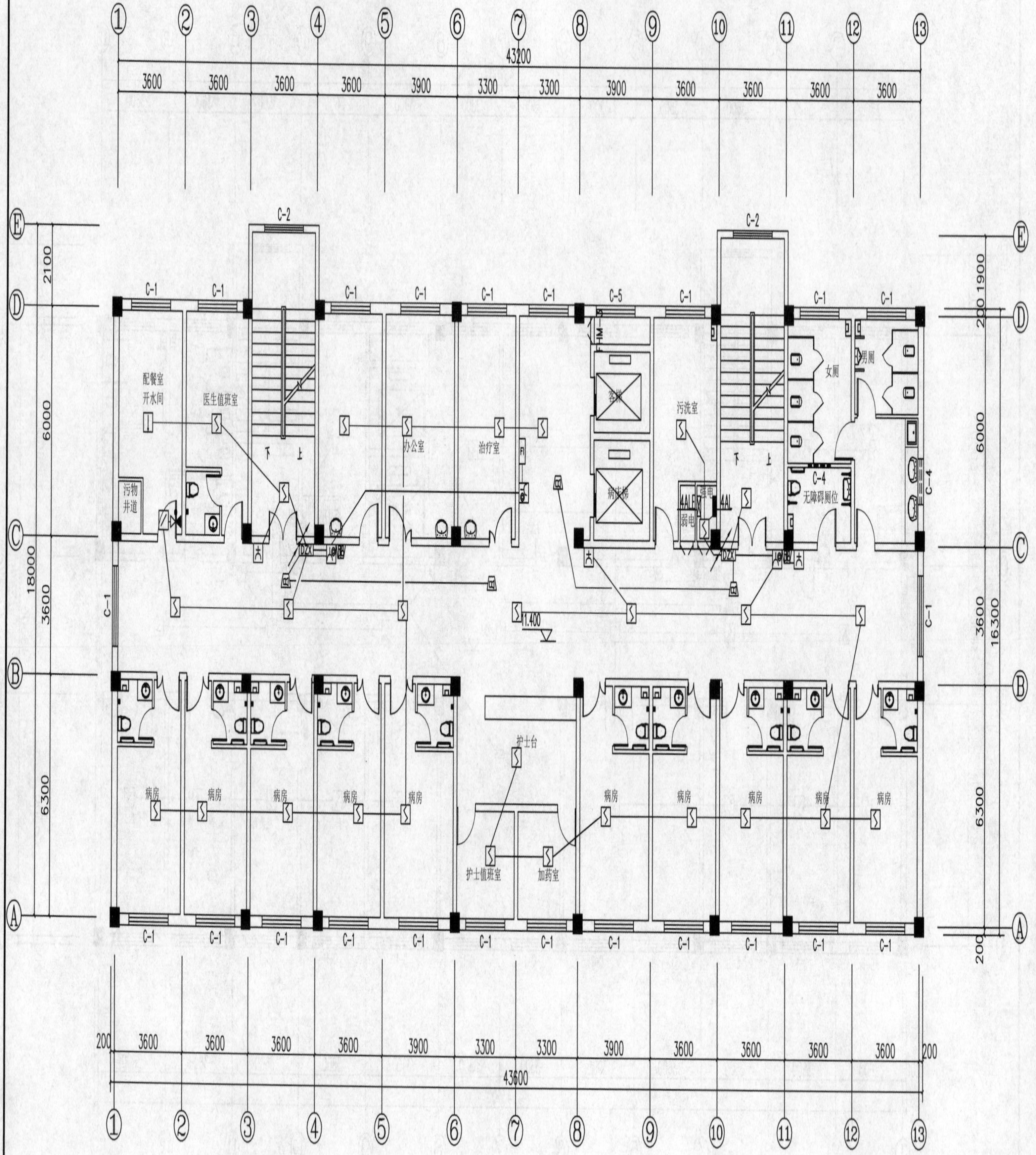

四层消防平面图

1:100

×××市建筑设计研究院	审定		校对		建设单位	××县妇幼保健医院	图纸名称	四层消防平面图	工程编号	201710306	阶段	施工图
	审核		设计负责人								日期	2017.10
	项目负责人		设计人		项目名称	××县妇幼保健医院业务楼			图号	电施-30	比例	1:100

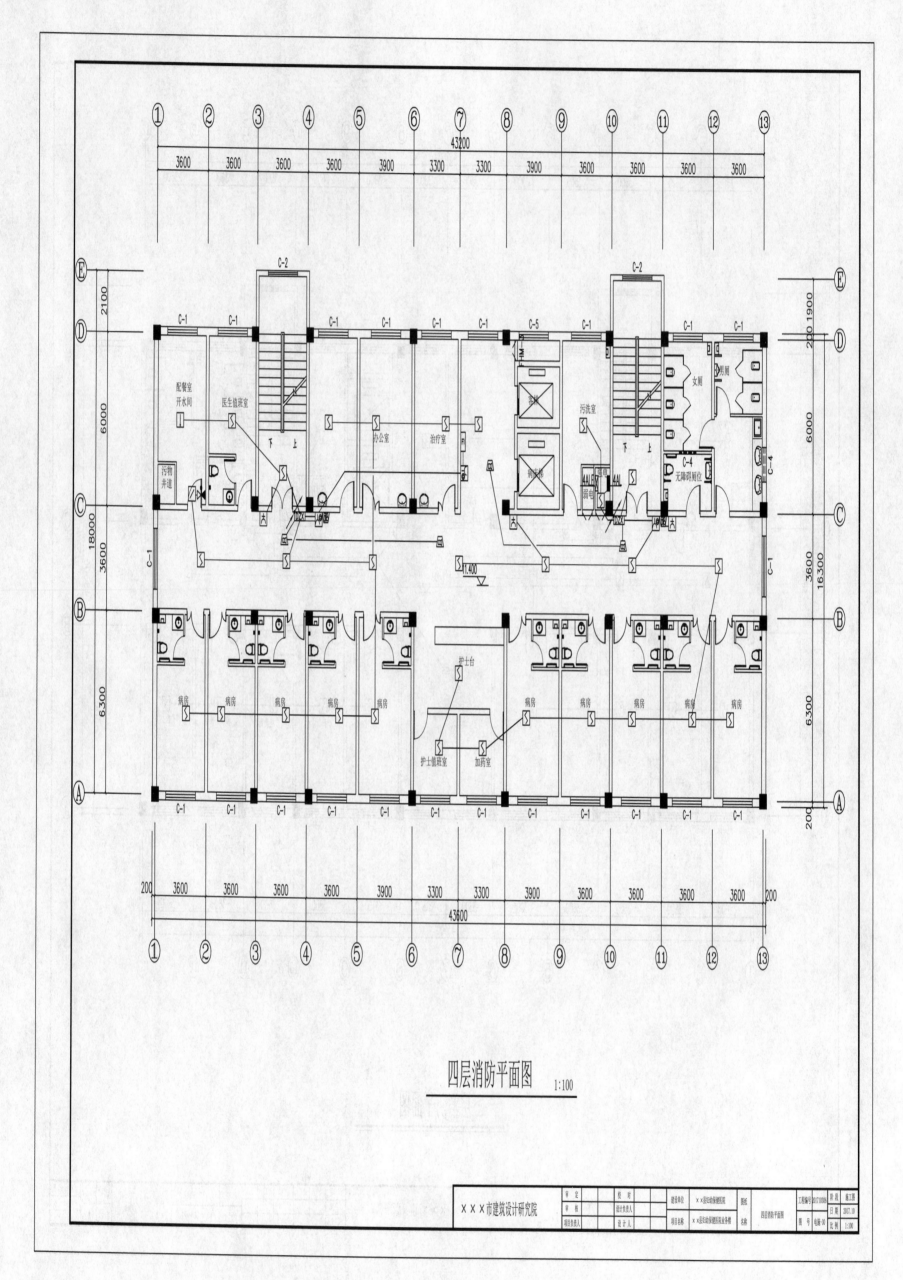

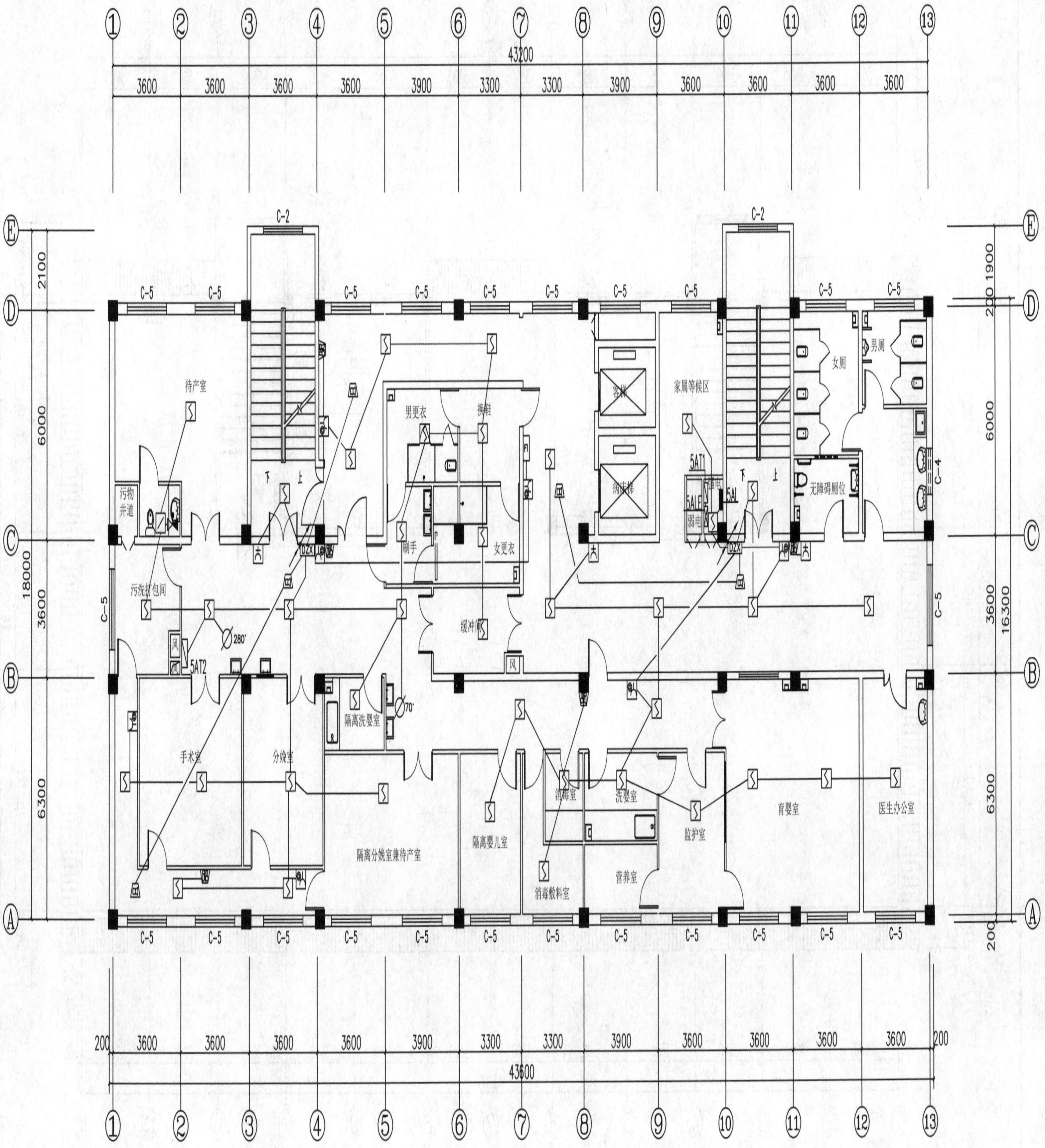

五层消防平面图 1:100

×××市建筑设计研究院

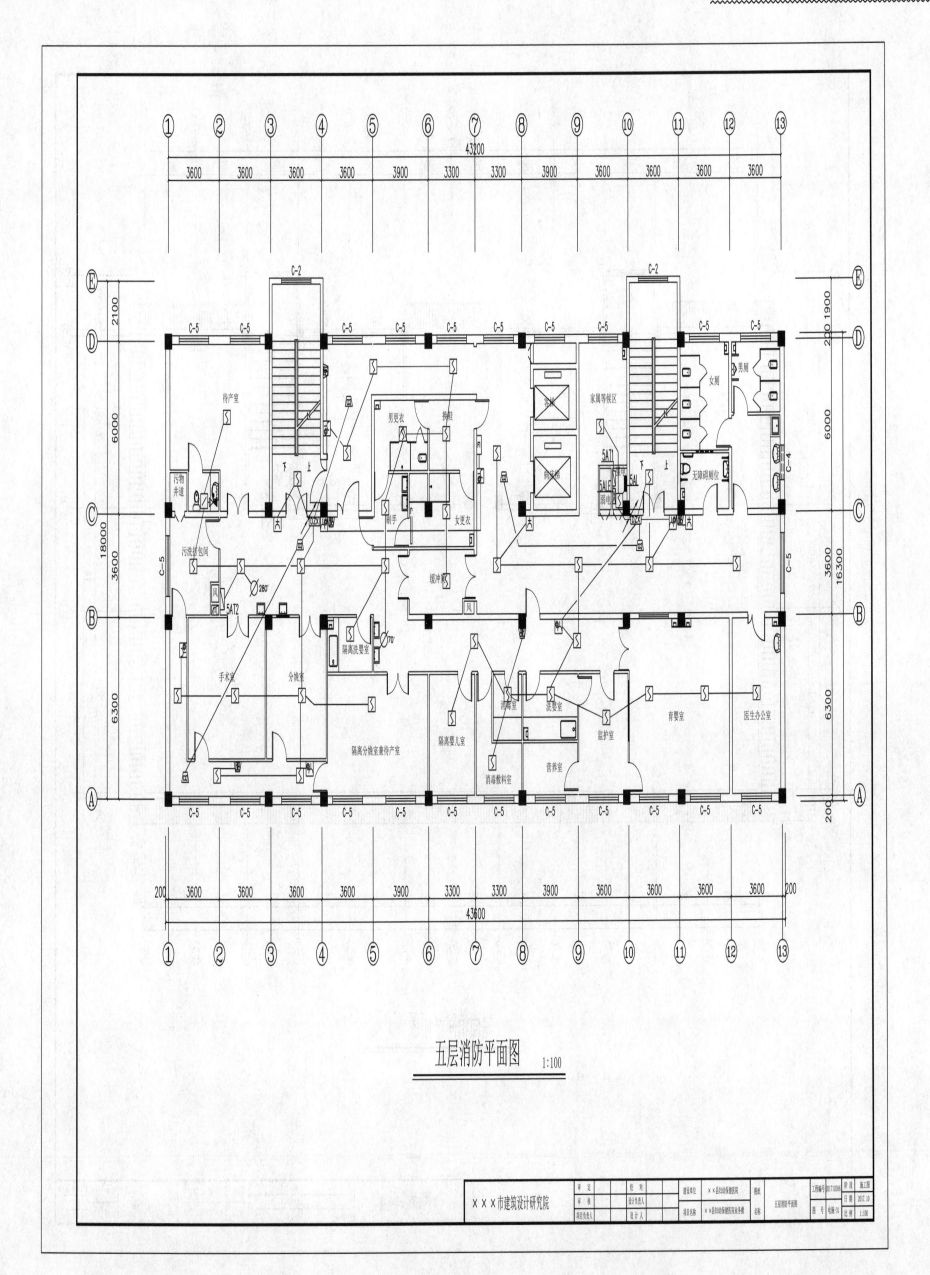

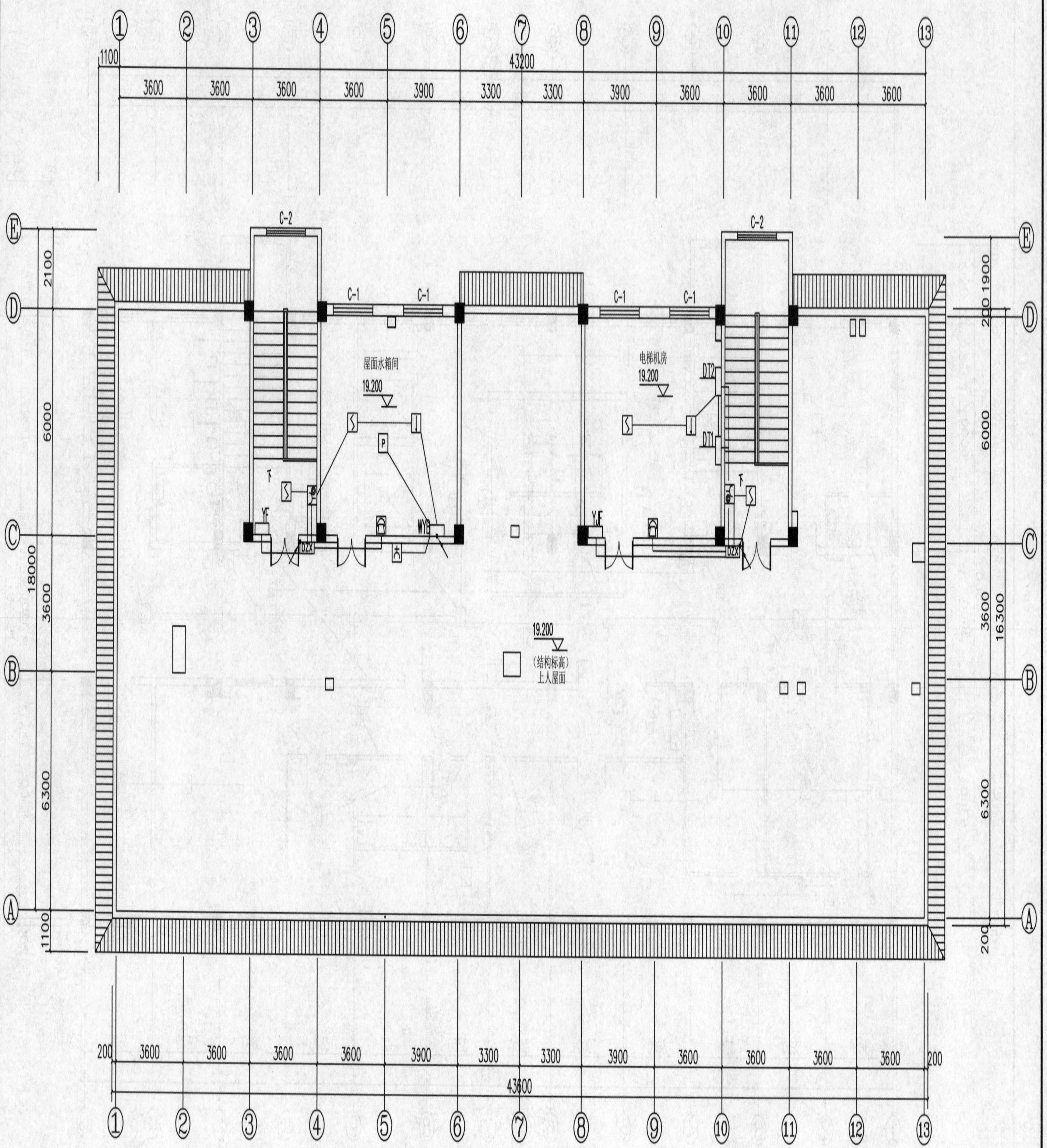

屋面消防平面图 1:100

×××市建筑设计研究院	审定			校对		建设单位	××县妇幼保健医院	图纸名称	屋面消防平面图	工程编号	201710306	阶段	施工图
	审核			设计负责人		项目名称	××县妇幼保健医院业务楼			图号	电施-32	日期	2017.10
	项目负责人			设计人								比例	1:100

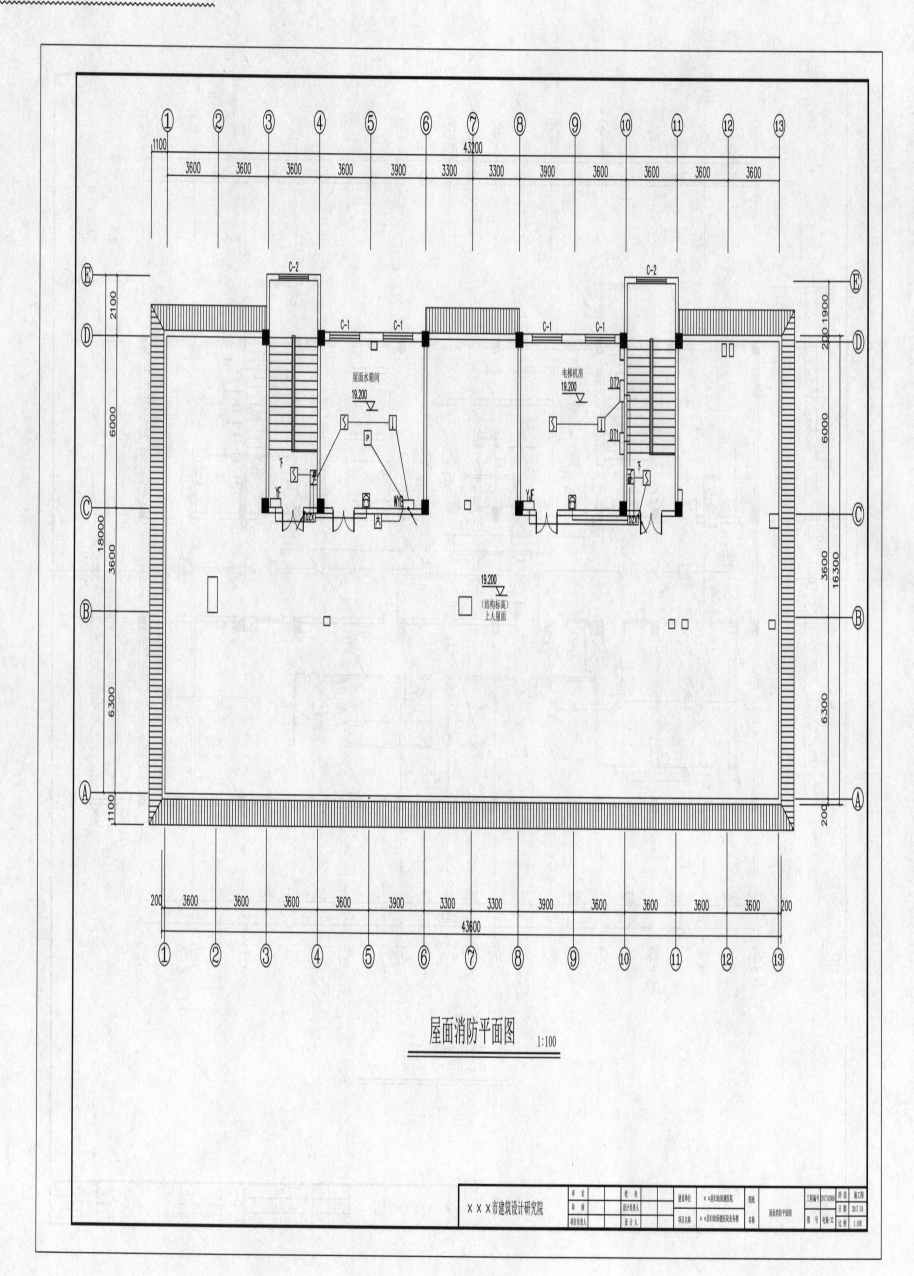